HISTORIA DE LA LITERATURA ESPAÑOLA

TOMO II

JUAN LUIS ALBORG

HISTORIA DE LA LITERATURA ESPAÑOLA

ÉPOCA BARROCA

SEGUNDA EDICIÓN
CON ÍNDICE DE NOMBRES Y OBRAS

EDITORIAL GREDOS
MADRID

6966561

Rot
PQ
6032
.A45
1986
v. 2

© JUAN LUIS ALBORG, 1987.

EDITORIAL GREDOS, S. A.

Sánchez Pacheco, 81, Madrid. España.

Primera edición, abril de 1967.
Segunda edición, junio de 1970.
1.ª Reimpresión, febrero de 1974.
2.ª Reimpresión, septiembre de 1977.
3.ª Reimpresión, diciembre de 1980.
4.ª Reimpresión, marzo de 1983.
5.ª Reimpresión, marzo de 1987.

Depósito Legal: M. 6497-1987.

ISBN 84-249-3128-9.

Impreso en España. Printed in Spain.

Gráficas Cóndor, S. A., Sánchez Pacheco, 81, Madrid, 1987. — 6067.

Al maestro Dámaso Alonso

SIGLO DE ORO

SIGLO XVII

CAPÍTULO I

INTRODUCCIÓN

Si al comienzo de cada una de las épocas o períodos precedentes hemos podido en breves líneas justificar una división o trazar los caracteres del momento, al agrupar los escritores que componen este volumen bajo el epígrafe de *Época barroca* sentimos el temor de muchas objeciones posibles. La denominación es, sin embargo, de uso común y nos servimos de ella por evidentes razones de comodidad, que han de contar con una generosa aportación —por parte del lector— de todo un caudal de conocimientos indispensables; contando con ellos hemos de dispensarnos de entrar aquí en la definición de movimientos o tendencias harto sabidos, pero también de enfrentar la discusión de complejas cuestiones teóricas, que exigirían el ámbito de un largo ensayo. Los problemas promovidos en torno al Barroco durante las últimas décadas son de tal índole y la literatura acumulada sobre ellos alcanza ya tal magnitud, que no ya el comentarlos sino tan sólo el resumirlos con un decoro mínimo precisaría la totalidad de este volumen.

Una mirada de conjunto dirigida a la plenitud del siglo XVII nos proporciona la evidencia de hallarnos en una etapa literaria enteramente distinta de la anterior, pero ya no es tan hacedero delimitar sus orillas. Situar a Cervantes dentro del Barroco puede resultar tan arriesgado como emplazarlo en el Renacimiento; como veremos enseguida, Cervantes realiza —a nuestro juicio— la síntesis genial de ambos períodos, pero no faltan quienes le asignan con exclusividad los caracteres de uno solo de ellos. Pfandl, por ejemplo, afirma que Cervantes no era "nada barroco" [1], mientras que Hatzfeld lo estudia de lleno como a tal [2]. La denominación de "literatura nacional española", aplicada por Pfandl a la de la época barroca, ha hecho fortuna; en líneas generales parece cierto que el siglo XVII supone la completa nacionalización de los temas y di-

[1] Ludwig Pfandl, *Historia de la Literatura Nacional Española en la Edad de Oro*, Barcelona, 1933, pág. 246.

[2] Helmut Hatzfeld, *Estudios sobre el Barroco*, Madrid, 1964 (véanse también sus otros estudios, citados luego).

rectrices alumbrados por el Renacimiento. Pero obsérvese también que, según hemos tratado de explicar en los capítulos correspondientes, la síntesis realizada por nuestros escritores de la segunda mitad del XVI entre Renacimiento y medievalismo, italianismo y poesía popular, paganismo y religiosidad, universalidad y tradición, representa una fusión personalísima, inequívocamente nuestra, que no parece tener menores derechos a ser calificada de "nacional" que la que luego florece durante el Barroco.

Si nos atenemos a las diferencias incuestionables entre ambas épocas, llegaremos a la conclusión de que lo son tan sólo —y no han de faltarnos grandes autoridades en nuestro apoyo— las que afectan a problemas de sola "técnica", es decir, de forma o de estilo, por decirlo con lenguaje tradicional; sencillamente, la sobriedad, equilibrio y mesura del Renacimiento clásico se transforman en las exuberancias estilísticas del Barroco bajo la conocida proliferación de escritores cultistas y conceptistas. Pero también entonces el trazado de límites resulta igualmente problemático y arbitrario. Hemos de ver cómo el cultismo más extremo no es sino el proceso lógico e inevitable y el crecimiento gradual de una tendencia culta provocada y desarrollada por el Renacimiento. Emilio Carilla, que al comentar el peculiar emplazamiento de Cervantes, cede a la más común tendencia de llamar al Barroco "reacción contra el arte renacentista", explica que aquél no rompió abiertamente con las claras líneas clasicistas: "Hay reacciones más conscientes —dice—, más definidas, más *irrespetuosas* que otras: dentro de este tipo debemos colocar el movimiento romántico, mejor perfilado en los planos y sectores. El Barroco, con todas sus innovaciones, fue más *conservador*..." [3]. Como que no fue, en efecto, reacción, sino crecimiento y plenitud de una semilla sembrada y madurada durante todo el siglo precedente; y así son de imprecisas y flúidas —como las de una vida— las distintas etapas de este proceso. El mismo crítico explica a continuación que hasta el estudio de Pfandl no se había visto con toda nitidez y en su fuerte unidad la peculiar fisonomía del Barroco. Efectivamente, durante largo tiempo era el *Siglo de Oro* —dilatado sobre ambas centurias— lo que se veía formando una unidad, de la cual el culteranismo y el conceptismo se estimaban como viciosas excrecencias de última hora. Las modernas investigaciones, que han acotado, analizado y valorado el Barroco como un fenómeno cultural de primer orden, han rebatido aquella tradicional clasificación; pero el que ésta pudiera haber tenido vigencia durante tanto tiempo explica claramente que las fronteras entre los dos siglos y estilos son tan porosas como convencionales; no separan, sino que tienden puentes y vasos innumerables de comunicación.

La literatura sobre el Barroco en cualquiera de sus manifestaciones —abrumadora ya, según hemos dicho— ha profundizado sagazmente en el estudic

[3] Emilio Carilla, "Cervantes, testimonio de épocas artísticas", en *Estudios de literatura española,* Rosario, República Argentina, pág. 124.

de innumerables parcelas, pero quizá debido a su misma juventud y proliferación está muy lejos todavía de llegar a resultados definitivos. Provisionalmente y en apretada síntesis, por tratarse de caracteres sobradamente conocidos y glosados hasta la saciedad, podemos resumir los rasgos más salientes del Barroco en los siguientes puntos:

Sustitución de la severa y serena belleza clásica por un arte acumulativo, que pretende impresionar los sentidos y la imaginación con estímulos poderosos, fuera de lo común. Estos estímulos pueden dirigirse al entendimiento —y se manifiestan en retorcidas agudezas, imágenes brillantes, ideas ingeniosas y todo género de novedades y audacias estilísticas, que constituyen lo que tradicionalmente se viene denominando *cultismo* y *conceptismo*— o pueden apuntar hacia el sentimiento, y entonces se valen de todos los medios capaces de excitar el terror o la compasión, provocar la admiración o la sorpresa, sirviéndose de temas maravillosos, pintorescos, grotescos o monstruosos.

Consecuencia de la anterior condición es la tendencia hacia lo exagerado y desmedido; roto el freno que suponía la autoridad de los modelos y las normas clásicas, el escritor no reconoce obstáculos a su deseo de personal originalidad y se empeña en una porfía de hipérboles.

Violencia dinámica, movimiento, tensión, vehemencia y apresurada sucesión de ideas y de imágenes, que reemplazan la tendencia estática, lógica y ordenada del arte clásico.

Cultivo del contraste, claroscuro (en las artes plásticas), que se manifiesta en lo literario con el enfrentamiento de contrarios, el placer de la antítesis, la contraposición de lo hermoso y lo feo, lo religioso y lo sensual, lo refinado y lo vulgar, lo trágico y lo cómico, lo estilizado y lo grosero.

Artificiosidad, rebuscamiento y afectación, nacidos de la búsqueda de lo raro y original, que conducen a un arte de exquisitas excelencias formales y, consecuentemente, dirigido a las minorías.

La falta de equilibrio en el carácter de los temas y en el empleo de los medios expresivos, servida por el afán de contraste, conduce asimismo a dos resultados contrapuestos: unas veces a la deformación caricaturesca de la realidad, a la que desfigura por el camino de la degradación; otras, a la idealización estilizada, que es capaz de convertir en objeto de refinada elaboración hasta los seres más bajos y vulgares.

Convendría añadir, por lo que puedan aclarar los conceptos sobre el Barroco —aunque no son aplicables sino a las artes plásticas—, alguno de los caracteres fijados por Wölfflin como característicos del Barroco, y que ya se han convertido en definiciones de uso común; a saber:

Sustitución de un arte lineal por el pintoresco; es decir, el objeto no se precisa por medio de la línea y el dibujo sino de la masa y el color, que se encargan de sugerir las formas.

Transición de la superficie a la profundidad y tendencia a superar la perspectiva lineal, producida por planos superpuestos, mediante una sugestión de movimiento que produce a su vez la impresión de profundidad.

Transición de la forma cerrada a la forma abierta; el frontón triangular de los edificios clásico-renacentistas se abre en sus vértices y se enrosca en complicadas volutas.

Transición de la claridad a la oscuridad; es decir, se sustituyen las formas geométricamente definidas, por una ornamentación que difumina los contornos, o los oculta por entero, o los extiende hasta confundirlos con el ambiente, o los retuerce como en el caso de las llamadas columnas *salomónicas.*

Adviértase bien que, si cualquiera de los caracteres dichos puede caracterizar con gran propiedad lo que convenimos en calificar de estilo barroco, no es necesario suponer en cada caso la existencia de los demás; es tan frecuente la reunión de todos o varios de ellos como la presencia de otros cualesquiera que puedan contradecirlos o anularlos; lo más genuino del Barroco —lo mismo que habremos de ver también en su día a propósito del fenómeno romántico— es la existencia siempre amenazante de su antípoda, puesto que nada puede en realidad definir tan justamente lo barroco como esta coexistencia, o fusión o lucha de contrarios, de cuyo equilibrio o enfrentamiento se origina su característica tensión. Así, por ejemplo, si el artificio típicamente barroco puede limitar una determinada tendencia poética a una minoría, podemos ver a su mismo lado cómo la exaltación sentimental o la exuberancia colorista o el cultivo de lo maravilloso conducen a un arte de inequívoca filiación popular.

La más aguda cuestión, probablemente, que ahora habremos de plantearnos, afecta a las razones que pueden explicar la aparición del Barroco, es decir, cómo conduce a él, o se disuelve en él, el período renacentista. Es tendencia muy común relacionar el barroquismo con las condiciones político-sociales españolas del momento, y en especial con la decadencia y descomposición interior que sobreviene en nuestro país a la muerte de Felipe II. Por sobradamente conocidas basta sólo con aludir aquí a dichas circunstancias: empobrecimiento económico y financiero, fracasos políticos y militares, debilitación de los sentimientos patrióticos y religiosos, disgregación interior con la separación definitiva de Portugal y la rebelión de Cataluña, corrupción administrativa, ineptitud de los monarcas que entregan el poder a la codicia y arbitrariedad de los validos, centralización abusiva de la administración, etc. España, que en la centuria precedente había proclamado los ideales de una Monarquía universal como cabeza de la unidad católica, ve hundirse sus propósitos en un total fracaso, afianzada la Reforma en casi todos los países de Europa y arruinada en Westfalia nuestra supremacía militar de casi dos siglos.

Esta decadencia y desconcierto interior en lo que a vida social y política se refiere, puede explicar en buena parte —porque la justificación total nos parece bastante más compleja— la existencia de los fuertes contrastes que siempre han sorprendido a propios y extraños y que confieren esa facies particular a la vida española: galantería y rufianería, miseria y esplendor, derroche y angustia económica, idealismo y picaresca, refinamiento y vulgaridad, afán de placer y exaltación religiosa, total despreocupación por los intereses públicos y desaforado patrioterismo. Tan peregrinas antinomias pueden determinar a su vez muchos aspectos del Barroco en lo que atañe a sus contrastes y atormentada pugna de contrarios, pero sería difícil precisar si provocan una peculiar actitud espiritual frente a las cosas o sirven tan sólo para ofrecerle al escritor —o al pintor— de aquella época la abigarrada y varia gama temática que le distingue.

Se alude siempre al pesimismo y desengaño que, al mismo tiempo, caracteriza de modo tan peculiar la posición moral del escritor barroco; en toda la literatura de la época parece resonar como una voz inacallable la sentencia bíblica del "vanitas vanitatum": se repite hasta el tedio el tema del tiempo fugaz, de las ruinas que fueron soberbios esplendores, de la belleza de la rosa que se marchita en un instante, de la vida considerada como una vana ilusión; "la idea fundamental de *La vida es sueño* —recuerda Pfandl— la repitió Calderón en nueve dramas diferentes"[4]. Tal actitud se supone frecuentemente nacida de la decadencia político-social que hemos resumido. Según tal interpretación es esta decadencia y su consiguiente desequilibrio interior los que provocan el fenómeno barroco con sus peculiares antítesis y su angustiado pesimismo; lo que equivale a decir que el Barroco, considerado en su conjunto, es el resultado de una situación político-social: el escritor condicionado por estas circunstancias, se expresa luego en apropiadas formas literarias —vehículo de su actitud—, que son las del Barroco.

Pero semejante deducción, tan aparentemente lógica, puede ser muy discutible. No parece que el descubrimiento del "vanitas vanitatum" sea una peculiaridad barroca. En otro país cualquiera donde el ilusionado humanismo del Renacimiento hubiera acallado por entero la voz del cristianismo tradicional, cabría admitir mejor que la implantación de los ideales contrarreformistas hicieran retroceder a su vez el optimismo renacentista y reinstalasen la pesimista filosofía religiosa de la caducidad de lo terreno.

Pero en España no fue así. Precisamente la media centuria anterior había presenciado la plenitud y desbordante difusión de la literatura religiosa en todas sus variedades; centenares de místicos y ascetas, de moralistas y predicadores, en auténtica avalancha, habían proclamado en todos los tonos la apariencia engañosa de las cosas y comparado la vida humana a una breve y mentirosa representación teatral. La invención y amplísimo aprovechamiento del realismo tremebundo para excitar los sentimientos piadosos no es obra de los escritores barrocos, sino de los ascéticos del siglo XVI. Ignacio de Loyola, que no es ba-

[4] *Historia...*, cit., pág. 247.

rroco sino contemporáneo del Emperador, se había servido en sus famosos *Ejercicios espirituales* de las más naturalistas descripciones, sobre todo en las penas del infierno, para mover las almas hacia el temor de Dios; y el recurso se hizo imprescindible en toda meditación piadosa. Ese sangriento realismo que se complace sobre todo en las escenas de la Pasión y en los tormentos de los mártires —y que ha permitido a Pfandl hablar con toda propiedad de "crueldad devota" [5]— y que se encarniza en la más desolada pintura de nuestras postrimerías, en el más amargo inventario de las miserias del cuerpo humano, es obra de nuestros escritores religiosos del siglo XVI. Precisamente la época barroca los tuvo apenas, pues la decadencia y casi desaparición de la literatura religiosa es uno de sus rasgos.

Parécenos, pues, que la insistencia en estos motivos de la vanidad de lo terreno y la rosa fugitiva es más bien una pervivencia del siglo anterior. Lo que sucede es que el tema se *seculariza,* por decirlo así; de las páginas de los ascetas había saltado a la escena teatral, a los versos de los poetas y a los lienzos de los pintores. Pero no creemos que esto suponga una intensificación del tema, sino todo lo contrario. Un corral de comedias, con una bella actriz sobre las tablas, no era el lugar más adecuado para meditar en la vanidad de lo terreno, aunque se le invitara al espectador en décimas espléndidas. Los predicadores se quejaban demasiadas veces, y no sólo de oficio, de que el teatro se les llevaba la parroquia, para que no admitamos que decían verdad. El pesimismo, durante el Barroco, se trocaba en teatro y en retórica lírica; era un bello motivo que daba gravedad a muchos parlamentos; se le había absorbido tan intensamente durante toda la centuria anterior, que formaba parte del habla común y hasta de todo pensamiento habitual, aunque quizá no comprometía demasiado las vivencias. Y es posible también que aquel pesimismo retórico que alternaba en las comedias con las mayores desenvolturas, fuera un buen aliado contra el ataque de los moralistas, que no perdonaban medio para echar abajo el teatro [6].

---

[5] Ídem, íd., pág. 243.

[6] La macabra pintura de Valdés Leal, que tantas veces se aduce como símbolo del peculiar pesimismo del siglo XVII español, nos parece un tópico. Páginas innumerables de la literatura religiosa del Quinientos le habían proporcionado cuantos modelos pudiera apetecer, y de los más extremos. El XVII se complacía, sin duda alguna, en la pintura de Magdalenas penitentes, pero las encarnaba en espléndidas mujeres a medio vestir, y la mirada del espectador podía solazarse mucho más en la hermosura del sujeto que en los instrumentos de penitencia de que se le rodeaba. El XVII encontró la manera de convertir en espectáculo deleitoso el pesimismo que el Quinientos había tomado siempre como motivo de grave meditación; esto podría revelarnos mucho de cómo los altos ideales se habían convertido en rutina, en aparato exterior y en convenciones intocables, externamente respetadas pero poco sentidas. Lo verdaderamente peculiar del XVII —a nuestro juicio— en materia de pesimismo y sátira de la realidad ambiente no hay que buscarlo en las truculencias de Valdés Leal ni en los lamentos sobre la rosa efímera (el español se apresuraba a aspirar su aroma antes de que se marchitara), sino en la denuncia de la hi-

Cosa muy diferente sería si se nos dijera que la decadencia y descomposición del país había inspirado una fuerte corriente de literatura política, pesimista y denunciadora de aquella grave realidad. Mas el caso es que no fue así. Se aduce siempre a Quevedo y a Gracián, y también a Saavedra Fajardo; pero parece poco para todo un siglo de desdichas. El pesimismo de Gracián es un problema temperamental, que tiene por blanco mucho más que la realidad presente la consideración intemporal de la tontería y la maldad humana; sus quejas del momento político inmediato son muy reducidas. Saavedra, al considerar los males políticos de su país, se queja mucho más de lo que califica de perfidia y mala voluntad de los enemigos de su patria que de culpas propias; sus censuras a los validos o la mala administración no son cosa mayor. Queda Quevedo; Quevedo tenía clarísima conciencia de la ruina de la nación y de cada una de sus causas y las denunció en la medida que le fue posible, a veces en sólo un verso agazapado en una composición burlesca. Pero ni siquiera su obra toda puede bastar para definir un clima de pesimismo, de alerta y de denuncia.

En cambio, frente a estos chispazos aislados existe un hecho cierto, que quienes suponen al Barroco resultado de la decadencia o de la Contrarreforma no consiguen satisfactoriamente explicar [7]. Cien años de literatura barroca pro-

---

pocresía y la falsificación que tenían atenazada y corrompida la vida del país; ésa es la gloria de Cervantes, y de Quevedo, y de casi toda la picaresca, y de algunos escritores costumbristas, y hasta de muchos autores de entremeses, que entre burlas y zapatetas desenmascaraban la farsa de muchas actitudes. Pero toda esta sátira —indudable y magnífica— no producía una "ideología", sino tan sólo una secuencia moral de escepticismo.

[7] El hecho de que la mayor decadencia interna coincida con el momento más espléndido de nuestras letras y nuestras artes ha sorprendido siempre a todo observador, pero no parece que ha recibido hasta el momento justificaciones convincentes; entre otras muchas, es ésta una objeción muy grave contra quienes suponen al Barroco provocado fundamentalmente por decadencias o corrientes religiosas. Otro aspecto debe ser mencionado además. El Barroco, aunque sea un fenómeno de particular intensidad en nuestro suelo porque encontraba tierra abonada —como tantas veces se ha dicho— en las tradicionales condiciones del espíritu y el arte español, se extiende también, con mayor o menor pujanza, por casi toda Europa, hasta en países cuyas circunstancias históricas eran enteramente distintas de las nuestras. La existencia incluso de un Barroco francés —discutido, pero admitido ya— (véase luego la bibliografía), o de Barrocos protestantes (Holanda, Alemania, Inglaterra), resta mucha autoridad a la argumentación a que venimos aludiendo. El propio Hatzfeld enumera las distintas manifestaciones del Barroco europeo, llegando a la conclusión de que fue un fenómeno general; cierto que lo supone producido precisamente por la difusión del influjo español: "Nosotros creemos —dice— que el barroco existe ciertamente como movimiento literario europeo, y que es el influjo que el espíritu y estilo españoles ejercieron en todas partes, suplantando el carácter italiano y clásico-antiguo de la literatura europea del siglo XVI" ("El predominio del espíritu español en la literatura europea del siglo XVII", en *Revista de Filología Hispánica,* III, 1941, págs. 9-23; la cita es de la página 10). Pero, aun admitida esta hipótesis, no es menos cierto que países sin decadencia ni Contrarreforma podían absorber a la perfección todo género de barroquismo, literario o plástico.

dujeron un volumen de teatro y espectáculo escénico superior a todo el resto de nuestra historia. El escaso número de sus obras portadoras de ideas transcendentes o de temas profundos equivoca a muchos acerca del carácter de esta dramática; pero es preciso aclarar —admitiendo el riesgo de tan categórica afirmación— que la inmensa mayoría de aquélla nació para diversión de un pueblo hambriento de espectáculo y de placeres, para calmar la impaciencia de los mosqueteros, como tenía que decir Lope. Asombra la casi absoluta ausencia de alusiones a los angustiosos problemas del país en toda aquella inabarcable producción de casi un siglo, atenta sólo a tramar conflictos novelescos que encandilasen la atención del espectador; cuando se alude a motivos patrióticos es sólo para lanzar orgullosas jactancias que no parecen tener noción de la realidad que les acecha.

La literatura española del siglo XVII podría, a nuestro entender, considerarse un resultado de las condiciones políticas y sociales si hubiera llevado a cabo lo contrario de lo que sucedió, es decir: sobreponerse, y estrangular incluso, a toda aquella enorme eclosión de literatura frívola e imponer un tono de didactismo y de severidad prosaica, como había de hacer —no importa ahora con qué calidad y tono— el siglo XVIII.

Sería vano —y nada más lejos de nuestra intención, que quisiéramos fuera bien entendida— negar los mil posibles influjos que las circunstancias del seiscientos ejercieron sobre el arte literario en cualquiera de sus manifestaciones; pensar lo contrario sería una necedad. Lo que queremos decir es que eso que llamamos literatura barroca —teatro, lírica, prosa barroca— es, en sus líneas esenciales, un hecho literario. No conseguimos comprender cómo la decadencia o la Contrarreforma pueden explicar el *Polifemo* o la poesía cultista en general o el conceptismo de la prosa de Gracián, porque lo que hace a éste barroco no es lo que dice, sino su estilo [8].

Sabemos bien que una multitud de investigadores no acepta este diagnóstico, y supone que lo barroco literario no sólo afecta sustancialmente a los problemas de expresión, sino que comporta toda una actitud peculiar, "una *forma mentis*, una concepción del mundo"; pero deseamos decir, sencillamente, que esta interpretación no es la nuestra, aunque no podamos aquí dar a nuestras razones otros apoyos que las leves ideas sugeridas. Alejandro Cioranescu, profundo investigador del Barroco, nos resume muy ventajosamente la posición que defendemos —que es contraria a la suya y que intenta luego rebatir, explicando en qué podría consistir aquella *forma mentis*—, y podemos servirnos de sus mismas palabras: "Lo que hasta ahora ha llamado más la atención en

[8] En su momento oportuno habremos de ver cómo los dos grandes conceptistas, Quevedo y Gracián, se ejercitan en lo que alguien ha calificado con gran propiedad de "furor ingenii": un deseo desaforado de ostentar ingenio, una "voluntad de estilo" que muy frecuentemente se sobrepone a todo propósito de doctrina y busca su sola complacencia en el deleite de la dificultad; en la que cifra también su superioridad y su orgullo.

el Barroco literario —dice—, es sin duda la tendencia innovadora de su estilística, la abundancia de las metáforas exageradas, de sus frecuentes hipérboles y conceptos, sus contrastes perseguidos hasta obtenerse el total agotamiento de los efectos posibles, una lengua atormentada y artificiosa, que pretende huir de la propiedad del lenguaje común, por medio de mil refinamientos retóricos... Esta explicación se funda, en la mayoría de los casos, en la necesidad, evidente para los escritores que venían después del Renacimiento, de hacer, en sus obras, otra cosa que los que les habían precedido, es decir, en el natural deseo de novedad y de originalidad. Los poetas, como los artistas plásticos, volvían a repetir temas e ideas conocidos de siempre y dichos ya mil veces, antes de ellos. Para evitar la monotonía, debían buscar el medio de crear la ilusión de una novedad. El problema del poeta barroco es el de cómo *'atraer la atención del lector, del lector de principios del siglo XVII, ya hastiado de la repetición de los mismos tópicos. Ésta es la razón secreta de la poesía de Góngora y de todo el arte barroco'* "[9]. La cita, hecha por Cioranescu, de unas palabras de Dámaso Alonso —son las subrayadas—, nos evita a nosotros hacerla, pero son ellas las que resumen nuestra interpretación[10].

Dijimos en cierta ocasión, con el punzante temor de formular intuitivamente un juicio demasiado absoluto, que ninguna época literaria había vivido, en su conjunto —aceptamos las muy notables excepciones— tan alejada, o ajena, a la realidad envolvente como el Barroco; pero muchas lecturas posteriores nos han acallado el temor. Entre las muy notables que han venido en nuestro socorro podemos seleccionar estas palabras de Américo Castro, que definen inequívocamente la época que nos ocupa como un fenómeno caracterizadamente estético: "Una dificultad para caracterizar lo barroco viene de que tras ese tipo de estilo —por lo demás multiforme— no percibimos un bloque de cultura fácilmente caracterizable, esencialmente articulado con aquél, un sistema de ideas o de formas de vida, según acontece dentro de esas moles de la civilización europea que se llaman lo gótico, lo renacentista, lo neoclásico o lo romántico. ¿Hay acaso un pensar delimitadamente barroco, una filosofía barroca? ¿No renuncia lo barroco a sus modos de ser cuando interviene la razón, que es secuencia y es límite? El hombre medio encuentra difícil, por otra parte, imaginar fuera de la plástica temas ejemplares de barroquismo"[11] (nosotros añadiríamos también "fuera de la literatura", pues creemos que es evidente la intención de Castro —vamos a verlo enseguida— de referirse a todo el conjunto de fenómenos estéticos). Dice casi inmediatamente: "Hasta las personas de

[9] Alejandro Cioranescu, *El Barroco o el descubrimiento del drama,* Universidad de la Laguna, 1957, pág. 370.

[10] Las palabras de Dámaso Alonso pertenecen a *La lengua poética de Góngora,* Madrid, 1935, pág. 33.

[11] Américo Castro, "Las complicaciones del arte barroco", en *Semblanzas y estudios españoles,* Princeton, N. J., 1956, págs. 386-387.

más leve cultura usan expresiones como 'un hombre del Renacimiento'; se sabe o se sospecha que eso quiere decir que los hombres de aquel ciclo de civilización aspiraban a dominar el universo, poseían curiosidad y aptitudes múltiples, junto con una vitalidad de tono aristocrático, que se alía con las audacias de la razón o con el placer de los sentidos. El barroquismo, por el contrario, apenas sugiere nada que no sea plástico, inmediatamente al menos" [12]. Y añade más abajo: "Cuando se emprenda una historia ágilmente articulada de dicho arte habrán de distinguirse dos momentos dentro de aquel afán expresivo; en el primero, la forma de expresión no pretende alejarse del objeto que la integra; en el segundo, la forma expresada, el estilo, incita a huir del objeto presente y a pensar en algo nuevo y distinto, hasta el punto de hacer perder de vista el punto inicial, de partida (la columna *se salomoniza*, la metáfora adquiere vida propia)" [13]. O lo que es lo mismo: la literatura vive de sí misma [14].

Cioranescu, a seguido de las palabras antes citadas, emprende la exposición de sus ideas, comenzando por afirmar que no le satisface la sola explicación del barroco como fenómeno de estilo, porque no encuentra razones suficientes que justifiquen su advenimiento como reacción contra el clasicismo anterior, todavía —dice— no agotado entonces entre nosotros. Pero el error está precisamente en estimar como reacción lo que no es sino proceso y desarrollo de lo que antecede; a propósito de Góngora podremos verlo con toda claridad. La lírica del XVII molió, literalmente, el mismo mundo poético de ideas y motivos que había colmado la lírica del quinientos. Los temas nuevos que el siglo XVII incorpora son prácticamente inexistentes. Podría aducirse, aparentemente, en contrario, la ascensión del mundo bajo y soez a la dignidad artística, llevada a cabo por Quevedo, y por el mismo Góngora; pero aun en ello, el motivo venía dado en el siglo XVI, y lo que aquéllos aportan es la intensificación, la multiplicada violencia del procedimiento.

---

12 Ídem, íd., pág. 387.

13 Ídem, íd., pág. 390.

14 El propio Américo Castro, en otro pasaje del estudio citado, y a propósito esta vez de las artes plásticas, menciona un hecho que explica la tendencia hacia lo barroco como un puro afán de novedad, una imperiosa necesidad de variar estímulos, sentida ya muy adentro del siglo XVI; dice así: "La escultura ha sentido antes que las otras artes la urgencia de agitar y agigantar sus bultos; lo que en la poesía es en la primera mitad del siglo acento e insistencia, en la escultura es estiramiento, sacudida. De este modo, lo que luego, muy tarde, ha de llamarse barroquismo asoma antes que en otra parte en la escultura, sin conciencia alguna de ser un estilo peculiar (esto es muy importante), como mera necesidad expresiva, suscitada por el torrente de pensar y de sentir nuevos que cruza el momento quinientista. Ya en 1543 encuentro en el coro de San Marcos, de León, una serie de figuras de patetismo y movilidad inquietantes. Su autor, Guillermo Doncel o quienquiera que fuese, ha inscrito allí, como lema de la admirable creación, una frase que juzgo esencial para lo que vengo diciendo: *Omnia nova placent* (todo lo nuevo causa placer). Se tiene conciencia de la novedad, y se aperciben modos nuevos para darlos a la luz y a la vida" ("Las complicaciones...", cit., págs. 388-389).

Lope, que contagió su lírica de barroquismo en más de una ocasión, mantuvo una constante de fresca espontaneidad en el torrente de su dramática, porque todo en sus manos era entonces una invención maravillosa: mundo nuevo que saltaba a las tablas desde el venero de su genialidad. Mas cuando la nueva generación, que compone el segundo ciclo dramático, llegó a la escena y se encontró exprimidos todos los temas y modalidades posibles, se vio en la precisión de *barroquizar*, de retomar los viejos asuntos gastados y someterlos al tratamiento de las nuevas técnicas barrocas. El barroquismo —creemos que éste es un hecho muy revelador— no se apoderó del teatro mientras fue relativamente fácil incorporar a la *comedia* mundos inéditos.

El aislamiento intelectual de España durante el siglo XVII, tantas veces comentado y que no parece pueda ponerse en duda, explica perfectamente la excepcional vigencia de la literatura barroca; no había ideas nuevas que exigieran un modo nuevo y eficaz de expresión, y sólo era posible aderezar con nuevas salsas los viejos manjares. Una distinta sensibilidad y una auténtica renovación de pensamiento, de problemas, de preocupaciones, hubieran hallado un nuevo estilo; otra vez hemos de aludir a lo sucedido después durante el siglo XVIII. Pero el XVII continuaba, resumía, epilogaba un mundo de problemas que llevaban dos siglos de vigencia. Saavedra Fajardo, que algunos —equivocadamente y leyendo la historia del revés, como dice un comentarista— han supuesto un innovador, venía a compendiar el pensamiento político de dos centurias. Asombra la casi inexistencia de problemas o temas nuevos que lleva al teatro la dramática barroca; quizá tan sólo —¡y es tan tenue!— el discutible *feminismo* de Rojas. Por esto mismo es altamente revelador el hecho de que los actuales exégetas del teatro Barroco hayan insistido casi exclusivamente, para investigarlo y revalorizarlo, en problemas de construcción, es decir, de técnica, y bellezas formales, metáforas, inéditos aciertos expresivos; no nos han descubierto apenas la existencia de ninguna renovación esencial que afecte a capas profundas del espíritu.

El Barroco —perdónesenos de nuevo la excesiva simplificación de estas urgentes generalizaciones— es *literatura*. Una literatura, sin embargo, de excepcional calidad, que, con su buena porción de impurezas y excesos, produce obras de incomparable belleza en todos los géneros literarios. Hay un lugar aparte para Cervantes, que atesora en sus páginas filones de sensibilidad, de pensamiento y hondura humana que aún parecen inagotables; pero ya hemos visto cuán aventurado resulta calificar a Cervantes de barroco, no obstante nuestra inclusión, puramente convencional, en este volumen [15].

---

[15] Sólo unos pocos títulos, entre la caudalosa literatura producida en todos los países sobre el Barroco, nos es posible recoger aquí, además de los arriba mencionados: Benedetto Croce, *Storia dell'età barocca in Italia. Pensiero, poesia e letteratura; vita morale*, Bari, 1929; 2.ª ed., Bari, 1946. Antoine Adam, "Baroque et préciosité", en *Revue des Sciences Humaines*, diciembre 1929, págs. 208-223. G. Zonta, "Rinascimento, aristotelismo e Barocco", en *Giornale storico della letteratura italiana*, CIV, 1934, págs. 1-63 y

Las dos tendencias extremas —cultismo y conceptismo— de que se habla inevitablemente como formas expresivas del Barroco, pertenecen a los más elementales conocimientos de técnica literaria y no parece que sea necesario definirlos aquí. Debe advertirse, sin embargo, que su tradicional oposición o antí-

---

185-240. Eugenio d'Ors, *El Barroco,* Madrid (varias ediciones). J. Mark, "The uses of the term baroque", en *Modern Language Review,* XXXIII, 1938, págs. 547-563. Guillermo Díaz-Plaja, *El espíritu del Barroco (Tres interpretaciones),* Barcelona, 1940. Pierre Kohler, "Le classicisme français et le problème du baroque", en *Lettres de France,* Lausana, 1943, págs. 49-138. María Luisa Caturla, "Flamígero y barroco", en *Revista de Ideas Estéticas,* I, 1943, págs. 13-20. Leo Spitzer, "El barroco español", en *Boletín del Instituto de Investigaciones Históricas,* Buenos Aires, XXVIII, 1943-1944, págs. 12-30. G. Marzot, *L'ingegno e il genio del Seicento,* Florencia, 1944. Gonzague de Reynold, *Le XVe siècle. Le classique et le baroque,* Montreal, 1944. Francisco Maldonado de Guevara, "El período trentino y la teoría de los estilos", en *Revista de Ideas Estéticas,* III, 1945, págs. 473-494 y IV, 1946, págs. 65-95. René Wellek, "The concept of Baroque in literary scholarship", en *Journal of Aesthetics and Art Criticism,* V, 1946, págs. 77-109. Emilio Orozco Díaz, *Temas del barroco (De poesía y pintura),* Granada, 1947. Del mismo, *Lección permanente del barroco español,* Madrid, 1952. Del mismo, "La literatura religiosa y el Barroco (En torno al estilo de nuestros escritores místicos y ascéticos)", en *Revista de la Universidad de Madrid,* XI, 1962, núm. 42-43, págs. 411-474. E. Lafuente Ferrari, "La interpretación del Barroco y sus valores españoles", prólogo a la traducción española de *El Barroco, arte de la Contrarreforma,* de Werner Weisbach, Madrid, 1948, Carl J. Friederich, *The Age of the Baroque,* trad. inglesa, Nueva York, 1948. Marcel Raymond, "Du baroquisme et de la littérature en France au XVIe et XVIIe siècles", en el volumen colectivo *La profondeur et le rythme,* París, 1948. Helmut Hatzfeld, "A critical survey of the recent Baroque Theories", en *Boletín del Instituto Caro y Cuervo,* Bogotá, IV, 1948, páginas 461-491. Del mismo, "A clarification of the Baroque problem in the romance literatures", en *Comparative Literature,* I, 1949, págs. 113-139. Del mismo, "Mis aportaciones a la elucidación de la literatura barroca", en *Revista de la Universidad de Madrid,* XI, 1962, núm. 42-43, págs. 349-372. Carlo Calcaterra, "Il problema del Barocco", en *Questioni e correnti di storia letteraria,* Milán, 1949, págs. 405-501. L. Monguió, "Contribución a la cronología de 'Barroco' y 'Barroquismo' en España", en *PMLA,* LXIV, 1949, págs. 1227-1231. Fernand Desonay, "Baroque et baroquisme", en *Bibliothèque d'Humanisme et Renaissance,* XI, 1949, págs. 248-259. Václav Cerny, "Les origines européennes des études baroquistes", en *Revue de Littérature Comparée,* XXIV, 1950, págs. 25-45. Sister Mary Julia Maggioni, *The Pensées of Pascal. A Study in baroque style,* Washington, 1950. Afrânio Coutinho, *Aspectos da literatura barroca,* Río de Janeiro, 1950. Stephen Gilman, "An Introduction to the Ideology of the Baroque in Spain", en *Symposium,* Syracuse, I y II, 1946. Del mismo, "La génesis de los estilos barrocos", en su libro *Cervantes y Avellaneda,* México, 1951. Charles Dedeyan, *Position littéraire du baroque,* Tübingen, 1951. E. B. O. Borgerhoff, "Mannerism and baroque. A simple plea", en *Comparative literature,* V, 1953, págs. 323-331. Odette de Mourges, "*Metaphysical, Baroque and Precieux Poetry*", Oxford, 1953. Franco Simone, "Attualità della disputa sulla poesia francesa dell'età barocca", en *Messana,* II, 1953, págs. 3-12. Del mismo, "I contributi europei all'identificazione del barocco francese", en *Comparative literature,* VI, 1954, págs. 1-25. S. Lupi, "Barocco, problema aperto", en *Convivium,* 1954, págs. 235-242. Lowry Nelson, "Góngora and Milton: toward a definition of the Baroque", en *Comparative literature,* VI,

tesis está hoy en entredicho; sus puntos de contacto, y aun sus coincidencias, son muy numerosas, y los tradicionales conceptos sobre esta materia están en estos momentos sujetos a revisión. El conceptismo, menos estudiado en su esencia y desarrollo que el cultismo, espera todavía una sistematización rigurosa que permita llegar a conclusiones decisivas. Pero, de todos modos, es ya muy claro el rumbo de las actuales investigaciones. Aunque se trata, probablemente de una posición un tanto extrema, nos parece del mayor interés el análisis de Alexander A. Parker, cuya orientación queda sintetizada en las líneas siguientes: "El culteranismo —dice— me parece ser un refinamiento del conceptismo, injiriendo en él la tradición latinizante. El conceptismo es la base del gongorismo; más todavía, es la base de todo el estilo barroco europeo. La verdadera relación entre el barroco literario español y el inglés no ha de buscarse, como tantas veces se ha dicho, en el estilo hinchado de los *eufuistas*, sino en los poetas *metafísicos*, los cuales, siendo conceptistas por excelencia, hubieran entusiasmado a Gracián. El conceptismo, pues, es el fenómeno primario en el estilo literario del barroco" [16].

Hatzfeld, años hace, había ya rozado ligeramente el tema de la relación de los poetas metafísicos ingleses con el barroco español, pero refiriéndose más a la posible comunidad de ideas místico-religiosas que a semejanzas formales [17]. También Menéndez Pidal, al comentar en breves páginas los caracteres de conceptistas y culteranos, alude a sus puntos de coincidencia en sucinta pero inequívoca afirmación: "Oscuridad, arcanidad, es principio que aparece como

---

1954, págs. 53-63. Jean Rousset, *La littérature de l'art baroque en France*, París, 1954. L. Vincenti, "Interpretazione del barocco tedesco", en *Rivista di Studi Germanici*, I, 1955, págs. 39-72. G. J. Geers, "La base psicológica del barroco", en *Asomante*, Puerto Rico, núm. 3, 1956. Imbrie Buffun, *Studies in the Baroque from Montaigne to Rotrou*, Yale University Press, New Haven, 1957, Luciano Anceschi, *La poetica del Barocco letterario in Europa*, Milán, 1958. Michel Tapie, *Baroque et classicisme*, París, 1958. Oreste Macrí, "La historiografía del barroco literario español", en *Thesaurus*, Bogotá, XV, 1960, páginas 1-70. A. Valbuena Briones, "El Barroco, arte hispánico", en *Thesaurus*, XV, 1960, págs. 235-246. Gustav René Hocke, *El manierismo en el arte europeo de 1560 a 1650 y en el actual*, trad. española, Madrid, 1961. J. Krynen, "Théologie du baroque espagnol", en *Letteratura*, IX, Roma, 1961, págs. 55-57. J. L. Alonso-Misol, "En torno al concepto de Barroco", en *Revista de la Universidad de Madrid*, XI, 1962, núm. 42-43, págs. 321-347. Guillermo de Torre, "Sentido y vigencia del barroco español", en *Studia Philologica. Homenaje ofrecido a Dámaso Alonso*, III, 1963, págs. 489-507. Joaquín de Entrambasaguas, "La transformación española del Renacimiento en el Barroco", en *Poesía Española*, Madrid, 1963, núm. 121, págs. 17-20. V. Cerny, "Teoría política y literatura del Barroco", en *Atlántida*, II, 1964, págs. 488-512. A. Monner Sans de Heras, "Los poetas 'metafísicos' y el barroco", en *Revista de la Universidad del Litoral*, Buenos Aires, 1964, número 59, págs. 155-162.

16 Alexander A. Parker, "La 'agudeza' en algunos sonetos de Quevedo. Contribución al estudio del conceptismo", en *Estudios dedicados a Menéndez Pidal*, III, Madrid, 1952, págs. 345-360 (la cita es de las págs. 347-348).

17 "El predominio del espíritu español...", cit., págs. 21-22.

fundamental en la teoría del culteranismo y del conceptismo, estilos al fin y al cabo hermanos" [18].

---

[18] "Oscuridad, dificultad entre culteranos y conceptistas", en *Castilla. La tradición. El idioma,* 3.ª ed., Madrid, 1955, pág. 230. Cfr. además: Manuel Muñoz Cortés, "Aspectos estilísticos de Vélez de Guevara en su *Diablo Cojuelo*", en *Revista de Filología Española* XXVII, 1943, págs. 48-76.

CAPÍTULO II

CERVANTES: SU VIDA. SU OBRA POÉTICA. SU PRODUCCIÓN DRAMÁTICA

Miguel de Cervantes Saavedra, la cumbre más alta de la literatura española y una de las mayores de las letras universales, surge a la vida en uno de los momentos capitales de nuestra cultura y nuestra historia política. Vive Cervantes en las décadas de mayor plenitud y fecundidad de todos los géneros literarios, nace y se forma en los años más sazonados del Renacimiento y prolonga su vida hasta tres lustros bien corridos del siglo XVII, cuando el mundo de las ideas y de las formas renacentistas había evolucionado —conducido a un tiempo por su natural madurez y desarrollo y por los hechos politicosociales de la peculiar historia española— desde el humanismo universal y paganizante hacia el sentido nacional y católico, desde la contenida severidad del clasicismo a las desbordadas exuberancias del barroco.

Comenzada su producción en 1585 y acabada, juntamente con su vida, en 1616, los treinta años fecundos en la vida literaria de Cervantes se reparten exactamente sobre las vertientes de ambas centurias. Tan excepcional circunstancia le coloca en privilegiada situación para fundir en su obra épocas que a la vez se contraponen y se complementan. Este carácter de testigo a caballo de dos edades ha sido repetida ocasión de desconcierto para numerosos escritores que, cogidos entre vientos contrarios, ni pertenecen ya al crepúsculo del mundo que desaparece ni encajan todavía en la aurora del que se levanta. Pero este encuentro de fuerzas que debilita al débil, acrecienta el caudal del genio capaz de absorber y armonizar las corrientes opuestas. Así Cervantes. Toda su obra, al menos su gran obra, el *Quijote,* es una síntesis felicísima de ideas, de tendencias, de géneros, de sensibilidades, de problemas, de conceptos del mundo. En comparación con Cervantes todas las grandes creaciones de los Siglos de Oro parecen fragmentarias o limitadas; en unas, la visión cerradamente realista excluye, como en la novela picaresca, la consideración de mundos amplísimos que no tienen cabida en la angostura de su marco; en otras, la dulce lira pastoril y sentimental ignora las asperezas de la realidad; la quimera caballeresca desconoce hasta la existencia de lo cotidiano; la amarga sátira inconformista se niega al tolerante perdón de cualesquiera miserias y debilidades. Sólo Cervantes, como un mar que no rechaza ningún tributo, acoge todos los aspectos humanos, todas las porciones de la realidad, todas las aspiraciones e inquietudes, todos los conceptos de la vida, todas las clases —altas y bajas—, todos los géneros literarios; el hombre concreto de su tiempo y sus raíces eternas; lo cotidiano y lo quimérico; la mezquindad inevitable y el deseo del ideal inalcanzado.

Su larga cadena de trabajos había multiplicado su experiencia y proyectado su generosa mirada hacia todos los campos de la vida. Si existe un rasgo que defina, por encima de otro cualquiera, el espíritu de Cervantes, es su ilimitada comprensión para todas las facetas —nobles y vulgares, sombrías y luminosas— de lo humano. Siendo tan de su tiempo y de su país, en cuya entraña hunde profundamente sus raíces hasta el punto de ser su síntesis más perfecta y completa, la obra de Cervantes rebasa toda limitación de tiempo y de lugar para extender su significado a cualquier época y nación.

En el orden político, es decir, atendidas las especiales circunstancias históricas por que atraviesa España durante la vida del escritor, idéntico cruce de encontradas corrientes vienen a fecundar su obra. Había nacido Cervantes en los días de la mayor grandeza política de su nación, cuando terminaba en triunfal ocaso la vida del Emperador que había dominado a Europa y visto alumbrar naciones en la opuesta orilla del mar. Su mocedad se formó en días de grandeza y le cupo asistir personalmente, en la plenitud de su vigor juvenil, a la gran jornada de Lepanto. Pero en la madurez de su edad se precipita la decadencia del poderío español, y los dolores de la patria en derrota corren paralelos a sus tribulaciones personales, a su cautividad a manos de los mismos que había contribuido a vencer, a sus conflictos íntimos de hombre y de escritor, a sus agobios económicos. La vida le mostró pródigamente el anverso y el reverso de su moneda, y a Cervantes le cupo conocerla en toda su diversidad. Así, su obra pudo abarcarla perfectamente sin la polarización exclusivista que distingue a otros grandes escritores, en especial a los hoscos satíricos del barroco. El fracaso nacional y personal del hombre escritor se suaviza en las páginas del gran novelista con la profundidad de su humorismo, que refresca toda amargura desesperanzada y extiende la sonrisa de su humanísima comprensión sobre todas las quiebras y mezquindades de la existencia.

SU VIDA

Nació Miguel de Cervantes Saavedra en la ciudad de Alcalá de Henares[1]. No se sabe de cierto en qué día, pero consta que fue bautizado el 9 de octu-

[1] La bibliografía sobre Cervantes, tanto respecto a su vida como a sus escritos, consti-

bre de 1547 en la iglesia parroquial de Santa María la Mayor. Su padre, Rodrigo de Cervantes, era médico cirujano; de su madre, Leonor de Cortinas, apenas se posee dato alguno. Tratando de mejorar en su profesión el médico Rodrigo residió sucesivamente en Valladolid, Córdoba, Sevilla y Madrid, a

---

tuye una masa casi abrumadora. Tan sólo podremos recoger aquí algunas entre las obras de mayor interés sobre cada uno de los aspectos. Para una información más completa remitimos al lector a los repertorios bibliográficos que damos al final de estas páginas sobre Cervantes. Cfr. Acerca de la vida: **a) Biografías de conjunto:** Vicente de los Ríos, *Vida de Miguel de Cervantes* (al frente de la edición del *Quijote* de la Real Academia Española en 1780). Juan Antonio Pellicer, *Vida de Miguel de Cervantes Saavedra* (al frente de la edición Sancha del *Quijote,* Madrid, 1797-1798). Martín Fernández Navarrete, *Vida de Miguel de Cervantes Saavedra,* ed. de la Real Academia Española, Madrid, 1819. Buenaventura Carlos Aribau, *Vida de Miguel de Cervantes Saavedra* (al frente de las *Obras de Cervantes* en la BAE, vol. I, Madrid, varias ediciones). Jerónimo Morán, *Vida de Cervantes,* Madrid, 1867. José María Asensio, *Cervantes y sus obras,* Sevilla, 2.ª ed., 1902. R. Baumstark, *Cervantes,* Friburgo, 1875. H. H. Watts, *Cervantes, his life and works,* Londres, 1895. Lucien Biart, *Cervantes,* París, 1890. Emilio Cotarelo y Mori, *Efemérides Cervantinas; resumen cronológico de la vida de Miguel de Cervantes Saavedra,* Madrid, 1905. Francisco Navarro Ledesma, *El Ingenioso Hidalgo Miguel de Cervantes Saavedra (biografía novelada),* Madrid, 1905. Ramón León Máinez, *Cervantes y su época,* Jerez, 1901-1903. Julio Cejador, *Miguel de Cervantes Saavedra.* (Biografía, bibliografía y crítica), Madrid, 1916. Joaquín López Barrera, *Cervantes y su época,* Madrid, 1916. André Suárez, *Cervantes,* París, 1916. Miguel Santos Oliver, *Vida y semblanza de Cervantes,* nueva edición (ampliada por Givanel Mas), Barcelona, 1947. Jaime Fitzmaurice-Kelly, *Miguel de Cervantes Saavedra. Reseña documentada de su vida,* trad. española (nueva ed. revisada y corregida por su autor), Buenos Aires, 1944. Ramón de Garciasol, *Vida heroica de Miguel de Cervantes,* Madrid, 1944. M. Thomas, *The Life and Misfortunes of Miguel de Cervantes,* Nueva York, 1936. Miguel Herrero García, *Vida de Cervantes,* Madrid, 1948. Sebastián Juan Arbó, *Cervantes,* Barcelona, 3.ª ed., 1956. Jean Babelon, *Cervantes,* trad. española, Buenos Aires, 1947. Ricardo Rojas, *Cervantes,* Buenos Aires, 1948. Luis Astrana Marín, *Vida ejemplar y heroica de Miguel de Cervantes Saavedra,* 7 vols., Madrid, 1948-1958. W. J. Entwistle, *Cervantes,* Oxford, 1940. A. F. G. Bell, *Cervantes,* Universidad de Oklahoma, 1947. Martín de Riquer, *Cervantes y el Quijote,* Barcelona, 1960. Dámaso Alonso, artículo *Cervantes* de la *Gran Enciclopedia del Mundo,* vol. 5, Bilbao, 1962. **b) Estudios sobre aspectos o problemas particulares:** Luis Vidart, *Los biógrafos de Cervantes en el siglo XVIII,* Madrid, 1886. Del mismo, *Los biógrafos de Cervantes en el siglo XIX,* Madrid, 1889. José María Asensio, *El conde de Lemos protector de Cervantes,* Madrid, 1880. José de Armas y Cárdenas, *Cervantes y el duque de Sessa,* La Habana, 1909. Ramón León Máinez, *El conde de Lemos y el Arzobispo Sandoval y Rojas, protectores de Cervantes,* Jerez de la Frontera, 1901. A. Morel-Fatio, "Cervantes et les Cardinaux Acquaviva et Colonna", en *Bulletin Hispanique,* 1906. Cristóbal Pérez Pastor, *Documentos cervantinos hasta ahora inéditos,* Madrid, 1897-1902. Francisco Rodríguez Marín, *Nuevos documentos cervantinos,* Madrid, 1941 (incluidos en *Estudios Cervantinos,* Madrid, 1947, págs. 175-350). Emilio Cotarelo, *Los puntos oscuros de la vida de Cervantes,* Madrid, 1916. Del mismo, *Últimos estudios cervantinos,* Madrid, 1920. N. González Aurioles, *Cervantes en Córdoba,* Madrid, 1914. Del mismo, *Cervantes y Sevilla,* Sevilla, 1916. Francisco Rodríguez Marín, "Cervantes en Andalucía", en *Estudios Cervantinos,* ed. cit., págs. 79-92. Del mismo, "Cervantes y la ciudad de Córdoba", en *Estudios Cervantinos,* cit., págs. 153-173. Del mismo, "El andalucismo y el cordobe-

donde le acompañó su hijo Miguel. Muy poco se conoce de estos años de juventud del futuro escritor ni tampoco qué estudios hizo y en dónde. Se ha supuesto, por conjeturas deducidas de sus propias obras, pero sin pruebas concluyentes, que estudió con los jesuitas de Córdoba o de Sevilla y probablemente también en la Universidad de Salamanca. Lo único cierto es que fue discípulo en el Estudio de Madrid del maestro Juan López de Hoyos, pues al publicar éste en 1569 unas *Exequias* a la muerte de la reina Isabel de Valois, incluyó unas composiciones de Cervantes a quien llama "nuestro caro y amado discípulo".

El dicho año de 1569, cuando andaba por sus 22, marchó Cervantes a Italia donde entró a formar parte del séquito del cardenal Giulio Acquaviva. Se supone que esta salida de España estuvo relacionada con cierto lance del que resultó herido un tal Antonio de Sigura. Una carta-orden dada por los alcaldes de Madrid en el mes de septiembre de aquel año mandaba prender a "un Miguel de Zerbantes", a quien se condenaba a diez años de destierro y pérdida de la mano derecha. No es segura la identidad del escritor con este personaje, pero existen razones para pensar que sí. Al servicio del cardenal recorrió Cervantes las principales ciudades de Italia: Milán, Florencia, Palermo, Venecia, Parma, Ferrara y, por supuesto, Roma. La Italia renacentista dejó profunda huella en el alma de Cervantes y le encendió una admiración que nunca había de extinguirse. De ella dejó numerosos testimonios esparcidos por todas sus obras. "Admiráronle también —dice en *El Licenciado Vidriera,* después de enumerar los variados vinos que había probado en una hostería de Génova— los rubios cabellos de las ginovesas, y la gentileza y gallarda disposición de los hombres, la admirable belleza de la ciudad, que en aquellas peñas parece que tiene las casas engastadas, como diamantes en oro". "En cinco días llegó a Florencia, haviendo visto primero a Luca, ciudad pequeña, pero muy bien hecha, y en la que mejor que en otras partes de Italia son bien vistos y agasajados los españoles. Contentóle Florencia en estremo, assí por su agradable assiento, como por su limpieza, sumptuosos edificios, fresco río y apazibles calles. Estuvo en ella quatro días, y luego se partió a Roma, reyna de las ciudades y señora del mundo. Visitó sus templos, adoró sus re-

---

sismo de Miguel de Cervantes", en *Estudios Cervantinos,* cit., págs. 381-394. A. Rodríguez Jurado, *Apuntes para una página cervantina de la historia de Sevilla,* Sevilla, 1916. Narciso Alonso Cortés, *Casos cervantinos que tocan a Valladolid,* Madrid, 1916. Blanca de los Ríos, *Del Siglo de Oro* (en relación con las posibles causas del viaje de Cervantes a Italia), Madrid, 1910. F. A. de Icaza, *Supercherías y errores cervantinos,* Madrid, 1917. A. González de Amezúa, "Lugar del nacimiento de Miguel de Cervantes", en *Boletín de la Academia de la Historia,* CXXXIII, 1953. Sobre los posibles estudios realizados por Cervantes, consúltese: Francisco Rodríguez Marín, "Cervantes y la Universidad de Osuna" y "Cervantes estudió en Sevilla", ambos en *Estudios Cervantinos,* ed. cit., págs. 15-49 y 51-64. Blanca de los Ríos, "¿Estudió Cervantes en Salamanca?", en *España Moderna,* 1899. Narciso Alonso Cortés, *Cervantes en Valladolid,* Madrid, 1918. F. Pérez Mínguez, *El maestro López de Hoyos,* Madrid, 1916.

liquias y admiró su grandeza y assí como por las uñas del león se viene en conocimiento de su grandeza y ferocidad, assí él sacó la de Roma por sus despedaçados mármoles, medias y enteras estatuas, por sus rotos arcos y derribadas termas, por sus magníficos pórticos y anphiteatros grandes, por su famoso y santo río... por sus puentes, que parece que se están mirando unas a otras, y por sus calles, que con sólo el nombre cobran autoridad sobre todas las de las otras ciudades del mundo...". "Se fue por mar a Nápoles, donde a la admiración que traía de haver visto a Roma, añadió la que le causó ver a Nápoles, ciudad a su parecer, y al de todos quantos la han visto, la mejor de Europa, y aun de todo el mundo..." "Desde allí, embarcándose en Ancona, fue a Venecia, ciudad que, a no haber nacido Colón en el mundo, no tuviera en él semejante... Parecióle que su riqueza era infinita; su gobierno, prudente; su sitio, inexpugnable; su abundancia, mucha; sus contornos, alegres, y, finalmente, todo en ella en sí, y en sus partes, digna de la fama que de su valor por todas las partes del orbe se estiende, dando causa de acreditar más esta verdad la máquina de su famoso arsenal, que es el lugar donde se fabrican las galeras, con otros baxeles, que no tienen número". "Pero habiendo estado un mes en ella, por Farrara, Parma y Plasencia, bolvió a Milán, oficina de Vulcano, ogeriza del reyno de Francia, ciudad, en fin, de quien se dize que puede dezir y hazer; haziéndola magnífica la grandeza suya y de su templo, y su maravillosa abundancia de todas las cosas a la vida humana necessarias..." [2].

Durante su estancia en Italia aprendió su lengua y pudo leer en su texto original a sus más famosos escritores. Probablemente en 1570 sentó plaza de soldado y es posible que interviniera en la fracasada expedición a Chipre. Y poco después asistía a la memorable batalla de Lepanto (1571), acción que tenía que representar para él la mayor gloria de su vida. Tomó parte en la lucha a bordo de la galera "Marquesa"; estaba enfermo y con fiebre, y aunque sus jefes le aconsejaron que se quedara bajo cubierta, peleó heroicamente y fue herido de dos arcabuzazos, uno en el pecho y otro en la mano izquierda, que le quedó sin movimiento desde entonces para mayor "gloria de la diestra", como escribió con justo orgullo. En el Prólogo de sus *Novelas ejemplares* alude a esta gloriosa ocasión: "Perdió en la batalla naval de Lepanto la mano yzquierda de un arcabuçazo, herida que, aunque parece fea, él la tiene por hermosa, por averla cobrado en la más memorable y alta ocasión que vieron los passados siglos, ni esperan ver los venideros, militando debaxo de las vencedoras vanderas del hijo del rayo de la guerra, Carlos Quinto, de felize memoria..." [3]. Y en el Prólogo al lector de la segunda parte del *Quijote*, contes-

[2] *Novelas exemplares*, edición de Rodolfo Schevill y Adolfo Bonilla, vol. II, Madrid, 1923, págs. 79, 80, 81 y 82-83. En todas las citas tomadas de la edición de las *Obras completas de Miguel de Cervantes Saavedra* de Schevill y Bonilla, para facilitar la lectura colocamos los acentos correspondientes y sustituimos la grafía *u* por *v*, pero conservamos todas las restantes peculiaridades del texto.

[3] Edición Schevill-Bonilla, cit., vol. I, pág. 21.

tando al autor de la continuación apócrifa, escribe con el mismo orgullo de soldado: "Si mis heridas no resplandecen en los ojos de quien las mira, son estimadas, a lo menos, en la estimación de los que saben dónde se cobraron; que el soldado más bien parece muerto en la batalla que libre en la fuga; y es esto en sí de manera, que si ahora me propusieran y facilitaran un imposible, quisiera antes haberme hallado en aquella facción prodigiosa que sano ahora de mis heridas, sin haberme hallado en ella. Las que el soldado muestra en el rostro y en los pechos estrellas son que guían a los demás al cielo de la honra, y al de desear la justa alabanza..."[4]. En la *Epístola a Mateo Vázquez* había recordado ya con emoción profunda sus heridas y la gloria de la batalla en que intervino:

...y, en el dichoso día que, siniestro
tanto fue el hado a la enemiga armada,
quanto a la nuestra favorable y diestro,
de temor y de esffuerço acompañada,
presente estuvo mi persona al hecho,
más de sperança que de hierro armada.
Vi el formado esquadrón roto y deshecho
y de bárbara gente y de christiana
roxo en mill partes de Neptuno el lecho...
...A esta dulçe sazón, yo, triste, estava
con la una mano de la espada assida,
y sangre de la otra derramava;
el pecho mío, de profunda herida
sentía llagado, y la siniestra mano
estava por mil partes ya rompida.
Pero el contento fue tan soberano,
q'a mi alma llegó, viendo vençido,
el crudo pueblo infiel por el christiano,
que no echava de ver si estava herido,
aunque era tan mortal mi sentimiento,
que a veces me quitó todo el sentido...[5].

Y una vez más, en el *Viaje del Parnaso* tenía que volver sobre los heroicos sucesos de aquella venturosa ocasión:

Arrojóse mi vista a la campaña
Rasa del mar, que trujo a mi memoria
Del heroico don Juan la heroica hazaña.

---

[4] Edición Rodríguez Marín, nueva edición crítica, tomo IV, Madrid, 1948, págs. 29-30.
[5] Edición Schevill-Bonilla, "Poesías sueltas", en el tomo VI de *Comedias y entremeses*, Madrid, 1922, págs. 25-26.

Donde, con alta de soldados gloria
Y con propio valor y airado pecho,
Tuve, aunque humilde, parte en la vitoria[6].

Recuerdos que aún amplía luego en las palabras con que el dios Mercurio le saluda, al tiempo que se extraña de su pobreza:

Que, en fin, has respondido a ser soldado
Antiguo y valeroso, cual lo muestra
La mano de que estás estropeado.
Bien sé que en la naval dura palestra
Perdiste el movimiento de la mano
Izquierda, para gloria de la diestra[7].

Para curar y convalecer de sus heridas pasó algún tiempo en el hospital de Mesina, y volvió al servicio activo en el tercio de Lope de Figueroa. Tomó parte en las empresas de Corfú, Navarino y Túnez, y regresó a Palermo donde se le citaba como "soldado aventajado". Con deseo de obtener el grado de capitán salió en 1575 para España con cartas de recomendación del propio don Juan de Austria y del duque de Sessa, virrey de Sicilia. Cerca de Marsella la galera "Sol" en que navegaba, fue atacada por tres naves turcas; a pesar de la dura resistencia, los españoles tuvieron que rendirse y Cervantes —con su hermano Rodrigo que andaba ya en su compañía desde algún tiempo— fue llevado cautivo a Argel y allí permaneció en prisión durante cinco años. Quedaba así cerrada, tan desastrosamente, la etapa militar del escritor que se había sentido atraído durante cierto tiempo por la carrera de las armas. Su provecho material había sido nulo y muy penosos en cambio los sufrimientos, pero había adquirido riquísimas experiencias y conocido gentes y lugares que habían de dejar profunda huella en sus escritos. Su orgullo de haber sido actor heroico en Lepanto no le nublaba al escritor la visión de realidades menos románticas de la vida militar: "Puso las alabanças en el cielo de la vida libre del soldado —dice de un capitán en *El Licenciado Vidriera*— y de la libertad de Italia. Pero no le dixo nada del frío de las centinelas, del peligro de los assaltos, del espanto de las batallas, de la hambre de los cercos, de la ruyna de las minas, con otras cosas deste jaez, que algunos las toman y tienen por añadiduras del peso de la soldadesca, y son la carga principal della. En resolución, tantas cosas le dixo y tan bien dichas, que la discreción de nuestro Tomás Rodaja començó a titubear, y la voluntad a aficionarse a aquella vida, que tan cerca tiene la muerte"[8].

---

[6] Edición crítica y anotada por Francisco Rodríguez Marín, Madrid, 1935, pág. 17.
[7] Ídem, íd., pág. 19.
[8] Edición Schevill-Bonilla, citada, pág. 76.

A lo largo de aquellos años de cautiverio en los famosos "baños" de Argel —durante los cuales Cervantes "aprendió a tener paciencia en las adversidades"— realizó cuatro tentativas de fuga para salvarse en unión de numerosos compañeros de prisión; una de ellas, en combinación con su hermano Rodrigo que había sido ya rescatado, fracasó —próxima ya a la costa la nave que había de recogerlos— por delación de un español, llamado "el Dorador" que hacía allí de jardinero. Otro intento fue descubierto por denuncia también de un español, el doctor Juan Blanco de Paz, que trató más tarde de dificultar el rescate de Cervantes con todo género de insidias [9]. Allí en su encierro escribió Cervantes su famosa —ya mencionada— epístola en tercetos a Mateo Vázquez, secretario de Felipe II, refiriendo sus hazañas y sus desventuras, instando al monarca a lanzarse a la empresa de libertar a los cristianos de Argel:

...Del amarga prisión triste y escura,
adonde mueren veinte mill christianos,
tienes la llave de su cerradura.
Todos, qual yo, de allá puestas las manos,
las rodillas por tierra, solloçando,
cercados de tormentos inhumanos,
valeroso señor, te están rogando
buelvas los ojos de misericordia
a los suyos, que están siempre llorando;
y, pues te dexa agora la discordia,
que hasta aquí te ha opprimido y fatigado,
y gozas de paçífica concordia,
haz, ¡oh buen rey!, que sea por ti acabado
lo que con tanta audaçia y valor tanto
fue por tu amado padre començado.
Sólo el pensar que vas pondrá un espanto
en la enemiga gente, que adevino
ya desde aquí su pérdida y quebranto... [10].

Pero el viril y emocionante escrito de Cervantes no obtuvo ningún eco en la corte de España. Al fin el trinitario fray Juan Gil consiguió el rescate mediante el pago de 500 escudos, aportados en parte por los monjes trinitarios y en parte por los comerciantes españoles residentes en Argel.

Cervantes se instaló entonces en Madrid. Sus propósitos de dedicarse a la carrera de las armas quedaban ya atrás. Desempeñó, para mantenerse, algunos pequeños empleos y escribió sus primeras obras, que malvendió para

[9] Cfr.: Francisco Rodríguez Marín, "El Doctor Juan Blanco de Paz", en *Estudios Cervantinos,* cit., págs. 397-420.

[10] Edición Schevill-Bonilla, cit., pág. 29.

agenciarse algún dinero; fueron aquéllas, cuatro comedias, representadas con mediano éxito, y la *Primera parte de la Galatea.* Consecuencia de unos amores con la mujer de un cómico llamada Ana de Villafranca o de Rojas [11] nació por estos años una niña que se llamó Isabel de Saavedra; y poco más tarde casó Cervantes con doña Catalina de Salazar y Palacio, vecina de Esquivias, que le aportó una estimable dote. Tenía ya entonces Cervantes 37 años de edad y sólo 19 doña Catalina.

El nombre de Cervantes comenzaba a sonar entre la gente de letras de la corte; pero como ni sus escritos ni la dote de su mujer le daban suficiente para vivir, dejó Madrid y se trasladó a Sevilla con el cargo de comisario para proveer de trigo a la Armada, luego llamada "la Invencible", que se preparaba contra Inglaterra. Comienzan entonces los años más ingratos y difíciles en la vida del gran escritor. Tuvo que viajar de pueblo en pueblo, vióse envuelto en procesos y cárceles por irregularidades de un subordinado, luego por quiebra de la banca donde tenía depositados sus fondos para la Hacienda, y de nuevo por demoras en sus cuentas que no pudo rendir puntualmente. Como además cobraba sus sueldos con retraso, llegó a vivir momentos de verdadera necesidad. En medio de tantas dificultades y tan prosaicos trabajos escribió algunas poesías y firmó un contrato para entregar seis comedias a un representante; pero su vida literaria parecía de momento interrumpida.

Sin embargo, también a falta de otro provecho adquirió durante aquellos años otra de sus mejores cosechas de experiencia, viviendo en aquella revuelta, complicada y pintoresca ciudad de Sevilla, lugar entonces de cita de toda el hampa y la picardía españolas, y centro a la vez de la riqueza y de las artes. Por entonces, y durante alguna de sus repetidas estancias en prisión, parece que concibió y comenzó a escribir el *Quijote,* cuya primera parte tenía ya acabada cuando en 1604 dejó Sevilla y se trasladó a Valladolid, asiento entonces de la corte. En los primeros meses de 1605 se imprimía en Madrid esta primera parte del *Quijote,* y poco después se halló Cervantes enredado de nuevo en un proceso ruidoso. Una noche fue acuchillado misteriosamente a las puertas de su casa el caballero navarro Gaspar de Ezpeleta, al parecer por un asunto de amores; y por haber sospechas sobre alguna de las mujeres de su casa fueron encarceladas sus dos hermanas, una sobrina, su hija Isabel y el propio escritor; aunque luego, por no encontrarse cargos concretos, fueron puestos en libertad.

Éste fue el último acontecimiento desgraciado en la vida de Cervantes, aunque las estrecheces económicas siguieron atormentándole hasta el final. Cuando en 1606 se trasladó la corte nuevamente a Madrid, la siguió Cervantes. Fueron éstos los años de su mayor actividad literaria. En 1613 aparecieron sus *Novelas ejemplares*; en 1614 su *Viaje del Parnaso*; en 1615 las *Ocho comedias y ocho entremeses nuevos* y la segunda parte del *Quijote.* En 1616

[11] Cfr.: Vicente Ferraz y Castán, *Ana Franca (Visión del Quijote),* Madrid, 1940.

acabó *Los trabajos de Persiles y Sigismunda.* El día 19 de abril escribió la dedicatoria de este libro al conde de Lemos sintiéndose ya muy enfermo, y el 23 le sorprendía la muerte. Fue enterrado en el convento de las monjas trinitarias de la calle llamada hoy de Lope de Vega, en lugar que no ha podido precisarse.

Existen varios retratos que se han supuesto de Cervantes, pero ninguno de ellos se tiene hoy por auténtico. El último aparecido como tal —propiedad de la Academia Española, cuyo salón preside— lo fue en 1910; se atribuía al pintor y poeta Juan de Jáuregui y está fechado en 1600. En torno a él se desató una ruidosa polémica, pero parece estar ya fuera de duda que se trata de una falsificación [12]. A falta de un retrato legítimo, tenemos la descripción que de sí mismo hizo el escritor en el prólogo de sus *Novelas ejemplares*: "Este que veys aquí, de rostro aguileño, de cabello castaño, frente lisa y desembaraçada, de alegres ojos y de nariz corba, aunque bien proporcionada, las barbas de plata, que no ha veynte años que fueron de oro, los vigotes grandes, la boca pequeña, los dientes ni menudos ni crecidos, porque no tiene sino seys, y essos mal acondicionados y peor puestos, porque no tienen correspondencia los unos con los otros; el cuerpo entre dos estremos, ni grande, ni pequeño, la color viva, antes blanca que morena, algo cargado de espaldas y no muy ligero de pies; éste digo que es el rostro del autor de *La Galatea* y de *Don Quijote de la Mancha,* y del que hizo el *Viaje del Parnaso,* a imitación del de César Caporal Perusino, y otras obras que andan por ahí descarriadas, y, quizá, sin el nombre de su dueño. Llámase comúnmente Miguel de Cervantes Saavedra..." [13].

LA POESÍA DE CERVANTES

Como la inmensa mayoría de los escritores de su tiempo cultivó Cervantes la poesía, y fueron ésta y el teatro los géneros primeros en que se ejercitó. La inmensa fama de su obra en prosa, especialmente el *Quijote,* ha sido siem-

---

[12] Cfr.: J. Puyol Alonso, *El supuesto retrato de Cervantes. Sospechas de falsedad,* Madrid, 1915. A. Baig y Baños, *Historia del retrato auténtico de Cervantes. Transcripción y comento de congruencias e incongruencias,* Madrid, 1916. S. Pérez de Guzmán y Gallo, "Los retratos de Cervantes", en *Arte Español,* III, 1916. N. Sentenach, "El retrato de Cervantes", en *Revista de Archivos,* XXXIV, 1916. Francisco Rodríguez Marín, "El retrato de Miguel de Cervantes. Estudio sobre la autenticidad de la tabla de Jáuregui que posee la Real Academia Española", en *Estudios Cervantinos,* cit., págs. 495-559 (véase —pág. 499— relación de otros varios trabajos aparecidos sobre el tema). Luis Astrana Marín, *Cervantinas y otros ensayos,* Madrid, 1944. Del mismo, "El retrato de Cervantes que tienen en la Academia es falso", en *La Estafeta Literaria,* núm. 50, 1956. Rafael María de Hornedo, "¿Retrató Jáuregui a Cervantes?", en *Anales Cervantinos,* I, 1951. Juan Givanel Mas y Gaziel, *Historia gráfica de Cervantes y del Quijote,* Madrid, 1946. Enrique Lafuente Ferrari, *La novela ejemplar de los retratos de Cervantes,* Madrid, 1948.

[13] Edición Schevill-Bonilla, cit., vol. I, págs. 20-21.

pre un obstáculo para valorar en su justa medida la producción poética de Cervantes [14]. Digamos, por de pronto, que su obra en verso alcanza considerable extensión. En verso escribió las diez piezas extensas de su teatro que se conservan y dos de sus entremeses, y aparte las abundantes composiciones de esta índole que esparció por casi todas sus novelas, escribió también numerosas poesías sueltas que fueron apareciendo en diversos cancioneros de la época. Cultivó por igual la poesía tradicional y la italianizante, y siempre con gran variedad de metros; en la primera se sirvió del romance, los villancicos, las quintillas dobles; en la segunda escribió sonetos, églogas, canciones, octavas reales, tercetos, sextinas, e incluso manejó el verso libre. Una égloga incluida en *La Galatea* está escrita en coplas de arte mayor, metro olvidado ya por entonces.

Al comienzo de su producción poética cultivó con preferencia la poesía italianista y tuvo a Garcilaso como principal y reconocido maestro. En diversas ocasiones manifestó su admiración por el poeta de Toledo, citando o glosando versos en sus libros, y hasta haciendo su elogio formal por boca del héroe del *Persiles*. Cuando el Tomás de *El Licenciado Vidriera* renunció a sus hábitos de estudiante, "los muchos libros que tenía —dice el novelista— los reduxo a unas horas de nuestra Señora y un Garcilaso sin comento [¿sería

[14] Ediciones de sus poesías: *Poesías de Cervantes,* ed. y estudio de Ricardo Rojas, Buenos Aires, 1916; "Poesías sueltas" y "Viaje del Parnaso", en *Obras de Miguel de Cervantes Saavedra,* BAE, vol. I, nueva ed., Madrid, 1944; *Viaje del Parnaso,* ed. de Rodolfo Schevill y A. Bonilla y San Martín, en *Obras Completas de Miguel de Cervantes Saavedra,* Madrid, 1922; *Poesías sueltas,* ed. Schevill y Bonilla, cit.; *Viaje del Parnaso,* edición crítica y anotada de F. Rodríguez Marín, cit., Madrid, 1935; *Viaje del Parnaso,* ed. de Agustín del Campo, Madrid, 1948; *Epístola a Mateo Vázquez,* ed. E. Cotarelo, Madrid, 1905; "Poesías sueltas" y "El viaje del Parnaso", ed. de A. Valbuena Prat, en *Obras completas de Cervantes,* 12.ª ed., Madrid, 1962; *Obras menores de Cervantes,* ed. de Juan Givanel y Mas, Barcelona. Cfr.: los estudios que acompañan a la mayoría de las ediciones citadas, en especial las de Ricardo Rojas y Rodríguez Marín; y además, Eugenio Silvela, *Cervantes, poeta* (con un *Florilegio* de sus poesías), Madrid, 1905. Francisco Rodríguez Marín, "Una joyita de Cervantes" (sobre el soneto "Voto a Dios que me espanta esta grandeza..."), en *Estudios Cervantinos,* cit., págs. 351-363. M. Menéndez y Pelayo, "Cervantes considerado como poeta", en *Estudios y discursos de crítica histórica y literaria,* ed. nacional, vol. I, Santander, 1941, págs. 257-268. Gerardo Diego, "Cervantes y la poesía", en *Revista de Filología española,* XXXII, 1948, páginas 213-236. Benedetto Croce, "Due illustrazioni al *Viaje del Parnaso* del Cervantes", en *Homenaje a Menéndez y Pelayo,* I, Madrid, 1899, págs. 161-193. A. Marasso, "La autenticidad de la 'Epístola a Mateo Vázquez' ", en *La Nación,* Buenos Aires, 21 de marzo de 1948. W. T. Entwistle, "Cervantes. Two Odes on the Invincible Armada", en *Bulletin of Spanish Studies,* XXIV, 1947, págs. 254-259. J. M. Claube (anagrama de Blecua), "La poesía lírica de Cervantes", en *Homenaje a Cervantes,* Cuadernos de Ínsula, I, 1947, págs. 151-188. José Manuel Blecua, "Garcilaso y Cervantes", en ídem, íd., páginas 141-150. Alonso Zamora Vicente, "La epístola a Mateo Vázquez", en ídem, íd., págs. 189-195.

también significativa la aclaración?], que en las dos faldriqueras llevaba"[15]. En *La Galatea,* como obra de esta primera época, es donde pueden encontrarse más abundantes composiciones de inspiración italiana y garcilasista, que encajan mejor además con la índole lírica y pastoril de la novela; pero aquí están probablemente los versos más débiles del escritor —aprovechados cumplidamente por los detractores de su poesía— aunque tampoco faltan los aciertos, sobre todo en algunas liras de inspiración luisiana y en los sonetos. Su amor al bucolismo perduraba todavía cuando compuso para el *Quijote* su *Canción de Grisóstomo.* También le tentó en ocasiones la cuerda heroica, como en las *Dos Canciones a la Armada Invencible* —una entusiasta, anterior a la expedición, y otra elegíaca después de la derrota—; pero tampoco es aquí, ni en sus escasas poesías religiosas, donde deben buscarse sus momentos mejores.

Como sonetista logró Cervantes magníficos aciertos, sobre todo en el tono satírico y humorístico, en los que puede ponerse —no por el número, pero sí por la calidad— al lado de los mejores poetas de su tiempo. Cuatro de estos sonetos, en especial, han sido siempre justamente alabados: *Al túmulo del rey Felipe en Sevilla* ("Voto a Dios, que me espanta esta grandeza...", modelo de soneto con estrambote). *A la entrada del duque de Medina en Cádiz* ("Vimos en julio otra semana santa...", rebosante de amarga sátira contra las tropas del duque, que llegaron a dicha ciudad cuando los ingleses habían ya salido, después de saquearla durante veinticuatro días); *A un valentón metido a pordiosero* ("Un valentón de espátula y gregüesco...", también con estrambote, caricatura —como el siguiente— de aquellos valentones que en tan crecido número debió de conocer Cervantes durante su etapa sevillana); y *A un ermitaño* ("Maestro era de esgrima Campuzano..."). Cualquiera de estos sonetos, nacidos de la misma observación que nutrió las páginas del *Rinconete,* bastaría para cimentar la fama de un poeta. A Cervantes no se le escondía la importancia de estas composiciones; a la primera de ellas dedica expresa mención en su *Viaje del Parnaso*:

> *Yo el* soneto *compuse que así empieza,*
> *por honra principal de mis escritos*:
> "*Voto a Dios, que me espanta esta grandeza*"[16].

A la poesía de índole tradicional, cultivada con preferencia en época posterior, pertenecen numerosas composiciones intercaladas en sus *Novelas ejemplares* y en el *Quijote,* y entre ellas sobresalen especialmente los romances. Algunos de éstos son de lo más notable de la poesía de Cervantes y comparables a los mejores de Góngora; como aquellos de *La Gitanilla*:

---

[15] Edición Schevill y Bonilla, cit., pág. 78.
[16] Edición Rodríguez Marín, cit., pág. 52.

Salió a missa de parida
la mayor reyna de Europa...[17].

Hermosita, hermosita,
la de las manos de plata,
más te quiere tu marido
que el Rey de las Alpujarras...[18]

sin olvidar el bello soneto

Quando Preciosa el panderete toca...[19]

donde el molde italiano se colma de fina gracia tradicional.

Algunas letrillas, deliciosas, esparcidas por sus comedias, revelan con cuanta maestría podía manejar Cervantes los metros cortos; como en aquella de *La entretenida*:

¡Tristes de las moças
a quien truxo el cielo
por casas agenas
a servir a dueños...[20]

o las de *Pedro de Urdemalas*:

Niña la que esperas
en reja o valcón,
advierte que viene
tu polido amor...[21].

A la puerta puesto
de mis amores,
espinas y çarças
se buelven flores...[22].

Entre sus poemas extensos tres deben ser especialmente mencionados: el *Canto de Calíope*, la *Epístola a Mateo Vázquez* y el *Viaje del Parnaso*. El *Canto de Calíope*, en octavas reales, incluido en el Libro VI de *La Galatea*, es un poema laudatorio al modo de los muchos que fueron escritos por entonces, pero con el que Cervantes inicia la crítica literaria de los poetas de su tiempo, ya que sólo a los vivos se refiere:

---

17 Edición Schevill-Bonilla, cit., vol. I, pág. 36.
18 Ídem, íd., pág. 49.
19 Ídem, íd., pág. 71.
20 *Comedias y entremeses*, edición Schevill-Bonilla, vol. III, Madrid, 1918, págs. 40-41.
21 Ídem, íd., vol. III, pág. 151.
22 Ídem, íd., vol. III, pág. 153.

Pienso cantar de aquellos solamente
A quien la parca el hilo aun no ha cortado... [23].

Algunos juicios críticos ofrecen particular interés, pero en general abundan los elogios hiperbólicos y convencionales. En la serie de poetas aludidos figuran los mayores del Siglo de Oro, como Lope y Góngora, junto a muchos de mediana importancia y bastantes cuyos nombres han sido olvidados por entero.

A la *Epístola a Mateo Vázquez*, escrita durante los trágicos días del cautiverio, hemos aludido ya. Encierra fragmentos de notable calidad poética y verdadera inspiración y toda ella está escrita con emoción honda y sincera. Las numerosas referencias autobiográficas le añaden otro motivo de interés,

El *Viaje del Parnaso*, extenso poema en tercetos, de casi tres mil versos, escrito por Cervantes en sus años de madurez, pertenece al mismo género que el *Canto de Calíope*, y es su obra poética de mayor empeño. El escritor finge un viaje a la residencia de las musas y asiste a una asamblea de poetas presidida por Apolo. Sus opiniones sobre escritores abundan también en lugares comunes, pero mucho menos que en el *Canto de Calíope*; aquí encontramos ya muchos juicios individualizadores y precisos de notable agudeza. Pero lo que diferencia sobre todo a ambos poemas es la intensidad que adquiere en el segundo la nota satírica y el tono amargo y desengañado que distingue al Cervantes de los años postreros, aunque —también como en sus grandes obras en prosa— siempre entrañablemente suavizado por su incomparable y humanísimo humor. Los poetas toman rápidamente asiento en los escaños de mayor dignidad, mientras Cervantes queda en pie por no hallar ya acomodo. Expone a Apolo la relación de sus escritos y aquél le contesta:

Mas si quieres salir de tu querella
Alegre, y no confuso, y consolado,
Dobla tu capa y siéntate sobre ella...

Pero Cervantes no tiene capa siquiera:

—Bien parece, señor, que no se advierte
—Le respondí— que yo no tengo capa [24].

Aunque la obra es demasiado prolija en muchos pasajes, tiene, en cambio, bellos fragmentos, el poeta maneja el terceto con soltura, saltan por doquier las punzantes ironías, y ofrecen especial interés los datos autobiográficos y las ideas literarias del autor sobre su propia obra y los géneros entonces más discutidos y en boga. Hay alusiones de particular gracejo, como la dirigida a

---

[23] *La Galatea*, edición de Rodolfo Schevill y Adolfo Bonilla, vol. II, Madrid, 1914, página. 212.

[24] Edición Rodríguez Marín, cit., pág. 53.

Quevedo: Mercurio pide que los poetas se apresuren, exigencia imposible para los pies del gran satírico, pero el dios asegura que no saldrá sin él, porque

Es el flagelo de poetas memos
Y echará a puntillazos del Parnaso
Los malos que esperamos y tememos[25]

o a los poetas valencianos —Guillén de Castro, Virués, Aguilar— que embarcan en la nave en playa de su ciudad, pero Mercurio cierra la puerta al tropel que los sigue,

Y fue porque temió que no se alzasen,
Siendo tantos y tales, con Parnaso,
Y nuevo imperio y mando en él fundasen[26]

o al autor de *La pícara Justina*:

Haldeando venía y trasudando...[27].

Entre los más notables episodios deben mencionarse: la despedida que el escritor hace de Madrid; las pinturas de la Poesía y de la Vanagloria; la descripción, ingeniosísima, del bajel de Mercurio, en que viajan los poetas, todo él construido de "sustancias" poéticas:

De la quilla a la gavia, ¡oh estraña cosa!,
Toda de versos era fabricada,
Sin que se entremetiese alguna prosa.
Las ballesteras eran de ensalada
De glosa, todas hechas a la boda
De la que se llamó Malmaridada.
Era la chusma de romances toda,
Gente atrevida, empero necesaria,
Pues a todas acciones se acomoda...
...Eran dos valentísimos tercetos
Los espalderes de la izquierda y diestra,
Para dar boga larga muy perfetos.
Hecha ser la crujía se me muestra
De una luenga y tristísima elegía,
Que no en cantar, sino en llorar es diestra...
...La racamenta, que es siempre parlera,
Toda la componían redondillas
Con que ella se mostraba más ligera.

---

25 Ídem, íd., pág. 31.
26 Ídem, íd., pág. 39.
27 Ídem, íd., pág. 93

Las jarcias parecían seguidillas
De disparates mil y más compuestas,
Que suelen en el alma hacer cosquillas.
Las rumbadas, fortísimas y honestas
Estancias eran, tablas poderosas
Que llevan un poema y otro a cuestas...
...Todas las obras muertas componían
O versos sueltos o sestinas graves,
Que a la galera más gallarda hacían[28].

De especial movimiento y colorido es el pasaje de la tempestad en que Apolo, irritado por la innúmera turba de poetas, trata de ahogarlos; por orden suya, Neptuno agita el mar y va luego dando caza a los náufragos con su tridente. Al fin Venus, compadecida de los poetas, los convierte en calabazas o en odres para que floten:

En un instante el mar de calabazas
Se vio cuajado, algunas tan potentes,
Que pasaban de dos y aun de tres brazas.
También hinchados odres y valientes,
Sin deshacer del mar la blanca espuma,
Nadaban, de mil talles diferentes[29].

Después de aquella curiosa metamorfosis, dice el escritor,

No veo calabaza o luenga o corta
Que no imagine que es algún poeta
Que allí se estrecha, encubre, encoge, acorta.
Pues ¿qué cuando veo un cuero? ¡Oh mal discreta
Y vana fantasía, así engañada,
Que a tanta liviandad está sujeta!
Pienso que el piezgo de la boca atada
Es la faz del poeta transformado
en aquella figura mal hinchada[30].

Y no menos curiosa es también la batalla entre los poetas, en la que Cervantes derrocha la ironía.

Al final de la obra, que consta de ocho capítulos, Cervantes añadió una *Adjunta al Parnaso,* en prosa, donde prosigue las ironías contra los poetas; pero su parte más importante hace referencia al teatro, y como tal nos ocuparemos luego de ella.

---

[28] Ídem, íd., págs. 20-21.
[29] Ídem, íd., pág. 72.
[30] Ídem, íd., pág. 73.

¿Qué juicio, después de lo dicho, puede merecer en conjunto la poesía de Cervantes? Según quedó apuntado arriba, el Cervantes prosista ha eclipsado al poeta en la estimación general; "Es verdad —decía Menéndez y Pelayo— que sus versos son muy inferiores a su prosa, y ¿cómo no han de serlo, si su prosa es incomparable?" [31]. Francisco Manuel de Melo había ya calificado a Cervantes —comparado en ambos aspectos— de "poeta infecundo, quanto felicisimo prozista"; Quintana, comentando el *Viaje del Parnaso,* califica de gran error el que estuviera escrito en verso y perdiera con ello Cervantes todas sus ventajas [32]. Y a propósito de este pasaje, precisamente, escribía Rodríguez Marín: "Quien tan suelta y garbosamente escribía la prosa, se encuentra desmañado y torpe por las dificultades materiales que para él ofrecía el verso, dificultades —y esto es muy de notar— que no lo son para muchos poetas gárrulos de escaso meollo" [33]. No faltan los comentarios elogiosos al Cervantes poeta, como los citados de Eugenio Silvela y Ricardo Rojas; pero lo más común es topar con juicios poco favorables para sus versos, lo mismo de los críticos posteriores que entre sus contemporáneos, de quienes hubo de soportar Cervantes pullas infinitas (de ellos pretendió defenderle Mercurio en el *Viaje del Parnaso,* invitándole a reunirse con Apolo

> *Antes que el escuadrón vulgar acuda*
> *De más de veinte mil sietemesinos*
> *Poetas...)* [34],

así, entre otros muchos, de Cristóbal Suárez de Figueroa en su *Pasagero,* y de Esteban Manuel de Villegas en una epístola de sus *Eróticas*; aunque nada tan estupendo como aquellas palabras del gran Lope en carta famosa: "Ninguno hay tan malo como Cervantes, ni tan necio que alabe a *Don Quijote*".

Es muy probable que el mismo Cervantes contribuyera a hacer arraigar estas opiniones; con su habitual modestia y preocupado por su propia poesía (también con su no menos arraigada tendencia al riguroso autoanálisis de su vida y escritos) precisamente porque la cultivaba con tanto amor, expresó su atormentadora inseguridad en aquellos repetidísimos versos del *Viaje del Parnaso*:

> *Yo, que siempre trabajo y me desvelo*
> *Por parecer que tengo de poeta*
> *La gracia que no quiso darme el cielo...*

---

[31] *Cervantes considerado como poeta,* ed. cit., pág. 259.

[32] Citados ambos por Rodríguez Marín en el *Viaje del Parnaso,* ed. cit., páginas XXIV y XXV.

[33] Ídem, íd., pág. XXV.

[34] Ídem, íd., pág. 19.

[35] Ídem, íd., pág. 14. Ricardo Rojas se opone a la interpretación habitual de estos versos y sostiene que dicen lo contrario de lo que parece "puesto que encubren una ironía

En el prólogo de sus *Ocho comedias y ocho entremeses nuevos*, aludiendo a ciertas comedias suyas que no había conseguido hacer representar, escribió: "En esta sazón me dixo un librero que él me las comprara, si un autor de título no le huviera dicho que de mi prosa se podía esperar mucho, pero que del verso, nada; y, si va a dezir la verdad, cierto que me dio pesadumbre el oyrlo..." [36]. Es imposible hallar en un escritor mayor modestia ni sinceridad, ni tampoco palabras que puedan llevarnos más derechamente a la entrañable humanidad de Cervantes. En las citadas del *Viaje*, sobre todo, parece aludir a la premiosa dificultad con que trabajaba la forma poética. Rodríguez Marín conviene en ello: "Cuéstale trabajo —dice— lo práctico de la versificación, y leyendo sus versos parece que le vemos titubear con desaliento, salvo en contados lugares en que la inspiración le levanta y ennoblece el estilo y hace brotar viva y atrayente la verdadera poesía" [37]. Pero Cervantes era también lento y premioso en la elaboración de sus libros inmortales. Con todo, hay algo que no parece admitir discusiones: Cervantes, señor indiscutible de la prosa, que precisaba de toda la ilimitada dimensión de este vehículo para vaciar su inmensa carga de humanidad y de experiencia, se movía con bastante menos soltura dentro de los moldes del verso. Sin embargo, en la poesía satírica y humorística —según dijimos— tiene un puesto de primer orden, y no menor en los metros tradicionales. Hay siempre un punto, sin embargo, en que intuimos la trabajosa tarea del escritor para lograr su obra, lo que le diferencia, por ejemplo, de la prodigiosa y lozana facilidad de Lope. Entendido así, en modo alguno puede compararse Cervantes con la media docena de indiscutibles cumbres de nuestra poesía; pero no lo creemos peor que cualquiera de los restantes. Dos opiniones —si hubiéramos de escoger entre las numerosas que se han escrito— nos parece que resumen con mayor justicia el valor, como poeta, del autor del *Quijote*. Una de González de Amezúa: "La característica de Cervantes como poeta es la desigualdad..., condición suya que ha provocado la desfavorable opinión tanto de sus contemporáneos como de los críticos modernos sobre su talento poético, más hecho para lo irónico y burlesco que para lo serio y grave" [38]. La otra de Rodríguez Marín: "Cervantes —dice— fue casi siempre un mediano versificador, pero siempre, y al mismo tiempo, un admirabilísimo poeta" [39].

---

bajo su fingida humildad" (*Cervantes*, cit., pág. 17). Rojas trata de demostrar que Cervantes tenía alto concepto de sus dotes poéticas y no le atormentaba la íntima inseguridad que se le supone. Valga como opinión.

[36] *Comedias y entremeses*, edición Schevill-Bonilla, cit., vol. I, pág. 9.

[37] *Viaje del Parnaso*, ed. cit., pág. XXV.

[38] Agustín González de Amezúa y Mayo *Cervantes, creador de la novela corta española*, vol. I, Madrid, 1956, pág. 14 (nota al pie núm. 3).

[39] *Viaje del Parnaso*, ed. citada, pág. XLIII.

LA PRODUCCIÓN DRAMÁTICA DE CERVANTES

Cervantes, dramaturgo. Mucho menos discutida que su poesía es la obra dramática de Cervantes. Y aunque no ha logrado tener tampoco una resonancia popular proporcionada a sus méritos —siempre ahogada también por el renombre de sus novelas—, la opinión de los estudiosos conviene generalmente en atribuirle un alto lugar. Hasta la aparición de Lope, es evidente que ningún escritor de teatro español puede, en conjunto, compararse con Cervantes [40].

[40] Estudios de conjunto sobre el teatro de Cervantes: R. Schevill y A. Bonilla, "Introducción" a su edición de *Comedias y Entremeses,* citada, vol. VI. Armando Cotarelo Valledor, *El teatro de Cervantes,* Madrid, 1915. M. A. Buchanan, "Cervantes as dramatist", en *Modern Language Notes,* Baltimore, 1908. Armando de María Campos, *30 crónicas y una conferencia sobre el teatro de Cervantes,* México, s. a. J. Ribeiro, "Cervantes e o teatro", en *Dionysos,* Río de Janeiro, núm. I, 1949. Joaquín Casalduero, *Sentido y forma del teatro de Cervantes,* Madrid, 1951. J. Worms, "Cervantes, dramaturge", en *Théâtre Populaire,* París, núm. 24, 1957. Robert Marrast, *Miguel de Cervantes, dramaturge,* París, 1957. B. W. Wardropper, "Cervantes' Theory of the Drama", en *Modern Philology,* Chicago, mayo 1955, págs. 217-221. J. J. Gouzy, "L'élément populaire dans le théâtre de Cervantes", en *Revue d'Esthétique,* núm. 10, 1957, págs. 407-434. Estudios especiales sobre las comedias: Eduardo Juliá Martínez, "Estudio y técnica de las comedias de Cervantes", en *Revista de Filología Española,* XXXII, 1948, págs. 339-365. Ángel Valbuena Prat, "Las ocho comedias de Cervantes", en *Homenaje a Cervantes,* editado por Francisco Sánchez-Castañer, vol. II, Valencia, 1950, págs. 259-266. Estudios especiales sobre los entremeses: Griswold S. Morley, "Notas sobre los entremeses de Cervantes", en *Estudios dedicados a Menéndez Pidal,* vol. II, Madrid, 1951, págs. 483-496. Rafael de Balbín, "La construcción temática de los entremeses de Cervantes", en *Revista de Filología Española,* XXXII, 1948, págs. 415-428. Estudios particulares sobre obras concretas o sobre aspectos diversos del teatro de Cervantes: Fernando Lázaro, "Notas sobre el texto de dos entremeses cervantinos", en *Anales cervantinos,* III, 1953, págs. 340-348. Joaquín Casalduero, "La Numancia", en *Nueva Revista de Filología Hispánica,* II, 1948, págs. 71-87. Camille Pitollet, "La Numancia au Théâtre Antoine", en *Bulletin Hispanique,* XXXIX, 1937, págs. 405-410. Max Aub, "La Numancia de Cervantes", en *La Torre,* San Juan de Puerto Rico, 1956. J. Mañach, "El sentido trágico de 'La Numancia' ", en *Nueva Revista Cubana,* La Habana, I, 1959, págs. 21-40. Alfredo Hermenegildo, "El teatro trágico de Cervantes. Tragedia del cerco de Numancia", en *Los trágicos españoles del siglo XVI,* Madrid, 1961, págs. 370-389. Joaquín Hazañas y la Rúa, *Los rufianes de Cervantes* (estudia *El rufián dichoso* y *El rufián viudo*), Sevilla, 1906. Manuel José García, *Estudio crítico acerca del entremés 'El vizcaíno fingido',* Madrid, 1905. R. Riccardi, *La commedia divina di Cervantes* (se ocupa de *El rufián dichoso*), Nápoles, 1912. Dámaso Alonso, "Una fuente de 'Los Baños de Argel' ", en *Revista de Filología Española,* XIV, 1927, págs. 275-282. Del mismo, " 'Los Baños de Argel' y 'La Comedia del Degollado' ", en *Revista de Filología Española,* XXIV, 1937, págs. 213-218. F. López Estrada, "Una posible fuente de un fragmento de la comedia 'La casa de los celos' ", en *Homenaje a Cervantes,* Cuadernos de Ínsula, Madrid, 1947, págs. 201-207. Manuel García Blanco, "El tema de la cueva de Salamanca y el entremés cervantino de este título", en *Anales cervantinos,* I, 1951, págs. 71-109. J. Cazenave, " 'El gallardo español' de Cervantes", en *Les Langues Néolatines,* París, núm. 3, 1953. Joaquín Casalduero, "Los

Se desconoce el número exacto de las piezas dramáticas que compuso, y ni siquiera de las que logró poner en escena. La afición de Cervantes por el teatro era tan antigua, y fue tan duradera, como su pasión por la poesía. En diversos pasajes de sus obras nos habla de aquella afición y nos informa de las piezas que escribió. Así, por ejemplo, en la *Adjunta al Parnaso* se lee este diálogo: "—Y vuesa merced, señor Cervantes —dijo él—, ¿ha sido aficionado a la carátula? ¿Ha compuesto alguna comedia? —Sí —dije yo—; muchas; y a no ser mías, me parecieran dignas de alabanza, como lo fueron *Los Tratos de Argel, La Numancia, La Gran Turquesa, La Batalla naval, La Jerusalén, La Amaranta o la del Mayo, El Bosque amoroso, La Única* y *La bizarra Arsinda,* y otras muchas de que no me acuerdo. Mas la que yo más estimo y de la que más me precio fue y es de una llamada *La Confusa,* la cual, con paz sea dicho de cuantas comedias de capa y espada hasta hoy se han representado, bien puede tener lugar señalado por buena entre las mejores. Y agora, ¿tiene vuesa merced algunas? —Seis tengo, con otros seis entremeses. —Pues ¿por qué no se representan? —Porque ni los autores me buscan, ni yo les voy a buscar a ellos. —No deben de saber que vuesa merced las tiene. —Sí saben; pero como tienen sus poetas paniaguados y les va bien con ellos, no buscan pan de trastrigo. Pero yo pienso darlas a la estampa, para que se vea de espacio lo que pasa apriesa, y se disimula, o no se entiende, cuando las representan; y las comedias tienen sus sazones y tiempos, como los cantares" [41].

En el prólogo de sus *Ocho comedias y ocho entremeses nuevos nunca representados,* a continuación del fragmento sobre Lope de Rueda, que quedó citado a propósito de este autor, escribe Cervantes: "Y esto es verdad que no se me puede contradezir, y aquí entra el salir yo de los límites de mi llaneza: que se vieron en los teatros de Madrid representar *Los tratos de Argel,* que yo compuse, *La destruyción de Numancia* y *La batalla naval,* donde me atreví a reduzir las comedias a tres jornadas, de cinco que tenían; mostré, o, por mejor dezir, fui el primero que representasse las imaginaciones y los pensamientos escondidos del alma, sacando figuras morales al teatro, con general y gustoso aplauso de los oyentes; compuse en este tiempo hasta veynte comedias o treynta, que todas ellas se recitaron sin que se les ofreciesse ofrenda de pepi-

---

tratos de Argel", en *Comparative Literature,* Universidad de Oregon, vol. II, 1950, págs. 31-63. Luis Rosales, "La vocación y 'El rufián dichoso' ", en *Acta Salmanticensia,* 10, 1956, núm. 2, págs. 289-316. Adolfo Salazar, *La música de Cervantes y otros ensayos,* Madrid, 1961. Miguel Querol Gavalda, *La música en las obras de Cervantes,* Barcelona, 1948. Ricardo del Arco, "Cervantes y la farándula", en *Boletín de la Real Academia Española,* XXXI, 1951, págs. 331-330. Gustavo Correa, "El concepto de la fama en el teatro de Cervantes", en *Hispanic Review,* XXVII, 1959. Alonso Zamora Vicente, "El cautiverio en la obra cervantina", en *Homenaje a Cervantes,* cit., vol. II, Valencia, 1950, págs. 239-256.

[41] Edición Rodríguez Marín, citada, pág. 116.

nos ni de otra cosa arrojadiza: corrieron su carrera sin silvos, gritas ni baraúndas...”[42].

Sin recurrir a nuevas citas, tenemos testimonio suficiente de que antes de las *Ocho comedias...* habían salido de la pluma de Cervantes sobre unas treinta comedias, entre las cuales da títulos concretos de algunas estrenadas. Sin embargo, de todas ellas sólo nos son conocidas dos: *Los tratos de Argel* y *La Numancia.* Sumadas éstas a las *ocho comedias* (*El gallardo español, La casa de los zelos y selvas de Ardenia, Los baños de Argel, El rufián dichoso, La gran sultana doña Catalina de Oviedo, Laberinto de amor, La entretenida* y *Pedro de Urdemalas*) y los *ocho entremeses* (*El juez de los divorcios, El rufián viudo llamado Trampagos, La elección de los alcaldes de Daganço, La guarda cuydadosa, El vizcayno fingido, El retablo de las maravillas, La cueva de Salamanca* y *El viejo zeloso*), publicados en los últimos años de su vida, dan un total de dieciocho piezas, producción considerable en sí misma pero que, como vemos, debió de ser mucho mayor[43].

Épocas y rasgos de su teatro. Suelen distinguirse dos épocas en el arte dramático de Cervantes: la primera, que se inició con el regreso a España después del cautiverio, respetuosa todavía con las normas del dominante clasicismo, está representada por *Los tratos de Argel* y *La Numancia,* a más de las obras perdidas, y pertenece al período anterior a Lope de Vega. A la segunda época corresponden las obras incluidas en el volumen publicado, cuando ya se había alzado Lope con la “monarquía” de la comedia.

No es fácil, sin embargo, delimitar con rigor ambos períodos, cuya existencia puede admitirse más por comodidad clasificatoria que porque responda

---

24 Edición Schevill-Bonilla, citada, vol. I, pág. 7.

43 Ediciones del teatro de Cervantes: *Comedias y Entremeses,* edición de Rodolfo Schevill y Adolfo Bonilla y San Martín, cit., 6 vols., Madrid, 1915-1922 (en *Obras Completas de Cervantes*); edición Rodríguez Marín, de la Real Academia Española, también en las *Obras Completas de Cervantes,* vol. VII, Madrid, 1923; edición A. Valbuena Prat, igualmente en las *Obras Completas,* 12.ª ed., Madrid, 1962. *Obras Dramáticas de Cervantes,* edición Francisco Ynduráin, en BAE, vol. CLVI, Madrid, 1962 (contiene las *Ocho comedias y ocho entremeses nuevos* y además *Los tratos de Argel* y *La destrucción de Numancia*). *Entremeses de Miguel de Cervantes Saavedra* (incluidos *Los habladores*), edición de Adolfo Bonilla y San Martín, Madrid, 1916. *Cervantes. Entremeses,* edición de Miguel Herrero García en Clásicos Castellanos, Madrid, 1945. *Entremeses de Cervantes* (incluidos los atribuidos), edición de Agustín del Campo, Madrid, 1948. *Colección de entremeses, loas, bailes,* edición de Emilio Cotarelo y Mori, en NBAE, vol. I, Madrid, 1911. *La Numancia,* edición de Luigi Sorrento, Milán, 1920. *El cerco de Numancia. Tragedia en cuatro jornadas,* edición de J. Givanel Mas, Barcelona, 1941. *Comedia de los tratos de Argel,* edición de Ludwig Pfandl, Leipzig, 1925. *El rufián viudo, La guarda cuidadosa, El retablo de las maravillas,* edición de Ludwig Pfandl, Halle, 1926. *El hospital de los podridos y otros entremeses alguna vez atribuidos a Cervantes,* edición Dámaso Alonso, Madrid, 1936; *The Interludes* (traducidos y anotados), edición de S. Griswold Morley, Princeton University Press, 1948.

exactamente a la realidad. Aparte el hecho de haberse perdido casi todas las obras del primer período, no es seguro tampoco que las dos conservadas nos hayan llegado en una primera redacción, sin haber sido retocadas por el autor en su madurez; y entre las llamadas de la "segunda época" tampoco puede afirmarse que no pertenezcan algunas a tiempos anteriores. Schevill y Bonilla advierten que en el teatro de Cervantes no pueden establecerse dos tan sólo, sino bastantes más fórmulas estéticas, por lo que no hay razón para distribuir las comedias en dos únicos grupos totalmente diferenciados; al mismo tiempo, las obras incluidas en el volumen de 1615 tampoco representan —en opinión de dichos críticos— una fórmula radicalmente distinta de la producción anterior, pues conservan de ella numerosos rasgos [44].

Llama la atención, dicen Schevill y Bonilla, que Cervantes en la *Adjunta al Parnaso* no mencionara sino comedias de su primer período, siendo así que en aquella fecha —1614— debía de tener ya preparadas para la imprenta las contenidas en el volumen de 1615. Cervantes, atento a las modernas direcciones del teatro y preocupado por la fórmula dramática del Fénix, deseaba publicar las "ocho comedias" como nuevas y ajustadas a los cánones y gustos dominantes; por todo ello no resulta improbable que "algunas de las comedias *viejas*, vestidas de nuevo, remozados los títulos y acomodadas a los modernos rumbos" figuren en el volumen impreso [45]. Schevill y Bonilla llegan a suponer que Cervantes reunió en éste "cuanto había quedado de todas las épocas pasadas, entre los papeles del autor" y que había sido susceptible de remozamiento. La "segunda época" no puede, pues, presentarse como esencialmente distinta de la primera; tan sólo, si se hubiera conservado la comedia titulada *El engaño a los ojos*, que Cervantes decía estar escribiendo en 1615, sería posible "conocer una fórmula en cierto modo definitiva de su teatro" [46].

La versificación permite, sin embargo, señalar ciertas diferencias. *Los tratos de Argel* y *La Numancia* se caracterizan por la total ausencia de romances, verso exigido por el "arte nuevo" del teatro. En *Los tratos* predominan las redondillas y quintillas con gran acompañamiento de versos de tipo largo —suelto, tercetos, octavas—; en *La Numancia* dominan éstas últimas, hasta ocupar las tres cuartas partes de la obra. En las *Ocho comedias* se utiliza, en cambio, el romance, aunque en variable proporción, nunca muy crecida [47].

---

[44] *Comedias y entremeses*, edición cit., vol. VI, "Introducción", págs. 5 y ss.

[45] Ídem, íd., pág. 10. En un trabajo titulado "Obras perdidas de Cervantes que no se han perdido" (*Boletín de la Real Academia. Española*, XXVII, 1947-1948, págs. 61-78), Armando Cotarelo Valledor sostiene que las obras cervantinas *La Gran Turquesa*, *La Confusa* y *El bosque amoroso*, que se suponen perdidas, se conservan con distinto nombre en las comedias *La gran sultana*, *El laberinto de amor* y *La casa de los zelos y selvas de Ardenia*, respectivamente.

[46] "Introducción", cit., pág. 15.

[47] La máxima utilización del romance corresponde a *La gran sultana* con 464 versos que representan el 15.6 % de la obra, seguida de *La entretenida* con el 14.9 y *El ga-*

Cervantes se jactaba, como vimos en sus palabras transcritas, de innovaciones dramáticas cuya autenticidad es muy discutible. La primera de ellas es haber reducido de cinco a tres el número de actos de las comedias. Con excepción de Jerónimo Bermúdez, que escribió en cinco sus tragedias por premeditada imitación de los modelos clásicos, y de la *Dido* de Virués, cuando Cervantes comenzo su producción teatral las comedias se dividían ya, por lo común, en cuatro actos, y de este número constan también, precisamente, *Los tratos de Argel* y *La Numancia.* Algunas obras del mismo Virués y dos de Lupercio Leonardo de Argensola (*La Isabela* y *La Alejandra*) están escritas en tres actos, pero lo más seguro es que fueran reformadas o refundidas para su impresión, y que no fue aquél su estado primitivo. En consecuencia, pues, no es del todo improbable que Cervantes introdujera la norma de los tres actos, o por lo menos contribuyera a arraigarla, pero no parece que su reducción se efectuara desde los cinco actos, sino desde los cuatro.

La segunda de las autoatribuciones de Cervantes es la de las *figuras morales,* que él se jacta de haber sacado a escena por primera vez; pero esta pretensión resulta más problemática que la anterior. "Hemos de creer —dicen Schevill y Bonilla— que, o Cervantes no se explica con suficiente claridad, o hemos perdido las comedias en que de un modo más típico se introducían tales innovaciones" [48]. Los mencionados críticos aducen diversos casos de "figuras morales" llevadas a escena con anterioridad; Juan de la Cueva se sirvió abundantemente de ellas en su teatro, las sacó Artieda en sus *Amantes,* Lupercio Leonardo de Argensola en sus dos tragedias mencionadas, Virués en su *Semíramis*; remontándose más, la obra dramática de Gil Vicente ofrece casos numerosísimos de su utilización en forma de dioses, demonios, ángeles, ciudades y estaciones del año, virtudes, etc.; y pueden asimismo encontrarse en otros primitivos del teatro, como Sánchez de Badajoz y el bachiller Fernán López de Yanguas. "¿En qué puede fundarse —se preguntan ahora Schevill y Bonilla— la rotunda afirmación de Cervantes, según la cual fue él *el primero* que sacó figuras morales al teatro? Tal vez en que creyó haber dado a estas figuras más cuerpo, más verdad, mayor peso moral e intelectual en la trama de sus comedias, circunstancias que quizá se comprobasen mejor en las que no han llegado hasta nosotros. De todos modos, es notorio que Cervantes quiso dignificar tales elementos, esforzándose también por su mayor compenetración con los episodios de sus comedias" [49]. Queda la duda, sin embargo, de que Cervantes haya logrado con sus "figuras" la pretendida efi-

---

llardo español con el 14.4. En *La casa de los zelos* no se encuentran más que 80 versos de romance (2.9 %) y 84 (2.7 %) en *El laberinto de amor.* Aun en las obras que se suponen de la "segunda época", Cervantes seguía prefiriendo las fórmulas de versificación de los dramaturgos prelopistas, arrinconadas ya por el "nuevo arte" del Fénix (véase "Introducción" cit., págs. 20-23, 74-78 y 159 y ss., con los esquemas métricos).

[48] "Introducción", cit., pág. 11.

[49] Ídem, íd., pág. 58.

cacia dramática, hasta el punto de representar en su teatro una valiosa aportación.

La preocupación, nunca extinguida, de Cervantes por el teatro y su íntimo convencimiento de haber fracasado en él se le convierten en tema casi obsesivo, que aparece una y otra vez en la mayoría de sus obras: en el tan recordado capítulo XLVIII de la primera parte del *Quijote*, en *El coloquio de los perros*, en la *Adjunta al Parnaso*, en el prólogo de las *Ocho comedias...*, en *Pedro de Urdemalas*, en *El rufián dichoso*... Del conjunto de las ideas expuestas por Cervantes en todos estos pasajes, los comentaristas cervantinos —diríamos que todos, sin excepción— extraen dos consecuencias básicas: primera, la escasa consistencia o densidad del pensamiento teórico de Cervantes sobre el arte dramático, pensamiento dictado más por su resentimiento de autor fracasado contra su triunfador rival, Lope de Vega, que por un coherente sistema de principios; segunda, la falta de adecuación entre sus palabras y sus obras, puesto que en sus propias comedias se sirve muchas veces de los mismos recursos que censuraba en los demás. Sin querer prejuzgar el valor absoluto que encierran las obras dramáticas de Cervantes, creemos justo descargar al inmortal novelista de ambas acusaciones. Sus palabras sobre el teatro, aquí y allá esparcidas, no nos parecen tan banales o desafortunadas como se afirma. Claro que nunca constituyen una sistemática exposición, pero de esto no era allí su lugar; en medio de una novela o comedia no hubiera sido pertinente emparedar un pedantesco tratado; bastaba con que quedara de manifiesto el pensamiento del autor, y esto lo logra siempre. Si sus ideas no adquieren, de todos modos, más rigurosa teorización, débese a que Cervantes no era tampoco, en manera alguna, un doctrinario del teatro. "El teatro de Cervantes —recuerda con mucha exactitud Alfredo Hermenegildo— con algunos puntos de contacto con el clasicismo, es el más romántico de los dramaturgos anteriores a Lope. Cueva, Artieda y Virués son mucho más respetuosos con lo antiguo que el autor del *Quijote*" [50].

Cierto que Cervantes no era, a pesar de todo, un escritor teatral de "argumentos"; no le importaba apenas la trama, es decir, el hilo anecdótico que es el que suele encadenar el interés del público gregario, principal devorador de entretenimiento escénico. Sus obras lo son esencialmente de caracteres, de vida directamente observada, de pasiones con calor de verdad. Cierto, también, que Cervantes se había educado en los principios de la comedia y la tragedia clásicas y en el respeto a las famosas unidades que muchos acataban como dogmas. Pero creemos que se exagera cuando se supone a Cervantes beatamente preocupado por la letra de estos principios, que él nunca invoca pidiendo que se respeten de este modo. A Cervantes, el más humano de nuestros escritores, le interesaba por encima de todo la "verosimilitud esencial" de los hechos que se llevaban a escena. Ni siquiera le "escandalizaban" las inverosimili-

[50] *Los trágicos españoles del siglo XVI*, cit., pág. 372.

tudes de detalle, incluso con novelerías "a la italiana", y tampoco los cambios de lugar o los saltos de tiempo. Tan sólo creía, simplemente, que ciertas trabas escénicas eran indispensables para contener las tentaciones de la facilidad y atar la fantasía del escritor a la vida real que debía ser reflejada; como se embrida a un caballo, no para sujetarlo a un muro, sino para regirlo en su carrera. A Cervantes no le irritaba que una escena de una comedia sucediera en Sevilla y la siguiente tuviera lugar en Milán, cosa que él hace muchas veces, sino que brincaran a la misma velocidad los ánimos de los personajes, y se enamorara perdidamente un galán a la vuelta de diez segundos, y rindiera a su dama en otros tantos, y se muriera a continuación de celos o se olvidara de su fogoso amor en el tiempo que se tardaba en recitar dos redondillas; y le estomagaban los repetidísimos convencionalismos de la comedia al modo lopesco con sus inevitables galanes enamorados, y el no menos inevitable casamiento de la escena final, y los clichés invariables del criado gracioso y la dueña entrometida, y el artificioso alternar de episodios dramáticos y escenas cómicas con que mecer en cómodo vaivén de lágrimas y risas los ánimos de la masa que acudía... y pagaba, si la mezcla resultaba a su gusto. Adviértase además que las obras de Lope que provocaron las despectivas palabras de Cervantes en el *Quijote* eran las de su época primera, cuando la mayoría de las comedias del Fénix se desbocaban en un torbellino de sucesos, reñidos muchas veces con una mínima exigencia de verdad. Cervantes sentía por este tipo de teatro el mismo desdén que a las personas de buen sentido, y sin ánimos ya para niñerías, les merece la producción masiva y comercializada que hoy les ofrece el cine. Algunos aspectos de este hecho quedarán más ampliamente explicados en capítulos sucesivos, pero debemos anticipar que en el teatro del Barroco, aderezado con todas las bellezas literarias que se desee, las obras de indudable densidad humana emergen como islas solitarias en medio de un océano de increíbles puerilidades en cuanto a tramas y asuntos se refiere. Y este teatro no podía gustarle a Cervantes. Después la escena maduró, hecho fundamental sin duda; pero también otras cosas sucedieron. La fuerza de la naturaleza que era Lope había arrebatado a todo el país, pendiente ya de aquel apasionante espectáculo que era capaz de ofrecer, y hasta los más reacios acabaron por admitir que aquello que se mostraba allí, sobre las tablas, podía ser necio a veces, pero entretenía deliciosamente. Era casi imposible entonces que quien no formaba parte del "gran vulgo" admitiera el hecho —ya lo dijimos en un capítulo precedente— de que el teatro, para los más, era una simple diversión: esa verdad que Rueda había descubierto y que Lope de Vega convirtió en un hecho nacional de proyección incalculable. Cervantes, hombre de teatro al fin, aceptó la incontrastable realidad, que no era problema —repetimos— de unidades y demás zarandajas, sino de divertir o de aburrir al espectador. Si la palabra no fuera a parecer demasiado vulgar, diríamos que Cervantes... se había al fin acostumbrado.

Esto puede explicar muchos rasgos de sus comedias de la "segunda época", cuando da entrada en ellas al influjo del teatro de Lope. Al comienzo de la segunda jornada de *El rufián dichoso* dos figuras alegóricas —la "Comedia" y la "Curiosidad"— entablan un diálogo, ajeno al asunto de la pieza (lo que hace pensar que Cervantes debía sentir aguda comezón por justificar públicamente las "concesiones" de su nuevo teatro) en el que el autor da cuenta de éstas; la "Curiosidad" reprocha a la "Comedia" que baraje escenas dramáticas y cómicas, en contra de los preceptos clásicos, y que salte frecuentemente de lugar:

> *aora aquí representas*
> *y al mismo momento en Flandes;*
> *truecas sin discurso alguno*
> *tiempos, teatros, lugares.*
> *Véote y no te conozco...*

A lo que responde la "Comedia";

> *Los tiempos mudan las cosas*
> *y perficionan las artes,*
> *y añadir a lo inventado*
> *no es dificultad notable.*
> *Buena fuy passados tiempos,*
> *y en éstos, si los mirares,*
> *no soy mala, aunque desdigo*
> *de aquellos preceptos graves*
> *que me dieron y dexaron*
> *en sus obras admirables*
> *Séneca, Terencio y Plauto,*
> *y otros griegos que tú sabes.*
> *He dexado parte dellos,*
> *y he también guardado parte,*
> *porque lo quiere assí el uso,*
> *que no se sujeta al arte* [51].

La concesión al "uso", es decir, a las exigencias del espectador, es harto transparente. Había otro problema. El teatro clásico, por ceñirse a las unidades, había tenido que concentrarse en dos o tres momentos culminantes y referir o aludir a todo lo que no podía llevarse a la escena. Pero después que el espectador vio producirse ante sus ojos los hechos que antes le habían sido simplemente narrados, no podía privarse ya de aquella emoción del hecho directamente presenciado. Para seguir la peripecia dramática en toda su viveza

[51] Edición Schevill-Bonilla, citada, vol. II, págs. 51-52.

—es, exactamente, la conquista sensacional del cine en nuestros días— había que mudar forzosamente de lugar. Así, prosigue la "Comedia":

> *Ya represento mil cosas,*
> *no en relación, como de antes,*
> *sino en hecho, y assí es fuerça*
> *que aya de mudar lugares;*
> *que como acontecen ellas*
> *en muy diferentes partes,*
> *voyme allí donde acontecen,*
> *disculpa del disparate.*
> ....
> *Mal pudiera yo traer,*
> *a estar atenida al arte,*
> *tanto oyentes por las ventas*
> *y por tanto mar sin naves*[52].

Bien se ve que este "disparate", de que Cervantes pide "disculpa", puede sobrevenir por tales saltos de lugar, pero no por los saltos en sí mismos, sino por la tentación de despachar en breves trazos hechos dramáticos que debían ser tratados más detenidamente. Y la "Curiosidad" admite estas explicaciones, con palabras que tienen toda la traza de una palinodia personal:

> *Aunque no lo quedo en todo,*
> *quedo satisfecha en parte...*[53].

Cervantes, que había querido que las comedias fuesen "espejo de la vida humana, ejemplo de las costumbres e imagen de la verdad", admitía el hecho de que el teatro no era exactamente la verdad, sino "teatro", es decir, algo con leyes y exigencias propias que tomaba pie en la realidad, mas para manipularla libremente y dar de ella tan sólo fogonazos aislados que encendían y mantenían el interés del espectador, móvil supremo.

Así se explica, decíamos, que Cervantes en el teatro de su segunda época, a la zaga de la fórmula de Lope, tan contraria a su peculiar mentalidad, cargada —como dice Américo Castro— de un "exceso de ironía y de crítica", se sirviera de complicaciones y enredos —frecuentemente desmedidos— para hacer más entretenida y atrayente la gravedad de fondo de su obra; combinación —o compromiso— en que muy fácilmente le fallaba la medida, porque escribía así con íntima repugnancia: por lo que hería su más entrañable concepto del teatro, y porque carecía de la genial despreocupación de Lope —también, claro es, de su genial intuición poética y dramática— para saltarse, sin

---

52 Ídem, íd., págs. 52-54.

53 Ídem, íd., pág. 54.

ningún género de escrúpulos, todos los obstáculos que dificultasen el logro del teatro puro, es decir, de la acción en toda su libertad.

Algo debemos añadir todavía. Estas que hemos admitido como "claudicaciones" de Cervantes —y que sólo lo fueron, al cabo, porque careció del genio dramático necesario para sacar provecho de ellas— deben también ser aceptadas con la debida matización. Toda la obra de Cervantes es un portentoso derroche imaginativo, tan grande como su misma entrega a la realidad [54]. Jamás pudo pensar en abatir los fueros de la fantasía, cuando él los ejercitó tan vastamente, y en medida todavía mayor en el último de sus libros, el *Persiles*, auténtica madeja de quiméricas aventuras. Dijimos que no le asustaban las inverosimilitudes por sí mismas, pues sembró numerosas en todos sus escritos; al usarlas, no se atenía a su magnitud absoluta, sino a las proporciones con el retablo en que iban a encajar. En una palabra: Cervantes podía hacer dialogar durante una noche a los perros Cepión y Berganza, pero nunca hubiera prestado a Rinconete palabras que no correspondieran exactamente a su condición; y así, no es más "real" éste que aquéllos. Lo que le hería en los "disparates" de la comedia de su tiempo era un problema de proporción y de medida, de simple "gusto" si se quiere, que no dependía de rigurosas preceptivas ni de exactas fórmulas, que los comentaristas cervantinos suelen echar de menos, sino de problemáticos criterios de sensibilidad personal. Esto, sin duda, debe llamarse clasicismo; pero es un clasicismo no de letra, sino de espíritu; y así era el de Cervantes. Cuando se le censura porque sus reparos no afectaban realmente a la fórmula misma de la comedia lopesca, que pretendía imitar, sino tan sólo a sus excesos contingentes, que cabían en cualquier fórmula, creemos que no se dice nada en realidad; las disyuntivas nunca descansan en oposiciones tan radicales como el ser o el no ser, sino en problemas de matiz: en ser o en no ser de esta o de aquella manera. A Cervantes le gustaba un teatro con plena libertad, mas sin pueriles delicuescencias ni intangibles convencionalismos; la tontería no era su fuerte. Américo Castro escribe a este propósito un agudo comentario que vale por todo un volumen de explicaciones. Dice así: "No nos representamos a Cervantes escribiendo un diálogo de amor lopescamente:

---

[54] Cervantes, que tanto distaba de estar satisfecho de sus condiciones de poeta, tenía plena conciencia de su capacidad para la invención y no sentía empacho en proclamarlo. En el capítulo I del *Viaje del Parnaso* hace que Mercurio le califique de *raro inventor* en dos pasajes casi inmediatos (versos 218 y 223), y en el capítulo IV, versos 28-29 dice él mismo de sí:

> *Yo soy aquel que en la invención excede*
> *A muchos...*

—¿Cómo estáis?

—Como sin vida:

por vivir os vengo a ver" [55]

La obsesión por Lope torció probablemente la vocación dramática de Cervantes y frustró la posibilidad de que nos diera una obra de teatro lograda, dentro de moldes racionales, antivulgares, transcendentalmente irónicos. Quizá fue así mejor, porque concentró todos sus esfuerzos en la prosa, donde estaba el campo adecuado para el total despliegue de su genio.

Y, sin embargo, no se piense que su teatro, tomado en conjunto, sea un episodio perdido en la historia de nuestras letras. Aparte sus numerosos aciertos y logros de detalle, que trataremos de señalar, la dramática de Cervantes representa un eslabón irrenunciable en la evolución del teatro de su tiempo, etapa de transición, de inevitables tanteos, desconciertos y rectificaciones. Schevill y Bonilla, que enjuician el teatro cervantino con notable rigor ("ni existe criterio psicológico en el desarrollo de los caracteres, ni hay extraordinario arte en el diálogo, ni están bien calculadas las entradas y salidas de los personajes. Rara vez presenta el conjunto el aspecto de una construcción artística, cuyos principios, medios y fines se correspondan en natural proporción, perfecta aun en sus más pequeños detalles") [56], admiten, en cambio, el avance que supone sobre las "emociones violentas y exageradas", cultivadas especialmente por los seguidores de la dramática clasicista. Cervantes, dicen, se apartó de sus contemporáneos en tales extremos "y sintió (merced al dominio sobre sí propio, al equilibrio mental, a la sencillez de espíritu que sus primeras obras muestran) el anhelo de algo más noble y más humano. En ello estriba la influencia que su labor dramática, con todos sus capitales defectos, pudo ejercer... Nuestro interés por las comedias cervantinas no consiste, como algunos han creído, en que sean del autor del *Quixote,* sino en representar un progreso respecto del teatro anterior a él. Llévanle gran ventaja, en efecto, un *Trato de Argel* y una *Numancia,* por la nobleza de los sentimientos, verdaderamente patrióticos o religiosos, por el conato de trasladar al arte dramático, de un modo más verídico que se había hecho hasta entonces, la experiencia y los ideales de la humanidad" [57]. No nos parece poco.

El teatro de la "primera época". *Los tratos de Argel* —la primera, probablemente, de las comedias escritas por Cervantes, compuesta quizá a mediados de 1580 según se deduce de ciertas alusiones a hechos coetáneos— es una sucesión de cuadros animados por una leve acción, que retrata su vida de cautiverio; el mismo autor se sitúa entre los personajes con el inequívoco nom-

---

55 *El pensamiento de Cervantes,* Madrid, 1925, pág. 50. Los versos citados pertenecen a *El Caballero de Olmedo.*

56 "Introducción", cit., pág. 24..

57 Ídem, íd., págs. 26-27.

bre de Saavedra, carácter autobiográfico que se acrecienta todavía con la inclusión de un fragmento de la *Epístola a Mateo Vázquez*. La tragedia del cautiverio —suceso fundamental que parte la vida del escritor en dos mitades perfectamente diferenciadas— era para Cervantes dolor muy próximo y vivo, y toda la pieza declara su deseo de reflejar fielmente la verdad ambiental, así en la exactitud de las cosas como en la historicidad de los personajes. Tan sólo la leve trama amorosa, que engarza las diferentes escenas con no más que mediana habilidad, es producto de la invención poética. Por esta falta de fusión entre el fondo histórico y real (quizá tomado demasiado "en crudo", sin la necesaria decantación artística) y la acción amorosa superpuesta, la obra tiene más calor emotivo que valor estrictamente literario. Sin embargo, la dignidad de los sentimientos, la noble exaltación patriótica y la resignada pero tenaz actitud contra la desgracia otorgan a *Los tratos* calidades notables. En esta obra, que utiliza también como elemento dramático las intrigas y tentaciones para hacer apostatar a los cautivos de su fe, creó Cervantes la "comedia de cautivos" que había de mejorar notablemente en su segunda época.

Muchos motivos típicamente cervantinos aparecen ya en esta obra, como el elogio y nostalgia de la edad de oro, puesto en boca del cautivo Aurelio, protagonista de la obra, y que éste acomoda a su peculiar situación:

Entonçes libertad dulçe reynava
y el nombre odioso de la servidumbre
en ningunos oydos resonaba... [58]

A pesar del general realismo ambiental, o de fondo, ya aludido, Cervantes da entrada en la obra a dos figuras alegóricas, de cuya invención le hemos visto jactarse: la "Ocasión" y la "Necesidad". En la difícil vida del cautiverio, estas dos fuerzas poderosísimas tuercen frecuentemente la voluntad de los cristianos, y Cervantes las hace luchar contra Aurelio, por quien son derrotadas esta vez. Bajo el punto de vista teatral la escena en que aquéllas aparecen es altamente interesante: más que como figuras visibles —aunque claro que habían de serlo por fuerza— actúan como voces interiores del protagonista; éste va repitiendo para sí mismo, como en monólogo, las mismas palabras que pronuncian las "figuras", trenzándose un diálogo "irreal" de gran intensidad y novedad dramáticas.

El orgullo de raza tiene buena ocasión de manifestarse en este género de comedias, y así aparece una y otra vez, como en aquella vibrante escena en que el rey de Argel ordena atormentar a un cautivo:

¡No sé qué raza es ésta destos perros
cautivos españoles! ¿Quién se huye?
Español. ¿Quién no cura de los hierros?
Español. ¿Quién hurtando nos destruye?

[58] Edición Schevill-Bonilla, cit., vol. V, pág. 53.

Español. ¿Quién comete otros mil hierros?
Español. Que en su pecho el çielo influye
un ánimo indomable, azelerado,
al bien y al mal contino aparejado [59].

Pero esta pasión patriótica no impide la visión —ni aun a este Cervantes todavía optimista— de otros orgullos más vanos y nocivos, que el escritor registra con amarga ironía en la siguiente escena:

Las galeras de christianos,
sabed, si no lo sabeis,
que tienen falta de pies
y que no les sobran manos;
y esto lo causa que van
tan llenas de mercançías,
que, si bogasen dos días,
un pontón no tomarán.
Nosotros a la ligera,
listos, bivos como el fuego,
y, en dándonos caça, luego
pico al viento y ropa fuera,
las obras muertas abajo,
árbol y entena en crujía,
y así haçemos nuestra vía
contra el viento sin trabajo;
y el soldado más luçido,
el más flaco y más menbrudo,
luego se muestra desnudo
y del vogabante asido.
Pero allá tiene la honrra
el christiano en tal estremo,
que asir en un trançe el remo
le pareçe que es deshonrra;
y mientras ellos allá
en sus trece están honrrados,
nosotros de ellos cargados,
venimos sin honrra acá [60].

La Numancia, cuyo tema es la lucha hasta la muerte de la famosa ciudad celtíbera sitiada por las tropas romanas de Escipión, es el intento más alto de crear en español una tragedia calcada todo lo cerca posible sobre los

[59] Ídem, íd., pág. 95.
[60] Ídem, íd., págs. 36-37.

moldes clásicos. Bajo tal aspecto *La Numancia* pertenece, pues, en líneas generales, al grupo de las tragedias de orientación clasicista que, según vimos, tuvieron amplio cultivo por aquellas décadas. Pero se aparta notablemente de ellas, en primer lugar, por la libertad de su construcción, no atenida a las unidades (libertad que, precisamente, tenía que ser motivo de censura para los neoclásicos del siglo XVIII), por la mezcla de figuras alegóricas con las reales y por la índole colectiva del protagonista; en segundo lugar, *La Numancia* representa sobre todas las tragedias afines de su tiempo una superación indiscutible como creación de valor humano y literario. "Abandonó la hueca declamación —dice Hermenegildo—, la trivialidad incidental y la presentación del horror por el horror que hacían los trágicos contemporáneos. *La Numancia* es modelo de simplicidad, rectitud y verdad" [61]. Aludiendo luego a sus momentos de gran intensidad dramática, en los que Cervantes salva el escollo de las atrocidades y truculencias en que habían venido a dar todos los trágicos de su tiempo, escribe: "El horror dramático de Cervantes está elevado a las más puras esencias heroicas. Lo que más impresiona es, sin duda, el patetismo espartano con que se dejan aparte los sentimientos aislados ante la idea de la patria" [62]. Menéndez y Pelayo resumió muy exactamente los méritos esenciales de la gran tragedia cervantina: "El único español que se acercó instintivamente a la ruda manera de Esquilo fue (aunque parezca extraño) Miguel de Cervantes en su *Numancia,* con aquel proceder por grandes masas, aquella imperiosa fatalidad que mueve la lengua de los muertos e inspira agüeros, vaticinios y presagios; los elementos épicos (narraciones, descripciones, etc.) que se desbordan del estrecho cuadro de la escena, lo mismo que en *Los Siete sobre Tebas*; el asunto que no es una calamidad individual, sino el suicidio de todo un pueblo y, finalmente, el espíritu nacional que lo penetra y lo informa todo" [63].

Como hemos dicho, con los personajes reales, y aun históricos, se mezclan numerosas figuras alegóricas —España, el río Duero, la Enfermedad, el Hambre, la Guerra, la Fama—. Tales figuras, muy discutidas, han sido estimadas, en general, como perjudiciales para el tono realista de la obra; pero es igualmente cierto que intensifican poéticamente el halo de majestad trágica que envuelve los sucesos; por lo demás, ninguna de ellas interviene en la acción —hecho que, de producirse, sí que hubiera quebrado el plano real de la obra— y su papel es semejante al desempeñado por el coro de la tragedia griega [64].

---

[61] *Los trágicos españoles...*, cit., pág. 373.

[62] Ídem, íd., pág. 387.

[63] *Cuatro palabras acerca del teatro griego en España* (citado por Alfredo Hermenegildo, págs. 375-376).

[64] Schevill y Bonilla califican con gran dureza, sin atenuante alguno, la presencia de estas figuras alegóricas en la tragedia cervantina: "Ocurre —dicen— que la escasísima impresión que tales 'personas' causan, está demostrando lo mucho que perjudican al desarrollo psicológico del drama, al proceso de la lucha interior que envuelve, a la re-

Por la ausencia de protagonistas individuales, sustituidos por la ciudad entera, es *La Numancia* prototipo de drama colectivo, sólo superado en este aspecto por *Fuenteovejuna* de Lope de Vega y émulo de *Los Persas* de Esquilo, cuyo influjo sobre la obra de Cervantes es visible. Este carácter, que más parece propio de la épica que de la dramática, explica por igual las excelencias y los defectos de la obra. Con la elección de este tema nacional y la poderosa fuerza dramática de que acertó Cervantes a dotarlo, la fría tragedia clasicista de la época adquiere una intensidad y calor que ninguno de sus otros cultivadores había conseguido infundirle; y los héroes numantinos, en particular, sin dejar de ser personajes bien individualizados de una realidad histórica perfectamente determinada, se convierten a la vez —gracias a esta resonancia épica colectiva— en símbolos del amor heroico a la libertad. *La Numancia* es, efectivamente, la gran tragedia de la libertad. Por otro lado no es menos cierto que la obra carece de verdadero desarrollo dramático y más bien se compone de una sucesión de cuadros episódicos, demasiado estáticos a veces, como escenas de un friso estatuario. Sin embargo, la magnitud del hecho trágico y la íntima relación de cada uno de los habitantes con la suerte definitiva de la ciudad suplen la ausencia de la trama argumental y dan a los hechos una coherencia tan estrecha como la que podría derivarse de la existencia de dicha trama. Después de admitir la grandeza épica de *La Numancia* y los defectos que se originan de su especial contextura dramática, escribe Hermenegildo: "Cervantes se dio cuenta del carácter especial de su obra, porque el uso general de la octava rima es más propio de la descripción épica que de la acción dramática. Vista la obra como un intento de dar forma y cuerpo en escena a un gran suceso nacional con intento de inspirar sentimientos patrióticos [65], su éxito es indudable" [66].

La Numancia pasó en su tiempo casi inadvertida, y es curioso el hecho de que Cervantes, que la estimaba en mucho, no la hizo imprimir; fue publicada por primera vez en la tardía edición de Sancha de 1784. Como ya insinuamos, los neoclásicos del XVIII —García de la Huerta, el abate Lampillas, Moratín, Alberto Lista— incluyeron a *La Numancia* en su general menospre-

---

presentación de la vida que intenta. La oración de España en *La Numancia* basta para aburrir al más paciente, y si a esto se añade el exiguo valor poético de los versos, compréndese que el autor no tenga derecho al 'feliz remate' que ambiciona" ("Introducción", cit., pág. 59).

[65] A este respecto se recuerda siempre el hecho de que *La Numancia* fue representada en Zaragoza cuando estaba cercada por las tropas de Napoleón, y contribuyó a enardecer los ánimos de los sitiados. Sea o no cierta la noticia, define bien el carácter patriótico y nacional de la tragedia de Cervantes. En 1949 el profesor de la Universidad de Valencia Francisco Sánchez-Castañer puso en escena *La Numancia* en el teatro romano de Sagunto, al pie de las ruinas de su famosa fortaleza. Esta memorable representación, a la que nos cupo asistir, puso de relieve la eficacia emotiva que la obra —realizada adecuadamente— conserva todavía para el espectador actual.

[66] *Los trágicos españoles...*, cit., pág. 374.

cio por el teatro de Cervantes; pero los críticos y escritores alemanes, especialmente de fines del siglo XVIII y principios del XIX —los hermanos Schlegel, Richter, Bouterweck, Klein, Goethe, Schopenhauer— la encomiaron casi apasionadamente, unos como restauración de la tragedia antigua, otros como perfecta realización del drama romántico nacional. Estos juicios, a los que se sumaron otros muchos de críticos españoles del pasado siglo, iniciaron una positiva valoración de la tragedia cervantina, compartida, en líneas generales, por los modernos comentaristas: Cotarelo, Bonilla, Casalduero, Valbuena Prat. Hermenegildo, que le dedica un minucioso y ponderado estudio, afirma que *La Numancia* es la mejor tragedia aparecida en España, no ya en los tiempos anteriores a Lope de Vega, sino en toda la historia de nuestra literatura[67]. Menéndez y Pelayo había extendido su estimación por la obra no sólo con respecto al género trágico, sino al teatro en general, dentro de la época prelopista: "*La Numancia* —dice—, obra más celebrada por los críticos extranjeros que por los nacionales, es sin comparación la obra de más mérito que produjo el teatro español anterior a Lope de Vega"[68].

El teatro de la "segunda época". En las obras de la "segunda época" cultivó Cervantes los tipos de comedia entonces ya en boga, aparte lo que hemos llamado "comedia de cautivos" a la que pertenecen tres de estas piezas. *El gallardo español,* primera de ellas, recoge, a semejanza de *Los tratos de Argel,* recuerdos autobiográficos del cautiverio de Cervantes, nuevamente partícipe de la acción bajo el nombre del personaje Fernando de Saavedra a quien atribuye ahora, sin embargo, muchos hechos heroicos imaginados. Con este leve fondo biográfico se trenzan también noticias tomadas de la tradición heroica cristiano-morisca, entonces populares, que dan a la obra un acusado matiz caballeresco. Igualmente verista en los detalles de ambientación, *El gallardo español* es, pues, bastante menos histórica que *Los tratos de Argel* en su trama argumental; Cervantes confiesa al final de la comedia que su intención había sido "mezclar verdades — con fabulosos inventos", y la comedia abunda, efectivamente, en lances de arriscada novelería, que por sus complicaciones, cambios de escena y libertades de toda índole en el desarrollo de la acción, en nada se distinguen de los más atrevidos de la escuela de Lope. Uno de los tipos mejor conseguidos de la comedia es el gracioso Buitrago, soldado de Orán, gran comedor y matador de moros mientras tenga llena la tripa ("sólo a mi vientre acudo y a la guerra"), con muchos rasgos tomados de la realidad según el propio autor declara en las acotaciones; Buitrago pide para las almas (y esto es "verdadero, que yo lo vi", dice Cervantes) y gasta en comer lo que recauda, pero pide con tales modos que un personaje se lo afea, a lo que Buitrago responde:

---

67 Idem, íd., pág. 373.

68 *Cervantes considerado como poeta,* ed. cit., pág. 259.

Úsasse en aquesta fuerça
de Orán pedirse deste arte;
que son las almas de Marte,
y piden siempre con fuerça.
Nadie muere aquí en el lecho
a almidones y almendradas,
a pistos y purgas hecho;
aquí se muere a estocadas
y a balazos roto el pecho.
Baxan las almas ferozes
tan furibundas y atrozes,
que piden que acá se pida
para su pena aflixida
a cuchilladas y a vozes[69].

La comedia está hábilmente versificada y contiene romances de gran agilidad y soltura, como el del reto de Alimuzel a don Fernando, que comienza:

Escuchadme, los de Orán,
caballeros y soldados...

La gran sultana se basa en un suceso de posible fondo histórico: los amores del sultán Murad, o Amurates, con la cautiva cristiana doña Catalina de Oviedo, que, llevada presa a Constantinopla, lo conquistó con su hermosura hasta el extremo de llegar a ser su esposa: hechos que fueron cantados en romances[70]. La obra tiene notables aciertos de versificación y abundantes momentos ingeniosos y divertidos, pero también episodios de excesiva inverosimilitud, no tanto en lo anecdótico —con serlo enormemente— cuanto en las reacciones psicológicas y consistencia de los personajes, y aun en la lógica de los hechos. Los recuerdos personales del escritor tan sólo como fondo de índole genérica pueden hallarse en esta pieza, en la que incluso la ambientación local se debe a los relatos novelescos de la época y no a directa observación (Cervantes no conocía Constantinopla). Schevill y Bonilla pensaban que *La gran sultana* no estaba escrita en serio, y dicen del Gran Turco que parece un tipo "de ópera bufa"; hay, efectivamente, en la comedia un predominio de las escenas de humor, y, dentro de éstas, abundantes pasajes de grotesca comicidad, en los que Cervantes intensifica a propósito la caricatura. De este género nos parece incluso la escena en que el sultán ve por primera vez a doña Catalina, rindiéndose a su belleza con hiperbólico enamoramiento; innegablemente grotesca es la credulidad del cadí, a quien Madrigal promete hacer

[69] Edición Schevill-Bonilla, cit., vol. I, pág. 64.

[70] Schevill y Bonilla rechazan la supuesta historicidad de la pieza, que quedaría limitada a muy leves aspectos (véase "Introducción", cit., págs. 84 y ss.).

hablar a un elefante, y mucho más la del propio sultán, que admite el repentino cambio de sexo del cautivo escondido entre las esclavas del serrallo. Imaginamos la desbordante hilaridad que escenas semejantes habían de provocar en los espectadores de la época, y es evidente que el autor apunta conscientemente a este resultado. Con parecido fin sabe también Cervantes disponer las escenas de atrayente espectacularidad, mediante las entradas y salidas del sultán y otros personajes, y sobre todo la fiesta en honor de la sultana, en la que ésta ejecuta danzas españolas. El regusto de ópera bufa, sugerido por Schevill y Bonilla, nos parece exacto, y aun diríamos que hay en la obra de Cervantes —como en tantas y tantas del teatro áureo español— la imposible nostalgia de un espectáculo cinematográfico en colores. Cervantes, en suma, en esta "comedia de cautivos" olvida el lado dramático para quedarse con la vertiente pintoresca, irónica e incluso cómica del mundo musulmán; y adopta con gran habilidad y eficacia los mejores medios literarios para su propósito. Precisamente por ello, el auténtico protagonista de la obra casi llega a ser el gracioso Madrigal, que llena de punta a cabo la comedia con su constante intervención y su salada comicidad; y, para que nada le falte, con su exaltado orgullo de español a cuestas. A una muchacha le cuenta sus ilusionados proyectos para después de conseguir su libertad, y ella le dice:

¡Español soys, sin duda!

a lo que responde Madrigal:

Y soylo, y soylo;
lo he sido y lo seré mientras que viva,
y aun después de ser muerto ochenta siglos[71].

Cuando la sultana ha de bailar sus danzas españolas, temen los improvisados músicos cautivos que aquélla desconozca los bailes porque fue apresada siendo muy niña; y Madrigal aclara:

¡Mirad, Capacho!
No ay mujer española que no salga
del vientre de su madre bayladora[72].

La mejor comedia de esta serie es *Los baños de Argel.* La acción, mucho más variada y rápida, está desenvuelta con gran pericia y teñida de hondo dramatismo —episodios de angustias, persecuciones y matanzas— que se resuelve felizmente con la liberación de las dos parejas de enamorados, principales personajes de la acción. Valbuena dice de *Los baños...* que "es la forma más profunda dada por Cervantes, en cualquier género, al tema de su

[71] Edición Schevill-Bonilla, cit., vol. II, pág. 131.

[72] Ídem, íd., pág. 187.

propio cautiverio y ambiente africano". Y comparándola con *Los tratos*..., su comedia de tema semejante de la primera época, escribe: "Esta segunda comedia de cautiverio realiza una vigorosa sucesión de escenas dramáticas. La vida, la verdad de las escenas de dolor o de parodia, superan el mismo esbozo, en el que no faltaba patetismo. Donde hay un claro recuerdo de la primera comedia, se percibe la indudable mejora del tema en *Los baños de Argel*" [73]. En contra de la opinión de Schevill y Bonilla, que suponen escritos *Los baños* al comienzo de la vida literaria de Cervantes, Valbuena estima que la comedia fue compuesta después de la primera parte del *Quijote*, con cuya novela del *Cautivo* coincide en muchos momentos. Para dicho crítico, el tema habría pasado por tres fases: una primera, a la que corresponde "la ruda emoción y técnica arcaica de la comedia de *El trato de Argel*; una segunda, de interpretación mucho más retórica y literaria, que es el relato incluido en la gran novela; y una tercera, en que Cervantes encuentra al fin la forma humana, desnuda, sincera, de penetrante intuición dramática y de síntesis de diversos elementos en la nueva comedia de *Los baños de Argel*" [74]. Cervantes alterna los momentos dramáticos con escenas cómicas, que corren a cargo de un sacristán, apresado en su propia tierra por los piratas argelinos. Trátase de un tipo cercano al gracioso de la comedia de Lope (pero sin su estereotipado convencionalismo), que se sirve, como motivo principal de comicidad, del sentimiento antisemita, de tan seguro efecto ante el espectador de entonces: el sacristán lo mismo les roba a los judíos la cazuela de la comida en sábado, día en que no pueden guisar y han de quedarse sin comer, que un niño de pañales para obligarles a que lo rescaten, a usanza mora; en este último caso, el judío acusa al sacristán ante el cadí, y asistimos a escenas tan pintorescas como ésta:

SACRISTÁN:

Señor, haga
que este puto iudío dé, siquiera,
el jornal que he perdido por andarme
tras él para robarle este hideputa.

CADÍ:

Bien dize, desembolse cuarenta ásperos,
y délos al pápaz, que los merece.

SACRISTÁN:

¿Oye, amigo iudío?

---

[73] *Obras completas* de Cervantes, ed. cit., págs. 19 y 20.
[74] Ídem, íd., págs. 271-272.

JUDÍO:

Muy bien oygo;
mas no los tengo aquí.

SACRISTÁN:

Vamos a casa[75].

Al fin, los propios judíos de Argel acaban por pagar el rescate del sacristán, para que los deje libres de sus burlas, que ríen también los mismos musulmanes. Entre tan diversos elementos "siguen aquí vigentes —dice Ynduráin— los nobilísimos ideales del Cervantes heroico, del soldado, del cristiano, del español. El cautiverio como prueba de la solidez de esos ideales, ante el martirio y la muerte, es el gran tema de la obra"[76]. Su versificación es siempre muy feliz, y a sus mejores momentos pertenecen dos preciosos romances: "A las orillas del mar..." y "Salió el sol esta mañana...". Otros motivos líricos se enlazan también con la acción, provocando una emotividad tan dramática como delicada; así, el cantar que el niño Francisco recuerda haber oído a su madre y que le recita a su padre, cautivo también con él:

Ando enamorado,
no diré de quien... [77]

o el que entona Ambrosio, otro de los cautivos:

Aunque pensays que me alegro
conmigo traygo el dolor... [78].

La patriótica afirmación —también aquí repetida— del recio temple español, no ciega la irónica constatación cervantina de graves defectos de su raza; una señora mora trata de averiguar la condición, noble o plebeya, de dos de sus cautivos examinando el estado de sus manos, pero uno de aquellos le desengaña de la experiencia,

porque ay pobres holgazanes
en nuestra tierra galanes
y del trabajo enemigos... [79].

La casa de los zelos y selvas de Ardenia y *El laberinto de amor* son dos comedias de enrevesada intriga que representan lo más débil del teatro cer-

---

75 Edición Schevill-Bonilla, cit., vol. I, págs. 331-332.

76 Estudio preliminar a la edición citada de las *Obras dramáticas de Cervantes*, página XXIX.

77 Edición Schevill-Bonilla, cit., pág. 290.

78 Ídem, íd., pág. 291.

79 Ídem, íd., pág. 278.

vantino. Para ambas busca el autor inspiración en fuentes italianas —Boiardo y Ariosto— y en motivos caballerescos, con la aludida preocupación de hallar para sus comedias asuntos de complicada novelería que les dieran la movilidad del teatro de Lope. Pero éste —ya sabemos— no era en manera alguna el lado fuerte de Cervantes; observador atento y humanísimo, acierta siempre que arranca sus temas y personajes de la realidad que le era conocida; pero el enredo intranscendente, de urdimbre novelesca, en que consisten tantas comedias de Lope, no era para su espíritu reflexivamente profundo, y cuando quiere moverse en este mundo de ficción, falla con estrépito, como las personas que, no poseyendo el don de la gracia fácil, pretenden ser graciosas.

Como dejamos indicado arriba, en opinión de Cotarelo Valledor *La casa de los zelos y selvas de Ardenia* es la misma comedia que, en una primera redacción, llevó el título de *El bosque amoroso.* Hay razones, efectivamente, para suponer que se trata de un texto refundido, perteneciente a la "primera época" dramática de Cervantes: la presencia de "figuras morales", mucho más afines con las de *Los tratos de Argel* y *La Numancia,* que con las escasísimas de la "segunda época"; el carácter de las acotaciones, que hacen pensar en obra representada, cosa que no aconteció a las de la "segunda"; y cierto descuido, señalado por Valbuena (no muy convincente para nosotros, sea dicho en verdad), que se le escapó a Cervantes y que parece revelar la existencia de un zurcido o refundición del texto. Schevill y Bonilla sugieren también que *El laberinto de Amor* podía ser *La Confusa,* citada con gran encomio por Cervantes en la *Adjunta al Parnaso*; opinión apoyada por Cotarelo pero no aceptada por Valbuena por falta —dice— de argumentos convincentes.

Aparte lo enrevesado de la intriga, merece destacarse en estas dos comedias la importancia concedida por Cervantes a la parte espectacular, en medida muy superior aún a lo intentado en *La gran sultana.* Es evidente que Cervantes tenía muy clara idea de lo que había en el teatro de regalo de los sentidos y de sus posibilidades infinitas como espectáculo para la multitud. Esta persuasión, en la que Cervantes no cedía al más audaz de los hombres de teatro de su tiempo, no está en contradicción con la otra vertiente de lo escénico que se nutría de la observación y de la sinceridad y verdad humanas; eran dos caras de un mismo fenómeno —el Teatro—, cada una de las cuales tenía su propia y oportuna sazón, pero que también podían armonizarse y completarse. Sólo que Cervantes no daba su medida en el cultivo de lo espectacular y lo trivial, tan llano para otros ingenios; y no debía de ser pequeño su torcedor por no acertar en lo menos después de haber acertado en lo más.

En la jornada tercera de *La casa de los zelos* figuran los dos bellos sonetos "En el silencio de la noche, quando..." y "O le falta al Amor conocimiento...", reproducidos con leves variantes en el *Quijote* (I, 34 y I, 23, respectivamente).

Mejor que estas dos obras es *La entretenida,* comedia de capa y espada según el molde lopesco, pero localizada en el ambiente, familiar, de Madrid.

Cervantes, que sigue ahora con fortuna los pasos de su rival, se separa, sin embargo, de él —siempre tras el esfuerzo de hallar un camino más personal— al no aceptar para su comedia el inevitable convencionalismo del final feliz; los esperados casamientos de los protagonistas no se realizan, y, como dice el propio autor, "acaba sin matrimonio — la comedia entretenida". También al modo lopesco hay en la obra un segundo plano de acción, paralelo al de los galanes, a cargo de una fregona, coqueta y desenvuelta, y sus tres pretendientes, que dan el contrapunto popular y cómico a los amores de aquéllos. Este segundo motivo, muy débilmente fundido con el primero en cuanto a la trama, pero muy superior a él, permite a Cervantes dar entrada a personajes y escenas con sabor de entremés, rasgos costumbristas, pinceladas del mejor realismo, lenguaje llano y popular rebosante de frescura y gracia, campo en que se despliegan las cualidades más firmes del autor.

El motivo "teóricamente" principal juega con la pasión amorosa que Antonio, hermano de Marcela, siente por otra Marcela muy parecida a la primera; Antonio, pensando en la *otra,* que nunca sale a escena, dice delante de su hermana frases de amor, con lo cual prodúcese una equívoca situación que parece rozar el tema del incesto. No acabamos de entender que Américo Castro llegue a calificar de "brumosa e inquietante" [80] esta veta argumental de la comedia, planteada y resuelta con escasa fortuna. Estamos, por el contrario, de acuerdo con la opinión de Schevill y Bonilla, para quienes "todos estos personajes hacen el efecto de sombras, y se experimenta una verdadera satisfacción cada vez que salen a escena los del argumento secundario, es decir, los tipos fregoniles y populares". [81].

La comedia que, como se ve, ha sido muy diversamente juzgada, tiene felices momentos poéticos, como el famoso romancillo recitado por la fregona.

Tristes de las moças...

al principio de la jornada segunda —"digno de Góngora" lo considera Valbuena—, y algunos buenos sonetos, entre los que destaca

En la sazón del erizado invierno...

con que comienza la jornada tercera, y:

Por tí, virgen hermosa, esparze ufano...

en la mitad de la segunda, erróneamente considerado a veces como mariano, siendo así que va dedicado *a la esperanza.*

Cervantes cierra la jornada segunda con un soneto en *versos de cabo roto,* que pone en boca del lacayo Ocaña, uno de los pretendientes de la fregona Cristina; el soneto tiene además la particularidad de que sus versos están

---

[80] *El pensamiento de Cervantes,* Madrid, 1925, pág. 50.

[81] "Introducción", cit., pág. 131.

también quebrados en el interior. Nunca ha sido estimado este capricho métrico como de mucho valor artístico; se usó poquísimo y por corto tiempo, pero Cervantes parece tener cierta debilidad por él, pues de las escasas muestras conservadas dos son suyas[82]. Poético o no, la utilización de este recurso en el punto de la comedia en que está encajado, no nos parece un desatino; Cervantes poseía un olfato teatral —en el sentido más llano de la llamada "carpintería"— muy superior a lo que suele concedérsele, y no era menos vivo su propósito de capturar la atención del espectador por todos los medios escénicos disponibles, que no sólo los literarios, según hemos apuntado ya a propósito de la escenografía, utilización de cantos y bailes, etc. El lacayo Ocaña, sólo en las tablas después de su diálogo con Cristina que le trae de coronilla, recitando su grotesco soneto, había de constituir un golpe de teatro muy eficaz, si corría a cargo de un actor con gracia:

Que de un laca la fuerça podero,
hecha a machamarti con el traba,
de una frego le rinda el estropa,
es de los cie no vista maldicio... [83].

Las dos mejores comedias de Cervantes son, muy probablemente, *El rufián dichoso* y *Pedro de Urdemalas.*

El rufián dichoso debe incluirse en el género llamado "comedias de santos", de tan largo cultivo en nuestra literatura. La obra dramatiza la historia —pues que así había sido en la realidad— [84] del sevillano Cristóbal de Lugo, que después de una vida de jaque y de tahur se entrega a la penitencia y sacrificio hasta morir, como religioso, en Méjico, en olor de santidad. "Esta obra —dice Valbuena—, que es el único drama específicamente religioso de Cervantes, no es sólo una poderosa concepción y realización en sí, sino que constituye una de las mejores *comedias de santos* de nuestra escena, a pesar de estar avalado el género por la serie de autores que va de Lope a Calderón". Y luego: "La comedia es obra típica de carácter nacional, a base de un personaje grande en el pecado y en la penitencia comparable a *El prodigio de Etiopía,* de Lope; *El esclavo del demonio,* de Amescua; el Enrico de *El condenado por desconfiado,* atribuido a Tirso, o el Eusebio de *La devoción de la cruz* y el Ludovico Enio de *El purgatorio de San Patricio,* de Calderón. Cristóbal de Lugo en

[82] Sobre el empleo de esta forma métrica, cfr.: F. Rodríguez Marín, *El Loaysa de 'El celoso extremeño',* Sevilla, 1901, págs. 166-168. Del mismo, *Viaje del Parnaso,* edición cit., págs. 420-421. Véase también la "Introducción", cit., de Schevill y Bonilla, págs. 132-133.

[83] Edición Schevill-Bonilla, cit., vol. III, págs. 68-69.

[84] Cervantes extrae, en efecto, las noticias biográficas de su personaje de la *Historia de la fundación y discurso de la provincia de Santiago de México, de la Orden de Predicadores,* de fray Agustín Dávila, publicada en Madrid en 1596.

Cervantes, con más graduada ascensión a la vida perfecta que la mayoría de estos personajes, va, arrepentido ya y fraile, venciendo las tentaciones y aumentando la vida de sacrificios y renuncias, llegando a verdaderas aventuras *quijotescas* a lo divino, siendo su muerte y sepelio una especie de cuadro ascético de Zurbarán, animado en el drama" [85].

La jornada primera, que transcurre en el ambiente del hampa sevillana, es un perfecto cuadro de costumbres digno de quien trazó el retablo insuperable de *Rinconete y Cortadillo.* Una vez más hemos de señalar la maestría con que Cervantes se mueve en este ambiente de picardía, poblado de tipos pintorescos de desgarrada moral, de valentones, rameras y rufianes; la frecuencia con que el autor torna a este mundo, que llevó hasta su misma poesía (recuérdense sus felicísimos sonetos satíricos), declara su complacencia en él y su dominio para manejarlo artísticamente dentro de cualquier género. Esta primera parte de *El rufián dichoso* podría ser equiparada a sus entremeses, pero los deja atrás por la amplitud del cuadro, la variedad episódica, la diversidad de los personajes y la mucho más compleja matización psicológica del protagonista. Con encarecimiento muy poco frecuente cuando se ocupan de las comedias cervantinas, ponderan esta primera parte de la obra Schevill y Bonilla: "El primer acto de *El rufián dichoso* es de lo mejor que la pluma de Cervantes ha escrito, por su variado lenguaje, por su brío, por la incomparable pintura de los caracteres, por la naturalidad del diálogo, por el realismo del ambiente. Fue compuesto, sin duda, en momentos de genial inspiración" [86].

Las otras dos jornadas dramatizan la piedad del antiguo pecador que, habiendo vivido como un Don Juan, ofrece ahora a Dios todas sus buenas obras para salvar el alma de una mujer, doña Ana de Treviño; ésta, empedernida pecadora, rechaza a los confesores en el momento de su muerte, pero Cristóbal consigue inclinar su voluntad hacia el arrepentimiento en una escena de gran fuerza dramática. Estas dos últimas jornadas son inferiores; Cervantes estaba peor dotado para enfrentarse con santos que con pícaros. La vida del arrepentido se mueve en un medio que a Cervantes no le era familiar, y se advierte enseguida que el autor no toma ya los hechos de su personaje de la realidad observada, sino de fuentes escritas; además, aquella vida espiritual, llena incluso de sucesos prodigiosos, no tiene en las manos de Cervantes la misma consistencia humana que el rufián pecador dentro del marco sevillano. Schevill y Bonilla juzgan con gran dureza esta parte de la comedia, reprochándole al autor lo inadecuado del asunto para la escena, la "interpretación infantil" de la fuente escrita que le sirve de base, su demasiada credulidad, y la falta de pericia técnica pues que los dos últimos actos "se resuelven en meros episodios, en diarias ocurrencias de la vida del fraile,

---

[85] *Obras completas* de Cervantes, ed. cit., págs. 323-324.

[86] "Introducción", cit., pág. 124.

sin asomos de norma constructiva"[87]. Valbuena, en cambio, no acepta este juicio, generalmente admitido; las palabras transcritas lo dejan entrever, pero lo afirma explícitamente en otro pasaje: "No creo —dice—, contra la opinión de algunos críticos, que la obra decaiga literariamente en los actos segundo y tercero, que relatan al rufián convertido, volviéndose la comedia picaresca un drama sacro... La hondura psicológica, la reunión y selección de temas dramáticos y el planteamiento del problema teológico central acreditan a un autor importante..."[88].

La versificación de la comedia es muy variada; Cervantes maneja en ella los metros cortos, y los romances en especial, con singular fortuna, pero se sirve también de diversas formas métricas —endecasílabos sueltos, tercetos— de un modo muy apropiado a las distintas situaciones de la obra. Al comienzo de la jornada II tiene lugar la escena, ya mencionada, entre las dos figuras alegóricas, "Comedia" y "Curiosidad" con que trata Cervantes de justificar el salto de lugar que va a efectuarse en la comedia, y explica a su vez la transformación del protagonista, que ya aparece en hábito de fraile.

Pedro de Urdemalas es comedia de muy particular carácter. Se trata en realidad del mundo de la novela picaresca llevado a la escena, y es por su tono como una ampliación de la primera parte de *El rufián dichoso*. La trama tiene bastante parecido con la de *La Gitanilla*: un pícaro que ha recorrido todos los oficios, se va a vivir con una tropa de gitanos por el amor de una joven. El nombre del protagonista, que aparece en otras obras de la época y aun bastante anteriores, debía de ser sinónimo de esta clase de personaje, tretero y vividor, y como tal formaba parte de una doble tradición, oral y escrita[89]; pero Cervantes lo recrea con absoluta originalidad enmarcándolo en una variada sucesión de escenas entre pícaros, rufianes y gentes de parecida laya, con quienes Pedro ejerce a pleno gusto el repertorio variadísimo de sus trapacerías. A tono con el ambiente, la comedia recoge supersticiones y costumbres populares, de gran valor folklórico, como las de la noche de San Juan, y da entrada a bailes y cantos de los gitanos, algo así como ilustraciones musicales, que debieron de ser de gran efecto escénico en las representaciones de la época. Con todo, Cervantes no dejó de entremezclar en la pieza elementos de idealizada novelería. La gitana resulta ser al fin sobrina de la reina, y el matrimonio se frustra, pues aquélla se vuelve con los suyos no sin cierto dejo de ingratitud y olvido para con sus antiguos compañeros. Urdemalas, que, debido a una profecía, esperaba llegar a cosas grandes, fracasado también en el amor, se mete finalmente a cómico, profesión en la que, al menos sobre la escena, podrá ser todas las cosas que ambicionaba:

---

[87] Ídem, íd., pág. 128.

[88] *Obras...*, cit., pág. 20.

[89] Para la génesis y avatares de este personaje véase la "Introducción" cit. de Schevill-Bonilla, págs. 137-147.

Ya podré ser patriarca,
pontífice y estudiante,
emperador y monarca;
que el oficio de farsante
todos estados abarca... [90]

ingeniosísima solución, cruzada de originales posibilidades temáticas. Urdemalas, pícaro vivo sobre la escena, es un simpático tipo de muy fértil ingenio, pero, como producto del numen cervantino, humano y generoso bajo su cínico desenfado. "Cervantes —dice Valbuena— da al tipo trapacero y astuto un fondo de cálida y simpática humanidad. Pedro de Urdemalas es en su comedia un carácter rico en ingenio, pero malogrado, por proceder de un bajo fondo social:

Yo soy hijo de la piedra,
que padre no conocí...

comienza un romance, en boca suya, de sabor popular y picaresco, en que el personaje habla entre el cinismo y la amargura. Pedro, en la lucha por la vida, se vale de todos los medios, más o menos dignos, como un verdadero pícaro; pero en todo pone un cierto sello de nobleza o, cuando menos, de simpatía... Cervantes ha intuido un poco prepirandellianamente este orden de ilusión del *gran mundo del teatro,* concepto inverso al del *gran teatro del mundo* tradicional y calderoniano. Algo semejante al *sueño-vida* de Grillparzer, frente a la *vida-sueño*" [91]. Al ocuparse de la significación global de la comedia, cuya importancia ningún crítico discute, dice en otro lugar: "Sin duda, una magia alada de un auténtico poeta, humorista y dramaturgo, ha pasado por la comedia, que muchos consideran como la cumbre del Cervantes teatral, dejando aparte sus prodigiosos entremeses. En *Pedro de Urdemalas* domina el sentido especial del teatro de Cervantes: la *vida dramática* sobre la intriga, la extensa galería de tipos y de ambientes, que a veces parecen sucesión animada de escenas de entremés, con una unidad más *biológica* que sistemática" [92]. La obra termina con un interesante pasaje, a que más arriba aludimos, de especial significación en la ideología teatral de Cervantes. Urdemalas anuncia "a toda gente mosquetera", para el siguiente día, la representación de una comedia, libre de todas las "impertinencias" que irritaban al escritor:

Mañana, en el teatro, se hará una,
donde por poco precio verán todos
desde el principio al fin toda la traça,
y verán que no acaba en casamiento,

[90] Edición Schevill-Bonilla, cit., vol. III, pág. 217.
[91] *Obras...*, cit., págs. 497-498.
[92] Ídem, íd., pág. 21.

cosa común y bista cien mil vezes,
ni que parió la dama esta jornada,
y en otra tiene el niño ya sus barbas,
y es valiente y feroz, y mata y hiende,
y venga de sus padres cierta injuria,
y al fin viene a ser rey de un cierto reino
que no ay cosmografía que le muestre [93].

Los entremeses de Cervantes. Si las comedias de Cervantes aún pueden dar lugar a muy numerosas salvedades, como autor de entremeses es, en cambio, el maestro insuperable, nunca aventajado en la historia de nuestras letras ni discutido por crítico alguno. Eugenio Asensio inicia su estudio sobre el Cervantes entremesista [94] diciendo que su situación como tal "confina con la paradoja"; y no le faltan motivos para esta afirmación. Porque es el caso que el más genial autor de entremeses quizá no vio jamás representar uno solo de ellos; por lo menos, los ocho únicos que se conservan, se anuncian ya en el título del volumen como "nunca representados", y el escritor añade luego en la dedicatoria al conde de Lemos que "no van manoseados ni han salido al teatro merced a los farsantes que, de puro discretos, no se ocupan sino en obras grandes y de graves autores" [95]. No se sabe si otros entremeses cervantinos, no conservados, se vieron alguna vez sobre las tablas, pero es de presumir que no; al menos el propio Cervantes en la *Adjunta al Parnaso* cuando hace mención de sus comedias representadas con éxito, nada dice de entremeses suyos que lo hubieran sido —ni tampoco en el prólogo de los impresos—, y es absurdo pensar que se callara, si algo tuviera que decir en su propio elogio o descargo.

Resulta, pues, un tanto extraña —añadimos por nuestra parte para insistir en lo paradójico— la afirmación de Cotarelo acerca del positivo influjo que sobre el género ejercieron los entremeses de Cervantes. El entremés, dice el citado crítico, llevaba "dentro de sí el germen de su ruina y de su muerte si pronto no se le infundía nuevo aliento y vida nueva", misión —afirma— reservada al autor del Quijote, convertido con sus entremeses en "modelo y maestro, ejemplo y teoría, cuando más necesaria le era una regla segura para el futuro" [96]. Pero el magisterio parece muy problemático por falta de ocasión; Cotarelo añade después admitiendo que los entremeses no sólo no fueron representados en los días de Cervantes, sino quizá tampoco después de publi-

---

[93] Edición Schevill-Bonilla, cit., vol. III, pág. 228.

[94] Eugenio Asensio, *Itinerario del entremés desde Lope de Rueda a Quiñones de Benavente. Con cinco entremeses inéditos de D. Francisco de Quevedo,* Madrid, 1965.

[95] Edición Schevill-Bonilla, cit., vol. I, pág. 11.

[96] Emilio Cotarelo y Mori, *Colección de entremeses, loas, bailes, jácaras y mojigangas desde fines del siglo XVI a mediados del XVIII,* NBAE, tomo I, vol. I, Madrid, 1911, página LXV.

cados, que "leídos, imitados, explotados y casi plagiados, sí lo fueron muchas veces". Esto es algo más verosímil; aunque también conviene recordar que las famosas piezas de Cervantes no fueron reeditadas hasta 1749 por Blas Antonio Nasarre.

Parece, pues, sensato suponer que la maestría y el influjo del Cervantes entremesista no fueron admitidos ni aun conocidos —con tremenda injusticia esta vez— por sus contemporáneos, con lo cual se consumaba la mala fortuna de Cervantes en el teatro, aun en aquel género que había señoreado como ningún otro escritor.

Resulta problemático establecer la cronología de los entremeses cervantinos. Schevill y Bonilla, como antes Cotarelo, suponen que Cervantes escribió también entremeses en su primera época, fundándose en su admiración por Lope de Rueda, cuyas huellas pretendería seguir; pero no existen pruebas de ello, y si algún entremés compuso entonces, no se conserva. Eugenio Asensio se pregunta cuáles podrían ser las dos piezas que añadió Cervantes a las seis que, según confesaba en la *Adjunta*, tenía ya preparadas; en su opinión debieron de serlo los dos entremeses en verso —*El rufián viudo* y *La elección de los alcaldes de Daganzo*—, basándose en que, dentro de la evolución del entremés, el verso representa una etapa más moderna, que arrincona por entero a la prosa; pero tampoco existen pruebas que puedan corroborar la hipótesis. Por lo que concierne a *El rufián viudo*, Asensio supone que no puede ser anterior a 1612, por la presencia en la obra del famoso personaje Escarramán, creado y popularizado por Quevedo en dicho año. En general, Asensio se inclina por retrasar bastante la fecha de composición de los entremeses cervantinos, todos los cuales pertenecerían a la "segunda época" dramática del autor; Schevill y Bonilla piensan, por el contrario, que no deben tomarse demasiado a la letra las palabras de la *Adjunta* sobre el número de entremeses preparados y prometidos entonces por Cervantes, y, como en el caso de las comedias, suponen que entre los entremeses debe de encontrarse alguna parte de su labor antigua. De todos modos —admiten a su vez— es posible que no sea tampoco de mucha trascendencia el problema, dado que poco añaden aquéllos al conocimiento de la evolución del arte cervantino, sobradamente determinado por todas sus otras obras, de las cuales "los entremeses son precioso, pero pequeño complemento". Lo que no supone demérito para estas maravillosas piezas: "personajes hay en estos entremeses —dicen— a cuyos retratos no llevan ventaja alguna los del Quixote"[97].

Ya conocemos la admiración que sentía Cervantes, proclamada hasta en su vejez, por Lope de Rueda, de quien pudo muy bien aprender el camino hacia el realismo costumbrista, aunque avanzó inconmensurable trecho sobre la rudimentaria sencillez del batihoja sevillano. A éste excede en la variedad de temas, en la animación de los cuadros y diversidad de personajes, en

---

[97] "Introducción", cit., pág. 157.

la observación de la realidad y sobre todo en la agudeza satírica que, bajo la aparente intrascendencia del juguete cómico, apunta también a muchos aspectos de la vida social, a prejuicios y rutinas, a veces a espinosos problemas, a conflictos de clases, y a todo género de hipocresías, intereses y egoísmos humanos. A diferencia de los pasos de Rueda, la gracia no es en las piezas de Cervantes de mera situación cómica, sino de sátira intencionada, lanzada contra ridículas debilidades o costumbres y corruptelas de las gentes de su tiempo.

Con asombrosa seguridad de trazo dibuja Cervantes en breves palabras un personaje o plantea una situación, animando una vivísima escena de la vida real, tejida de menudencias cotidianas. Por este carácter, se insiste siempre en calificar los entremeses cervantinos de verdaderos cuadros de costumbres; y, desde luego, lo son con toda propiedad, pero quedarían indebidamente estimados si se prescindiera de la aludida intención satírica, que, si no en todos los momentos, es en muchos de ellos aspecto capital.

Según afirma Asensio, Cervantes "remoza el entremés importando a su campo temas y técnicas de la novela". Esta incorporación, o más bien simbiosis, dice el citado crítico que se realiza por tres procedimientos diferentes: unas veces simplifica, mediante felices esquematizaciones, lo que había sido el lento proceso de la acción novelesca, como sucede al trasponer al entremés de *El viejo celoso* el motivo central de *El celoso extremeño,* condensado en aquel diálogo entre Lorenza —la joven urgida de amor, casada con un vejete— y su sobrinilla Cristina; diálogo a que tornaremos después a referirnos. Otras veces —y esto con menos fortuna— introduce en el entremés descripciones propias de la novela, que desbordan el marco del teatro menor (podríamos decir más bien que del teatro simplemente), como sucede en *El júez de los divorcios,* cuando el soldado pobre se demora en un par de parlamentos para trazar la silueta del pretendiente favorecido con una provechosa comisión en provincias. Un tercer procedimiento, equidistante de los anteriores, viene a representar el nivel más alto del entremés cervantino: consiste en ampliar y ennoblecer, "aspirando a una dimensión humana más honda", lo que habían sido los tipos básicos del entremés, tales como el *bobo* y el *fanfarrón,* a los que Cervantes enriquece con variada gama de matices, dotándoles, en la medida que consiente la apretada naturaleza del género, de ricas y profundas resonancias humanas. Lo que señala la fundamental superioridad del entremés cervantino sobre la creciente esquematización de sus contemporáneos, atentos al estallido de la risa, es esta feliz fecundación llevada a cabo por Cervantes, del trazo breve con la profunda intencionalidad. "Cervantes —define con gran acierto Eugenio Asensio— alía en el entremés la continuidad de la narración, la consistencia imaginativa de las situaciones con la variedad de personajes rápida e inolvidablemente esbozados. Frente a los nuevos pobladores del entremés, cada vez más puntualizados por una obsesión o rasgo definitorio, propone personajes amalgamados de seriedad y jocosidad, contemplados a la vez desde la risa irónica y la simpatía benévola. Pinta no entes de una pieza

—lo que llamo *figuras*—, sino seres con una sombra de complejidad, con una alternancia de sentimientos que con intención moderna tendríamos la tentación de llamar *caracteres*. Muchos cervantistas, extremando la nota, han ponderado la "profundidad psicológica", la verdad de los caracteres. No les falta disculpa, pues dentro de la comicidad somera por fuerza de las breves piezas, las suyas insinúan personas más complicadas, presentan gérmenes de caracterización, atisbos humorísticos, matices de carcajada y de sonrisa" [98].

En *El juez de los divorcios* se plantean jocosamente ante un juez diversos casos de incompatibilidad matrimonial. Al cabo, queda esbozada la solución pacífica; puesto que el juez, prudentemente, da largas a los solicitantes, y los músicos que cierran la pieza —ofrecidos por unos desavenidos ya apaciguados— cantan un optimisma estribillo:

Más vale el peor concierto
que no el divorcio mejor...

confirmado por unas palabras del procurador, donde brinca a su vez la ironía contra los leguleyos: el juez desea la paz entre los matrimonios, pero el procurador responde: "Dessa manera moriríamos de hambre los escrivanos y procuradores desta Audiencia. Que no, no, sino todo el mundo ponga demandas de divorcios: que, al cabo, al cabo, los más se quedan como se estavan, y nosotros avemos gozado del fruto de sus pendencias y necedades" [99].

Como dijimos, alterna en este entremés el ritmo propio del género, correspondiente a los cortados parlamentos de las mujeres, con las morosas exposiciones propias de la novela, en que sobresale la escena del soldado pobre, atormentado por la esposa, que convierte su virtud en martirio del cónyuge. No obstante, son las palabras de este episodio las que dibujan un cuadro más vivo de la vida madrileña contemporánea: la holganza del soldado entre la misa, la murmuración y el juego, las comisiones de favor que permiten enviar a casa a los pocos días "algún pernil de tozino y algunas varas de lienço crudo", etc. Con todo su interés y sus momentos felices no es ésta, sin embargo, de las más acertadas piezas breves del autor.

El rufián viudo es uno de los dos entremeses cervantinos en verso, escrito casi en su totalidad en endecasílabos sueltos. En él vive una vez más el mundo picaresco de Cervantes siempre felizmente captado, el mundo del *Rinconete*, del acto primero de *El rufián dichoso* y de tantas otras páginas inolvidables; lo que quiere decir que es este entremés de lo más original y genuinamente cervantino.

En una primera parte el *viudo* Trampagos, en versos de afectada gravedad que acentúa el tono cómico de la pieza, entona el panegírico de la difunta

[98] *Itinerario del entremés*, cit., págs. 101 y 102.
[99] Edición Schevill-Bonilla, cit., vol. IV, pág. 19.

Pericona, que su misma ironía y las observaciones del criado Vademecum se encargan de desmoronar; luego llegan otros dos rufianes amigos, dispuestos a consolar al viudo, y con sus palabras equívocas acaban de consumar la obra. A continuación se presentan tres busconas que aspiran a suceder a la Pericona en la compañía de Trampagos y exponen sus diferentes aptitudes. El entremés se cierra con la llegada, ya aludida, de Escarramán, recién salido de galeras, y el baile final.

El rufián viudo ha merecido grandes elogios de todos los comentaristas; Valbuena, en cambio, haciendo suyas las opiniones de Máinez, considera este entremés de tono "premioso, tristón o semiquevedesco, macabro y feo, negro y desmesuradamente forzado de expresión", parecer que no compartimos en absoluto, o al menos llevado a tal extremo. *El rufián* es quizá algo menos jovial que las páginas del *Rinconete*, y algo también del sarcasmo quevedesco apunta ligeramente en la pintura de la Pericona, tal como sale del "encarecimiento" de Trampagos y de sus colegas; no negaríamos del todo la presencia del influjo de Quevedo, a quien quiso Cervantes —en opinión de Asensio— ofrecer un homenaje de amistad y de admiración con la presencia de Escarramán; algún mayor atrevimiento en la palabra de lo que es en Cervantes habitual puede asimismo señalarse. Pero toda la pieza rebosa de esa irónica gracia con que Cervantes humaniza cuanto toca; y es igualmente incalculable la diversidad y riqueza de matices que brotan de las palabras de estos curiosos personajes, y que convierten el entremés en una preciosa pieza literaria.

La elección de los alcaldes de Daganço, también en verso libre, es una pieza apenas sin acción, que en forma casi caricaturesca ridiculiza a varios pretendientes, que alegan pintorescas cualidades para aspirar al puesto. Este entremés recuerda la técnica de Rueda, pero la obra de Cervantes dista mucho de limitarse a bosquejar la traza cómica de unos curiosos tipos de aldea, y no sólo perfila caracteres de profundo interés humano, sino que les infunde un alcance satírico de sorprendente intención. Cuando a uno de los candidatos, Humillos, le preguntan si sabe leer, responde:

No, por cierto.
Ni tal se provará que en mi linage
aya persona tan de poco assiento,
que se ponga a aprender essas quimeras,
que llevan a los hombres al brasero,
y a las mugeres a la casa llana.
Leer no sé; mas sé otras cosas tales,
que llevan al leer ventajas muchas.
BACHILLER. *¿Y cuáles cosas son?*
HUMILLOS. *Sé de memoria*

todas quatro oraciones, y las rezo
cada semana quatro y cinco vezes.
RANA. *¿Y con esso pensays de ser alcalde?*
HUMILLOS. *Con esto, y con ser yo christiano viejo,*
me atrevo a ser un senador romano[100].

El sacristán presenta también su candidatura para alcalde, pero los otros le mantean y le obligan a desistir de su pretensión; en lo cual no es difícil ver una censura contra la intromisión de los eclesiásticos en los asuntos civiles. Mientras corre uno a por la manta, el pretendiente Rana increpa al sacristán:

Dime, desventurado: ¿qué demonio
se revistió en tu lengua? ¿Quién te mete
a ti en reprehender a la justicia?
¿Has tú de governar a la república?
Métete en tus campanas y en tu oficio;
dexa a los que goviernan, que ellos saben
lo que han de hazer mejor que no nosotros:
si fueren malos, ruega por su enmienda;
si buenos, porque Dios no nos los quite[101].

Rana, en medio de las burlas del entremés, representa la voz del buen sentido y de la justicia:

Yo, señores, si acaso fuesse alcalde,
mi vara no sería tan delgada
como las que se usan de ordinario:
de una encina o de un roble la haría,
y gruessa de dos dedos, temeroso
que no me la encorvasse el dulce peso
de un bolsón de ducados, ni otras dádivas,
o ruegos, o promessas, o favores
que pessan como plomo, y no se sienten
hasta que os han brumado las costillas
del cuerpo y alma; y, junto con aquesto,
sería bien criado y comedido,
parte severo y nada riguroso.
Nunca deshonraría al miserable
que ante mí le truxessen sus delitos:
que suele lastimar una palabra
de un juez arrojado, de afrentosa,

100 Edición Schevill-Bonilla, cit., vol. IV, págs. 47-48.
101 Ídem, íd., pág. 56.

mucho más que lastima su sentencia,
aunque en ella se intime cruel castigo.
No es bien que el poder quite la criança,
ni que la sumissión de un delinquente
haga al juez sobervio y arrogante[102].

Aunque Humillos no cree demasiado en las promesas electorales del rival:

Essos ofrecimientos que ha hecho Rana
son de lexos. A fe que si él empuña
vara, que él se trueque, y sea otro hombre
del que aora parece[103].

El baile final incluye el bello estribillo:

Pisaré yo el polvico,
atán menudico;
pisaré yo el polvó,
atán menudó

que dio nombre al famoso baile de *el polvillo*[104].

En *La guarda cuydadosa* un soldado y un sacristán se disputan los favores de una joven fregona; pero aunque el soldado le *guarda* la calle para espantarle todos los galanes, la moza se va al fin con el sacristán como partido más seguro. En el entremés parece apuntar la nunca extinguida antinomia entre las armas y las letras, que en la pluma de Cervantes diríase que encierra una resonancia personal: el dolorido fracaso del soldado heroico, perdido en una nueva sociedad de políticos y vividores; aunque siempre el humor cervantino endulza y humaniza el triste rescoldo.

Los dos tipos centrales están trazados magistralmente, y las situaciones cómicas conservan hoy su eficacia con sorprendente frescura. La obra se mantiene también dentro de la tradición del famoso batihoja, de cuya técnica se muestra influido. "La conversación —dice Eugenio Asensio—, desde el encuentro del soldado con el sacristán, revive el dialogar de Rueda con su eslabonamiento de preguntas y respuestas, sus insultos y réplicas paralelas"[105].

El vizcayno fingido es una divertida pieza, también de corte a lo Rueda, aunque muy superior por la consistencia de los caracteres —que tales pueden llamarse— y lo bien urdido de la trama. Falta, sin embargo, toda intención

102 Ídem, íd., págs. 49-50.
103 Ídem, íd., pág. 51.
104 Ídem, íd., pág. 54.
105 *Itinerario...*, cit., pág. 107.

que comunique al entremés algún alcance satírico más allá de la simple anécdota —como no sea el cohecho que se permite el alguacil—, por lo que la obra queda reducida al proceso de esta acción: un par de pícaros hace objeto de una pequeña estafa a una mujer del rumbo, aprovechando su equívoca posición, que no le permite recurrir a la justicia; aunque los burladores descubren luego su juego y todo se remedia con el baile y la alegría final. Hay unos chistes a propósito del enrevesado modo de hablar de los vizcaínos, que no por convencionales dejan de tener golpes de auténtica gracia. La alusión al *Quijote* en el romance que se canta al final sitúa este entremés en la "segunda época" cervantina.

En *El retablo de las maravillas* Cervantes, dice Eugenio Asensio, "atenuó los elementos discursivos a que la materia se prestaba, fundiendo diestramente sentido y acción, verismo y vigor imaginativo" [106], con lo que dicho queda que este entremés es una pieza maestra como construcción técnica y lo es asimismo por la intención y gracia del asunto.

Probablemente la obra cervantina está inspirada en el enxiemplo XXXII del *Conde Lucanor*: "De lo que contesció a un rey con los burladores que fizieron el paño" [107]. Marcel Bataillon sugiere el posible influjo de la historia XXVII de *Til Eulenspiegel*: "Cómo Ulenspiegel pinta para el Landgrave de Hesse y le hace creer que quien fuera de nacimiento ilegítimo no podía ver nada en la pintura", relato que, en opinión de Bataillon, está más cerca de la farsa cervantina que el cuento de don Juan Manuel. Lo mismo el paño mágico que las pinturas flamencas eran invisibles para los hijos ilegítimos; en *El retablo de las maravillas* sus protagonistas Chanfalla y Chirinos ponen en acción un retablo de muñecos no sólo invisibles para los hijos no legítimos, sino también para los descendientes de conversos; y es esto último lo que viene a convertirse en el tema central de la superchería del *Retablo.* "La iniciativa genial —dice Bataillon— y verdaderamente creadora de Cervantes consistió en españolizar el cuento imaginando un retablo invisible no sólo para los bastardos, sino para todos los espectadores de sangre impura, de ascendencia judía especialmente" [108]. Esta última parte añadida por Cervantes es la que le llevó a trasladar la acción desde el mundo feudal o cortesano al de la aldea, dado que los villanos alardeaban de ser cristianos viejos, sin mezcla de sangre judía.

El retablo representa, sin duda, el punto más alto del humor y de la sátira de Cervantes como autor dramático. El gobernador y el escribano se limitan a simular, por temor a la opinión ajena, que ven los títeres de Chanfalla; pero

---

[106] Ídem, íd., pág. 108.

[107] Era perfectamente posible que Cervantes conociera *El Conde Lucanor*, porque había sido impreso en Sevilla por Argote de Molina en 1575.

[108] "*Ulenspiegel* y el *Retablo de las maravillas* de Cervantes", en *Varia lección de clásicos españoles*, Madrid, 1964, pág. 261.

los aldeanos apoyan con mímica y ruido las imaginarias escenas y se entusiasman con el baile de la invisible Herodías, a la que acompañan y jalean. Las ironías se suceden a cual más aguda; el autor del retablo pondera las cualidades de Rabelín, su músico, diciendo que "en verdad que es muy buen christiano, y hidalgo de solar conocido"; a lo que asiente el gobernador: "calidades son bien necessarias para ser buen músico"[109]. La escena final en que los asistentes al espectáculo embroman al furriel de una tropa que acaba de llegar al pueblo, porque no ve las maravillas, diciéndole regocijados "de ex illis es, de ex illis es", resulta de la más imponderable gracia. Y aunque todo se interrumpe de momento con las cuchilladas del furriel, el "autor" anuncia para el próximo día la repetición del espectáculo, cuya "virtud" ha quedado "en su punto".

Eugenio Asensio comenta el experimento de Chanfalla diciendo que "Cervantes deja al lector en el cruce de dos posibilidades: o interpretar la pieza como una parábola de la credulidad humana capaz de dar corporeidad a lo que se propone, o como una insinuación oblicua de que la cacareada "limpieza" no pasa de vacía ficción a la que el pudor social atribuye la solidez de lo verdadero. El entremés deja abiertos los dos caminos"[110]. Nosotros echaríamos por un tercero, o, a lo sumo, por el segundo, pero poniéndolo algo más subido de intención: la sátira de Cervantes nos parece que apunta inequívocamente hacia aquella hipocresía que adulteraba la vida de sus contemporáneos, forzados a inmolar la realidad —íntima y social— al servicio de imaginarias superioridades o de intocables convencionalismos, creyesen o no en ellos; y si el baile había de continuar, eran capaces de danzar con una Herodías invisible.

La cueva de Salamanca incide en la vieja situación de la burla del marido ausente; mas no —lógicamente— con las severidades dramáticas del teatro de la época, que luego Calderón había de extremar, sino bajo la forma de parodia, en la que el estudiante, con su picardía, parece esbozar una desenfadada burla del sentimiento del honor. Aunque tal es el tratamiento que podía esperarse de un entremés, Cervantes apura la nota construyendo una auténtica farsa, muchas de cuyas escenas se inclinan del lado de lo grotesco e inverosímil: un barbero y un sacristán se disponen a aprovechar la ausencia del marido para remediar la urgencia sexual de la esposa y de su criada; un estudiante de viaje, que pide albergue para una noche, se mezcla inesperadamente en la aventura, y es él quien, con sus *artes de Salamanca,* saca a todos con bien cuando el marido regresa de improviso. La pieza está hábilmente trazada, y las escenas de regocijante comicidad la llenan por entero. Los tipos, dentro de su grotesco perfil, son deliciosos y están perfectamente caracterizados.

---

[109] Edición Schevill-Bonilla, cit., vol. IV, pág. 114.

[110] *Itinerario...*, cit., pág. 109.

Dos alusiones al baile del *escarramán* sitúan también este entremés del lado de acá de 1612.

En *El viejo celoso* traspone Cervantes al plano del entremés el nudo anecdótico de su novela *El celoso extremeño,* pero simplificando acción y complejidades psicológicas, eliminando personajes, y trocando la dramática congoja del viejo por la burla cómica. Torna, pues, Cervantes al tema del adulterio, aunque en forma más atrevida que en *La cueva de Salamanca,* ya que en ésta todo queda en un propósito frustrado, mientras que en el *El viejo celoso* el adulterio parece consumarse y, por añadidura, ante las mismas barbas del marido. Decimos "parece" porque la burla, tal como se muestra a los ojos del espectador, deja a éste en la incertidumbre; la esposa entra en la habitación donde acaba de esconderse el galán furtivo, y a través de la puerta grita su ventura con palabras no exentas de cierta procacidad. El galán escapa luego, sin que el breve tiempo que ha permanecido encerrado con la atrevida esposa permita suponer la consumación del adulterio o tan sólo una broma cruel con la que la joven mujer trata de castigar los celos impertinentes, asfixiantes, del anciano marido.

Hay en la obra, sin discursos morales, una incisiva sátira contra los matrimonios entre contrayentes de distinta edad —tema grato a Cervantes—, pero creemos que mucho mayor, y más descarnada, contra la hipocresía a la que nada importa la moral en sí, pero mucho la apariencia y honra exterior. La escena es magistral: una vecina celestinesca, Hortigosa, promete aliviar a la casada joven de su abstinencia y malos ratos con el vejete:

HORTIGOSA.— Señora doña Lorença, vuessa merced haga lo que le tengo aconsejado y... yo le pondré al galán en su aposento de vuessa merced y le sacaré, si bien tuviesse el viejo más ojos que Argos y viesse más que un zahorí...

DOÑA LORENÇA.—Como soy primeriza, estoy temerosa, y no querría, a trueco del gusto, poner a riesgo la honra.

CRISTINA.—Esso me parece, señora tía, a lo del cantar de Gómez Arias:

Señor Gómez Arias,
doleos de mí:
soy niña y muchacha;
nunca en tal me vi...

DOÑA LORENÇA.—Algún espíritu malo deve de hablar en tí, sobrina, según las cosas que dizes.

CRISTINA.—Yo no sé quién habla; pero yo sé que haría todo aquello que la señora Hortigosa ha dicho, sin faltar punto.

DOÑA LORENÇA.—¿Y la honra, sobrina?

CRISTINA.—¿Y el holgarnos, tía?

DOÑA LORENÇA.—¿Y si se sabe?

CRISTINA.—¿Y si no se sabe?

DOÑA LORENÇA.—¿Y quién me assegurará a mí que no se sepa?

HORTIGOSA.—¿Quién? La buena diligencia, la sagacidad, la industria, y sobre todo, el buen ánimo y mis traças.

CRISTINA.—Mire, señora Hortigosa, tráyanosle galán, limpio, desembuelto, un poco atrevido, y, sobre todo, moço...

Cuando Hortigosa va a marchar, la sobrina, que quiere también su parte, le pide:

—Señora Hortigosa, hágame merced de traerme a mí un frailecíco pequeñito con quien yo me huelgue.

HORTIGOSA.—Yo se lo traeré a la niña pintado.

CRISTINA.—Que no le quiero pintado, sino vivo, vivo, chiquito como unas perlas...[111].

Es necesario preguntarse si la tarea entremesista de Cervantes fecundó el género y lo vivificó en algún sentido, salvándolo de la ruina, como supone Cotarelo, o le señaló por lo menos algún rumbo original. Asensio se pregunta también si Cervantes dejó una escuela floreciente o, por lo menos, "una minoría que, en la imposibilidad de repetir su genialidad, siguiese sus procedimientos e ideales técnicos". Ya comentamos al principio la escasa difusión que debieron de alcanzar los entremeses de Cervantes, lo que limita de raíz el ámbito de su magisterio; pero además no cabe duda de que el mundo entremesista cervantino era muy difícil de imitar, precisamente por su hondura y riqueza humana. De este modo, su lección estuvo en razón inversa a su calidad y su importancia, y sólo en pequeñas gotas o en porciones —en este o aquel matiz— aprovechó a los herederos, que tomaron por sendas más cómodas y de éxito más seguro. Asensio ha definido exactamente cuáles fueron después de Cervantes las rutas del entremés. "Por sorprendente que parezca, la turba de entremesistas caminaba hacia metas muy desviadas de las suyas: a la estilización deformadora de los personajes, a la agudeza ingeniosa, al acierto aislado y explosivo, aunque hubiese que abandonar, como lastre, la armonía de situación y caracterización, la fidelidad a la observación, la madurez reflexiva que Cervantes esconde tras la comicidad"[112].

---

111 Edición Schevill-Bonilla, cit., vol. IV, págs. 147-148 y 150.

112 *Itinerario...*, cit., pág. 110.

CAPÍTULO III

CERVANTES NOVELISTA: "LA GALATEA", LAS "NOVELAS EJEMPLARES", EL "PERSILES"

LA "PRIMERA PARTE DE LA GALATEA"

Resulta innecesario insistir en que, sea cualquiera el valor que haya de atribuirse a Cervantes en el campo de la poesía y de la dramática, su lugar principal, indiscutible, lo tiene en el dominio de la novela; como novelista es el maestro del género en la literatura moderna universal, creador de varias de sus formas y autor, en el *Quijote,* de la más famosa, profunda y original de sus manifestaciones.

Pero el camino hasta la cumbre de sus mejores libros no fue fácil ni rápido. Como vimos en el capítulo anterior, Cervantes publicó la primera de sus novelas, la *Primera parte de la Galatea,* en 1585, a poco de haberse instalado en Madrid y cinco años después de su cautiverio. Los eruditos han discutido sobre la fecha de su composición, que podría oscilar dentro de límites bastante amplios [1]. La obra podrá ser, pues, más o menos primeriza en relación

[1] Algunos investigadores sostienen que *La Galatea* fue obra de juventud. Rodríguez Marín (prólogo a su edición crítica del *Rinconete y Cortadillo,* Madrid, 1920, pág. 125) supone que estaba escrita antes de 1575, fecha del cautiverio de Cervantes, y Astrana Marín estima que parte al menos de la obra debió de escribirse en Argel (*Vida ejemplar y heroica de Miguel de Cervantes,* Madrid, 1948-1958, vol. III, págs. 29, 35 y 174). La mayoría de los estudiosos supone, en cambio, que Cervantes escribió la novela después de su regreso del cautiverio; con diferencias —poco importantes— de fecha. Para los distintos pareceres véase: Emilio Cotarelo, *Efemérides cervantinas,* Blanca de los Ríos, *Del siglo de oro,* y Narciso Alonso Cortés, *Casos cervantinos que tocan a Valladolid,* citados en el capítulo anterior, nota 1. Consúltese además: R. Schevill y Adolfo Bonilla, introducción a su edición de *La Galatea,* en *Obras Completas de Cervantes,* 2 vols., Madrid, 1914. Francisco López Estrada, *La Galatea de Cervantes. Estudio crítico,* La Laguna, 1948. Agustín González de Amezúa ha dado a conocer una carta de Cervantes fechada en Madrid en febrero de 1582 ("Una carta inédita y desconocida de Cervantes",

con la vida natural del escritor; pero, en todo caso, corresponde al comienzo de su carrera literaria: cuando Cervantes publicó su *Galatea* era tan sólo conocido como poeta, y autor de algunas comedias de cuya existencia no tenemos otra noticia que el testimonio del propio Cervantes. Tenía ya entonces éste 38 años, y aquella novela, escrita por quien había de ser el genial renovador de este género literario, iba a permanecer solitaria en su producción durante cuatro lustros.

La Galatea, dividida en seis libros, a la que Cervantes no tituló novela sino "égloga" [2], pertenece al género pastoril que, como vimos, era lectura de gran estima y difusión por aquel entonces [3]. Aunque la obra de Cervantes contiene elementos que la diferencian, según diremos, cabe afirmar, como apreciación de conjunto, que reúne todos los rasgos característicos de las novelas de esta especie, expuestos en un capítulo anterior. La acción principal es muy sencilla. Elicio, pastor de las riberas del Tajo, está enamorado de la pastora Galatea, tan notable por su belleza como por su discreción. Aurelio, padre de la hermosa, desea casarla con un rico pastor lusitano, Erastro, y desoye las pretensiones de Elicio. Cuando se anuncia que el rival forastero va a llegar en el término de tres días, Elicio reúne a todos sus amigos, con el fin de pedir a Aurelio que no consienta la marcha de Galatea, desterrando así "de aquellos prados la sin par hermosura suya". Ignoramos el resultado de esta embajada, porque la parte publicada de la novela termina en este punto. Ahora bien: junto a tan breve acción central, el escritor despliega multitud de acciones secundarias, protagonizadas por los pastores y pastoras amigos del enamorado de Galatea; acciones tan variadas y numerosas que en ocasiones llegan a constituir una intrincada maraña. Para tejer estas historias el novelista acude a todo género de recursos, más o menos verosímiles: hallazgos casuales, sorprendentes encuentros, equívocos basados en el parecido de personajes; y todo

---

en *Boletín de la Real Academia Española,* XXXIV, 1954), en la que el novelista asegura que estaba por entonces escribiendo *La Galatea,* afirmación que debe resolver al fin la debatida cuestión. De ser así, *La Galatea* no sería obra tan de juventud del autor, importante dato para entender su auténtica significación en el proceso espiritual de Cervantes.

[2] "El término 'novela pastoril' no puede emplearse rigurosamente", dice López Estrada ("Sobre *La Galatea* de Cervantes", en *Homenaje a Cervantes,* vol. II, Valencia, 1950, pág. 70, nota 3). Y añade que, para entender correctamente el carácter de la obra cervantina, "conviene tener en cuenta la distinción entre 'novela', relato al modo italiano, preferentemente a imitación de Boccaccio, y relato 'pastoril' ('égloga', según la denominación de Cervantes)". Cervantes efectivamente, en el prólogo de su libro, trata de él como obra de poesía y no novela: "La occupación de escribir églogas en tiempo que, en general, la poesía anda tan desfavorescida...", son sus primeras palabras a los "curiosos lectores" (edición Schevill-Bonilla, cit., vol. I, pág. XLVII).

[3] Para las ediciones de *La Galatea* véanse las de las *Obras Completas de Cervantes,* citadas en la nota 14 del capítulo anterior.

ello en un clima de ideales y apasionados amores, muchas más veces contrariados que felices.

Como era costumbre en tales libros, bajo la traza pastoril de los personajes novelescos se ocultaban muchos reales, según advierte el propio autor; al justificarse en el Prólogo de "haber mezclado razones de philosofía entre algunas amorosas de pastores, que pocas vezes se levantan a más que a tratar cosas del campo, y esto con su acostumbrada llaneza", dice que "muchos de los disfraçados pastores della lo eran sólo en el ábito" [4]. Los eruditos cervantistas se han ejercitado igualmente —con resultados tan numerosos como variados— en identificar a dichos falsos pastores; pero el problema no tiene particular interés para nuestro objeto [5].

También a semejanza de otras novelas pastoriles, Cervantes intercala en su *Galatea* numerosas composiciones en verso; costumbre que sigue en casi todas sus novelas, pero en ésta con profusión mucho mayor, ya que el número de poesías se aproxima a las ochenta, entre ellas el extenso "Canto de Calíope", que ya fue mencionado.

El mismo título de *Primera Parte de la Galatea* revela claramente que su autor pensaba darle una continuación; y la prometió, en efecto, repetidas veces. En el mismo prólogo del libro acaba diciendo que "ya que en esta parte la obra no responda a su desseo, otras offresce para adelante de más gusto y de mayor artificio". En el famoso escrutinio del *Quijote* (capítulo VI de la primera parte) dice de *La Galatea* por boca del cura que "es menester esperar la segunda parte que promete". En la dedicatoria de sus *Ocho comedias* anuncia que "luego yrá el gran *Persiles*... y luego la segunda parte de *La Galatea*"; torna a prometerla en el prólogo de la segunda parte del *Quijote*: "olvidábaseme de decirte que esperes el *Persiles,* que ya estoy acabando, y la segunda parte de *La Galatea*". Y todavía cuatro días antes de su muerte, en la dedicatoria del *Persiles,* sueña con dar remate a aquella su primera, y ya tan remota creación: "Si a dicha, por buena ventura mía, que ya no sería ventura, sino milagro, me diera el cielo vida, las verá, y con ellas el fin de *La Galatea*".

Es manifiesta, pues, la estima que sentía Cervantes por aquel su primer libro. No sólo esto, sino que el tema pastoril aflora en numerosos momentos de sus obras, y de manera más amplia en el *Quijote,* donde, según explica López Estrada [6], se encuentran "las tres modalidades de los elementos de la novela pastoril": lo pastoril literario, en el episodio de Marcela y Grisóstomo; lo pastoril rústico, en el episodio de las bodas de Camacho; y lo pastoril cortesano, en las pastoras que cazan pajarillos con redes. Esta sostenida delectación en el tema y el hecho de su insistencia en prometer la continuación de

[4] Edición de Schevill y Bonilla, cit., vol. I, págs. XLIX y L.

[5] Cfr.: Rudolph Schevill, "Laínez, Figueroa and Cervantes", en *Homenaje a Menéndez Pidal,* I, Madrid, 1925. Véase un resumen del problema en la "Introducción" a la edición citada de Schevill y Bonilla, vol. I, págs. XXIX-XXXII.

[6] "Sobre *La Galatea* de Cervantes", citada, pág. 77.

La Galatea, bien da a entender —como veremos— que no fue ésta tan sólo mero capricho o afición de su mocedad. Por otra parte, son harto conocidas las ironías que el mismo Cervantes dedica a la narración bucólica, de manera especial en *El coloquio de los perros,* siempre citado como prueba de la opinión del autor sobre aquellas idealizadas fantasías: "Entre otras cosas —dice Berganza— considerava que no devía ser verdad lo que avía oydo contar de la vida de los pastores... diziendo que se les passava toda la vida cantando y tañendo con gaytas, çampoñas, rabeles y chirumbelas, y con otros instrumentos extraordinarios..." [7]. Los únicos pastores que había visto Berganza no cantaban "con vozes delicadas, sonoras, y admirables, sino con vozes roncas, que solas, o juntas, parecía, no que cantavan sino que gritavan o gruñían. Lo más del día se les passaba espulgándose, o remendando sus abarcas, ni entre ellos se nombravan Amarilis, Fílidas, Galateas, y Dianas, ni havía Lisardos, Lausos, Iacintos, ni Riselos; todos eran Antones, Domingos, Pablos, o Llorentes, por donde vine a entender lo que pienso que deven creer todos; que todos aquellos libros son cosas soñadas y bien escritas para entretenimiento de ociosos y no verdad alguna..." [8].

Esta antinomia entre lo que llamaríamos la práctica y la teoría del autor ha planteado uno de los más interesantes y debatidos problemas no sólo en torno a la novela que nos ocupa, sino respecto a la ideología toda de Cervantes. La opinión más tradicional reforzada por el juicio de Menéndez y Pelayo (para quien la composición de *La Galatea* fue sólo un caso de puro "diletantismo estético") [9], y sostenida por muchos críticos posteriores, conviene en afirmar que Cervantes, al escribir esta novela, se dejó llevar simplemente de las "modas literarias" de la época, que tuvo en tanto aprecio lo pastoril; mímesis explicable sobre todo en un escritor joven. A esta razón añade Amezúa una segunda, un tanto angosta a nuestro parecer, que sería el deseo de Cervantes "de dar cabida y notoriedad con ello a gran número

---

[7] *Novelas exemplares,* edición de Schevill y Bonilla, vol. III, Madrid, 1925, pág. 164.

[8] Ídem, íd., pág. 166. Emilio Carilla hace una aguda observación sobre la íntima actitud de Cervantes respecto al mundo eglógico: "Es curioso observar —dice— cómo Cervantes respeta de la ironía a personajes pastoriles. Naturalmente, no respeta sólo a ellos, pero tal consideración es significativa" ("Cervantes, testimonio de épocas artísticas", en su libro *Estudios de Literatura Española,* Rosario, Argentina, 1958, pág. 111).

[9] "Cultura literaria de Miguel de Cervantes y elaboración del Quijote", en *Estudios y discursos de crítica histórica y literaria,* vol. I, ed. nacional, Santander, 1941, páginas 326-356. En realidad, Menéndez y Pelayo no hace esta afirmación concretamente a propósito de *La Galatea,* sino de todo el "género bucólico", incluida la lírica. Al referirse en particular a la novela pastoril de Cervantes hace una breve, pero comprensiva, alusión, casi orientada en el sentido que muchos exégetas recientes tenían que ampliar: "No era todo —dice— tributo pagado al gusto reinante. La psicología del artista es muy compleja, y no hay fórmula que nos dé íntegro su secreto" (pág. 334); palabras, por cierto, que repite literalmente en sus *Orígenes de la novela* al cerrar el estudio sobre la pastoril (edición nacional, 2.ª ed., Madrid, 1962, vol. II, pág. 342).

de poesías propias que inéditas guardaba" [10]. Pero Américo Castro ha negado explícitamente aquella interpretación, y tras de él algunos otros críticos recientes.

Para Castro la cuestión es mucho más compleja [11]. Cervantes —según dejamos ya apuntado a propósito de su teatro y veremos todavía con atención mayor— sentía con intensidad pareja la atracción del ideal y la del mundo más inmediato y tangible; en lo cual encarnaba típicamente la doble aspiración del hombre renacentista. Para Cervantes, educado en el pensamiento platónico, que, glosado bajo todos sus ángulos por preceptistas y filósofos, impregnaba el sentir del hombre de su tiempo, existía una *realidad ideal* con tan aguda vigencia como la realidad próxima y concreta. En ella se encerraba un orbe de valores perfectos que, no por enfrentarse con la imperfección de lo contingente, tenía una existencia menos vívida, siquiera fuese en la aspiración y deseos de quien la sustentaba. Este mundo ideal sólo hallaba cabida en los dominios del arte y entrar en ellos suponía —en desgarradora disyuntiva— la renuncia a la captura de la realidad del mundo; de aquí nace la desengañada posición irónica —tal la del mismo Cervantes— ante la ficción pastoril, sin excluir la propia obra. Esta enorme y atormentadora antinomia entre lo ideal y lo real la resuelve Cervantes genialmente en su *Quijote*; en *La Galatea*, sin embargo, como apunta López Estrada, da de manera apretada y densa, pura diríamos, o sólo desde el plano de lo ideal, lo que en su gran creación novelesca se abraza y armoniza con su contrario. Profundamente dice Castro: "¿Pastor de zampoña? ¿Pastor de abarcas astrosas? ¿Yelmo? ¿Bacía de Barbero? La única y esencial diferencia en el caso de lo pastoril es que el con-

10 Agustín González de Amezúa, *Cervantes creador de la novela corta española*, volumen I, Madrid, 1956, pág. 17. Otros críticos han defendido también puntos de vista muy parecidos al de Amezúa; así, Ricardo Rojas (*Cervantes*, Buenos Aires, 1948), para el cual "los pasajes de prosa no tienen por lo común otro objeto que anunciar o comentar los cantos, viniendo a ser como lazos que atan en guirnaldas las églogas y endechas de los pastores". Sobre el carácter de las composiciones líricas intercaladas en *La Galatea* Savj-López mantiene un criterio ecléctico que no carece de verosimilitud, y que en nada varía la posición sustancial de Cervantes frente a la novela pastoril. Según este comentarista, las mencionadas poesías pueden dividirse en dos grupos: las de tema y tono pastoril habrían sido compuestas junto con la prosa en el momento oportuno; pero las restantes lírico-amorosas o de inspiración platónica, sin carácter pastoril o desligadas de la trama novelesca, podrían haber precedido a la composición de *La Galatea* "y pertenecer al tiempo en que Cervantes cultivaba las musas en la esclavitud, si es que no eran de los años de su estancia en Italia. Esta última hipótesis encuentra apoyo en los muchísimos vestigios de poesía italiana que en aquellos versos existen, así como también en la fama poética de Cervantes anterior a su cautiverio, fama testificada en el soneto apologético de Luis Gálvez de Montalvo" (*Cervantes*, trad. española, Madrid, 1917, págs. 50-51).

11 Américo Castro, *El pensamiento de Cervantes*, Madrid, 1925. Véanse los diversos pasajes de este libro, donde se estudia lo pastoril en relación con el pensamiento y la obra de Cervantes.

flicto entre ambas verdades no se resuelve en maravillosa síntesis como en el *Quijote*; pero por el espíritu de Cervantes, al pensar en *La Galatea*, ambulaban los fragmentos del artístico problema" [12]. Y añade luego: "La verdad de Don Quijote es solidaria de la de Galatea y de la de Persiles" [13]. Y más concretamente todavía: "...lo pastoril, ideológica y estéticamente, es un tema esencial en Cervantes" [14]. "Cervantes —había escrito en páginas anteriores— no compuso el *Quijote* con personalidad distinta de la que revelan las *Novelas*, el teatro o *Persiles*. Conviene olvidar por ahora el desigual valor artístico de esas producciones para meditar algo sobre la visión ideal de Cervantes, sobre su actitud ante la realidad que le cerca, sobre el sentido moral que proyecte en las personas que nacieron de su fantasía" [15].

Creemos que nadie como Castro ha intuido esa prodigiosa solidaridad que hermana los más contrarios mundos cervantinos. Pero, con mayor o menor agudeza, apenas hay comentarista de Cervantes que no haya señalado de alguna manera la dualidad que desgarra su personalidad más íntima y que se revela en esas creaciones literarias de tan diversa orientación, que más que completarse parecen contradecirse. Cierto que, para muchos, el sueño pastoril de Cervantes fue como una juvenil desviación, tenazmente arraigada, de la que nunca consiguió curarse del todo. Pero tampoco escasean los que juzgan las obras poéticas o fantásticas de Cervantes con criterio más positivo. Así, por ejemplo, Paolo Savj-López en su bello libro sobre el genial novelista, escribe: "No puede decirse, como alguien ha dicho, que nuestro autor haya errado a través de la falsedad arcádica o sentimental, o de las historias de aventuras, llegando por fin a descubrir su verdadera tendencia realista y a detenerse para siempre, puesto que con *Galatea* soñó toda la vida, y las embrolladas peripecias de la última novela vienen después del *Quijote*, como las novelas arrancadas, en parte, de lo íntimo del corazón humano, alternan con los *pastiches* convencionales del sentimiento. No siguió en el arte un determinado camino, cara a una meta única, sino que en la labor de cerca de veinticinco años expresa, con desigualdades, todo el vario mundo, que ya se fija en páginas perfectas, ya se pierde en el vacío y en lo vago. Su unidad está en el contraste" [16]. Savj-López, en el capítulo dedicado a *La Galatea*, se pregunta también por qué el autor que supo reflejar con lúcida visión la vida de su tiempo y el alma de sus contemporáneos, pudo cultivar el juego pastoril, y enumera a continuación las profundas divergencias que enfrentan las varias obras cervantinas: diversidad en la invención, en la forma, en el concepto artístico, en el fin que persiguen; asimismo, señala los cambiantes senti-

[12] Ídem, íd., pág. 38.
[13] Ídem, íd., pág. 39.
[14] Ídem, íd., pág. 190.
[15] Ídem, íd., pág. 20.
[16] *Cervantes*, cit., pág. 41.

mientos del escritor que ironiza en unos lugares sobre lo mismo que en otros convierte en ideal, como en el caso antes citado de las palabras de Bergança, o en la visión de la naturaleza —artificial en *La Galatea,* desnuda y poderosa en el *Quijote*—, o en el género de las pasiones, tan idealizadas en unas novelas como ásperamente reales en otras. Lo que mueve al comentarista a reconocer, con sagaz interpretación, que "es éste un problema que comprende la obra íntegra del poeta" [17]; y añade luego: "Es necesario admitir que este hombre, que poseyó también una intuición maravillosa de la realidad, tuvo oculta una constante aspiración romántica hacia los reinos de la pura fantasía. El espíritu apto para recoger toda forma de realidad exterior y expresarla con su prosa tersa, neta, lapidaria, se dejó arrastrar, a veces, hacia las vagas ficciones y sintió la ansiosa necesidad de crearse una engañosa realidad interior más sonriente, más serena, más amable que la otra amarga realidad del mundo. De joven le embargaron los canoros idilios; de viejo gustó de los viajes por tierras misteriosas y del encanto de las aventuras imposibles. En el esplendor de su potencia creadora representó inconscientemente con su Don Quijote preparado para toda batalla, la gran epopeya de la vida interior frente a la aparente realidad que satisface al vulgo" [18].

Las últimas palabras arriba mencionadas, de Américo Castro, son particularmente importantes; porque, cuando se trata de la calidad literaria de *La Galatea* y se excusan sus fallos como consecuencia de la falsedad propia del género y de la inexperiencia de Cervantes en esta su primera novela, se funden conceptos que es necesario separar. En el mismo sentido de Castro escribe López Estrada: "Se suele denominar esta novela obra primeriza, dando a entender en cierto modo que el arte de Cervantes no estaba aún desarrollado; no ha de extremarse esta opinión, pues la prometida segunda parte de *La Galatea* es muy posible que fuese poco diferente de la primera. Se hubiera debido, en parte, a la trayectoria del género, pero también a que los principios de arte y de vida que aparecen en *La Galatea* constituyen parte de la trama de las *Comedias,* las *Novelas Ejemplares,* el *Quijote* (en un grado tal que nos hemos podido acercar a la novela pastoril por su mediación) y del *Persiles.* Del principio al fin, el artificio se mantiene firme. Era un arte en el que Cervantes tenía puesta su confianza —(como arte, aclaramos nosotros, es decir, como un orbe cerrado, con realidad peculiar, con leyes y medidas propias)— aun a sabiendas de que cabía burlarse de él, como lo hizo" [19].

En resumen, pues, creemos que debe distinguirse entre el valor profundo de lo pastoril —como aspiración nunca extinguida de una "realidad ideal"— en la obra de Cervantes, y la calidad o valor literario, diríamos "relativo", que consigue en su única novela específicamente compuesta dentro del género así lla-

---

17 Ídem, íd., pág. 64.

18 Ídem, íd., págs. 69-70.

19 "Sobre *La Galatea* de Cervantes", cit., pág. 77.

mado. Muchas de las deficiencias de *La Galatea*, y que lo son, al cabo, más para la sensibilidad del hombre actual que para el gusto del hombre renacentista, son comunes a las otras creaciones de esta especie y han sido mil veces repetidas. Para puntualizar además las que le son propias, puede servirnos el resumen de Amezúa: "Los defectos patentes de *La Galatea*, aquellos amores pastoriles, especulativos los más, fríos y exentos de humanidad; la confusión de unos episodios con otros, que tan embarullada y difícil hace su lectura; su tendencia melodramática; la falta de verdadera emoción e interés; las excesivas disquisiciones estéticas sobre el Amor, que ni siquiera tienen el calor de lo creado y vivido; el exceso de desmayos, lágrimas y suspiros; la ausencia de un sentido íntimo, cordial de la Naturaleza, artificiosamente concebida y descrita, no auguraban ciertamente, a pesar de las virtudes y méritos de esta novela —dignidad y nobleza de los caracteres, buenos versos, de los mejores que en su vida compuso Cervantes, aciertos de estilo, que anuncian ya al príncipe de los prosistas castellanos—, no auguraban, digo, un gran éxito a *La Galatea*, y las dos únicas ediciones que alcanzó en el siglo XVI fueron prueba inequívoca y concluyente de su fracaso literario" [20].

Junto a tales defectos destacan inequívocamente como cualidades positivas las abundantes bellezas de lenguaje; dentro, generalmente, de artificiosos

[20] Amezúa, *Cervantes creador...*, cit., vol. I, págs. 22-23. La existencia de estas dos solas reimpresiones (Lisboa, 1590 y París, 1611) suelen aducirse, en efecto, como prueba de la escasa aceptación que tuvo la novela pastoril de Cervantes, frente a la gran difusión y numerosas ediciones de la *Diana* de Montemayor y de la *Diana enamorada* de Gil Polo. Schevill y Bonilla que recuerdan esta circunstancia, hacen también memoria de dos honrosas referencias hechas a *La Galatea* por Lope de Vega —muy poco amigo de su autor— en sus comedias *La dama boba* (acto III) y *La viuda valenciana* (acto I); y, además, de un curioso pasaje que, aun siendo muy conocido, queremos reproducir aquí. El licenciado Márquez Torres en su aprobación de la segunda parte del *Quijote* cuenta que, como acompañase al cardenal arzobispo de Toledo don Bernardo de Sandoval y Rojas a devolver protocolariamente una visita al embajador de Francia, "muchos caballeros franceses de los que vinieron acompañando al Embajador, tan corteses como entendidos y amigos de buenas letras, se llegaron a mí y a otros capellanes del Cardenal mi señor, deseosos de saber qué libros de ingenio andaban más válidos, y tocando acaso en éste, que yo estaba censurando, apenas oyeron el nombre de Miguel de Cervantes, cuando se comenzaron a hacer lenguas, encareciendo la estimación en que así en Francia como en los reinos sus confinantes se tenían sus obras, *La Galatea*, que alguno dellos tiene casi de memoria, la primera parte désta y las *Novelas*. Fueron tantos sus encarecimientos, que me ofrecí llevarles que viesen el autor dellas, que estimaron con mil demostraciones de vivos deseos. Preguntáronme muy por menor su edad, su profesión, calidad y cantidad. Halléme obligado a decir que era viejo, soldado, hidalgo y pobre, a que uno respondió estas formales palabras: 'Pues ¿a tal hombre no le tiene España muy rico y sustentado del erario público?' Acudió otro de aquellos caballeros con este pensamiento, y con mucha agudeza, y dijo: 'Si necesidad le ha de obligar a escribir plega a Dios que nunca tenga abundancia, para que con sus obras, siendo él pobre, haga rico a todo el mundo' " (nueva edición crítica de F. Rodríguez Marín, vol. IV, Madrid, 1948, págs. 15-16).

moldes retóricos, cuyos recursos y posibilidades ensaya Cervantes en amplísima variedad, la prosa de *La Galatea* se engalana profusamente con sonoridades y armonías de delicada matización, con que se afinan los sentimientos amorosos de los personajes; sin contar, además, el interés del libro para valorar la trayectoria intelectual y literaria, formación y sensibilidad de Cervantes como hombre de su tiempo.

Sobre los posibles influjos de *La Galatea* venía repitiéndose como lugar común la estrecha deuda de Cervantes con la famosa novela de Sannazaro. Sin duda que *La Arcadia* está en la base de toda la tradición pastoril renacentista, y en todos los cultivadores del género es directo su influjo. Pero dentro de la aparente rigidez de estas novelas, escasamente susceptibles de variación, es Cervantes —en opinión de los críticos más recientes— quien más se aparta del modelo e introduce mayor número de elementos nuevos, o al menos los combina con mayor originalidad. "Cervantes recoge en *La Galatea* —resume López Estrada— las formas de la tradición de los libros pastoriles: amores de pastores, bodas en la aldea, discusiones sobre temas filosóficos concernientes a los conceptos del amor. Pretende armonizar en el relato las 'novelas' trágicas (historia de Leandro y Leonida), la 'novela' psicológica (encuentro entre amor y amistad: Timbrio y Silerio) y otros géneros de relato, dentro de la compleja unidad del libro pastoril. No faltan temas anticortesanos y contra el poder del oro, que, si bien pertenecen al fondo de tópicos clásicos, Cervantes los trata con pasión personal" [21]. Comentando esta utilización de elementos dramáticos dentro del marco pastoril, dice líneas más arriba: "Cervantes intenta coordinar el apacible sentimiento pastoril con la ráfaga violenta de la tragedia. No se trata de aquella amenaza constante de muerte por amor que padecen los pastores... No es ésta la tragedia a la cual me refiero: Cervantes gusta de las situaciones sangrientas; no evita los rasgos de crueldad ni la narración de espectáculos horrendos. Característico de esto que indico es el ensangrentado beso de amor de la historia de Leonida y Lisandro o el cortejo del condenado a muerte en el relato de Timbrio y Silerio, y los términos de 'espantosa' y 'horrible tragedia', repetidos en el libro I... Ante la amplia posibilidad de la novela italiana, escoge para integrar el relato una narración de Bandello, que es la que más se aviene con las condiciones señaladas" [22].

Ya mucho antes, Menéndez y Pelayo había sugerido también —aunque de paso— que *La Galatea* cervantina era la más original de las imitaciones de la *Arcadia*. Schevill y Bonilla en la introducción a su edición de *La Galatea* se ocupan de este punto y afirman que "las imitaciones de Sannazaro que se han observado en la *Galatea* son harto episódicas y de poca monta" [23]. Sostienen, en cambio, que la deuda con las *Dianas* de Montemayor y de Gil Polo es

---

[21] "Sobre *La Galatea*...", cit., pág. 85.

[22] Ídem, íd., pág. 84.

[23] Edición de Schevill y Bonilla, cit., vol. I, págs. XIX-XX.

bastante más crecida, particularmente con la primera, cuyo influjo —dicen— es más hondo en la novela de Cervantes que el de cualquier otro modelo literario. Después de puntualizar algunos de los préstamos tomados a Montemayor "que confirman lo mucho que Cervantes leyó y meditó la obra de su predecesor en el género", añaden: "Fuera de estas imitaciones, y de los lugares comunes, fácilmente apreciables, de toda composición pastoril, Cervantes se muestra original, aunque falto de plan, en la invención, en la cual entremezcla, según su costumbre, algunos recuerdos de su vida (como acontece al narrar la historia de Timbrio y Nisida, en el libro V)" [24].

Si el influjo de Sannazaro sobre Cervantes debe, pues, considerarse más bien escaso, es en cambio importantísimo en el orden doctrinal el recibido de León Hebreo, cuyos *Diálogos de amor* glosa y parafrasea muy por extenso Cervantes —más exactamente podría decirse que se apropia— sobre todo en el libro IV de su novela. No sólo tomó Cervantes de León Hebreo —como tantos otros de su tiempo— lo principal de su formación neoplatónica, sino también ideas numerosísimas de diversos escritores italianos, en especial de Mario Equícola y de Pedro Bembo, de quienes hace traslados casi literales [25].

Sobre el valor del elemento psicológico en la novela pastoril, y particularmente en la de Cervantes, ha escrito Américo Castro muy sugestivos juicios. Frente a la repetida interpretación de este género novelesco como una moda transitoria, sin apenas resonancias posteriores, es necesario insistir —y así lo apuntamos en su lugar correspondiente— acerca de la importancia que la novela pastoril vino a tener para el proceso, dentro de la novela en general, de la introspección psicológica. Así dice Américo Castro: "Si cabe hablar de una fuente del *Quijote,* ahí habrá que buscarla, no en los libros de caballerías, ni en Ariosto, ni en las novelitas italianas, porque sólo eso, con ser todo lo importante que se quiera, habría carecido de posibilidad quijotesca. Una esencial fuente es la 'erótica' pastoril, que en otra ocasión exploré para hallar conexiones temáticas o ideológicas con Cervantes, pero sin parar mientes en lo único que en verdad era decisivo. En el relato pastoril es donde, por primera vez, se muestra el personaje literario como una singularidad estrictamente humana, como expresión de un 'dentro de sí'. Hemos hablado con exceso de lo abstracto y convencional de lo pastoril, de su ignorancia del tiempo y del espacio, y esto impidió atender a la proyección interior de sus personajes, al único espacio vital en que existen. Nada hace para esto que el amor de los pastores en tales 'eróticas' sea una ilusión óptica, pues gracias a ella la conciencia sensible de cada uno se delimita como autónoma y señera" [26]. Compa-

---

24 Ídem, íd., págs. XXIV-XXV.

25 Véase abundante bibliografía sobre estos problemas en Amezúa, obra cit., vol. I, pág. 20, nota 2.

26 "Los prólogos al Quijote", en *Semblanzas y Estudios Españoles,* Princeton, N, J., 1956, pág. 200 (estudio publicado anteriormente en *Revista de Filología Hispánica,* 1941, y reproducido también en *Hacia Cervantes,* Madrid, 1957).

rando después lo pastoril con la mística, de lo que aquello vendría a ser —son sus palabras— "una hijuela laica", escribe: "La *Diana* se entraba en las moradas del alma, y por eso el género pastoril se extiende por Europa en un reguero de traducciones. Hoy suele pensarse que eso fue una 'moda' difícil de entender ya. Pero, así preguntada, la historia nunca responde... El período pastoril fue un momento todo lo extraño y afectado que se quiera, durante el cual el personaje literario vivió en soledad, alejado de mitos y de ligazones, entrenándose para sentirse a sí mismo y vivir de sí mismo" [27].

Aunque, en resumen, pues, *La Galatea* debe ser valorada con criterio superior al que se le venía atribuyendo generalmente, y sin tener nunca en olvido además la esencial significación de lo pastoril en toda la obra de Cervantes, es innegable que, como creación novelesca y libro de perdurable calidad, queda muy atrás de todas sus restantes producciones.

Veinte años transcurrieron hasta que apareció, en 1605, su segunda novela: la primera parte del *Quijote*. El salto que media entre éste y *La Galatea* sería casi inconcebible ni aun teniendo en consideración lo que en tan largos años pudo madurar el genio de Cervantes en todos los planos de su experiencia. Pero también hay que tener en cuenta que no estuvo este período vacío de ejercicio literario; pues aunque de hecho entre *La Galatea* y la primera parte del *Qui-*

---

[27] Ídem, íd., pág. 201. No dejan de encerrar interés las siguientes palabras de Savj-López sobre la posible herencia de la novela pastoril en la novela posterior, aún la que más alejada puede parecer a los apresurados denostadores de las *Dianas* y *Galateas*; adviértase que las palabras del crítico italiano no constituyen una mera ingeniosidad y que están estrechamente relacionadas con los juicios transcritos de Américo Castro en su valoración del análisis psicológico llevado a cabo por la novela pastoril y su magisterio sobre toda la novela siguiente: "Un aficionado a las paradojas literarias —dice Savj-López— puede sostener que de la *Arcadia* deriva la novela moderna. Si la *Arcadia* inspira la *Diana* de Montemayor y de ésta deriva la *Astrée,* de la *Astrée,* a través de Prevost, Marivaux, Lesage, se llega a la novela inglesa de Richardson y de Fielding, que no es ni más ni menos que la novela moderna. Y a lo lejos, al fondo, se destaca gigantesca la sombra de Juan Boccaccio, que se eslabona en esta cadena de obras narrativas, no con la poderosa realidad humana del *Decameron,* sino con las pastoriles visiones alegóricas del *Ameto,* el más cercano y directo progenitor de la Arcadia napolitana" (*Cervantes,* cit., págs. 44-45).

Aparte las obras mencionadas en las notas anteriores, cfr.: Milton A. Buchanan, "Some Italian Reminiscences in Cervantes", en *Modern Philology,* octubre de 1907 (sobre posibles influencias de Dante en algunos pasajes de *La Galatea*). Hugo A. Rennert, *The Spanish Pastoral Romances,* Philadelphia, 1912. Francisco Ynduráin, "Relección de *La Galatea*", en *Homenaje a Cervantes* (Cuadernos de Ínsula), Madrid, 1947. Samuel Gili Gaya, "Galatea, o el perfecto y verdadero amor", en íd., íd. Juan Antonio Tamayo, "Los pastores de Cervantes", en *Revista de Filología Española,* XXXII, 1948, págs. 383-406. Arturo Farinelli, "Cervantes y su mundo idílico", en ídem, íd., págs. 1-24. J. B. Avalle-Arce, *La novela pastoril española,* Madrid, 1959. Rafael Osuna, "La crítica y la erudición del siglo XX ante *La Galatea* de Cervantes", en *The Romanic Review,* LIV, diciembre de 1963, págs. 241-251 (resumen de todo lo que concierne a *La Galatea*).

jote no publicó Cervantes ninguna otra novela, compuso al menos varias de sus *Ejemplares*. Por esto, aunque la necesidad de dedicar al *Quijote* un estudio aparte nos fuerza a trasladarlo al siguiente capítulo alterando el orden de su aparición, tampoco está del todo fuera de lugar la consideración, en este punto, de sus doce novelas cortas.

LAS "NOVELAS EJEMPLARES"

En 1613, ocho años después de la publicación de la primera parte del *Quijote*, vio la luz en Madrid la colección de las *Novelas ejemplares*. Por el orden en que figuran en el libro son las siguientes: *La Gitanilla, El amante liberal, Rinconete y Cortadillo, La española inglesa, El Licenciado Vidriera, La fuerza de la sangre, El celoso extremeño, La ilustre fregona, Las dos doncellas, La señora Cornelia, El casamiento engañoso y Coloquio de los perros*[28]. Pero el orden de su composición es muy distinto, y nada tiene que ver con el que su autor les asignó al editarlas.

La tarea de fijar la cronología de estas doce novelas ha ocupado por largo tiempo a muchos eruditos, sin que se haya podido llegar a ningún resultado seguro[29]. Tan sólo existen unos pocos datos ciertos. Para entretener los ocios veraniegos del cardenal-arzobispo de Sevilla don Fernando Niño de Guevara, que tomó posesión del cargo en 1600, su Racionero Francisco Porras de la Cámara reunió diversos escritos de varia lectura —sucesos fabulosos, narraciones festivas, cartas curiosas, sentencias, relato de viajes, etc.— en un códice que tituló *Compilación de curiosidades españolas*, e incluyó en él dos novelas manuscritas e inéditas: *Rinconete y Cortadillo* y *El celoso extremeño*, llevadas luego por Cervantes a sus *Ejemplares*, aunque con muy interesantes modificaciones en su texto. Se desconoce la fecha exacta de la *Compilación*, pero se supone fundadamente que debió de ser hecha en 1604. Tenemos, pues, que por lo menos las dos novelas citadas fueron anteriores a la composición

[28] Para las ediciones de las *Novelas ejemplares* véanse las de las *Obras Completas* de Cervantes, citadas en nuestra nota 14 del capítulo anterior; además, la de Rodríguez Marín, en Clásicos Castellanos, también citada (comprende sólo siete novelas). Las ediciones particulares de cada novela serán indicadas en su lugar correspondiente.

Como estudios de conjunto, cfr.: Julián Apraiz, *Las "Novelas ejemplares" de Cervantes*, Vitoria, 1901. Luis Orellana y Rincón, *Estudio crítico sobre las "Novelas ejemplares" de Cervantes con la bibliografía de sus ediciones*, Valencia, 1890. Francisco A. de Icaza, *Las "Novelas ejemplares" de Cervantes. Sus críticos. Sus modelos literarios. Sus modelos vivos y su influencia en el arte*, Madrid, 1928. Joaquín Casalduero, *Sentido y forma de las "Novelas ejemplares"*, Buenos Aires, 1943 (nueva ed., Madrid, 1962); y la citada obra de Agustín González de Amezúa, *Cervantes creador de la novela corta española*, 2 vols., Madrid, 1956-1958, C. S. I. C. Véase además Guillermo Díaz-Plaja, "La técnica narrativa de Cervantes (Algunas observaciones)", en *Revista de Filología Española*, XXXII, 1948, págs. 237-268.

[29] Véanse las obras citadas en la nota anterior, en especial Amezúa, vol. I, cap. XI, que recoge abundante bibliografía sobre estos problemas.

del *Quijote,* como tuvieron que serlo igualmente las otras dos artificiosamente intercaladas en la primera parte de éste: *El curioso impertinente* y la *Historia del cautivo.* Es perfectamente posible que otras dos de las novelas fueran anteriores también. Amezúa admite que *La española inglesa* pudo ser escrita por los mismos años que el *Rinconete* y *El celoso extremeño.* Las otras pudieron ser posteriores; el mismo crítico supone que *El Licenciado Vidriera, El casamiento engañoso* y el *Coloquio de los perros* debieron de ser compuestas durante los años de Valladolid (1604-1606), y *La ilustre fregona* y *La Gitanilla* durante los años de Madrid que vinieron a continuación. Pero hasta el momento no puede pasarse de hipótesis más o menos fundadas.

El orden y el título. Es manifiesto, sin embargo, que Cervantes no dispuso sus novelas en la edición con el mismo orden en que habían sido compuestas. ¿Qué criterio fue el suyo para dicha ordenación? Como en todos los problemas cervantinos, los estudiosos han ideado soluciones que a veces se quiebran de puro sutiles. Tenemos por mucho más sencilla y natural la razón que aduce Amezúa: "Creo más bien —dice— que Cervantes fue componiendo cada una de las suyas al paso que su inspiración se lo pedía, sin curarse para nada de su carácter respectivo, ni mucho menos aún del orden en que posteriormente aparecerían al imprimirse. Cuando las tuvo escritas, dióles la colocación que juzgó habría de causar mejor efecto al futuro lector, mezclando los asuntos y temas para hacer más gustosa su lección, de modo que el paladar de quien las tomase en sus manos pasase de unos platos a otros sin empacho ni desabor, buscando en la variedad de sus fábulas la amenidad y el deleite literario, regla crítica muy conocida y arraigada en él" [30].

El mismo título de *Novelas ejemplares* que dio Cervantes a estas obras ha planteado agudos problemas. La palabra "novela", de origen italiano, había sido utilizada hasta entonces en nuestra lengua con la acepción de "mentira, burla o engaño", y también con la de "suceso" o "acaecimiento". Cuando se tomaba en el sentido de relato literario de extensión breve, se hacía sinónima de "cuento", género que, a su vez, se suponía "en bocas bajas y viles, como truhanes, graciosos y chocarreros, gentecilla, en fin, mal mirada y ruin". Cuando —pensando en las creaciones italianas de esta índole— se utilizaba la palabra "novela", no faltaban los escritores españoles —Juan de Valdés, Lope de Vega, Suárez de Figueroa— que rechazaban el vocablo como neologismo inútil, y proponían, como más castiza, la voz "cuento"; con lo que queda de manifiesto que no se había fijado todavía en nuestras letras la exacta diferencia entre novela y cuento, y que éste era objeto de muy escasa estima literaria [31].

Cervantes es el primero que usa en nuestra lengua la palabra "novela" con el valor que había de tener a partir de entonces, y en el sentido en que la usa-

30 *Cervantes creador...*, cit., vol. I, pág. 477.

31 Cfr.: Amezúa, ídem, íd., vol. I, págs. 350 y ss.

ban los italianos para designar un relato breve en oposición a la narración larga o "romanzo". Consciente de esto, Cervantes se jacta justamente en el prólogo de su colección: "A esto se aplicó mi ingenio, por aquí me lleva mi inclinación, y más que me doy a entender, y es assí, que yo soy el primero que ha novelado en lengua castellana, que las muchas novelas que en ella andan impressas, todas son traduzidas de lenguas extrangeras, y éstas son mías propias, no imitadas ni hurtadas; mi ingenio las engendró, y las parió mi pluma, y van creciendo en los braços de la estampa" [32].

La afirmación de Cervantes es inatacable, porque no solamente había introducido entre nosotros la palabra, sino creado el género [33]. Antes de él, las colecciones de la época que circulaban en nuestra lengua eran traducciones del italiano, más o menos modificadas, y hasta las que existían a nombre de algún autor español eran arreglos o serviles imitaciones del mismo origen. Los numerosos relatos breves, de índole novelesca, aparecidos en nuestra literatura desde mucho antes y que formaban ya una larga tradición, nada tienen que ver, en su sencillez, con las creaciones de Cervantes. Muy poco, por ejemplo, pudo éste aprovechar para sus novelas de los relatos del *Conde Lucanor*, y menos aún de *El Patrañuelo* de su contemporáneo Timoneda; las "patrañas" de éste son argumentos escuetos, que ni por su extensión ni por el modo de tratarlos se aproximan siquiera a las *Ejemplares*. Más pudieron influir, en todo caso, sobre Cervantes las breves narraciones intercaladas con bastante frecuencia en novelas de mayor extensión, como en las bizantinas, o de caballerías, o incluso en las picarescas, sobre todo en el *Guzmán de Alfarache*; pero ni aun las de éste pueden compararse.

El influjo más positivo lo recibió Cervantes de la novela corta italiana, de dilatado cultivo en aquel país y sin duda alguna bien conocida de nuestro autor desde su temprana estancia en él. La influencia de Boccaccio sobre Cervantes, repetidamente afirmada, no se considera hoy importante [34], pero sí

---

[32] Edición Schevill-Bonilla, cit., vol. I, pág. 23.

[33] Comentando la gran escasez en nuestra literatura de obras pertenecientes al género "novela corta" con anterioridad a Cervantes, ni siquiera en textos manuscritos, escribe Amezúa: "Contribuiría asimismo a esta parvedad la desestimación estética en que por entonces se tiene a la novela, fenómeno certísimo del que ya me he ocupado anteriormente, pero de importancia capital para su estudio; menosprecio literario del que no se redimiría sino con Cervantes; pues si él mismo se ufanó de haber sido el primero que había novelado en lengua castellana, tan ancho y soleado fue el camino abierto con su pluma, que la extraordinaria floración novelística del siglo XVII que nos pone entonces en el cultivo de este género a la cabeza de todas las naciones del mundo y al par de Italia, bien puede decirse que fue debida a Cervantes, que tanto dignificó y ennobleció a la novela, españolizándola además..." (obra cit., vol. I, pág. 419).

[34] Cfr.: M. Menéndez y Pelayo, *Cultura literaria de Miguel de Cervantes y elaboración del Quijote*, ed. citada. Del mismo, *Orígenes de la novela*, vol. II, Madrid, 1931, pág. XVIII. Emilio Alarcos, "Cervantes y Boccaccio", en *Homenaje a Cervantes*, vol. II, Valencia, 1950, págs. 197-235; véanse además los autores citados en la nota 28, y F. López Estrada, *La Galatea de Cervantes. Estudio crítico*, citado.

la de sus continuadores o imitadores, en especial Bandello, Erizzo, Poggio-Lando, Selva-Costo, Caravaggio, Cinthio, Malespini, y otros varios. Amezúa resume con precisión cuáles fueron los elementos fundamentales de la novela italiana, que pudo tomar Cervantes como "marco o bastidor" que le sirviera para las suyas: "Primero su extensión o proporciones, más largas, en general, las italianas del siglo XVI que las de Boccaccio, medida aquella que adoptaría Cervantes para las suyas; la unidad y continuidad del argumento; la introducción del diálogo en el curso de la novela, que falta en casi todas las italianas, novedad y elemento suyo importantísimo y del que tanto uso habría de hacer la novela moderna; la ausencia de comentarios, citas y sentencias que, interpolados en el cuerpo de la obra, distrajeran la atención en el lector del asunto principal, incontinencia erudita que tanto afea entonces a todo linaje de libros; la eliminación de la Naturaleza y del paisaje, que todavía no se utiliza, al modo de hoy, para fondo o escenario de los sucesos relatados; como también la pintura del medio donde se desarrolle la novela quedará reducida a unas pocas frases elogiosas, tópicos más bien, de la ciudad en que asienta la narración; elementos todos formales, de pura técnica y composición, en los que Cervantes encontró, a no dudarlo, excelentes modelos, que él luego perfeccionaría con su genial talento de novelista".

Dentro de este marco italiano Cervantes construye sus propios cuadros con caracteres tan personales, que acreditan su arrogante afirmación de haber sido "el primero que había novelado en lengua castellana". En primer lugar, Cervantes ensancha y amplía los límites de los relatos: "ya no es el cuento boccacciano, donde la fábula o argumento es uno y sencillo de ordinario, y rápido su desenlace. Cervantes, no: gusta de enriquecerlo con otros episodios y peripecias, que, sin mengua de su unidad, alarguen la novela, haciendo de ella un todo tan orgánico como vario". "La segunda diferencia con las italianas radica en la nacionalización de los asuntos y de los personajes. Con excepción de *El amante liberal* y de *La señora Cornelia*... Cervantes hace siempre españoles a sus criaturas novelísticas, como nacional es también el suelo que pisan y el ambiente que respiran; mientras que los italianos, para poder cubrir el número copioso de las suyas, veíanse forzados a servirse de naturales de todas las naciones... La españolización, pues, de la novela corta por Cervantes es completa e indudable su originalidad en este aspecto". "Aventaja asimismo e indudablemente la novela cervantina a las italianas, si no en la introducción misma del diálogo... en la gran importancia que Cervantes le concede y frecuente uso que hace en las suyas, ganando con ello viveza, soltura y vigor". "Otra diferencia que separa a unas de otras es el fin corrector y moralizador de la novela...". "Cervantes libra asimismo a la novela en las suyas *Ejemplares* de otro gran lunar que las afeaba, a saber, el empleo excesivo o preferente de lo maravilloso y sobrenatural, que en sus albores tanto priva y la sojuzga, como una reliquia o reato de los libros de caballerías... El mérito de haber dado fin a este mundo falso y absurdo fue de Cervantes. Es uno de los valores capitales de sus *Novelas ejemplares*, donde a estas fábulas patrañeras sustituye la vida real, humana y palpitante" [35].

Llamó Cervantes "ejemplares" a sus novelas porque "si bien lo miras —dice— no hay ninguna de quien no se pueda sacar algún exemplo provechoso; y si no fuera por no alargar este sujeto, quizá te mostrara el sabroso y honesto fruto que se podría sacar, assí de todas juntas, como de cada una de por sí". Sin embargo, se encuentran en las novelas algunos pasajes escabrosos y no pocas libertades de expresión, que han dado qué pensar sobre la sinceridad de las palabras del autor. Para muchos comentaristas la ejemplaridad de las novelas no descansa en razones de moralidad doctrinal, sino en el hecho de que encierran una "enseñanza" o "lección" provechosa como experiencia de vida; y tal lección hasta de hechos reprobables puede deducirse. De este modo se cohonestarían algunas libertades del texto con el calificativo de su título.

Pero las cosas no parecen del todo así. Cervantes, poco antes de las frases citadas, hace expresa declaración de sus pretensiones moralizadoras —"clamorosa pretensión de moralizar", según dice Américo Castro— en el sentido más habitual de la palabra, y aun apelando a razones religiosas: "...los requiebros amorosos que en algunas hallarás, son tan honestos y tan medidos con la razón y discurso christiano, que no podrán mover a mal pensamiento al descuydado o cuydadoso que las leyere" [36]. Y poco más abajo: "Una cosa me atreveré a dezirte: que si por algún modo alcançara que la lección destas *Novelas* pudiera induzir a quien las leyera a algún mal desseo o pensamiento, antes me cortara la mano con que las escribí, que sacarlas en público. Mi edad no está ya para burlarse con la otra vida..." [37].

Américo Castro en un sagaz estudio sobre el tema [38] ha penetrado en alguno de sus más complejos aspectos. Cervantes —viene aquél a decirnos— cuya vida había transcurrido en "angustia apretadísima" "paria frecuentador de cárceles", completamente inseguro dentro del engranaje social y literario de su tiempo, había conocido al fin, después del éxito del *Quijote*, no sólo su reconocimiento como escritor, sino cierta discreta aceptación ante las clases elevadas del país, de la que daba pruebas el favor del cardenal Sandoval y del conde de Lemos. El escritor siente la necesidad de limar sus viejas aristas y componer su actitud para acrecentar su respetabilidad ("el escritor rebelde —dice Américo Castro— se hace, en cierto modo, académico"), poniéndose oportunamente "a tono". De aquí, la "clamorosa" declaración de ejemplaridad, que no excluye, por otra parte, la básica sinceridad del escritor, pero que no está exenta de ciertas humanísimas y muy necesarias "precauciones". Las

---

35 *Cervantes creador...*, cit., vol. I, págs. 460, 462, 463 y 464.

36 Edición Schevill-Bonilla, cit., vol. I, pág. 22.

37 Ídem, íd., págs. 22-23.

38 "La ejemplaridad de las novelas cervantinas", en *Nueva Revista de Filología Hispánica*, año II, núm. 4, 1948; reproducido en *Semblanzas y estudios españoles*, Princeton, N. J., 1956, págs. 297-315, y también en *Hacia Cervantes*, Madrid, 1957.

dos novelas incluidas en el códice de Porras fueron, en efecto, retocadas con bastante cuidado y limpiadas de numerosas expresiones de mayor atrevimiento cuando Cervantes las preparó para la imprenta en 1613. Muchas de estas correcciones pudieron ser motivadas por razones literarias o explicables por la natural evolución del novelista o por escrúpulos morales; pero la nueva "actitud" del escritor, señalada por Castro, no parece menos evidente.

Intentos de clasificación. Realismo e idealismo. La gran diversidad de las *Novelas ejemplares* ha movido a los exégetas cervantinos —desde los primeros del siglo XVIII hasta los últimos de nuestros días— a intentar una clasificación, orientada según muy distintos criterios. Entre las más interesantes debe citarse la de Rodríguez Marín [39], que distingue entre: novelas enteramente vividas; novelas de pura invención, imitadas de los modelos italianos; y novelas en que se combinan ambas formas, con predominio de la segunda sobre la primera. González de Amezúa distingue "tres épocas": una primera, de notable influencia italiana, "novelas sin gran transcendencia psicológica... en que los hechos y la narración de los sucesos, el desarrollo del argumento, son para su autor su propósito principal" —*El amante liberal, Las dos doncellas* y *La señora Cornelia*—; una segunda o de transición, "en que Cervantes se adentra en el estudio de las almas y las observa y analiza, en que su psicología es ya penetrante... novelas en que el propósito de su autor no es sólo distraer y solazar, sino mostrarnos, a la vez, todas las reacciones, sentimientos y pasiones de que son capaces las almas humanas en su choque con la realidad cricundante"; y una tercera en que "su autor sírvese de los hechos que narra y del análisis de los caracteres que crea para convertirse en espectador de la vida social, en fiscal y corrector de sus excesos y pecados" —*Rinconete y Cortadillo, El licenciado Vidriera* y *El coloquio de los perros* [40].

Esta división nos parece que responde a un más acertado criterio, puesto que atiende a la vez a procedimientos estéticos y a intenciones humanas del novelista; pero no creemos que pueda hablarse de "épocas", ya que, como sabemos, la cronología de estas novelas es sumamente incierta; por de pronto *Rinconete*, situado por Amezúa en la tercera época, fue de las primeras escritas, según vimos; el mismo crítico había escrito páginas antes que "cabe suponer... que dos de las postreras de esta colección, *Las dos doncellas* y *La señora Cornelia*, se escribieron a última hora para alcanzar la docena y henchir el volumen" [41] y son novelas que atribuye a la primera época. Creemos que la división de Amezúa puede ser aceptada, pero sustituyendo la denominación de "época" por la de estilo o tendencia. Porque el proteico genio de Cervantes fluctúa en la composición de las *Ejemplares*, al igual que en la totalidad

---

[39] Introducción a su edición crítica de *La ilustre fregona*, citada luego.
[40] *Cervantes creador...*, cit., vol. I, págs. 482-483.
[41] Idem, íd., pág. 475.

de su obra, entre los polos enemigos del realismo y el idealismo, que durante toda su vida le atrajeron con igual fuerza; la cronología no sirve apenas de nada cuando nos enfrentamos con las creaciones cervantinas. Savj-López señala nuevamente este hecho a propósito de las *Novelas ejemplares*: "Explicar las desigualdades por razón del tiempo, y buscar un desenvolvimiento progresivo de las menos maduras a las más perfectas, de las más *exteriores* a las más *interiores*, es intento vano: pues de su cronología sabemos bien poco, o mejor, sabemos lo suficiente para excluir toda posibilidad de relacionar la marcha del arte con la de los años. *La española inglesa*, por ejemplo, parece haber sido compuesta después de *Rinconete y Cortadillo*. Y recordemos que también la novela entretejida de *Los trabajos de Persiles y Sigismunda* siguió en bastantes años al *Quijote*. Igualmente vano sería rastrear las influencias literarias..." [42]. Más arriba había hecho ya notar de qué manera se repiten en las *Novelas ejemplares* los mismos contrastes que aparecen en toda la obra de Cervantes y a lo largo de toda su vida. Pero la observación tiene mayor interés ahora porque conduce al crítico a insistir en los conceptos antes expuestos sobre el carácter de lo pastoril en la obra de Cervantes, y de su permanente oscilación entre la fuga a lo ideal y el instintivo amor a la vida. Después de constatar este insistente fluctuar entre realismo e idealización en las *Novelas*, escribe: "Ahora ya le conocemos suficientemente para no seguir pensando en que esta segunda tendencia de su espíritu fuese en todo y por todo determinada por el arrebato de ciertas modas literarias: la moda pastoril, la moda de aventuras, y así sucesivamente; sabemos cuánta sinceridad acumulaba inmutable en toda su labor de artista. No. Era un impulso espontáneo, aunque anduviese por los caminos trillados de los demás; era el batir de alas de una fantasía que, aun sabiendo alimentarse sobre todo de la experiencia, anhelaba huir de cuando en cuando lejos, al mundo de los sueños, o en busca de sentimientos que transcendían los límites de su poder" [43].

Estas últimas palabras nos enfrentan de nuevo con una vertiente capital de la obra cervantina. Cervantes, infinitamente mejor dotado para apresar la viva realidad que para el ensueño romántico, acierta en ambos planos de muy desigual manera; esto induce a muchos a pensar —vistos los resultados y confundiendo el logro con la intención— que, así como existe un Cervantes genial y un Cervantes fallido, existe igualmente un escritor hondamente sincero junto a otro que cede a modas transitorias. Pero no debe confundirse —dijimos a propósito de *La Galatea*— la significación profunda y permanente de una aspiración en la obra de Cervantes con su resultado literario. Así puede decir exactamente Savj-López: "Gustó de imaginarse muchas cosas, que no supo ni intuir con profundidad, ni expresar con fuerza. Por esto acaban por nublarse las almas, por hincharse el estilo, y por que las palabras sus-

[42] *Cervantes*, cit., págs. 163-164.
[43] Idem, íd., págs. 160-161.

tituyan a las vivas imágenes. En esta fórmula está sin duda el secreto de un arte tan desigual, ora magnífico y ora insignificante, ora luminoso y ora apagado, que sabe cubrir con un fantástico velo sonriente los aspectos reales, pero que no llega a imprimir realidad a las inciertas nebulosidades de la imaginación" [44].

Dámaso Alonso hace notar cómo —en las *Novelas ejemplares*— la polarización cervantina entre idealismo y realismo cristaliza, en las narraciones del primer tipo, en unos héroes de caracteres enterizos —falsos por lo tanto—, que reúnen en sí toda la belleza moral y frecuentemente también la física; así, por ejemplo, Ricardo, el protagonista de *El amante liberal*, es el summum de la bondad y la generosidad, como su amada Leonisa es también la cima de la belleza humana; igualmente buena y bella en grado excepcional es Isabela, la *española inglesa* llevada a Inglaterra después del saqueo de Cádiz, y no menos extraordinario es el joven inglés Ricaredo, que la sigue amando después incluso que el veneno ha desfigurado su rostro; ideal es también el amor de Avendaño, que se hace mozo de mesón en Toledo por el amor de Constanza, la *ilustre fregona*, y el de Andrés, convertido en gitano para seguir a Preciosa, en *La Gitanilla*; y al mismo mundo pertenece también Leocadia en *La fuerza de la sangre*, y las damas de *Las dos doncellas* y de *La señora Cornelia* [45]. Debe añadirse que siempre estas mujeres son un dechado de honestidad —guardada hasta en el ajetreo de un mesón o entre los gitanos— y que al cabo resulta que pertenecen a la más alta clase social.

El lector de hoy, con excepciones mínimas, considera estas novelas como un error de Cervantes; Savj-López se pregunta casi dramáticamente ante el desenlace de *La ilustre fregona*: "¿Por qué esta riqueza ha de terminar miserablemente? Termina con el reconocimiento de Constanza, hija perdida de gentes de alta estirpe, y con un triple matrimonio" [46]. Pero conviene recordar con Schevill y Bonilla el distinto criterio que en los días del novelista se seguía en materia de argumentos y desenlaces; en general no se tenían en estima los asuntos lúgubres, y los autores se habían de esforzar en darles remate placentero y feliz: "Según este sistema —dicen los críticos citados— crímenes y maldades quedaban siempre borrados por el perdón, el arrepentimiento o el olvido; las manchas del honor se limpian con el casamiento, y pocas veces con la muerte, la violencia o la venganza; y las lágrimas vertidas durante el infortunio, se truecan en expresión de gozo, al llegar una general reconciliación. De todo lo cual inferiremos, en suma, que el hecho de vislumbrar un desenlace feliz, no perjudicaba, para el público de aquel tiempo, al deleite de la lectura, ni hacía desmerecer, como acontecería hoy, el arte de la novela" [47].

---

[44] Ídem, íd., pág. 161.

[45] Dámaso Alonso, artículo "Cervantes", en *Gran Enciclopedia del Mundo*, vol. V, Bilbao, 1962.

[46] *Cervantes*, cit., pág. 149.

[47] *Novelas exemplares*, edición de Schevill y Bonilla, cit., vol. III, pág. 388.

Cervantes se doblegaba, pues, a ello de la más natural manera, sin que pueda ser acusado esta vez de ceder a modas literarias.

Otra causa contribuye también a este exceso de idealización: la postura de absoluto respeto al amor de la mujer, siempre intachable, que se convierte así en un sentimiento frío y convencional: "El poeta —dice Savj-López— que ha pintado tan serenamente los robos de los gitanos o las corrupciones de Sevilla, adopta un aire severo ante la castidad femenina. Es una posición que enturbia y disminuye el poder del arte y pone de manifiesto la pobreza sustancial debida a las limitaciones del poeta; porque en estas novelas, que son casi todas de amor, el amor no puede expresarse sino a través de los lugares comunes de la moral más firme..." [48]. Aquí ya resulta más arduo decidir en qué medida influyen las propias convicciones de Cervantes o su "reservada actitud" estudiada por Américo Castro.

Importa decir ahora algo sobre la posición general de Cervantes frente a la mujer. Schevill y Bonilla, que han esbozado el tema, llegan a ciertas conclusiones. Cervantes insiste frecuentemente en que la mujer es de vidrio, y el hecho es que ninguna de las por él creadas muestra un gran carácter o se distingue por especiales rasgos o independencia de juicio. Por lo común, todas sus mujeres reúnen las cualidades tradicionales de las que están destinadas al matrimonio: "son hermosas, humildes, sufridas; pero jamás revelan de un modo eficaz gran fuerza moral o intelectual". Con este criterio, nada tan natural como deslizarse hacia la romántica idealización femenina, tal como sucede en las novelas a que nos hemos referido. Sin embargo —y no valdría negar que algo de ello le sucede a Cervantes también con los personajes masculinos— cuando se sitúa del otro lado de las convenciones —sociales y literarias— establecidas, su maestría realista se yergue ya sin límites: "Cuando Cervantes quiere pintar la mujer que engaña, la hembra astuta y taimada que representa el lado feo del bello sexo, hay en sus retratos innegable energía, brío indiscutible, y, como es consiguiente, mayor colorido y más hondo esfuerzo psicológico. La dulce Constanza de *La ilustre fregona,* que nada hace y apenas dice nada, es una muñeca junto a la ruin doña Estefanía de *El casamiento engañoso*" [49].

Otro tercer tipo de mujeres cabe señalar en la obra cervantina, según los críticos mencionados; pertenecen a él algunas jóvenes de humilde condición, desenvueltas y alegres, auténticamente encantadoras, como la Dorotea del *Quijote* o la Cristinica de *La guarda cuidadosa* (nosotros añadiríamos la también Cristinica de *La entretenida*). "Las jóvenes que desempeñan un papel de importancia son casi mudas y carecen de perfiles definidos. En cambio, ¡cuántos detalles no nos da acerca de las Camachas, las Cañizares (*Coloquio de los pe-*

---

[48] *Cervantes,* cit., págs. 155-156.

[49] *Novelas exemplares,* ed. Schevill-Bonilla, cit., vol. III, pág. 398.

rros), las Pipotas (*Rinconete y Cortadillo*), las Marialonsos (*Celoso extremeño*) y las Rodríguez (*Quixote, II*)!" [50].

Dos factores aún podrían añadirse para explicar la falta de consistencia humana que advertimos en las *Ejemplares* del grupo idealizante. Dámaso Alonso nos da la pista de uno. Después de señalar la presencia de pormenores —a veces innecesarios, "pero que contribuyen poderosamente a grabarnos la imagen de lo descrito"— advierte la diferencia a este respecto entre las novelas de uno y otro grupo: "en general —dice—, las novelas que nos presentan seres o acciones heroicas suelen dar escasa pintura de la realidad (o trazos regidos por un criterio de belleza) y aquellas que muestran costumbres picarescas suelen complacerse en el verismo, en la descripción de los tipos, en las palabras puestas en labios de los personajes, en las cosas y los ambientes" [51]. Esta sola diferencia bastaría para señalar la potente verdad de unos cuadros y el tono difuminado, falto de vida y color, de los otros.

El segundo aspecto viene determinado por algo que parece consustancial al arte de novelar cervantino. En general, el escritor logra sus mayores aciertos cuando se mueve en una narración carente de argumento, libre de la presión interior de una intriga, que tenga que desarrollar y, sobre todo, resolver; entonces se precipitan sobre la mano del novelista todos los artificios convencionales que, haciéndole olvidar la verdad de los caracteres y del medio en que actúan, le enredan en el proceso argumental. Tan sólo *El celoso extremeño* posee una trama completa y merece ser incluida entre las narraciones mejores; cierto, en cambio, que sus protagonistas no pertenecen al grupo de los héroes de ideal perfección. Fuera de esta novela, las más perfectas de la serie —las que justifican la repetida afirmación de que sólo por ellas, sin haber escrito el *Quijote*, sería Cervantes el mayor novelista español y uno de los mayores del mundo— coinciden en estos rasgos: no poseen trama amorosa, o, de existir, es levísima y necesariamente ajena a toda idealización romántica; el relato carece de hilo conductor, de argumento propiamente dicho, y sólo consiste en una sucesión de cuadros, sin principio ni fin, sin pretensión siquiera de llegar a un desenlace: nóvela, pues, porosa, abierta, sin remate ni aparente construcción; las peripecias anecdóticas ceden el puesto a poderosas intuiciones psicológicas y de costumbres; y finalmente, hombres y cosas se describen con riguroso y abundante pormenor hasta hacerlas casi palpables (esto es, si no todo, lo más esencial de eso que, con gran imprecisión, suele llamarse "realismo"). Dotadas de tales caracteres se encuentran esas maravillas de la novelística universal que se llaman *Rinconete y Cortadillo, El casamiento engañoso* y *El coloquio de los perros*. Quizá habría que añadir que son las más perfectas las menos "ejemplares".

---

50 Ídem, íd., pág. 399.

51 Dámaso Alonso, artículo "Cervantes", cit., pág. 14.

Sin sujetarnos a ninguno de los criterios dichos, damos a continuación breve noticia de cada una de las *Novelas,* siguiendo el orden en que figuran en la colección.

"La Gitanilla". Abre la serie *La Gitanilla,* una de las más populares y gustadas en todo tiempo. Por la soltura y maestría con que está escrita, propias tan sólo de un novelista muy avezado, y algunas referencias históricas, puede suponerse que fue una de las últimas compuestas por Cervantes. Por su tema y desarrollo suele incluirse en el período intermedio, es decir, entre aquellas que combinan el relato novelesco a la italiana con los detalles realistas, nacionales, captados mediante la personal observación. He aquí su asunto. Un caballero mozo, Juan de Cárcamo, se enamora de una joven gitana llamada Preciosa, de tanta belleza como honestidad y discreción, que forma parte como danzarina de una tropa de dichas gentes. Preciosa exige a Cárcamo, para corresponder a su amor, que abandone a su familia e ingrese en la tribu, cosa que aquél acepta; y vive, con el atuendo y costumbres de los gitanos hasta que, acusado de robo, se descubre su personalidad. Averíguase también que Preciosa tampoco es tal gitana, sino la hija de un corregidor, raptada, cuando niña, por una vieja de la tribu. Y la novela acaba con el matrimonio de los amantes. Sólo por lo dicho puede verse que el elemento novelesco con su buena parte de sucesos fortuitos, y al cabo felices, juega un papel muy importante en la narración. Por el contrario, los detalles pintorescos de la vida de los gitanos, tomados muchos de ellos del natural, componen un variado y movido retablo, de índole realista, que es como un cuadro de género. No faltan ciertos puntos picantes y maliciosos, pero hasta el mismo realismo costumbrista está recubierto de una optimista y amable pátina, que lo embellece y lo despoja de toda amargura y crudeza.

No han faltado comentaristas para los cuales Cervantes no tenía de la vida de los gitanos el mismo íntimo conocimiento que poseía de los pícaros retratados en su *Rinconete*; para lo cual se basan, entre otras razones, en la ausencia de la peculiar jerga gitana. La razón no nos parece de peso. A Cervantes pudo parecerle que este difícil lenguaje —inesencial para su objeto— dificultaría la ligereza que deseaba comunicar a su narración. En cuanto a la visión excesivamente amable y optimista de la vida gitaneril puede explicarse porque para el autor los gitanos eran tan sólo una excrecencia pintoresca de la vida nacional —pese a los problemas que ocasionasen— y no una parte de su entramado social básico contra el que valiera la pena disparar su sátira, como hizo, efectivamente, en tantos otros lugares.

Schevill y Bonilla, que con alguna frecuencia juzgan a ras de tierra, interpretan la gozosa alegría de *La Gitanilla* en una dirección peyorativa que no parece entender su significado y su valor; su criterio estético es el del más estrecho realismo, herencia decimonónica que en muchos aspectos no consiguieron superar, y que en este caso es un instrumento crítico inadecuado. Consecuentes con él, admiten algunos aciertos de objetividad al pintar la vida de los gitanos, pero añaden en seguida que Cervantes "agregó también una nota de exagerado romanticismo, atribuyéndoles una corrección de lenguaje y una florida elocuencia, harto impropios del habla gitanesca; corrección y retórica que, tanto como algunas de las costumbres y fiestas que en el relato se describen, parecen más adecuadas al ambiente de la novela pastoril, que a la vida de los gitanos. Los episodios que se refieren a la rivalidad de los amantes, a los celos y a las canciones, estarían más en su lugar en *La Galatea* que en una novela realista sobre tales nómadas" [52]. Aunque frecuentemente nos es imposible acompañarle en sus difusas interpretaciones, creemos que en esta ocasión es muchísimo más justa la valoración de Casalduero. La novela fue compuesta con fines de belleza y no sólo con el objeto de retratar fielmente una realidad o un medio social; hay todo un ritmo de canto y de baile —Preciosa canta y baila de modo excepcional— que dirige el curso de la novela, y no es sólo acompañamiento sino espíritu del relato. La *gitanilla* es un ser poético, que transforma en gracia y poesía cuanto le rodea; sus andanzas constituyen una extraña aventura, pero no un absurdo ni quimérico suceso. Y aquí viene el distinguir —como con gran acierto distingue Casalduero— entre lo *verosímilmente maravilloso* y lo *inverosímilmente fantástico,* distinción que puede aclarar muchos difíciles aspectos del arte de Cervantes, aparentemente contradictorios. Preciosa es una *maravillosa criatura,* pero no una fantasía imposible, porque su gracia y ligereza "se apoyan siempre en la tierra". Pensando en profesionales buscadores de realismos ha debido de escribir Casalduero estas palabras: "Se explica fácilmente que el gusto estragado de ciertas épocas haya podido no sentir esta pura y transparente poesía, confundiéndola con ñoñeces sentimentales" [53].

Se ha venido afirmando, desde Fitzmaurice Kelly, que la Tarsiana del *Libro de Apolonio* era un antecedente de la Preciosa de Cervantes. Pero el poema medieval, no editado entonces todavía y del que se ha conservado un solo códice, no es verosímil que fuera conocido por el novelista; es más probable el influjo de la Politania de Timoneda —protagonista de *La Truhanilla* en *El Patrañuelo*—, autor que, según Menéndez y Pelayo, no pudo conocer tampoco el *Apolonio.*

Recordemos finalmente que hay en *La Gitanilla* bellas composiciones poéticas, particularmente romances, de las que ya hicimos mención.

La Gitanilla ha tenido una larga descendencia, dentro y fuera de nuestra literatura, en forma de adaptaciones teatrales (Montalbán, Antonio de Solís, varias zarzuelas españolas, el francés Alejandro Hardy, el italiano Francesco Cerima, los alemanes Federico Moller y Alejandro Wolf —la versión de este último sirvió para la ópera de Weber—, los ingleses Middleton y Rowley y el

[52] *Novelas exemplares,* ed. Schevill-Bonilla, cit., vol. III, pág. 378.

[53] *Sentido y forma de las "Novelas ejemplares"*, cit., pág. 61.

norteamericano Longfellow) y de imitaciones poemáticas o novelescas. Influida por la Preciosa cervantina se considera la Esmeralda de Victor Hugo en su famosa novela *Nuestra Señora de París*[54].

"El amante liberal". La mayoría de los críticos conviene en suponer que ésta fue una de las primeras novelas escritas, y también la más floja de la serie. Por su tema se emparenta con las comedias cervantinas de cautivos, y en buena parte aprovecha una vez más abundantes recuerdos y experiencias de la vida militar y marítima del autor y de su estancia en Argel, aunque la acción no tiene aquí lugar sino en Turquía, y los protagonistas no son españoles sino sicilianos. Digamos de pasada que esta novela y *La señora Cornelia* son las únicas *Ejemplares* con escenarios y personajes extranjeros. *El amante liberal* pertenece inequívocamente al grupo de las de corte italiano. Su asunto consiste en las complicadas peripecias de dos jóvenes enamorados, Ricardo y Leonisa, prisioneros de los turcos, que vencen todas las asechanzas amorosas de que son objeto en el cautiverio y logran al cabo la libertad. La excesiva inverosimilitud de muchos pasajes y el exaltado romanticismo, no menos excesivo, del protagonista, son los fallos más destacados de esta novela, que no carece tampoco de aspectos positivos, entre ellos las bellas descripciones de la vida del mar y la innegable amenidad que se origina de la movida acción del relato[55].

"Rinconete y Cortadillo". Con esta novela logra Cervantes una de las creaciones más notables que salieron de su pluma; de no haber escrito el *Quijote*, tendría un especial puesto de honor en nuestras letras, tan sólo como autor del *Rinconete y Cortadillo*[56]. Más todavía: aun reconociendo lo arriesgado de juicio tan absoluto, nos atreveríamos a sostener que, después del *Quijote*, esta novela es la obra más notable que dentro del género ha sido escrita en nuestro idioma.

Su argumento es difícil de resumir, puesto que aquí no existe una acción propiamente dicha que se desarrolle progresivamente; se trata más bien de

[54] Cfr.: Franz Rauhut, "Consideraciones sociológicas sobre 'La Gitanilla' y otras novelas cervantinas", en *Anales Cervantinos*, III, Madrid, 1953, págs. 143-151. José María Chacón y Calvo, "El realismo ideal de 'La Gitanilla' ", en *Boletín de la Academia Cubana de la Lengua*, II, 1953.

[55] Cfr.: Manuel Socorro, *El mar en la vida y en las obras de Cervantes*, Santa Cruz de Tenerife, 1952.

[56] Ediciones: F. Rodríguez Marín, edición crítica y estudio, 2.ª edición, Madrid, 1920. J. Givanel y Mas, *Novelas picarescas. El Lazarillo de Tormes y Rinconete y Cortadillo*, Barcelona, 1906. Ricardo Marín, *Novelas ejemplares: Rinconete y Cortadillo*, edición de La Ilustración Española y Americana, Madrid, 1916. Ángel González Palencia, "*Rinconete y Cortadillo*" y "*La ilustre fregona*", Madrid, 1940. *Rinconete y Cortadillo, novela ejemplar*, edición de la Real Academia Sevillana de Buenas Letras, Sevilla, 1905. *Rinconete y Cortadillo*, edición del Círculo de Bellas Artes de Madrid, Madrid, 1916.

un pintoresquísimo retablo, poblado de tipos, representantes de todas las variedades del hampa sevillana. Rincón y Cortado son dos pilletes que se dirigen a Sevilla para probar fortuna. A poco ingresan en una "cofradía" de maleantes, ladrones, espadachines y demás canalla, perfectamente organizados bajo la jefatura de un formidable personaje llamado Monipodio. La banda actúa como una institución regular que hubiera industrializado la delincuencia; trabajando en común, consiguen una eficacia sorprendente, eluden la acción de la justicia cuando no colaboran con ella amigablemente dándole parte en el negocio, y para no dejar nada al azar tienen incluso sus patronos celestiales a los que ofrecen dádivas y misas como cualquier honesta institución que más se precie de ello.

El cuadro pintado por Cervantes es inimitable por la verdad profunda de sus tipos, el realismo de la ambientación, la propiedad del habla, la variedad de las situaciones, el movimiento, pintoresquismo y colorido del medio en que transcurren, la gracia que desborda de cada frase o gesto de los personajes, y sobre todo por el humor intencionadísimo que convierte este "cuadro de costumbres" en una sátira implacable de toda aquella sociedad, que no sólo hacía posible sino también fructífera la existencia de las gentes de Monipodio. A propósito de algunas piezas de su teatro quedó señalada ya la maestría con que se mueve Cervantes en este ambiente hampesco y apicarado, pero las páginas del *Rinconete* dejan muy atrás todos sus otros escritos de índole parecida. Cervantes tiene un conocimiento tan profundo como directo del mundo que maneja. Sevilla —ya lo dijimos también— era por aquellos tiempos el espectáculo humano más apasionante que pudiera apetecer un escritor, dotado de la sensibilidad, de la capacidad de observación y de la curiosidad por todo que caracterizan a Cervantes. El largo tiempo que residió en Sevilla, la índole de las gentes que trató a causa de sus ocupaciones y de su propio medio social, e incluso sus repetidas estancias en la cárcel, le permitieron adquirir de primera mano la experiencia de aquellos tipos, de sus costumbres y lenguaje. Y el campo abierto de la novela le permitió desarrollarlos, sin las limitaciones de la escena, con toda la variedad y riqueza de que era capaz su genio.

Por su ambiente y protagonistas bien se ve que *Rinconete y Cortadillo* pertenece al mundo de la novela picaresca. En líneas generales así es[57]. Pero Cervantes, que tantos préstamos tomó de todos los moldes literarios de su tiempo, los rompía cada vez al henchirlos con su propia fuerza y medida. De la narración picaresca habitual se diferencia el *Rinconete* en aspectos formales, o de técnica más bien diríamos; estos pícaros cervantinos no cuentan su propia vida, según norma creada por el *Lazarillo* y seguida por todos los demás. Pero este aspecto, con ser notable, es quizá menos importante. Menéndez

---

[57] Cfr.: Adolfo Bonilla San Martín, "Los pícaros cervantinos", en *Cervantes y su obra,* Madrid, 1916, págs. 129-161. Eduardo Amaya Valencia, "El picarismo en las Novelas Ejemplares", en *Revista de las Indias,* Bogotá, julio-agosto, 1947.

y Pelayo había ya advertido[58], y Américo Castro ha profundizado más en ello[59] que en la novela de Cervantes faltan por entero las condiciones esenciales de la picaresca, tal —al menos— como habían sido fijadas típicamente por Mateo Alemán en su *Guzmán de Alfarache*: "el tono amargo, su encallecido y estático pesimismo", "la técnica naturalista", con sus crueles y despiadadas descripciones, y, más todavía, el propósito correctivo y moralizador.

Cervantes, por el contrario, se enfrenta al mundo de su *Rinconete* con sonrisa optimista y regocijada, propia de su temperamento como hombre y su genialidad como escritor, mediante los cuales consigue ennoblecer para el arte los más degradados tipos y ambientes; lo mismo que Velázquez fue capaz de lograr con los borrachos y los bufones contrahechos. Cervantes podía contemplar a todos aquellos pobladores del patio de Monipodio no con ojos de moralista, sino con desinteresada atención de observador humano, que se gozaba en ellos como en un espectáculo sin par. "Figuras de retablo" dice Américo Castro que eran aquéllos en manos de Cervantes, aludiendo a la mirada impasible con que los examina y los retrata. "¿Por qué este arte por el arte —se pregunta Savj-López—, que no tiene otro fin sino la reproducción de la verdad, no nos deja un átomo de pena o de asco en el alma, cuando esta

---

[58] Menéndez y Pelayo alude con estas palabras a las posibles relaciones entre la picaresca y el mundo novelesco creado por Cervantes: "La novela picaresca es independiente de él, se desarrolló antes que él, camina por otros rumbos: Cervantes no la imita nunca, ni siquiera en *Rinconete y Cortadillo,* que es un cuadro de género tomado directamente del natural, no una idealización de la astucia famélica como *Lazarillo de Tormes,* ni una profunda psicología de la vida extrasocial como *Guzmán de Alfarache.* Corre por las páginas de *Rinconete* una intensa alegría, un regocijo luminoso, uña especie de indulgencia estética que depura todo lo que hay de feo y de criminal en el modelo, y sin mengua de la moral, lo convierte en espectáculo divertido y chistoso. Y así como es diverso el modo de contemplar la vida de la hampa, que Cervantes mira con ojos de altísimo poeta y los demás autores con ojos penetrantes de satírico o moralista, así es divergentísimo el estilo, tan bizarro y desenfadado en *Rinconete,* tan secamente preciso, tan aceradamente sobrio en el *Lazarillo,* tan crudo y desgarrado, tan hondamente amargo en el tétrico y pesimista Mateo Alemán, uno de los escritores más originales y vigorosos de nuestra lengua, pero tan diverso de Cervantes en fondo y forma, que no parece contemporáneo suyo, ni prójimo siquiera" (*Cultura literaria de Miguel de Cervantes y elaboración del 'Quijote',* edición citada, págs. 398-399).

[59] *El pensamiento de Cervantes,* citado, págs. 230-239. También Casalduero niega a *Rinconete y Cortadillo* la condición de novela picaresca, haciendo suya —aunque sin mencionarla— la teoría adoptada por Chandler para establecer la división del género picaresco, y que nosotros dejamos expuesta en su lugar correspondiente (vol. I, cap. XVII, pág. 411). Así, dice Casalduero: "Parece que nos encontramos en el mundo de la picaresca, pero observamos que Rincón y Cortado no son pacientes, sino agentes de la acción. En la picaresca se nos presenta siempre al hombre en su choque con la vida, adquiriendo una experiencia a costa de su dolor. Indefenso, en su salida al mundo, en su nacer, la vida le enseña lo que es vivir: ir de dolor en dolor; la vida le despierta y abre los ojos para que, echando una mirada a su alrededor, contemple la bajeza y villanía humanas" (*Sentido y forma...,* cit., págs. 103-104).

realidad consiste en reproducir los aspectos más innobles de la sociedad? Es que a pesar de su fervor por la virtud, al poeta no le repugna el vicio. Más que el significado inmoral, lo que ve es lo pintoresco, sin que turbe su visión con análisis filosóficos ni sociales. La asociación de ladrones de Sevilla, las bajas pasiones de la mala vida son para él, simplemente, una sucesión cómica de deformidades humanas. No es un verdadero pesimista, porque su pensamiento no se para a sacar conclusiones ni a juzgar. Mira, pinta, sonríe. Su realismo rehuye el fondo angustioso, atormentado, de las conciencias removidas por la miseria o el mal: así, aun lo que en el mundo es más vil y obscuro, puede aparecer en el arte transfigurado en una bondad ambigua e indulgente. Ésta es la gran diferencia que existe entre *Rinconete y Cortadillo* y las novelas más propiamente picarescas, tales como el amarguísimo *Lazarillo de Tormes* o el tétrico *Guzmán de Alfarache*"[60].

Estos hechos hacen pensar de nuevo en la debatida "ejemplaridad" de las novelas cervantinas. De tan regocijado escenario y de la perfecta impunidad con que sus hombres y mujeres actúan hasta el fin, no parece que pueda deducirse ninguna enseñanza moral. Podía pensarse que Cervantes admite la existencia de aquellas gentes con perfecta naturalidad casi cínica, como un hecho normal, del que su bien curtida experiencia —curada de utopías— no podía escandalizarse, y que le apasionaba como novelista.

Con todo, ni aun proclamando aquella maravillosa capacidad ennoblecedora de Cervantes, que tiene en estas páginas uno de sus más altos momentos, podemos admitir por entero que el retablo del *Rinconete* sea tan "desinteresado" y "luminoso" como se supone. En el hecho de que lo parezca y no lo sea, encontramos precisamente una de las mayores genialidades de Cervantes en esta novela y un nuevo dato a favor de los complejos y sagaces procedimientos cervantinos a los que Américo Castro alude en tantas ocasiones. El *Rinconete* es una tremenda catapulta satírica enmascarada con el color de lo pintoresco. Lo pintoresco son Monipodio y sus cofrades, que no tienen precio como materia de novela; pero, de entre el regocijado cuadro hampesco salta la sátira implacable contra las altas clases de la sociedad; no contra los matones que daban las cuchilladas de catorce puntos, sino contra los caballeros que las encargaban y pagaban; contra la justicia corrompida que compartía las ganancias de los ladrones; contra la taifa venal de curiales, corchetes y alguaciles, de los que Cervantes había tenido tan copiosa como amarga experiencia; contra la redomada hipocresía de ofrecer velas y misas, "sacando el estupendo para la limosna de quien las dice, de alguna parte de lo que se garbea", práctica que Monipodio no había inventado ni ejercitaba con delicadeza mayor que otras gentes de más alto nombre y clase. Cervantes pone indirectamente en la picota a toda aquella sociedad que hacía posible la existencia de Monipodio como un producto inevitable de su propia corrup-

60 *Cervantes*, cit., págs. 152-153.

ción. Creemos, pues, que Cervantes tiraba "por elevación", por sobre las bardas del pintoresco patio sevillano, en cuya pintura se solazaba como novelista, para dar en los pisos altos, a los que apuntaba con toda la intencionada gravedad del satírico.

"La española inglesa". Este relato [61] ofrece una curiosa mezcla de novelescas aventuras, de realidad y de viejos recuerdos personales del autor. En uno de los saqueos de la ciudad de Cádiz por los ingleses, uno de los caballeros asaltantes captura y lleva a Inglaterra una niña de siete años, Isabela, a la que educa al lado de su esposa, católica como él. Pasa el tiempo y el hijo del caballero, Ricaredo, enamorado de Isabela, la solicita en matrimonio; la reina Isabel accede a la petición, pero antes envía a Ricaredo en misión de guerra por el Mediterráneo. En sus andanzas liberta a una nave portuguesa, apresada por los turcos, en la cual iban los padres de Isabela. Los lleva consigo a Inglaterra y allí reconocen y se reúnen con su hija. Una camarera de la reina, cuyo hijo deseaba también casarse con Isabela, le administra a ésta una bebida que la pone en trance de muerte y le hace perder su belleza. Isabela peregrina luego a Roma y regresa a España. Poco a poco recobra su belleza, y al fin reaparece Ricaredo, con quien casa.

Este resumen de la acción da idea apenas de los abundantes sucesos con los que aquélla se complica. Cervantes aprovecha una vez más la ocasión de enhebrar episodios de su propia vida militar, que atribuye ahora al héroe de su relato, tales como la lucha contra las galeras turcas, precisamente en el mismo paraje de "las tres Marías", donde él había sido apresado, el posterior cautiverio de Ricaredo en Argel, su liberación por los trinitarios y la procesión ritual en Valencia. El novelista imagina con menos que mediano acierto la parte de la acción localizada en Inglaterra, país que no le era conocido, y pisa terreno firme cuando se sitúa en su país o en el escenario de sus pasadas aventuras.

Un aspecto ha sido repetidamente notado en *La española inglesa*: la atractiva semblanza que da Cervantes de la reina de Inglaterra, en contra de la común opinión de todos los españoles de su tiempo, alimentada por la doble hostilidad, política y religiosa; imagen favorable que se acrecienta con la

---

[61] Ediciones: Pedro Umbert, *La española inglesa. El Licenciado Vidriera,* Barcelona, 1911. E. Allison Peers y F. Sánchez-Castañer, *La española inglesa,* Valencia, 1948. Cfr.: Norberto González Aurioles, *Recuerdos autobiográficos de Cervantes en La española inglesa,* Madrid, 1913. Mack Singleton, "The date of La española inglesa", en *Hispania,* XXX, 1947, págs. 329-335. E. Allison Peers, "Cervantes in England", en *Bulletin of Spanish Studies,* Liverpool, XXIV, 1947. Rafael Lapesa, "En torno a *La española inglesa* y el *Persiles*", en *Homenaje a Cervantes,* vol. II, Valencia, 1950, págs. 367-388. F. Sánchez-Castañer, "Un problema de estética novelística como comentario a *La española inglesa*", en *Estudios dedicados a Menéndez Pidal,* VII (vol. I), Madrid, 1957, páginas 357-386.

generosa disposición que atribuye a la reina inglesa para con la protagonista de su narración, española y católica. El dato ha sido atribuido a la abierta y humana tolerancia de Cervantes, y también a posibles razones de conveniencia política en aquellos momentos; razones que los eruditos no han conseguido esclarecer del todo.

"El Licenciado Vidriera". Nos encontramos ahora con una de las más extrañas y discutidas obras de Cervantes. La acción existe apenas en esta novela. Un estudiante de leyes en Salamanca, Tomás Rodaja, recorre varios países como soldado, y cuando retorna a su ciudad pierde el juicio a consecuencia de un "hechizo" de amor. Da entonces en la locura de creerse de vidrio, de donde el nombre del personaje, y en la manía de espetar verdades a todo el que se le aproxima: la más generosa demencia que puede imaginarse, la locura de la verdad, según comenta Foulché-Delbosc.

El Licenciado Vidriera ha sido generalmente estimada por la mayoría de los comentaristas como una de las más notables entre las "ejemplares"; pero discrepan sobre su condición como novela. Para Menéndez y Pelayo, Icaza, Alonso Cortés, Cotarelo y Pfandl, entre otros, la trama novelesca es tan sólo un pretexto, bastante tenue, para hilvanar una larga serie de apotegmas, sentencias o agudezas del propio autor: no queriendo éste darlos en la forma, muy frecuente en su tiempo, de mera colección, ideó la ligera fábula que le permitiera agruparlos.

La locura de Vidriera como ficción novelesca da también qué pensar. Es probable que sólo a un loco se le tolerasen los atrevidos juicios que él se permite, o digamos más bien que el propio Cervantes se permite por boca de su personaje; y en tal caso su locura era un recurso inevitable para intensificar, o hacer posible incluso, la mordacidad satírica. Puede también que Cervantes quisiera esconder, tras la locura de su personaje, una intención mayor. Para Amezúa parece abonar esta hipótesis la atención que Cervantes dedicó al fenómeno de la locura, comenzando por el loco mayor de todos, el propio Don Quijote; preocupación advertida ya antes por Rodríguez Marín[62]. Amezúa interpreta el caso de este modo: "Para mí, donde se encierra toda su sustancia novelística... es en la visión de aquel tremendo y desconsolador contraste que se da en el Licenciado, a quien, mientras está loco y la insania se apodera de él, las gentes todas le siguen y celebran, a pesar de las grandes y molestas verdades que espeta a cuantos quieren oírle; nadie le contradice, todos le escuchan y danle crédito y autoridad; pero el día en que Tomás Rodaja recobra la razón... ya no le vale para nada; quiere trabajar y ganar honradamente su sustento con las letras que aprendió, y no le dejan, condenándole al hambre, y, al fin, vese obligado a emigrar y hacerse soldado para poder vivir; tristísima conclusión de la vida del pobre Licenciado, de la que se desprende

62 "Cuentos de locos", en *La gaceta literaria,* Madrid, 15 de diciembre de 1928.

una tremenda e inmoralísima paradoja, a saber, que para Cervantes es preferible ser loco a estar cuerdo, como un supremo e irritante fracaso de la razón humana, como si a ésta no le estuviera permitido decir verdad alguna, y para poder proferirlas, tuviese que renunciar a la luz de la razón y sumirse fatalmente en el abismo tenebroso y mísero de la demencia" [63]. Pero semejante interpretación nos parece harto sutil, y preferimos aquella primera más sencilla y llana.

En uno u otro caso, siendo soporte tan sólo de las ideas del novelista, Tomás Rodaja no tiene la consistencia humana de otras muchas creaciones del autor. Fitzmaurice Kelly llegó a comparar "la fantástica silueta del Licenciado Vidriera" con la del propio Don Quijote; pero es ésta una opinión desmesurada que no podemos compartir. Sin llegar a semejante exageración, son bastantes los críticos que han encontrado en Vidriera una proyección muy personal del propio Cervantes y una como prefiguración de don Quijote en este otro loco que ridiculiza las hipocresías o necedades de la gente. Pero Vidriera, creemos nosotros, se nos impone más por la originalidad de su situación que por la fuerza de su personalidad. Cervantes no consigue dar el necesario calor al licenciado loco que, muy lejos de la insondable humanidad de don Quijote, queda más bien en un convencional muñeco literario.

Schevill y Bonilla, después de calificar de "admirable" el plan de la novela, sobre todo en su primer tercio en que se describe la juventud de Tomás Rodaja, sus estudios en Salamanca y sus viajes, ironizan sobre la "escasa sustancia" de las impresiones que aquél recibe de las ciudades italianas, y echan de menos observaciones más profundas sobre el arte, la historia o la cultura del país. Pero este reparo es bien injusto, porque no era aquélla la ocasión para que el novelista se extendiera en comentarios culturales que, sumados a la catarata de sentencias que iban a venir luego, habrían convertido la novela en un mazacote (ni entendemos tampoco cómo se compadece lo "admirable" del plan con este fallo de sus partes). A Cervantes no le interesa sino la locura de su héroe en la que se esmera y profundiza; todo lo que la precede es accesorio. Los viajes de Rodaja, que nada —o apenas— importan para los sucesos posteriores, debieron de ser ideados por el novelista precisamente para equilibrar y hacer más leve la narración, amenazada por la densidad aforística; y habían de ser leves ellos mismos.

La novela pertenece —junto a *Rinconete y Cortadillo* y *El coloquio de los perros*— al grupo de las satíricas; pero, basada principalmente en esquemáticas sentencias de lúcida lógica, ni posee la intensidad realista del *Rinconete* ni las punzantes ironías del *Coloquio*, discursivas también, pero infinitamente más vívidas y humanas que las del *Licenciado* [64].

---

[63] *Cervantes creador de la novela corta española*, citada, vol. II, págs. 186-187.

[64] Ediciones: F. A. Kirkpatrich, *La ilustre fregona, El Licenciado Vidriera*, Londres, Cambridge University Press, 1909. Narciso Alonso Cortés, *El Licenciado Vidriera*, Va-

"La fuerza de la sangre". Como novela de transición entre la manera italiana y las de puro ambiente español considera Icaza esta obra. El marco de la acción es, sin embargo, genuinamente nacional, pues que se trata de una de las llamadas "novelas toledanas" de la serie; pero el carácter de su argumento, muy novelesco, pródigo en felices casualidades, parécenos que justifica aquella atribución. Ninguna otra intención, fuera de la complacencia en el desarrollo de los sucesos, ni tampoco el propósito de describir ambientes o costumbres determinadas, parece haber tenido Cervantes en esta novela. He aquí su asunto: una joven, Leocadia, es raptada y seducida por un mancebo desconocido que marcha a Italia después de su acción. Nace un niño. Andando el tiempo resulta herido en un accidente y lo recoge, y lleva a su casa para curarlo, precisamente su abuelo paterno. Con esta ocasión, la madre del muchacho reconoce la misteriosa habitación donde había sido seducida. Informa entonces del hecho a los padres del raptor, que hacen regresar a éste de Italia para que case con la madre del niño; matrimonio que el amor nacido entre ambos jóvenes promete venturoso.

Aunque lo novelesco de la trama ha merecido juicios desfavorables de algunos cervantistas, son innegables las bellezas de detalle que encierra *La fuerza de la sangre*: el ritmo de la narración, la tersura y belleza del lenguaje, la precisión de sus descripciones y la agudeza con que se revelan aspectos de la psicología femenina[65].

Schevill y Bonilla, aunque también aluden a la demasiada inverosimilitud de la segunda parte de la novela, formulan reproches de índole más bien moral, o social, que literario; reproches quizá no improcedentes esta vez, y que descubren un Cervantes sometido a convenciones y exigencias de la sociedad de su época, contra las cuales el genial humorista no parece sentirse en desacuerdo. Los críticos citados aluden al hecho de que Leocadia, después de haber sufrido a lo largo de varios años las consecuencias de la brutal violencia, acoja a su raptor llena todavía de agradecimiento por su tardía reparación, y sin recelo siquiera por lo que todo aquello revelaba del carácter de su esposo: "No se echa de ver en parte alguna de la novela —añaden— una sola palabra

lladolid, 1916. Cfr.: *Le Licencié Vidriera. Nouvelle traduite en français avec une préface et des notes par R. Foulché-Delbosc,* París, 1892. G. Hainsworth, "La source du Licenciado Vidriera", en *Bulletin Hispanique,* XXXII, 1938, págs. 70-72. S. Rivera Manescau, *El modelo del Licenciado Vidriera,* Universidad de Valladolid, Valladolid, 1947. Armand E. Singer, "The sources, meaning and use of the madness theme in Cervantes' *Licenciado Vidriera*", en *West Virginia University Bulletin,* VI, 1949, págs. 31-53. Francisco A. de Icaza, "Algo más sobre 'El Licenciado Vidriera' ", en *Revista de Archivos, Bibliotecas y Museos,* XXXIV, 1916, págs. 38-44. Carlos Gutiérrez Noriega, "La contribución de Miguel de Cervantes a la psiquiatría", en *Cuadernos Americanos,* año III, vol. XV, núm. 3, págs. 82-92. Ernesto Jiménez Caballero, "El Licenciado Vidriera, obra de plata", en *Filosofía y Letras,* Madrid, núm. 20, 1918, págs. 5-7.

[65] Edición de J. Givanel y Mas, en Publicaciones cervantinas patrocinadas por D. J. Sedó Peris-Mencheta, Segunda serie, II, Barcelona, 1943, págs. X-XL.

de castigo del infame delito; sólo resaltan la moral del perdón general, y el triste principio social de que la justicia ampara al fuerte y poderoso, y de que ni la hermosura, ni la pobreza, ni la deshonra, sirven de nada cuando el contrario es un joven de alta alcurnia, a quien favorecen la riqueza y el prestigio de la sociedad en que vive"[66]. Quizá, sin embargo, sea demasiado pedir, aun a la mente de Cervantes, un concepto social que en sus días apenas hubiera podido ser imaginado; por lo que el comentario que precede, más que como reproche debe ser admitido como simple constatación.

"El celoso extremeño". Tiénese esta novela, sin discrepancia alguna, por una de las obras maestras de Cervantes. Su argumento, referido en esquema, ofrece escasa novedad; con toda su gama de variantes había sido utilizado repetidamente en la literatura medieval y durante el Renacimiento, y el propio Cervantes aborda un tema parecido en su entremés *El viejo celoso*; las mismas costumbres de su tiempo debieron de ofrecerle también modelos innumerables. Pero esta novela "ejemplar" podría confirmar aquella sentencia del mismo Cervantes de que algunas obras no valen por su trama sino por la manera de contarla. El protagonista de ésta es un indiano viejo y rico, Felipe de Carrizales, que, vuelto a su patria, casa con una muchacha jovencísima, de gran belleza, de la que se enamora con pasión senil, matrimonio que casi es una venta. Apenas casado el viejo, "de golpe le embistió un tropel de rabiosos celos", y para sustraer a su esposa de toda posible tentación trata de incomunicarla por todos los medios del mundo exterior, reduciéndola a vivir en el solo ámbito de su casa, cerrando las ventanas, impidiendo la entrada a toda gente y escogiendo cuidadosamente la servidumbre. Para hacerle llevadero el encierro a su mujer, la colma de regalos y engalana profusamente su casa.

Pero las naturales consecuencias de tan absurda situación estallan al fin. Un pícaro sevillano, hijo holgazán de casa rica, "gente baldía, tildada y meliflua", llamado Loaysa, averigua lo que allí sucede y se propone llegar hasta la mujer, cosa que logra con los manejos de la dueña Marialonso y la colaboración de las criadas de la casa, tan oficiosas como sexualmente excitadas por la aventura. A Carrizales lo duermen con el auxilio de un oportuno ungüento. En la primera versión de *El celoso extremeño,* recogida en el "Códice" de Porras, el adulterio se consuma; pero en la nueva versión que preparó Cervantes para la imprenta en 1613 fue modificado el desenlace: después de vanos forcejeos de Loaysa para vencer la resistencia de la mujer, los presuntos amantes quedan dormidos uno en brazos de otro, pero sin daños mayores. Así los sorprende Carrizales, que en un primer impulso trata de vengarse cruentamente, pero vencido por el dolor, del que muere al cabo, perdona a los culpables y aun aconseja en su testamento a su mujer que case con su galán; pero ésta, arrepentida, entra en un convento.

---

[66] *Novelas exemplares,* ed. cit., vol. III, pág. 389.

El referido cambio de desenlace amoroso ha servido particularmente a Américo Castro para apoyar su punto de vista sobre las aludidas precauciones y habilidades cervantinas, con las que el gran novelista se ve forzado frecuentemente a enmascarar sus más espontáneos pensamientos [67]. Amezúa, por el contrario, trata con largas razones de explicar la variación de la novela suponiendo en Cervantes escrúpulos de orden moral; aun admitiendo que el escritor falsea con ello el desenlace humano y natural de la novela: "De la verdad novelística, lógica y forzosa —dice— saldrá debeladora la Moral, pero a costa del Arte. Pocas veces se ha dado en la historia de la literatura castellana un caso tan claro y estremecedor de la pugna o colisión que en una novela puede darse entre ambas categorías, pues mientras que en la primera versión de *El celoso* el Arte triunfa por entero, en la segunda queda vencido y humillado" [68]. Reconozcamos que no es sencillo determinar las verdaderas causas que condujeron al escritor a tal "derrota" [69]. Un hecho, en cambio, es incues-

---

[67] Américo Castro aborda el tema con extensión y profundidad en varios trabajos; *El pensamiento de Cervantes,* citado, págs. 242-244 especialmente, pero en general todo el capítulo VI; *La ejemplaridad de las novelas cervantinas,* citado; y *El celoso extremeño de Cervantes,* publicado en *Sur,* Buenos Aires, 1947, y reproducido en *Semblanzas y estudios españoles,* citado, págs. 271-295, y en *Hacia Cervantes,* también citado, págs. 301-327.

[68] Obra cit., vol. II, pág. 255. Un aspecto merece ser notado. Amezúa, que rebate las apreciaciones de Américo Castro sobre las "precauciones" o "hipocresías" de Cervantes cuando se refieren a problemas de orden religioso o moral, las admite cuando se trata de aspectos o personas puramente políticos o sociales; concesión que resta mucha fuerza a sus argumentos sobre aquellos problemas, pues el Cervantes tan manifiestamente "cauto" en éstos, bien podía usar de idénticas "cautelas" en todos los demás. Al ocuparse de *La ilustre fregona,* y sin aludir ya para nada a la tesis de Castro, escribe Amezúa palabras tan explícitas como las siguientes: "Como siempre que Cervantes toca temas y personas de carácter público —gobernadores, escribanos, oidores y jueces— una prudente cautela refrena su pluma, que se dispararía satírica si la dejase libre, impulsada por los malos recuerdos que guardaría de sus relaciones con la curia civil, tanto en Sevilla como en Valladolid; su juicio vacila entre la alabanza y la censura; no se descubre del todo, y deja al lector en una hábil incertidumbre, sin que éste a la postre sepa a qué carta quedarse, si a la de la crítica censoria o a la del elogio conformista; actitud cautelosa de quien no se siente con valor bastante y con categoría social para arriesgarse, no vistiendo una garnacha o un hábito religioso que le sirvieran de escudo en las demasías de su pluma o de su palabra, y evita prudentemente las desazones que podrían acarrearle su franqueza y claridad. Esta es, sin duda, una de las modalidades y facetas espirituales más curiosas de Cervantes escritor, y que se da con bastante frecuencia en varias de sus obras. No es eclecticismo servil, sino prudencia. Demasiado sabe él lo que piensa; pero como en el cuento del loco de su Prólogo a la II parte del *Quijote,* cuando va a descargar la piedra de su censura sobre cualquier desafuero que lo merece, al fin, abstiénese de hacerlo, exclamando como el orate cordobés: '¡Guarda, que es podenco!'" (íd., íd., págs. 315-316). El párrafo transcrito requiere pocos comentarios.

[69] En el estudio citado, *En torno a La española inglesa y el Persiles,* Rafael Lapesa escribe sobre el proceso espiritual y los problemas íntimos de Cervantes unas profundas y bellas páginas, que sólo su extensión nos impide reproducir completas; pero queremos

tionable: el generoso perdón de Carrizales contradecía las más arraigadas convenciones de la época sobre el honor matrimonial, y demostraba la posición humana y tolerante, magnánimamente comprensiva del novelista.

Hemos dicho que *El celoso extremeño* es una obra maestra, sobre todo por la profunda verdad psicológica de los personajes, cuyos sentimientos y reacciones están matizados con bien estudiada gradación; por la perfecta arquitectura del relato y su picaresca viveza. Maravillosamente también está creado el clima expectante que en la cerrada casa del viejo rodea los manejos del seductor y de la dueña, en particular con la morbosa excitación de la servidumbre femenina. El arte realista de Cervantes se encuentra en estas páginas en uno

---

dar al menos algunos de sus juicios capitales. Hasta llegar al último lustro del siglo XVI hay en Cervantes —dice— "confianza plena en el éxito de las empresas nacionales... Es posible que Cervantes no simpatizara con las personas o procedimientos rectores de la política nacional; ahora bien, si la había, esa aversión no llegaba a quebrantar su fundamental adhesión a los ideales que habían impulsado el imperialismo hispano. La vida había traído ya sinsabores a Cervantes; pero no habían bastado a hacer mella en él ni a mostrarle la contradictoria complejidad de las cosas... [pero] para Cervantes la crisis de la edad madura fue acompañada por amargas lecciones de la vida... La decepción personal hace que Cervantes perciba mejor el incipiente descenso de la potencia española. Y entonces comprende que las cosas tienen haz y envés, y que el punto de vista con que nos situemos ante ellas puede presentárnoslas con aspectos insospechados: el heroísmo rectilíneo cobra tintes de locura, y en la búsqueda del ideal se adoptan frecuentemente posturas ridículas... Ha hecho, pues, su aparición el sentido crítico cervantino, que sondea el conflicto, fundamental para el espíritu barroco, entre apariencia y realidad, ilusión y desengaño. Las creaciones de Cervantes en esta segunda etapa serán cuadros vivos con seres complejos sobre cuyas fisonomías se proyectan repartidas las luces y las sombras... En 1580 ó 1588 la fe que aparecía en las creaciones cervantinas no acusaba distensión espiritual: defender con la espada la cristiandad o la ortodoxia y mantenerse fiel a ellas frente a los halagos, las amenazas o la muerte eran actos de voluntad sin lucha con la inteligencia o el sentimiento. Ahora Cervantes se vigila, pone freno a su espontáneo sentir y pensar cuando advierte que no se ajustan al catolicismo tridentino, o procura compensar las extralimitaciones insistiendo más que nunca en su conformidad con la ortodoxia. A veces la tensión se afloja, y las tendencias reprimidas encuentran expansión: así, *El celoso extremeño* es objeto de una nueva redacción para que el adulterio de los protagonistas no aparezca consumado, según ocurría en la versión primera; y, en cambio, se publica sin modificación *El viejo celoso*, entremés donde el triunfo de los impulsos naturales ocurre desembozadamente. Pese a los momentos de laxitud, la represión crece hasta culminar en el *Persiles*. A la contienda que se libra en el espíritu del autor corresponde en sus creaciones una religiosidad que no consiste ya en una afirmación en pugna con circunstancias exteriores, como en *El trato de Argel*, sino en el vencimiento de sí mismo, en el triunfo del espíritu sobre la naturaleza. Por otra parte, descargado de belicosidad, el catolicismo de Cervantes es ahora más comprensivo que veinte años atrás" (págs. 370-377). Las contradicciones cervantinas, tal como pueden ser interpretadas a través de estas palabras de Lapesa, claro está que no excluyen las "precauciones", más o menos hipócritas, de que nos habla Américo Castro, pero tampoco anulan la sinceridad fundamental del gran novelista, no tan preocupado por la necesidad de enmascarar —con fines útiles— sus propios pensamientos ante los ojos de los demás, como por la angustia de enfrentar sus propias incertidumbres íntimas.

de sus momentos más altos; ni un gesto, ni una palabra, ni un objeto están aquí falseados o caprichosamente imaginados, sino directamente bebidos en la más exacta y atenta observación [70].

"La ilustre fregona". He aquí otra novela "toledana" [71], en la que Cervantes se deja llevar de nuevo de su vena optimista, idealizadora y romántica, tan genuina en su carácter —según venimos insistiendo— como su intensa propensión satírica y realista. En cierta manera guarda esta novela algunas semejanzas con *La Gitanilla.* Dos jóvenes castellanos, Tomás de Avendaño y Diego de Carriazo, dejan sus hogares por el deseo de correr aventuras, y después de diversos sucesos, enamorado Tomás de una moza de servicio del famoso "mesón del Sevillano" de Toledo, se queda allí de servidor en el mesón. Descúbrese al final la calidad de la muchacha, que es de noble familia, y la novela acaba en matrimonio. El realismo cervantino se alía una vez más con la fantasía novelesca para trazar bellas descripciones, como la de la pesca de atún en las almadrabas y, sobre todo, de la animada vida del mesón y del ambiente todo de Toledo, con su buena porción de notas pintorescas, cantos, bailes y diversiones populares. Según la más admitida opinión, es esta vertiente de *La ilustre fregona* la más excelente, humana y regocijada, y comparable en su conjunto a los mejores cuadros de costumbres trazados por Cervantes. "No es el

[70] Ediciones: J. Givanel y Mas, *El celoso extremeño. Novela ejemplar,* Barcelona, 1944 (en Publicaciones cervantinas, patrocinadas por J. Sedó Peris-Mencheta, II Serie, núm. IV). Antonio Rodríguez-Moñino, *El celoso extremeño,* edición de bibliófilo, con aguafuertes de Andrés Lambert, Valencia, 1945. Cfr.: E. Mele, "La Novella 'El celoso extremeño' del Cervantes", en *Nuova Antologia,* tomo CCIX, octubre de 1906, páginas 475 y ss. A. Garrone, "Il geloso di Extremadura di Cervantes en una novella di G. F. Straparola", en *Rivista d'Italia,* 1910. A. Speciale, *Il Cervantes en la imitazione della novellistica italiana,* Mesina, 1914. G. Cirot, "Gloses sur les maris jaloux de Cervantes", en *Bulletin Hispanique,* XXXI, 1929, págs. 1-74. Del mismo, "El celoso extremeño et l'Histoire de Floire et de Blanceflor", en *Bulletin Hispanique,* XXXI, 1929, págs. 138-143 y 339-346. A. González Palencia, "Un cuento marroquí del viejo celoso", en *Historias y leyendas. Estudios Literarios,* I, Madrid, 1942, págs. 163-173. Amédée Mas, "Quelques réflexions au sujet de 'El celoso extremeño' " en *Bulletin Hispanique,* LVI, 1954. F. Rodríguez Marín, *El Loaysa de 'El celoso extremeño',* Sevilla, 1901. M. Criado de Val, "De estilística cervantina: correcciones en el 'Rinconete y Cortadillo' y en el 'Celoso extremeño' ", en *Anales Cervantinos,* II, 1952, págs. 231-248.

[71] Edición de F. Rodríguez Marín, Madrid, 1917. Cfr.: Antonio Martín Gamero, *Discurso sobre La ilustre fregona y el Mesón del Sevillano,* Toledo, 1872. Del mismo, *Recuerdos de Toledo sacados de las obras de Miguel de Cervantes Saavedra,* Toledo, 1864. Rafael Ramírez de Arellano, *El Mesón del Sevillano,* Toledo, 1919. J. Oliver Asín, "Sobre los orígenes de *La ilustre fregona*", en *Boletín de la Real Academia Española,* XV, 1930, págs. 224-231. Adolfo Salazar, "Música, instrumentos y danzas en las obras de Cervantes", en *Nueva Revista de Filología Hispánica,* II, 1948, págs. 21-56 y 118-173. Charles Hayvood, "Cervantes and Music", en *Hispania,* XXXI, 1948, págs. 135-155. Joaquín Casalduero, "Notas sobre *La ilustre fregona*", en *Anales Cervantinos,* III, 1953, págs. 291-307.

amor de Avendaño —dice Savj-López—, sino esta escena agitada, varia, intensa lo que da vida a la novela"[72]. Y Schevill y Bonilla escriben: "El desgarro de los mozos, su viaje con el ayo, la llegada a Toledo, los sucesos en el mesón del Sevillano, las descripciones de amos y criados, así como de los demás personajes que pasan por la posada, la vida y costumbres de los aguadores, todo ello tiene hoy la misma frescura, la misma espontaneidad y viveza que si hubiera sido escrito en nuestros días"[73]. A Casalduero le escandaliza, sin embargo, que *La ilustre fregona* sea estimada a causa de los arrieros y no de los nobles amores que hay en ella.

"Las dos doncellas". No representa esta novela uno de los mayores aciertos del autor, evidentemente. De nuevo toma Cervantes un asunto de pura invención, con lo que queda declarada la filiación de este relato dentro del grupo "italiano". Dos muchachas vestidas de varón —recurso muy utilizado en las novelas y el teatro de la época— buscan al seductor de una de ellas. Tras complicadas aventuras dan en Barcelona con él, y la historia termina en doble boda, ya que un hermano de la burlada casa con la muchacha acompañante. Ni siquiera el entusiasmo cervantino de Amezúa encuentra muchos motivos de alabanza en esta novela, a la que califica de "la menos verdadera y humana" de las "ejemplares".

"La señora Cornelia". Tiene esta novela bastantes puntos de contacto, en cuanto a su espíritu, con las dos anteriores; podía ser un prototipo de novela clásica, entendiendo por tal la que se limita a referir una peripecia interesante para entretener la curiosidad del lector, sin ulteriores fines ni mayores exigencias que las que se derivan del propio desarrollo de la novela. Optimista también, orientada del lado de la vertiente idealizadora del autor, resplandece en este relato "aquella tendencia de Cervantes a hacer de sus personajes dechados y ejemplares de perfección física y moral, como si en el mundo no pudieran darse más tipos o caracteres que estos excelentes y cabales, no por una falsa y miope visión suya y de los hombres, sino por su idílica aspiración a una sociedad mejor y más perfecta"[74].

La acción transcurre en la italiana ciudad de Bolonia y la protagonizan dos caballeros españoles, don Antonio de Izunza y don Juan de Gamboa, a quienes acontecen en una misma noche dos sucesos bien diferentes: a don Antonio lo llaman desde un portal oscuro y le entregan un bulto que luego resulta ser un niño recién nacido; a don Juan le pide protección una dama velada. Coinciden todos luego en una misma posada, donde queda aclarado todo felizmente: la tapada es Cornelia, dama de famosa hermosura y el niño es hijo suyo,

---

[72] *Cervantes,* cit., pág. 148.

[73] *Novelas exemplares,* ed. cit., vol. III, pág. 392.

[74] Amezúa, obra cit., vol. II, págs. 356-357.

habido con el duque de Ferrara bajo palabra de casamiento. Van en busca del duque y al fin el matrimonio se efectúa. Junto a este optimismo, que permite acabar la historia "con grandísimo gusto de todos", advierte también el crítico citado otra cualidad del escritor, "la ternura, la sensibilidad suave, dulce y afectiva para las personas y las cosas. Ésta es para mí la nota dominante en *La señora Cornelia,* la que la distingue y separa de todas las demás novelas de su colección, de la crudeza del *Rinconete,* de la fatalidad sombría de *El celoso extremeño,* de la sátira amarga del *Coloquio,* la que nos sirve para descubrir en el alma polifacética de Cervantes este inesperado matiz, la nota de la ternura, que apenas si habían advertido en él sus biógrafos" [75].

"El casamiento engañoso y Coloquio de los perros". Aunque se trata en realidad de dos novelas distintas, y como tales pueden leerse, su autor dispuso la segunda como continuación o parte de *El casamiento*; pero el lazo de unión no nos parece tan estrecho como algunos comentaristas han pretendido. Así lo afirma Amezúa, según el cual "Cervantes no hubiese escrito nunca *El casamiento engañoso* a no tener el propósito de que sirviera de introducción o antecedente lógico del *Coloquio*" [76]; Casalduero considera ambos relatos como una sola novela dividida en dos tiempos, uno narrativo *El casamiento,* y otro dialogado, el *Coloquio*; Schevill y Bonilla editan ambas novelas como un todo. Creemos más bien que la relación establecida entre ambas por Cervantes, y que bien se hubiera podido excusar, es una muestra más de la facundia imaginativa del novelista, un capricho de su libertad creadora que se complació en atar por los cabos estas dos joyas, tan distintas, de su ingenio.

El casamiento engañoso atesora una gracia, una picardía socarrona, un trazo tan poderoso para describir y caracterizar, que apenas pueden encarecerse. Toda la maliciosa intención de que era capaz Cervantes, se afila aquí para trazar la silueta de los dos personajes que contraen el engañoso matrimonio, para ver quién engaña a quién. El alférez Campuzano es uno de esos valentones presumidos, de que Cervantes nos ha regalado tantas muestras, y cuyas gallardías casi son dignas de compasión esta vez porque es el mismo desgraciado quien las cuenta: "Estaba yo entonces bizarrísimo, con aquella gran cadena que vuesa merced debió de conocerme, el sombrero con plumas y cintillo, el vestido de colores, a fuer de soldado, y tan gallardo a los ojos de mi locura, que me daba a entender que las podía matar en el aire". En resumen: Campuzano acepta en matrimonio a doña Estefanía de Caicedo, señora de la vida libre, que se le ofrece con propósito de arrepentida, y engatusándole con la "solicitud de regalarle y servirle", su habilidad para poner "el punto a los guisados" y sobre todo con la exhibición de un rico ajuar doméstico que no bajaba de los dos mil y quinientos ducados. Después del matrimonio doña Es-

---

[75] Ídem, íd., pág. 357.

[76] Ídem, íd., pág. 388.

tefanía se larga con las menguadas riquezas del pobre Campuzano, dejándole de regalo "catorce cargas de bubas" de las que tiene éste que curarse tomando "cuarenta sudores" en el hospital.

Y aquí viene a enhebrarse la segunda historia. En la penúltima noche que allí pasa, los dos perros del hospital —Cipión y Berganza— tumbados tras de la cama de Campuzano, favorecidos por especial gracia del cielo con la facultad de hablar durante una sola noche, tienen el largo y ejemplar coloquio con que se cierra la serie de las novelas.

Por su técnica puede decirse que el *Coloquio* sigue las normas de la novela picaresca; Berganza, que es el verdadero protagonista —ya que Cipión se limita a comentar los dichos de su compañero, subrayando sus ideas o estimulando sus confidencias—, ha sido "perro de muchos amos" y cuenta "en primera persona" sus instructivas andanzas al servicio de gentes de muy diverso pelaje y condición. Con este recurso, y habida cuenta de que ante el perro nadie se recata de hablar o de actuar, Berganza despliega ante los ojos de su colega, y por supuesto ante el lector, el más variado panorama de la vida española, vista en escorzo caricaturesco y enjuiciada con tan acerba como divertida sátira; porque el incomparable humor cervantino si de un lado modera y humaniza la crudeza de su requisitoria, hace mayor también la eficacia de sus bien dirigidos ataques. Muy pocas personas y clases sociales —tan sólo aquellas ante las cuales la pluma de Cervantes ha de detenerse respetuosa o prudente— se evaden del retablo, al que Amezúa llega a calificar de "comedia humana de su tiempo, porque los ojos inquisidores de Cervantes abarcan todo el panorama, el conjunto entero de la vida nacional española" [77].

Para el citado crítico el *Coloquio* debe estimarse en gran medida como un profundo desahogo, un personal volcarse del escritor: "yo me atrevería a llamar al *Coloquio de los perros* sus 'Memorias íntimas'" [78], dice; considera al perro Berganza "sosia suyo", y afirma que "todos y cada uno de los principales episodios del *Coloquio* son como evocaciones y remembranzas, más o menos desfiguradas, de los eventos de su vida" [79]. Cervantes escribió probablemente esta novela recién llegado a Valladolid, "cuando todavía llevaba impresa en su retina la tétrica visión de la cárcel sevillana, de aquella sucursal del infierno"; y así se explica que sea esta novela, en sustancia, "una reacción, la reacción enérgica e imperiosa del alma de Cervantes contra sus propias desventuras, que culminan en su reciente prisión, reacción avivada por lo que sus ojos contemplaban de irregular y pecador en la nueva y bulliciosa corte". "¿Cómo explicarnos —añade— sus páginas amargas, sus sátiras punzantes, el tono censorio y crítico que tiene toda esta novela sino por un contraste entre el alma dolorida cervantina y la realidad delincuente que le rodea? Nunca el ambiente

[77] Ídem, íd., pág. 408.
[78] Ídem, íd., pág. 404.
[79] Ídem, íd., pág. 405.

en que se imagina y compone una obra literaria... influyó de modo tan penetrante y decisivo como en la composición del *Coloquio de los perros*..." [80]. Muchos episodios de la novela contendrían incluso, bajo forma alegórica, alusiones a condiciones reales de su propia vida: "Cuando Berganza, impotente espectador de estas maldades, quisiera descubrirlas, 'hallábame mudo' —dice—, frase en la cual Cervantes habla por sí mismo, dando a entender con ella que él lo estaba también, no ciertamente por voluntad propia sino porque ¿quién iba a hacer caso de las denuncias de un pobre y derrotado Comisario? Metáfora clara, valiente y acusadora, donde late también toda la franca intención de su sátira, que denuncia desde las páginas de una novela, ya que no puede hacerlo de oficio, los robos y socaliñas que cometían los administradores de la Hacienda real" [81]. Otras veces, las más, la sátira es directa, sin veladura, pero habla por ella la dolorida experiencia de Cervantes: "Chorrean realidad y autobiografismo las páginas tan ágiles y cinéticas que consagra al relato de las picardías del alguacil sevillano, en inmoral asociación con un escribano de su misma calaña... la clase escribanil queda clavada en la picota de la sátira cervantina con la figura de aquellos dos curiales, que, amancebados con dos mujercillas 'no de poco más o menos, sino de menos en todo', tenían armada la trampa para que cayeran en ella los descuidados brotones que acudían a la Vendeja de Sevilla... No puede ser más explícito ni condenatorio de aquella ralea. Escenas éstas del *Coloquio* maravillosas, admirables, de lo más perfecto y acabado que salió nunca de la pluma de Cervantes, pintadas tan al natural y con colores tan vivos y calientes, que pocas páginas hay en nuestra literatura novelística que puedan compararse con ellas en realismo y fidelidad" [82].

El *Coloquio de los perros* contiene, en efecto, muchos de los mejores y más intensos cuadros de las "Ejemplares" cervantinas. No lo creemos, sin embargo, superior en conjunto al *Rinconete y Cortadillo*. La sátira de Berganza, aunque se plasma las más veces en escenas y personajes de la más poderosa realidad, es al cabo más discursiva, hay abundancia de relato, y la misma variedad de aspectos tratados disminuye su concentración. El tremendo aguafuerte del *Rinconete* habla más por sí mismo, sin la asistencia comentadora del novelista —o de su sosia, Berganza—, con lo que su valor de creación artísticamente viva se acrecienta en dicha novela; y aunque la fauna humana del *Rinconete* pertenece a un "gremio" más uniforme que el del *Coloquio*, creemos que llega, sin embargo, con su sátira a capas más hondas de la realidad española, por las razones que ya quedaron dichas [83].

---

[80] Ídem, íd., págs. 399-400.

[81] Ídem, íd., pág. 431.

[82] Ídem, íd., págs. 432-433.

[83] Ediciones: *"El casamiento engañoso" y el "Coloquio de los perros"*, edición crítica y estudio fundamental, de Agustín González de Amezúa, Madrid, 1912. Cfr.: Antonio Oliver, "La filosofía cínica y el *Coloquio de los perros*", en *Anales Cervantinos*, III, 1953.

El problema de "La tía fingida". Se ha discutido largamente si nació también de la pluma de Cervantes esta novela que, igualmente anónima, acompañaba al *Rinconete y Cortadillo* y a *El celoso extremeño* en el códice de Porras de la Cámara. Para los defensores de la atribución —Navarrete, Gallardo, Fernández Guerra, Asensio, Apraiz, José Toribio Medina, Cejador, Schevill y Bonilla— *La tía fingida* guarda notables afinidades de estilo con las restantes novelas de Cervantes; tiene crudezas mayores de las que son comunes en sus páginas, pero pueden explicarse por pertenecer a una primera época del escritor, entonces más desenvuelto y libre, y cabe pensar que la hubiera limado después, como hizo con las otras dos, de haberla dado a la imprenta.

Quienes niegan la atribución —Bello, Adolfo de Castro, Icaza, Rodríguez Marín— rechazan las supuestas semejanzas estilísticas, y suponen que, por seguir muy de cerca los *Raggionamenti* del Aretino (afirmación, por otra parte, que hoy se considera insostenible), hubiera representado una imitación impropia de Cervantes.

Ninguno de los argumentos esgrimidos por unos y por otros es decisivo. Astrana Marín admite que la obra pudo muy bien haber sido escrita por Cervantes y que no es indigna de él, pero no se decide, a falta de pruebas concluyentes, por la atribución. Recientemente Criado de Val ha sometido la novela a un estudio estilístico de gran rigor, basándose sobre todo en el empleo de determinadas formas verbales, y a consecuencia de él cree poder afirmar que *La tía fingida* no fue compuesta por Cervantes [84].

"LOS TRABAJOS DE PERSILES Y SIGISMUNDA"

El *Persiles* es la postrera de las novelas escritas por Cervantes; aunque mejor que escrita debía decirse "terminada", pues venía trabajando en ella desde largo tiempo atrás, alternando su composición con la de otros libros, según repetidamente anunció en varios de ellos [85]. Es bien seguro que no puso

[84] Ediciones: edición crítica y estudio de Julián de Apraiz, Madrid, 1906. Ed. de Adolfo Bonilla y San Martín, Madrid, 1911; nueva edición en *Novelas exemplares*, cit., vol. III, Madrid, 1925. Ed. J. T. Medina, con anotaciones y estudio crítico, Santiago de Chile, 1919; nueva ed. en *Estudios Cervantinos* (texto, págs. 147-209; estudio, págs. 210-442). Edición Valbuena Prat, en *Obras Completas de Cervantes*, cit. Cfr.: R. Foulché-Delbosc, "Étude sur 'La tía fingida' ", en *Revue Hispanique*, VI, 1899, págs. 256 y ss. F. de Icaza, "De cómo y por qué 'La tía fingida' no es de Cervantes' ", en *Boletín de la Real Academia Española*, 1914. M. Criado de Val, *Análisis verbal del estilo. Índices verbales de Cervantes, de Avellaneda y del autor de 'La tía fingida'*, Madrid, 1953 (Anejo LVII de la *Revista de Filología*). Véanse además los estudios de conjunto, citados, sobre Cervantes, y en especial los particulares sobre las *Novelas ejemplares*.

[85] Cervantes promete su *Persiles* en el prólogo de las *Novelas ejemplares* (es la primera vez que lo menciona), en la dedicatoria de las *Ocho comedias y ocho entremeses*, en la de la segunda parte del *Quijote*, y en el capítulo IV del *Viaje del Parnaso*: "Yo

Cervantes tanto esmero, tanto cuidado y amor en la redacción de ninguna de sus obras, como en esta novela que, muy probablemente, era en su propia estima la más perfecta de todas. En la dedicatoria al conde de Lemos de la segunda parte del *Quijote,* hablando del *Persiles* que para dentro de cuatro meses pensaba entonces acabar, dice: "el cual ha de ser o el más malo o el mejor que en nuestra lengua se haya compuesto, quiero decir de los de entretenimiento; y digo que me arrepiento de haber dicho *el más malo,* porque según la opinión de mis amigos, ha de llegar al extremo de bondad posible" [86].

No tuvo, sin embargo, Cervantes el goce de ver impreso su libro, pues todavía trabajaba en él muy pocos días antes de morir. Es inevitable, aunque la cita se repite siempre, dar aquí las conmovedoras palabras de la dedicatoria del *Persiles* al conde de Lemos, que Cervantes escribió en el mismo lecho de muerte, apurando los últimos rescoldos de sus fuerzas: "Aquellas coplas antiguas, que fueron en su tiempo celebradas, que comiençan: 'Puesto ya el pie en el estribo', quisiera yo no vinieran tan a pelo en esta mi epístola, porque casi con las mismas palabras la puedo començar, diciendo:

Puesto ya el pie en el estrivo
Con las ansias de la muerte,
Gran señor, ésta te escrivo.

Ayer me dieron la estremaunción, y hoy escrivo ésta; el tiempo es breve, las ansias crecen; las esperanças menguan, y con todo esto, llevo la vida sobre el desseo que tengo de vivir, y quisiera yo ponerle coto hasta besar los pies a vuessa excelencia..." [87].

El *Persiles* vio la luz en Madrid en 1617, un año después de la muerte de Cervantes [88]. La obra parece haber sido acabada algo precipitadamente; el

---

estoy, cual decir suelen, puesto a pique — para dar a la estampa al gran *Persiles* — Con que mi nombre y obras multiplique"; sin contar con el esbozo que, sin nombrarla esta vez, hace inequívocamente de su futura novela en el capítulo XLVII de la primera parte del *Quijote.*

[86] Nueva edición crítica de F. Rodríguez Marín, vol. IV, Madrid, 1948, págs. 22-23.

[87] Edición de Schevill y Bonilla, vol. I, Madrid, 1914, págs. LV-LVI.

[88] Para las ediciones del *Persiles* véanse las de las *Obras Completas de Cervantes,* citadas en la nota 14 del capítulo anterior. Cfr.: R. Schevill, "Persiles y Sigismunda", en *Modern Language Notes,* XXIII, 1908. P. de Novo y Chicharro, *Bosquejo para una edición crítica de Persiles y Sigismunda,* Madrid, 1928. Arturo Farinelli, "El último sueño romántico de Cervantes", en *Divagaciones hispánicas,* vol. I, Barcelona, 1936, páginas 119-136. Carlos de Mesa, "Divagaciones en torno al 'Persiles' ", en *Bolívar,* núm. 33, Bogotá, 1954. Joaquín Casalduero, *Sentido y forma de Los trabajos de Persiles y Sigismunda,* Buenos Aires, 1947. R. Arco Garay, "Estética cervantina en el 'Persiles' ", en *Revista de Ideas Estéticas,* núms. 22-23, 1948. Manuel García Blanco, "Cervantes y el 'Persiles'. Un aspecto de la difusión de esta novela", en *Homenaje a Cervantes,* vol. II, Valencia, 1950, págs. 89-114. Rafael Lapesa, "En torno a 'La española inglesa' y 'El Persiles' ", en íd., íd., págs. 367-388. Emilio Orozco Díaz, "Recuerdos y nostalgias en

escritor, que tenía puesta tanta ilusión en aquella novela, debía de pensar con angustia en la posibilidad de morir sin darle remate, y trabajó con febril intensidad durante los últimos meses de su vida. El cuarto libro del *Persiles* consta de sólo 14 capítulos, frente a los 23, 22 y 21 de las otras tres partes, y son además mucho más cortos. Este dato y algunos descuidos de estilo en una obra escrita con tan escrupulosa atención, dan a entender que Cervantes no pudo dar a sus páginas la última mano que hubiera deseado.

El *Persiles* podría ser definido, con fácil fórmula, como novela de aventuras. Los *trabajos* a que el título alude, no son sino los innumerables y variadísimos que viven los dos protagonistas, hijos, respectivamente, de la reina de Tule y de la reina de Finlandia, países ambos situados en la linde de las zonas polares. Después de recorrer todas las tierras nórdicas de Europa, los protagonistas arriban a Lisboa, y luego a través de España se encaminan a Roma, en donde, con la boda de aquéllos, concluye la novela. Toda ella es un denso tejido de peripecias, peligros, navegaciones, naufragios, piraterías, luchas, raptos, desafíos, cautiverios y fugas; y no comoquiera, sino de índole las más veces sorprendente y extraordinaria cuando no inverosímil; en conjunto, un derroche de acción. Para complicar la ya abundante de los dos héroes principales, aparecen numerosos personajes secundarios, que refieren o viven sus propias historias, enredando el hilo principal con incontables episodios. Por todo ello el *Persiles* ha sido generalmente calificado de "novela bizantina" —género del que vendría a ser como una última, ya casi extemporánea, manifestación—; o incluso "de caballerías", como sugiere Menéndez Pidal [89], muertas ya entonces también por obra, sobre todo, de la genial parodia del propio Cervantes. Pero el *Persiles* representa en la obra creadora de Cervantes muchísimo más, como veremos, que la caprichosa insistencia en géneros agotados.

El emplazamiento de la primera mitad del *Persiles* en los países septentrionales de Europa, que Cervantes no conocía por sí mismo, ha planteado desde antiguo el problema de los conocimientos geográficos del autor. Cervantes debió de conocer, evidentemente, bastantes textos de esta especie, más o menos científicos, difundidos en su tiempo (como el relato del viaje de los hermanos Zeno, a fines del siglo XIV, a los países árticos; los libros del arzobispo de Upsala, Olao Magno, notable geógrafo renacentista; el *Jardín de flores curio-*

---

la obra de Cervantes. (Una introducción al 'Persiles' y a la intimidad del alma de su autor)", en íd., íd., págs. 391-417. Mack Singleton, "El misterio de 'Persiles' ", en *Realidad,* Buenos Aires, 1947. A. Lubac, "La France et les français dans le 'Persiles' ", en *Anales Cervantinos,* I, 1951. J. Babelon, "Cervantes y lo maravilloso nórdico", en *Homenaje a Cervantes.* Cuadernos de Ínsula, I, 1947, págs. 117-130. Antonio Vilanova, "El peregrino andante en el *Persiles* de Cervantes", en *Boletín de la Real Academia de Buenas Letras de Barcelona,* XXII, 1949, págs. 97-159. A. Sánchez, "El *Persiles* como repertorio de moralidades", en *Anales Cervantinos,* IV, 1954, págs. 199-223.

[89] "Un aspecto en la elaboración del 'Quijote' ", en *España y su Historia,* vol. II, Madrid, 1957, pág. 210 (trabajo reproducido en *Mis páginas preferidas. Temas literarios,* Madrid, 1957).

sas de Antonio de Torquemada, con otras obras misceláneas, muy de moda en el siglo XVI, tales como *El libro de las costumbres de todas las gentes del mundo* de Francisco Thamara, el *De las cosas maravillosas del mundo* de Julio Solino, la *Silva de varia lección* de Pero Mexía, etc.) y relatos histórico-legendarios de viajes medievales, así como los libros de los grandes geógrafos clásicos: Plinio, Tolomeo y Estrabón. Pero Cervantes trata aquel mundo nórdico, desconocido y misterioso entonces para todos, con la más absoluta libertad, y si toma datos cuantiosos de sus lecturas, los baraja con los productos de su propia imaginación, que es la que señorea todo el cuadro [90]. Cuando, en la segunda mitad del libro, penetra en las familiares tierras de España o en el marco del Mediterráneo luminoso, varía el tono del relato con el cambio de latitud. De todos modos, aun en medio de las mayores fantasías novelescas, Cervantes echa mano a cada momento de sus recuerdos personales, del enorme caudal de su experiencia como marino, soldado, viajero incesante, para sembrar descripciones de plástico y vigoroso realismo, que se multiplican, por supuesto, cuando pisa los escenarios conocidos; y entonces llega a escribir incluso cuadros costumbristas, con escenas y tipos de sabor local y observaciones vivas y directas, trazadas al mismo pulso con que había compuesto las "Ejemplares". Con todo ello, el *Persiles* resulta una combinación muy peculiar de lecturas, recuerdos e invenciones de su fantasía; conjunto que en la mayor parte de la obra se manifiesta en forma literaria estilizada, pero que transparenta en muchos pasajes la intimidad del propio escritor; y en este último aspecto —mucho más que en el desarrollo de la peripecia argumental, tan alejada del lector moderno— es donde habremos de encontrar lo más permanente del *Persiles*. Schevill y Bonilla destacan muy en particular este carácter de la novela: "El interés más señalado que para nosotros ofrece el *Persiles*, consiste en los numerosos detalles autobiográficos que el curso del relato encierra. Nunca escribió Cervantes con más entusiasmo, con amor más fervoroso a su creación, que en esta obra; y es natural, por lo tanto, que en ella se descubra algo de lo más recóndito de su larga vida, algún rincón de su alma, un trasunto, en suma, de lo mucho que había visto y experimentado. Por otra

---

[90] Schevill y Bonilla, que niegan la amplitud y exactitud de los conocimientos geográficos de Cervantes sobre el norte europeo, resumen: "Cervantes buscó su inspiración en narraciones románticas y de fantasía, no en historias ni en mapas auténticos" (Introducción a la edición citada, vol. I, pág. XII). Aparte de todos los autores y obras mencionadas, Schevill y Bonilla sugieren el posible influjo en el *Persiles* —bien directamente, bien a través de varios de los dichos autores, que los habían acogido— de los historiadores de Indias, en especial de Garcilaso de la Vega, el Inca, cuya primera parte de su historia había salido a luz en 1609, fecha en que muy probablemente comenzó Cervantes la composición de su novela. Igualmente, los críticos citados detallan las huellas existentes en el *Persiles* de un género que se suele tener menos en cuenta: la novela pastoril; influjo que no debe sorprender, dada la inclinación que Cervantes mostró por él toda su vida.

parte, es notorio que él tenía por costumbre reproducir en todos sus libros recuerdos más o menos velados de su existencia y *trabajos*"[91].

Las fuentes literarias del *Persiles* han sido precisadas por Schevill y Bonilla al frente de su edición crítica de la novela. Aparte los mencionados libros sobre la posible "información" geográfica de Cervantes, se consideró por mucho tiempo que éste se había inspirado fundamentalmente en el *Teágenes y Clariquea* de Heliodoro; idea sugerida por las palabras del propio Cervantes, pues al presentar el *Persiles* en el prólogo de sus *Novelas ejemplares,* había escrito: "si la vida no me dexa, te ofrezco los *Trabajos de Persiles,* libro que se atreve a competir con Eliodoro, si ya por atrevido no sale con las manos en la cabeça"[92]. Menéndez y Pelayo señaló ya que la imitación del *Teágenes* en el *Persiles* era menos de lo que generalmente se cree y de lo que da a entender el mismo Cervantes[93], y sugirió que era mayor, en cambio, la de *Los amores de Leucipe y Clitofonte* de Aquiles Tacio, a través sobre todo de la *Historia de los amores de Clareo y Florisea* de Alonso Núñez de Reinoso. Schevill y Bonilla, en la introducción a la edición citada, y J. Palomo Roberto[94], han precisado las afirmaciones de Menéndez y Pelayo.

Al definir la significación del *Persiles* dentro de la obra cervantina, la crítica, hasta tiempos muy recientes, venía cayendo en un error parejo al que cometía con *La Galatea.* Del mismo modo que ésta se interpretaba algo así como un ingenuo pasatiempo de mocedad, contagiada de la moda pastoril, se sostenía que el *Persiles,* con sus desmesuradas fantasías, representaba una flagrante inconsecuencia del autor del *Quijote,* que las había ridiculizado, un capricho senil o cuanto más un mero deseo de evasión.

Pero ni *La Galatea* ni el *Persiles* son simples accidentes en el proceso creador cervantino. Recordemos de nuevo la certera frase de Américo Castro: "La verdad de Don Quijote es solidaria de la de Galatea y de la de Persiles". La primera novela, como vimos, fue tan constante preocupación del escritor hasta el último día de su vida como constante fue la presencia en su obra de la ideal perfección que entrañaba el mundo pastoril. De la misma manera, el *Persiles,* esbozado ya en la primera parte del *Quijote,* no es un capricho de vejez, sino libro pensado, acariciado y gestado desde los mismos días de su inmortal novela, y no sabemos si desde mucho tiempo antes.

La gran antinomia de Cervantes es la ambivalencia de su espíritu que oscilaba en dinámico equilibrio entre la realidad y el ideal, entre la atracción hacia el ser inmediato y prosaico y el romántico amor por la aventura y la quimera;

---

[91] Introducción a la edición, cit., pág. XXXVII.

[92] Edición Schevill-Bonilla, cit., vol. I, pág. 23. Cfr.: F. López Estrada, prólogo a su edición de la *Historia etiópica de los amores de Teágenes y Clariclea,* Madrid, 1954.

[93] *Orígenes de la novela,* vol. I, Madrid, 1925, pág. CCCXXI.

[94] "Una fuente española del Persiles", en *Hispanic Review,* VI, págs. 56-68.

y ninguna de las dos fuerzas pesaba en él más que la otra. Su amor, tan repetidamente manifestado, por los seres de imposible pureza y perfección, que llevó a las páginas de *La Galatea,* a muchos episodios del *Quijote* y a gran número de las *Novelas ejemplares* comenzando por *La Gitanilla,* es el mismo que crea los quiméricos arquetipos del *Persiles.* Todos ellos eran encarnaciones literarias de su ideal platónico, que no es un barniz ocasional, sino profunda convicción. "Más de una vez —dice Américo Castro— se ha citado y comentado la referencia que hace Cervantes a los *Diálogos* de León Hebreo en el prólogo al *Quijote,* y la doctrina del amor que figura en el libro IV de la *Galatea,* tan apegada al texto de los *Diálogos*; pero se ha dado a esa relación alcance meramente externo, y tal doctrina se ha considerado como simple lugar común que corría por los libros de Cervantes como por otros muchos. Pero ésta es una opinión por demás inexacta en nuestro caso; la verdad es que Cervantes utilizó los *Diálogos, El Cortesano* y otros libros análogos, no de manera superficial, sino incorporando a su obra el sentido de su doctrina. ¿Por qué ha de ser neoplatónica la doctrina del amor del libro IV de la *Galatea* y no lo ha de ser la concepción del amor, que se desprende de los citados casos de armonía erótica, en que con insistencia se revela el mismo punto de vista? No sería una razón el que haya podido establecerse con facilidad el parangón entre el texto de la *Galatea* y el de los *Diálogos,* y este otro aspecto no ofrezca un medio de prueba tan material" [95].

Ponderando las cualidades del famoso libro de Heliodoro y la razón de su popularidad entre los lectores españoles de su tiempo, dice Amezúa: "La novela de Heliodoro significa la exaltación y acatamiento de dos valores humanos triunfantes del todo en aquel Siglo de Oro español; de un lado, el amor a la aventura, a lo desconocido y maravilloso: y de otro, un idealismo latente, la aspiración hacia un mundo idílico, con el culto de las virtudes y sentimientos más nobles del hombre: la constancia en el amor, su pureza, el espíritu de abnegación y de sacrificio, la fidelidad a las propias ideas, la correspondencia entre ellas y la conducta, que hace de los protagonistas de la *Historia etiópica* de Heliodoro admirables prototipos de caracteres humanos. Todos estos valores —repito— eran sumamente caros a los españoles de entonces, fueran simples novelistas o graves eruditos, y al verlos sublimados en una novela que tenía, además, grandes aciertos compositivos y peregrinas bellezas literarias, hicieron de Heliodoro esa gran figura novelística y magistral admirada y seguida por todos" [96].

---

[95] *El pensamiento de Cervantes,* citado, págs. 148-149.

[96] *Cervantes creador de la novela corta española,* cit., vol. I, págs. 409-410. Sobre el influjo de la novela de Heliodoro en la literatura española, véase abundante bibliografía en Amezúa, íd., íd., nota 3, págs. 408-409, Cfr.: "Heliodoro y la novela española. (Apuntes para una tesis)", en *Cuadernos de literatura española,* Madrid, 1950, tomo VIII, págs. 215-234.

Pues bien: éste es exactamente —aunque Cervantes no imitara en concreto la trama novelesca de Heliodoro— el espíritu del *Persiles,* con su amor por la aventura maravillosa y su escapada a un mundo ideal, poblado por seres de espléndida perfección. En el *Persiles* —y en esto heredaba el espíritu de las novelas "de caballerías"— asistimos al triunfo del esfuerzo heroico; lo que en cierta manera venía a rectificar el fracaso heroico de Don Quijote. Lo maravilloso no es para el platónico Cervantes menos real que las bubas de Campuzano; sólo que existe en plano distinto y su "verdad" se rige por leyes diferentes, que vienen a ser no las de su confrontación con una realidad exterior, sino las de su mera congruencia interna, las de la armonía de sus partes (así decía el canónigo del *Quijote* que deseaba haber escrito un libro de caballerías; y hubiera sido bueno): en una palabra, lo que llamamos la "verdad poética". Comentando las palabras de Cervantes en el *Quijote,* cuando dice que la *Diana* de Montemayor le parecía buena, pero pide "que se le quite todo aquello que trata de la sabia Felicia y de la agua encantada", dice Castro: "A Cervantes no le molesta lo inverosímil (ya sabemos lo que eso significa para él), porque entonces habría condenado en bloque la *Diana* y no habría escrito la *Galatea*; lo que condena es la frivolidad del autor, para quien el impulso erótico, la esencia vital más poderosa, según Cervantes, puede cambiar de carácter y rumbo mediante un trago de agua" [97].

Además de todo ello aún hay que añadir lo que, al escribir las páginas del *Persiles,* ponía Cervantes de su libérrima voluntad de crear, del placer literario de la imaginación, que era en él tan vital como la urgencia de capturar la realidad en torno. Después de enumerar largamente los daños que encontraba en los libros de caballerías, confesó el canónigo del *Quijote* que, con todo, "hallaba en ellos una cosa buena, que era el sujeto que ofrecían para que un buen entendimiento pudiese mostrarse en ellos, porque daban largo y espacioso campo por donde sin empacho alguno pudiese correr la pluma...". Y describe a continuación todo un tapiz de deslumbrantes maravillas, que no era otro sino el que Cervantes tenía que desplegar en el *Persiles.*

Todo lo cual no quita para que el lector moderno —para quien los ideales neoplatónicos están muy lejos de sus vivencias o de su pensar— halle mucho menos placer en las fantasías del *Persiles* que en las páginas realistas, humorísticas o satíricas de los otros libros cervantinos. Sin embargo, el *Persiles* conserva intactos sus valores específicamente literarios. Hemos aludido al especial cuidado, y lenta y meditada elaboración, con que Cervantes escribió esta novela. Su prosa es, en efecto, la más perfecta, la más armoniosa y densa de todos sus escritos. Siendo aquélla a lo largo de toda la obra, de una gran elegancia y dignidad, destaca sobre las demás cualidades la propiedad con que se amolda a las diversas circunstancias de la acción, logrando, en consecuencia,

[97] *El pensamiento de Cervantes,* cit., págs. 150-151.

ser a la vez la más varia y rica en matices. En el *Persiles* vienen a converger todos los ideales estéticos de su autor, todas sus formas expresivas: desde el realismo hasta la máxima estilización idealizada, desde los pasajes de armoniosa belleza clásica hasta los derroches descriptivos del más típico barroco.

El éxito del *Persiles*, pese a todo cuanto se afirma de que pertenece a un género ya entonces agotado, fue extraordinario, pues el mismo año de su aparición fue reeditado en Madrid, París, Barcelona, Valencia, Pamplona y Lisboa, y al año siguiente en Bruselas. (Schevill y Bonilla dan cuenta de diez reediciones españolas durante el siglo XVII). Pronto se hicieron también diversas versiones a lenguas extranjeras, pero es cierto que el olvido creció después en torno al *Persiles*, si se exceptúa la fugaz estima de que lo hicieron objeto algunos románticos alemanes. Sin embargo, existen en la novela de Cervantes, aparte sus valores intrínsecos, gérmenes muy numerosos que la gran novela moderna —ya desde el mismo siglo XVIII y en especial a partir del Romanticismo— tenía que desarrollar, y que quizá no han sido todavía suficientemente destacados. Savj-López, que es uno de los que mejor han intuido la "modernidad" de muchos aspectos del *Persiles*, aunque no hizo sino apuntarlos en su libro sobre Cervantes, después de admitir que "la novela es una serie de novelas independientes, de cuentos, de escenas, de tipos, que no tienen la menor relación entre ellos y se hallan así agrupados, sin fundirse, sólo por gusto del autor", afirma: "Negando así a la novela todo valor como narración orgánica, adquirimos en compensación la libertad de juzgar aisladamente uno a uno los múltiples pedazos de que se compone; por este camino tendrá el lector la sorpresa de descubrir poco a poco muchas páginas de altísimo valor artístico y otras que hacen de los *Trabajos* un documento esencial para la historia de la novela moderna" [98]. Y páginas más adelante escribe unas líneas cuyas punzantes sugerencias están pidiendo todavía el estudio científico y escrupuloso que las confirme: "Stendhal, espíritu clarísimo, hubo de escribir un día: 'El Romanticismo es el arte de presentar a los pueblos las obras literarias, que en el estado actual de las costumbres y de las opiniones pueden proporcionar el mayor goce posible; el clasicismo, en cambio, presenta la literatura que proporcionaba el máximo goce a sus bisabuelos'. *Los Trabajos* se portan de otro modo: presentaron a los lectores de principios del XVII algunas concesiones y observaciones psicológicas que estaban destinadas a hacer las delicias de sus biznietos" [99].

---

[98] *Cervantes*, cit., págs. 231 y 232.
[99] Ídem, íd., págs. 249-250.

CAPÍTULO IV

EL "QUIJOTE"*

La primera parte del *Quijote* —*El ingenioso hidalgo don Quijote de la Mancha*— fue impresa en Madrid en 1605, en la imprenta de Juan de la Cuesta y a cargo del librero-editor Francisco de Robles. La dedicatoria estaba dirigida al duque de Béjar.

Algunas alusiones de los contemporáneos, y en particular la conocida frase de Lope de Vega en que se refiere despectivamente al *Quijote* en carta de agosto de 1604, hace suponer que la obra, o parte de ella, se había difundido manuscrita, antes de su edición, por los círculos literarios de la corte, según era entonces frecuente. Se ha sostenido, sin embargo, la existencia de una edición anterior, en 1604 [1], hipótesis hoy generalmente abandonada; y también, que la carta de Lope no fue redactada en 1604 sino a finales del año siguiente, cuando la novela de Cervantes llevaba ya media docena de ediciones y era de todos conocida [2].

La primera parte del *Quijote* consta de cincuenta y dos capítulos que en la primera edición se ofrecían distribuidos en cuatro apartados: capítulos I-VIII; IX-XIV; XV-XXVII y XXVIII-LII. Pero semejante división no volvió a ser utilizada en ninguna de las ediciones posteriores, aunque las palabras en que se hacía referencia a ella fueron conservadas.

Tenía Cervantes 57 años bien cumplidos cuando la primera parte del *Quijote* salía a la luz, y llevaba veinte justos de silencio literario oficial, ya que nada había publicado, según dejamos dicho, desde la aparición de *La Galatea*. Claro está que había compuesto entretanto, aunque sin darlas a la estampa, algunas de sus *Novelas ejemplares*, y varias comedias que en su mayoría no había conseguido estrenar. Pero, con todo ello, aparte también algunas composi-

---

[1] Cfr.: Jaime Oliver Asín, *El Quijote de 1604*, Madrid, 1948.

[2] Cfr.: Luis Astrana Marín, *Vida ejemplar y heroica de Miguel de Cervantes Saavedra*, 7 vols., Madrid, 1948-1958.

ciones líricas que se le conocían, no pasaba Cervantes de ser tenido dentro del mundo literario sino por un discreto ingenio, cuyas limitadas posibilidades parecían ya definidas. Por esto mismo fue grande la sorpresa, y mayor todavía la irritación, provocada entre los escritores por aquella extraña novela, cuya importancia ni siquiera la envidia y malquerencia de los colegas de la pluma podía dejar de reconocer. El público, por su parte, acogió de inmediato el libro de Cervantes con general aceptación, y aquel mismo año de 1605 fueron lanzadas otras seis ediciones: una en Madrid, en la misma imprenta de Juan de la Cuesta, tres en Lisboa y dos en Valencia. Cervantes pudo todavía conocer 16 ediciones de la primera parte del *Quijote*, incluyendo entre ellas las traducciones al inglés (1612) y al francés (1614); cientos de ejemplares fueron enviados a las Indias desde el mismo año de su aparición; y, en general, puede decirse que nunca hasta entonces —ni tampoco después, a lo largo del siglo— se conoció en nación alguna éxito editorial tan resonante [3].

[3] Dentro de la inabarcable bibliografía cervantina, dicho se está que la parte correspondiente al *Quijote* ocupa la porción más variada y extensa. Ante la imposibilidad de mencionar aquí siquiera los estudios de mayor interés, remitimos al lector a los repertorios bibliográficos que siguen, bien entendido que sólo algunos se refieren exclusivamente al *Quijote*: Leopoldo Ríus, *Bibliografía crítica de las obras de Miguel de Cervantes Saavedra,* 3 vols., Madrid, 1895-1904. Juan Suñé Benages y Juan Suñé Fombuena, *Bibliografía crítica de ediciones del Quijote, impresas desde 1605 hasta 1917,* Barcelona, 1917. De los mismos, *Critical bibliography of editions of the Don Quixote printed between 1605 and 1917. Continued down to 1937 by J. Suñé Benages,* Cambridge, Mass., Harvard University Press, 1939. Gabriel Martín Río y Rico, *Catálogo bibliográfico de la sección de Cervantes de la Biblioteca Nacional,* Madrid, 1930, J. D. M. Ford y Ruth Lansing, *Cervantes: A tentative bibliography of his works and of the biographical and critical material concerning him,* Cambridge, Mass., Harvard University Press, 1931. W. L. Fichter, "Estudios cervantinos recientes (1937-1947)", en *Nueva Revista de Filología Hispánica,* II, 1948, págs. 88-100. Miguel Herrero, "Repertorio analítico de estudios cervantinos", en *Revista de Filología Española,* XXXII, 1948, págs. 39-106. Raymond L. Grismer, *Cervantes: A Bibliography. Books, Essays, Articles and Other Studies on the Life of Cervantes, His Works and His Imitators,* New York, 1946 (completa esta *Bibliografía* el trabajo de V. R. B. Oelschlager, "More Cervantine Bibliography", en *Hispania,* XXXIII, 1950, págs. 144-150). José Simón Díaz, *Bibliografía de la Literatura Hispánica,* tomo III, Madrid, 1953 (debe completarse con el trabajo del mismo autor "Nuevos datos bibliográficos sobre Libros de Caballerías", en *Revista de Literatura,* VIII, núm. 16, oct.-dic. 1955, págs. 255-270). Juan Givanel y Mas y Luis M. Plaza Escudero, *Catálogo de la Colección Cervantina de la Biblioteca Central,* 4 vols., Barcelona, 1941-1959 (la primera edición de este catálogo la publicó en catalán Juan Givanel y Mas, 3 vols., Barcelona, 1916-1925). Miguel Santiago Rodríguez, *Catálogo de la Biblioteca cervantina de D. José María de Asensio y Toledo,* Madrid, 1948. Luis María Plaza Escudero, *Catálogo de la Colección Cervantina Sedó,* 3 vols., Barcelona, 1953-1955. Homero Serís, *La colección cervantina de la Sociedad Hispánica de América,* Urbana, 1918. Rafael Heliodoro Valle y Emilia Romero, *Bibliografía cervantina en la América española,* México, 1950. Alberto Sánchez, *Cervantes: Bibliografía Fundamental (1900-1959),* "Cuadernos bibliográficos", núm. 1, Madrid, 1961. Para conocer con más detalle la bibliografía cervantina de los últimos años debe consultarse, del mismo Alberto Sán-

Diez años transcurrieron hasta que Cervantes hizo imprimir la segunda parte de su inmortal novela, también por Juan de la Cuesta. Un año antes —1614— un autor desconocido —Alonso Fernández de Avellaneda—, cuya identidad todavía no se ha podido determinar, publicó en Tarragona una continuación apócrifa de la novela cervantina, con el nombre de *Segundo tomo del Ingenioso Hidalgo don Quijote de la Mancha,* en cuyo prólogo atacó destempladamente a Cervantes. La aparición de este libro debió de causarle al manco insigne grandes sinsabores, pero le estimuló a concluir la segunda parte de su novela. Se hallaba entonces Cervantes redactando el capítulo LIX, y aunque en el nuevo prólogo respondió al usurpador con notable mesura y dignidad, no dejó de pesar en su ánimo la presencia de aquel *Quijote* espúreo; los últimos capítulos del suyo fueron escritos con cierta precipitación, y algunos episodios sufrieron variaciones —según luego veremos— respecto al plan primero.

LA ESTRUCTURA PARÓDICA DEL "QUIJOTE"

El concepto esencial que tiene del *Quijote* el hombre medio lo define llanamente como una parodia de los libros de caballerías; y aunque es incuestionable que esta interpretación elemental del libro queda inmediatamente desmentida por el más superficial examen, no es menos cierto que un resumen de urgencia, que trate de dar sucinta idea de la novela de Cervantes, difícilmente puede sustraerse a semejante definición: prueba inequívoca de que aquella intención paródica se encuentra, por lo menos, en la raíz última del libro. Puede afirmarse que los contemporáneos de Cervantes no vieron al pronto en el *Quijote* sino el río de gracia y de comicidad que brota de las aventuras del hidalgo y de su escudero. La popularidad inmensa de que gozaron enseguida amo y criado y sus no menos famosas cabalgaduras, hasta el punto de ser frecuentemente utilizados en fiestas públicas como motivo divertido, sólo se explica por la ocasión de risa que aquellos personajes y sus andanzas procuraban. El mismo Cervantes, en la segunda parte de su libro, proclama esta condición por boca de Sansón Carrasco, en el pasaje en que éste informa a don Quijote de que anda ya impresa la historia de sus aventuras: "...los niños la manosean, los mozos la leen, los hombres la entienden y los viejos la celebran; y, finalmente, es tan trillada y tan leída y tan sabida de todo género de gentes,

chez, la *Bibliografía española en el IV Centenario del nacimiento de Cervantes,* Valencia, Mediterráneo, 1950, y sobre todo la *Bibliografía cervantina de nuestros días,* que, con el propósito de que sea exhaustiva, viene reuniendo el mencionado investigador en la revista *Anales Cervantinos* (Madrid, Instituto Miguel de Cervantes del C. S. I. C.) desde 1951. Puede también consultarse con fruto la *Bibliografía por materias, de los principales estudios que se han escrito sobre el 'Quijote',* de Justo García Soriano y Justo García Morales, que acompaña a su edición del *Quijote* (10.ª edición, Madrid, 1965, págs. 143-169).

que apenas han visto algún rocín flaco, cuando dicen: 'Allí va Rocinante'. Y los que más se han dado a su lectura son los pajes: no hay antecámara de señor donde no se halle un *Don Quijote*: unos le toman si otros le dejan; éstos le embisten y aquéllos le piden. Finalmente, la tal historia es del más gustoso y menos perjudicial entretenimiento que hasta agora se haya visto..."[4]. Y bien conocidas son aquellas palabras, recogidas por Cervantes en el prólogo del *Persiles,* con que le saludó alborozado el estudiante pardal en el camino de Esquivias a la corte: "Apenas huvo oído el estudiante el nombre de Cervantes, quando, apeándose de su cavalgadura, cayéndosele aquí el coxín y allí el portamanteo, que con toda esta autoridad caminava, arremetió a mí, y, acudiendo assirme de la mano yzquierda, dixo: —¡Sí, sí; éste es el manco sano, el famoso todo, el escritor alegre, y, finalmente, el regozijo de las Musas!"[5].

Muy pronto, sin embargo, se abrió paso el conocimiento de que la novela de Cervantes estaba grávida de mucho más transcendentes propósitos, y, a partir sobre todo del Romanticismo, se hizo objeto al *Quijote* de interpretaciones diversísimas, que trataron de encontrar en sus páginas todo género de doctrinas, de significados simbólicos, de intenciones satíricas contra instituciones, gentes e ideas. La densidad humana e ideológica del *Quijote* se descubría tal, que parecía leve el propósito declarado por su autor de satirizar un género literario que estaba ya en decadencia, aunque hubiese gozado durante largo tiempo de la más desaforada popularidad.

Pero la condición paródica del *Quijote* como base de toda su construcción novelesca, no puede negarse. Cervantes declara insistentemente su propósito de burlarse de los libros de caballerías; en el prólogo de la primera parte afirma que lleva la mira puesta en "derribar la máquina mal fundada de estos caballerescos libros, aborrecidos de tantos y alabados de muchos más"[6]; y cierra la obra repitiendo casi con las mismas palabras su intención del comienzo: "pues no ha sido otro mi deseo que poner en aborrecimiento de los hombres las fingidas y disparatadas historias de los libros de caballerías, que por las de mi verdadero don Quijote van ya tropezando, y han de caer del todo, sin duda alguna"[7]. Entre ambos hitos, la historia entera del ingenioso hidalgo no deja ni un instante de ridiculizar el estado en que lo tiene puesto la lectura de aquellos libros, para cuya adquisición había llegado a vender "muchas hanegas de tierra de sembradura"[8]; y no son sólo los hechos del hidalgo sino los repetidos comentarios del autor los que ponen en evidencia la intención que le movió a escribirlos.

---

[4] Nueva edición crítica de F. Rodríguez Marín, parte II, cap. III, tomo IV, Madrid, 1948, págs. 95-97.

[5] Edición Schevill-Bonilla, tomo I, Madrid, 1914, pág. LVIII.

[6] Ed. Rodríguez Marín, cit., tomo I, pág. 41.

[7] Ídem, íd., tomo VIII, pág. 269..

[8] Ídem, íd., tomo I, pág. 81.

Rodríguez Marín aduce testimonios de contemporáneos de Cervantes que reconocieron en el *Quijote* este solo propósito y alabaron su eficacia en conseguirlo; valga por todos, como más ilustre, el de Tirso de Molina que en sus *Cigarrales* llamó a Cervantes "executor acérrimo de la expulsión de andantes aventuras" [9]. Menéndez Pidal, que acepta llanamente —al menos como impulso genético— la declarada pretensión cervantina de ridiculizar las novelas caballerescas, y que afirma de esta literatura que "no se moría de vieja aun en 1602, cuando don Juan de Silva, señor de Cañadahermosa, imprimió su *Crónica de don Policisne de Beocia*" [10], sitúa al *Quijote* dentro de una línea literaria que había fundido lo cómico y lo heroico. Explica Menéndez Pidal que el Renacimiento acentuó la manera paródica de tratar la poesía heroica, ya iniciada en plena Edad Media. Los espíritus, dice, que se nutrían de la idea de la antigüedad romana, no sentían la sencilla grandeza de la epopeya medieval, y no podían tomar en serio "la materia poética carolingia y bretona"; así comienzan, con Pulci y Boiardo, las versiones burlescas que culminan en el gran poema de Ariosto, genial ridiculización del invencible paladín Roldán [11].

Cervantes, que conocía y admiraba a Boiardo y al Ariosto, continúa un siglo más tarde la burlesca versión de la aventura caballeresca; pero así como en tiempo de aquél último dominaba el concepto del arte por el arte, Cervantes, bajo el influjo aristotélico y el arte de la verdad ejemplar, "asume una nueva posición, la de corregir la 'inverosimilitud' de la aventura caballeresca, es decir, su falta de verdad universal o moral"; y, a diferencia también de los poetas italianos, Cervantes, al trazar su sátira de las novelas de caballerías, no escribe un poema, sino obra prosística, una novela, lo que le conduce naturalmente hacia una literatura más popular y llana. Menéndez Pidal recuerda asimismo la existencia de figuras cómicas, caricaturas de lo caballeresco en cuentos populares, ya desde el siglo XIV, como aquel personaje del italiano Sacchetti, "de exacta apariencia quijotesca", en quien aparecen ya prefigurados muchos de los rasgos del hidalgo manchego [12].

El *Quijote*, pues, como parodia de un mundo, y más concretamente de un género literario, nacía en perfecta coherencia con una corriente muy difundida en su época y que había dado creaciones tan altas como las del Ariosto. Por otra parte, aun admitiendo la natural dependencia, respecto de otras obras, que toda parodia entraña, nada supone esta circunstancia contra el valor del *Quijote* en cuanto a creación. La misma transcendencia a que se yergue el libro de Cervantes demuestra la sorprendente eficacia literaria del recurso no-

---

[9] Citado por Rodríguez Marín en ídem, íd., tomo VIII, pág. 269.

[10] "Un aspecto en la elaboración del *Quijote*", reproducido en *Mis páginas preferidas. Temas literarios*, Madrid, 1957, pág. 228.

[11] Ídem, íd., pág. 229.

[12] Ídem, íd., págs. 230-232. Cfr.: Marco A. Garrone, "El *Orlando Furioso* considerado como fuente del *Quijote*", *La España Moderna*, enero 1911, núm. 265, págs. 111-144.

velesco que le sirve de base; un loco que proyecta en la realidad las quimeras de su imaginación y que se enfrenta en sus andanzas con todo género de gentes y situaciones, daba ocasión para la inagotable riqueza humana, ideológica, de vida y de humorismo que el genio de Cervantes era capaz de crear.

El hallazgo de Cervantes fue, en efecto, genial, y es difícil imaginar otra técnica novelesca más adecuada para desarrollar el vasto panorama que él pretende. Al final del capítulo XLVII de la primera parte, cuando el canónigo maldice los libros de caballerías que tal han puesto a don Quijote, afirma, sin embargo, que dichos libros tenían al menos una cosa buena, "que eran el sujeto que ofrecían para que un buen entendimiento pudiera mostrarse en ellos, porque daban largo y espacioso campo por donde sin empacho alguno pudiera correr la pluma, describiendo naufragios, tormentas, reencuentros y batallas" [13]; y líneas más adelante insiste: "porque la escritura desatada de estos libros da lugar a que el autor pueda mostrarse épico, lírico, trágico, cómico, con todas aquellas partes que encierran en sí las dulcísimas y agradables ciencias de la poesía y de la oratoria; que la épica también puede escribirse en prosa como en verso" [14]. Trazando una parodia de los libros de caballerías *y apropiándose sus procedimientos* (idea sobre la que hemos de volver después), Cervantes disponía de aquel "espacioso campo por donde sin empacho alguno pudiese correr la pluma", y se concedía la ilimitada posibilidad de "mostrarse épico, lírico, trágico, cómico"; con lo cual no sólo abría la puerta a sus plurales y contradictorias apetencias, distendidas entre la quimera y la realidad, sino que era dueño también de perspectivas infinitas para sus más raras invenciones [15].

---

[13] Edición Rodríguez Marín, cit., tomo III, pág. 350.

[14] Ídem, íd., pág. 352.

[15] Si lo entendemos bien, algo semejante es lo que afirma Américo Castro cuando, a propósito de la locura de don Quijote, escribe que "es simple vehículo para cierta idea del vivir humano" ("La estructura del Quijote", en *Hacia Cervantes,* Madrid, 1957, página 264). Es decir, que la persona de un loco, llegado a tal situación por la lectura de libros de caballerías, era el sujeto más idóneo para hacer vivir en la ficción novelesca el conjunto de significados que, según luego hemos de ver, deposita Cervantes en el *Quijote.* Luis Rosales, que se apoya asimismo en las palabras de Américo Castro que hemos citado, llega a conclusiones similares al afirmar las ventajas que —aparte todos los altos significados que se quiera— puede tener como vehículo novelesco la locura de don Quijote: "Si Cervantes afirma en principio que Don Quijote estaba loco es —dice—, ante todo, porque le conviene y además porque lo necesita... Es indudable que hacer lindar a Don Quijote con la frontera de la locura es una estricta necesidad de la naturaleza de su obra... Desde Luciano a nuestros días, la sátira siempre ha partido de una ficción que le sirve al autor para escurrir el bulto cuando arrecia la tormenta. A la chita callando, los locos y los muertos pueden decirlo todo. Pero además si los personajes que le rodean no le tomaran por loco, nuestro héroe hubiera dado con sus huesos en la cárcel en la primera ocasión y, en este caso, ni Don Quijote hubiera sido Don Quijote, ni Cervantes hubiera dado cima y realización a la imaginada historia de sus hazañas. En la invención de la novela hay un hecho de gran relieve que nunca suele ser

Queremos decir con ello que no estimamos contradictoria la más dilatada proyección del *Quijote* con su estricta condición de parodia literaria. Pensamos, contra el parecer de muchos exégetas, que sólo la parodia literaria de los libros de caballerías ofrecía tan ilimitadas posibilidades de humor; la parodia caballeresca es el entramado básico, irrenunciable, sobre el que descansa todo el proceso novelesco del libro, hasta el extremo de que no podría estructurarse —y ni siquiera podemos concebirlo— sin él; y Cervantes bien recuerda su burla a cada instante. Dentro de semejante trama, y precisamente por su técnica abierta, de inciertos horizontes, la locura de don Quijote puede actuar como catalizador de todo género de sucesos y provocar la reacción de los más diversos personajes; y pueden hallar cabida todas las intenciones, alusiones, ideas y problemas que pretenda el autor.

No obstante, esta subestimación de lo que, para muchos, no representa en el *Quijote* sino sólo un germen inicial, motivo ocasional o accesorio, explica determinadas hipótesis de los comentaristas. En primer lugar la de que el propósito de Cervantes no fuera en un principio sino escribir una novela corta, que fue distendiendo luego. Una segunda hipótesis, que sería, a su vez, consecuencia de la anterior, supone que Cervantes no comprendió al comienzo todo el alcance de su propia obra, de la que sólo poco a poco fue adquiriendo conciencia; de aquí, a juicio de algunos, los titubeos que parecen advertirse en los primeros capítulos de la novela, y la posterior dilatación de su horizonte humano, con el natural acrecentamiento de madurez y plenitud que va experimentando el libro, sobre todo en la segunda mitad.

La primera hipótesis —defendida primeramente, entre otros, por H. Morf, Emilio Cotarelo y Mori, Rodríguez Marín— es cada vez más discutida. Resulta difícil, por lo demás, precisar esta circunstancia, aunque no faltan indicios en que apoyarse. Así, por ejemplo, al comienzo del capítulo IX, cuando alude Cervantes al hallazgo del manuscrito de Cide Hamete Benengeli que le permite proseguir la historia, explica que sin él se hubiera quedado el lector privado de un pasatiempo de "casi dos horas", corto tiempo para lo que todavía faltaba del *Quijote*. El pasaje es sospechoso, aunque existen interpre-

---

tenido en cuenta: *Don Quijote necesita un apoyo exterior, un apoyo social para mantener durante largo tiempo el peligroso y difícil ejercicio de su andante caballería.* Depende de esta protección el hecho milagroso de que la obra puede sobrevivir en cada uno de sus capítulos. Cierta es, y necesaria, la resistencia que opone al caballero el mundo circundante; cierta es, y necesaria, la ayuda que le brinda. Don Fernando, Cardenio, los Duques y el Bachiller Sansón Carrasco le apoyan de diferentes modos, y en virtud de este amparo y complicidad —no lo olvidemos— consigue Don Quijote llegar a ser quien es y librarse en sus andanzas de malentendedores y cuadrilleros" (*Cervantes y la libertad*, vol. I, Madrid, 1960, págs. 144-145).

Insistimos: el molde de la parodia literaria era receptáculo insustituible para encerrar el mundo ideológico que pretendía el escritor.

taciones para todos los gustos [16], y es buena muestra de las dificultades, fintas y recovecos misteriosos en que abunda el texto cervantino. Si no paramos atención en estos datos "objetivos" y nos dejamos conducir por apreciaciones de índole subjetiva, confesamos que nos cuesta trabajo asentir a la hipótesis de la "novela corta", pues el arranque del *Quijote* —no importa la ampliación de horizonte y de profundidad que se suponga luego— proyecta su meta, a nuestro entender, desde el primer instante, mucho más allá de lo que hubieran consentido los límites de una "novela ejemplar" [17].

---

[16] Véase el comentario de Rodríguez Marín sobre este punto, ed. cit., tomo I, página. 279.

[17] Conocemos bien, sin embargo, alguna por lo menos de las opiniones —aparte las mencionadas— que se oponen a la que hemos hecho nuestra; véase, por ejemplo, la cálida y magnífica exposición que hace Luis Rosales de este problema en su *Cervantes y la libertad*. Para Rosales hay un "primer Quijote" que se reduce a los seis primeros capítulos de la novela; un segundo, que se prolonga hasta el final de la primera parte; y un tercero que llena toda la segunda. A partir del capítulo VII "se amplía considerablemente —dice— la personalidad del protagonista. Cervantes se corrige en su trazado. Es necesario. Precisa habilitar a Don Quijote para que llene el ámbito de una novela extensa" (vol. II, pág. 291). Debemos advertir que la hipótesis de una primera concepción del *Quijote* como novela corta y su posterior dilatación material no exige inevitablemente las inseguridades, evolución, madurez e incluso rectificaciones del novelista y del personaje, a que luego nos vamos a referir: son distintos problemas.

Con razones muy parecidas a las de Rosales, y antes que él, Ricardo Rojas había también sostenido que el *Quijote* fue inicialmente ideado como una novela ejemplar: "Al principio de la obra —dice— las anécdotas son mediocres y superficiales [pero no podemos admitir, en modo alguno, tales calificativos]; el protagonista sale sin escudero a su primera aventura y no muestra aún el portentoso ingenio que descubrirá más adelante, superándose en coraje para las aventuras y en sabiduría para los discursos" (*Cervantes*, Buenos Aires, 1935, pág. 249). "En el capítulo VII —añade— el protagonista empieza a tener vida y el poeta a enamorarse de él... Ya nadie, ni Cervantes mismo, podrá detenerlo en su destino hasta que venga la muerte que tardará en venir" (idem, íd., página 250). Y escribe luego que quizá "la figura de Sancho, surgida en aquel punto del relato, lo indujo a continuar la historia" (ídem, íd., pág. 251). Digamos de pasada que Rojas se contradice abiertamente, pues la supuesta "superficialidad" del comienzo es negada luego de plano, y por cierto a muy escasas páginas de distancia: "dijérase —escribe— que en aquellas primeras páginas, destinadas a presentar a su héroe, el autor ha volcado todo el concentrado amor de su creación y ha encuadrado en su marco al protagonista, con la maestría con que Velázquez mismo lo habría hecho en sus telas" (ídem, íd., págs. 272-273).

También Helmut Hatzfeld, en su bello estudio *El Quijote como obra de arte del lenguaje* (traducción española, Madrid, 1949), sostiene llanamente que los seis primeros capítulos fueron primero ideados como una novela independiente; "pero de ello —añade con prudente eclecticismo— apenas se nota nada en la obra terminada. Lo que ocurre es que la primera salida (de prueba) de don Quijote, sin Sancho, se presenta como el pórtico de un templo" (pág. 157). Más abajo destaca precisamente la unidad de composición de la novela, y explica cómo muchos de los motivos que parecen surgir en la novela como por casualidad, están perfectamente enlazados con otras cosas o reaparecen después llenos de significado.

Que Cervantes no advirtiera desde el comienzo toda la hondura de su creación, nada tiene de extraño y es harto posible; al fin y al cabo, la idea en sí, como en toda obra, podía ser una banalidad o cristalizar en el libro genial que es: todo iba a depender de cómo creciera y madurara bajo las manos de su autor. A medida que el genio de Cervantes fue extrayendo de su intuición inicial las inmensas posibilidades que atesoraba, caló mejor el novelista la insondable riqueza de sus personajes, y con su amor por ellos creció su valoración de las criaturas a que estaba dando vida.

Unamuno, en su conocido comentario del *Quijote* —*Vida de Don Quijote y Sancho*, 1905—, llevó al extremo la incomprensión hacia Cervantes en la misma medida en que acentuaba la significación del personaje como "realidad" independiente de su autor. Claro está que las páginas de Unamuno tampoco pueden ser entendidas en su sentido más literal; su postura, no sin cierto afán paradójico, vino a reaccionar contra las beaterías de muchos cervantistas y a destacar el alto valor que como símbolo vital y estímulo de idealidad, como espíritu y norma de vida, se encerraba en el *quijotismo*, y prescindió de los problemas literarios y de creación en torno a la novela y a su autor. Pero tomadas a la letra sus palabras, resultaría que Cervantes no entendió, ni sospechó siquiera, el alcance de su propia obra, de la cual apenas si fue instrumento secundario: poco más que amanuense, diríamos, de un *Quijote* que se había escrito solo [18].

Enrique Moreno Báez defiende igualmente la teoría de la "novela corta" en su trabajo "Arquitectura del *Quijote*", citado luego (nota 20).

[18] Véase, además de la obra mencionada, el ensayo, no menos representativo en su brevedad, *Sobre la lectura e interpretación del "Quijote"* (*Ensayos*, tomo V, Publicaciones de la Residencia de Estudiantes, Madrid, 1917, págs. 203-230. El ensayo fue escrito en 1905). Como muestra del pensamiento del autor reproducimos unos párrafos: "La historia de los comentarios y trabajos críticos sobre el *Quijote* en España sería la historia de la incapacidad de una casta para penetrar en la eterna sustancia poética de una obra, y del ensañamiento en matar el tiempo con labores de erudición que mantienen y fomentan la pereza espiritual" (pág. 205); "Se han registrado por lo que respecta a nuestro libro todo género de minucias sin importancia y toda clase de insignificancias. Le han dado vueltas y más vueltas considerándolo como obra literaria, y apenas si ha habido quien se haya metido en sus entrañas" (pág. 209); "En vez de llegar a la poesía del *Quijote*, a lo verdaderamente eterno y universal de él, solemos quedarnos en su literatura, en lo que tiene de temporal y de particular" (pág. 215). "Todo consiste en separar a Cervantes del *Quijote* y hacer que a la plaga de los cervantófilos o cervantistas sustituya la legión sagrada de los quijotistas. Nos falta quijotismo tanto cuanto nos sobra cervantismo" (pág. 217). "...si Cervantes fue el padre de Don Quijote, su madre fue el pueblo de que Cervantes formaba parte. Cervantes no fue más que un mero instrumento para que la España del siglo XVI pariese a Don Quijote..." (pág. 220). "...me atrevo a más: y es a escribir un ensayo en que sostenga que no existió Cervantes y sí Don Quijote. Y visto que por lo menos Cervantes no existe ya, y sigue viviendo en cambio Don Quijote, deberíamos todos dejar al muerto e irnos con el vivo, abandonar a Cervantes y acompañar a Don Quijote" (pág. 224).

El concepto por mucho tiempo sostenido de un Cervantes "ingenio lego" y escritor meramente intuitivo ha contribuido a robustecer la opinión de un Cervantes inferior a su obra. Pero nada de cuanto en ella hay es ajeno a la actividad del novelista. La supuesta limitación cultural de Cervantes ha quedado desmentida desde que Américo Castro demostró en *El pensamiento de Cervantes*[19] la densidad conceptual del escritor; y cada día se afianza a la vez el convencimiento de que éste poseía plena conciencia de su tarea creadora y se servía de técnicas artísticas y recursos de todo género con perfecto conocimiento de su sentido y eficacia[20]. Con criterio enteramente contrario al de Unamuno y situando en primer plano la capacidad y personalidad del escritor, escribe Leo Spitzer: "No fue Italia con su Ariosto y su Tasso, ni Francia con su Rabelais y su Ronsard, sino España la que nos dio una novela que es un canto y un monumento al escritor en cuanto escritor, en cuanto artista. Porque no nos llamemos a engaño: el protagonista de esta novela no es realmente Don Quijote, con su siempre torcida interpretación de la realidad, ni Sancho, con su escéptica semiaceptación del quijotismo de su amo, ni mucho menos ninguna otra de las figuras centrales de los episodios ilusionistas inter-

---

[19] Madrid, 1925. Anejo VI de la *Revista de Filología Española.*

[20] Es también Américo Castro quien escribe: "A medida que pasan los años resulta más incomprensible que se haya hablado de inconciencia cervantina, o se haya fantaseado sobre una dualidad Cervantes-*Quijote,* compuesta de términos antitéticos. Ello hubiera divertido a Cervantes prodigiosamente, porque ¿qué mejor prueba de su éxito?" ("Los prólogos al 'Quijote' ", en *Hacia Cervantes,* cit., pág. 215). Y rechaza a continuación la negativa actitud de Unamuno respecto de Cervantes. Pero es éste un aspecto sobre el que apenas sería necesario dar mayores detalles: la lista de los que proclaman hoy la condición rigurosamente consciente y reflexiva del genio de Cervantes es tan larga como la de sus comentaristas. Anotamos, sin embargo, a continuación —aparte los citados en diversas notas— algunos de los más importantes estudios que han tratado de penetrar en los secretos del arte cervantino, tanto bajo el aspecto de la estructura y composición de la novela como de sus peculiaridades estilísticas: E. Moreno Báez, "Arquitectura del *Quijote*", en *Revista de Filología Española,* XXXII, 1948, págs. 269-285. Francisco Maldonado de Guevara, *La Maiestas cesárea en el Quijote,* Madrid, 1948, anejo núm. 4 de *Cuadernos de Literatura.* Del mismo, "Apuntes para la fijación de las estructuras esenciales en el *Quijote*", en *Anales Cervantinos,* I, 1951, págs. 159-231. Del mismo, "La renuncia de la magia en el *Quijote* y en el *Fausto*", en *Cinco salvaciones. Ensayos sobre literatura española,* Madrid, 1953, págs. 215-335. Mia I Gerhardt, "Don Quijote. La vie et les livres", en *Mededelingen der koninglijke Nederlandse Akademie van Wetenschapen. Afd. Letterkunde.* Nieuwe Reeks, Deel 18, n. 2. Amsterdam, 1955. Alexander A. Parker, "Fielding and the Structure of Don Quijote", en *Bulletin of Hispanic Studies,* XXXIII, 1956. Knud Togeby, *La composition de Don Quijote,* Copenhague, Munksgaard, 1957. Oscar Mander, "The Function of the Norm in Don Quijote", en *Modern Philology,* LV, 1958, págs. 154-163. A. Rosenblat, "La lengua de Cervantes", en *Cervantes,* Universidad Central de Caracas, 1949, págs. 47-129. Cfr., además: Paul Hazar, *Don Quichotte de Cervantès. Étude et analyse,* París, 1931. José Camón Aznar, *Don Quijote en la teoría de los estilos,* Zaragoza, 1949. Joaquín Casalduero, *Sentido y forma del Quijote (1605-1615),* Madrid, 1949.

calados en la novela: el verdadero héroe de la novela lo es Cervantes en persona, el artista que combina un arte de crítica y de ilusión conforme a su libérrima voluntad. Desde el instante en que abrimos el libro hasta el momento en que lo cerramos, sentimos que hay allí un poder invisible y omnipotente que nos lleva adonde y como quiere"[21]. Y añade luego: "Don Quijote consigue la inmortalidad gracias exclusivamente a la pluma de Cervantes, como muy bien sabe y reconoce el mismo escritor. Don Quijote, evidentemente, ejecutó sólo lo que Cervantes escribió, y había nacido para Cervantes, igual que Cervantes había nacido para él. En el discurso de la pluma del supuesto cronista árabe encontramos la más discreta, la más enérgica y convincente autoglorificación del artista que jamás se haya escrito. El artista Cervantes se acrece con la gloria que han alcanzado sus personajes; y vemos en la novela el proceso mediante el cual las figuras de Don Quijote y Sancho llegan a ser personas vivas, que saltan, por decirlo así, de la novela para ocupar su puesto en la vida real y transformarse, finalmente, en inmortales figuras históricas"[22].

La afirmación de que el *Quijote* es una novela de fácil construcción episódica, desprovista de complicaciones de técnica y de estructura, no puede sostenerse ante las múltiples y originales habilidades con que Cervantes encadena, o desorienta —jugando traviesamente con ella—, la curiosidad del lector.

Sucede, sin embargo, que es tal la profundidad ideológica y humana de la novela, que sus comentaristas no sólo han podido extraer de ella todo lo que hay, sino también muchas cosas que no hay, en porfía de sagacidades interpretativas, que ha conducido con frecuencia a vanas puerilidades. "No existe libro alguno —ha dicho Ortega— cuyo poder de alusiones simbólicas al sentido universal de la vida sea tan grande, y, sin embargo, no existe libro alguno en que hallemos menos anticipaciones, menos indicios para su propia interpretación"[23]. En medio de esta plenitud, les resulta incomprensible a muchos que Cervantes insista una y otra vez en su intención —tan llana— de ridiculizar los libros de caballerías; y entonces viene lo de tenerlo por tonto, o por hipócrita, o por interesado enredador, enmascarado tras misteriosas actitudes.

Pero el *Quijote*, como decíamos, no es en sustancia sino lo que decía y pretendía su autor: la parodia de un mundo literario —entramado insoslayable que hace posible la existencia de sus personajes y el hilo todo de sus aventuras—; sólo que el novelista pudo henchirla y colmarla de todo el saber que su genial capacidad de observación había extraído de los hombres.

---

[21] "Perspectivismo lingüístico en el 'Quijote' ", en *Lingüística e historia literaria*, 2.ª ed., Madrid, 1961, págs. 178-179.

[22] Ídem, íd., pág. 181.

[23] "Meditaciones del *Quijote*", en *Obras de...*, vol. I, 2.ª ed., Madrid, 1936, págs. 46-47.

LAS POSIBLES FUENTES DEL "QUIJOTE"

La conciencia de su propia obra, que no excluye el gradual enriquecimiento durante el proceso de su gestación, no elimina tampoco los naturales tanteos, inseguridades y rectificaciones que toda creación de arte, aun la más genial, suele llevar consigo. A este aspecto pertenece un problema muy discutido por los eruditos. Menéndez Pidal ha sostenido[24] el influjo que en la génesis del *Quijote* tuvo una pieza teatral anónima, el *Entremés de los romances*[25]. Sabemos —precisa decirlo una vez más— que el hidalgo se vuelve loco leyendo novelas de caballerías y que se lanza solo, en su primera salida, en busca de aventuras. Después de ser armado caballero por el ventero y las dos mozas del partido, intenta librar a un muchacho de ser azotado por su amo, y da después con unos mercaderes toledanos a los que exige que proclamen la belleza de Dulcinea; en la refriega cae del caballo y un criado de los mercaderes apalea a don Quijote con su propia lanza. El caballero queda tendido sin poderse mover y comienza entonces a recitar el romance de Valdovinos y el marqués de Mantua —"¿Dónde estáis, señora mía...?"— que le parece cuadrar con su situación; un labriego de su mismo pueblo le socorre y don Quijote lo toma por el marqués; luego, cuando el labrador lo lleva hacia su pueblo, don Quijote se cree el moro Abindarráez y se imagina que el labriego es el alcaide de Antequera, Rodrigo de Narváez.

En el mencionado entremés su protagonista, Bartolo, enloquece a fuerza de leer romances; se hace soldado, y creyéndose el Almoradí o el Tarfe de los romances moriscos pretende defender a una pastora asediada por un zagal, pero éste apalea a Bartolo con su propia lanza, dejándole tendido en el suelo; Bartolo —también como don Quijote— atribuye al caballo su caída, luego se cree Valdovinos y comienza a recitar el romance del marqués de Mantua; y cuando al fin es llevado a su aldea, salta a los romances moriscos y se imagina ser el alcalde de Baza que dialoga con el Abencerraje lamentando la conducta de Zaida.

A juicio de Menéndez Pidal, la innegable semejanza entre el *Entremés* y la primera aventura de don Quijote obliga a admitir una relación genética entre ambos textos. Menéndez Pidal defiende la prioridad cronológica del *Entremés* y, en consecuencia, hay que situar a éste en la línea de gestación del *Quijote*; Cervantes "descubrió una gracia fecunda en el entremés que se burla del trastorno mental causado por la indiscreta lectura del Romancero"[26] y

---

[24] En "Un aspecto en la elaboración del *Quijote*", cit.

[25] Ediciones en Adolfo de Castro, *Varias obras inéditas de Cervantes*, Madrid, 1874, pág. 157 y ss. Emilio Cotarelo y Mori, *Colección de entremeses, loas, bailes, jácaras y mojigangas desde fines del siglo XVI a mediados del XVIII*, NBAE, tomo I, vol. I, Madrid, 1911, págs. 157-161.

[26] "Un aspecto...", cit., pág. 242.

esta sátira literaria le pareció un tema excelente. Pensó entonces en apartarlo del Romancero, tan lleno de ideales heroicos y nacionales, y aplicarlo a las novelas de caballerías, como, en efecto, hizo; pero la vigorosa impresión cómica que había recibido del *Entremés* le impidió desprenderse de su recuerdo y le condujo, en la aventura de los mercaderes, a sustituir los libros de caballerías por los romances, elemento extraño a su plan, ya que don Quijote no había enloquecido, como Bartolo, por la lectura de los romances, sino de las novelas, según declara taxativamente desde el mismo comienzo del libro; don Quijote nunca leía romances, ni había libros de ellos en su biblioteca, como sabemos por el expurgo que de ella hicieron el cura y el barbero, precisamente después del primer regreso de don Quijote. Existía, pues, una desviación, o incongruencia, en la personalidad del héroe.

Con todo ello, explica Menéndez Pidal, el *Entremés,* después de provocar la concepción de Cervantes, le forzó a una tarea de rectificación que tuvo lugar a lo largo de la ejecución del libro. Al iniciar el hidalgo su segunda salida, ya en compañía de Sancho, Cervantes se desprende de la seducción de los romances (aunque todavía se sirva de ellos en algunos episodios con distintos fines), y es entonces, después de corregir la conexión de la locura del hidalgo con el Romancero, cuando puede libremente, dice Menéndez Pidal, conducir al protagonista hacia su perfección: "Don Quijote, desde su primera salida, se había ya propuesto enmendar sinrazones y castigar a los soberbios; pero en esto no se diferencia todavía gran cosa del grotesco Bartolo, que se encara con el zagalón perseguidor de la pastora. Sólo en el citado capítulo séptimo, en que termina la sugestión del *Entremés,* el hidalgo eleva su locura a un pensamiento comprensivo y expresa la necesidad que tenía el mundo de que en él se resucitase la caballería andante; se reviste así de una misión, y en esta frase fugaz apunta el momento genial de la concepción de Cervantes, pues es cuando el autor empieza a mirar las fantasías del loco como un ideal que merece respeto, cuando se decide a pintarlo grande en sus propósitos, pero fallido en la ejecución de ellos" [27]. Y aclara luego de qué manera el titubeo o la incongruencia inicial pudo aportar también, por otra parte, influjos positivos para la creación de la novela: "Acaso la primera mezcla equivocada del Romancero sirvió a Cervantes para salvar la parte heroica que había en los libros de caballerías. Coincidían éstos con la epopeya... en el tipo de perfección caballeresca, y Don Quijote va cumpliendo en sí tanto el ideal de ésta como el de aquéllos, cuando va afirmándose en su amor a la gloria, en su esfuerzo inquebrantable ante el peligro, en su lealtad ajena a todo desagradecimiento, en no decir mentira así le asaetearan, en conocer y juzgar el derecho acertadamente, en ayudar a todo necesitado, en defender al ausente, en ser liberal y dadivoso, en ser elocuente, y hasta en entender de agüeros y desear quebrantar los que se muestran adversos, según hacían los viejos héroes españoles. Los

[27] Ídem, íd., págs. 250-251.

poemas caballerescos añadían al ideal de la epopeya una perfección más: el ser enamorado; y ante Don Quijote surge Dulcinea, porque 'el caballero andante sin amores era árbol sin hojas y sin fruto, cuerpo sin alma'. Así, de las embrolladas aventuras de los libros de caballerías sacaba el desbarajustado pensamiento de Don Quijote un ideal heroico puro, que entroncaba con el de la antigua epopeya" [28].

Por lo demás, Menéndez Pidal nos advierte, contra lo creído por muchos cervantistas que han impugnado su teoría sobre el influjo del *Entremés* [29], que semejante dependencia, como la de toda obra genial respecto de sus fuentes, no empece en absoluto para la originalidad de la obra cervantina. Nunca Cervantes aparece tan original como en los momentos en que más de cerca sigue al *Entremés*. "Nada de aquella fresca, sutil y honda finura cómica que hace del episodio de los mercaderes toledanos uno de los mejores de la novela, nada deriva del entremés; éste impuso a la imaginación de Cervantes varios pormenores tan sólo de los más externos de la aventura... Para sacar del *Entremés* los primeros capítulos del *Quijote* se necesitó un gigantesco esfuerzo creador, cosa que totalmente olvidan muchos eminentes críticos, reacios para creer que el genio inventivo de un Cervantes o un Dante tenga más fuentes de inspiración que las vulgarmente conocidas" [30].

Cabe añadir ahora algunas noticias más sobre los probables orígenes del *Quijote*. De los críticos que se han aplicado a investigarlos, unos sitúan su génesis en fuentes literarias, mientras otros suponen la existencia de personajes reales que sirvieron a Cervantes de modelo.

Entre los primeros debe mencionarse a Menéndez Pidal, con su teoría del *Entremés*, que hemos expuesto. También éste recuerda, entre otras posibles fuentes capaces de suscitar la idea del hidalgo cervantino, aquel personaje del mencionado novelador italiano Sacchetti, en la segunda mitad del siglo XIV, aquejado de manía caballeresca a pesar de sus setenta años, que montado en un flaco rocín va desde Florencia a un pueblo vecino para asistir a unas justas y es objeto de las pesadas bromas de unos muchachos.

Dámaso Alonso ha sugerido el posible influjo del estrafalario "hidalgo Camilote" (que hasta guarda un extraño paralelismo de nombre con don Quijote), personaje que, con su grotesca amada Maimonda de la que está perdida-

---

[28] Ídem, íd., pág. 251.

[29] Para la historia de esta polémica, véase Juan Millé y Giménez —que también tercia en ella—, *Sobre la génesis del Quijote. Cervantes, Lope, Góngora, el "Romancero General", el "Entremés de los Romances", etc.*, Barcelona, 1930 (a partir, sobre todo, del capítulo XVII). También el propio Menéndez Pidal en la edición citada de "Un aspecto..." —nota a pie, núm. 4, págs. 233-239— responde a los críticos que habían rechazado su opinión y vuelve sobre los puntos fundamentales del problema. ("Un aspecto..." está también reproducido, pero sin la nota aludida, en R. Menéndez Pidal, *España y su historia*, vol. II, Madrid, 1957, págs. 179-211).

[30] "Un aspecto...", cit., pág. 245.

mente enamorado, aparece en la novela de caballerías *Primaleón* y en la tragicomedia de Gil Vicente, *Don Duardos*; ambas obras debieron de ser conocidas de Cervantes [31].

Notable, e innegable, es la influencia recibida de los mismos libros de caballerías parodiados; Menéndez Pidal califica al propio *Amadís* de "inspirador de don Quijote". Y grande es también el influjo recibido de los otros *Amadises,* de los *Palmerines* y del *Tirante el Blanco.*

Entre los que suponen que hubo un modelo real de don Quijote debe citarse a Julián Apraiz [32], Rodríguez Marín [33], Blanca de los Ríos [34] y Astrana Marín [35], que han tratado de documentar la existencia de diversos personajes de apellido Quijada o Quijano, de linajes de Esquivias.

Menéndez y Pelayo hace constar los frecuentes casos de alucinaciones, cómicas o trágicas, producidos por la lectura de los libros de caballerías, y menciona varios de ellos [36]. Don Francisco de Portugal, en su *Arte de Galantería,* refiere que un caballero de su nación encontró llorando a su mujer, hijos y criados, y al preguntarles muy acongojado por la causa del llanto respondieron: "Hase muerto Amadís". Melchor Cano en sus *Lugares teológicos* dice haber conocido a un sacerdote que tenía por verdaderas las historias de Amadís y de don Clarián, alegando que no podía ser mentira lo que había visto impreso con aprobación de los superiores y privilegio real. Alonso de Fuentes en su *Summa de philosophía natural* traza la figura de un *doliente* que se sabía de memoria todo el *Palmerín de Oliva,* a pesar de lo cual llevaba siempre un ejemplar consigo. Gaspar Garcerán, conde de Guimerán, en un escrito fechado en 1600 cuenta de un estudiante de Salamanca, gran devorador de libros de caballerías, que como leyese en uno de ellos que un caballero se hallaba puesto en aprieto por unos villanos, se levantó de donde estaba dando cuchilladas al aire, y al acudir sus compañeros les dijo que estaba defendiendo a aquel caballero. Luis Zapata refiere en su *Miscelánea,* como sucedido en su tiempo, que un caballero muy pacífico, cuerdo y honrado, salió furioso de su casa, sin causa aparente alguna, y arrojando de sí sus vestidos mató a un asno a cuchilladas y comenzó a perseguir a palos a unos labradores, imitando las locuras de Orlando.

---

[31] Dámaso Alonso, "El hidalgo Camilote y el hidalgo Don Quijote", en *Del Siglo de Oro a este siglo de siglas (notas y artículos a través de 350 años de letras españolas),* Madrid, 1962, págs. 20-28.

[32] *Curiosidades cervantinas,* Madrid, 1899.

[33] "Los modelos vivos del Don Quijote de la Mancha", en *Estudios cervantinos,* Madrid, 1947, págs. 441-452; y "El modelo más probable del Don Quijote", en ídem, íd., págs. 561-572.

[34] *Del Siglo de Oro,* Madrid, 1910, pág. 167.

[35] *Vida ejemplar y heroica...,* cit.

[36] Cfr.: "Cultura literaria de Miguel de Cervantes y elaboración del *Quijote*", en *Estudios y discursos de crítica histórica y literaria,* edición nacional, vol. I, Santander, 1941, pág. 350.

Existía, pues, un ambiente propicio al tema de la locura, o de la exaltación, provocada por los libros caballerescos, y dentro de él cualquier motivo ocasional, fuese suceso difundido oralmente o anécdota leída, podía encender la chispa primera en la mente del escritor, sin perjuicio de recibir después nueva fecundación de fuentes literarias.

Aclaremos que, en general, los críticos del siglo XIX, o sus epígonos, bajo el influjo de conceptos positivistas, se muestran partidarios del modelo real, mientras que la crítica más reciente concentra su atención en los modelos literarios. Menéndez Pidal ha mostrado además su inequívoca disconformidad con aquellos criterios: "No se nos alcanza —dice— qué va a ganar el conocimiento íntimo del *Quijote* el día grande en que se descubra, en un documento de Esquivias, que un Quijada, Quesada o Quijano fue verdaderamente un loco de remate conocido de Cervantes. Difícilmente esos documentos podrían descubrirnos algo quijotesco de ese pobre loco" [37].

COMPOSICIÓN Y PARTES DEL "QUIJOTE"

Como hemos dejado apuntado, el *Quijote* se apropia la disposición fundamental de los libros de caballerías y todo él es un encadenamiento de aventuras que acontecen al hidalgo y a su escudero. El carácter de ambos personajes se va revelando, pues, en este fluir de acontecimientos. Si Cervantes no concibió desde el primer instante a sus dos héroes con toda su plenitud de significación y de acuerdo con un plan perfectamente definido, hecho bien probable, el peculiar carácter episódico de la novela le permitió ir desentrañando, con sucesivos tanteos, toda la rica complejidad potencial que yacía en su primitiva concepción. Este desenvolvimiento progresivo de una idea dentro de la referida técnica de aventuras, no sólo no perjudicó la creación novelesca, sino que, como opina Menéndez Pidal, contribuyó a la perfección de su resultado: "Lejos de ser estas [aventuras] —dice— una fatigosa repetición del tipo inicial del protagonista, son una incesante revelación, aun para el mismo artista, y, por tanto, más sorprendente para el lector. El tipo no está perfectamente declarado hasta el mismo final de la novela" [38].

Dos salidas de don Quijote llenan la parte primera de la obra. La primera ya quedó descrita. En la segunda sale de su casa acompañado ya de Sancho después que el cura y el barbero del lugar, ayudados por la sobrina y el ama de don Quijote, han llevado a cabo el escrutinio y la destrucción de su biblioteca. Se suceden entonces la aventura de los molinos de viento, la de los frailes benitos y la del vizcaíno, que Cervantes deja interrumpida por falta de información. Ocurre a continuación lo del hallazgo de la historia de don Qui-

[37] "Un aspecto...", cit., págs. 234-235, nota al pie.

[38] Ídem, íd., pág. 246.

jote, escrita en arábigo por Cide Hamete Benengeli, misterioso cronista que tanto juego tiene que dar en la novela [39], y prosigue el relato con la victoria sobre el vizcaíno. Sigue luego la aventura de los yangüeses, las peripecias de la venta, en donde don Quijote prepara el bálsamo de Fierabrás y Sancho es manteado, la aventura de los rebaños de ovejas que toma don Quijote por ejércitos, la del cuerpo muerto, el episodio de los batanes, la "rica ganancia del yelmo de Mambrino", la liberación de los galeotes, la penitencia de don Quijote en Sierra Morena, los complicados sucesos de la venta, y el encantamiento de don Quijote, que es conducido en una jaula por el cura y el barbero de su pueblo hasta su casa.

Pero todas estas aventuras, que constituyen el hilo capital, están mezcladas con otra serie de relatos accesorios, relacionados más o menos estrechamente con la historia de don Quijote; aparte otros incisos —como el mencionado del escrutinio de la librería o los discursos del hidalgo sobre la edad de oro, las armas y las letras, etc., o las disquisiciones del canónigo y el cura sobre los libros de caballerías y las comedias—, de que se vale Cervantes para exponer preferentemente sus opiniones literarias.

Menéndez y Pelayo afirmaba que en aquellos relatos episódicos del *Quijote* se hallaban todos los tipos de la precedente producción novelesca, de suerte que con sólo ellos "podría adivinarse y restaurarse toda la literatura de imaginación anterior a él, porque Cervantes se la asimiló e incorporó toda en su obra" [40]. Así, encontramos la *novela pastoril* en la historia de Marcela y Grisóstomo (la primera de esta serie de novelas, colocada muy al principio del libro, capítulos XII-XIV) y en la de Leandra (ésta muy al final: capítulo LI) [41]; la *novela sentimental* en las historias de Cardenio, Luscinda y Dorotea, en la última de las cuales es visible la huella del cuento de Félix y Felismena, que

---

[39] Cfr.: C. A. Soons, "Cide Hamete Benengeli: his significance for Don Quijote", en *The Modern Language Review*, London, LIV, 1959, núm. 3, págs. 351-357.

[40] "Cultura literaria...", cit., pág. 327.

[41] Helmut Hatzfeld hace notar agudamente que lo pastoril no entra sólo en el *Quijote* a través de los concretos episodios pastoriles intercalados, o en los versos, sino en un cierto tono que afecta por igual al ritmo de la aventura y al mismo lenguaje, creando momentos como de amortiguamiento o ensordinamiento, que contribuyen al fluir alternante del libro: "Mientras Cervantes en el lenguaje del *Quijote* —dice Hatzfeld— parodia la afectación ridícula, los horribles preciosismos arrítmicos del estilo caballeresco, hace entrar al propio tiempo, finalmente rimadas en el mejor sentido, expresiones cultísimas, frases secundarias y aposiciones en la lengua del hidalgo, que se buscarían en vano en el *Amadís*, a pesar de su corte caballeresco. Por el contrario, se encuentran a cada paso en *La Galatea*, o también en la *Diana* de Montemayor" (*El Quijote como obra de arte del lenguaje*, traducción española, Madrid, 1949, pág. 335). Y aún añade luego: "Pero el estilo pastoril de la mesura retórica y lenta no queda circunscrita al hidalgo. Ciertamente se mantiene en la figura picaresca de Sancho, aunque en él se ironiza. También abarca el tono narrativo, mas no solamente en los episodios pastoriles, sino también como procedimiento que podríamos perseguir en otros medios estilísticos" (página 336).

Montemayor, imitando a Bandello, puso en su *Diana*; la *novela psicológica* en *El curioso impertinente*; la de *aventuras contemporáneas* en la historia del cautivo; sin contar las frecuentes reminiscencias de Boccaccio y del Ariosto, y la de los libros de caballerías que "penetran por todos lados la fábula, y le sirven de punto de partida y de comentario perpetuo" [42].

De tales historias, acumuladas casi todas en la segunda mitad de la primera parte (a partir del capítulo XXIV), algunas se enlazan bastante íntimamente con el argumento de la obra; así sucede con la encantadora Dorotea: cuando el cura y el barbero tratan de reducir a don Quijote, el encuentro con aquélla sirve a maravilla para sus propósitos, ya que la joven fingirá ser la princesa Micomicona, desposeída de su reino, que pide auxilio al caballero. Luego, al llegar a la venta, Dorotea y Cardenio, otro enloquecido de amor, se encuentran con los demás actores de su drama, Fernando y Luscinda, y todo se enreda, y todo se acaba felizmente.

Otras historias apenas se ligan a la acción de don Quijote, y su sola relación consiste en encontrarse éste presente y en sus ocasionales comentarios; tal acontece, entre los varios sucesos de la venta, con la "historia del cautivo" y con la hija del oidor y de su enamorado, el disfrazado mozo de mulas; y otro tanto, con el relato de la pastora Marcela y la muerte de Grisóstomo. En cambio *El curioso impertinente* no se relaciona en absoluto ni con don Quijote ni con ningún otro personaje de la novela.

Todos estos episodios han sido objeto de diversas valoraciones, pero, en general, aun reconociendo su interés y belleza como piezas aisladas, se les suele tener por improcedentes, dado que interrumpen la acción principal y distraen la atención del lector de las empresas del protagonista. Quienes admiten la inseguridad de Cervantes en el tratamiento de su héroe durante esta primera parte del libro, ven en dichas acciones secundarias un subterfugio del escritor que parece haber perdido el pulso de sus héroes. Así, comenta Madariaga: "Esta súbita ebullición de cuentos y episodios del final de la primera parte no parece proceder de mera abundancia creadora. Antes bien, sugiere cierta vacilación del autor en cuanto a su argumento central. Cervantes parece aquí perder un momento el hilo de su verdadera historia y dejar de ver con los ojos de la inspiración el desarrollo de sus dos personajes esenciales. La rápida sucesión de episodios que aparece en este lugar se me antoja 'relleno' de autor cansado, alto en el camino de la creación, distracción y entretenimiento de una imaginación fatigada que quiebra en tareas menores un esfuerzo insuficiente para la tarea máxima. Recuérdese que éste es también el momento en que Cervantes halla sazón para dar sus conferencias críticas so color de diálogos entre el cura y el canónigo de Toledo en páginas que, aunque llenas de interés para el literato y el erudito, son estéticamente innecesarias y un peso muerto en la obra. Se trata de un doble paréntesis —creador y

[42] "Cultura literaria...", cit., pág. 327.

crítico— que sugiere cierta falta de atención por parte de Cervantes en cuanto a su obra central" [43].

El propio Cervantes, a quien ya sus contemporáneos hicieron parecidas salvedades, explica en el capítulo XLIV de la segunda parte la razón de haber ingerido aquellas historias, ajenas al hilo del relato. Cervantes temía que al reducirse a las aventuras de sus dos personajes principales faltase variedad a su novela y produjese fastidio en el lector; y por boca de Cide Hamete se lamenta de "haber tomado entre manos una historia tan seca y tan limitada como ésta de don Quijote, por parecerle que siempre había de hablar dél y de Sancho, sin osar estenderse a otras digresiones y episodios más graves y más entretenidos; y decía que el ir siempre atenido el entendimiento, la mano y la pluma a escribir de un solo sujeto y hablar por las bocas de pocas personas era un trabajo incomportable cuyo fruto no redundaba en el de su autor, y que por huir deste inconveniente había usado en la primera parte del artificio de algunas novelas, como fueron la del Curioso impertinente y la del Capitán cautivo, que están como separadas de la historia, puesto que las demás que allí se cuentan son casos sucedidos al mismo don Quijote, que no podían dejar de contarse" [44].

Como se ve, distingue Cervantes entre la mayor o menor conexión de los episodios con el tema central y confiesa abiertamente su artificio de novelista: y añade: "También pensó, como él dice, que muchos, llevados de la atención que piden las hazañas de don Quijote, no la darían a las novelas, y pasarían por ellas, o con priesa, o con enfado, sin advertir la gala y artificio que en sí contienen, el cual se mostrará bien al descubierto cuando por sí solas, sin arrimarse a las locuras de don Quijote ni a las sandeces de Sancho, salieran a luz; y así, en esta segunda parte no quiso ingerir novelas sueltas ni pegadizas, sino algunos episodios que lo pareciesen, nacidos de los mesmos sucesos que la verdad ofrece, y aun éstos, limitadamente y con solas las palabras que bastan a declararlos; y pues se contiene y cierra en los estrechos límites de la narración, teniendo habilidad, suficiencia y entendimiento para tratar del uni-

---

[43] *Guía del lector del 'Quijote'. Ensayo psicológico sobre el 'Quijote'*, Madrid, 1926, págs. 76-77. Cfr.: M. A. Buchanan, "Extraneous matter in the First Part of Cervantes' 'Don Quixote' ", en *Estudios eruditos in memoriam de A. Bonilla y San Martín*, Madrid, 1927. J. D. M. Ford, "Plot, tale and episode in Don Quixote", en *Mélanges offerts à M. Alfred Jeanroy*, París, 1928. R. L. Pendley, "Unconventional behaviour in the *Novelas intercaladas* in Don Quixote", *Lib. Chron. Univ. Texas*, III, 1948. Julián Marías, "La pertinencia del *Curioso impertinente*", en *Revista*, Barcelona, 100, 1954. Sister M. Thomas, "Extraneous episodes in Don Quixote", en *Hispania*, XXXVI, 1953. Edward C. Riley, "Episodio, novela y aventura en *Don Quijote*", en *Anales Cervantinos*, V, 1955-1956, páginas 209-230. Raymond Immerwahr, "Structural Symmetry in the Episodic Narratives of Don Quijote, Part One", *Comparative Literature* (Eugene, Oregon), Spring, 1958, X, págs. 121-135. William J. Entwistle, *Cervantes*, nueva ed., Oxford, 1965.

[44] Ed. Rodríguez Marín, cit., tomo VI, págs. 267-268.

verso todo, pide no se desprecie su trabajo, y se le den alabanzas no por lo que escribe, sino por lo que ha dejado de escribir" [45].

Adviértanse bien estas palabras últimas; Cervantes si por un lado se muestra satisfecho en la segunda parte de ceñirse a sus dos protagonistas, sentidos ya en toda su plenitud, "teniendo habilidad, suficiencia y entendimiento para tratar del universo todo", como dice con justo orgullo, sufre a la vez por la riqueza episódica que se le viene a los puntos de la pluma y que tiene que cercenar inmisericorde; de aquí que pida alabanzas no por lo que escribe, sino por lo que deja de escribir [46]. Madariaga ha comentado sagazmente esta íntima angustia, entre escoger y renunciar, del escritor: "En la segunda parte —dice— Cervantes ha recobrado su pleno dominio sobre el argumento central, y el impulso creador no vuelve a vacilar ya en su movimiento, fácil y suelto, pero seguro, hacia su bello y emocionante final. Siéntese ya la fuerza que le hace seguir adelante, dejando a un lado episodios y relatos auxiliares. Pero el sacrificio no deja de ser duro a su vanidad literaria... Y ¿cómo no compartir este sentimiento con el inventor de tantos y tan ingeniosos cuentos? Cada paso de don Quijote le sirve de pretexto y ocasión para satisfacer su maravillosa fertilidad, creando historias, episodios, esbozos biográficos. Hasta en la carta de Teresa Panza a su ilustre marido el gobernador halla Cervantes ocasión para dos novelas cortas aldeanas... La aventura de los galeotes da pie para una serie de biografías que revelan la maravillosa penetración psicológica de Cervantes. Esta aventura es significativa, por poner de relieve el rasgo típico de Cervantes como inventor de cuentos. Llévale a este género su vanidad, su prurito de demostrar habilidad en el tejido de argumentos e intrigas (actitud culta y literaria); pero lo que en realidad manifiesta es un don más hondo y estimado: el de la inspiración creadora nacida de la curiosidad y de la penetración psicológica y del sentido de lo humano. Cervantes es, en efecto, el prototipo de la tendencia dominante en todo arte literario español, literario o plástico, a saber: su interés en los hombres, vistos, no como símbolos o como tipos genéricos, sino como individuos tan definidos, complejos y concretos que es imposible hacer de ellos ideas o series" [47].

---

[45] Ídem, íd., pág. 268.

[46] Américo Castro ha señalado puntualmente la importancia de estas palabras para desmentir la supuesta ausencia de reflexión estética en Cervantes: "es insólito —dice— que una obra de arte exprese con tan firme conciencia lo que su autor quiso y no quiso hacer, es decir, su conciencia de estar haciéndola" ("La palabra escrita y el 'Quijote' ", en *Hacia Cervantes,* cit., pág. 276). La confesión del novelista es tanto más valiosa porque, como decimos en el texto, lo que iba a dejarse por decir a plena voluntad, eran porciones que luchaban enérgicamente en su mente por llegar a vida. Cfr.: Alan Trueblood, "Sobre la selección artística en el Quijote... 'lo que ha dejado de escribir' (II, 44)", en *Nueva Revista de Filología Hispánica,* X, 1956, págs. 47-50.

[47] *Guía del lector...,* cit., págs. 77-79.

Apareció la *Segunda parte del Ingenioso Cavallero don Quijote de la Mancha* —tal es su título— en el año 1615, a cargo del mismo editor y en la misma imprenta que la primera, un año después de haberse publicado la continuación espúrea de Avellaneda. Va dedicada esta parte al conde de Lemos. En el prólogo se defiende Cervantes con dignidad y noble humor de las groseras acusaciones del falsario, que le reprochaba entre otras cosas el ser viejo, manco y envidioso.

El argumento de la segunda parte puede resumirse de este modo: el bachiller Sansón Carrasco, vecino del pueblo de don Quijote, para curar a éste de su locura lo anima a una tercera salida; disfrazado de caballero, al que llama Cervantes "del Bosque" y "de los Espejos", se hace encontradizo con don Quijote y le desafía, pero queda vencido. En un segundo intento, y bajo el nombre de "Caballero de la Blanca Luna", derrota a don Quijote y le impone como condición que se retire a su aldea y renuncie a las aventuras durante un año. Don Quijote regresa a su pueblo y muere a poco de llegar, después de haber recobrado la razón.

Pero este dispositivo fundamental está colmado de estupendos sucesos. Antes de comenzar las aventuras de su tercera salida, don Quijote desea ver a Dulcinea y se encamina a El Toboso, pero Sancho inventa su encantamiento, haciéndole creer a su señor que Dulcinea es una labradora a la que encuentran en el camino. Después de la victoria sobre el caballero de los Espejos acontece la aventura de los leones, la del caballero del Verde Gabán, las bodas de Camacho, la aventura de la cueva de Montesinos, la del rebuzno, la de Maese Pedro y su retablo, y la del barco encantado que tiene lugar al llegar al Ebro, ya en tierras de Aragón. A continuación se encuentra don Quijote con los duques, se hospeda en su palacio y suceden algunos de los más notables acontecimientos de la novela, entre ellos la aventura de la condesa Trifaldi o la Dueña Dolorida, el vuelo de Clavileño y el gobierno de Sancho en la Ínsula Barataria. Entre las bromas que inventan los duques está la de que Dulcinea sólo podrá ser desencantada si Sancho se da tres mil trescientos azotes, a lo que Sancho se niega, aunque acaba por aceptar porque el duque le advierte que no será gobernador si no se azota; desde entonces reaparece constantemente el tema de los azotes. Sigue luego la aventura de doña Rodríguez, la batalla entre don Quijote y el lacayo Tosilos, el encuentro con los toros, y la llegada a una venta donde se entera el caballero de que existe ya impresa una segunda parte sobre las andanzas de un falso don Quijote. Sale éste de la venta, camino de Barcelona, negándose en redondo a pasar por Zaragoza para desmentir a su segundo y falso historiador. Sobreviene luego el encuentro con el bandolero Roque Guinart, con el episodio de Claudia y Vicente, y llega por fin don Quijote a Barcelona víspera de San Juan. Allí es hospedado por don Antonio Moreno, que le muestra la cabeza encantada; visita las galeras y asiste a la captura del bergantín pirata y al relato de la morisca Ana Félix; y, al cabo, es vencido en la playa de Barcelona por el bachiller Sansón Carrasco, disfrazado esta vez de Caballero de la Blanca Luna, que le impone la obligación de retornar a su aldea y renunciar por todo un año a las andanzas caballerescas.

Profundamente apenado emprende el regreso don Quijote y piensa entonces en hacerse pastor; pasa de nuevo por el palacio de los duques, que le hacen objeto de otra burla, fingiendo la muerte de Altisidora y su resurrección a costa de Sancho. A poco de llegar a su pueblo, en medio de tristes presentimientos, se siente enfermo, redacta su testamento y muere en su casa [48].

A propósito de los relatos episódicos hemos señalado ya algunas diferencias entre la primera y la segunda parte del *Quijote*; en ésta no se prescinde de aquéllos por entero, pero los que existen están, por lo común, más enlazados con el eje argumental, hasta el punto de que el lector apenas los advierte como extraños. De este género son, por ejemplo, los amores de Basilio y Quiteria, que triunfan al fin sobre las riquezas de Camacho. Menos esenciales son, sin embargo, las historias del morisco Ricote y de su hija Ana Félix con el amor de ésta por don Gaspar Gregorio (nueva incidencia en el tema del cautiverio, siempre vivo en la mente de Cervantes) y la breve historia de Claudia Jerónima, que mata por celos a su amante. Pero en ningún caso encontramos relatos tan independientes como el de *El curioso impertinente.*

Aparte este carácter, cuya significación dentro del proceso creador de la novela ya quedó indicado, otros rasgos diferencian ambas partes. La primera parece mostrar una mayor riqueza imaginativa y más vivacidad en algunos episodios, tales como el de los molinos, los rebaños y, sobre todo, en las agitadas escenas de la venta. En la segunda parte no falta ciertamente este movimiento, pero el pulso es distinto: Cervantes ha adquirido una seguridad mucho mayor en el valor humano y literario de sus criaturas (lo que le lleva a la aludida reducción de relatos episódicos) y ha penetrado a la vez con creciente intensidad en sus complejidades psicológicas; ya no hay dudas ni indecisiones sobre el carácter de su héroe, la estructura de la acción es más meditada y la novela avanza con ritmo firme y sostenido. El escritor, dice con agudo gracejo Américo Castro, en el segundo Quijote "se había familiarizado con la propia genialidad" [49].

La varia proporción en el diálogo señala también una importante diferencia entre las dos partes. El diálogo es el gran hallazgo de Cervantes, y el *Quijote* la primera novela del mundo en que adquiere la máxima extensión y todo su valor humano y dialéctico. A propósito de Sancho habremos luego de volver sobre la transcendencia de este interlocutor que no es una mera incitación o eco de su amo, sino parte esencial de la novela, como que ha de crear a medias con don Quijote el juego de perspectivas que es la medula de la

[48] Cfr.: José Terrero, "Las rutas de las tres salidas de Don Quijote de la Mancha", en *Anales Cervantinos,* VIII, 1959-1960, págs. 1-49.

[49] "Los prólogos al *Quijote*", cit., pág. 209.

obra. Dámaso Alonso ha señalado la transcendencia literaria que alcanza el diálogo en la gran novela cervantina: "Son escasas —dice—, en el Quijote, las acotaciones del propio Cervantes, las veces en que el autor trata de comentar las reacciones psicológicas de sus personajes. Unid las escasas, mínimas e indispensables indicaciones de la circunstancia que (en contraposición a sus novelas breves) se dan en el *Quijote.* Toda la obra resulta así dramatizada, concierto y oposición de almas que se nos hacen transparentes en el diálogo" [50]. Américo Castro destaca el significado no meramente literario sino de filosófica intencionalidad que tiene el diálogo en el *Quijote*; lo cervantino —hemos de insistir luego— no consiste en pretender la solución de los problemas haciéndolos pasar a través de silogismos, "sino reflejándolos en pareceres humanos mediante la complicación de un diálogo" [51], que no intenta llegar a la certeza; de aquí la *necesidad* sustancial de hacer nacer a Sancho. Cuando Cervantes escribe el prólogo de la primera parte, inventa a un amigo con quien dialogar para poder desdoblar la acción, es decir, crear la perspectiva. Pues bien: este diálogo es en la segunda parte del *Quijote* donde alcanza toda su plenitud; los comentarios del autor sobre las reacciones de los personajes son en las dos partes igualmente infrecuentes, según indica Dámaso Alonso, pero es, en cambio, mucho más amplia la parte que la narración ocupa en la primera. Por el contrario, como concreta Américo Castro, "la tercera salida no está narrada, sino entretejida en las mallas del diálogo" [52].

---

[50] "Sancho-Quijote; Sancho-Sancho", en *Del Siglo de Oro a este siglo de siglas,* cit., pagina 18.

[51] "Los prólogos al *Quijote*", cit., pág. 209.

[52] Idem, íd., pág. 215. Encareciendo la profunda significación que adquiere el diálogo, no sólo en la parte segunda sino en todo el *Quijote,* Criado de Val traza unas reflexiones del mayor interés: "Muchos de los problemas —dice— con que tropieza la crítica del *Quijote* hallarían su solución si pudiéramos cambiar el plano en que tradicionalmente se ha colocado el libro; si en lugar de encasillarlo dentro del concepto tradicional de novela, antepusiéramos el de coloquio al que en realidad pertenece por su estructura estilística. Si pensamos como título del libro en un supuesto 'Coloquio del ingenioso hidalgo Don Quijote de la Mancha', quizá quedarían más claros varios problemas, entre ellos el de su calificativo de 'ingenioso', cuya interpretación supone un escollo difícil de salvar, y posiblemente quedaría también mejor explicada la relación de Cervantes con el erasmismo, con los autores renacentistas italianos y, sobre todo, con sus antecedentes literarios españoles. La modalidad de los coloquios erasmistas tuvo en España una gran fortuna. Por otro camino, la cortesanía renacentista, asimismo dialogada, penetró profundamente en el gusto español. Pero no necesitaba Cervantes de estos modelos para enlazar con la tradición coloquial de Castilla la Nueva, que desde Juan Ruiz había perfeccionado su técnica literaria. El Arcipreste de Talavera, Rodrigo Cota, Rojas y el anónimo autor del *Lazarillo de Tormes,* son los verdaderos precursores de este máximo coloquio que el *Quijote* representa. Su fuente inmediata está probablemente en el 'Tratado tercero' de la vida de Lazarillo de Tormes; en el diálogo entre el escudero y Lázaro. En él pudo ya recoger Cervantes los dos componentes principales de su libro: la controversia entre idealismo y realismo y la síntesis cordial entre criado y señor, entre pícaro y caballero. En el *Lazarillo de Tormes* aparece por primera vez la atmósfera afectiva

Es difícil establecer una primacía entre ambas partes, que se completan como dos movimientos de un poema sinfónico; con todo, la mayoría de los comentaristas acepta la superioridad de la segunda. "La segunda parte del *Quijote* —dice Navarro Ledesma— marca, en cuanto al pensar y en cuanto al hacer, lo que puede llamarse *la segunda manera* de Cervantes: en ella el autor llega a vislumbrar y conocer las cosas y las personas en sus líneas y rasgos sintéticos y precisos... Para él no hay pormenor insignificante, y si una vez se descuida o parece olvidar algo, estad seguros de que lo ha hecho adrede, porque ello merecía descuidarse y esfumarse en una voluntaria dejación. Dice cuanto quiere decir, calla cuanto le importa callar, prescinde absolutamente del afeite retórico, aliña y adereza la frase con el pensamiento y no el pensamiento con la frase. No es un literato de los de su tiempo, ni de los de ningún tiempo... Cervantes no es un literato, como Velázquez no es un pintor. La segunda parte del *Quijote* no es *literatura,* como no son *pintura Las Meninas.* La naturaleza escoge a veces un hombre de éstos para que pinte o para que escriba, como escoge otro para que levante quinientas libras de peso y otro como el peje Nicolás para que nade veinte leguas sin cansancio y viva a su gusto bajo el agua" [53]. Señala luego uno de los rasgos que es, en efecto, distintivo de esta segunda parte de la novela: "Al revés que Lope —dice— cada vez a Cervantes le interesaba menos la acción, le hacía menos falta para conseguir el resultado artístico. Vense en esta segunda parte once capítulos de preliminar y preparación, en los cuales casi nada ocurre. Don Quijote va creciendo en locura discursiva, que es como decir, va haciéndose más amplio en sus miras, más grande en sus propósitos, más humano en sus procederes. Para más engrandecerle y sublimarle, crea Cervantes la única figura nueva de la fábula, el eje y quicio de su comienzo y de su conclusión, es decir, el sentido común, la lógica, el método, la prudencia pura, la razón seca, el frío discurrir, encarnados en el bachiller Sansón Carrasco" [54]. Y traza más abajo

---

dominando al seco criticismo erasmista, invirtiendo los planos sociales, y haciendo de Lázaro el protector y amigo de su amo. En la confluencia de estas grandes modalidades dialécticas: la italiana renacentista, la erasmista y la castellano-toledana tiene su origen literario el Quijote. A su vida en Italia y a su conocimiento de los autores renacentistas debe Cervantes su gusto cortesano y retórico; a la gran penetración erasmista en España, su intención crítica. Pero fue en la tradición castellana donde encontró la fórmula genial de su diálogo humanizado y realista, en el que junto a la oposición dialéctica de las dos grandes tesis de ascendencia medieval, aparece una compleja gama de matices afectivos. En la miscelánea poético-dramático-novelesca, que caracteriza a la literatura de Castilla la Nueva, encontró asimismo Cervantes la armadura novelesca que da vigor y amenidad a su coloquio; la raíz popular de su filosofía; el empirismo castellano de los ejemplos; el continuo deambular de sus protagonistas; su afán de aventura" ("Don Quijote como diálogo", en *Anales Cervantinos,* V, 1955-1956, págs. 183-208; la cita corresponde a las págs. 207-208).

[53] *El ingenioso hidalgo Miguel de Cervantes Saavedra,* Austral, 3.ª ed., Madrid, 1960, pág. 318.

[54] Ídem, íd., pág. 319.

un paralelo de notable agudeza: "En la segunda parte, Don Quijote se ha avejentado mucho, ¿no lo notáis? Por él han pasado más años de los que transcurrieron entre la publicación del primer libro y la del segundo. Este segundo es un libro cien veces superior a todos los demás. ¿Por qué? Porque es un libro cuyo principal asunto son desilusiones y desencantos de un viejo eternamente joven, es decir, lo más interesante e instructivo de cuanto escribirse puede. El primer *Quijote* no vale más que el primer *Fausto*; pero comparad las segundas partes de ambos poemas, y con ser esencialmente el mismo su pensamiento, notaréis al punto la seguridad con que Cervantes supo resolver todas las dificultades y rematar su obra de manera que a todos los tiempos y a todos los hombres dejase consolados, mientras que a Goethe le faltó en el momento más preciso la fortaleza y la confianza en su genio y lo echó todo a barato, creyendo deslumbrar a sus lectores con alardes de escenografía épica por él aprendidos en Italia. Comparad el frío que os queda en el corazón al terminar el segundo *Fausto* y la caliente, humana, melancólica emoción con que leéis el último capítulo del *Quijote*... Un hombre feliz, rico, dichoso, amado, como Goethe, un viejo pagano, clásicamente impasible como él, no puede escribir la segunda parte del *Quijote*; Goethe no posee el arte que a Cervantes le enseñó la vida suya, de convertir una lágrima y una mueca de dolor en sonrisa y una sonrisa en carcajada. No poseía el Gran Pagano el quid supremo del humorismo, expresión la más alta a que puede llegar el humano ingenio... Goethe hubiera desencantado a Dulcinea y hubiese llevado a Aldonza Lorenzo al pie del lecho mortuorio de Don Quijote..." [55].

Madariaga ha señalado cómo la preocupación autocrítica de Cervantes y su vigilante atención a los problemas estéticos con que se estaba enfrentando su obra, tienen también repercusión —en la segunda parte de la novela— respecto a la propia seguridad creadora del escritor. Dos series de hechos —dice— ocurridos entre la publicación de la primera y la segunda parte actuaron sobre su ánimo: la primera, constituida por las numerosas ediciones que se imprimieron de la parte primera y que testimoniaban su éxito; la segunda, representada por las abundantes críticas a su libro, favorables y adversas; "la influencia de estas dos series de hechos se revela en la segunda parte; el éxito explica un aplomo mayor, que se observa en el tono general de la obra, su ambiente más desahogado y su invención más atrevida y original, diferencia que puede medirse con sólo comparar los dos finales: el de la primera, modesto, aunque sólo sea en apariencia ("forse altri canterà con miglior plettro"); el de la segunda, altivo y como de autor triunfante". Y reproduce a continuación las conocidas palabras de Cide Hamete a su pluma, que terminan: "Para mí sola nació Don Quijote, y yo para él" [56].

---

[55] Ídem, íd., págs. 322-323.

[56] *Guía del lector...*, cit., págs. 57-58. También Américo Castro subraya el acrecentamiento de la propia seguridad que revela toda la segunda parte: "Ha desaparecido —dice— la actitud observada en el primer prólogo. Si la primera parte de la novela

Menéndez Pidal comenta, a su vez, de qué manera el *Quijote* de Avellaneda influyó también —aparte detalles anecdóticos referentes a la acción, como la negativa del hidalgo a ir a Zaragoza, y réplicas a sus palabras o interpretación de sus personajes— en el tono general de la segunda parte: "no parece —dice— sino que de la envidia que Avellaneda alimentaba contra Cervantes quiso éste sacar el fruto más razonable: el no asemejarse en nada a su envidioso; no parece sino que en éste vio más claros que nunca los peligros de trivialidad y grosería que la fábula entrañaba, y se esforzó más en eliminarlos al redactar la segunda parte del *Quijote*. Ya no se le podrá ocurrir dar aquellas dos o tres pinceladas gordas de la primera parte, aunque tan lejos andaban todavía de la tosquedad de su imitador. La superioridad de la segunda parte del *Quijote*, para mí incuestionable, como para la mayoría, se puede achacar en mucho a Avellaneda. Hay fuentes inspiradoras por repulsión, que tienen tanta importancia, o más, que las que operan por atracción"[57].

---

había resultado espléndida, ésta iba a serlo aún más. En este caso ya no hubo vacilaciones, ni cambio de rumbo al componerlo; la opinión de la gente le inquieta menos que nunca. No hay ya poesías burlescas al principio o al fin. Como indicación preciosa sobre la técnica de esta parte se dice: 'En ella te doy a Don Quijote *dilatado*', expresión que algunos traductores no interpretaron bien. Escribí hace años que, en el *Quijote*, los personajes esenciales 'tienen conciencia de poseer una vida plena'. El autor nada dice ya de episodios ni de circunstancias accidentales; lo que importa es que ha ensanchado la figura central de tal modo, que ella hinche plenamente el ámbito del libro; nada hay ya tangencial, todo va derecho al centro de aquel círculo" ("Los prólogos al *Quijote*", cit., pág. 215). Aunque no se detiene a comentarlo, las palabras de Américo Castro sugieren claramente que no acepta la hipótesis de la novela corta como base del *Quijote*, ya que la *dilatación* ofrecida por Cervantes alude a cuestiones de esencia y no de ámbito material.

[57] "Un aspecto...", cit., pág. 258. Dámaso Alonso al afirmar también la superioridad de la segunda parte del *Quijote*, alude igualmente a la disminución de "pinceladas gordas" en relación con la primera: "Todos sabéis —escribe— cómo se matiza la segunda parte del *Quijote* en relación con la primera. Cómo la segunda es menos brillante, menos briosa, menos fértil, pero cómo crece en dimensión humana; cómo el autor comprende ahora mejor la grandeza de las criaturas que le han salido de las manos; cómo disminuye (salvo en capítulos) el tono de bufonada; cómo siente no ya simpatía, sino una honda piedad por su caballero, y aun por su escudero. Y al sentir piedad, siente tristeza" ("Sancho-Quijote; Sancho-Sancho", cit., pág. 15). Luis Rosales apunta también a la inspiración negativa, o "por repulsión", que ejerce el *Quijote* de Avellaneda sobre la segunda parte de Cervantes: "Creo —dice— que debe estudiarse más a fondo la relación entre los dos Quijotes, pues los pasajes en que se advierte que Cervantes quiere hacer lo contrario que hizo Avellaneda son más frecuentes de lo que suele suponerse" (*Cervantes y la libertad*, cit., vol. II, pág. 64, nota 161). No faltan, sin embargo, quienes no consideran la segunda parte del *Quijote* superior a la primera o, en todo caso, estiman superflua la cuestión. Así, por ejemplo, dice Emilio Carilla: "Dejando a un lado derivaciones poco estimables en cotejos de esta naturaleza, podemos preguntar: ¿cómo puede superar la *continuación* a la creación? El *Quijote* de 1605 crea el mundo extraordinario de la novela. El de 1615 —con sus particularidades y bellezas— es *continuación* que el propio poeta hace de su obra. Puesta en marcha de algo suyo, que vive, por lo tanto, en función del primitivo *Quijote*" ("Cervantes, testimonio de épocas artísticas", en su libro *Estudios de Literatura Española*, Rosario, Argentina, 1958, pág. 115).

Otras diferencias entre ambas partes de la novela caen más del lado del personaje que del escritor, aunque claro es que toda modificación de aquél tiene a éste por causa, pues no aceptamos en este caso la autonomía unamunesca de don Quijote. Leo Spitzer subraya que Cervantes en los episodios intercalados sigue, por lo común, una técnica opuesta a la de la acción principal. En ésta, el escritor muestra primeramente la realidad objetiva de las cosas, de suerte que, cuando luego son vistas a través de la mente deformadora del caballero, estamos ya preparados frente a su locura. Por el contrario, dice, en las novelas breves "Cervantes emplea la técnica de someternos al suplicio de Tántalo, permitiéndonos echar rápidas miradas a lo que parece una situación increíble, digna de la misma imaginación de Don Quijote... y que tiene todas las características de lo irreal; y el autor tiene buen cuidado de prolongar lo más posible nuestra suspensión antes de darnos la solución del enigma inicial" [58].

Pero la observación de Spitzer, aplicable a la primera parte de la novela, lo es bastante menos —o en muy pocas ocasiones, sería más exacto decir— a la segunda. En aquélla don Quijote interpreta la realidad a tono con su visión quimérica: los molinos de viento son para él, gigantes; los rebaños de corderos, ejércitos; las ventas, castillos. En la segunda parte, sin embargo, salvo contadas excepciones, don Quijote ve la realidad como es: las ventas son ventas, las manadas de toros y de cerdos que le atropellan a él y a su escudero, son tales manadas. En cambio, son ahora los otros personajes de la novela quienes falsean la realidad para amoldarla a las imaginaciones de don Quijote: todas las aventuras que suceden en casa de los duques son una farsa preparada por éstos, como lo es en Barcelona la cabeza encantada que inventa don Antonio Moreno, y el repetido disfraz del bachiller Sansón Carrasco, bien que éste con ánimos de curarle. Cuando don Quijote se enfrenta con los leones, sabe muy bien que son leones, y su locura entonces no consiste sino en el absurdo alarde de valentía. Algo parecido sucede cuando, hacia el final del libro, deciden enviar a Argel una nave ligera para libertar a don Gregorio, y dice don Quijote "que sería mejor que le pusiesen a él en Berbería con sus armas y caballo; que él le sacaría a pesar de toda la morisma, como había hecho don Gaiferos con su esposa Melisendra" [59]. Don Quijote no convierte la realidad en quimera; tan sólo lo es la fantástica estimación de su propio valor. Un distinto género de locura parece, pues, predominar en esta segunda parte [60].

Don Quijote, en efecto —y he aquí otra novedad por lo que a su persona se refiere— goza ya en la segunda mitad del libro de una consideración y

[58] *Perpectivismo lingüístico en el 'Quijote'*, cit., pág. 169.

[59] Ed. Rodríguez Marín, cit., tomo VIII, pág. 118.

[60] Luis Rosales ha estudiado, aguda y extensamente, el problema del cambio, o proceso, de la locura de don Quijote en la segunda parte de la novela (véase, en particular, el volumen II de su obra citada).

estima desconocidas en la primera: es ya un hombre famoso, y quienes han leído la primera parte de su historia le admiran y respetan; los mismos duques, a pesar de las burlas de que le hacen objeto, le consideran y tratan con la mayor generosidad [61]. Diríase que la seguridad del autor va pareja con la del personaje, aunque debe decirse que la de éste último forma parte de la bien meditada técnica narrativa del novelista.

LA TÉCNICA NOVELESCA

Aunque hemos dicho, siguiendo ideas de Menéndez y Pelayo, que en el *Quijote* se recogen todas las formas novelescas hasta entonces conocidas, sería gran error suponer que no hay en él sino una mera combinación o fusión de diversos géneros; precisamente lo primero que advierte el lector, apenas leídas unas páginas del *Quijote*, es que se encuentra con una forma nueva, distinta, de entender el arte novelesco [62]. En la misma novela picaresca, que puede

---

[61] Véase la interpretación que de la conducta de los duques con don Quijote hace Luis Rosales en su libro (cuarta parte, volumen II, págs. 9 y ss.) con originales y bellas razones, que plantean el problema despojado de todos los viejos tópicos.

[62] Lo que queremos decir es que Cervantes en el *Quijote* supera todas las formas precedentes, o contemporáneas, ya convertidas en moldes convencionales, y las armoniza en síntesis personalísima, no sin antes haberlas destruido en particular, para erigir sobre ellas la prodigiosa novedad del Quijote. Pedro Salinas ha señalado bellamente el carácter "parcelario" que ofrecen todos los tipos de novela —aun los más fértiles— que preceden al *Quijote*; todos ellos resultan ya insuficientes, limitados, en comparación con la vastedad de la experiencia humana. Cervantes, en cambio, "crea la gran novela inclusiva, suficiente, con capacidad bastante para contener en torno a la figura equívoca y misteriosa del caballero Don Quijote, todo un mundo de pastores y burgueses, doncellas desgraciadas y pícaros, cautivos de los moros y bachilleres de pueblo. El *Quijote* es obra de afluencias y se le mira en su lugar histórico con el mismo asombro que un descubridor que no hubiese visto más que modestas corrientes fluviales, ríos de menor cuantía, debió de sentir al encararse por vez primera con el Amazonas, suma de ríos, ejemplo de afluencias" ("Don Quijote y la novela", en *Ensayos de literatura hispánica*, Madrid, 1961, pág. 107). El prodigio, sin embargo, no rechaza sino que supone precisamente la presencia de muy abundantes acreedores; muchos de los cuales, que pueden equivaler a un índice de las "fuentes" cervantinas, quedan señalados en las siguientes palabras de Hatzfeld: "Dicho *grosso modo*, el arte de Cervantes es una síntesis. Su realismo idiomático procede en gran parte de *La Celestina*; su antítesis, del *Caballero Cifar*; su pintura y descripción de los personajes, de la *Diana* de Jorge de Montemayor; la descripción de las costumbres, de la novela picaresca; el tono de su caballero andante, del *Amadís* y del *Palmerín*. La forma rítmica de la frase construida ciceronianamente, que conduce la complicada prosa narrativa en zig-zag, procede en último término de Boccaccio. En este peculiar enlace de la más pura naturalidad castellana con la ampulosa magnificencia de la latina y la italiana, se revela Cervantes como genuino inventor de un arte renacentista. En los trozos oratorios de su novela (Discurso de la Edad de Oro, de las Armas y de las Letras, sobre la Poesía y el Teatro) hay puntos de contacto con Fr. Antonio de Guevara, con Pérez de Oliva, con Fr. Luis de Granada. Una in-

suponerse —y lo es en muchos aspectos técnicos— afín con la novela de Cervantes, nos enfrentamos con personajes casi arquetípicos, forzados a ineludibles decisiones que se derivan de su actitud vital —invariable, definida— y del propósito para el que literariamente han sido creados. En el *Quijote,* por el contrario, rebosa desde el primer instante la humanidad entrañable de sus dos inseparables héroes; son dos hombres vivos, erguidos con sorprendente realidad ante nosotros precisamente por lo que tienen de problemáticos y contradictorios. Nada más diverso de cualquier convencionalismo literario que estos dos hombres que se imponen a nuestra atención con la fuerza de algo real, como pertenecientes a nuestra propia experiencia vivida. Tan alejado está don Quijote de todo esquema libresco que son, justamente, la misma vacilación de su carácter, las fluctuaciones de su personalidad, las que acentúan su verdad humana; no hay procederes obligados; cada nueva aventura hace vibrar inéditos registros en el espíritu del caballero, y la riqueza de sus posibilidades aumenta y se complica con el fluir de la novela.

Al comentar Madariaga el influjo que el *Entremés de los romances* ejerce sobre la mente de Cervantes en los primeros capítulos de su libro, advierte con gran agudeza que aquella vacilación atribuida por Menéndez Pidal al pulso creador del novelista, podría tomarse también como propia del alma del héroe que va adquiriendo conciencia de sí misma: "la vacilación de Cervantes —dice— se adapta de suyo al ritmo vacilante de los comienzos de su héroe, y, a no haber sido ahondado por el penetrante erudito español este detalle de la creación cervantina, lo que de hoy más vemos como error —pues error estético es en rigor esta curiosa desviación del personaje—, nos habría parecido quizá un acierto en la evolución de Don Quijote" [63].

La adhesión de Madariaga al parecer de Menéndez Pidal diríase más bien *de cortesía,* y no cabe duda de que su salvedad es de gran peso, ¿por qué no pensar que aquella indecisión inicial del caballero fue uno más de los aciertos narrativos del novelista, dueño de infinitos saberes técnicos en cuya cuenta no suele caerse? [64].

---

tención crítica del falso lenguaje pomposo se comprueba en la creciente ironía para con el mal estilo caballeresco. En el color del tono narrativo parecen entremezclarse los influjos del *Lazarillo,* del *Guzmán de Alfarache,* de las *Guerras de Granada* de Pérez de Hita, y del *Orlando Furioso* del Ariosto. El diálogo está emparentado con *La Celestina,* con las obras dramáticas de Lope de Rueda, tan conocidas de Cervantes, y con el arte coloquial de Alfonso de Valdés. De *La Celestina* procede la abundancia de refranes; la alacridad de las sentencias nos retrotrae al Arcipreste de Talavera. La inurbanidad de los dichos de pastores, posaderos y labriegos ha sido utilizada por Cervantes como medio de caracterización, y de ello no ha tenido empacho, como no lo tuvieron Rabelais ni Teófilo Folengo" (*El Quijote como obra de arte del lenguaje,* cit., págs. 10-11).

[63] *Guía del lector...,* cit., págs. 117-118.

[64] El propio Menéndez Pidal reconoce la eficacia tanto estética como humana de este desarrollo y perfeccionamiento del carácter de don Quijote y hasta el placer que semejante proceso puede provocar en el lector: "tales perfeccionamientos —dice— son uno de los mayores encantos de la creación cervantina, trayendo consigo la progresiva

Decíamos arriba cuán inmediata y vigorosa es la sensación de vida que emana de las páginas del Quijote; y quizá ninguna otra condición permita señalar mejor la calidad de la novela. No es posible desconocer la sugestión que sobre el lector de hoy puede ejercer el volumen de exégesis que nos tiene habituados a ocuparnos de don Quijote y de su escudero como de seres dotados de realidad histórica; pero es incuestionable que ningún otro personaje literario se nos impone con idéntica verdad. Con don Quijote nos sucede al revés de otra cualquiera creación artística: hemos de reaccionar y evadirnos como de un sueño, si pretendemos pensar en el hidalgo manchego como figura literaria y no como realidad vivida: tan alta ha sido su capacidad para independizarse de la mente que le ha dado la existencia y para ser pensado con independencia de su autor. Sólo así puede comprenderse, en todo su alcance, la posición de Unamuno cuando niega que don Quijote sea un ente de ficción, "como si fuera hacedero —dice— a humana fantasía parir tan estupenda figura". Y de aquí también la opinión que supone a Cervantes inferior a su personaje, al modo del historiador de un hombre real, que está muy por debajo de su héroe.

Pero dejando aparte el sentido, indudablemente profundo, que late en la interpretación unamunesca, es vano repetir que no existe una sola palabra en el *Quijote* que sea ajena a la mano del autor, es decir, ajena al genio de Cervantes. La asombrosa naturalidad con que el ambiente, los personajes secundarios, la trama de la acción, el mismo paisaje circundante brotan de los personajes centrales, ha llevado a pensar en un proceso de elaboración casi inconsciente —y así lo han creído muchos—, realizado poco menos que en trance de intuición poética. Que el genio se deje conducir muchas veces por semejantes adivinaciones, sin que se proponga razonar su propia creación, ni quizá sepa hacerlo, es sobrado frecuente y no debe extrañarnos que ocurra a veces en Cervantes. Con todo, del mismo modo que hay que desterrar el anterior prejuicio del "ingenio lego", una atención más cuidadosa a los recursos técnicos del escritor debe sustituir a la pueril creencia del novelista que acierta casualmente.

Álvaro Fernández Suárez, en un brillante comentario titulado *Los mitos del Quijote*[65], ha señalado algunos de estos saberes técnicos o secretos de ela-

---

claridad que ilumina la figura del ingenioso hidalgo. El tipo quijotesco va gradualmente descubriendo a nuestros ojos matices y profundidades, conforme avanzamos en la lectura; el héroe, a la vez que va concretándose a nuestra vista, va completando las líneas que le definen. Si desde el comienzo Cervantes lo hubiera concebido tal como llega a ser en la Segunda Parte, nos hubiera presentado un tipo poco inteligible al principio, y monótono en su desarrollo por repetición íntegra. Pero no es así... A medida que el loco va viviendo sus aventuras, va siendo conformado por ellas y va ganando riqueza de carácter, complejidad y grandeza humana". ("Cervantes y el ideal caballeresco", en *Mis páginas preferidas,* cit., págs. 285-286). ¿Por qué, pues, insistimos, si este aspecto de la creación cervantina conduce a resultados tan positivos, tiene que pensarse ya ni siquiera en inconsciencia y casual acierto sino en todo un error de concepción?

[65] Madrid, 1953.

boración que han conducido a tan sorprendentes resultados, y sobre todo a producir esa sensación de vida, ese prodigioso independizarse de las dos figuras centrales, que dejan de ser entes de ficción.

Digamos de una vez para todas que muchos de estos secretos han sido contados frecuentemente entre los tan traídos olvidos o *descuidos* de Cervantes [66].

Ya en el capítulo primero —dice Fernández Suárez— nos coloca Cervantes ante un personaje diseñado con un procedimiento inhabitual: resulta que Cervantes desconoce algo que ningún novelista suele ignorar; no sabe exactamente cuál es el nombre de su héroe: quizá fuera Quijada o Quesada, "aunque por conjeturas verosímiles se deja entender que se llamaba Quejana" [67]; luego, el labrador que recoge a don Quijote al término de la primera salida lo llama *Señor Quijana,* "que así se debía de llamar cuando él tenía juicio" [68]; afirmación que desmiente el propio caballero cuando se proclama descendiente de un Gutierre Quijada [69], y más aún el mismo escritor que, al final de su libro, lo llama Alonso Quijano el Bueno [70], siguiendo el nombre que el propio hidalgo se da. (Algo semejante sucede con otros personajes de la novela, aun con el mismo Sancho, y con su mujer a quien se llama sucesivamente Juana Gutiérrez, Mari Gutiérrez, Teresa Cascajo, Teresa Panza y Teresa Sancho).

¿A qué se deben estas dudas? Leo Spitzer trata de explicar tan sorprendente variedad por medio de su teoría del *perspectivismo lingüístico.* Pero Fernández Suárez la interpreta en otro sentido: el autor finge producir la impresión de que se encuentra ante una grave penuria de documentos fidedignos; los informes son contradictorios y a veces las dificultades del historiador parecen insuperables. Al contradecirse, al equivocarse en cosa tan elemental como son los nombres de sus personajes, el autor da el primer paso —y bien eficaz, por cierto— para persuadirnos de que no nos relata una ficción (un novelista que inventa, no puede ignorar *realmente* el nombre de sus personajes), sino historia verdadera.

La misma dependencia respecto de las fuentes existe a cada paso en muchos episodios y detalles de la novela, y sobre todo a partir de la aparición del historiador Cide Hamete Benengeli. Como es bien sabido, la lucha de don Quijote con el vizcaíno queda interrumpida, hasta que da Cervantes con los papeles del autor árabe. "Estos recursos —dice Fernández Suárez— son hoy co-

---

66 "La mayoría de los *errores cervantinos* —dice Luis Rosales— suelen ser perpetrados por los críticos" (*Cervantes y la libertad,* cit., II, pág. 105). Cfr.: Raymond S. Willis, *The Phantom Chapters of the Quijote,* New York, Hispanic Institute, 1953. Harald Weinrich, *Das Ingenium Don Quijotes. Ein Beitrag zur literarischen Charakterkunde,* Münster: Aschendorff, 1956.

67 Ed. Rodríguez Marín, cit., tomo I, pág. 80.

68 Ídem, íd., I, pág. 176.

69 Ídem, íd., III, pág. 380.

70 Ídem, íd., VIII, pág. 263.

munes, pero en aquel tiempo eran nuevos, y se necesitaba el genio de Cervantes para manejarlos con tanta maestría, desde el primer instante, para darles un vigor irónico y a la vez persuasivo que no ha sido nunca superado" [71].

Paralela a la incertidumbre de los nombres corre también la inseguridad cronológica. Conocidas son las muy abundantes contradicciones que existen en el *Quijote* a este respecto, y que tanto han dado que discutir a los comentaristas; es imposible seguirlas aquí en detalle, pero mencionaremos algunas de ellas. Al comienzo del libro dice Cervantes que el hidalgo manchego vivía "no ha mucho tiempo"; pero la acción, evidentemente, se supone, en mayor o menor medida, remota. Hagamos un poco de memoria. Antes de hacer referencia a la historia encontrada de Cide Hamete, afirma el novelista que halló los datos de las primeras aventuras quijotescas investigando *en los anales de la Mancha.* Al término de la primera parte asegura que el autor de la historia no había podido hallar datos seguros de la tercera salida del caballero, y sólo la fama había conservado *en las memorias manchegas* noticia de que había estado en Zaragoza; tras de lo cual nos informa de que el hildalgo había muerto; y su muerte quedaba ya distante a juzgar por las palabras que siguen: "Ni de su fin y acabamiento pudo alcanzar cosa alguna, ni la alcanzara ni supiera si la buena suerte no le deparara un antiguo médico que tenía en su poder una caja de plomo, que, según él dijo, se había hallado en los cimientos derribados de una antigua ermita que se renovaba; en la cual caja se habían hallado unos pergaminos escritos con letras góticas, pero en versos castellanos, que contenían muchas de sus hazañas y daban noticia de la hermosura de Dulcinea del Toboso, de la figura de Rocinante, de la fidelidad de Sancho Panza, y de la sepultura del mesmo don Quijote, con diferentes epitafios y elogios de su vida y costumbres" [72].

Quedan, pues, unos hechos ciertos: el Quijote salía a luz en 1605 y para entonces hacía tiempo que estaba muerto el hidalgo. Sin embargo, al comienzo de la segunda parte el bachiller Sansón Carrasco le lleva al caballero la estupenda nueva de que su historia andaba ya en libro y que se llevaban impresos lo menos doce mil ejemplares en ediciones de Portugal, Barcelona y Valencia. De donde resulta que don Quijote, al que se supone muerto al ser publicada la parte primera, no era anterior sino contemporáneo a la edición de su historia. La dificultad es aún mayor de lo que a primera vista parece. Cuando Cervantes cuenta estos hechos, habían transcurrido diez años desde la publicación de la primera parte; sabemos que fue cierto el éxito del libro y no nos sorprende el número de ejemplares que se aduce. Pero Cervantes pone esta afirmación en boca de Sansón Carrasco, en la entrevista que tuvo con el hidalgo un mes después de haber éste regresado de su segunda salida. ¿Cómo pudo, pues, haber sido escrita la novela y alcanzado en cuatro semanas tan asombrosa difusión?

---

[71] *Los mitos del Quijote,* cit., pág. 30.

[72] Ed. Rodríguez Marín, cit., tomo III, págs. 423-424.

A medida que aumentan todos estos embrollos se confirma la opinión sostenida por Fernández Suárez: el personaje está cada vez más liberado de la letra, más independiente del libro; no está en el libro, sino fuera de él. El hidalgo obra, y el escritor relata sus hechos *como puede,* en la medida en que los alcanza, como a cualquier historiador le sucede siempre con la materia que investiga.

A conseguir esta misma independencia del personaje conducen otros muchos recursos técnicos. A lo largo de toda la segunda parte don Quijote se encuentra con personas que han leído su historia y saben de él; ya no necesita presentarse; son muchos los que lo reconocen a primera vista "tan pronto como aparece su alta figura en el paisaje, acompañado por la de su ilustre escudero". Un hecho de la mayor importancia en este proceso tiene lugar en el capítulo LIX cuando don Quijote conoce de boca de dos caballeros la existencia de la novela de Avellaneda, y el hidalgo desmiente los hechos que el nuevo cronista le atribuye: "Como se sabe, los dos caballeros invitaron a Don Quijote o compartir su cena, y en la conversación quedó todo aclarado. Había habido una suplantación de personalidad. Nótese bien lo sucedido: Cervantes no ataca aquí a la falsa historia de Avellaneda, sino al falsario que se hizo pasar por el héroe verdadero, al Don Quijote espurio y remedador. Resulta, pues, que el debate no se polariza entre historiador e historiador, sino entre personaje y personaje. El autor, Cervantes, no hace sino registrar este debate, esta contienda, como registra todos los demás hechos que figuran en la crónica" [73]. Don Quijote entonces, para desmentir al falsario, es decir, al otro Quijote, decide cambiar de ruta y no ir a Zaragoza [74]; pero al final de la

---

[73] *Los mitos...,* cit., pág. 42. Rosales, que comenta también esta peculiaridad de la técnica de Cervantes, escribe: "La crítica cervantina del *Quijote* apócrifo no se refiere a su valor artístico, sino a su exactitud; no afecta a su belleza, sino a su verdad, y en fin de cuentas no denuncia sus defectos, sino sus errores. Burla burlando, Cervantes vuelve a las andadas y hace que Don Quijote y Sancho, de consuno, apliquen a la valoración de la novela las leyes propias de la historia". Y luego: "En la escena que comentamos, las dos parejas de personajes: don Juan y don Jerónimo por un lado, y don Quijote y Sancho por otro, conviven en un *mundo* que está constituido por diferentes planos de realidad... Igual que Don Quijote y Sancho desdoblan su personalidad en dos imágenes: una perteneciente a su naturaleza fictiva y otra perteneciente a su naturaleza autobiográfica (esto es, a su naturaleza de personajes que viven por sí mismos, sin tutela de autor), Cervantes desdobla la integridad del ámbito de su novela en dos planos distintos: el primero que corresponde al plano de la ficción, donde ocurren las cosas *igual que en las novelas,* y el segundo que corresponde al plano de la historia, *donde ocurren las cosas lo mismo que en la vida.*- Así, pues, el mundo novelesco se enriquece con una nueva dimensión y adquiere vida propia librando a la imagen artística de toda sujeción a la realidad" (*Cervantes y la libertad,* cit., II, págs. 251-252).

[74] Cfr.: José Terrero, "Itinerario del *Quijote* de Avellaneda y su influencia en el cervantino", en *Anales Cervantinos,* II, 1952, págs. 161-191.

primera parte el propio Cervantes había dicho que su héroe había asistido, efectivamente, a unas justas en aquella ciudad. No importa: había sido error del cronista. Y don Quijote rectifica a su historiador —lo que nunca hubiera podido hacer en un relato imaginado, porque en éstos no hay error ni mentira: todo es según dijo el autor que fue— como personaje vivo que es y, como tal, tan dueño de su voluntad como de su pasado.

Importa todavía mencionar un episodio más. A su regreso de Barcelona, en una venta, don Quijote oye llamar a un caballero con el nombre de Álvaro Tarfe; recuerda entonces que leyó este nombre al hojear en una imprenta de Barcelona los pliegos de la historia de Avellaneda, y comprueba que se trata del mismo personaje (curioso encuentro del verdadero don Quijote con un personaje del *Quijote* falso); "de este modo, la historia escrita por 'un vecino de Tordesillas' gana realidad, se convierte realmente en historia, en crónica, a la par que el mismo Don Quijote confirma su autonomía respecto a su texto. Don Álvaro Tarfe queda así corroborado por Cervantes como personaje *real*, y con esto se viene a decir que Avellaneda no mintió del todo. Si era *real* don Álvaro Tarfe, ¿lo sería también el otro Don Quijote, el falsario? Debió de serlo, porque don Álvaro Tarfe declara haberle conocido y tratado, así como a un tal Sancho, si bien nada parecido al verdadero, presente a la plática" [75]. Y viene entonces el dramático momento en que don Quijote pide a don Álvaro que haga declaración pública ante el alcalde del lugar de que no había visto hasta entonces, en todos los días de su vida, al verdadero don Quijote de la Mancha y a Sancho Panza su escudero; con lo cual quedaba fuera de dudas que el otro don Quijote y el otro Sancho no eran sino unos embaucadores.

El arte sutil con que Cervantes conduce la atención del lector por los mil meandros de su historia, logrando a cada golpe de timón alzar más y más la humana consistencia de sus personajes, no puede atribuirse a misteriosa inspiración, sino a muy vigilante actitud, plenamente consciente de los problemas novelescos y de la eficacia de los recursos narrativos; son demasiados aciertos, y demasiado profundos, para pensar seriamente en atribuirlos a intuiciones milagrosamente afortunadas. Nosotros diríamos que Cervantes no maneja ni una sola pieza de su libro sin apuntar exactamente a una diana y calcular la curva de cada disparo. Lo que sucede es que muchas veces su verdadera intención se enmascara tras de guiños irónicos, con frecuencia difíciles de descifrar, y que precisamente por su misma riqueza potencial han provocado tan desconcertante multitud de interpretaciones.

Valga un ejemplo entre cientos. Al abrirse el libro, el autor nos oculta la patria de su héroe: "En un lugar de la Mancha de cuyo nombre no quiero acordarme...". ¿Por qué no quiere acordarse el escritor? Las interpretaciones han sido tan copiosas como variadas. Mas, ¿por qué no admitir que se trata

[75] *Los mitos...*, cit., pág. 49.

de un simple guiño literario, de un lazo más para enredar, y tener prendida, la curiosidad de los lectores? Porque resulta que al concluirse la novela, cuando ya imaginamos que el escritor olvidó aquellas palabras o estamos ya para aceptar que encerraban un inquietante misterio, el novelista nos sorprende con esta declaración: "Este fin tuvo el Ingenioso Hidalgo de la Mancha, cuyo lugar no quiso poner Cide Hamete puntualmente, por dejar que todas las villas y lugares de la Mancha contendiesen entre sí por ahijársele y tenerle por suyo, como contendieron las siete ciudades de Grecia por Homero" [76]. Afirmación esta última que revela, por otra parte, la íntima seguridad del escritor en la obra que había creado; seguridad que se descubre igualmente en otros cien pasajes de la novela, y que no podría explicarse sin una firme conciencia de los instrumentos que manejaba.

Junto a esta reflexiva meditación de cada pieza de la obra, es evidente que Cervantes posee una intuición genial para caracterizar a cada personaje con pinceladas que le convierten del primer trazo en un ser vivo; y la misma potencia hay en su mano para tocar las cosas, el paisaje, los diversos ambientes. No existe aquí la naturaleza convencionalmente estilizada de las pastorales renacentistas, ni una geografía inventada; todos los seres de la novela poseen una realidad inmediata y conocida, concreta y asombrosamente auténtica, que va desde las cosas inertes al variadísimo cuadro humano que puebla la novela: venteros, mozas del partido, arrieros, curas, barberos, bachilleres, canónigos, duques o pastores [77]. No importa su calidad humana o condición social, porque la misma verdad natural los hermana a todos. Cervantes ve diáfanamente la realidad porque la contempla con tanta curiosidad como amor, ("Cervantes encuentra lo que busca —dice Américo Castro— porque sabe y sobre todo ama

---

[76] Ed. Rodríguez Marín, cit., tomo VIII, págs. 264-265.

[77] La existencia de fragmentos descriptivos sometidos al canon obligado del paisaje libresco de la época, nada supone en el *Quijote* frente a la dominante atmósfera de vida real que lo inunda todo; cuanto en el libro va a suceder sucede por primera vez sobre unos escenarios que los ojos del escritor han tenido que apresar por sí mismos y no en páginas impresas: es la Mancha, el campo de Montiel, las ventas, los pueblos polvorientos; y nada digamos de la fauna humana que los habita, entre la cual tampoco importa apenas la presencia de algún enamorado pastor o los lamentos amorosos de algún romántico idilio. Una edición de 1916 de *La ruta de Don Quijote* de Azorín, incluía un buen número de fotografías tomadas en La Mancha, en los mismos lugares transitados por el caballero, de gentes socialmente equivalentes; aparte las fotografías de don Quijote y de Sancho —sorprendentes resurrecciones de los gloriosos personajes— se daban otras del ama y la sobrina, de la mujer de Sancho y de su hija, de Maritornes, etc. Nuestro criterio actual no valora como ideal artístico la copia estricta de la realidad, la "tajada de vida", que tanto deleitaba al realismo del siglo XIX; pero a la hora de comprobar la fidelidad realista de Cervantes —al cabo, uno de los componentes de su incomparable creación novelesca— resulta asombroso advertir que las gentes que su pluma nos ha hecho familiares, pueden encontrarse hoy idénticas en el mismo lugar donde él les había dado vida literaria. Cfr.: Auguste Rüegg, "Le réalisme de Cervantes", en *Anales Cervantinos*, II, 1952, págs. 113-128.

lo que busca")[78], y de esta peculiar posición ante las cosas derivan, a su vez, los rasgos de su estilo. Comparando el arte de Cervantes con el de Velázquez afirma Helmut Hatzfeld que ambos tratan de tender puentes entre los dos extremos, el místico y el pícaro, y en esto, dice, "descansa parte del problema de su común importancia revolucionaria desde el punto de vista ideológico"[79]. Y añade luego: "La realidad de todos los días se considera, ahora, como digna de ser un poco adornada con serenidad y sinceridad, sin disimulo ante las cosas más ordinarias, pero con una actitud de reverencia acogedora de todo cuanto pertenece al mundo existente. La expresión artística de tal actitud consiste en la elegancia sobria más bien que en el artificio retórico. La sobriedad garantiza la verdad; la elegancia, que es la transformación mínima de la realidad en la poesía, excluye el naturalismo fotográfico y la intromisión de elementos viles en el reino del arte"[80].

TRANSCENDENCIA Y HUMANIDAD DE DON QUIJOTE Y DE SANCHO

Junto a la jamás igualada sensación de vida verdadera, de realidad "sucedida", que nos dan las figuras del *Quijote*, hay que destacar el sentido trans-

---

78 "Los prólogos al *Quijote*", cit., pág. 234.

79 "Barroco literario y barroco artístico comparados: Cervantes y Velázquez", en *Estudios sobre el barroco*, Madrid, 1964, pág. 364. Este prudente equilibrio que, según piensa Hatzfeld, trata de tender puentes entre lo místico y lo pícaro, o —podría también decirse— de mantenerlos igualmente alejados de sí, puede explicar algunos aspectos de la animosidad de Cervantes hacia Lope de Vega (es absurdo —dígase de paso— que cualquier género de hostilidad entre hombres como Cervantes y Lope pueda sólo basarse en motivos personales, envidias o rivalidad profesional; sin rechazar tan humanos ingredientes, es necesario suponer profundas disparidades de criterio que afecten a las últimas raíces de sus conceptos frente al arte y las cosas). En opinión de Castro, con las malignas alusiones a Lope en el prólogo de la primera parte del *Quijote* trataba Cervantes de delimitar su propio campo. Cervantes no podía dejar de medirse con el metro de Lope, profesional por excelencia de las letras, pero del cual había de huir "en cuanto el arte lopesco consistía en desposarse fervorosamente con la tradición más popular y, al mismo tiempo, en adaptarse a las modas cultas más favorecidas". Cervantes —sigue diciendo Castro— tenía que admirar la asombrosa facilidad de Lope para vibrar con cualesquiera estímulos, pero él seguía escuchando la voz interior: "no quiero irme con la corriente al uso". De aquí que ironice los temas épicos "para dotarlos de una existencia virtual e indirecta, dejándolos a la vez muertos y vivos. Símbolo de ello es para mí la increíble ocurrencia del venerable Montesinos de salar el corazón de Durandarte, 'porque no oliese mal y fuese, si no fresco, a lo menos, amojamado, a la presencia de la señora Belerma'. La genialidad de Cervantes consistió en administrar con prudencia su gran empresa de salazón de mitos, para, al evitar a Lope, no dar en Quevedo. Entre estos dos polos se orienta su arte" ("Los prólogos al *Quijote*", cit., pág. 210). No, pues, exactamente, equidistancia entre mística y picardía; más bien, ni sentimentalismo ni sarcasmo, diríamos nosotros.

80 "Barroco literario...", cit., pág. 365.

cendente que alcanzan los dos héroes cervantinos, no ya en virtud del caudal de ideas por todo el libro esparcidas, sino del simbólico valor que llevan en sí mismos como encarnación de dos radicales actitudes humanas. Si la hondura de los grandes mitos literarios puede medirse por la universalidad de su significado, ninguno tan profundo y universal como el que atesoran don Quijote y su escudero; ya no se trata aquí de una pasión específica —amor, poder, celos, avaricia—, que constituye el valor universal de otros héroes, llámense Don Juan, Fausto, Otelo o Shylock, y que, con toda su proyección, no son sino porciones del complejo espíritu del hombre; lo que don Quijote y Sancho sintetizan son dos modos de ser en los que viene a resumirse —sin posible evasión y cualesquiera sean las pasiones a que se aplique— toda actitud humana.

Y lo más grande de la creación cervantina consiste en que esta prodigiosa universalidad de sus dos personajes se funde estrechamente con aquella individuada y personalísima existencia de que hablábamos. Es decir: don Quijote y Sancho no son seres abstractos, "intelectualmente" forjados por su autor para darles de intento un contenido ideológico, a la manera, por ejemplo, como ideó Gracián los "personajes" de su *Criticón*, y también Calderón, en buena parte, el Segismundo de su *Vida es sueño*[81]. Don Quijote y Sancho son personajes concretísimos, que viven problemas transcendentes de la existencia humana, pero que no surgieron en la mente de su creador con el propósito de demostrar, ni aun encerrar, ninguna tesis. Todo lo que significan, y al cabo vienen a encarnar como mitos universales, brota de la misma realidad de su existir, y a medida que su peculiarísima humanidad se va enfrentando con los sucesos de cada momento.

Nada más diferente, pues, de la rígida inmovilidad de un símbolo, que la flúida y ondulante personalidad de don Quijote y de Sancho. Sin jamás renunciar al íntimo cogollo de su particularísima actitud vital, razón última de todos sus actos y palabras, viven dramáticamente la angustiosa exigencia de cada instante. De aquí provienen, como decíamos, esas llamadas "rectificaciones" de los personajes, atribuidas por algunos al autor, pero que son indecisiones y dudas íntimas de aquéllos, diversos "movimientos de su ánimo en torno a la quimera central"[82].

---

[81] Cfr.: Francisco Maldonado de Guevara, "Del ingenio de Cervantes al de Gracián", en *Anales Cervantinos*, IV, 1954.

[82] Salvador de Madariaga, *Guía del lector del Quijote*, cit., pág. 118. Sobre esa poderosísima individualidad de don Quijote (y lo mismo, claro es, vale decir de Sancho), miles de veces y en todos los tonos proclamada, ha escrito Américo Castro: "La prodigiosa novedad del *Quijote* viene, justamente, de que hace sentir la inevitable presencia de la intimidad del personaje en cuanto habla o hace. Lo que dice o hace Don Quijote es interesante en cuanto dicho o hecho por él, por ese *él* cuya existencia percibimos latir bajo la apariencia de Don Quijote. No ocurría así en el *Amadís*. Cuando Oriana confía un secreto a la doncella de Dinamarca, le dice: 'Guardadle como poridad de tan alta doncella como yo soy y del mejor caballero del mundo' (I, 8). Tras la 'alta doncella' y 'el mejor caballero' no hay más que eso, pues su estructura es unidimensional: care-

Madariaga ha seguido con gran sagacidad el proceso espiritual de don Quijote y de su criado; ambos recorren una curiosa curva de dudas y afirmaciones, al cabo de las cuales se verifica entre los dos una completa ósmosis, que ha podido calificarse de quijotización de Sancho y sanchificación de don Quijote [83]. En las primeras aventuras late todavía en éste cierta inseguridad: es el momento, que ya conocemos, en que el hidalgo —¿fluctuación de don Quijote, fluctuación de Cervantes?— se tiene por un personaje de los romances. Cuando es armado caballero en la venta, todavía —sin entender las bromas del ventero— acepta de éste, con humildad de discípulo, consejos e instrucciones. Pero a poco de su segunda salida "se deja oir en su voz un tono más vigoroso, indicio, si no de seguridad en sí mismo, al menos de su íntima determinación de imponer su fe a las dudas ajenas y a las propias" [84]. "Así —recuerda Madariaga— cuando los gigantes se vuelven molinos de viento, Don Quijote explica la transfiguración en una frase admirable por el relieve con el que la voluntad impone como verdad lo que ocurre a la inteligencia como mera conjetura: —'Calla, amigo Sancho —responde don Quijote—, que las cosas de la guerra, más que otras, están sujetas a continua mudanza; *cuanto más que yo pienso, y es así verdad,* que aquel sabio Fristón, que me robó el aposento y los libros, ha vuelto estos gigantes en molinos por quitarme la gloria de su vencimiento' " [85]. Poco después, en la aventura con el vizcaíno, dice don Quijote: "O yo me engaño, o ésta ha de ser la más famosa aventura que se haya visto, porque aquellos bultos negros que allí parecen *deben de ser, y son sin duda,* algunos encantadores que llevan hurtada alguna princesa en aquel coche...". Y comenta Madariaga: "Así salta Don Quijote al cuello de la realidad para no dar tiempo a que la realidad le desmienta, con esa rapidez que es la inquietud de los hombres de acción. Pues, aunque loco, era padre de su propia quimera, y no podía matar en su ser la voz que le decía que todo era ilusión. De aquí su ansiedad en acogerse a todo lo que confirmase su fe" [86].

---

cen de un intramundo. Cualquiera otra alta doncella, y cualquier otro mejor caballero podrían en rigor hacer lo mismo que ellos, porque se trata de tipos y no de individuos irreductibles... Lo que importa en el *Amadís* es la acción, no el ser y el estar de los personajes" ("Los prólogos al *Quijote*", cit., pág. 226).

[83] Unamuno fue, probablemente, el primero que reaccionó contra la simplista valoración del *Quijote* en dos planos absolutos —idealismo y realismo— respectivamente encarnados por el hidalgo y su escudero. Unamuno advirtió sagazmente la profunda penetración que la idealidad quijotesca alcanza en el ánimo de Sancho. Madariaga, sobre estos mismos pasos, ha profundizado en el tema o, cuando menos, ha señalado una nueva faceta muy característica, que es la forma ondulante, de avances y retrocesos, de afirmación y de negación, en que se produce la conquista quijotesca del materialismo sanchopancista. Este fundamental carácter —que luego expondremos en el texto— ha sido tratado también, más recientemente, por Dámaso Alonso en su breve comentario "Sancho-Quijote; Sancho-Sancho", citado.

[84] *Guía del lector...*, cit., pág. 118.

[85] Ídem, íd., págs. 118-119.

[86] Ídem, íd., pág. 119.

Sutilmente va tejiendo Cervantes este delicado fluir de incertidumbres, aunque la resultante general es un ascenso de la confianza del hidalgo; el final de la primera parte y el comienzo de la segunda representan el período culminante de esta fe íntima, aunque nunca limpia de dudas. Ya muy adentro de la segunda parte, tan sólo bajo la evidencia de aquel solemne ceremonial con que le reciben los duques, se siente plenamente seguro de sí mismo, según nos revela Cervantes: "Y aquél fue el primer día que de todo en todo conoció y creyó ser caballero andante verdadero, y no fantástico" [87].

Pero ya en el momento de emprender su tercera salida, va don Quijote dando muestras de su nueva tendencia "a pactar con las exigencias materiales"; viaja provisto de dinero y de provisiones y paga sus gastos en las ventas sin hacer valer sus derechos de caballero andante. Su misma salida parece decidirse algo tibiamente, bajo la presión de ineludibles obligaciones: ha salido a luz la historia escrita de sus primeras andanzas, convirtiéndole en un hombre famoso; Sansón Carrasco, con el propósito que conocemos, le incita a la aventura, y hasta el propio Sancho, embriagado por la idea de la fama, le estimula también. Desde el momento en que Sancho encanta a Dulcinea, la dependencia de don Quijote respecto a su escudero aumenta sutil pero inflexiblemente. Comienza ya a aceptar, y a dar, explicaciones; reconoce la realidad de muchas cosas —como en el carro de las Cortes de la Muerte— después de haber imaginado de primera intención que era "una grande aventura". Cuando en las bodas de Camacho oye decir que Quiteria es la más hermosa mujer del mundo, no reacciona con la exaltación que hubiera mostrado en otras circunstancias, sino que comenta mansamente para sí: "Bien parece que éstos no han visto a mi Dulcinea del Toboso, que si la hubieran visto, ellos se fueran a la mano en las alabanzas de su Quiteria" [88].

La aventura de la cueva de Montesinos señala un punto crítico en la evolución espiritual de don Quijote: la mezcla de ilusión y de realidad no es ya tan completa como en otras ocasiones; diríase que la fe se ha debilitado; don Quijote parece estar *inventando* parte al menos de lo que refiere; por primera vez le oímos tomar a broma cosas que afectan a la caballería y decir palabras irreverentes sobre el corazón de Durandarte y su envío a la señora Belerma: "Henos aquí ya —dice Madariaga— en pleno realismo, en realismo regocijado, revelador de los estragos que en el alma de don Quijote ha hecho la resignación... Por este camino ha de llegar Don Quijote todavía más lejos de su idealismo y de su pulcritud de antaño. Su descripción de Belerma da un paso más hacia el realismo despiadado de la época (y de todas las épocas españolas), y aun llega en ciertos detalles a bordear lo cínico" [89]. La superioridad

[87] Ed. Rodríguez Marín, cit., tomo VI, pág. 10.
[88] Ídem, íd., tomo V, pág. 111.
[89] *Guía del lector...*, cit., pág. 180.

de don Quijote respecto de Sancho se va resquebrajando; el escudero duda irrespetuosamente de la aventura de la cueva, y el hidalgo ha de pedirle que crea en ella a cambio de creerle él lo que el escudero dice haber visto en el cielo durante el viaje del Clavileño. Desde entonces la novela nos muestra "el lento y patético declinar del ánimo caballeresco del héroe", hasta su término conmovedor.

De modo inverso, aunque paralelo, advertimos en Sancho una sostenida ascensión en la que hallamos una de las más apasionantes facetas de su rica psicología; porque debemos proclamar antes de todo la gran complejidad de Sancho [90]. Una tradición superficial ha reducido su persona a un esquema humano de gran sencillez: al de un rústico materialista y cobarde. Pero el alma de Sancho encierra una trama tan complicada y sutil como la de su señor. Madariaga señala que la equivocada reputación de cobarde, que pesa sobre Sancho, se debe sobre todo a las palabras del propio don Quijote, que a cada paso abruma con este baldón a su escudero. Don Quijote —y aquí podemos descubrir a la vez uno de los más oscuros entresijos de su espíritu— allá en lo íntimo sentía frecuentes y crueles dudas sobre sus credenciales de caballero

---

[90] Así lo afirma categóricamente Dámaso Alonso en el artículo mencionado ("Sancho-Quijote; Sancho-Sancho", pág. 10): "Sancho, del lado humano, es quizá la máxima creación de Cervantes, y él, simple y sabio, es aún quizá más complejo que su compañero de gloria". Luego alude el comentarista al arte cervantino para crear la rica humanidad del escudero: "Cervantes ha pintado el alma de Sancho sin prisa y sin preocuparse del orden mismo de las pinceladas. El proceso de su alma es tan entremezclado y enmarañado como el de la realidad. Y la criatura está ahí, viva y eterna. No es en la pintura de las almas la técnica apretada, crujiente, de Juan Ruiz, de la *Celestina,* de pasajes del *Lazarillo.* Esta vivificación del personaje va llevada, a un tiempo, con flojedad y sabiduría, entre una inmensa selva de aventuras. Sí, Sancho titubeará, humanamente, realmente, a lo largo del libro, con quiebros y naturalísimas contradicciones de personaje real. La ausencia de artificio visible, la ligereza de mano, lo esparcidos que aparecen los rasgos caracterizadores, más me recuerda (claro que con arte mucho más complejo y circunstanciado) la técnica psicológica del *Poema del Cid*" (ídem, íd., pág. 18).

Afirmaciones de la profunda riqueza humana de Sancho pueden espigarse por doquiera: "Sancho —dice, por ejemplo, Américo Castro— es el antípoda de los pícaros espectrales y de alma fría en Mateo Alemán y en Quevedo, a merced de unas circunstancias menos reales que los sueños vividos por el labriego manchego, capaz de piadosa simpatía, naturalmente despejado, y muy sagaz aunque ignorante y rudo. Desde tal base se alza hacia donde le llaman los cebos y las posibilidades que se le ofrecen: ínsula, monedas de oro, pollinas, títulos de condesa para su hija, vida pastoril, etc.... La figura literaria del escudero alcanza máxima elasticidad, por no haber sido concebida como un 'tipo' materialista, sino como una vida condicionada por las diferentes perspectivas que surgían ante él: ínsula, oro, bienestar —o el firmamento al que Clavileño le aproximaba. Sancho gira según el rumbo de muy varias incitaciones, y puede así encarnar la idea de un buen juez o sentir el anhelo de situarse en el firmamento para contemplar desde allá los minúsculos afanes de los terrícolas. Todo depende de qué se le vaya deparando". Porque, como resume Castro más abajo, "tenemos una forma *sanchesca* de vivir y no un carácter típico" ("La estructura del *Quijote*", cit., págs. 262, 263 y 264).

andante; de ahí que el proclamar su condición y su valor se le hubiera convertido en una necesidad vital; sus constantes alusiones a la cobardía de Sancho no son sino indirectas afirmaciones de su propia calidad.

Pero las ocasiones en que muestra Sancho su valor, son bien frecuentes: en la riña con el cabrero, al producirse la crisis de ira de Cardenio; cuando se opone violentamente a que el barbero, despojado del yelmo de Mambrino, recobre la albarda de que Sancho se había apoderado "en buena guerra"; en su viril comportamiento durante su gobierno de la ínsula Barataria; cuando se rebela contra su propio señor, que quiere obligarle a que se azote, y lo derriba y pone la mano sobre él. Lo que sucede es que a Sancho su buen sentido le induce a ser pacífico; frente a su amo que pelea por vocación, un poco deportivamente diríamos, Sancho sostiene que nunca peleará si no le va algo importante en ello; y esta prudencia, don Quijote —y muchas veces el poco reflexivo lector— la equipara con la cobardía. Episodios como el de los batanes o el terror producido por las narices descomunales del escudero del Bosque, nada en contrario prueban; el buen sentido de Sancho era de orden empírico y su sabiduría la espontánea y natural, por lo que sólo podían ejercerse sobre los hechos concretos y positivos, que cubrían el campo de su experiencia; de aquí su desconcierto al tener que enfrentarse con cosas que excedían el límite de su saber, cuando las ideas dejaban de encarnarse en cuerpos tangibles y se ocultaban en fantasmas y encantadores, sobre los cuales no sabía qué pensar.

Mas frente al hecho real nunca Sancho es cobarde. Cuando el escudero del Bosque propone a Sancho que, mientras se baten sus amos, se zurren ellos a su vez, Sancho se niega a pegarse en frío con quien acaba de compartir el vino y la comida; pero cuando el otro le ofrece darle tres o cuatro bofetadas para despertarle la cólera, Sancho responde con tanta mesura como resolución: "Contra ese corte sé yo otro, que no le va en zaga: cogeré yo un garrote, y antes que vuesa merced llegue a despertarme la cólera, haré yo dormir a garrotazos de tal suerte la suya, que no despierte si no fuere en el otro mundo, en el cual se sabe que no soy yo hombre que me dejo manosear el rostro de nadie. Y cada uno mire por el virote; aunque lo más acertado sería dejar dormir su cólera a cada uno; que no sabe nadie el alma de nadie, y tal suele venir por lana que vuelve tresquilado; y Dios bendijo la paz y maldijo las riñas; porque si un gato, acosado, encerrado y apretado se vuelve en león, yo, que soy hombre, Dios sabe en lo que podré volverme; y así, desde ahora intimo a vuesa merced, señor escudero, que corra por su cuenta todo el mal y daño que de nuestra pendencia resultare" [91].

El propio don Quijote, cuando no siente la obsesión de proclamar su acometividad frente a la prudente actitud de su escudero, reconoce a veces la dignidad de su conducta; así, en el episodio de la lucha contra el barbero del

---

91 Ed. Rodríguez Marín, cit., tomo IV, págs. 304-305.

yelmo: "Ya estaba don Quijote delante —refiere Cervantes—, con mucho contento de ver cuán bien se defendía y ofendía su escudero, y túvole desde allí adelante por hombre de pro y propuso en su corazón de armalle caballero en la primera ocasión que se le ofreciese, por parecerle que sería en él bien empleada la orden de la caballería" [92].

Aspecto del mayor interés en el carácter de Sancho es la oscilación de su fe en don Quijote; la aludida falta de un asidero mental para discernir en los problemas no materiales, hace que Sancho "se vea arrastrado por las circunstancias de cada momento a conclusiones de momento", y de aquí la aparente incoherencia, o vaivén, de su conducta para con su amo: "La actitud de Don Quijote para con su propio destino —resume Madariaga— es de duda secreta reprimida y siempre vencida por un continuo esfuerzo de la voluntad, a su vez inspirado por la imaginación. La actitud de Sancho para con la personalidad transcendente de su amo es un constante ir y venir del creer al descreer" [93]. Sancho pierde la fe cada vez que pone a prueba las teorías de su amo en un caso concreto; pero le sugestiona siempre la autoridad de alguien que considera superior, que es justamente lo que le sucede con don Quijote cuando éste le lleva al terreno de los razonamientos, sin contar lo mucho que le ata a su amo el hondo y sincero afecto que le tiene [94].

Nada, sin embargo, para llevar y traer la atormentada fe de Sancho como el egoísmo de adquirir riquezas; y este afán le nubla la mente a cada paso. Don Quijote le ha prometido una ínsula que está resultando de bien problemática adquisición; pero al menos es cierto que ha dado ya en Sierra Morena con una bolsa de cien ducados de oro, y la ilusión de repetir el hallazgo sostiene su fe, porque el afán y la esperanza tapan las grietas de la duda. "Ruego a Dios me saque de pecado mortal —le dice Sancho al escudero del Bosque—, que lo mesmo será si me saca deste peligroso oficio de escudero, en el cual he incurrido segunda vez, cebado y engañado de una bolsa con cien ducados

[92] Ídem, íd., tomo III, pág. 290.

[93] *Guía del lector...*, cit., pág. 141.

[94] Dámaso Alonso, en el artículo citado, dice que el constante titubeo de Sancho se produce entre *picaresca* e *idealidad*. Cada vez que se desilusiona, se convierte en un *pícaro* que no sólo se evade del mundo irreal de su señor sino que está dispuesto a engañarle aprovechándose de su locura y poniendo en práctica sus mismos *encantamientos*. Así, en la aventura de los batanes, cuando trata de impedir la acción de don Quijote, ata las patas de Rocinante, y dice que el caballo no se puede mover por voluntad del cielo; o cuando hace creer a su amo que ha llevado en realidad la carta a Dulcinea; y sobre todo cuando inventa el sensacional encantamiento de ésta. Después, por la burla del duque, bien comprometido se ve, pues ha de azotarse 3.300 veces para desencantarla, pero de nuevo su *picardía* salva la situación azotando los árboles en lugar de sus espaldas. "Pero Sancho el bueno, Sancho el noble —dice Dámaso Alonso—, no será nunca un pícaro permanente" (pág. 13), y a diferencia de Lázaro a quien basta un solo coscorrón para lanzarlo a la órbita de la picaresca, torna una y otra vez a su "original estado de inocencia" (pág. 14) y a creer en su caballero.

que me hallé un día en el corazón de Sierra Morena, y el diablo me pone ante los ojos, aquí, allí, acá no, sino acullá, un talego lleno de doblones, que me parece que a cada paso le toco con la mano, y me abrazo con él, y lo llevo a mi casa, y echo censos, y fundo rentas, y vivo como un príncipe; y el rato que en esto pienso se me hacen fáciles y llevaderos cuantos trabajos padezco con este mentecato de mi amo, de quien sé que tiene más de loco que de caballero" [95]. Este pasaje, comenta Madariaga, da a entender cómo la ambición material de Sancho se va elevando y ennobleciendo, puesto que sueña con echar censos, fundar rentas y vivir como un príncipe, lo que delata que su verdadero deseo no es la riqueza sino el poder. "El poder es para Sancho lo que la gloria para Don Quijote. Como Dulcinea personifica la gloria para Don Quijote, la ínsula materializa el poder para Sancho. Y así, como Don Quijote tiene que creer en Dulcinea, a fin de creer en sí mismo, Sancho tiene que creer en Don Quijote para creer en la ínsula. De este modo la fe del caballero va a nutrir el espíritu del criado después de haber sostenido el espíritu propio" [96]. Y si no cree, añade el comentarista, Sancho ve desvanecerse la ínsula de sus entrañas. De aquí que, al par de don Quijote, también sin saberlo y en lo íntimo de su conciencia, vaya buscando razones que fortifiquen su fe, razones entre las que sobresale la admiración hacia las dotes de su amo, a quien por eso mismo se resiste una y otra vez a reconocer del todo como loco.

Penetrado de tales sentimientos no es de extrañar que se produzca esa trabajada ascensión de Sancho, crecientemente atraída por el espíritu de su señor. Y la primera manifestación es el prurito de imitarle en el habla, como se echa de ver en aquel delicioso coloquio que tiene con su esposa, cuando está preparando don Quijote su tercera salida. Sancho repite con Teresa la misma actitud que con él venía teniendo siempre su amo, actitud protectora y educadora, como de persona superior, y hasta las palabras mal dichas le corrige. Lo mejor del caso es que Sancho se esfuerza en hacer creer a su mujer en ínsulas y gobiernos —como con él hacía don Quijote—, y discuten si el matrimonio de la hija ha de ser con un noble, según pretende Sancho, o con un su igual a gusto de Teresa.

Mas la transformación de Sancho tiene lugar, de preferencia, en otras partes. Existe un instante crucial en la vida de Sancho: es el momento en que Sansón Carrasco informa al amo y al criado de que su historia anda ya impresa en libros. Madariaga explica de qué sutil manera nos muestra Cervantes la diferente reacción de don Quijote y de su escudero ante la fama: el primero, que la ha creado de la nada, pura y sin mancha en su propia mente, recíbela receloso, temiendo que la gloria real no sea tan limpia y bella como la soñada. Sancho, por el contrario, se entrega con ingenuidad al goce de este nuevo placer, sentimiento preparado por el novelista de mano maestra; San-

[95] Ed. Rodríguez Marín, cit., tomo IV, págs. 281-282.

[96] *Guía del lector...*, cit., pág. 146.

cho se siente henchir de su nunca imaginada importancia y se ofrece en seguida para dar al historiador moro materia que escribir en una nueva salida. Lo bueno es que ¡el materialista Sancho! comienza reprobando el trabajo hecho con fines de ganancia: "¿Al dinero y al interés mira el autor? Maravilla será que acierte; porque no hará sino harbar, harbar, como sastre en vísperas de pascuas, y las obras que se hacen apriesa nunca se acaban con la perfección que requieren. Atienda ese señor moro, o lo que es, a mirar lo que hace; que yo y mi señor le daremos tanto ripio a la mano en materia de aventuras y de sucesos diferentes, que pueda componer no sólo segunda parte, sino ciento. Debe de pensar el buen hombre, sin duda, que nos dormimos aquí en las pajas; pues ténganos el pie al herrar, y verá del que cosqueamos. Lo que yo sé decir es que si mi señor tomase mi consejo, ya habíamos de estar en esas campañas deshaciendo agravios y enderezando tuertos, como es uso y costumbre de los buenos andantes caballeros" [97].

A lo largo de toda esta segunda parte va en ascenso la ambición de Sancho y la estimación de su propio valor, pero también el ilusionado afán de gloria que le equipara con su amo, hasta el punto de hermanarse a veces con él en un plural común, colocándose incluso en ocasiones por delante —"yo y mi señor"—, o tomando la iniciativa ya en la acción ya en el pensamiento.

Fernández Suárez subraya un aspecto de Sancho sobre el que no es frecuente parar la atención: son las palabras o el gesto protector que el escudero tiene en muchas ocasiones para con su amo y que el crítico mencionado califica de *actitud maternal* (sin la intervención de Sancho difícilmente hubiera podido el caballero vivir sus aventuras terrenales); y espiga una serie de pasajes muy significativos.

LA IMPOSIBLE DEFINICIÓN DEL "QUIJOTE". SU PERSPECTIVISMO

Desde que el siglo XVIII inició los estudios sobre el *Quijote,* la crítica cervantina se ha centrado con preferencia en torno a dos posiciones: de un lado, la que ha escogido como finalidad la exégesis del texto, pretendiendo aclarar sus pasajes oscuros, descifrar alusiones, descubrir fuentes; al par de esta tarea ha corrido la investigación sobre la vida del escritor y sus posibles repercusiones en la obra. Ambos trabajos se completan y se interfieren en buena medida. Del otro lado están quienes dejando el cuidado de la letra y del documento en manos de eruditos, como quehacer, en cierto sentido, subsidiario, se han aplicado a la interpretación de índole digamos filosófica, pretendiendo desentrañar el contenido ideológico de la gran novela, su intención final, el significado de sus protagonistas, el valor de sus símbolos y sus mil posibles implicaciones con los más variados temas de la cultura. A este segundo grupo

[97] Ed. Rodríguez Marín, cit., tomo IV, págs. 110-111.

pertenecen, naturalmente, los que por harto explicable reacción contra un positivismo crítico extremado o por desdén hacia los rebuscadores de minucias, exaltaron al héroe con detrimento del escritor y de su obra; así es, por ejemplo, el *quijotismo* de Unamuno que si subraya con justicia altos valores morales del personaje, deja en la sombra por entero otros aspectos no menos valiosos referentes al libro en su conjunto, y nada digamos de los innumerables problemas estéticos implicados en el *Quijote*; no despreciables, sin duda, dado que, en fin de cuentas, de obra de arte se trata.

Entre ambas corrientes interpretativas no cabe duda que se ha concedido hasta anteayer menor atención a estas últimas cuestiones y menos todavía al significado global de la novela, es decir, a lo que hace de ella una realización genial como expresión artística de un problema humano. Pero el viento de la crítica cervantina sopla ya, como luego veremos, desde un nuevo cuadrante.

En un breve trabajo, dirigido por esta nueva orientación, titulado *El equívoco del 'Quijote'* [98], Ángel del Río ha tratado de resumir los términos básicos en que podría encerrarse el sentido de la novela de Cervantes. Partiendo de las palabras de Ortega en sus *Meditaciones,* cuando señala la condición *equívoca* del *Quijote,* Ángel del Río sostiene que lo que hace Cervantes en su libro es "dar forma poética a la visión riquísima de una realidad problemática. De ahí, lo problemático del libro mismo, su carácter equívoco". Y despliega a continuación el inquietante tapiz de los interrogantes cervantinos: "¿Es, la historia de este grotesco y sublime loco una afirmación de fe, una exaltación del idealismo; o es la irrisión escéptica de todo anhelo ideal? ¿Se trata de la máxima expresión del impulso activista de España o es más bien una crítica desengañada que alumbra la decadencia de ese impulso? ¿Salva Cervantes las ilusiones de su juventud heroica en el dominio de la fantasía creadora o se ríe, con risa que a veces puede llegar a lo cruel, de esas ilusiones? ¿Destruye el *Quijote* el espíritu caballeresco o lo eleva a sus últimas consecuencias? ¿Es el gran libro que mató a un gran pueblo, como dijo Byron, o la creación épica que fija en el mundo del arte el gesto atrevido e ilusorio de ese pueblo? Y en otro sentido, ¿es Cervantes un racionalista o es un católico, un reaccionario, verbo de la contrarreforma? Y su arte, ¿es cifra y compendio del arte renacentista o es acabada expresión del espíritu barroco? Lo cierto parece ser que todas esas interpretaciones son válidas. Como es igualmente cierto que nunca podremos dar contestación satisfactoria, definitiva, a la pregunta orteguiana: ¿Se burla Cervantes? ¿De qué se burla?" [99].

Ángel del Río destaca a continuación un hecho incuestionable, y es que nada parecido sucede con ningún otro libro de ninguna literatura. Sobre cualquier obra o autor, desde Homero a Goethe, se han escrito infinitos comenta-

---

[98] En *Hispanic Review,* vol. XXVII, núm. 2, abril 1959, págs. 200-221.

[99] Ídem, íd., pág. 201.

rios, pero siempre —por lo menos en cierta medida— estos trabajos representan una continuidad; cada intérprete puede partir de los hallazgos precedentes. En cambio, cuando se trata del *Quijote*, si nos salimos del estudio erudito y documental y entramos en la crítica "de significación", es imposible ya evadirse de la interpretación subjetiva, que es como decir de las intuiciones caprichosas o del mentir de las estrellas.

Del Río señala, como advertencia previa a todo comentario, que la ley íntima del *Quijote* consiste en una tensión constante, "o más bien en un equilibrio prodigiosamente mantenido por el autor entre oposiciones radicales: ser-parecer; realidad-fantasía; locura-discreción; drama-comedia; lo sublime y lo grotesco, etc.". Y destaca a continuación dos capitales componentes del arte de Cervantes: su penetrante humor (cualidad por todos proclamada) y su "asombrosa conciencia artística", condición bastante menos reconocida, como sabemos. De la conjunción de estos dos factores, dice el comentarista, procede el juego sutil a que se entrega Cervantes en cada línea de su libro, "como si quisiera restar toda transcendencia" a lo que cuenta: "lo cómico sucede a lo serio; los pasos más angustiosos se disuelven en el ridículo; el lenguaje elevado se funde con la frase popular, y en una escena exquisitamente poética irrumpen de pronto figuras u objetos cargados de materialidad... Lo específicamente cervantino parece ser que los contrarios no tanto se oponen o se armonizan, como que andan juntos, que son inseparables" [100].

Y este resultado, que queda bien de manifiesto en la primera parte de la novela, es en la segunda donde llega a adquirir su plena intensidad. Del Río subraya un importante pasaje del comienzo de la segunda parte; el barbero refiere un cuento de locos, y don Quijote, que percibe inmediatamente la alusión, le reprende porque "las comparaciones que se hacen de ingenio a ingenio, de valor a valor, de hermosura a hermosura y de linaje a linaje, son siempre odiosas y mal recibidas"; "de locura a locura, podría haber añadido", dice Del Río, porque la locura de don Quijote es muy diferente de la de otros locos, los encerrados en el manicomio: "no es tanto un estado patológico como una manera de estar y de actuar en el mundo" [101]. Y por esta particular manera de situarse don Quijote frente a las cosas, nos lleva Cervantes, a través del laberinto de sus juegos de humor, al hondo significado de su libro: lo mismo que en la mente del caballero, "poesía e historia, idea y realidad, andan juntas en la vida, porque son parte integrante de la relación del ser humano con el mundo" [102]. También Rosales ha definido esta condición ambigua y polivalente, que constituye la turbadora profundidad del *Quijote*: "La característica esencial del mundo de Cervantes —dice— es el *integralismo*; la carac-

---

100 Ídem, íd., pág. 202.

101 Ídem, íd., pág. 203. Cfr.: Alberto Navarro González, "La locura quijotesca", en *Anales Cervantinos*, I, 1951, págs. 273-294.

102 Ídem, íd., pág. 205.

terística esencial de la expresión cervantina es el *estilo indeterminado.* Se suele discutir, y nunca dejará de discutirse por los alegres comentaristas, si Cervantes es pesimista u optimista, satírico o justo, materialista o espiritual, defensor o contradictor del ideal caballeresco, realista o idealista, escritor espontáneo o escritor cuidadoso, y a la postre, reaccionario o rebelde que es lo importante para aquellos que pretenden apuntar a Cervantes en su cofradía y creen que están haciendo crítica trascendente... Los elementos más dispares y aun contrarios se funden y no se oponen en Cervantes. Consiste en esto su *integralismo.* Tanto monta, monta tanto, Don Quijote como Sancho. El mundo cervantino sólo puede considerarse como un todo. Cualquier fraccionamiento lo traiciona" [103].

Media docena de veces entre el prólogo y los primeros capítulos de la segunda parte alude Cervantes al problema de la verdad; el escritor ha meditado profundamente sobre la naturaleza de la ilusión y lo ilusorio de la realidad; y el resultado de esta meditación, dice Del Río, es la segunda parte del *Quijote,* "que se organiza alrededor de tres preocupaciones centrales y convergentes, enunciadas o sugeridas en el prólogo y los primeros capítulos: el significado de la locura; la verdad en su doble plano, poesía e historia, de cuya conjunción resultará la verdad cervantina, la vital o existencial, la que vive cada individuo, loco o cuerdo, en su circunstancia; y finalmente el carácter evasivo de la realidad refractada en múltiples planos" [104].

Esta múltiple refracción de la "realidad" —digamos menos equívocamente, "de las cosas"— requería la creación de Sancho, y de aquí la enorme significación que adquiere su persona en la novela. Unamuno decía que Cervantes había creado a Sancho para que don Quijote tuviera con quien hablar, ya que las conversaciones con su criado iluminan los aposentos más recónditos del espíritu del caballero. La sugerencia es válida porque el diálogo casi constante de los dos personajes es —según sabemos— componente esencial de la novela, incluso como pieza técnica de su construcción, ya que sin tal diálogo quedaría todo reducido a una esquelética hilera de aventuras. Pero la *necesidad* de Sancho va mucho más lejos. Sancho es el complemento de don Quijote, y lo es tanto más cuanto que no representa su total antítesis; Sancho no es *lo otro* que don Quijote, porque entonces no tendrían vasos de posible comunicación (*lo otro,* el auténtico antiquijotismo lo representa Sansón Carrasco, y el cura, y el barbero, y los duques con su capellán); la quijotización de San-

---

103 *Cervantes y la libertad,* cit., vol. I, págs. 5-6.

104 "El equívoco del *Quijote*", cit., pág. 207. Cfr.: Alexander A. Parker, "Don Quijote and the Relativity of Truth", en *The Dublin Review,* XLIV, 1947, págs. 28-37. Del mismo, "El concepto de la verdad en el *Quijote*", en *Revista de Filología Española,* XXXII, 1948, págs. 287-305. Jacques Chevalier, "Sagesse et mission de Don Quijote", en *Anales Cervantinos,* V, 1956, págs. 1-17. Richard L. Predmore, *El mundo del Quijote,* Madrid, 1958. Juan Bautista Avalle-Arce, *Deslindes cervantinos,* Madrid, 1961. Denys A. Gonthier, *El drama psicológico del Quijote,* Madrid, 1962.

cho, a que nos hemos referido, lo introduce en la entraña de la misma acción quijotesca, gracias a lo cual ambos personajes conviven en una común *realidad. Lo que Sancho, en cambio, aporta dentro de ésta es una nueva perspectiva, contribuyendo así a la pluralidad de perspectivas que es esencial al mundo quijotesco* [105].

Leo Spitzer, en su ensayo ya mencionado, ha estudiado desde la vertiente lingüística la manifestación de dicho *perspectivismo* que no deja plano alguno de la novela sin invadir. Son harto conocidos los pasajes en que don Quijote reprende a Sancho sobre el uso indebido de un vocablo o su mala pronunciación; Sancho sostiene el principio de la naturalidad y expresividad en el lenguaje, mientras don Quijote aboga por su refinamiento y la introducción de neologismos que lo enriquezcan. Pero, como en otros casos similares, jamás se llega en la disputa a conclusiones definitivas; Cervantes nunca concede ni a

---

[105] Américo Castro alude a la creación de Sancho en una intencionada y bella imagen: "Don Quijote se sacó a Sancho de la necesidad que sentía de él —como un Adán que, para integrarse, se desposeyera previamente de una costilla" ("Los prólogos al *Quijote*", cit., pág. 209).

Aparte la especial transcendencia que atesora Sancho en la novela, a la par del mismo don Quijote, ha preocupado a los investigadores el problema de sus posibles modelos literarios. Menéndez y Pelayo desarrolló una idea sobre el tema, de Charles Philip Wagner —"The sources of El caballero Cifar", en *Revue Hispanique,* X, 1903, págs. 5-104—; puede que el escudero fuera sugerido por la misma parodia de los libros de caballerías, en que nunca faltaba un escudero al lado del paladín andante. Pero estos escuderos, como el Gandalín del *Amadís,* no eran personajes cómicos ni representaban antítesis alguna. En cambio, pudo ser un antecesor de Sancho el escudero Ribaldo, que aparece en la *Historia del caballero de Dios que había por nombre Cifar,* novela caballeresca de comienzos del siglo XIV. Menéndez y Pelayo ve en Ribaldo la invasión del realismo español en este género de ficciones; se sirve de gran número de refranes, usa un lenguaje sabroso y popular, procede como un rústico socarrón y ladino que opone su buen sentido a las fantasías de su amo, es interesado y codicioso pero a la vez leal y adicto a su señor. "Inmensa es la distancia —dice Menéndez y Pelayo— entre el rudo esbozo del antiguo narrador y la soberana concepción del escudero de Don Quijote, pero no puede negarse el parentesco" ("Cultura literaria de Miguel de Cervantes...", cit., página 355). Lo que ya no parece tan seguro es que Cervantes conociera el *Caballero Cifar,* que, por lo menos, no figuraba en la biblioteca de su héroe. W. S. Hendrix ("Sancho Panza and the comic types of the sixteenth century", en *Homenaje a Menéndez Pidal,* II, Madrid, 1925, págs. 485-494) ha creído hallar la ascendencia literaria de Sancho en la época inmediatamente anterior, sobre todo en la dramática primitiva; Sancho sería "como una trasposición novelesca de los tipos cómicos del teatro anterior a Lope, aunque hay que tener en cuenta que en esa noción tenemos que encajar también, a efectos prácticos, la amplia serie de literatura dialogada, medio dramática y medio novelesca, de las continuaciones de *La Celestina*". Hendrix señala especialmente un tipo de la *Representación de la famosa historia de Ruth* de Sebastián de Horozco, de grandes semejanzas con Sancho. Francisco Márquez Villanueva, de quien son las últimas palabras entrecomilladas, en un estudio titulado "Sobre la génesis literaria de Sancho Panza" —*Anales Cervantinos,* VII, 1958, págs. 123-155— acoge la teoría de Hendrix y señala además la deuda que Sancho pudo tener concretamente con el teatro de Torres Naharro, tan abundante en tipos de rústicos bobos.

uno ni a otro la razón: "lo que verdaderamente le interesa es el juego dialéctico de poner de manifiesto los múltiples aspectos del problema debatido"[106]. Mientras que para el Dante las jergas o dialectos no eran sino desviaciones de un dechado ideal de lenguaje platónico-cristiano, Cervantes "los consideraba modos de expresión que existen como realidades individuales y que en sí mismos tienen su justificación... Para el creador del *Quijote*, los dialectos son simplemente distintos reflejos de la realidad, son *estilos* (como diría con igual tolerancia el lingüista moderno), de los que ninguno puede alzarse con la primacía sobre los otros"[107].

Spitzer nos invita luego a recorrer lo que califica de "geografía dialectal" de Cervantes, expresión de su gusto por capturar las gradaciones y matices del lenguaje: "un pescado que en Castilla llaman *abadejo* y en Andalucía *bacallao* y en otras partes *curadillo* y en otras *truchuela*"; "*tagarinos* llaman en Berbería a los moros de Aragón, y a los de Granada *mudéjares*, y en el reino de Fez llaman a los mudéjares *elches*". "En estas variantes lexicológicas —dice con gran exactitud Spitzer— Cervantes debió de ver no un esfuerzo por aproximarse al ideal, sino solamente la abigarrada fantasmagoría de los conatos de los hombres por acercarse a la realidad; cada una de las variantes tiene su justificación propia, pero todas ellas por igual reflejan nada más que *sueños*"[108]. Todos los mencionados diálogos entre don Quijote y Sancho no tienden sino a poner de relieve las diferentes perspectivas, bajo las cuales unos mismos acontecimientos se presentan a la estimación de diferentes personajes. "Esto quiere decir —escribe Spitzer— que en la novela de Cervantes las cosas se representan no por lo que ellas son en sí, sino sólo en cuanto objeto de nuestro lenguaje o de nuestro pensamiento: y ello implica en el narrador romper la representación en dos puntos de vista. Es imposible la certeza respecto a la realidad *no rota* u objetiva de los acontecimientos: la única verdad indubitable a la que debe atenerse el lector es la voluntad del novelista que optó por romper la unidad multivalente en diferentes perspectivas"[109]. Y nada digamos cuando pasa de la expresión verbal a la directa interpretación de las cosas: "eso que a ti te parece bacía de barbero me parece a mí el yelmo de Mambrino y a otro le parecerá otra cosa"; "así que, Sancho, deja ese caballo, o asno, o lo que tú quieras que sea...".

El *Quijote* —y tornamos al comentario de Ángel del Río— fue escrito en el comienzo de una época en la que empezaba a no distinguirse la línea divisoria entre realidad e ilusión, y Cervantes se sitúa en el punto medio entre las dos posiciones fundamentales del pensamiento del siglo XVII: la racionalista y la barroca. Ve que la verdad del racionalismo moderno, supuestamente válida para todos los tiempos y lugares, es insuficiente para dar explica-

---

[106] *Perspectivismo lingüístico...*, cit., pág. 160.
[107] Ídem, íd., pág. 160.
[108] Ídem, íd., pág. 161.
[109] Ídem, íd., pág. 163.

ción y sentido a la vida; tampoco puede aceptar del todo la doctrina de la ascética barroca, según la cual el mundo es un sueño, ficción, tránsito sólo para alcanzar la única realidad que es la vida eterna. En esta angustiosa incertidumbre, "Cervantes intuye que el destino del hombre, loco o no loco, en un mundo incierto por naturaleza, no es tanto moverse entre sombras o puras apariencias, como entre una multiplicidad de realidades, perceptibles unas, soñadas otras, que al ser interpretadas de acuerdo con anhelos vitales —ilusiones, deseos, apetitos, ideas— producen efectos inesperados. No tanto perspectivismo como super-perspectivismo. Mi perspectiva es verdadera en cuanto mía, pero vivir consiste en el conflicto que se produce entre mi punto de vista y el de los demás, sin que sea siempre posible decir quién es el loco y quién es el cuerdo. Por eso la historia del hidalgo manchego está concebida desde el centro del problema básico para el hombre del postrenacimiento: ¿qué es la verdad?" [110].

---

[110] "El equívoco del *Quijote*", cit., pág. 216. Del Río expone y glosa en todo este problema de la verdad "cervantina", "vital" o "existencial", las ideas de Américo Castro, pero integrándolas en el amplio concepto del perspectivismo que afecta a todos los planos de la novela. Dice así Américo Castro: "Hace años intenté interpretar el *Quijote* con criterios excesivamente occidentales, y creí que a Cervantes le interesaba en ocasiones determinar cuál fuera la realidad yacente bajo la fluctuación de las apariencias. Mas no es el problema de la verdad o del error lógicos lo que al autor preocupa, sino hacer sentir cómo la realidad es siempre un aspecto de la experiencia de quien la está viviendo. El vocablo "experiencia" no se refiere entonces a nada racional o científico. Cervantes conocía sin duda (y lo hice ver en *El pensamiento de Cervantes*) la cuestión debatida en las poéticas renacentistas acerca de la diferencia entre la verdad poética (universal) y la verdad histórica (particular). Mas lo nuevo en el *Quijote* consistió en hacer valer como verdadero lo auténticamente enlazado con una experiencia vital, y no lo determinado por un proceso cognoscitivo. Verdadero sería lo implícito en el efectivo vivir de alguien (personaje o persona), o lo conexo con la intención creadora y bien articulada del poeta-novelista" ("La palabra escrita y el 'Quijote' ", en *Hacia Cervantes*, cit., pág. 291). Como se ve, la definición de la verdad que da Castro según la mente quijotista, o cervantista, no difiere del "voluntarismo" unamunesco, formulado precisamente en su comentario al *Quijote* y a propósito de él: "Toda creencia que lleve a obras de vida —dice Unamuno— es creencia de verdad, y lo es de mentira la que lleve a obras de muerte. La vida es el criterio de la verdad y no la concordia lógica, que lo es sólo de la razón. Si mi fe me lleva a crear o aumentar vida, ¿para qué queréis más prueba de mi fe? Cuando las matemáticas matan, son mentira las matemáticas. Si caminando moribundo de sed ves una visión de eso que llamamos agua y te abalanzas a ella y bebes y aplacándote la sed te resucita, aquella visión lo era verdadera y el agua de verdad" (*Vida de Don Quijote y Sancho*, 4.ª ed., Madrid, 1928, pág. 118). De verdad eran, pues, las visiones de don Quijote, pues creía en ellas y las afirmaba con toda la fuerza de su voluntad, que, como dice Unamuno, es la que hacía y sostenía su mundo sin que le importara un bledo la verdad lógica. "El *Quijote* —dice Américo Castro definiendo este aspecto— está respaldado por la fe en los valores que el hombre crea, sostiene y difunde con su misma vida. Es un gran repertorio de temas axiológicos, siempre vividos en máxima tensión; de ahí su fascinante belleza" ("La palabra escrita y el *Quijote*", cit., pág. 297).

Puesto en trance de muerte, don Quijote reniega de todas sus locuras y desea acabar leyendo libros piadosos que den luz a su alma. El equívoco de la novela parece haberse aclarado con esta especie de *arrepentimiento* final; y así se ha dicho muchas veces. Pero la solución no es tan sencilla. Del Río descubre sagazmente cómo en esta coyuntura irrumpe "la otra mitad de don Quijote, como representante del hombre cabal: su escudero, su hijo espiritual, el cuerdo Sancho" [111], que le dice a su amo: "No se muera vuesa merced, señor mío, sino tome mi consejo, y viva muchos años; porque la mayor locura que puede hacer un hombre en esta vida es dejarse morir, sin más ni más, sin que nadie le mate, ni otras manos le acaben que las de la melancolía" [112]. Y le insta a que se vistan de pastores, como tenían concertado, y se vayan al campo, donde quizá "detrás de alguna mata hallaremos a la señora doña Dulcinea desencantada, que no haya más que ver". Don Quijote muere, "pero con todo, comía la Sobrina, brindaba el Ama y se regocijaba Sancho Panza". Y añade nuestro comentarista: "Cae el telón, pero la vida, la representación, el equívoco no se acaba y cada cual seguirá viviendo entre verdades y mentiras según su naturaleza... Fidelidad al ser hasta la muerte, a través del sueño equívoco que es la vida sin llegar nunca a la certeza, fuera de lo que constituye nuestra persona. Hay que vivir dentro de la propia circunstancia y tan loco es aquél que cree poseer el secreto del mundo como el que cree poder transformarlo a medida de sus delirios. Porque acaso la certeza es algo que no es ni posible ni conveniente alcanzar para el hombre. No hay que buscarle tres pies al gato o como dice don Quijote a la duquesa cuando ésta pone en duda la existencia de Dulcinea: 'En eso hay mucho que decir. Dios sabe si hay Dulcinea o no en el mundo o si es fantástica o no es fantástica; y éstas no son de las cosas cuya averiguación se ha de llevar hasta el cabo' " [113].

La incertidumbre sigue hasta el fin, y el novelarla ha sido la gran empresa de Cervantes: "lo que hace Cervantes, y por eso es el primer novelista moderno, es llevar directamente a la obra, con el mínimo de abstracción, el equívoco mismo que es la vida. En otras palabras, descubre la fórmula de poetizar la radical incertidumbre de la existencia humana. Por eso quizá no sea exacto hablar del equívoco del *Quijote.* En realidad jamás se ha escrito una obra de arte más clara y natural. El equívoco no está en la novela, sino en la vida que la novela refleja con toda fidelidad" [114].

Lo paradójico, y quizá lo más grande de la novela de Cervantes, es que ni equívocos ni incertidumbres conducen a la pesimista inhibición, sino a proclamar la necesidad de vivir, de actuar, de aceptar la ficción como si fuera

---

[111] "El equívoco...", cit., pág. 219. Cfr.: Juan Fernández Figueroa, "La culpa de Don Quijote", en *Tres ensayos quijotescos,* Madrid, 1957. Alberto Navarro González, "La locura quijotesca", en *Anales Cervantinos,* I, 1951..

[112] Ed. Rodríguez Marín, cit., tomo VIII, pág. 257.

[113] "El equívoco...", cit., págs. 219-220.

[114] Ídem, íd., pág. 215.

realidad auténtica, teniendo que someterse además a ciertas reglas que se proclaman intangibles. Por añadidura, resulta que el escritor se burla: se burla del caballero que sueña con el ideal y del escudero que ambiciona ínsulas y dinero y de los mismos burladores que se burlan de los demás: "que tiene para sí ser tan locos los burladores como los burlados, y que no estaban los Duques dos dedos de parecer tontos, pues tanto ahinco ponían en burlarse de dos tontos" [115]. Pero su risa —he aquí el gran secreto— "es el gran paliativo de la angustia"; no es la suya la risa sarcástica y caricaturesca de Quevedo, sino la humana y comprensiva. Y gracias a ella "*realiza el milagro de salvar todos los valores de que se está riendo, entre ellos el más alto de todos, la dignidad del hombre, y de convertir en paradigma de esa dignidad al pobre loco manchego, el héroe grotesco*" [116].

El *Quijote* se convierte así en un insondable receptáculo de ideas, de representaciones, de formas de vida y de arte de la más asombrosa variedad. Esta riqueza y "el carácter contradictorio de la realidad que la obra refleja", explican sus múltiples virtualidades y, con ellas, los infinitos caminos interpretativos; no es, pues, de extrañar que cada época —cada lector incluso— haya visto el *Quijote* a su manera y, reflejadas en él, lo mismo las inquietudes del espíritu que las formas de arte del momento; en ningún libro, como en el *Quijote*, cabe el hallazgo y la sorpresa a cada lectura [117].

---

[115] Ed. Rodríguez Marín, cit., tomo VIII, págs. 196-197.

[116] "El equívoco...", cit., pág. 217. Quizá ningún pasaje tan característico de este "milagro" —y son innumerables— como aquella escena en casa de los duques: su capellán —en cuya pintura parece haber perdido Cervantes su habitual parsimonia—, después de haberle oído las primeras razones a don Quijote, lo llama tonto; el caballero entonces, puesto de pie, "temblando de los pies a la cabeza", responde al eclesiástico con unas palabras memorables, que terminan de esta manera: "Yo he satisfecho agravios, enderezado tuertos, castigado insolencias, vencido gigantes y atropellado vestiglos; yo soy enamorado, no más de porque es forzoso que los caballeros andantes lo sean; y siéndolo, no soy de los enamorados viciosos, sino de los platónicos continentes. Mis intenciones siempre las enderezo a buenos fines, que son de hacer bien a todos y mal a ninguno: si el que esto entiende, si el que esto obra, si el que desto trata merece ser llamado bobo, díganlo vuestras grandezas, Duque y Duquesa excelentes" (ed. Rodríguez Marín, cit., tomo VI, pág. 37). El momento es conmovedor; sabemos que nada más distantes de la realidad que aquellas ilusionadas pretensiones de don Quijote; lo falso de la situación le convierte irremediablemente en un ser grotesco; pero lo noble de su ideal quimera, que es realidad para él, enciende nuestras simpatías hasta la más honda ternura; el hidalgo loco sostiene allí la dignidad humana frente a la fría pedantería del eclesiástico y la burlona actitud de los duques. Y una vez más, la risa no mata, sino que hace más entrañable la idealidad del caballero.

[117] No resistimos la tentación de reproducir una bella página de Salinas, en que subraya este carácter escurridizo, prodigiosamente inapresable, hecho de insinuaciones y matices contradictorios, que define el mundo del *Quijote*: "Cervantes —dice— envuelve su obra en un clima de libertad. Es mi opinión que la técnica literaria de la libertad es el humorismo, porque el humorismo al iluminar las cosas con dos luces, al ofrecernos dos o varias versiones de una misma realidad, nos mueve a un acto de elección. Cer-

Y todavía un último prodigio: Cervantes ha dado vida artística a toda esta perspectiva inabarcable "con la máxima naturalidad, disimulando o venciendo todos los artificios. Ha podido así ejemplificar en sus figuras el saber más profundo, despojado de toda solemnidad, de toda pedantería, de todo esteticismo. Ha sido capaz de sugerir las ideas y los problemas universales como quien bromea, como quien está contando una entretenida historia. Y para ello tuvo que crear —ésa es su mayor hazaña— un estilo tan aparentemente fácil, simple, directo y natural, que fuera capaz de abarcar el equívoco de la vida misma en una representación cabal de la humanidad concentrada por un momento en el desnudo escenario de la llanura manchega y en los áridos caminos de España, entre el Toboso y Barcelona" [118].

DON QUIJOTE Y EL IDEAL CABALLERESCO

Hay un aspecto, entre los interrogantes propuesto por Del Río, tenazmente discutido y, como todo lo que a Cervantes toca, susceptible de las interpretaciones más contradictorias, pero de interés tan particular que se hace insoslayable: se trata de la lección de pesimismo o de optimismo que del *Quijote* pueda extraerse. El tema, claro es, está ligado estrechamente nada menos que con la última intención cervantina (lo que ya nos invita a desistir de toda final solución): ¿pretendió Cervantes enaltecer o burlarse del ideal caballeresco? —digamos, para mejor entendernos, del ideal genérico, sin adjetivos—; porque, si no pretendió burlarse, ¿qué sentido encierran las incesantes humillaciones que el novelista hace sufrir a don Quijote?

Aunque las respuestas han sido, inevitablemente, muy varias, predomina la interpretación que da la preferencia al pesimismo. En el siglo pasado valió por todos el parecer de don Juan Valera: "En ningún pueblo echó tan hondas raíces como en el nuestro el espíritu caballeresco de la Edad Media; en ningún pecho más que en el de Cervantes se infundió ese espíritu con más poderosa llama; nadie tampoco se burló de él más despiadadamente". En nuestro

vantes coloca a sus personajes en esa atmósfera especial que Américo Castro ha llamado 'la realidad oscilante'. En ella Don Quijote puede ser loco o sabio; la bacía, yelmo, o el yelmo, bacía; se invita al lector constantemente a escoger, conforme a su conciencia. La esencia de la libertad consiste en dejar al hombre que elija, y más aún, en que si no se siente en verdad convencido, se abstenga de elegir. Cervantes siempre propone, nunca impone. Y por eso, lectores, críticos, doctos e ignaros llevan siglos opinando que el *Quijote* es esto o lo contrario. Es que leyéndolo se ejerce el gran privilegio del espíritu humano frente al espectáculo o el drama del mundo, discernir sus realidades distintas, compararlas, y, por último, colocar sobre las de nuestra preferencia la seña de nuestra libertad, la elección" (*Don Quijote y la novela,* cit., pág. 110). Cfr.: Leopoldo Eulogio Palacios, "La significación doctrinal del *Quijote*", en *Acta Cervantina,* Madrid, C. S. I. C., 1948, págs. 307-318.

[118] "El equívoco...", cit., pág. 220.

siglo, Maeztu[119], que recoge y se apoya en las palabras precedentes, ha sido el teorizador más sobresaliente del pesimismo cervantino, tanto en lo que concierne al ánimo del escritor como en sus vastas implicaciones histórico-sociales; y sus juicios se repiten con notable frecuencia; Cervantes, el soldado de Lepanto, admirador de don Juan de Austria y orgulloso de haber participado en la más alta ocasión que vieron los siglos, hombre del espíritu de la época del Emperador, escribe el *Quijote* en ese momento de amargura en que España se siente ya arrastrada por su propio fracaso; y si su libro no es un grito desesperado es porque le redime y salva el prodigio del humor cervantino que comprende y endulza toda pesadumbre, y hermana el mundo heroico y el bajo en el abrazo de sus dos inmortales figuras. Así, decía Maeztu: "No comprendo que se pueda leer el *Quijote* sin saturarse de la melancolía que un hombre y un pueblo sienten al desengañarse de su ideal; y si se añade que Cervantes la padecía al tiempo de escribirlo, y que también España, lo mismo que su poeta necesitaba reírse de sí misma para no echarse a llorar, ¿qué ceguera ha sido ésta, por la que nos hemos negado a ver en la obra cervantina la voz de una raza fatigada, que se recoge a descansar después de haber realizado su obra en el mundo?"[120]; "El *Quijote* es una parodia del espíritu caballeresco y aventurero"[121]; "Shakespeare y Cervantes escribieron el *Hamlet* y el *Quijote* contra Hamlet y contra Don Quijote"[122]; "¿Nos imaginamos a los soldados de los ejércitos españoles 'muertos de hambre y desnudez', leyendo el *Quijote* en tierras de Flandes o de Italia? Cada uno de ellos podía sentirse Don Quijote, por lo idealista y por lo maltratado.... Aquellos soldados hambrientos y desnudos tenían que percibir, a todo lo largo del cuerpo, los temblores de aquellas tierras, próximas a perderse para España. ¿Y qué impresión les produciría la lectura de un libro cuyas páginas todas eran condenación de la vida aventurera y heroica de los caballeros andantes?"[123]; "Cervantes se va haciendo poco a poco a las dificultades de su patria, y cuando las aguas de la desilusión se le entran por la boca, se consuela, en vez de ahogarse, burlándose de sus antiguas ilusiones"[124]; "Los exégetas del *Quijote* se han preguntado muchas veces lo que se propuso el autor al escribirlo. No hace falta quebrarse los sesos para averiguarlo... Cervantes lo escribió para consolarse de sus amarguras"[125]. Son suficientes testimonios.

Menéndez Pidal, en su estudio sobre *Cervantes y el ideal caballeresco*, ha defendido, en cambio, la posición contraria. Pasa revista primeramente a los escritores no españoles, que en el pasado siglo sostuvieron ideas parejas a las

---

[119] *Don Quijote, Don Juan y la Celestina*, 2.ª ed., Buenos Aires, 1939.

[120] Ídem, íd., pág. 22.

[121] Ídem, íd., pág. 24.

[122] Ídem, íd., pág. 34.

[123] Ídem, íd., pág. 46.

[124] Ídem, íd., pág. 50.

[125] Ídem, íd., pág. 55.

de Valera y Maeztu: lord Byron, Eugenio Rosseuw-Saint-Hilaire, León Gautier. Pero presenta junto a ellos una lista mucho más larga de filósofos y literatos de toda Europa, que encontraron en el *Quijote* la encarnación del noble ideal, no escarnecido sino respetado por el novelista. Digamos, sin embargo, que las ideas de estos escritores, casi todos del período romántico —Hegel, Gibson Lockhart, Wordsworth, Schelling, Louis Viardot, Paul de Saint-Victor, Furne, Victor Hugo, Angelo de Gubernatis— no han ejercido, por lo que al tema se refiere, excesivo influjo sobre el pensar de los españoles. Menéndez Pidal, para apoyar aún su opinión contra quienes sostienen que el *Quijote* debe ser estimado como un libro negativo y destructor de los ideales heroicos, aduce el testimonio del gran romanista Heinrich Morf, para quien "la literatura universal ofrece pocos escritores que posean una tal fuerza formativa de hombres, y no ofrece ninguno que iguale a Cervantes en la cordial simpatía hacia todos aquellos que batallan con las miserias de la vida, es decir, simpatía hacia los hombres todos" [126].

Sobre las huellas de ambos maestros y de los escritores arriba mencionados, Luis Rosales ha profundizado en el tema con tanta sagacidad como entusiasmo. Nos hace ver Rosales que don Quijote padeció humillaciones porque tenía que padecerlas para ser don Quijote: "la humillación es el supuesto previo de su heroísmo" [127]. Si don Quijote hubiera encontrado comprensión en lugar de encontrar resistencia, no sería don Quijote; "con episodios como el de Marcela, el de las bodas de Camacho o el encuentro con el caballero del Verde Gabán, se puede hacer una novela pastoril y evasiva, pero no un libro como el *Quijote,* donde se enfrentan y aúnan idealidad y realidad" [128]. No solamente la burla es la aureola de la espiritualidad del noble hidalgo, sino que su heroísmo consiste en arrostrarla. Don Quijote no es un héroe a la manera de Amadís, vencedor en todas las lides; "es sólo un héroe psicológico, un héroe intencional; su intención le redime de sus hechos" [129]. Lo que define a don Quijote no son sus aventuras, sino el espíritu con que las afronta; "el heroísmo del caballero —por ser quien es Don Quijote— se templa en la derrota, pues indudablemente el valor victorioso no puede ser llamado quijotismo" [130].

Por esto mismo, la serie interminable de fracasos y humillaciones con que el autor parece abrumar a su personaje, no solamente no le tornan ridículo, sino que aumentan —en un crescendo que va empapándose, saturándose, de admiración y de amor—, su talla heroica y humana, haciéndosenos a cada nuevo sufrimiento más entrañablemente querido. Semejante sentimiento no puede nunca conducirnos al desprecio o a la irrisión del caballero, ni destruye, por

---

[126] "Cervantes y el ideal caballeresco", cit., pág. 295.

[127] *Cervantes y la libertad,* cit., vol. II, pág. 21.

[128] Ídem, íd., pág. 21.

[129] Ídem, íd., pág. 28.

[130] Ídem, íd., pág. 30.

tanto, en nuestro ánimo los ideales esforzados, sino que nos empuja a la defensa de quien tan heroicamente los mantiene. Con gran agudeza ha descrito Rosales el florecer de tales reacciones en el ánimo del lector: "Lo que quiso hacer Cervantes con su héroe, y lo ha logrado genialmente, no es sólo que admiremos a Don Quijote, sino más bien que sintamos por él un sentimiento hondo y dislacerante, muy complejo, que está formado de admiración, compasión y arrepentimiento. La inolvidable y humanísima originalidad cervantina consiste en haber conseguido que compadezcamos a un héroe con un cierto matiz de arrepentimiento en nuestra compasión; es decir, que le compadezcamos sintiéndonos nosotros mismos un poco responsables de su fracaso... La humillación de Don Quijote es indudablemente una necesidad del quijotismo, pero es también una protesta y *casi una venganza cervantina contra la sociedad*. Al humillarle, como Cervantes suele hacer reiteradamente aún en los últimos capítulos de la obra, cuenta con nuestra compasión y en cierto modo con nuestro arrepentimiento. Don Quijote no merece la burla y al humillarle nos hace que expiemos nuestra risa como lectores y nuestra culpa como hombres. Sabe que cuanto más ridiculice al caballero, mayor será nuestra expiación, pues todos —unos más y otros menos— pusimos nuestras manos sobre sus espaldas y hemos medrado a su costa... Es implacable en sus burlas porque no le duelen prendas y sabe a dónde va. La humillación del caballero nos sonroja. Tiene valor catártico. El lector se va enfrentando consigo mismo, empobreciéndose y desnudándose a medida que avanza en la lectura. Nadie termina el *Quijote* y sigue siendo el mismo hombre. Nadie dobla la última hoja sin comprender que su lectura le ha servido de penitencia" [131].

Aunque algo más de pasada, todos los comentaristas señalan igualmente el sentimiento de adhesión que los hechos de don Quijote producen en el lector, arrastrado a la vez por la grandeza moral del personaje y la eficacia artística del cuadro que el escritor ha conseguido. Bonilla, por ejemplo, declara que "el secreto de esta obra inmortal estriba en la profunda simpatía que el ideal quijotesco engendra en todos, aunque no todos se propongan realizarlo y aunque muchos se rían de él; porque también es universal y humano el convencimiento de que si ese ideal se practicase, la edad de oro tornaría y el mundo sería feliz" [132].

No vemos, pues, por parte alguna que la lectura del Quijote provoque sentimientos de derrotismo, o desengaño, o desprecio para el noble ideal, ni que fuesen éstos, por tanto, los que impulsaron al novelista a escribir su libro.

Existe un aspecto capital en toda la obra de Cervantes —que ya no podemos sino apuntar aquí— y que permite confirmar la disposición de ánimo del escritor; aludimos a la actitud didáctica y pedagógica que inspira la mayo-

---

131 Ídem, íd., págs. 35-36.

132 "Don Quijote y el pensamiento español", en *Cervantes y su obra*, Madrid, 1916, página 39.

ría de sus creaciones. No se trata ahora de afirmar o negar su mayor o menor densidad intelectual, sino de hacer constar la persistencia del fin didáctico, que en Cervantes se alía siempre estrechamente con su inspiración imaginativa e incluso fantástica: amalgama que representa una de las facetas más sugestivas de su polivalente personalidad. Bonilla, en el estudio arriba citado, recuerda que Cervantes nunca hizo profesión de filósofo "a pesar de las disertaciones de *La Galatea,* las sesudas reflexiones de Cipión y Berganza y las profundas sentencias del Licenciado Vidriera. Siempre se propuso entretener y hacer *historia social,* pero su fin didáctico no puede ponerse en duda; él mismo lo afirma repetidamente en sus obras: por ejemplo, cuando afirma que la comedia debe ser 'espejo de la vida humana, ejemplo de las costumbres e imagen de la verdad' ". Siempre, resume Bonilla, quiso Cervantes armonizar el ideal estético con el docente.

En un notable estudio de gran agudeza interpretativa, José Antonio Maravall ha atribuido al *Quijote* no ya la mencionada tendencia didáctica, sino toda una actitud reformista, de gama muy amplia, que sólo podemos suponer alimentada por una poderosa raíz de auténtico optimismo en la capacidad del hombre para mejorar. "En el pensamiento de Cervantes —dice— están vigentes creencias e ideales ligados íntimamente a las tendencias espirituales que vienen de los siglos anteriores a él y que en él, lo mismo que en el humanismo que le precede, comprendido Erasmo, no se entienden si no se toma en cuenta que pertenecen a esa tradición, cualquiera que sea la transformación que hayan sufrido. Y en esa línea está la reforma del hombre, de la sociedad y de la República, de cuyo anhelo, ya desengañado, pero no perdido, surge la figura de Don Quijote" [133]. En otro pasaje concreta las aspiraciones de don Quijote por lo que se refiere a la reforma de sí mismo: "Sin necesidad de adscribirse a la tesis de un Cervantes erasmista, no cabe duda de que en su genial creación de Don Quijote alienta un cabal anhelo reformador. Lo que el caballero ha conseguido al lanzarse a su extremado e inaudito comportamiento es, sencillamente y sobre todo —él mismo lo reconoce— esto: 'ser valiente, comedido, liberal, bien criado, generoso, cortés, atrevido, blando, paciente, sufridor de trabajos, de prisiones, de encantos'. Es decir, Don Quijote se considera logrado, porque se ha rehecho por dentro, porque se ha renovado según un cuadro de virtudes morales realmente ejemplar, no ya para su profesión caballeresca, sino para el hombre en general. Se ha convertido en un *hombre nuevo,* porque antes esas cualidades no las poseía y nos dice haberlas alcanzado por su personal y heroico esfuerzo. Don Quijote quiere dar universal ejemplo de cómo se puede ser otro del que se era, de cómo le es posible al ser humano reformarse" [134].

---

[133] *El humanismo de las armas en Don Quijote,* Madrid, 1948, pág. 16. Cfr.: Ludovik Osterc, *El pensamiento social y político del "Quijote",* México, 1963.

[134] Ídem, íd., pág. 91.

Adviértase que existe una diferencia esencial respecto a la valoración de los trabajos y humillaciones que sufre don Quijote, según las interpretaciones de Maravall y de Rosales. Para éste último, las desventuras quijotescas —ya lo hemos visto— pretenden provocar en el lector una reacción de culpabilidad y, a través de ella, de piedad y admiración hacia el personaje; para Maravall, por el contrario, "Don Quijote soporta las adversidades, no para conmover y excitar a los otros, sino como ascesis para su propio y personal mejoramiento"[135]. Pero ambos resultados se complementan sin contradecirse en un solo punto; y ambos por igual confirman la intención positiva, creadora y heroica de la inmortal novela cervantina. Don Quijote sabía que las desdichas formaban parte de su profesión y que nada representaban para la verdad que él defendía. Y así pudo decirle un día a su escudero sintiéndole llevado por la moral del éxito: "Bien se parece, Sancho, que eres villano y de aquellos que dicen: ¡Viva quien vence!".

EL "QUIJOTE" Y LA POSTERIDAD

Como dejamos dicho arriba, los contemporáneos de Cervantes y las primeras generaciones de lectores del *Quijote* no vieron en él sino un "libro de burlas" y sólo captaron la más aparente finalidad insistentemente declarada por su autor. Bien pronto, sin embargo, se abrió paso el convencimiento de la gran riqueza ideológica que la novela atesoraba y comenzó la gresca de las interpretaciones. No existe libro alguno en la literatura universal que haya sido objeto de admiración tan sostenida y unánime; pero tampoco cabe imaginar otra creación encomiada por razones tan contradictorias. Puede afirmarse que la fama del *Quijote* no ha sufrido eclipse; a diferencia de otros muchos escritores que han conocido etapas de olvido o negación —piénsese, por ejemplo, en Lope de Vega, en Calderón, en Góngora—, por razones estéticas, de tendencia doctrinal, etc., el *Quijote* ha tenido en todas las épocas lectores y críticos fervorosos, y nunca —al menos en sus valores esenciales— ha sido discutido. Cada momento literario ha visto, en cambio, en el *Quijote* aspectos diferentes que admirar; la evolución de las modas y gustos literarios nunca le ha perjudicado; y lo mismo los neoclásicos que los románticos o los realistas lo han encontrado acorde con su tiempo. Diríase que el *Quijote* posee un milagroso hontanar de respuestas distintas para el pensamiento y la sensibilidad de todas las edades. Si ser clásico, esencialmente, es encerrar esa posibilidad de responder y satisfacer en todo momento aunque cambie el gusto y el sentir de las generaciones, como quiere Azorín, ningún libro tan vivo ni tan clásico como la gran novela cervantina. Esto solo bastaría para poner de relieve su centelleante capacidad de reflejar y de absorber por igual las luces más contrarias y para dar razón de su prodigiosa perennidad.

---

[135] Idem, íd., pág. 92.

Las ediciones del *Quijote*, ya muy numerosas durante el siglo XVII, se multiplican en el XVIII y aumentan, incontables, a lo largo del XIX y del nuestro. No por tópicos debemos omitir aquí dos datos: que ningún libro del mundo, con excepción de la Biblia, ha sido editado tantas veces como el *Quijote*[136]; y que no hay edición de éste que no se venda, hasta el punto de haber sido remedio socorrido para más de un editor en apuros.

El Quijote comenzó inmediatamente a ser traducido y difundido por toda Europa. En inglés, después de la primera edición de 1607 se sucedieron no sólo las ediciones sino las distintas versiones: Philips, Motteux, Jarvis (a quien puede tenerse por el primer comentador formal del *Quijote*, según dice Amezúa), Smollet, Wilmot, Clark, Ormsby[137]. En Francia apareció en 1614 la primera parte traducida por Oudin, y poco después Rosset tradujo la segunda; en el siglo XVIII destaca entre otras versiones la de Florian, y en el XIX las de Bouchon, Dubournial, Viardot, Furne, etc. En Alemania existieron también desde mediados del siglo XVII, hechas a veces sobre versión francesa, fenómeno que se repite durante el siglo XVIII, hasta que en 1775 apareció la traducción de Bertuch y en 1800 las de Tieck y de Soltau; nuevas traducciones se suceden en el siglo XIX. En Italia, Franciosini publica la suya en 1622; a ésta sigue la de Bartolomeo Gamba, reproducida hasta nuestros días, y otras.

En el mismo siglo XVIII aparecieron ya las primeras muestras de una crítica más profunda, debidas al francés Saint-Evremond. Se ha dicho, aunque es muy discutible, que la valoración del *Quijote* como sátira del mundo heroico español contribuyó a su difusión en Francia, donde el antiguo antagonismo político-militar hacia nuestro país se complacía en semejante interpretación. Esto puede explicar la rara teoría de que el *Quijote* encerraba una caricatura de Carlos V. Recuérdense, sin embargo, los comentarios elogiosísimos para Cervantes de los nobles franceses que, en 1615, acompañaron a su embajador en Madrid, duque de Mayenne, y que hemos mencionado en capítulo anterior[138].

La crítica inglesa comienza a destacar los altos valores del *Quijote* a mediados del siglo XVIII —Motteux, Addison, el Dr. Johnson—. Pero la obra de

---

[136] En abril de 1959 la colección cervantina de Juan Sedó Peris-Mencheta poseía ejemplares del *Quijote* de 2.047 ediciones, pero el número de las existentes es mucho mayor. Según el índice de dicha colección, España ocupa el primer lugar con 843 ediciones; sigue Francia con 397, Inglaterra con 319, Alemania con 130, Italia con 84, etc. (Cfr.: Justo García Soriano y Justo García Morales, edición del Quijote, cit., pág. 17). Manuel Henrich, *Iconografía de las ediciones del Quijote*, 3 vols., Barcelona, 1905.

[137] Cfr.: E. Allison Peers, "Cervantes en Inglaterra" (estudio de las principales traducciones inglesas del *Quijote*), en *Homenaje a Cervantes*, II, Valencia, 1950, págs. 267-286. Del mismo, "Aportación de los hispanistas extranjeros al estudio de Cervantes", en *Revista de Filología Española*, XXXII, 1948, págs. 151-188.

[138] Cfr.: Esther J. Crooks, *The influence of Cervantes in France in the Seventeenth Century*, París, 1931. Maurice Bardon, *Don Quichotte en France au XVIIe et au XVIIIe siècles, 1605-1815*, París, 1931. André Suares, *Don Quijote en Francia* (trad. española), Madrid, 1916.

Cervantes recibió su mayor difusión de manos de Fielding, no sólo por sus juicios sobre ella, sino por el visible influjo que ejercía sobre sus propios libros; su sátira de la novela sentimental de Richardson tiene no poco de la sátira cervantina; y sus más famosas novelas —*Joseph Andrews* y *Tom Jones*— extraen de Cervantes, en opinión de todos los críticos, su caudal de ironía y de humor [139]. No poco influyó también en la popularidad del *Quijote*, tanto en Inglaterra como en el continente, la obra de Smollet, traductor del *Gil Blas* y del mismo *Quijote*, cuyo tema central imitó en su *Lancelot Greaves*. Antes de Fielding y de Smollet había ya preparado la popularidad cervantina en Inglaterra Laurence Sterne, cuya novela más notable, *Tristan Shandy*, estaba enteramente impregnada del novelista español. Más atrás todavía, en el siglo XVII, el influjo de *Don Quijote* había comenzado a dejarse sentir en Inglaterra en el *Hudibras*, sátira religiosa de Samuel Butler; Hudibras con su escudero Ralpho encarnan una parodia heroico-cómica de los excesos puritanos, que no pasa de ser una mala imitación de Cervantes [140].

En alemán, a mediados del siglo XVIII, el suizo Bodmer encarece el poder de caracterización de Cervantes en el *Quijote*, y poco después comienza en Alemania el gran movimiento de admiración y de estudio de la novela; el romanticismo alemán inaugura la interpretación filosófica y simbólica del *Quijote*, fijando los conceptos que hasta ayer mismo han sido la base de toda investigación y comentario: "Federico Schlegel —resume Schürr— fue el descubridor de un Quijote romántico y de un Cervantes artista consciente y creador original, equiparable a Shakespeare y Goethe en la doctrina romántica. De A. W. v. Schlegel procede la interpretación simbólica de la pareja antitética, Don Quijote y Sancho, como encarnación de la poesía y prosa de la vida. De Schelling, la de una antinomia entre ideal y realidad, o también espíritu y materia, alma y cuerpo, sueño y vida; interpretación que determinará la crítica posterior. De tal manera, el *Quijote* alcanzó la significación de un poema que simboliza el destino del hombre en este mundo. Como realización simbólica de la eterna lucha del espíritu humano que aspira a lo infinito y se encuentra atada a lo finito, la gran novela de Cervantes fue considerada por Jean Paul y los otros románticos como modelo de la obra romántica, su protagonista como *ejemplo* del hombre romántico en este mundo y su autor como corifeo del Romanticismo y representante de la ironía romántica. 'No hay escritor alemán (dice Farinelli en sus ensayos, 1925) desde Gerstenberg, Lessing, Wieland y Herder, desde Goethe y Jean Paul Richter, Gottfried Keller y Paul

---

[139] Cfr.: el trabajo de Alexander A. Parker, "Fielding and the Structure of Don Quijote", cit. en la nota 20.

[140] Cfr.: José de Armas y Cárdenas, *Cervantes en la literatura inglesa*, Madrid, 1916. E. M. Wilson, "Cervantes and English Literature of the Seventeenth Century", en *Bulletin Hispanique*, L, 1948, págs. 27-52. Edwin B. Knowles, "Cervantes y la literatura inglesa", en *Realidad*, año I, vol. II, núm. 5, págs. 268-297.

Heyse, que no deba parte de su educación literaria y de sus impresiones más vivas al autor del Quijote' "[141].

A todos estos nombres mencionados por Farinelli y Schürr habría que añadir el de Enrique Heine, descubridor y ensalzador del valor sentimental del *Quijote,* tan acorde con su generación; para prologar una edición alemana del *Quijote* en 1837 Heine expuso, en unas páginas de gran interés para la historia literaria, la impresión que la novela cervantina le había producido en diversos momentos de su vida: emocionado sentimiento, pesimismo desconsolado, para acabar advirtiendo la profunda intención satírica y humorista del libro.

La gran novela del siglo XIX que alcanza su plenitud con el triunfo del realismo en toda Europa, se nutre esencialmente de la novela de Cervantes, y no existe novelista de importancia en ningún país que sea ajeno a su influencia: Manzoni, Dickens, Stendhal, Flaubert, nuestro Galdós, los rusos Gogol, Turguiénief, Dostoiewsky, Tolstoy[142]. En Rusia, donde el *Quijote* había sido traducido por vez primera en 1769, la huella de la novela es especialmente profunda, y Turguiénief le dedicó un excelente ensayo, *Hamlet y Don Quijote*[143], en que recoge gran parte de las ideas aún vigentes.

Es de advertir que todas aquellas interpretaciones más o menos filosóficas que se hicieron del *Quijote* fuera de España, tuvieron escasa repercusión en nuestro país, donde, en su mayoría, fueron apenas conocidas. Bajo su influjo aparecieron, sin embargo, algunos escritos que trataron de encontrar en el *Quijote* esotéricas significaciones, por lo común de muy escasa consistencia. Deben mencionarse entre ellos los debidos a Nicolás Díaz de Benjumea (*Co-*

---

[141] Friedrich Schürr, "Cervantes y el Romanticismo", en *Anales Cervantinos,* I, 1951, págs. 43-70 (la cita es de las págs. 43-44). Cfr., además: J. J. A. Bertrand, *Cervantès et le romantisme allemand,* París, 1914. Joseph Bickermann, *Don Quijote y Fausto: los héroes y las obras* (traducción española), Barcelona, 1932. W. Brüggemann, *Cervantes und die Figur des Don Quijote in Kunstanschauung und Dichtung der deutschen Romantik,* Münster, 1958. A. Porqueras Mayo, "Aspectos de Cervantes en Alemania", en *Hispanófila,* University of Illinois, Urbana, núm. 9, 1960, págs. 41-44. Lienhard Bergel, "Cervantes in Germany", en *Cervantes across the centuries,* New York, 1947.

[142] Cfr.: E. Alarcos Llorach, "La interpretación de *Bouvard et Pécuchet* de Flaubert y su quijotismo", en *Cuadernos de Literatura,* IV, 1948, págs. 139-176. J. Chaix-Ruy, "Cervantes, G. Flaubert et L. Pirandello", en *Anales Cervantinos,* VI, 1957, págs. 123-132. J. J. A. Bertrand, "Génesis y desarrollo de la concepción romántica de Don Quijote en Francia", en *Anales Cervantinos,* III, IV y V. Ludmilla Buketoff Turkevich, *Cervantes in Russia,* Princeton, University Press, 1950, S. Montero Díaz, *Cervantes, compañero eterno,* Madrid, 1957 ("Cervantes en Turguiénief y Dostoyewsky", págs. 23-78). R. Flaccomio, *La fortuna del Don Quijote in Italia nei secoli XVII e XVIII e il Don Chisciotte di G. Meli,* Palermo, 1928. Eugenio Mele, "Más sobre la fortuna de Cervantes en Italia en el siglo XIII", en *Revista de Filología Española,* VI, 1919, págs. 364-374. Francisco A. de Icaza, *El "Quijote" durante tres siglos,* Madrid, 1918. José Toribio Medina, *Cervantes en Portugal,* Santiago de Chile, 1926.

[143] Traducción española, Barcelona, 1903.

mentarios filosóficos del Quijote, 1859; *La verdad sobre el Quijote,* 1878), Emilio Pi y Molist (*Primores del Quijote,* 1886), Baldomero Villegas (*Estudio tropológico del Quijote,* 1897), Antonio María Rivero (*Memorias maravillosas de Cervantes,* 1916), etc.

Por fortuna, a la par de estas caprichosas lucubraciones, concienzudos investigadores hicieron avanzar a lo largo del siglo XIX el estudio erudito del texto de Cervantes y sobre todo la biografía del escritor. Ésta, después del leve esbozo realizado por Mayans y Siscar en el siglo XVIII, había conocido las primeras aportaciones importantes, a fines del mismo siglo, gracias a Vicente de los Ríos y a Juan Antonio Pellicer, y había llegado a un punto de madurez en la obra de Martín Fernández de Navarrete. Nuevos datos se fueron documentando gracias a los trabajos de Jerónimo Morán, Aureliano Fernández Guerra, Cayetano Alberto de la Barrera, José María Asensio, Cristóbal Pérez Pastor, Ramón León Máinez, y luego, más recientemente, por el gran cervantista don Francisco Rodríguez Marín, Narciso Alonso Cortés y Luis Astrana Marín, quien, si no tantos como asegura, ha añadido conocimientos positivos a la biografía de Cervantes [144].

La tarea interpretativa, en el plano filosófico o doctrinal, se limita entre nosotros durante las últimas décadas del pasado siglo y los primeros años del presente a reaccionar contra los excesos de Benjumea y sus secuaces. Don Juan Valera negó al Quijote toda trascendencia ideológica después de proclamar sus inimitables valores como creación humana y literaria [145], opinión compartida por Menéndez y Pelayo, José María Asensio y otros muchos. Todavía Ganivet sostenía este parecer, y dentro ya de nuestro siglo lo han defendido Ramiro de Maeztu ("leamos las líneas y no las entrelíneas"), Azorín, cuando afirma que nada perjudica tanto al *Quijote* como seguir laborando sobre el misticismo cervantista, y Rodríguez Marín siempre más atento a los problemas de interpretación textual que a los posibles contenidos filosóficos de la novela.

El siglo actual ha traído importantes innovaciones en la crítica cervantista. Bajo el influjo del 98, que pone de moda el ensayo, se escriben algunas interpretaciones del mayor interés, pero que suelen prescindir de problemas específicamente literarios. La obra más notable en este grupo es la muy conocida de Unamuno —*Vida de Don Quijote y Sancho*—, libro inspirado todavía en concepciones románticas, y que viene a reaccionar entre nosotros contra la seca erudición al exaltar el valor transcendente y simbólico del héroe sobre las arideces de la letra. De parecida tendencia, aunque sin el ímpetu iluminado de Unamuno, es el ensayo de Ramón y Cajal, aparecido en la misma fecha —1905—, *Psicología de Don Quijote y el quijotismo.*

---

[144] Véanse las oportunas referencias bibliográficas en el apartado correspondiente a la biografía de Cervantes, cap. II, nota 1.

[145] En *Sobre el "Quijote" y sobre las diferentes maneras de comentarlo y juzgarlo,* Madrid, 1864.

Las *Meditaciones del Quijote* de Ortega y Gasset (1914) apenas si pertenecen, pese a su título, a ninguno de los campos de la exégesis cervantina, ni interpretativa ni textual; toman como trampolín la obra de Cervantes para saltar hacia cuestiones de índole histórico-política y problemas de carácter estético sobre la novela como género.

El ensayo de Bonilla y San Martín, *Don Quijote y el pensamiento español,* trata de concretar las ideas de Cervantes para llegar a la conclusión de que si no se manifiesta, ciertamente, como pensador sistemático, tampoco fue ajeno a ninguno de los problemas capitales que preocuparon en su tiempo.

En 1926 publicó Salvador de Madariaga el ensayo, repetidamente citado, *Guía del lector del Quijote,* sagaz interpretación del significado humano e ideal de sus personajes centrales y estudio, a la vez, de capitales problemas literarios relacionados con la creación y composición de la novela.

El ensayo de Ramiro de Maeztu, *Don Quijote, Don Juan y la Celestina,* atiende preferentemente —ya lo hemos visto— a señalar en la novela de Cervantes sus implicaciones sociales y políticas.

Todos estos trabajos son aquí mencionados en virtud de su difusión y por la importancia de su contenido; representan indagaciones valiosas que han iluminado diversas parcelas de la novela inmortal. Pero en su conjunto (y únicamente los destacamos como paradigmas de una serie casi innumerable, a la que sólo podemos aludir en las listas bibliográficas), no representan posiciones radicalmente nuevas en relación con la tarea interpretativa del pasado siglo: aguzan los procedimientos críticos, sustituyen la hojarasca retórica por un exigente rigor conceptual, pero sólo en muy corta medida superan los métodos de las valoraciones subjetivas. La auténtica innovación que aporta la crítica de nuestros días puede considerarse iniciada por el libro de Américo Castro, *El pensamiento de Cervantes.* Creemos que en este libro por primera vez se aborda a un mismo tiempo el estudio del contenido doctrinal de la obra cervantina —no mediante aventuradas intuiciones, sino con rigurosa constatación textual— y lo que era aún más insólito: problemas estéticos que afectan a la génesis, composición y estructura de la novela; quiere decirse que se estudia el *Quijote* como creación de arte, con razones concretas y no con vagos ditirambos a la vieja usanza. Esta consideración estética de la novela, que trata de comprenderla y valorarla como tal, y que lleva implicadas cuestiones fundamentales sobre la intencionalidad y conciencia creadora del novelista, ha sido ampliada en otros trabajos del mismo autor sobre el *Quijote,* que repetidamente hemos citado.

En esta dirección se están produciendo las nuevas orientaciones de la crítica. No se desconoce el valor que los personajes de la novela pueden encerrar como símbolos, ni se niega tampoco cualquier imaginable transcendencia doctrinal o social, pero los objetivos de la investigación son ahora distintos; importa apenas subrayar el tan traído realismo cervantino ni presentar al *Quijote* como insustituible cantera de información costumbrista. Se trata, en cambio, de volver sobre el Cervantes creador, oscurecido por la magnitud de su criatura, y descubrir los secretos de composición y elaboración de su obra de arte, los problemas de su estructura, la realización estilística: en una palabra, se está tratando de romper por sobre toda la maraña interpretativa que diez generaciones de comentaristas habían puesto en torno a don Quijote, para regresar al centro mismo, raíz y razón de todo, que es la propia novela. Estudios como los repetidamente citados de Hatzfeld o de Spitzer o los mencionados de Knud Togeby o de Parker, pueden servirnos para ejemplarizar los rumbos hacia los que se dirige la nueva exégesis cervantina. Y hacemos punto aparte para *Cervantes y la libertad*, de Luis Rosales, de quien son las palabras que siguen, tan definitorias de la nueva actitud como lo es su propio libro: "Al Quijote —la obra maestra de la literatura española— le faltan comentarios interpretativos y le sobran devociones gramaticales, distingos que no distinguen nada, desenterramientos de huesos y fechas, literatura comparada, esotéricos estudios sobre Cervantes cosmógrafo, Cervantes y el derecho de gentes, Cervantes erasmista, Cervantes reaccionario o revolucionario, y otros pasatiempos y profesorerías. Hoy va cambiando de rumbo la crítica cervantina, que se atiene, generalmente, a interpretar su obra" [146].

EL "QUIJOTE" DE AVELLANEDA

En julio de 1614, nueve años después de haber aparecido la primera parte del *Quijote*, vio la luz en Tarragona la continuación apócrifa compuesta por el Licenciado Alonso Fernández de Avellaneda, natural de la villa de Tordesillas, bajo el nombre de *Segundo tomo del Ingenioso Hidalgo Don Quijote de la Mancha, que contiene su tercera salida: y es la quinta parte de sus aventuras* [147].

En el prólogo, como sabemos, Avellaneda injuria a Cervantes, y —sin mencionar expresamente su nombre— sale en defensa de Lope de Vega, a quien aquél había atacado en los preliminares de su *Quijote*. Esto ha hecho pensar a algunos que lo que movió a Avellaneda a escribir su libro fue el deseo de vengar los agravios hechos a Lope por Cervantes; pero de ser así, el autor se habría tomado demasiado trabajo para tal objeto, pues, al cabo, todo se reduce —aparte, claro es, de apropiarse el asunto de la obra— a estampar unas frases ofensivas. Es más probable que Avellaneda se lanzara a escribir

[146] *Cervantes y la libertad*, II, pág. 67. Cfr.: F. C. Tarr, "Recents trends in Cervantes studies", en *The Romanic Review*, XXXI, 1940, págs. 25 y ss. César Real de la Riva, "Historia de la crítica e interpretación de la obra de Cervantes", en *Revista de Filología Española*, XXXII, 1948, págs. 107-150. Marcel Bataillon, "Publications Cervantines récentes", en *Bulletin Hispanique*, LIII, 1951, págs. 157-175. Helmut Hatzfeld, "Results from Quijote criticism since 1947", en *Anales Cervantinos*, II, 1952, págs. 131-157.

[147] Recuérdese que la primera parte del *Quijote* apareció, en su primera edición, dividida en cuatro partes.

la continuación del *Quijote* para granjear fácilmente fama y dinero favoreciéndose de la dilatada popularidad de la novela de Cervantes [148]; y como, a buen seguro, pertenecía al círculo del Fénix, aprovechó la oportunidad para salir en defensa del maestro injuriando de paso a su rival.

Una alusión de Cervantes, dando a entender que el nombre de Avellaneda era un seudónimo [149], ha dado origen al más insoluble problema que quizá conoce la historia de nuestra literatura, puesto que al cabo de tres siglos y medio todavía no ha sido identificado el misterioso autor, a pesar de que la bibliografía sobre el "caso Avellaneda" suma ya un total de casi ciento cincuenta títulos. Las atribuciones han sido variadísimas. Pellicer, Gallardo, La Barrera, Cayetano Rosell y Aureliano Fernández-Guerra sostuvieron que tras el nombre de Avellaneda se ocultaba el confesor de Felipe III, fray Luis de Aliaga: enemistado éste con Cervantes por no se sabe qué razones, se apoderó de sus personajes y escribió la continuación de la novela con ánimo de venganza. Menéndez y Pelayo rebatió esta hipótesis con más que sobradas razones, de las cuales no es la menor que si aquel "iracundo y poderoso fraile" hubiera deseado vengarse de Cervantes tenía a mano más rápidos y eficaces medios que "continuar o parodiar con tanta flema la obra de su enemigo" [150]. Díaz de Benjumea sostuvo primeramente que Avellaneda era el supuesto o real autor de *La pícara Justina,* fray Andrés Pérez; pero lo identificó después con el famoso enemigo de Cervantes, el doctor Juan Blanco de Paz, su delator durante el cautiverio; parecer también defendido por Ceán Bermúdez. León Máinez supuso que Avellaneda era el propio Lope. Adolfo de Castro atribuyó el *Quijote* espúreo al dramaturgo Ruiz de Alarcón; doña Blanca de los Ríos le otorgó la paternidad —no debe de extrañarnos— a Tirso de Molina; el hispanista francés Paul Groussac, al notario valenciano Juan Martí, autor de la segunda parte apócrifa del *Guzmán de Alfarache,* bajo el nombre de Mateo Luján de Sayavedra; Bonilla y San Martín, a Liñán de Riaza; Cotarelo y Mori, al dramaturgo valenciano Guillén de Castro; Aurelio Baig Baños y José Toribio Medina al dominico fray Alonso Fernández, es decir, entendieron —basándose en la afirmación de Tamayo de Vargas— que el nombre de Avellaneda no era un seudónimo. Narciso Alonso Cortés piensa que Avella-

---

148 Con el mismo dejo de vulgaridad que tanto había de prodigar a lo largo de todo el libro, dice Avellaneda en su prólogo aludiendo a Cervantes: "Quéjese de mi trabajo por la ganancia que le quito de su 'Segunda parte' " (Colección Austral, 3.ª ed., Madrid, 1958, pág. 12).

149 En el prólogo de la segunda parte de su *Quijote* dice Cervantes: "la [modestia] que debe de tener este señor sin duda es grande, pues no osa parecer a campo abierto y al cielo claro, encubriendo su nombre, fingiendo su patria, como si hubiera hecho alguna traición de lesa majestad" (Ed. Rodríguez Marín, cit., tomo IV, págs. 32-33).

150 "El Quijote de Avellaneda", introducción a la edición de Barcelona de 1905; reproducida en *Estudios y discursos de crítica histórica y literaria,* edición nacional, vol. I, Santander, 1941, págs. 357-420 (la cita es de la pág. 375).

neda pudo ser fray Cristóbal de Fonseca; Juan Millé y Giménez y Joaquín Espín Rael pensaron en la posibilidad de identificarlo con Quevedo; y Justo García Soriano y Justo García Morales han propuesto la "candidatura" del novelista Alonso del Castillo Solórzano. No han faltado tampoco pintorescas atribuciones, como la que supone que Avellaneda es el propio Cervantes. Menéndez y Pelayo aventuró cautamente el nombre de un oscuro poeta aragonés llamado Alfonso Lamberto, teoría que apenas desvela el misterio, dada la absoluta falta de noticias que de Lamberto existe. Para comprender algunas de las atribuciones mencionadas conviene tener presente que, según indicación del propio Cervantes, Avellaneda era probablemente aragonés [151]; y que, desde Pellicer y Clemencín, ha venido afirmándose que el misterioso continuador debía de ser un fraile dominico, opinión todavía sostenida por algunos, como Valbuena Prat, pero que ya Menéndez y Pelayo había rebatido, afirmando que las razones en que se apoya son "de las más fútiles" [152].

---

[151] En el capítulo LIX de la segunda parte, cuando don Quijote hojea el ejemplar del falso *Quijote* que le muestran los dos caballeros de la venta, dice: "En esto poco que he visto he hallado tres cosas en este autor dignas de reprehensión. La primera es algunas palabras que he leído en el prólogo; la otra, que el lenguaje es aragonés, porque tal vez escribe sin artículos...", opinión esta última que ha dado mucho que discutir a los eruditos. (Ed. Rodríguez Marín, cit., tomo VIII, pág. 22). Cfr.: Juan Millé y Giménez, "Una nueva interpretación acerca de los 'artículos' omitidos por Avellaneda en su 'Quijote' ", en *Revista del Ateneo Hispano-Americano*, Buenos Aires, nov.-dic., 1919, núm. 5.

[152] "El Quijote de Avellaneda", cit., pág. 371. Cfr.: Alfred-Leopold-Gabriel Germond de Lavigne, *Les deux Don Quichotte. Étude critique sur l'oeuvre de Fernández Avellaneda*, París, 1852. José de Armas y Cárdenas, *El "Quijote" de Avellaneda y sus críticos*, La Habana, 1884. Del mismo, *Cervantes y el Duque de Sessa. (Nuevas observaciones sobre el "Quijote" de Avellaneda y su autor)*, La Habana, 1917. Ximénez de Embún, *Antecedentes que prepararon y causas históricas que produjeron la publicación del "Quijote" de Avellaneda*, Zaragoza, 1905. Aurelio Baig Baños, *¿Quién fue el licenciado Alonso Fernández de Avellaneda? Ensayo sobre la estructura espiritual del falso "Quijote"*, Madrid, 1915. Adolfo Bonilla y San Martín, "Cervantes y Avellaneda", en *De crítica cervantina*, Madrid, 1917. Emilio Cotarelo y Mori, *Sobre el "Quijote" de Avellaneda. Segundo tomo de "El Ingenioso Hidalgo Don Quijote de la Mancha"*, Madrid, 1934. Joaquín Espín Rael, *Investigaciones sobre el "Quijote" apócrifo*, Madrid, 1942. Stephen Gilman, "El falso 'Quijote', versión barroca del 'Quijote' de Cervantes", en *Revista de Filología Hispánica*, V, 1943, págs. 148-157. Del mismo, *Cervantes y Avellaneda. Estudio de una imitación*, México, 1951. Juan Bautista Sánchez Pérez, *Avellaneda*, Madrid, 2.ª ed., 1951. M. Criado de Val, *Análisis verbal del estilo. Índices verbales de Cervantes, de Avellaneda y del autor de "La tía fingida"*, Madrid, 1953 (Anejo LVII de la *Revista de Filología Española*). Paul Groussac, *Une énigme littéraire: Le "Don Quichotte" d'Avellaneda*, París, 1903. José Nieto, *Cervantes y el autor del falso "Quijote". Noticia biográfica del dominicano fray Luis de Aliaga, "autor" del falso "Quijote"*, Madrid, 1905. Ramón León Máinez, *La obra del licenciado Alonso Fernández de Avellaneda. ¿Fue Lope de Vega el autor del falso "Don Quijote"?*, Jerez de la Frontera, 1901. Del mismo, *Continúase examinando si Lope de Vega fue el autor del falso "Don Quijote"*, Jerez de la Frontera, 1901. José Enrique Serrano Morales, "El licenciado Alonso Fernández de Avellaneda, ¿fue Juan Martí?, en *Revista de Archivos*, Madrid, 1904. Ricardo M. Unciti, *Avellaneda es Cer-*

Un dato particularmente precioso puede introducirnos a la valoración literaria del *Quijote* de Avellaneda: ni un sólo escritor del siglo XVII lo menciona, según noticia de Menéndez y Pelayo, "desde los días de Cervantes y Tamayo de Vargas hasta los de Nicolás Antonio que cumpliendo su oficio de bibliógrafo tuvo que catalogarle" [153]; y hay que llegar a 1732 para encontrar la segunda edición. Sólo otras dos completas se hicieron durante el siglo XIX, siendo la cuarta de tal condición —y la sexta en total— la que en 1905 fue impresa en Barcelona con el citado estudio preliminar del gran polígrafo [154]. Si este desdén de los lectores puede tomarse como índice de valor, la apreciación global está ya formulada. De modo global también, podríamos aventurar por nuestra parte que en este caso la opinión colectiva ha sido justa y ha pagado en buena moneda la audacia del usurpador.

Algunas matizaciones son, sin embargo, necesarias. El juicio de Menéndez y Pelayo nos sigue pareciendo muy ponderado, y si en algún aspecto hubiéramos de discrepar sería en situar la obra de Avellaneda algunos peldaños más hacia abajo. El *Quijote* apócrifo no carece de habilidad narrativa, ni anda falto de "episodios interesantes y bien imaginados", y es innegable su fuerza cómica en muchos pasajes; pero sus aciertos parciales quedan prácticamente borrados por su total fracaso en el manejo de las dos figuras centrales. Su más craso error lo representa don Quijote; Avellaneda no entendió nada del delicado idealismo que había infundido Cervantes en el hidalgo, ni de su atormentada humanidad y generosa nobleza. El Quijote de Avellaneda es un bra-

---

vantes, Valladolid, 1915. Juan Millé y Giménez, *Quevedo y Avellaneda, algo sobre el "Buscón" y el falso "Quijote"*, Buenos Aires, 1918. José Toribio Medina, *El disfrazado autor del "Quijote", impreso en Tarragona, fue fray Alonso Fernández. Estudio crítico,* Santiago de Chile, 1918. Narciso Alonso Cortés, *El falso "Quijote" y fray Cristóbal de Fonseca,* Valladolid, 1920. Francisco Martínez Martínez, *Don Guillén de Castro no pudo ser el falso Alonso Fernández de Avellaneda. Réplica a Cotarelo,* Valencia, 1935. Del mismo, *Lo que debe leer detenidamente el que intente descubrir al falso Alonso Fernández de Avellaneda,* Valencia, 1943. Francisco Vindel, *La verdad sobre el falso "Quijote"*, 2 vols., Barcelona, 1937. Del mismo, *Las treinta casualidades que hacen sea Alonso de Ledesma el autor del falso "Quijote"*, Madrid, 1941. Justo García Soriano y Justo García Morales, *Los dos "Don Quijote". Investigaciones acerca de la génesis de "El Ingenioso Hidalgo" y de quién pudo ser Avellaneda,* Todelo, 1944. Juan Serra Vilaro, *El rector de Vallfogosa, Vicente García, autor del "Quijote" de Avellaneda,* Madrid, C. S. I. C., 1949. F. Sánchez Castañer, "Quién no pudo ser Avellaneda. Nuevos datos acerca de Fray Alonso Fernández", en *Mediterráneo,* Valencia, 1944, núm. 6. Rafael M.ª de Hornedo, "Fernández de Avellaneda y Castillo Solórzano", en *Anales Cervantinos,* II, págs. 251-267. F. Maldonado de Guevara, "El incidente Avellaneda", en *Revista de Ideas Estéticas,* núm. 31, julio-sept., 1950; reproducido en *Anales Cervantinos,* V, págs. 41-62. Alberto Sánchez, "¿Consiguió Cervantes identificar al falso Avellaneda?", en *Anales Cervantinos,* II, págs. 313-333.

[153] "El *Quijote* de Avellaneda", cit., pág. 358.

[154] Después de esta edición, el *Quijote* de Avellaneda ha sido reeditado nuevamente en Barcelona, 1916, y por la Colección Austral, tres reimpresiones: 1946, 1947 y 1958.

vucón de una plebeya ramplonería que hace llorar. El falsario, pese a sus despectivas frases del prólogo, sigue, sin despegarse, los pasos de Cervantes, y copia situaciones, actitudes y hasta frases y palabras del caballero; pero no sólo es incapaz de hacer madurar su carácter, como había de conseguir Cervantes prodigiosamente en la segunda parte de su novela, sino que ni siquiera sabe mantener al hidalgo en un tono de prudente dignidad; este falso Quijote profiere insultos y amenazas incesantemente, como un desaforado gañán. La caída es menos violenta con Sancho, porque la condición materialista y realista del escudero dista menos de la índole basta y ramplona del escritor; con todo, un abismo infranqueable separa también la graciosa socarronería del verdadero Sancho entre ingenua y maliciosa, su natural y hondo saber, de la insistente y vulgar glotonería con que Avellaneda adereza al suyo. Avellaneda no ha visto de los dos personajes inmortales sino su silueta más chata y superficial, en la que —como dice Menéndez y Pelayo— "se encarniza, abultándola en caricatura grosera" [155].

Sin duda alguna, Cervantes no ha tenido jamás más eficaz panegirista de su genio que la obra de su émulo, porque poniéndolas en parangón es como puede advertirse en toda su magnitud la altura a que se yergue la creación cervantina. Para comprender cómo la hondura de los personajes se le escapa a Avellaneda bastaría pensar en la renuncia del caballero al amor de Dulcinea, que tiene lugar a poco de comenzado el libro, a continuación de unas zafias consideraciones antifeministas; de ahí el nuevo título de *Caballero Desamorado* con que se presenta en toda la novela. El auténtico don Quijote denuncia la burda atribución del falsario, en la escena en que, de boca de dos caballeros, conoce la existencia de la segunda parte de su historia: "Quienquiera que dijese que don Quijote de la Mancha ha olvidado, ni puede olvidar, a Dulcinea del Toboso, yo le haré entender con armas iguales que va muy lejos de la verdad; porque la sin par Dulcinea del Toboso ni puede ser olvidada, ni en don Quijote puede caber olvido: su blasón es la firmeza, y su profesión, el guardarla con suavidad y sin hacerse fuerza alguna" [156].

Destaca también Menéndez y Pelayo lo soez de muchas expresiones de Avellaneda y la deleitación con que se revuelca en aspectos torpes y en las funciones más ínfimas del organismo animal. Peor que el asunto, creemos, sin embargo, que es el tono cargante y la repetición forzada con ánimo de producir hilaridad, sin estar asistido del don alado de la gracia. También se complace visiblemente Avellaneda en ciertas situaciones escabrosas de las que trata asimismo de sacar partido cómico; y en esto, con desigual fortuna.

Piedra de toque también para comparar los dos *Quijotes* es la diferente proporción en el diálogo, pues mientras la obra de Cervantes tiene en aquél, como dijimos, una de sus mayores excelencias, en la novela de Avellaneda

---

[155] "El *Quijote* de Avellaneda", cit., pág. 368.

[156] Ed. Rodríguez Marín, cit., tomo VIII, pág. 21.

cuando no falta por entero —otorgándole predominio absoluto a la narración—, se demora en largos parlamentos, empedrados por añadidura de pedantescas y altisonantes frases.

Es el caso que cuando Avellaneda deja de la mano a don Quijote y a Sancho y se ocupa momentáneamente de acciones o personajes secundarios, muestra condiciones de narrador no despreciables (lo que nos serviría en último caso para comparar la habilidad artesana con la potencia creadora). Por esto mismo, las mejores páginas de la novela, a nuestro entender, son las dos historias —la del *rico desesperado* y la de los *felices amantes*— que el autor ingiere de modo artificioso, en forma muy parecida a la novela de *El curioso impertinente* del *Quijote* auténtico. En la primera, Avellaneda tiene buena ocasión de solazarse en un suceso erótico muy de su gusto, tratado, por cierto, con hábil y bien medido desenfado; la segunda, de tema erótico también, es una versión más de la tan conocida leyenda mariana en que la Virgen reemplaza a la abadesa pecadora. Contiene bellos fragmentos, pero está contada con demasiada prolijidad.

Al final de la novela encierran a don Quijote en la casa de locos de Toledo; y no era para menos, pues el Quijote de Avellaneda es un loco de atar. Nada, pues, acertó a captar el falsario de la poética exaltación del hidalgo cervantino, de cuya heroica locura ha podido decir Maldonado de Guevara que "no es clínica, sino mística; es decir, transcendental" [157].

---

[157] *Apuntes para la fijación de las estructuras esenciales en el Quijote,* cit., pág. 159.

CAPÍTULO V

LOPE DE VEGA. SU VIDA. OBRA NO DRAMÁTICA

LOPE EN SU ÉPOCA

En la persona de Lope de Vega vamos a enfrentarnos con una de las figuras más inabarcables, más polifacéticas, de mayor capacidad creadora y más energía vital no sólo de las letras mundiales, sino de toda la historia humana. Con Cervantes forma Lope la gran pareja que bastaría por sí sola para justificar el lugar excepcional de nuestra literatura; y, también con él, representa el lazo de unión que sintetiza y funde las dos épocas —Renacimiento y Barroco— en que se dilata nuestra Edad de Oro. Lo que Cervantes logra en la novela, forjando los moldes modernos del género, lo alcanza Lope llevando a su molino todas las corrientes dramáticas, dispersas y contradictorias, de múltiples tanteos anteriores, y creando de un golpe, prodigiosamente, el gran teatro nacional español. Un importante rasgo los distingue: Cervantes acertó a condensar las inquietudes vitales e ideológicas de aquel crítico cruce de dos centurias tan dispares en una sola obra genial, apresando a la vez los rasgos más genuinos de lo español y erigiendo perdurables categorías de espíritu para el hombre de todos los tiempos y lugares. Lope, genio disperso, no encerró en ninguna obra de teatro, prosa o poema una fórmula o tipo humano de universal validez, pero fue, en cambio, como ningún otro escritor de cualquier época la más genuina voz del alma de su pueblo; hondamente arraigado en su tradición, Lope lleva al teatro los hechos todos de la vida y las gentes de su país, diluyéndolos en centenares de comedias y obras poéticas: ningún tema, suceso, idea o persona —contemporáneos o históricos— que pudieran de alguna manera interesar al español de su tiempo, dejó de ser apresado por el torrente sin orillas de su obra tumultuosa. No propuso inquietudes ni se enfrentó jamás con el sentir del hombre de su época, sino que lo sirvió; lo que de él bebía, se lo devolvió convertido en obra de arte, logrando ser así el más inequívoco exponente de aquella España heroica y aventurera, tan inquieta, proteica y contradictoria como él.

LA VIDA Y LA AVENTURA DE LOPE

Nació Lope de Vega en Madrid el 25 de noviembre de 1562, un año después de que Felipe II convirtiera la ciudad en capital del imperio hispano[1]. El padre de Lope, Félix de Vega Carpio, era oriundo del valle de Carriedo, en las montañas santanderinas, bordador de oficio, que poco antes se había establecido en Valladolid, donde le nacieron sus dos primeros hijos. En seguimiento de una mujer, Félix de Vega, en quien se fundía un versátil carácter mujeriego con una encendida vida de piedad —rasgos que había de heredar el futuro dramaturgo—, abandonó a su familia y se escapó a Madrid; pero allí le siguió su esposa, Francisca Fernández Flores, que consiguió separarle de su rival; y de la consiguiente reconciliación provino el nuevo vástago. Andando el tiempo, Lope de Vega tenía que aludir graciosamente, en su *Epístola a Amarilis* a la ocasión de su existencia:

Siguióle hasta Madrid, de celos ciega,
Su amorosa mujer, porque él quería
Una española Elena, entonces griega.

---

[1] Sobre la vida de Lope de Vega, cfr.: Cayetano Alberto de la Barrera, *Nueva Biografía de Lope de Vega,* Madrid, 1890 (vol. I de las *Obras de Lope de Vega* publicadas por la Real Academia Española). Hugo Albert Rennert y Américo Castro, *Vida de Lope de Vega,* Madrid, 1919. Francisco A. de Icaza, *Lope de Vega. Sus amores y sus odios. Lope secretario de amores. Los hijos de Lope. El alma de Lope,* Madrid, 1926. Marçel Carayon, *Lope de Vega,* París, 1929. Luis Astrana Marín, *Vida azarosa de Lope de Vega,* 2.ª ed., Barcelona, 1941. Carlos Vossler, *Lope de Vega y su tiempo,* Madrid, 1933, 2.ª ed., Madrid, 1940. Joaquín de Entrambasaguas, *Vida de Lope de Vega,* 2.ª ed., Barcelona, 1942. Del mismo, *Vivir y crear de Lope de Vega,* vol. I, Madrid, 1946. Un buen resumen de la vida de Lope puede hallarse en Alonso Zamora Vicente, *Lope de Vega,* Madrid, 1961. Muchos aspectos de la vida de Lope han sido estudiados por Agustín González de Amezúa, en *Lope de Vega en sus cartas,* introducción al epistolario de Lope, 4 vols., Madrid, 1935-1943. Narciso Alonso Cortés, "Documentos relativos a Lope de Vega", en *Boletín de la Real Academia Española,* III, 1916. Cristóbal Pérez Pastor, "Datos desconocidos para la vida de Lope de Vega", en *Homenaje a Menéndez y Pelayo,* I, Madrid, 1899, págs. 589-599. María Concepción Salazar, "Nuevos documentos sobre Lope de Vega", en *Revista de Filología Española,* XXV, 1941. Robert Ricard, "Sacerdocio y literatura en la España del Siglo de Oro. El caso de Lope de Vega", en *Estudios de literatura religiosa española,* Madrid, 1964, págs. 246-258. Elías Tormo, "Sobre los retratos de Lope de Vega", en *Revista Crítica Hispanoamericana,* núm. 116. Enrique Lafuente Ferrari, *Los retratos de Lope de Vega,* Madrid, 1935. Pa a cualesquiera aspectos particulares de la vida de Lope y los diversos sucesos y personajes en relación con ella, cfr.: J. Simón Díaz y Juana de José Prades, *Ensayo de una bibliografía de las obras y artículos sobre la vida y escritos de Lope de Vega Carpio,* Madrid, 1955. De los mismos, *Lope de Vega: Nuevos estudios,* Madrid, 1961, núm. IV de *Cuadernos bibliográficos.*

> *Hicieron amistades, y aquel día*
> *Fue piedra en mi primero fundamento,*
> *La paz de su celosa fantasía.*
> *En fin, por celos soy: ¡qué nacimiento!*
> *Imaginadle vos, que haber nacido*
> *De tan inquieta causa fue portento* [2].

La familia Lope se estableció a continuación en Madrid, en la calle Mayor, centro entonces de un animado barrio de artesanos y comerciantes. De los primeros años del poeta no se poseen muchas ni muy seguras noticias. El padre murió repentinamente, cuando Lope tenía dieciséis años, y la madre vivió once más. No se conocen apenas detalles de los primeros estudios que siguió Lope, aunque se sabe que fueron en el colegio o "estudio" que dirigía en Madrid Vicente Espinel, notable poeta y autor famoso de la *Vida del Escudero Marcos de Obregón,* una de las novelas picarescas más difundidas. El apasionado biógrafo de Lope, Pérez de Montalbán, que había de ser también discípulo de su dramática, escribe en su *Fama póstuma* [3] que Lope destacó en la escuela como niño prodigio; a los cinco años —dice— leía en romance y en latín, y se le daban tan bien los versos que, no sabiendo todavía escribir, daba a sus compañeros mayores parte de su almuerzo para que le escribieran los que componía. Entró después en el Colegio de los Jesuitas [4], donde estudió con provecho gramática y retórica, y quizá más tarde matemáticas y astronomía en la Academia Real.

Conoció y entró luego al servicio del obispo de Ávila, Jerónimo Manrique, a quien se ganó dedicándole algunas de sus primeras composiciones poéticas. Cursó después en Alcalá, no se sabe por cuánto tiempo, y hasta han supuesto algunos investigadores que no hubo tales estudios; pero probablemente estuvo en aquella Universidad durante cuatro años —1577-1582—, gracias a la protección del obispo Manrique, y sin completar sus estudios los abandonó a causa de unos amoríos. Es posible también que al año siguiente estudiara en la Universidad de Salamanca [5], de donde salió esta vez para enrolarse como soldado en la expedición mandada por el marqués de Santa Cruz, que conquistó

---

[2] *Obras no dramáticas de Frey Lope Félix de Vega Carpio,* ed. Cayetano Rosell, BAE, vol. XXXVIII, Madrid, nueva ed. 1950, pág. 421.

[3] Su título completo es: *Fama póstuma a la vida y muerte del doctor Frey Lope Félix de Vega Carpio, y elogios panegíricos a la inmortalidad de su nombre, escritos por los más esclarecidos ingenios,* en *Colección de obras sueltas, así en prosa como en verso, de don Frey Lope Félix de Vega Carpio,* vol. XX, Madrid, Sancha, 1779, págs. 1-435. Reedición de la *Fama póstuma,* sin los "elogios panegíricos", en F. C. Sainz de Robles, *Obras escogidas de Lope de Vega,* vol. II, 3.ª ed., Madrid, 1961, págs. 1539-1550.

[4] Cfr.: Juan Millé y Giménez, "Lope, alumno de los jesuitas", en *Revue Hispanique,* LXXII, 1928, págs. 247 y ss.

[5] Cfr.: R. M. de Hornedo, "Lope en la Universidad de Salamanca", en *Fénix. Revista del Tricentenario de Lope de Vega,* I, Madrid, 1935, págs. 517-535.

para España la isla Terceira, única de las Azores que se negaba a reconocer la obediencia de Felipe II después de la anexión de Portugal.

Al regresar de esta expedición, que sólo había durado dos meses, conoció Lope y se enamoró perdidamente de Elena Osorio, comenzando así uno de los más tormentosos episodios de su agitada vida. Elena era hija de un actor de teatro llamado Jerónimo Velázquez. Lope, según norma que había de ser consustancial en él de convertir en literatura todos los sucesos de su vida, volcó su amor en versos apasionados, dirigiéndole a Elena —bajo el nombre de "Filis"— numerosas composiciones poéticas que constituyen un verdadero cancionero amoroso. "Terco enamorado —dice Alfonso Reyes— amaba en verso y en verso reñía con sus amantes". Y añade: "Si roba una mujer o si la abandona, si riñe, si huye, si le destierran o encarcelan, si le sirve de tercero al Duque de Sessa, comercia con los encantos de una pecadora o profana los hábitos, parece que lo ha hecho para vivir la novela, el drama, el entremés, el poema o los versos de arrepentimiento que al día siguiente ha de escribir"[6]. Años más tarde tenía que reconstruir el poeta, idealizándola en gran medida, esta intensa pasión en una de sus creaciones más hermosas y perdurables, *La Dorotea.* Pero, entre tanto, iba derramando irrefrenablemente su amor en poesías, sirviéndole él mismo de vocero y dándole una publicidad que al fin tenía que redundar en su propio daño. Elena estaba casada, pero su marido —casi siempre ausente— apenas dio que hacer. La familia de Elena toleró sus relaciones con Lope en tanto que éste seguía entregando comedias a Velázquez y no obstaculizaba otras relaciones de la bella con amantes más productivos. Entre estos, sobresalió Francisco Perrenot de Granvela —sobrino del famoso cardenal y político del mismo nombre— con quien Lope compartió por algún tiempo los favores de Elena, y aun recibió de ésta, para su propia ayuda, con poco digna actitud, alguno de los regalos del rumboso amante. Lope llevó a su rival a las páginas de *La Dorotea* con el nombre de Don Bela, y allí dejó bien detallada, con su habitual franqueza —mezcla de natural espontaneidad y cínico desenfado— el no muy airoso papel que desempeñaba él mismo en aquel enredo. Al fin, las repetidas indiscreciones poéticas de Lope y la presión de la familia de Elena, que deseaba alejar aquel moscón tan poco provechoso, condujeron al rompimiento. Despechado Lope y muerto de celos, compuso y difundió por Madrid unas composiciones altamente ofensivas contra todos los Velázquez[7]; éstos se querellaron judicialmente por difamación, y después de un proceso escandaloso que dio con Lope en la cárcel, lo conde-

---

6 "Silueta de Lope de Vega", reproducida en *Cuatro ingenios,* Buenos Aires, 1950, página 50.

7 Cfr.: Joaquín de Entrambasaguas, "Los famosos 'libelos contra unos cómicos' de Lope de Vega", en *Estudios sobre Lope de Vega,* vol. III, Madrid, 1958, págs. 9-74.

naron a ocho años de destierro de la corte y dos del reino, bajo pena de muerte si no cumplía la sentencia [8].

Pero el castigo y el perdido amor de Elena Osorio no parecieron escarmentar a Lope. Pese a tan graves amenazas, el poeta violó a poco el destierro y nada menos que para raptar a una mujer principal, Isabel de Urbina, hija de un caballero que había sido regidor de Madrid y rey de armas de Felipe II. Para evitar el escándalo, la familia de Isabel —vuelta al hogar— aceptó el matrimonio, que fue verificado en Madrid por poderes, ya que el raptor no podía entrar en la ciudad [9]. Dos semanas más tarde dejaba Lope a su mujer y se alistaba en "La Invencible" como voluntario. Su veleidad amorosa le permitió entretener la espera en Lisboa con una aventura vulgar (referida más tarde en carta al duque de Sessa) y dedicar a la esposa abandonada —cantada siempre en sus versos con el nombre de "Belisa"— un tierno y bello romance, en que la supone llorando la partida del amado:

De pechos sobre una torre
que la mar combate y cerca
mirando las fuertes naves
que se van a Ingalaterra,
las aguas crece Belisa
llorando lágrimas tiernas,
diciendo con voces tristes
al que se aparta y la deja:
"Vete, cruel, que bien me queda
en quien vengarme de tu agravio pueda".

No quedo con sólo el hierro
de tu espada y de mi afrenta,
que me queda en las entrañas
retrato del mismo Eneas
y aunque inocente, culpado,
si los pecados se heredan;
mataréme por matarle
y moriré porque muera.
"Vete, cruel, que bien me queda
en quien vengarme de tu agravio pueda"... [10].

---

[8] Cfr.: *Proceso de Lope de Vega por libelos contra unos cómicos, anotado por D. A. Tomillo y D. C. Pérez Pastor...*, Madrid, 1901.

[9] Cfr.: Narciso Alonso Cortés, "Doña Isabel de Urbina, primera mujer de Lope de Vega", en *Boletín de la Real Academia Española,* XIV, 1927.

[10] *Lope de Vega. Poesías líricas,* I, selección de José F. Montesinos, Clásicos Castellanos, Madrid, nueva ed. 1960, págs. 36-37.

Durante la campaña, que hizo a bordo del galeón "San Juan", escribió Lope probablemente parte de su poema caballeresco *La hermosura de Angélica*[11]. Y vuelto a España, después del fracaso de la expedición en la que perdió a su hermano Juan —según refiere Montalbán, en sus propios brazos— recogió a su esposa y se instaló con ella en Valencia, quizá movido por los atractivos de la misma ciudad, o más probablemente porque en ella florecía por entonces una notable escuela dramática y era famosa al mismo tiempo su actividad editorial. Valencia supuso para el matrimonio un remanso de bienestar. Los romances artísticos estaban entonces en todo su apogeo, y Lope compuso muchos de ellos, que alcanzaron gran fama y fueron recogidos en los primeros Cancioneros editados por aquellos años (entre 1588 y 1591). Los dramaturgos valencianos representaron también para Lope un fecundo contacto; recibió de ellos estímulos y sugerencias y él, por su parte, canalizó aquellos dispersos intentos. Se supone que escribió por entonces buen número de comedias, que enviaba en su mayoría a Madrid, al empresario Gaspar de Porres, de quien había recibido ayuda cuando el pleito con los Velázquez; y puede decirse que de aquella época valenciana data su dedicación profesional al género dramático. En gran parte, aquellos ingresos le permitían mantener a su familia, según tenía que decir él mismo —en verso, por supuesto— en la epístola a don Antonio Hurtado de Mendoza:

> *Necesidad y yo, partiendo a medias*
> *el estado de versos mercantiles,*
> *pusimos en estilo las comedias...* [12].

Lo cierto es que desde aquel momento la fama de Lope comenzaba a alzarse como un astro deslumbrador en toda la nación; y, a poco, era saludado unánimemente como el "Fénix de los ingenios".

Cuando en 1590 terminó el plazo del destierro que había de pasar fuera del reino, Lope se trasladó a Toledo, donde se acomodó como secretario del duque de Alba, nieto del famoso general de las guerras de Flandes. El cargo duró por espacio de cinco años, la mayor parte de los cuales transcurrieron en la residencia ducal de Alba de Tormes, donde los duques, siguiendo la tradición renacentista, mantenían aquella antigua corte literaria que había acogido las primeras piezas de Juan del Encina e inspirado bellos versos a Garcilaso. Quizá desde allí le fue posible a Lope conocer la vida universitaria de la cercana Salamanca (más que en su corta estancia anterior), cuya picaresca estudiantil retrató en una de las comedias escritas por entonces, *El dómine Lucas*. A esta época corresponde también su novela pastoril *La Arcadia*, inspirada

---

[11] Cfr.: Juan Millé y Giménez, "Lope de Vega en la Armada Invencible", en *Revue Hispanique*, LVI, 1922, págs. 356-395.

[12] Ed. Luis Guarner, *Lope de Vega. Poesía lírica*, 2 vols., Madrid, 1935, vol. 1.º, pág. 327.

por las gratas riberas del Tormes, aunque bebida literariamente en la inevitable fuente de Sannazaro; en ella, debajo de la ficción pastoril, recoge Lope los amores del duque y los sucesos que acompañaron al matrimonio de éste.

La paz de que Lope gozó durante esta etapa fue turbada en 1594 por la muerte de su esposa al nacer su segunda hija, muerta también poco después. Un año más tarde dejaba el servicio del de Alba y regresaba a su soñado Madrid; Jerónimo Velázquez, antes del término del destierro, movido quizá por la fama, ya extraordinaria, del poeta, y esperando probablemente disponer de alguna de sus obras, había solicitado el indulto.

A poco de llegar a Madrid, en 1596, fue ya Lope procesado de nuevo por amancebamiento con la hermosa viuda Antonia Trillo. Y en 1598 contrajo nuevo matrimonio, quizá esta vez sin amor y movido principalmente —según proclamaban sus rivales— por la cuantiosa dote de la esposa; dote que no llegó, por cierto, a disfrutar debido a la avaricia de su suegro. Llamábase la nueva mujer Juana de Guardo, y era hija de un rico carnicero que abastecía los mercados de Madrid. Los enemigos literarios de Lope aprovecharon la ocasión para dirigirle las sátiras más mortificantes, pero entre todos se distinguió don Luis de Góngora. Por entonces publicó Lope su *Arcadia,* y en su portada metió un escudo, el del apellido Carpio, con diecinueve torres: nueva exhibición de sus antiguas pretensiones de hidalguía, que no se apoyaban en realidad alguna. Góngora aprovechó la oportunidad para dirigirle aquel conocido soneto, tan agudo como malintencionado, que comienza así:

Por tu vida, Lopillo, que me borres
las diez y nueve torres de el escudo,
porque aunque todas son de viento, dudo
que tengas viento para tantas torres... [13].

Una disposición del rey Felipe II, que cerró los teatros por algún tiempo, dejó a Lope sin ingresos, y como la dote de su mujer no resolvía la necesidad, tuvo el poeta que acomodarse nuevamente como secretario, esta vez del Marqués de Sarriá.

Entretanto, la pasión amorosa volvió a sacudir furiosamente a Lope en la persona de Micaela de Luján. No se sabe cuándo comenzaron estos amores, pero es seguro que antes del matrimonio con Juana de Guardo. Micaela de Luján, comedianta de oficio, mujer bellísima aunque de escasa ilustración, ocupa también amplio lugar en los versos de Lope bajo el nombre de "Camila Lucinda". Estaba ésta casada con el cómico Diego Díaz, que después de darle dos hijos se marchó al Perú. Lope le dio otros cinco vástagos (tres hijas y dos hijos), y de hecho vivió maritalmente con ella, pues que le puso casa propia y en ella pasaba largas temporadas, mientras Juana de Guardo, que

[13] En *Obras Completas de Luis de Góngora y Argote,* ed. Juan e Isabel Millé y Giménez, 5.ª ed. Madrid, 1961, pág. 534.

soportó pacientemente las extralimitaciones del poeta, quedaba retirada en Toledo; lo que no impidió que Lope tuviera de ella dos hijas y un hijo: Carlos Félix. Dos de los hijos de Micaela, Marcela y Lope, llegaron a edad adulta y más abajo los mencionaremos de nuevo.

La popularidad, escandalosa por supuesto, que nuevamente alcanzaron estos amores de Lope, se debió en gran parte —como de costumbre— a los versos del propio poeta que proclamaba en mil ocasiones su pasión, y que fácilmente eran identificados por todos [14]. Este enlace constante de vida y literatura tuvo esta vez derivaciones muy originales. Lope quiso fingir que su amada poseía altas dotes literarias, y compuso versos para que ella los firmara; más todavía, hizo publicar algunos de ellos al frente de sus propios libros —*La hermosura de Angélica* (donde Lope había escrito, a su vez, la más extensa descripción de las excelencias de su amada), las *Rimas, El peregrino en su patria*— ensalzando al autor, con lo que resultaba un autoelogio descarado.

Aquella gran pasión debió de enfriarse hacia 1608, pues a partir de esta fecha el nombre de "Camila Lucinda" desaparece de los versos y de la vida del poeta. Al fin, en 1610 Lope, que venía residiendo temporalmente en Toledo y Sevilla, se trasladó definitivamente a Madrid, y allí se llevó a su familia y esposa legítima. En su nueva casa, que adquirió en la calle de Francos, y que habitó el resto de sus días, gozó las etapas de mayor tranquilidad de su existencia y compuso sus obras más importantes. Plantó un pequeño huerto, que cuidaba amorosamente con su gran pasión por las flores, y reunió una selecta biblioteca y algunas obras de arte: la madura serenidad parecía haber asentado, al fin, su vida.

En 1613 fallecieron, con escaso intervalo, su hijo Carlos Félix, de siete años, y su esposa Juana de Guardo, a la que cuidó con amorosa solicitud en los largos achaques que precedieron a su muerte. Se trajo entonces a su casa a los dos hijos menores de Micaela de Luján, Marcela y Lope Félix. Todos estos disgustos familiares, también sus propias enfermedades y agobios de dinero, provocaron en Lope honda crisis espiritual; había remontado ya la cincuentena. Y entonces fue cuando decidió ordenarse de sacerdote.

Debemos añadir ahora que desde 1605 Lope había contraído estrecha amistad con el duque de Sessa, veinte años menor que él, noble tronado y muy poco inteligente, pero aficionado a las letras, en quien Lope encontró por fin el mecenas que buscaba y al que sirvió mucho tiempo como secretario, o, por mejor decir, como confidente y trujimán en sus incesantes trapisondas amorosas, parejas aunque más superficiales que las suyas. Con el de Sessa mantuvo

---

[14] Cfr.: Francisco Rodríguez Marín, "Lope de Vega y Camila Lucinda", en *Boletín de la Real Academia Española,* I, 1914, págs. 249-290. Américo Castro, "Alusiones a Micaela de Luján en las obras de Lope de Vega", en *Revista de Filología Española,* V, 1918, págs. 256-292. José M.ª de Cossío, "La patria de Micaela de Luján", en *Revista de Filología Española,* XV, 1928, págs. 379 y ss.

Lope una copiosa correspondencia, inapreciable para conocer su intimidad [15]. En estas cartas se desnuda Lope con una sinceridad a veces desvergonzadamente cínica; los secretos más íntimos de sus aventuras y también de sus inquietudes espirituales fueron volcados en estas páginas, que el duque guardaba celosamente.

La decisión de hacerse sacerdote, tan poco compatible con toda su conducta anterior (y adviértase que el Fénix, mientras avanzaban los trámites reglamentarios para su ordenación, no dejó de enzarzarse en amoríos más o menos fugaces), no puede estimarse, sin embargo, como medida interesada o hipócrita. En Lope se abrazaban trágicamente las incontenibles pasiones de una naturaleza desmesurada con el fervor religioso más intenso; en Lope todo es sobrehumano; sus incesantes caídas iban seguidas siempre de firmísimos propósitos y atormentados arrepentimientos; sólo que el desborde de su sensualidad los ahogaba torrencialmente hasta que el nuevo reflujo les permitía ascender de nuevo.

Lope se ordenó, pues, por fin, en mayo de 1614, y dijo su primera misa en el convento de Carmelitas Descalzas donde poco antes se había enterrado a su esposa. Entretanto había seguido escribiendo al duque de Sessa sus cartas de amor y sirviéndole de tercero, por lo que el confesor del nuevo sacerdote le prohibió ocuparse de ello amenazándole con no darle la absolución; nuevo conflicto íntimo que las cartas de Lope a Sessa reflejan angustiosamente.

El hábito sacerdotal pudo muy poco para detener la desenfrenada carrera de Lope; porque precisamente entonces —corría el año 1616— llegó la más arrebatadora pasión que jamás había sacudido la vida del poeta. El nuevo amor, que por el estado sacerdotal de Lope era un amor sacrílego, se llamaba Marta de Nevares Santoyo, "Amarilis" o "Marcia Leonarda" en los versos que inevitablemente la iban a cantar. Marta de Nevares tenía veintiséis años cuando la conoció Lope; era madrileña, se había educado en Alcalá de Henares, y a los trece años la habían casado sus padres contra su voluntad con un hombre de negocios, Roque Hernández, persona ruda y la menos a propósito para satisfacer los gustos de aquella mujer, a la que Lope describe como la cima de todas las perfecciones, tanto espirituales como físicas, de gustos refinados y exquisita sensibilidad. De haberse encontrado libres ambos, Marta hubiese podido ser la esposa ideal del Fénix: para éste representó un estímulo vital que parecía devolverle a la juventud y acuciaba su producción; para Marta, hundida hasta entonces en una existencia vulgar, la compañía del poeta colmaba el ideal de vida de una mujer brillante en su momento más espléndido [16].

---

[15] Publicada, como dijimos arriba, por Agustín González de Amezúa (véase nota 1). Cfr.: además, F. A. de Icaza, "Las cartas de Lope de Vega", en *Revista de Occidente*, V, 1924, págs. 1-42.

[16] Cfr.: Agustín González de Amezúa, "Amarilis (Doña Marta de Nevares Santoyo)", en *Lope de Vega en sus cartas*, cit., vol. II, págs. 393-509. Pilar Vázquez Cuesta, "Nuevos datos sobre doña Marta de Nevares", en *Revista de Filología Española*, XXXI, 1947,

Tan sólo la conciencia de su amor sacrílego entorpecía la completa felicidad del Fénix, sacudido como en ningún otro momento por encontradas tormentas de remordimiento y pasión. En carta enviada al de Sessa escribía: "Yo estoy perdido, si en mi vida lo estuve, por alma y cuerpo de mujer, y Dios sabe con qué sentimiento mío, porque no sé cómo ha de ser ni durar esto, ni vivir sin gozarlo" [17]. Lo que no impedía, a su vez, que Lope siguiera informando a las gentes de sus amores, con cínica desvergüenza, a través de un torrente de versos tan incontenible como su pasión. El nuevo amor de Lope desencadenó la correspondiente oleada de sátiras de parte de sus enemigos, que esta vez tenían mayor motivo en que cebarse.

Tuvo Marta una hija, y al fin el marido hubo de darse por enterado de lo que era tema en todo Madrid; hubo pleitos ruidosos, demandas de divorcio y desazones de toda índole. Hasta que al cabo se esfumó el peligro con la inesperada muerte del marido; acontecimiento celebrado por Lope con burlas tan crueles como desvergonzadas. Marta se fue entonces a vivir a casa de Lope, donde se congregaban los hijos habidos de sus distintos amores y de su legítima mujer Juana de Guardo, junto con la pequeña Antonia Clara, la hija reciente de Marta de Nevares. Marcela ingresó poco tiempo después en el convento de las Trinitarias descalzas, quizá escandalizada o aterrada del espectáculo de su casa paterna; mientras, Lope desafiaba abiertamente todas las consideraciones humanas y divinas y proseguía sin desmayo su incontenible producción.

Pero las desventuras comenzaron a precipitarse sobre la vida del Fénix. Doña Marta, enferma de los ojos desde hacía algún tiempo, quedó ciega. Poco después —quizá hacia 1628— perdió la razón, que aún recuperó antes de su muerte, ocurrida en 1632 en la propia casa del poeta: tenía algo más de cuarenta años y Lope los setenta cumplidos. A partir de entonces la soledad de Lope —en medio de la fama y popularidad mayores, que no remediaban, en cambio, su pobreza— no hizo sino acrecentarse. En 1633 se casó Feliciana, la hija de Juana de Guardo que había causado, al nacer, la muerte de su madre. Lope Félix, el hijo queridísimo, habido con Micaela de Luján, por quien Lope había tenido que sufrir serios disgustos debido a su conducta desordenada, pero en quien él veía como la imagen de sí mismo, pereció ahogado en una expedición en busca de perlas a la isla Margarita; tenía también aficiones poéticas, había tomado parte en varias expediciones contra turcos y holandeses, pero abandonó las armas y, seducido por las riquezas del Nuevo Mundo, embarcó para Venezuela donde murió en la forma dicha. Lope le había dedicado *La Gatomaquia* cuando aún ignoraba su trágico fin que había tenido ya lugar. Su muerte, golpe terrible para el poeta, fue seguido de otro

págs. 86-107. Francisco Asenjo Barbieri, *Últimos amores de Lope de Vega Carpio,* Madrid, 1876.

[17] Cit. por Rennert y Castro, en *Vida de Lope de Vega,* cit., pág. 240.

no menos doloroso. Antonia Clara, la hija habida de Marta de Nevares, fue raptada, cuando tenía diecisiete años, por un cortesano, protegido del Conde-Duque de Olivares, llamado Cristóbal Tenorio [18]. La suerte se vengaba cruelmente de Lope, hiriéndole con las mismas armas con que él había atormentado a los demás. Antonia Clara, que mostraba excelente disposición para las letras, se había convertido en los últimos tiempos en la secretaria de su padre.

La increíble vitalidad de Lope, agotada al fin por la edad y por tan graves pesadumbres ya no pudo reaccionar. Montalbán, su gran admirador, nos ha referido con detalle los últimos días del poeta, cuya muerte aconteció el 27 de agosto de 1635. El duque de Sessa costeó los funerales a los que se asoció todo Madrid. Las honras fúnebres duraron nueve días. El entierro pasó, dando un rodeo, por delante del convento de las Trinitarias, a petición de la hija de Lope que deseaba verlo por última vez. Fue enterrado en la iglesia de San Sebastián, en la calle de Atocha, pero sus restos fueron revueltos en la fosa común a comienzos del siglo XIX [19].

El precedente esquema de la vida de Lope —abrumador desfile de peripecias cuando se sigue al pormenor— debe bastarnos para admitir que no se trata de un hombre de medidas normales. Considerado desde el lado humano, hay razones para juzgarle con los criterios más severos. La absoluta despreocupación moral de que dio tan innumerables pruebas, aun no sería nada y podría cohonestarse con la tremenda pujanza de su insaciable naturaleza. Pero quedan otros muchos aspectos para los cuales no existe la disculpa de unos apetitos desmedidos, y que parecen inexplicables en un artista como él, que dio asimismo pruebas no menos innumerables de su exquisita sensibilidad. Su conducta amorosa con Elena Osorio, cuando se avenía a participar de la esplendidez del amante Granvela, puede calificarse con los vocablos más atroces; su desfachatez, en el caso de Micaela de Luján, al hacer inscribir sus hijos como si lo fuesen del legítimo marido, ausente de España varios años, raya en lo inaudito; sus groseros insultos al marido de Marta de Nevares, y su desvergonzado y soez contento al sobrevenir la muerte de aquel hombre a quien venía escarneciendo impúdicamente, son de una sucia indelicadeza; la correspondencia con el duque de Sessa atesora una completa enciclopedia del celestinaje; y nada se diga de su repetida aquiescencia en entregarle al duque, para satisfacer inconfesables regodeos de su pervertido señor, no sólo las cartas que el poeta escribía a sus propias amantes sino las que de ellas recibía. Es muy difícil avenirse a calificar piadosamente de "deslices" una conducta

[18] Cfr.: Emilio Cotarelo y Mori, "Sobre quién fue el raptor de la hija de Lope de Vega", en *Revista de la Biblioteca, Archivo y Museo... de Madrid*, III, 1926. Agustín González de Amezúa, "Un enigma descifrado; el raptor de la hija de Lope de Vega", en *Opúsculos histórico-literarios*, vol. II, Madrid, 1951, págs. 287-356. José Simón Díaz, "Una semblanza del raptor de la hija de Lope", en *Revista de Literatura*, IX, 1956.

[19] Cfr.: Joaquín de Entrambasaguas, "Nueva investigación sobre los restos de Lope de Vega", en *Boletín de la Academia de la Historia*, XCII, 1928, págs. 796 y ss.

de esta índole, que no se corrigió con los años, ni conoció mejora con la experiencia ni con ningún sentido de la propia dignidad. Con razón se habla siempre del "caso Lope", de su extraordinario caso psicológico, que bien podría calificarse también de patológico, si no fuera porque su misma desmesura lo coloca —de hecho y de derecho— fuera del alcance de las leyes que gobiernan a un hombre común. Porque es el caso que frente a tales ruindades existe el otro Lope, el que se atormentaba con inequívocos arrepentimientos, y lloraba de dolor, y era capaz de las más extremosas muestras de piedad, y de la fe más profunda, que vaciaba amorosamente en sus versos religiosos. A Lope —debe decirse siempre— hay que aceptarlo como es, como una fuerza de la naturaleza a la que no se pueden exigir razones de sus actos. Su disculpa —y es, por supuesto, suficiente— está en la pareja grandiosidad de su creación literaria, la más asombrosamente increíble que un solo hombre haya podido levantar en toda la historia humana. Él sólo es de por sí una literatura completa. Cultivó todos los géneros, y todos con parecida fecundidad, aunque es en el teatro y en la lírica donde se excede a sí mismo. Montalbán, en su *Fama póstuma,* le atribuye mil ochocientas comedias, cifra que parece exagerada; pero el mismo Lope afirma en la égloga *A Claudio,* que había compuesto mil quinientas. Sus poesías líricas se cuentan por millares. Sumada toda su obra, no resulta excesiva la aseveración del propio escritor (hecha en la citada égloga), de que había salido a un promedio de cinco pliegos por día:

Hubiera sido yo de algún provecho
Si tuviera Mecenas mi fortuna;
Mas fue tan importuna
Que gobernó mi pluma a mi despecho;
Tanto, que sale (¡qué inmortal porfía!)
A cinco pliegos de mi vida el día... [20].

Semejante tarea hubiera sido ya portentosa aun suponiendo a Lope hombre de metódico trabajo y vida retirada; lo incomprensible es que tuviera tiempo y serenidad para ello en medio de aquel torbellino de aventuras. Cervantes

[20] *Obras no dramáticas...*, ed. cit., pág. 432. Agudamente comenta Vossler esa fabulosa capacidad de creación de Lope, que pudo convertirlo a los ojos de sus contemporáneos en un ser mítico: "La naturaleza voluble de Lope, que no se pudo condensar nunca en una personalidad de carácter firme, sólo en *una* cosa es constante: en la actividad artística. No conoce este poeta la pausa, ni el atasco, ni la renuncia, ni la fatiga. Diligencia no es la palabra adecuada para su labor creadora, que transcurre sin esfuerzo visible. Siempre lozana y fresca. Antes podría hablarse de vicio literario y de una lujuria poética nunca saciada, si no supiéramos cómo ha influido en esta labor la necesidad y la demanda apremiante de nuevas comedias, versos, panegíricos de personajes y exaltación de sucesos contemporáneos y la competencia y la moda misma. Lope suspiraba ante la carga siempre en aumento y estaba orgulloso de poder soportarla" (*Lope de Vega y su tiempo*, cit., pág. 101).

llamó a Lope de Vega —y la frase es insustituible— "monstruo de naturaleza". Es claro que quien lo era para la creación, tuviera que serlo también —siendo un puro exceso en todo— para los hechos de la vida ordinaria, cuyos caminos habituales no estaban hechos para él[21].

---

[21] Menéndez Pidal apunta bellamente a este íntimo sentir de Lope de Vega que, en obras y en amores, pudo quizá creerse por encima de las medidas que limitaban a los demás mortales: "Lope —dice— en su propio arte, llega ahora a decir que los ingenios grandes no están sujetos a preceptos, y acaso pensaría de sí mismo que la naturaleza, al haberle formado en amor con tan extraña y violenta mezcla de 'encontrados elementos', le constituía en un pecador de excepción:

> *para lucir misericordias tuyas*
> *parece que nací, Señor del cielo...*

Pero lo claramente perceptible ahora, lo mismo que antes, es que Lope, si acaso no llega a considerar legítimos los yerros por amor como 'naturales', al menos los sigue cubriendo con la romántica absolución: 'dignos son de perdonar'. Su moral pública era siempre la del Romancero. Cuando escucha sátiras e inculpaciones a causa de su irregular conducta; cuando por el escándalo recibe desaire en pretensiones que le traían muy empeñado, halla su 'Boecio de Consolación' en el romance del conde Claros, trayendo a la memoria de sus murmurantes el caso del conde sentenciado a muerte por haber gozado los amores de la infanta, y cuyo suplicio es para toda alma apasionada más de envidiar que de compadecer" ("Lope de Vega. El 'Arte Nuevo' y la 'Nueva Biografía'", reproducido en *Mis páginas preferidas. Temas literarios,* Madrid, 1957, pág. 323). Con penetrante y humanísima generosidad José F. Montesinos ha interpretado esa impetuosa personalidad de Lope, que desbordaba todos los cauces comunes; lo bello y justo de las palabras debe hacer perdonar lo extenso de la cita: "Se ha escrito mucho sobre la inmoralidad de Lope, y se ha llamado así a aquella vitalidad suya, rebelde a la conformación social como la naturaleza virgen es rebelde a las pretensiones de la jardinería. Otros, con pacata y sonriente incomprensión, llamarán amoralidad a la actitud vital de Lope. Bueno sería, que poniendo término a investigaciones ociosas sobre la vida de cierto vecino de Madrid, llamado Lope de Vega, vida que en nada se diferenció de la de infinitos contemporáneos, nos atuviéramos a lo diferencial de ella, a la ocupación continua y virtuosa, la del poeta. Exaltemos la moral intachable del poeta Lope de Vega, la más alta moralidad española, que consiste en el cumplimiento exacto y gozoso de un destino. Moral cuyo primer imperativo es la autenticidad; luego, la justificación de la vida en la obra. La obra, justificante de la vida, la dignifica. Pero la obra seria tiene que enraizarse hondamente en una vida seria; la de Lope de Vega lo fue plenamente. Porque, contra lo que puedan pensar algunos melindrosos Catones, que quizá carecen de adecuados términos de referencia y contraste, la del poeta no fue una vida de comodidad y de placer, sino de dolor y alegría. Nada tan ajeno a Lope de Vega como un frívolo donjuanismo. El donjuanismo no se caracteriza por la frecuencia y muchedumbre de las aventuras, sino por la índole de los apetitos. Las fuertes y sanas pasiones de Lope nacen, natural y espontáneamente, de su vitalidad increíble. Cada vez su frenesí amoroso saltó marcas y valladares, pero el propósito no fue hacer la vida placentera; lo que impulsaba a Lope era un afán desapoderado de entregarse, de exponerse, de sacrificarse; sólo una cotidiana inmolación de todo lo que él era y representaba le permitía aquella plenitud de experiencia que necesitaba su arte. Por eso no hay en su conducta de enamorado temores ni elusiones ni cautelas; ni se hurta a la responsabilidad ni apenas disimula. Lope, al revés de Don Juan, es la capacidad de amar. Al hombre moderno,

FAMA Y POPULARIDAD DE LOPE

Quizá ningún otro escritor, de cualquier tiempo o país, gozó en vida de tan amplia y persistente popularidad como Lope de Vega. Es un lugar común repetir que su persona era admirada como una maravilla de la corte; que para ponderar cualquier obra de arte o hasta la mercancía más vulgar se decía que era de Lope; que la gente se paraba a su paso para verle; y que la Inquisición hubo de prohibir una parodia del Credo que comenzaba: "Creo en Lope de Vega, todopoderoso, poeta del cielo y de la tierra...". El entusiasta Montalbán asegura en su *Fama póstuma* que los nobles y los prelados se lo disputaban para tratar con él y sentarlo a su mesa. Pero la admiración del discípulo mentía, o se equivocaba, en esto. La popularidad de Lope no descansaba en la admiración de las clases elevadas sino en la del pueblo auténtico —entendido, sin embargo, en el más general sentido—, en el pueblo, que se entusiasmaba ante el vértigo de sus comedias, y a quien él ofreció el regalo del primer gran espectáculo nacional que los tiempos modernos han conocido. Intentó vanamente ganarse el favor del omnipotente Conde-Duque de Olivares, a quien dedicó —colmándolo de elogios— varios poemas, pero no consiguió atraerse su atención. En el último año del reinado de Felipe III pretendió el puesto de Cronista Real, que había quedado vacante, pero ni siquiera el ofrecimiento que había hecho de volcarse en alabanzas al monarca, sirvió para que su petición fuese considerada [22]. En varias ocasiones fue requerido especialmente

---

en la medida que va perdiendo esta divina capacidad amorosa, le anonada unas veces, otras le despista, el hervor pasional del poeta, y, refiriéndolo a sí mismo, halla en la plural experiencia amorosa de Lope motivos de suspicacia. Y sin embargo, la manera cómo esas pasiones se suceden es un nuevo indicio de sinceridad. Todas las que Lope concibe se van borrando o por obra de enojosos azares, de los que no fue siempre causa su voluntad, o por la muerte de la amada. Por sus hijos sintió siempre la más viva ternura. Toda esta plenitud de humanidad, manifestación de un indomable impulso vital, es decantada por el más seguro entendimiento de arte que haya existido. Lope artista es, primero, la conciencia insobornable de su propia experiencia, 'dulce mal, dulce bien, dulce porfía'; luego una hoguera que se enciende en su intimidad más honda y va quemando cuanto es impureza carnal y alquitarando esencias divinas" ("Lope de Vega, poeta de circunstancias", en *Estudios sobre Lope,* México, 1951, págs. 295-296).

[22] Rennert y Castro en su *Vida de Lope de Vega,* cit., pág. 273, nota 1, recuerdan que en 1618 Lope había ya pedido indirectamente el puesto de cronista en su comedia *El triunfo de la humildad y soberbia abatida,* donde el rey Filipo de Albania —bajo el cual esconde el poeta a su propio monarca Felipe III— dialoga con su lacayo Lope de este modo:

FILIPO.—*Pues, Lope, ¿qué oficio quieres?*
Pide, pide, yo soy rey.
Mucho Filipo te debe.

para escribir obras con destino a las fiestas de palacio o de los sitios reales; cosa bien natural si se tiene en cuenta que Lope era el proveedor inigualable de diversión pública y sólo su nombre era ya promesa de un espectáculo gustoso. Pero en estos casos, no era objeto de mayor consideración que la otorgada a otros organizadores de festejos regios. Cierto también que Lope obtuvo esporádicas ayudas de algunos nobles a los que sirvió, y aun de algunos sin ello, como el conde de Lemos, que le dio en ocasiones algún socorro. Pero en el mundo de la corte no tuvo Lope, en general, demasiada aceptación; en lo cual quizá pudo influir la escandalosa fama de su vida privada [23]. El más prolongado favor que recibió del duque de Sessa, cuesta admitir que fuera debido a razones de pura generosidad, sino al bajo interés que aquél tenía de asegurarse la colaboración celestinesca del poeta, y también por el morboso gusto, a que ya aludimos —caso indudable de perversión sexual—, de atesorar la nutridísima correspondencia amorosa de Lope con sus amantes, que el duque le solicitaba una y otra vez, y que Lope le entregaba como parte del precio con que pagaba sus socorros [24].

LOPE.—*Señor, ser tu Coronista*
para escribir tus mercedes
que si va a decir verdades,
no querría que la muerte
me hallase agradando a muchos
pues nadie en el mundo puede.
....
Sácame de este trabajo
así Dios tu vida aumente,
y haré un libro en tu alabanza,
¿qué digo? ¿un libro? y aun siete,
que te llame el gran Filipo,
rey de Albania y rey de reyes.

23 "Probablemente —dice Vossler— no se consideraba del todo apto para la corte al popular facedor de comedias, al cura enamoradizo, al viejo que no quería envejecer. Se sabía de los continuos escándalos en su hogar" (*Lope de Vega y su tiempo*, cit., pág. 88). Habida cuenta de la pasión por el teatro que siempre tuvo Felipe IV, es más de notar la falta de atención que mereció Lope por parte de la corte. Rennert y Castro (*Vida...*, cit., pág. 368, nota 1) traen a cuento sobre esto una sugerente noticia: son las palabras del Dr. Quintana en su *Sermón fúnebre*, dichas, según parece, para ponderar la estima que sentía el monarca por el poeta; y como es de suponer que el Dr. Quintana habla en serio, dicho se está que lo mismo el Dr. que el rey quedan definidos: "Nuestro monarca Felipe IV, el Grande, le honró con muy continua memoria de su persona, que en tanta majestad no tengo por pequeño honor tener noticia de un hombre particular y tratar en muchas ocasiones de él".

24 La protección y amistad de Sessa debió de tener, con todo, gran importancia para el poeta, tanto o más que en lo económico y material por lo que aquéllas suponían en la vida social de entonces y de las que un hombre como Lope, enredado a cada paso en todo género de irregularidades, habría de necesitar frecuentemente. Carlos Vossler enumera las diversas especies de esta ayuda: "En realidad, obtuvo por gracia Lope de la

El amigo de Lope, Juan de Jáuregui, nos certifica de la pobreza en que el poeta vivía habitualmente, al tiempo que lamenta el abandono de quienes le podían favorecer; así, dice en la aprobación de la *Corona trágica* que "fuera justo por manos de los muy poderosos levantarle más y enriquecerle"[25]. Y en la de los *Triunfos divinos* escribe: "Es mi parecer y deseo que al amparo de los que valen reciba mayores premios y acrecentamientos"[26]. De esta falta de ayuda, que hubiera podido dar a su producción algún mayor reposo, se queja el propio Lope en los versos citados de la égloga *A Claudio*:

---

generosidad de su duque toda clase de ventajas: rentas, recomendaciones para sí y para los suyos, regalos, franquicias, la dote para el ingreso en el convento de Marcela, servicio de carruajes, dietas para atender a su salud, impunidad para sus hazañas, brillo y alarde en la representación, apoyo jurídico, testamentarías, etc. Ha de tenerse en cuenta, ciertamente, que los grandes señores no acostumbraban a pagar un salario fijo y regular a sus servidores, que con frecuencia no era fácil que abriesen la mano, y que todo había de ser mendigado. En este arte era el garbo de Lope insuperable" (*Lope de Vega y su tiempo,* cit., pág. 72). Efectivamente, Lope importunaba al duque a cada paso con peticiones de dinero, de ropa para sí y para sus hijos, de objetos para la casa y hasta de comida, de lo cual hallamos testimonios abundantísimos en sus cartas. En cierta ocasión (recordada por Rennert y Castro en *Vida*..., cit., pág. 315) Lope le pide aceite al duque contándole una graciosa ocurrencia de su hija Antonia; parece que esperaban aceite de Andalucía, que les habían prometido, pero como éste no llegase, Antonia transformó la letrilla de Góngora que comienza "Ay, que muero de celos de aquel andaluz...", de esta manera:

¡Ay, que al duque le pido
aceite andaluz!
Pues que no me le envía,
cenaré sin luz.

En 1629 Lope, algo cansado de su tarea sobrehumana, sostenida muchas veces por estricta necesidad económica, y preocupado también por el escaso éxito de dos comedias seguidas, acaricia la idea de dejar de escribir para el teatro; entonces escribe a Sessa pidiéndole que le asigne "algún moderado salario" fijo, como capellán suyo o secretario: "Las [mercedes] que V. ex.ª me hacía todos los años, mayores son que lo que puede señalarme; luego comodidad será reducirlo a número determinado, y que sepan que V. ex.ª es mi dueño, si algunos lo ignoran... A la grandeza de V. ex.ª no aumenta un capellán la costa de la casa ni la reformación del estado presente, y yo, con la libertad del tiempo, le podré mejor emplear en servirle, sin que vayan ni vengan los criados, pues estaré siempre a la vista" (citada por Rennert y Castro en ídem, íd., pág. 317). En estos constantes agobios económicos de Lope, de que no anduvo libre ningún escritor de aquel tiempo, hubo también de influir su deficiente administración; aun sin ser excesivas, Lope debió de ganar estimables cantidades de dinero con su incesante producción teatral. Montalbán en su *Fama póstuma* justifica la pobreza de Lope ponderando su "encendida caridad", pero asegura también que era "tan liberal que casi se pasaba a pródigo" (ed. Sainz de Robles, cit., pág. 1.546); basta pensar en su tumultuosa rueda de amores para advertir que no le faltaba ocasión de dar salida a su dinero. Cfr.: Santiago Montoto, "Lope de Vega y la nobleza", en *Boletín de la Real Academia Española,* XXII, 1935, págs. 651-665.

[25] Citado por Rennert y Castro, en *Vida de Lope de Vega,* cit., pág. 318, nota 2.

[26] Ídem, íd.

Hubiera sido yo de algún provecho
Si tuviera Mecenas mi fortuna;
Mas fue tan importuna
Que gobernó mi pluma a mi despecho...

Para sostener su vida y la de los suyos tenía, pues, Lope que escribir muchas veces, con aquella su improvisación proverbial, comedias que vendía de inmediato a los representantes por cantidades bien escasas que no remediaban sus apuros. La gloria sólo, la admiración del pueblo entero que acudía a la representación de sus comedias, fue su lucro mayor. El pueblo le devolvía en popularidad lo que Lope estaba creando para él.

LOPE DE VEGA Y SUS CONTEMPORÁNEOS

Esta inagotable popularidad y la admiración, casi idolátrica, de que gozó toda su vida, no fueron obstáculo para que tuviera, a su vez, que soportar la hostilidad de buen número de escritores, rivales suyos en la escena, o enemigos de sus tendencias literarias, o simples envidiosos de su gloria, que aprovechaban las frecuentísimas ocasiones que la vida particular del Fénix ofrecía, para morder en su persona. Lope, presto también para el juicio mordaz, y tan poco discreto con frecuencia en sus opiniones como en sus aventuras privadas, daba asimismo pie para el encono y la animosidad de muchos; así, la maledicencia —ya desde entonces proverbial— de la vida literaria de Madrid, urdió en torno a Lope uno de sus más animados capítulos.

Pero en el mundo de los hombres de letras tuvo Lope también tan entusiastas panegiristas como detractores. Entre aquéllos debe citarse en primer lugar a Tirso de Molina, el más notable seguidor de su sistema dramático. Tirso hizo una profunda apología del arte dramático de Lope en *Los Cigarrales de Toledo* [27], texto que, destacado ya por Menéndez y Pelayo, es el que suele mencionarse con más frecuencia; pero expresó nuevamente su gran admiración hacia el Fénix en *La fingida Arcadia* [28], donde enumera las excelencias de Lope en los distintos géneros, y, más brevemente, en *La villana de Vallecas* [29]. Muerto Lope, manifestó también el dolor por su pérdida en *En Madrid y en una casa* [30]. Tan notable como curioso es el elogio de Lope, seguido de la alabanza de la comedia española, y aun de los representantes españoles, que

[27] Ed. Víctor Said Armesto, Madrid, 1913, págs. 123-128.

[28] Jornada 1.ª, escena I; *Obras dramáticas completas de Tirso de Molina,* ed. Blanca de los Ríos, vol. II, 2.ª ed., Madrid, 1962, págs. 1.390-1.393.

[29] Acto 1.º, escena VI; ed. cit., vol. II, págs. 797-798.

[30] Acto 1.º, escena XI; ed. cit., vol. III, 1.ª ed., Madrid, 1958, pág. 1.266.

hace Guillén de Castro en la escena I del acto I de su comedia *El curioso impertinente* por boca del duque de Florencia [31].

Entre los dramaturgos del segundo ciclo es particularmente importante el testimonio de Calderón, heredero del cetro de la monarquía teatral de Lope. No expuso Calderón la opinión concreta que tenía sobre la obra del Fénix, pero lo cita en tres ocasiones con evidente respeto: en *No hay burlas con el amor* [32], *No hay cosa como callar* [33] y *Cuál es mayor perfección* [34]. Hemos aludido ya varias veces al exaltado panegírico que se encierra en la *Fama póstuma* de Juan Pérez de Montalbán, seguidor igualmente de la dramática lopista. Menciones de inequívoco elogio pueden también hallarse en Vélez de Guevara —de éste en su novela *El diablo cojuelo*— [35] y entre los dramaturgos de la segunda época en Rojas Zorrilla, en *Entre bobos anda el juego* [36].

Entre los grandes escritores no dramáticos Lope contó siempre con la amistad de Quevedo, que lo ensalzó cumplidamente en varias ocasiones, y a quien Lope correspondió con generosidad en *El Laurel de Apolo.*

De escritores, particularmente poetas, de menor importancia, los elogios son tan abundantes como entusiastas: Salas Barbadillo le encomia apasionadamente en *La peregrinación sabia* y en *Coronas del Parnaso*; Castillo Solórzano en *El Bachiller Trapaza*; Miguel de Barrios en su *Coro de las Musas*; Bances Candamo en la *Canción del Tajo*; Francisco de Medrano en diversos pasajes de sus *Favores de las musas*; el famoso preceptista Francisco de Cascales, representante de la poética horaciana, en sus *Cartas Philológicas*; y Saavedra Fajardo, en su *Juicio de Artes y Sciencias,* proclama la liberación del viejo clasicismo llevada a cabo por la obra de Lope [37].

El viejo maestro de la niñez del Fénix, Vicente Espinel, de quien aquél se proclamó discípulo en varias ocasiones y al que ensalzó como escritor y como músico, manifestó repetidamente su orgullo por la gloria de su discípulo, especialmente en el prólogo del *Escudero Marcos de Obregón* [38].

Los enemigos de Lope fueron igualmente numerosos. Destacaron por su tenacidad Rey de Artieda, representante, como vimos, del teatro tradicional, anulado por las innovaciones de Lope; el poeta Esteban Manuel de Villegas,

---

[31] Edición Eduardo Juliá, en Biblioteca Selecta de Clásicos Españoles, de la Real Academia Española, vol. II, Madrid, 1926, pág. 492.

[32] Jornada 1.ª, escena II; ed. Hartzenbusch, BAE, vol. IX, Madrid, nueva ed. 1944, pág. 310.

[33] Jornada 3.ª, escena XII; ed. cit., vol. VII, pág. 567.

[34] Jornada 3.ª, escena V; ed. cit., vol. VII, pág. 86.

[35] Tranco IV; ed. F. Rodríguez Marín, Clásicos Castellanos, Madrid, 1918, pág. 107.

[36] Jornada 1.ª; ed. Mesonero Romanos, BAE, vol. LIV, nueva ed., Madrid, 1952, página 19.

[37] Citados por Miguel Herrero-García, en *Estimaciones literarias del siglo XVII,* Madrid, 1930, cap. III, "Lope de Vega", págs. 107-137.

[38] "Prólogo al lector", ed. A. Valbuena Prat, en *La novela picaresca española,* 4.ª ed., Madrid, 1962, págs. 915-916.

hombre de vanidad proverbial; Cristóbal de Mesa, contumaz autor de poemas épico-cultos; y, sobre todo, Suárez de Figueroa, conocido autor de un excelente libro, *El pasagero*.

La enemistad de Lope con el famoso dramaturgo Juan Ruiz de Alarcón fue de las más notorias, aunque en ella tuvo quizá más culpa el Fénix que su rival. La lamentable contextura física de Alarcón provocaba groseras burlas, en las que participaron numerosos escritores —Quevedo entre ellos— con una falta de piedad y hasta de mero buen gusto, que hoy nos producen doloroso asombro, pero que eran muy naturales en las costumbres de la época. Lope, que participaba de la instintiva repugnancia popular por los jorobados, dirigió a Alarcón crueles y soeces ataques, que trató en ocasiones de explicar hasta con entonadas razones filosóficas. Intervino a veces en malévolas conjuras para hacer fracasar comedias de su rival, como en el caso de *El Anticristo*; era, pues, bien explicable que Alarcón se sumara a los ataques personales a que las trapisondas amorosas del Fénix daban lugar.

Más importante que ninguna otra, por la excepcional calidad de los oponentes, fue la hostilidad mantenida con Cervantes y con Góngora. Cervantes, como tuvimos ocasión de ver, hombre de teatro frustrado y fracasado, tenía que mirar con bien humano disgusto el triunfo apoteósico de Lope, feliz realizador de una dramática que le disgustaba en parte y en parte le seducía, que pretendió al fin imitar y que no fue capaz de seguir [39]. Ya conocemos las opiniones de Cervantes sobre las comedias al uso, expuestas en el *Quijote* por el canónigo, y que apuntaban inequívocamente al teatro de Lope. Sin embargo, cuando tuvo que citarlo expresamente, Cervantes no sólo mantuvo la serena y digna postura consustancial con su carácter, sino que le dedicó bien claras alabanzas. No son muy importantes, por lo convencionales, las que escribió en el *Canto de Calíope* de *La Galatea* [40]; las más concretas se encuentran en el Prólogo de sus *Ocho comedias* y en el entremés *La guarda cuidadosa*. Las palabras del prólogo son harto conocidas: "Tuve otras cosas en que ocuparme, dexé la pluma y las comedias, y entró luego el monstruo de naturaleza, el gran Lope de Vega, y alçóse con la monarquía cómica. Avassalló y puso debaxo de su juridición a todos los farsantes; llenó el mundo de comedias propias, felices y bien razonadas, y tantas, que passan de diez mil pliegos los que tiene escritos, y todas, que es una de las mayores cosas que puede dezirse, las ha visto representar, o oído dezir, por lo menos, que se han representado; y si algunos, que ay muchos, han querido entrar a la parte y gloria de sus tra-

[39] Cfr.: José María Asensio, "Desavenencias entre Cervantes y Lope de Vega", en *Ilustración Española y Americana*, II, Madrid, 1882, págs. 7-22; también, M. A. Buchanan, "Cervantes and Lope de Vega: Their literary relations. A preliminary survey", en *Philological Quarterly*, Iowa, XXI, 1942, págs. 54-64.

[40] Edición de Rodolfo Schevill y Adolfo Bonilla, tomo II, Madrid, 1914, pág. 221.

bajos, todos juntos no llegan en lo que han escrito a la mitad de lo que él solo" [41].

Claro es que al afirmar que el gran Lope se había alzado con la monarquía cómica, tanto como expresar un juicio propio se limitaba, objetivamente, a registrar un hecho, que no supone necesariamente un encomio; pero sí lo era, aunque escueto, lo de "felices y bien razonadas". En *La guarda cuidadosa,* un zapatero comenta los versos que acaba de oir, con estas palabras, que así pueden responder a la opinión del autor como a constatación, en boca de aquel hombre del pueblo, de la excepcional fama del poeta: "A mí poco se me entiende de trovar; pero éstas me han sonado tan bien, que me parecen de Lope, como lo son todas las cosas que son o parecen buenas" [42]. Pero el elogio, innegable estaba allí. No obstante, cuando llegó la pintoresca exhibición de hidalguía hecha por Lope en las famosas diecinueve torres de su escudo, Cervantes se había sumado a los burlones maldicientes con una alusión en verso en los preliminares del Quijote; a esta alusión, probablemente, que Lope no perdonó, se debe la frialdad con que siempre trató la obra de Cervantes, y la referencia —manifiestamente despectiva— que le dedica en *Amar sin saber a quien.*

De mucha mayor transcendencia, por su sentido y duración, fue el tiroteo literario que sostuvo Lope con Góngora [43]. Pero aquí, aunque la hostilidad era mutua, fue más intensa e irreductible la posición del cordobés. Lope admiraba a Góngora; poeta apasionado y desbordante como era, que vaciaba en ágiles versos la crónica diaria de su vida, sentía —pese a tan hondas discrepancias en el concepto de su arte— asombro, y quizá en el fondo una secreta envidia, ante las exquisiteces intelectuales y la lujosa suntuosidad de los versos de su rival, a la que en más de una ocasión trató de acercarse más o menos deliberadamente. En su escrito sobre la "nueva poesía" Lope dedicó inequívocos elogios a Góngora, reconociendo la belleza de sus "exornaciones y figuras, cuales nunca fueron imaginadas ni hasta su tiempo vistas" [44]; dando a entender que los dos grandes poemas del cordobés no habían sido estimados como merecían, escribió en su alabanza, e incluyó en el citado escrito, un soneto famoso:

Canta, cisne andaluz, que el verde coro
del Tajo escucha tu divino acento...

---

[41] *Comedias y entremeses,* ed. de Rodolfo Schevill y Adolfo Bonilla, tomo I, Madrid, 1915, págs. 7-8.

[42] Ídem, íd., tomo IV, Madrid, 1918, pág. 69.

[43] Cfr.: Juan Millé y Giménez, "Lope, Góngora y los orígenes del Culteranismo", en *Estudios de Literatura Española,* La Plata, 1928, págs. 181-229.

[44] El título completo de este escrito es: *Respuesta a un papel que escribió un señor de estos reinos en razón de la nueva poesía*; fue redactada en 1617 y publicado en *La Filomena,* en 1621. Ed. aparte de F. C. Sainz de Robles en *Obras escogidas de Lope de Vega,* cit., vol. II, págs. 931-937 (la cita es de la pág. 932).

Pero rechazaba la inevitable oscuridad que de tales "exornaciones y figuras" se originaba; y asentaba su propio credo poético en frase felicísima que bien puede valer por una preceptiva completa: "la poesía ha de costar grande trabajo al que la escribiese y poco al que la leyese" [45].

Lope atribuía los excesos de la poesía culta no tanto al maestro como a la turba de sus imitadores, "porque comienzan por donde él acaba" [46]. Góngora, en cambio, desde la cima de su arte, despreciaba la suelta naturalidad, sencilla y clara, de la poesía de Lope, a la que juzgaba pedestre y vulgar. Atacando a su rival, afirmaba a la vez su peculiar concepto de la poesía en el soneto que escribió al ser publicada la *Dragontea* de Lope, y del que reproducimos el segundo cuarteto y el primer terceto, particularmente alusivos a los mencionados rasgos lopistas:

...Para rüido de tan grande trueno
es relámpago chico: no me ciega.
Soberbias velas alza: mal navega.
Potro es gallardo, pero va sin freno.
La musa castellana bien la emplea
en tiernos, dulces, músicos papeles,
como en pañales niño que gorjea... [47].

O en aquel otro soneto tan conocido:

Patos de la aguachirle castellana
que de su rudo origen fácil riega,
y tal vez dulce inunda vuestra Vega,
con razón Vega por lo siempre llana... [48].

Lope, que admiraba al gran culterano pero aborrecía al culteranismo, replicó en diversas ocasiones a las envenenadas pullas de Góngora, con singular gracejo; así, en el famoso, y graciosísimo, soneto, que incluyó en *El laurel de Apolo*:

Boscán, tarde llegamos. ¿Hay posada?
—Llamad desde la posta, Garcilaso.
—¿Quién es? —Dos caballeros del Parnaso.
—No hay donde nocturnar palestra armada.
—No entiendo lo que dice la criada.
—Madona, ¿qué decís? —Que afecten paso,
que ostenta limbos el mentido ocaso,
y el sol depinge la porción rosada.

[45] Ídem, íd., pág. 935.
[46] Ídem, íd., pág. 935.
[47] Ed. Juan e Isabel Millé y Giménez, *Obras completas de Luis de Góngora y Argote*, 5.ª ed., Madrid, 1961, págs. 534-535.
[48] Se titula, *A los apasionados por Lope de Vega*; ídem, íd., pág. 549.

—¿Estás en tí, mujer? —Negóse al tino
el ambulante huésped. —¿Que en tan poco
tiempo tal lengüa entre cristianos haya?
Boscán, perdido habemos el camino;
preguntad por Castilla, que estoy loco,
o no habemos salido de Vizcaya[49].

O aquel otro que figura en *La Dorotea*:

Pululando de culto, Claudio amigo,
Minotaurista soy desde mañana;
Derelinquo la frasi castellana,
Vayan las Solitúdines conmigo.
Por precursora, desde oy más me obligo
Al Aurora llamar Bautista o Juana,
Chamelote la mar, la ronca rana
Mosca del agua, y sarna de oro al trigo.
Mal afecto de mí, con tedio y murrio,
Cáligas diré ya, que no griguiescos,
Como en el tiempo del pastor Bandurrio.
Estos versos, ¿son turcos o tudescos?
Tú, lector Garibay, si eres bamburrio,
Apláudelos, que son cultidiablescos[50].

En toda esta polémica es, sin embargo, necesario distinguir lo que había de antipatía y encono personal de aquellos otros aspectos más sustanciales y profundos, es decir: las burlas sobre las torres del escudo —que no son sino pura anécdota— del juicio crítico que apuntaba a condiciones de la poesía. Cuando Góngora califica a la de Lope de llana y sencilla, es tan sincero como justo (al menos en lo fundamental), porque así era en efecto; de serlo se preciaba Lope (menos cuando la tentación del mismo gongorismo le vencía). Pero, al despreciarle por ello, juzgaba con su propio concepto de la poesía, basada para él en otros moldes y otros ideales de belleza. Cuando este concepto del arte se aplicaba al teatro de Lope, las deficiencias de su casi siempre atropellada improvisación resaltaban más intensamente. Muchas páginas —también lo sabía Lope— escritas para ser recitadas sobre las tablas, potenciadas con todos los efectos de la representación, no resistían la lectura atenta; ni estaban hechas para eso. Góngora era severo, pero exacto, cuando decía de ellas: "Los versos de Lope de Vega en sacándolos del teatro son como los buñuelos,

---

49 *Obras no dramáticas...*, ed. cit., pág. 372.

50 Acto IV, escena II; ed. Edwin S. Morby, University of California Press, Berkeley and Los Ángeles, 1958, págs. 312-313.

que en enfriándose no vuelven a tomar la sazón que antes, aunque los vuelvan a la sartén"[51].

Un interesante episodio de aquella guerra literaria promovida en torno a la obra de Lope fue la publicación contra éste de un libelo titulado *Spongia,* del que era autor Pedro Torres Rámila, lector de Latín en Alcalá de Henares, instrumento a su vez de la enconada malevolencia de Suárez de Figueroa. En la *Spongia* se recogían ataques de carácter personal —a los que la vida privada de Lope ofrecía tan fácil blanco— y violentas críticas sobre su obra dramática, basándose en los principios de la preceptiva aristotélica que el triunfo de Lope había arrinconado. Toda la edición de la *Spongia* —nombre adoptado porque se proponía *borrar* la obra de Lope— ha desaparecido, y sólo se conocen de ella los fragmentos reproducidos por los amigos del Fénix, que replicaron con otro libelo titulado *Expostulatio Spongiae.* En él colaboraron varios de aquéllos, que defendieron a Lope briosamente y devolvieron a Rámila quintuplicados los insultos, amén de algunas calumnias bien comprometedoras[52].

LA OBRA NO DRAMÁTICA DE LOPE

LA LÍRICA

Como llevamos dicho, la gran creación de Lope, la que tanto sus contemporáneos como la posteridad estimaron en principal lugar, fue su obra dramática. Así, la fama que le envuelve como creador del gran teatro nacional español oscurece la atención que debe merecernos el resto de sus escritos; y más ahora que en su tiempo. Prueba de ello es el corto número de estudios auténticamente importantes sobre su producción poética y en prosa en comparación con los dedicados a su teatro y a los sucesos de su vida íntima o pública. La misma masa de sus escritos dificulta la tarea de acercamiento: "la fecundidad de Lope —escribe Montesinos— aquella fecundidad que le hizo parecer un héroe fabuloso y que tanto contribuyó a su popularidad, impide en gran manera que vuelva a ser popular"[53]. Cierto que muchos de los géneros cultivados por Lope —géneros de moda, en los que él se plegaba al gusto de su época— han envejecido sin remedio y con ello la gloria de su autor. En cambio, como poeta

[51] Citado por M. Herrero-García, en *Estimaciones literarias del siglo XVII,* cit., página 119.

[52] Cfr.: Joaquín de Entrambasaguas, "Una guerra literaria del Siglo de Oro: Lope de Vega y los preceptistas aristotélicos", en *Boletín de la Real Academia Española,* números XIX, XX y XXI; tirada aparte, Madrid, 1932. (Reeditado en *Estudios sobre Lope de Vega,* vol. I).

[53] "Introducción" a la mencionada selección *Lope de Vega. Poesías líricas,* vol. I, pág. VII. Bajo el título de "Las poesías líricas de Lope de Vega" este trabajo, con ligeras modificaciones, ha sido recogido en *Estudios sobre Lope de Vega,* México, 1951.

lírico, Lope ocupa un puesto indiscutible al lado de nuestras cumbres más altas; y, si inferior a ellas en diversos aspectos, también en otros les excede.

La obra entera de Lope, según afirma Vossler, está inundada de lirismo; no sólo en el sentido de que el tono lírico la impregne, sino en el hecho concreto de su saturación material de formas líricas específicas: sonetos, canciones, romances. Diseminados en confuso revoltijo pueden encontrarse en sus poemas épicos, novelas y obras dramáticas infinitos fragmentos o composiciones líricas de toda índole; y aunque muchas de ellas, como veremos luego, fueron reunidas en libros especiales, es imposible deslindar o hacer el recuento aproximado del acervo lírico de Lope. Los sonetos han podido ser contados en número que se aproxima a los tres mil; pero sería absurdo tratar de precisar "el número de sus canciones, romances, glosas, letrillas, villancicos y seguidillas, porque estas formas menos rotundas, cuando no las encontramos aisladas, están, a menudo, de tal manera entretejidas en sus dramas y tan íntimamente incorporadas al diálogo y a la acción, que sería pedante arbitrariedad su desgarramiento en aras de una estadística dudosa" [54].

Carácter de su lírica. Ya hemos visto de qué manera se vaciaba Lope en sus versos, volcando en ellos su intimidad y el torbellino anecdótico de sus aventuras. La más destacada cualidad de Lope como lírico es la presencia apasionada del poeta en todo lo que escribe, su desbordante humanidad; su vida entera quedó derramada en sus escritos. "La primera sorpresa que Lope nos produce (el Lope lírico, el único que nos interesa aquí) —escribe Dámaso Alonso en una sagaz interpretación de la lírica del Fénix— es la de la irrupción de la vida en el arte. Todos, todos los poetas, y en cualquier época, trasmutan su experiencia vital en poesía... Pero la torrentera de Lope es totalmente distinta. Lo que se trasparenta o se trasvasa en él, en los versos, es la vida del hombre en su pluralidad desenfrenada, día a día, en sus amores y en sus odios, en sus perfiles picarescos y en sus períodos de arrepentimiento y ansia de Dios, con toda su riqueza, con toda su variación, algunas veces con una depuración o transposición a mundo ideal, pero más frecuentemente con muchos arrastres directos, no traducidos, reales, arrancados del vivir mismo. Sí, el río de Lope arrastra muchas lágrimas, mucha sangre del poeta; y aun bastante cieno, sin selección, como los grandes ríos en la riada" [55]. Y añade luego definiendo la nota esencial de la lírica lopista: "Cuando nos acercamos a la poesía de Lope, a una buena parte de su poesía, notamos ese tono nuevo. Algo que es profundamente original, que no encontramos en toda la poesía europea del siglo XVI ni del siglo XVII, por lo menos con esa amplitud, con esa generosidad, con esa constancia. Es una sensación de sinceridad y de ver-

---

[54] Carlos Vossler, *Lope de Vega y su tiempo,* Madrid, 1933, pág. 178.

[55] "Lope de Vega, símbolo del barroco", en *Poesía española. Ensayo de métodos y límites estilísticos,* 4.ª ed., Madrid, 1962, págs. 420-421.

dad, vivida, realísima"[56]. Y aún más abajo: "Esta nota de frescura y verdad, este estar, día a día, hora a hora, convirtiendo en materia de arte la sustancia de su vida, es totalmente nuevo en poesía española y aun europea. No sólo es nuevo, sino que es aislado. Sólo en el siglo XVII lo podía hacer un gran temperamento desbordado como Lope, y no tiene continuación en el XVIII. Lope —se ha dicho varias veces— empalma en este sentido con el Romanticismo"[57].

Ese carácter, repetidamente proclamado, de la lírica lopista ha conducido a destacar en ella dos rasgos que se repiten siempre con insistencia de lugar común: de un lado, su ceñido valor autobiográfico; de otro, su natural espontaneidad sin afeites, que excluiría cualquier esfuerzo artificioso. Pero ambos supuestos deben ser cuidadosamente matizados.

La proyección autobiográfica ya aludida, que ha permitido seguir en tantos aspectos la andadura vital y sentimental del escritor a través de sus versos, no excluye en modo alguno la transformación de la anécdota en libre creación poética, la elevación de lo particular a forja de arte. En manos del poeta, lo inmediato y concreto se desnuda innumerables veces de su corteza de realidad y se trasmuta en obra intemporal. Valga un caso curioso. Como más de una vez ha sido notado, Lope dedicó a distintas amantes las mismas, o muy parecidas, composiciones, sustituyendo escasas palabras o haciendo, a lo sumo, *variaciones* sobre idéntico tema[58]. Semejante *aprovechamiento* ha podido ser tachado de frivolidad: el versátil Lope jugaba, pues, con sus propias pasiones. Y algo de ello puede haber. Pero Montesinos, en el citado estudio, ha señalado cuán arriesgado resulta tomar demasiado a la letra el contenido biográfico de las poesías de Lope, con olvido de su perenne valor artístico. "Al tener en cuenta —escribe— lo biográfico que la obra poética de Lope contiene no debemos extremar las consecuencias cronológicas. Lope, como poeta, transfigura en motivo poético cualquier episodio trivial de su existencia, y lo recrea, o lo reproduce meramente, en momentos en que poesía y realidad no están ya en necesaria conexión"[59]. Y luego: "En poder de una idea poética, sin referirse ya a circunstancia alguna determinada, Lope la repitió cuanto le plugo"[60].

Podría, pues, hablarse de la capacidad de olvido de Lope como hombre, pero quizá con mayor motivo de su poder, como poeta, de literatizar un hecho real, apasionadamente vivido. "Si la biografía de Lope —escribe Montesinos— constituye el más atrayente capítulo de nuestra historia literaria clásica, es justamente porque en todos sus momentos refleja una existencia de artista —conversión del dato real en creación—. No hay otro gran poeta español cuya biografía nos revele de modo tan instructivo este proceso de transformación

[56] Ídem, íd., pág. 422.

[57] Ídem, íd., pág. 428, Cfr.: Amado Alonso, "Vida y creación en la lírica de Lope de Vega", en *Cruz y Raya,* núm. 34, 1936, págs. 63-100.

[58] Véase el citado estudio de Dámaso Alonso, pág. 424, y nota núm. 5.

[59] "Introducción" citada, pág. XXVI.

[60] Ídem, íd., pág. XXVIII.

de las flores de la vida —ardientemente gozadas— en mieles de arte eterno"[61]. El citado comentarista piensa que, más aún que de un simple proceso poetizador de un hecho real, se trata frecuentemente de un empinado ascenso hacia la más exigente meta. "No debemos olvidar un aspecto de la psicología del poeta: repetir un rasgo que cree bien logrado, combinándolo con nuevos elementos, poniéndolo a una nueva luz, insertándolo en un nuevo círculo de pensamientos y emociones, puede ser una consecuencia del anhelo de perfección que en él anima. Creemos que Lope no quiere sino salir del paso repitiendo sus tópicos, y tal vez, en realidad, ensayaba una armonía más perfecta"[62]. Así ha podido calificarle, sin desdoro, de "poeta de circunstancias"; éstas eran las que aportaban el componente de vida real y, con él, el calor humano, que luego el artista modulaba con poética voz para convertirse en el más genuino cantor del sentimiento. "Como no hay casi nada en la vida de la nación que no pueda ser objeto del arte, no hay casi nada en todos los días de la larga vida del poeta que no merezca ser transustanciado poéticamente. Cada momento vivido es sublimado en un verso de frescura y aroma perennes, y son estos versos, poesía de circunstancias y poesía de ocasión, de tal virtud, que por ellos consigue el poeta purgar todas las faltas, expiar todos los pecados, justificar todas las actitudes. Todas las obras de Lope van jalonando así un largo y penoso camino de perfección"[63].

Carlos Vossler ha señalado, por su parte, algunos otros aspectos de esta vertiente de la lírica lopista. La lírica propia, es decir, la expresión de los sentimientos personales —dice el citado crítico— es apenas diferenciable en Lope de sus creaciones poéticas objetivas[64]. Lope era capaz —y así lo hizo muchas veces— de escribir por encargo de su señor de turno, pero en otras innumerables no precisaba encargo alguno para convertirse en el lírico portavoz de las pasiones ajenas: condición que se explica y se relaciona a su vez con su misma obra dramática. Como dramaturgo nato, Lope podía dar su lírica más personal incluso cuando no hablaba por propia persona o en asunto propio, sino como personaje de ficción. Su ilimitada capacidad para hacer suyas todas las situaciones, le permite desatar su vena lírica en boca extraña; de aquí, sin duda, esa sorprendente y desenvuelta libertad para trasegar intimidades, cediendo las propias o apropiándose las ajenas.

Por otra parte, Lope es un caso —probablemente inigualado— de constante y estrechísima simbiosis entre vida y literatura. A este rasgo pertenece la arraigada inclinación lopista, señalada por Vossler, al disfraz y al embozo y su afición "a los seudónimos y a toda clase de veladuras literarias, míticas, fabu-

---

61 "Notas sobre algunas poesías de Lope de Vega", en *Estudios sobre Lope de Vega*, citado, pág. 265.

62 Ídem, íd., págs. 264-265.

63 José F. Montesinos, "Lope de Vega, poeta de circunstancias", en *Estudios sobre Lope de Vega*, citado, México, 1951, págs. 294-295.

64 *Lope de Vega y su tiempo*, cit., pág. 178.

losas, alegóricas y simbólicas" [65], hasta el punto de que la expresión directa es rara y tardía. Vossler enumera entre estos *disfraces* el pastoral, el morisco, el caballeresco y el heroico-mítico antiguo; cuádruple guardarropía, muy de la época, tras la que Lope se enmascara y descubre en un juego de escondite poético, que exige cautela al tratar de extraer deducciones biográficas demasiado rigurosas.

El otro tópico lopista es el de su fluida sencillez y naturalidad. Para la estimación común, sobre la que ha tenido hondo influjo el juicio de Menéndez y Pelayo, Lope es un poeta de instinto, cuyas opiniones literarias son por eso mismo de escasa solidez, espontáneo y fácil, dado con preferencia al cultivo de las formas populares y tradicionales. Cierto que el tono medio de Lope es predominantemente así, y que en aquellos metros tradicionales se mueve con sin igual agrado, sobre todo en la época de su juventud. Pero las salvedades son muy importantes. Si Lope volvió una y otra vez a las formas antiguas, no es menos cierto —basta ver el impresionante caudal de sus composiciones en los modernos metros y estilo— que consideró las aportaciones de la escuela italianista como un avance irrenunciable que había ennoblecido y elevado la poesía; y hasta sus mismos versos más populares suponen siempre un refinamiento culto de la lírica tradicional. "Para Lope —afirma Montesinos— la antigua escuela castellana suponía un estadio superado; aquellos poetas le merecieron siempre una viva simpatía, pero nunca los consideró como modelos. Al adoptar las formas tradicionales, aspiró a ennoblecerlas; esto y no más suponen sus romances artísticos, en cuya composición seguía las mismas corrientes que la juventud literaria de su época. En ese intento de ennoblecer las formas, sus ideales artísticos eran muy distintos de los de un Castillejo, por ejemplo. En el Lope más popular y tradicional no falta nunca un rasgo, un matiz culto, clásico, renacentista" [66]. Y luego: "Ni un momento de duda sobre el progreso realizado, ni un momento de duda sobre la superioridad de los metros adquiridos. La excelencia de lo antiguo es la del *concepto,* que en cada caso puede ser salvado, trasvasado a nuevos odres" [67]. El mismo romance, que cultivó tan intensamente, érale tan querido porque juzgaba que no era un metro trivial, sino que en él cabían —lo mismo que en otros cualesquiera— los más altos tipos de poesía; y así lo afirma expresamente en la introducción a su "segunda parte" de las *Rimas,* para justificar la inclusión en ella de unos romances, junto a los 200 sonetos de la parte "primera". La única prioridad que Lope concedía a lo tradicional era, acabamos de oírlo, la del *concepto*; palabra con que en su tiempo se designaba el "contenido", o la "idea" o el "fondo" del poema. Pero él pensaba que estos *conceptos* (a veces no

---

[65] Ídem, íd., pág. 180. Cfr.: S. Griswold Morley, *The pseudonyms and literary disguises of Lope de Vega,* University of California Publications in Modern Philology, Berkeley, 1951, vol. 38, núm. 5, págs. 421-484.

[66] "Introducción", citada, págs. IX-X.

[67] Ídem, íd., pág. XI.

eran más que aquellas rebuscadas sutilezas tan prodigadas en los antiguos *Cacioneros*) podían ser perfectamente expresados en formas de nueva poesía. "La fórmula de arte que más hubiera complacido a Lope, la que de todas sus palabras sobre la poesía parece deducirse, hubiera sido la correspondiente a una solución intermedia: el concepto español con exorno italiano" [68]. La enemiga enconada que Lope sostuvo contra el culteranismo (dejemos enteramente aparte cuanto de mezquinos odios personales pudiera haber en la ruidosa disputa), se explica sobre todo porque aquella fórmula artística decidía "el predominio vicioso de uno de los elementos que Lope trataba de armonizar en un equilibrio estable. La forma llegaba a adquirir un valor sustantivo" [69].

En el estudio aludido, Dámaso Alonso, junto al Lope humano y apasionado que vertía en sus versos la experiencia diaria de su vivir, ha rastreado también otros diversos "Lopes" bastante más complejos: un segundo Lope, petrarquista, culto, señor de juegos y de recursos estilísticos, colorista y suntuario dentro de la más genuina tradición renacentista ("la adopción de un método estilístico riguroso —resume— nos descubre en este Lope, tan alabado en los libros por su espontaneidad y su natural frescura, las más diabólicas, estrictas, matemáticas y frías complicaciones") [70]; un tercer Lope, que, pese a toda su fobia antigongorina, se deja cegar por el brillo de su rival y trata en ocasiones de imitarlo, dando mayor tensión estética a sus composiciones y haciendo esfuerzos por apretar su verso; y, finalmente, un Lope "filosófico" que, "como reacción y defensa contra Góngora", fracasado su intento de imitación, busca por el camino de una trabajada y pedantesca gravedad, destacar en un arte contrario al de su enemigo. Todos estos "Lopes" ocupan porciones importantes, y se entrecruzan e interfieren constantemente combinando todas las técnicas de moda, las formas tradicionales y su más personal y natural estilo. Dista, pues, mucho Lope de ser ese poeta de cómoda definición, de rostro único, fácilmente calificable como sencillo y natural. Diríase más bien que nada poéticamente posible le era ajeno. Pese a lo cual, el mismo Dámaso Alonso, puntualizador de Lopes tan contradictorios, proclama la existencia de un Lope de mayor bulto, del que ha venido a resumirse en la más general calificación. "Por debajo de toda técnica admitida —dice— estaba, representante de un arte nuevo, el hijo de la naturaleza, en su vitalidad y su desenfreno: el que traduce día a día su vida vivida, en verso; el que vuelve los ojos a las formas naturales; el abundante, el desenfrenado: el poeta de tierra y cielo". Y luego: "Su hallazgo, su estilo, se llamaba pasión, corazón. Eso, puesto en el arte, era su estilo inventado: una invención genial" [71].

---

[68] Montesinos, "Introducción", citada, pág. XII.

[69] Ídem, íd., pág. XV.

[70] D. Alonso, estudio citado, pág. 439.

[71] Ídem, íd., pág. 477 y 478. Cfr.: J. G. Fucilla, "Concerning the Poetry of Lope de Vega", en *Hispania,* XV, 1932.

Lope dedicó varios libros a reunir especialmente su producción poética; a los dos años de su muerte apareció también *La Vega del Parnaso,* un gran volumen misceláneo preparado por parientes y amigos del poeta, donde se recogen composiciones dispersas de todas las épocas del Fénix. Pero Lope apenas cultivó la lírica como un arte independiente, al modo de Garcilaso y fray Luis de León, Herrera y Góngora; por eso mismo, su lírica, como dijimos muy lejos de encerrarse en aquellos volúmenes concretos, se derrama torrencialmente por toda su producción, inundándola toda: teatro, obras en prosa, novelas...; cualquier lugar servía para que Lope abriese cauce a sus vivencias. Prueba de ello es que gran parte de su poesía reunida por él mismo en volumen, no fue compuesta para este fin: numerosos poemas de sus colecciones líricas proceden de comedias, de donde Lope los tomaba luego, refundiéndolos frecuentemente o poniéndolos a tono, según vimos —mediante ligeras variaciones—, con sus pasiones del momento. Todos aquellos versos que, a su juicio encerraban mayor valor, eran sacados del olvido a que parecía condenarles la fugacidad del espectáculo dramático, "de la misma manera que un poeta moderno reuniría en volumen sus colaboraciones dispersas en periódicos y revistas" [72].

Este trasiego ha creado difíciles problemas a los escoliastas, particularmente respecto a la cronología de las composiciones. No siempre es fácil decidir cuándo una poesía fue compuesta primero e incrustada luego en una pieza teatral (para ser restaurada de nuevo, a lo mejor, y transportada al volumen de lírica), o cuándo, por el contrario, nació para la escena en su primera redacción. En general, es más frecuente el traslado de poesías líricas de una comedia al libro, que al contrario; al menos en el teatro de su juventud.

Con este dato, tiene escaso interés seguir el orden de publicación de sus libros —que dice muy poco sobre el momento de su composición—; por otra parte, "Lope, presente en cada verso que escribió, no está compendiado en ninguno de sus poemas" [73], como lo están, en cambio, Fray Luis de León o San Juan de la Cruz, Garcilaso o Góngora. Todo ello, unido a la masa inabarcable de su obra lírica, aconseja considerarla en grandes conjuntos, atendiendo a los géneros o tipos principales [74].

Los romances. Componen los romances el primer grupo de importancia dentro de la caudalosa producción lírica de Lope. Ya aludimos a ellos con ocasión de los episodios de su vida que los inspiraron: los amores con Elena Osorio, el destierro y sus días de Valencia, el rapto y matrimonio con Isabel de Urbina, son los temas que Lope trasmutó en briosa y apasionada poesía.

---

[72] Montesinos, "Contribuciones al estudio de la lírica de Lope de Vega", en *Estudios...*, citado, pág. 233.

[73] D. Alonso, estudio citado, pág. 420.

[74] Cfr.: J. Millé y Giménez, "Apuntes para una bibliografía de las obras no dramáticas atribuidas a Lope de Vega", en *Revue Hispanique,* LXXIV, 1928, págs. 345 y ss.

Los romances moriscos y pastoriles eran entonces el género de moda, y bajo esta envoltura disfrazó el poeta aquellas sus aventuras juveniles. (Romances a Filis: "Hortelano era Belardo..."; romances a Belisa: "De pechos sobre una torre..."; "Mira, Zaide, que te aviso...", entre los moriscos). Creados originariamente los romances para los temas nacionales, históricos y heroicos, y no para los personales asuntos de amor, tenían por esto mismo —dice Vossler— la ventaja de estar ahí, intactos y llenos de frescor para este nuevo uso. "Los romances en que Belardo y Filis, Belardo y Belisa o Zaide, Zaida y Felisalva se manifiestan su amor, su porfía, sus celos, su arrepentimiento, su desilusión, su perdón y su enajenamiento, se cuentan entre los brotes más deliciosos de la lírica de Lope" [75].

Estos romances lopescos adquirieron inmediata y enorme popularidad; fueron recogidos (también quedó ya dicho) en las colecciones que se imprimieron en los últimos años del siglo XVI, y luego en el *Romancero General* de 1600 y 1604. Se supone que son unos cincuenta; van sin nombre en el *Romancero*, y como habían sido rápidamente imitados por numerosos poetas, se han planteado problemas de atribución en torno a varias de estas composiciones [76]. La música, con que generalmente se acompañaban, contribuiría a su difusión [77]. Los romances pastoriles venían a ser como la divulgación popular —cantable

---

[75] *Lope de Vega y su tiempo*, cit., pág. 182.

[76] Cfr.: José F. Montesinos, "Algunos problemas del Romancero nuevo", en *Romance Philology*, VI, 1952-1953, págs. 231-247.

[77] Se imagina comúnmente que la general aceptación de los romances, y aun de otras muchas formas poéticas, no se producía sino por razones de estima literaria; y entonces hay que suponer una sociedad utópicamente interesada en delicadas producciones que hoy sólo importan a minorías de exquisitos. Pero los romances eran entonces letra de una música que cantaba cualquiera como motivo de diversión y que alcanzaban con ello la misma popularidad que ahora conquistan las canciones de moda, lanzadas por el cine, la radio o algún astro famoso; y conocían una vida tan caprichosa y efímera como ellas. Millé y Giménez ha tratado con todo rigor este carácter del romance: "Los romances artísticos —dice—, como las antiguas poesías líricas, nacieron para ser cantados. Los *tonos* o *sonadas* eran bien conocidos de todo el mundo, y aún se conservan, en muchos casos, en los antiguos *Cancioneros*". Y aduce el testimonio de Juan Rufo en sus *Apotegmas*: "Sin duda este tiempo florece de poetas que hacen romances y músicos que les dan sonadas...". Y añade luego: "La mayor o menor belleza y popularidad de la *sonada* contribuiría mucho a la difusión de cada romance. Si los libros tienen su hado, los romances lo tienen también, y no pocas veces podemos pensar que la inexplicable popularidad de un romance mediocre, y aun a veces manifiestamente malo, a cada momento citado en los viejos libros, hubo de deberse a su unión con alguna música deliciosa. 'Un mal poeta —dice el mismo Juan Rufo— era tan confiado que para que sus letras se cantasen y llegasen a noticia de todos, tenía muy a su costa granjeado cierto músico, que de sol a sol se las componía a tres voces, y como los *tonos* eran buenos y nuevos, no resonaba otra cosa en la corte sino la tempestad de estos cantares. Y tratándose del artificio del músico, y de cuán bien premiado era del poeta por aquella ocasión, respondió: Él se lo paga, porque le hace majadero a tres voces'" (*Sobre la génesis del Quijote*, Barcelona, 1930, págs. 27-28).

y recitable— de las novelas pastoriles, entonces en todo su apogeo; y la fusión felicísima de delicada sencillez y fina elegancia que dio Lope a los suyos, los hacía más estimables para el gusto de todos. No obstante, es fuerza distinguir en estas composiciones lopescas lo que hay en ellas de gusto del momento y sus valores perennes; más que ningún otro escritor entre los muchos que le acompañaron en el *Romancero General,* Lope se salva siempre del trivial artificio de unas formas transitorias, que la moda dictaba, gracias a la apasionada humanidad que vierte en ellas. "En todos estos cuadritos de poesía tan intensa y sensual —dice Millé y Giménez— lo de menos eran los transparentes disfraces moriscos; lo de más era la vida de todos los días, la realidad del momento, prodigiosamente idealizada" [78]. "El carácter fundamental de esta obra primeriza —escribe Montesinos refiriéndose sobre todo a este "romancero" de juventud— sería éste: sobre la literatura, sobre los elementos acarreados por una larga tradición y los que le deparan los gustos y modas de su tiempo, la vivencia personal siempre... Lope acaba por apropiarse una concepción del amor de dilatados orígenes; pero su temperamento le arrebataba con demasiada fuerza, y no destruía aquel ademán que deliberadamente adoptara el poeta, pero le añadía energía y eficacia. Esta circunstancia es la que sitúa a Lope en una posición excepcional dentro de nuestro siglo XVII, época exquisitamente dotada para la creación literaria, pero que terminaría sumiéndose en un asfixiante formalismo" [79].

Lo mismo el romance pastoril que el morisco, cultivado por poetas innumerables hasta el agotamiento, degeneró en una *manera* que provocó a su vez las inevitables parodias y, con ellas, la muerte del género. De esta ruina se han salvado, también con los de Góngora, los romances de Lope por lo perfecto y delicado de su voz.

Lope siguió en épocas posteriores escribiendo romances, en los que cantó sus amores de los años maduros. Están esparcidos por distintas obras, sobre todo en *La Dorotea,* y representan un notable cambio de tono, más meditativo y profundo, que se alía con una maestría, cada vez más depurada, en la ejecución. Entre los contenidos en el citado libro son particularmente famosos "A mis soledades voy..." y las "barquillas".

También compuso Lope romances religiosos, incluidos en las *Rimas sacras,* o agrupados en el *Romancero espiritual,* en los que campea la peculiar religiosidad de Lope, de raíz tan española, externa y popular, sentimental y colorista.

Pero apenas existe colección lírica suya que, en mayor o menor número, no contenga romances [80].

---

[78] *Sobre la génesis del Quijote,* cit., pág. 26.

[79] "Introducción", citada, pág. XXXI.

[80] Romances de Lope de Vega, de todas las procedencias indicadas, pueden verse en la selección de Montesinos, repetidamente citada; en la edición de Luis Guarner, *Lope*

Los sonetos. Lope tenía especial predilección por los sonetos; de ellos compuso una cifra prodigiosa, superior con mucho a la de cualquier otro poeta, y entre los suyos se encuentran indudablemente algunos de los más perfectos y hermosos que se han escrito en lengua castellana. Como hemos visto, el "concepto" era para Lope componente esencial en toda poesía; y el soneto, por su peculiar estructura, era el vaso ideal para encerrar un pensamiento en forma ceñida y apretada, y permitía además ricas combinaciones de artificios poéticos. Con su habitual agudeza, Dámaso Alonso ha estudiado los juegos estilísticos de la lírica de Lope, basándose sobre todo en la arquitectura de sus sonetos [81]. Lope suele distribuirlos en dos momentos: uno ascendente y otro descendente, que comprenden respectivamente los cuartetos y los tercetos; aunque el poeta modifica este esquema básico con toda libertad.

El primer grupo de sonetos, en número de doscientos, apareció incluido en las *Rimas,* publicadas en Madrid en 1602. Hasta entonces Lope no había publicado poesías específicamente líricas en libro propio (ya conocemos la inclusión de muchos romances suyos en colecciones generales). Estos doscientos sonetos aparecían encerrados entre otras dos obras: el poema de imitación italiana, *La hermosura de Angélica,* y *La Dragontea,* poema épico que, aparecido primeramente en 1598, se reeditaba entonces. (El volumen se titulaba exactamente *La hermosura de Angélica con otras diversas rimas*).

Muchos de estos sonetos habían sido "salvados" por Lope de sus comedias, con mayor o menor retoque y acomodación; otros muchos estaban dedicados a Micaela de Luján (uno de los más bellos —"Yo no quiero más bien que sólo amaros..."— había sido tomado también de una comedia: *Los Comendadores de Córdoba);* otros varios versan sobre temas bíblicos, mitológicos o de historia antigua.

Lope había prodigado el soneto en su teatro. En su *Arte Nuevo de hacer comedias en este tiempo* (1609) tenía que decir:

El soneto está bien en los que aguardan...

Así, en muchas ocasiones en que la acción dramática entraba en una pausa y el personaje debía meditar sobre su situación, sus reflexiones quedaban encerradas en un soneto.

---

de Vega. Poesía lírica, 2 vols., Madrid, 1935; en los volúmenes XXXV y XXXVIII de la BAE. Cantera, todavía de utilidad, para las obras, no dramáticas, de Lope de Vega, es la *Colección de Obras sueltas, así en prosa como en verso, de Don Frey Lope Félix de Vega Carpio,* editada en Madrid, 1776-1779, por don Antonio Sancha; 21 volúmenes. (Citaré comúnmente por los nombres de "Obras sueltas" o "edición Sancha"). Cfr.: Juan Millé y Giménez, *Sobre la génesis del Quijote. Cervantes, Lope, Góngora, el "Romancero General", el "Entremés de los romances"*, cit. María Goyri de Menéndez Pidal, *De Lope de Vega y del Romancero,* Zaragoza, 1953.

[81] Dámaso Alonso, "La correlación poética en Lope (de la juventud a la madurez)", en *Revista de Filología Española,* vol. XLIII, 1960, págs. 355-398.

Con los dedicados a Micaela de Luján puede que Lope pretendiera formar un *Canzoniere*; en cualquier caso, con su trenzado de sutilezas amorosas, tejidas con toda la gama de refinados artificios, está patente la huella de Petrarca, aunque no ya por directo influjo del maestro italiano sino a través de la tradición petrarquista castellana que tenía invadida a nuestra lírica. Pero la artificiosidad heredada se derrite como cera al calor humano de la pasión que enciende el verso y da vida real a la inerte literatura. La excelencia de esta fusión la define perfectamente Montesinos: "Los doscientos sonetos de las *Rimas humanas* armonizan, como toda la obra de Lope, motivos literarios que él recibía de dos o tres generaciones de poetas con sus personales experiencias. En este sentido son quizá su colección poética más característica" [82].

En los sonetos que hemos reservado al tercer grupo Lope sigue también la gran herencia renacentista de imitación clásica, que había utilizado tan insistentemente los mitos paganos, así en la poesía como en la pintura. Lope sustituye ahora la pasión —ajena al tema— por un alarde de recargada ornamentación, que aprieta sus galas en el férreo marco del soneto, logrando efectos de extraordinaria belleza, muy original. "Lo que sí era nuevo en las *Rimas*, por lo menos en la forma suntuosa que le dio Lope, fueron los desarrollos de temas históricos o míticos con propósitos artísticos que, sin exageración, podríamos llamar parnasianos. En estos sonetos Lope destaca fuertemente todo elemento sensual con una rara finura de sensibilidad. A veces, como en algunos parnasianos del pasado siglo, la influencia de las artes plásticas, la preocupación por la línea escultórica o por el color son notables, y el soneto de Venus y Palas está visto y sentido como un bajo-relieve, y el admirable *Al triunfo de Judit* es como una gran pintura veneciana de refinada composición y colorido caliente y rico" [83].

En el otoño de 1614 publicó Lope las *Rimas sacras*, libro misceláneo, compuesto de cien sonetos seguidos de varias canciones y romances de asunto religioso. La orientación mística dada por Lope de Vega a su poesía lírica desde la publicación de sus cuatro *Soliloquios* de 1612, había sido continuada en otras publicaciones de menor fortuna, pero alcanzaba su mayor sentimiento religioso y más alta calidad literaria en las citadas *Rimas sacras*. Sobre Lope comenzaban a abatirse las amarguras: en pocos meses había fallecido su esposa Juana de Guardo y el hijo más entrañablemente amado, Carlos Félix. La misma crisis de religiosidad que le condujo entonces a ordenarse de sacerdote, inspiró la profunda emoción espiritual de aquellas composiciones. Los *Soliloquios* (todos ellos en redondillas, estrofa que Lope estimó siempre como la más apropiada para el lenguaje natural, caldeado por un afecto) habían sido una efusión sencilla, desprovista de adorno, escrita —dice Vossler— "con bienaventurada simplicidad"; en las *Rimas sacras*, por el contrario, el poeta

---

82 "Introducción", cit., pág. XLIII.

83 Ídem, íd., pág. XLVI.

culto que jamás desfallecía en Lope, afina con el mayor esmero su instrumento poético y se atavía con todas las exigencias de un selecto artífice. Diríase que Lope siente entonces hasta la excelencia de su nuevo estado sacerdotal y quiere mostrarse digno de él.

Por lo que a los sonetos se refiere, que ahora nos importan, algunos tratan motivos ocasionales, como festividades y elogios de santos; y su valor es reducido. Pero los más giran en torno del Sacramento, la contrición, el arrepentimiento y repudio de la vida pasada, el deseo de una vida espiritual; o son tiernos coloquios con el Esposo. En estas composiciones vacía el poeta sus tormentos íntimos —dramáticamente sinceros, aunque las más horribles caídas le aguarden al instante—, y dicho se está que en ellas brilla el genio poético de Lope como en los mejores momentos de sus *Rimas humanas*. Menéndez y Pelayo opinaba que algunos de estos sonetos debían contarse entre los más inspirados que la poesía religiosa española había producido. Montesinos lo reconoce igualmente, aunque puntualiza el sabor de muy humana religiosidad —eterno Lope— que hasta en sus versos más espirituales impregna todo. "...los mejores momentos de las *Rimas sacras* cuentan entre los mejores de nuestra lírica y son obra de alta poesía, aunque no exponente de la más fina religiosidad. Los sonetos de Lope, nacidos de sus crisis de conciencia... son poesía de contrición y de atrición. Sin las tristezas de la carne, el hastío de las pasiones o el terror del infierno, la *Llama de amor viva* o la *Noche oscura* seguirían siendo posibles en un espíritu tan sensible como el de San Juan de la Cruz; los sonetos de Lope no lo serían. Pero si esta poesía humana —tan humana como la erótica de las *Rimas*, de la que es reverso— no se inspira en emociones exquisitas de la conciencia religiosa, su acento pasional, su calor, su eficacia expresiva, le dan singular realce, y los sonetos sacros de Lope también se destacan de la lírica clásica como algo sin precedentes e insuperado" [84].

Vossler no enjuicia con demasiado entusiasmo la poesía sacra de Lope, en cuyos sentimientos religiosos —dice— son más fuertes los vínculos patrióticos y eclesiásticos que los personales. El más auténtico lenguaje de piedad en la obra lopista —y esto es indiscutible— hay que buscarlo cuando adopta el tono popular: "en las quintillas de su Isidro, en las canciones de sus pastores de Belén y en aquellas de sus comedias de santos donde se hace hablar a indoctos héroes de la fe, pobres de espíritu, idiotas casi, y donde incorpora el catolicismo vulgar español... Pero en lo que más se complace es en el juego, en lo festivo, en contar leyendas y embriagarse en lo maravilloso de los milagros y de las imágenes que adora. Como mejor aplaca las inquietudes del propio corazón es con estos ejercicios de piedad de la parroquia entera, por inmersión en la masa de los creyentes, sin querer conservar nada propio" [85].

---

[84] Ídem, íd., pág. XLIX.

[85] *Lope de Vega y su tiempo*, cit., pág. 197. Cfr.: E. Allison Peers, "Mysticism in the poetry of Lope de Vega", en *Estudios dedicados a Menéndez Pidal*, I, 1950, páginas 349-358.

En los *Soliloquios* reconoce Vossler un esforzado intento de buscar la expresión más personal posible, desnuda de retórica, movido como estaba entonces el poeta por un arrebato de arrepentimiento de su frívola vida pasada; pero encuentra el crítico que los remordimientos quedan al cabo muy generalizados, hasta el punto de que, en tono muy eclesiástico, recomienda su libro "para cualquier pecador que quisiera apartarse de sus vicios y comenzar una vida nueva". Sobre las *Rimas sacras* opina Vossler en cambio que puso en ellas Lope demasiado artificio, tanto por vanidad de artista como por celo de su dignidad sacerdotal (en cualquiera de los casos, falta de sinceridad, viene a decirnos); un deseo de compensar a los ojos de Dios, pero también a los de las gentes, sus constantes irregularidades, inspiró este y otros varios libros de literatura religiosa durante esta época de su vida.

Con todo, por lo que a las *Rimas sacras* se refiere, es innegable que sus páginas contienen bellos momentos en que se funden las más nobles emociones del poeta —no importa que fueran efímeras tantas veces— con una flüida inspiración que caldea el virtuosismo técnico. Algunos de los sonetos del libro han gozado siempre de justa popularidad:

Pastor que con tus silbos amorosos
me despertaste del profundo sueño:
tú, que hiciste cayado de ese leño
en que tiendes los brazos poderosos,
vuelve los ojos a mi fe piadosos,
pues te confieso por mi amor y dueño
y la palabra de seguir te empeño
tus dulces silbos y tus pies hermosos.
Oye, pastor, pues por amores mueres,
no te espante el rigor de mis pecados
pues tan amigo de rendidos eres.
Espera, pues, y escucha mis cuidados...
pero ¿cómo te digo que me esperes,
si estás para esperar los pies clavados? [86].

O este otro quizá más conocido todavía:

¿Qué tengo yo que mi amistad procuras?
¿Qué interés se te sigue, Jesús mío,
que a mi puerta, cubierto de rocío,
pasas las noches del invierno escuras?
¡Oh cuánto fueron mis entrañas duras,
pues no te abrí! ¡Qué extraño desvarío

[86] *Lope de Vega. Poesía lírica*, ed. Luis Guarner, cit., vol. I, pág. 184.

si de mi ingratitud el hielo frío
secó las llagas de tus plantas puras!
¡Cuántas veces el ángel me decía:
"Alma, asómate agora a la ventana,
verás con cuánto amor llamar porfía!".
¡Y cuántas, hermosura soberana:
"Mañana le abriremos", respondía,
para lo mismo responder mañana! [87].

A veces, sin embargo, el demasiado sentimentalismo, una ternura casi sensual —muy de Lope— convierten lo que debieran ser puras efusiones religiosas en algo que no impropiamente califica Vossler de "piropos":

No sabe qué es amor quien no te ama,
celestial hermosura, esposo bello;
tu cabeza es de oro, y tu cabello,
como el cogollo que la palma enrama;
tu boca, como lirio que derrama
licor al alba; de marfil tu cuello;
tu mano el torno, y en su palma el sello
que el alma por disfraz jacintos llama.
¡Ay Dios! ¿en qué pensé cuando, dejando
tanta belleza, y las mortales viendo,
perdí lo que pudiera estar gozando?
Mas si del tiempo que perdí me ofendo,
tal prisa me daré, que un hora amando
venza los años que pasé fingiendo [88].

Maestro del soneto, Lope lo siguió cultivando incansablemente. Ejemplos bellísimos los hay también, dedicados a doña Marta de Nevares, en el poema *La Circe*; y asimismo en el libro de miscelánea poética que, ya en su vejez, publicó con el nombre de *Rimas divinas y humanas del licenciado Tomé de Burguillos* [89].

[87] Ídem, íd., pág. 185.

[88] Ídem, íd., pág. 186. Edición facsímil de las *Rimas sacras,* Joaquín de Entrambasaguas, Madrid, 1936.

[89] Sonetos de Lope pueden hallarse en las mismas colecciones que hemos indicado para los romances (véase nota 80). Cfr.: A. Restori, "I Sonetti di Lope de Vega", en *Archivum romanicum,* XI, 1927, págs. 384-391. Lucile K. Delano, "The Relation of Lope's Separate Sonnets to those in his *comedias*", en *Hispania,* X, 1927, págs. 307-320. De la misma, "An Analisis of the Sonnets in Lope's *comedias*", en *Hispania,* XII, 1929, págs. 119-140. De la misma, *A critical index of sonnets in the plays of Lope de Vega,* Toronto University Press, 1935. Peter H. Dunn, "Some uses of sonnets in the plays of Lope de Vega", en *Bulletin of Hispanic Studies,* XXXIV, 1957, págs. 213-222. Otto

Letras para cantar. Hablábamos de los numerosos elementos líricos dispersos en el teatro de Lope y recogidos luego de allí para formar sus colecciones poéticas. Capital manifestación de este constante abrazo de lírica y dramática son los sonetos, como acabamos de ver. Pero, más todavía que en esta combinación métrica, el desborde lírico de Lope puede observarse en las que, de manera genérica, se denominan "letras para cantar". Sabemos que el romance se acompañaba con música, pero no era éste el único metro destinado al canto: también lo eran los villancicos, las seguidillas, las letrillas, y en general todos los cantares populares como los de boda, de vendimia, de siega, de bautizo, de bienvenida, de maya, de segadores, etc. En este mundo poético, tan acorde con su sensibilidad, Lope se movía con maestría nunca igualada. Apenas existe comedia suya que no acoja manifestaciones de esta *lírica musical* en forma de cantares populares. Con frecuencia, en sólo unos versos de una de estas canciones se encuentra el germen de toda la acción dramática, que Lope desarrolla dejando como contrapunto lírico el motivo de la canción. En todo este disperso mundo lírico resulta a veces difícil separar lo original de Lope de lo que eran ya canciones tradicionales que él recogía y aprovechaba modificándolas poco o mucho: de tal manera estaba fundida su propia voz con la del pueblo para el que escribía, y cuya tradición lírica hacía suya y recreaba a su vez. Porque Lope —y esto es fundamental— no debía tanto al pueblo de que se nutría, como él le daba por su parte, siendo así no sólo el sostenedor de una tradición poética sino su creador. Genial condición que podría suponerse expresada en aquella famosa coplilla del propio Lope:

Es adagio proverbial
que todas las cosas son
de Lope: extraño caudal;
mas por la misma razón,
vuestras, con aplauso igual:
que yo siempre vuestro fui.
Pues ¿cuál es más en los dos,
si yo cuanto soy os di,
ser todas ellas de mí
o ser yo todo de vos?... [90].

Jörder, *Die Formen des Sonetts bei Lope de Vega*, Halle, Niemeyer, 1936. A. Altschul, "Lope de Vega als Lyriker", en *Zeitschrift für romanische Philologie*, LI, 1931, páginas 76 y ss. M. Romera Navarro, "Lope y su defensa de la pureza de la lengua y estilo poético", en *Revue Hispanique*, LXXVII, 1929. Del mismo, "Lope de Vega el mayor lírico para sus contemporáneos", en *Bulletin Hispanique*, XV, 1933. W. L. Fichter, "Recent Research on Lope de Vegas' Sonnets", en *Hispanic Review*, VI, 1938, págs. 21-34.

[90] Edición Luis Guarner, citada, vol. II, págs. 277-278.

Epístolas, églogas, odas, canciones. De menos interés, en comparación con los metros antes descritos, son los que ahora mencionamos. También la *epístola* —en largas filas de tercetos— fue un género de moda durante el Renacimiento, y apenas hubo poeta que no la cultivara. Lope escribió muchas de ellas que intercaló en poemas diversos, sobre todo en *La Filomena* y en *La Circe*; y aunque en la forma no aventajó por lo común a otros poetas del Siglo de Oro —Boscán, Garcilaso, Cetina, Hurtado de Mendoza, Francisco de Figueroa— supo una vez más —con su inextinguible calor humano— superar el tono académico y convencional del género y, olvidado de tópicos retóricos, darle especial valor de confidencia y espontaneidad. Muchas de estas epístolas nos interesan, efectivamente, por las noticias que nos proporcionan sobre su vida, las descripciones de su intimidad familiar, sus opiniones literarias, sus odios y rencillas personales. Merecen distinguirse entre ellas la dirigida a Gaspar de Barrionuevo (en la "segunda parte" de las *Rimas*) por sus críticas antigongorinas; a Matías de Porras por las tiernas evocaciones de su hijo Carlos Félix; a Francisco de Herrera Maldonado por el relato de la entrada en religión de su hija Marcela (estas dos últimas en *La Circe*); a la desconocida poetisa peruana Amarilis por los amplios datos acerca de su vida (incluida en *La Filomena*). Por parecida razón tiene interés la dedicada a Francisco de Rioja, llamada por el propio poeta *El jardín de Lope de Vega,* título bajo el cual agrupó y publicó en Madrid (1621-1624) una selección de sus epístolas. De especial importancia es la dirigida a Camila Lucinda, que comienza "Serrana hermosa, que de nieve helada..." (incluida en *El peregrino en su patria),* en la que recoge apasionadamente, románticamente, los recuerdos de aquel amor, y evoca los dolores de la partida y de la ausencia.

Entre sus églogas merece destacarse *Amarilis,* escrita después de la muerte de Marta de Nevares, y publicada aparte, en Madrid, en 1633. El poema, que cuenta los amores con ésta última, es todo él sustancialmente autobiográfico; el poeta se expresa ahora con sosegada y noble amargura, impregnada de melancólica gravedad. Notable también es la *Égloga a Claudio* (recogida en *La Vega del Parnaso*), que debía más bien llamarse epístola por su carácter narrativo. Tiene gran valor autobiográfico; refiere en ella sus amores con Elena Osorio, su primer matrimonio y los comienzos de su carrera dramática, con importantes pasajes acerca de su propio arte. A este poema pertenecen los conocidísimos versos sobre su facilidad para escribir comedias: "pues más de ciento en horas veinticuatro — pasaron de las musas al teatro".

Cuando, en 1635, tuvo lugar el rapto de Antonia Clara, Lope convirtió su dolor en tema de la égloga *Filis* (publicada aparte, aquel mismo año), en la que canta estos sucesos.

Entre las "canciones" deben mencionarse las que comienzan "¡Oh libertad preciosa!", incluida en *La Arcadia,* y "Hermosas alamedas", en *El peregrino en su patria*; la primera es una bella imitación del *Beatus ille* de Horacio, tema que Lope parafraseó repetidas veces. En las *Rimas sacras* fue incluida la conmovedora elegía a la muerte de Carlos Félix, en la que llega el poeta al más entrañable patetismo [91].

LOS POEMAS NARRATIVOS

En 1598 publicó Lope en Valencia *La Dragontea,* poema épico en diez cantos en octavas reales, cuyo asunto lo componen las correrías del pirata

[91] Aunque muchos de los conceptos que siguen hayan quedado expuestos con mayor o menor amplitud en las páginas precedentes, creemos de interés reproducir algunas opiniones de Rennert y Castro en que resumen a su vez (apéndice B de su *Vida de Lope de Vega,* cit.) los juicios formulados a lo largo de su trabajo sobre la obra poética de Lope: "Una gran parte de la poesía de Lope está perdida para el gusto moderno merced a los mismos rasgos negativos que vician muchas de sus comedias. La facilidad, no acompañada de reflexión, llevaba la fantasía del poeta por los cauces de lo trivial, que entonces residía en la difusión y en la ampulosidad... Una consecuencia fatal de esta excesiva facilidad es que la mayoría de los poemas de Lope sólo se salvan por sus digresiones e incidencias. Ya ha visto el lector cómo ha sido preciso rebuscar con atención entre las páginas de muchas obras menospreciadas por lectores anteriores, para que surjan pasajes de una indiscutible belleza... Sospechamos que el autor, nacido en un medio más moderno, habría hallado remedio a muchas de sus imperfecciones. Lope producía sin cesar; a veces debió esforzarse y dar más de lo que podía, impulsado por la necesidad de vivir, por el afán de notoriedad y de encontrarse en primer término en toda empresa literaria; pero no era raro que trabajase llevado tanto de una insaciable curiosidad intelectual como de un irresistible impulso, que le obligaba a objetivar las creaciones de su fantasía o cualquier movimiento de su sensibilidad... Lo tremendo es que todo ello hubiera de escribirse en verso. Si la época de Lope hubiera conocido la revista y el diario, es seguro que buena parte de sus poesías se habrían resuelto en crónicas y artículos volanderos; pero no fue así, sino que los géneros poéticos tuvieron que aceptar cuanto brotaba de la pluma de Lope, mucho de lo cual apenas tenía de poético más que el metro" (págs. 411-413). "Lope produce el efecto de un escritor inicialmente romántico, agudamente subjetivo, que no logró, sin embargo, elevarse a una intuición del mundo por no haber profundizado bastante en sí mismo ni en el ideal humano. Lo primero es evidente; basta acercarse un poco a la obra de Lope para notar en seguida la acción de su personalidad, en forma de alusiones directas a su vida, como reflejo de su manera de pensar, en la intensidad especial que ideas y sentimientos comunes adquieren en su pluma. Esa actitud ante el mundo, que lo mide y resuelve todo según la propia sensibilidad, es, en último término, lo que llamamos romanticismo; y es muy razonable la afirmación, ya trivial, de que la literatura romántica, que en otros países se desenvuelve entre los siglos XVII y XIX, se manifiesta ya en la España del XVII... No obstante —y aquí viene la esencial diferencia que separa el romanticismo de Lope del del siglo XIX—, Lope infringe las *reglas,* pero las reglas existen para él y cree en ellas. El romanticismo del siglo XIX, en cambio, llega a una solución unitaria y subjetiva de la vida, tomando al yo como centro del Universo, tanto para el sentimiento como para la moral y la ciencia. En Lope hay una postura romántica *inicialmente,* pero no llega nunca a formar una filosofía basada en su corazón, ni a resolver en la unidad del individuo su actitud ante la vida; en él se daba, al contrario, un intenso dualismo, reflejo necesario de la concepción racionalista y teológica que inspiraba aquel siglo en España. Miradas así la vida y la obra de Lope, nos aparecen como un torrente que se estrella contra un dique poderoso y que no encuentra casi nunca un cauce normal y

inglés Francisco Drake contra las posesiones y marina españolas[92]. El poema fue escrito con intención patriótica y, una vez más, Lope se hace eco en él de los sentimientos comunes de su pueblo, en esta ocasión contra Inglaterra, rival a la vez político y religioso. La obra termina con la muerte del corsario. Aunque

---

apacible. Dentro de su teatro —la creación más frondosa de su genio, la que aparentemente allanó cuantas trabas podían soñarse—, tal contraste es bien perceptible; tómense sus tragedias y dramas, donde las pasiones caminan rectas, sin las confusiones que produce lo cómico o burlesco, y se verá cómo siempre los dogmas que regían aquella sociedad con el más severo hieratismo (honor, religión y realeza) acaban por prestar un sentido general, teórico, de ejemplo, a los actos que se inspiraban, al parecer, en móviles puramente anárquicos e individuales. El subjetivismo inicial acaba por perder su impulso dinámico y viene a moldearse dentro de unas rígidas normas, no menos rígidas que las del más severo neoclasicismo, pero inspiradas en la filosofía vulgar de la época, secuela de la Edad Media, y apenas tocadas del soplo renacentista. Como poeta romántico, Lope no llega a novedades transcendentales. Incurriríamos, sin embargo, en un grave anacronismo si nos sintiéramos defraudados por no encontrar un Goethe en nuestro siglo XVII" (págs. 413-415). "Su prodigioso temperamento, mezcla extraña de genialidad, de blandura, de pasiones subalternas, de versátil e inquieto afán, que contenía el germen de la más potente originalidad, no supo moldear meditadamente una sola obra que hubiese dado forma suprema y humana a su romántico subjetivismo, si prescindimos de algunos sonetos, cuya brevedad le imponían la selección y la mesura..." (pág. 415). "Su labor es más extensa que profunda: no hay ninguna obra suya susceptible de múltiples sentidos; la impresión de belleza que producen sus aciertos es inmediata, y provocan la emoción más bien que la reflexión..." (pág. 418). "Lope no se eleva sobre el ideal contemporáneo; el fondo de construcción que hay en él descansa sobre las ideas vulgares de su siglo, sin que por un momento percibamos el consciente y sereno cernerse del hombre sobre la vida, que constituye la grandeza del poeta 'de las luces' Goethe. Nuestro Lope sería muy bien, usando palabras de Menéndez y Pelayo, un 'heredero genial y maravilloso del arte de los tiempos medios' " (pág. 420). "Parece claro que, prescindiendo de otros motivos, Lope solicita desde luego nuestra admiración por la fina sensibilidad que exterioriza en momentos de puro lirismo o al rozar cualquier objeto, por la forma grácil en que nos presenta sus experiencias de la naturaleza, y por su estilo, el cual, cuando es dócil intérprete de su fantasía —lo que acontece a menudo—, cuando no es eco de aprendida retórica, logra, ora un ritmo grave y ondulante, ora una sobriedad y rapidez lapidarias; a veces también adquiere una complejidad altamente moderna... Nuestro poeta pende más del mundo de las sensaciones que del de las ideas; su poesía está llena de impresiones sensoriales, principalmente visuales, pero también auditivas y táctiles... Pero a más de sensorial, Lope es sensual: su vida toda nos ha dicho hasta qué punto fue conmovido por el impulso erótico, el cual a veces pone notas de lubricidad en su poesía; la investigación de lo erótico en Lope sería un lindo tema, partiendo de las manifestaciones más elementales de este apetito hasta las más elevadas, en que se funde el amor místico o se resuelve en divagaciones platónicas" (páginas 420-421).

[92] Edición del Museo Naval, con prólogo de G. Marañón, Madrid, 1935; edición de Dorothy R. Breen, con estudio preliminar, Universidad de Illinois, 1941; ed. F. C. Sáinz de Robles en *Obras escogidas de Lope de Vega,* vol. II, cit. Cfr.: K. Jameson, "Lope de Vega's *La Dragontea.* Historical and Literary Sources", en *Hispanic Review,* VI, 1938. J. A. Ray, *Drake dans la poésie espagnole,* París, 1906. Dorothy Offman, "Lope de Vega's 'La Dragontea'. Sources and models", Florida State University Studies, 1952.

los hechos están referidos con bastante objetividad, Lope, inevitablemente, recarga las tintas contra el enemigo de su nación. Retórico, aun para el gusto de la época, el poema ha sido diversamente juzgado. Debido a su intención proselitista patriótico-religiosa, es también natural que se haya tenido en cuenta su contenido polémico y apunten las censuras preferentemente hacia su presunta parcialidad; tal, la opinión de Ticknor, por ejemplo. Fitzmaurice-Kelly admitía, sin embargo, que el sentimiento nacional por sí mismo era admirable y hubiera podido salvar el poema si no hubiera fallado por otras causas; y Vossler viene a confirmar esto mismo cuando dice: "En conjunto, es el poema más desmayado que fanático. Su más grave debilidad reside en un prosaico vulgarismo y en una ausencia de ideas pobre de sentimientos, de modo que Drake y su empresa sólo según la letra, pero no en nuestro ánimo, se convierten en *Dragón* y en peligro de universal estremecimiento para la Cristiandad. Hasta qué punto intervienen escasamente aquí la verdadera pasión y la emoción religiosa, puede verse en el hecho de que en las luchas, las expediciones de rapiña y los asaltos llenos de vicisitudes, todo ocurre en medio de las cosas más naturales y en parte banales y jocosas, quedando en último término lo maravilloso como algo accesorio e inerte" [93]. En el poema sobresalen algunos episodios, ajenos al hilo principal de la acción, que son los más estimables del libro. Destacan asimismo algunas descripciones marineras, trazadas con vivo realismo, en las que Lope hace gala de un riquísimo vocabulario náutico. Rennert y Castro subrayan el interés de algunos pasajes aislados de esta índole, que Lope consigue animar con calor de cosa vivida: "quizá lo único notable que hallemos [en la obra] —dicen— sea esa visión de la España colonial, de los hombres de acero, que en este poema, más bien que combatir al inglés, nos parece que están trazando una página más de la epopeya de los conquistadores. Y en este sentido *La Dragontea* debe ser leída pensando en *La Araucana* y en los cronistas de Indias" [94].

Enteramente distinto es *El Isidro,* poema en quintillas en el que todavía puede el lector de hoy encontrar sabrosas bellezas [95]. Fue compuesto por el mismo tiempo que *La Dragontea* y publicado en 1599. Lope lo escribió para glorificar al santo patrono de Madrid. Dos aspectos distintos se encuentran en el poema: uno culto, que Lope extrajo de los documentos destinados a la beatificación del Santo; otro popular, bebido por Lope en la conocidísima y sencilla historia de su patrono: pues como tal, por ser madrileño él mismo, le

---

[93] *Lope de Vega y su tiempo,* cit., pág. 159.

[94] *Vida de Lope de Vega,* cit., pág. 135.

[95] Edición Arturo del Hoyo, Madrid, 1935; ed. Sáinz de Robles, en *Obras escogidas...,* vol. II, cit. Cfr.: Arturo del Hoyo, "*El Isidro,* poema castellano de Lope de Vega", Madrid, 1935. Zacarías García Villada, "San Isidro Labrador en la Historia y en la Literatura, IX: *El Isidro,* poema castellano de Lope de Vega", en *Razón y Fe,* LXIII, 1922, págs. 37-53. Ángel Valbuena Prat, *La religiosidad popular en Lope de Vega,* Madrid, 1963.

canta Lope. Dicho se está que esta parte es la más flúida y lozana, animada por abundantes notas líricas y pasajes descriptivos; todo lo cual se aviene a la perfección con el espíritu del poeta. Nada hay en esta obra de la pretenciosa artificiosidad de sus restantes poemas cultos, en los que cedía al gusto de su tiempo y pretendía emular a los grandes épicos renacentistas italianos. *El Isidro* ni siquiera es propiamente un canto épico, sino casi una historia familiar contada con desenvuelta naturalidad: paisaje castellano, vida cotidiana, personajes sencillos. Y empapándolo todo, un sentimiento religioso humano y popular, sin sutilezas ni complejidades. De esta religiosidad cordial, tan arraigadamente española, y de la que tantas muestras podemos hallar en todo el arte —plástico y literario— del siglo XVII, es *El Isidro* una de sus manifestaciones más genuinas; lo divino y lo humano se mezclan y confunden, y el prodigio se abraza con la realidad más llana y habitual. "Mirando este aspecto de *El Isidro* —dicen Rennert y Castro— guarda su arte semejanza con el de aquellos pintores españoles que hicieron de lo divino tema usual de sus cuadros; por ejemplo, Murillo, en el que cualquier objeto atrae nuestra mirada con el mismo aliciente que el pretendido motivo principal —en 'La cocina de los ángeles' en el Louvre, el almirez y las escudillas allí representados no difieren en su técnica ni en su significación de las figuras angélicas, tema aparentemente primordial—" [96]. Todos los temas y motivos que encuentran eco en el ánimo de Lope, tienen cabida a su vez en *El Isidro*; de aquí su unidad de pulso lírico y su cambiante diversidad de paisaje literario. "Lope —dicen los críticos citados— hizo aquí un alarde de poesía española, y dentro de lo erudito procuró acercarse lo más posible al popularismo, cuyo triunfo simbolizaba el santo aldeano. Y así, aunque la preceptiva lo califique de poema épico erudito, hallamos en *El Isidro* aspectos del romancero, de comedia de santos, de auto sacramental y hasta de comedia profana; obra de transición entre varios géneros, las notas populares y realistas se rozan aquí con las concepciones de una imaginación erudita y a veces ampulosa" [97].

Menéndez y Pelayo decía de *El Isidro* que había en él mucho fárrago y broza, pero que podían entresacarse fragmentos admirables. El poeta se deja, efectivamente, llevar de su propia facilidad y, como embriagado por la misma fluidez de sus "quintillas saltadoras", las amontona con incontinente derroche; sobran versos por casi todas partes, y sobran también pasajes completos en que Lope se entrega a exhibiciones pedantescas o a insoportables enumeraciones: en el Canto X se suceden veinte quintillas con sólo nombres propios. Pero cuando Lope desciende a la sencilla vulgaridad de cada día, al mundo de las cosas familiares y cotidianas —aunque el milagro, no menos familiar en sus manos, las invada—, logra bellezas de insuperable poesía; así, en este fragmento del Canto V, cuando Isidro se levanta en la madrugada y se dispone a marchar hacia el molino:

[96] *Vida de Lope de Vega,* cit., págs. 141-142.
[97] Ídem, íd., págs. 136-137.

La tiniebla que le ofusca
va tentando como ciego,
llega al frío hogar, y luego
entre la ceniza busca
si aún hay reliquias del fuego.
En fin, un tizón halló,
y algunas pajas juntó
sobre el extremo quemado,
y el rostro, de viento hinchado,
soplando resplandeció.
Enciende Isidro, y de presto
huye la sombra y se extiende;
él con la mano defiende
la luz que afirma en el puesto,
donde vestirse pretende.
Cúbrese un capote viejo,
sin cuidado y sin espejo,
y anda a vueltas la oración,
que orar en toda ocasión
es del apóstol consejo.
Pasa de un blanco cestillo
al alforja el pan y el puerro,
relincha la yegua en cerro,
rozna el rudo jumentillo,
canta el gallo y ladra el perro.
Ya en el corral bala el manso,
deja el pastor el descanso,
que ha dado envidia a algún rey,
gruñe el lechón, muge el buey,
bate las alas el ganso.
Ya Isidro al jumento aplaca
la sed, y él se ensancha e hincha,
ya le apareja y le cincha,
y ya, de ver que le saca,
la yegua sola relincha.
Cárgale, y la boca abierta
de la pereza, despierta,
y luego al campo le guía,
saliendo a cerrar María
o a verle desde la puerta[98].

[98] Ed. Sainz de Robles, cit., págs. 412-413.

O el final del mismo Canto, cuando Isidro sirve a los pobres la comida milagrosamente multiplicada:

Isidro sentado en medio
de aquella pobreza rica,
a todos su parte aplica,
y aunque agradece el remedio,
de humilde no le publica.

Los pobres comen aprisa
con igual contento y risa,
como en mesa de su padre,
donde, en efecto, su madre,
la caridad, se lo guisa.

Cuál quiere de pan henchir
la escudilla y caldo grueso
de col y cebolla espeso,
como el cuezo el albañir
con los puñados del yeso.

Cuál, que del sustento duda,
de entrambas manos se ayuda;
cuál, si una costilla toca,
pasándola por la boca,
la carne al hueso desnuda.

Cuál el de pierna repasa,
y por medio la quebranta,
y la medula con tanta
furia al estómago pasa,
que no toca en la garganta.

....

Cuál hace la hortera balsa,
cuál viejo con risa falsa
murmura al mozo que engulle;
hablan, comen, brindan, bulle
de San Bernardo la salsa.

Cuál esconde mesurado
el pan en la manga rota;
cuál bebiendo el jarro agota,
sonando como el ganado
cuando le echan la bellota.

Los perros de fuera asoman,
y de lo que arrojan toman;

y en medio de este rumor,
Isidro, como el pastor,
se alegra de ver que coman[99].

Del éxito del poema da idea el hecho de que fue reeditado ocho veces durante el siglo XVII.

En 1602 apareció en Sevilla *La hermosura de Angélica,* extenso poema épico en veinte cantos, en octavas. En él pretendió Lope seguir las huellas de Ariosto, aunque estimulado quizá mediatamente por la publicación de la *Primera parte de la Angélica* de Barahona de Soto. Más que una imitación del *Orlando,* la *Angélica,* con su inextrincable maraña de sucesos, le resultó a Lope una novela bizantina, a la manera del *Persiles.* Las aventuras de Angélica y Medoro, ya muy complicadas de por sí, se enredan mucho más con las incontables digresiones del poema: episodios de la historia de España, relatos novelescos accesorios, disquisiciones eruditas y sobre todo recuerdos personales muy diversos, ya que la obra fue compuesta en varias etapas; Lope la comenzó, según dijimos, durante los días de la "Invencible", la continuó probablemente en Alba de Tormes y la acabó durante la época de sus amores con Micaela de Luján que ya asoma en el poema. En la mezcla caótica de hechos fantásticos y de vivencias personales, éstas representan siempre la parte más interesante del poema, donde asoma el Lope humano y apasionado, que ni siquiera la más pedantesca hojarasca conseguía ahogar[100].

Si el deseo de emular al Ariosto había inspirado *La Angélica,* la pretensión de igualar al Tasso decidió a Lope, en uno de sus más prolongados esfuerzos, a escribir *La Jerusalén conquistada,* largo poema en veinte cantos, publicado en Madrid en 1609[101]. La exaltación del sentimiento nacional, tan propio del Renacimiento, provocó en todas las naciones de Europa el deseo de poseer un poema épico que encarnara los ideales colectivos de la nación y fuera el equivalente de lo que la *Ilíada* y la *Eneida* habían representado para Grecia y Roma. A este prurito se debió la aparición de casi toda la épica culta de esta época, pero sólo Camões con su *Os Lusiadas* logró el pro-

---

99 Ídem, íd., págs. 416-417.

100 Ediciones: *Obras sueltas...* de Sancha, vol. II; Sainz de Robles, en *Obras escogidas de Lope de Vega,* vol. II, cit.

101 Edición Joaquín de Entrambasaguas, 3 vols., Madrid, 1951-1954; ed. Sainz de Robles en *Obras escogidas...,* vol. II, cit. Cfr.: J. Lucie-Lary, "La Jerusalén conquistada de Lope et la Gerusalemme liberata du Tasse", en *Revue de Langues Romanes,* vol. 41, 1898, págs. 165 y ss. F. Pierce, "La Jerusalén conquistada of Lope de Vega: A reappraisal", en *Bulletin of Spanish Studies,* XX, 1943. Del mismo, "The literary epic and Lope's 'Jerusalén conquistada' ", en *Bulletin of Spanish Studies,* XXXIII, 1956. Rafael Lapesa, "La Jerusalén del Tasso y la de Lope", en *Boletín de la Real Academia Española,* XXV, 1946, págs. 111-136.

pósito apetecido. En esta línea hay que colocar *La Jerusalén* de Lope, quien recogiendo una legendaria tradición, según la cual Alfonso VIII había intervenido en las Cruzadas, trata de situar a España dentro de la gran gesta colectiva de la Cristiandad medieval; y así, empareja a Alfonso con Ricardo Corazón de León en una empresa común, que el poeta desarrolla al modo de una novela caballeresca. Lope escribió el poema con un cuidado poco frecuente en él, y es bien visible su voluntad de estilo a la cual se deben muchas de las bellezas aisladas del poema. Teníalo Lope en gran estima, según confiesa en carta al duque de Sessa: "...es cosa que he escrito en mi mejor edad y con estudio diferente que otras de mi juventud, donde tiene más poder el apetito que la razón" [102]. Pero ni aún con semejante esfuerzo podía Lope acomodar a tal empresa la índole de su ingenio, inadecuado para sostener en trecho tan largo la solemnidad y dignidad de entonación que un poema de aquella especie requería; y aquí sus desigualdades inevitables: "La impresión que deja la lectura de este largo poema —dicen Rennert y Castro— es que en él ha desperdiciado Lope tesoros de visión poética; su error consistió en alargar desmesuradamente un poema, construido sobre base tan frágil como la intervención española en las Cruzadas; en cambio, continuamente encontraremos otros temas secundarios que viven ahogados bajo la artificiosa pompa del conjunto, pero que no por eso pierden el encanto que el alma sin orillas de Lope supo poner en ellos" [103].

Rindiendo parecido tributo al gusto de la época, Lope escribió también varios poemas de tema mitológico: *La Filomena* y *La Andrómeda* publicadas en 1621, y *La Circe* y *La rosa blanca* en 1624. En la primera parte de *La Filomena* relata en octavas reales el mito clásico de Progne y Filomena; y en la segunda, en silvas, el propio poeta, convertido en ruiseñor, lanza una diatriba literaria contra el "tordo", Torres Rámila, que le había atacado en la *Spongia* [104].

La Andrómeda, incluida en el mismo volumen que *La Filomena,* refiere la fábula de Andrómeda y Perseo, con claras reminiscencias gongorinas.

En *La Circe,* dilatado poema de más de tres mil versos, en octavas, amplifica Lope este episodio de la *Odisea,* con la llegada de Ulises a la isla de Circe, el relato de sus viajes, su bajada al infierno, los amores de Polifemo y Galatea. Poema, en conjunto, poco feliz. Y menos aún lo es *La rosa blanca,* rebuscada historia mitológica, compuesta en alabanza de la hija del Conde-Duque de Olivares.

[102] Citada por Rennert y Castro, en *Vida...,* cit., pág. 168.

[103] *Vida de Lope de Vega,* cit., pág. 185.

[104] Cfr.: Diego Marín, "Culteranismo en 'La Filomena'", en *Revista de Filología Española,* XXXIX, 1955. E. Martinenche, "La Circe y los poemas mitológicos de Lope", en *Humanidades,* La Plata, IV, 1922, págs. 59-66. *Lope de Vega. La Circe,* ed. y estudio de Charles V. Aubrun y Manüel Muñoz Cortés, Centre de Recherches de L'Institut d'Études Hispaniques, Paris, 1962.

Lugar especial, entre las obras narrativas de Lope, merece el notable poema burlesco, en siete silvas, *La Gatomaquia,* incluido en las *Rimas divinas y humanas del licenciado Tomé de Burguillos* (1634). La obra es una espléndida y graciosísima parodia de la altisonante épica culta, tan cultivada por el mismo Lope, que acaba al fin, casi a las puertas de su muerte, riéndose de las desmesuras de aquel género. El poema relata los agitados amores de Zapaquilda y Micifuf, que pretende obstaculizar el rival Marramaquiz. Éste, con los consejos del gato hechicero Garfiñanto, trata de seducir a Zapaquilda, y para darle celos corteja a otra gata, Micilda. Cuando van a celebrarse las bodas, Marramaquiz, despechado, asalta el cortejo y rapta a la novia con quien se encierra en un castillo. Micifuf, ayudado por sus amigos, cerca la fortaleza con el mayor aparato bélico. Al fin, el raptor es muerto y los gatos enamorados pueden vivir felices [105].

La época de Lope conoció en todas las lenguas europeas infinitas parodias de la épica culta y de la literatura caballeresca en todas sus formas. También España las tuvo: Villaviciosa con su poema *La mosquea* precedió a *La Gatomaquia* en bastantes años, y en composiciones más breves son notables las parodias de temas heroicos de Góngora y Quevedo, que quedan mencionadas en su lugar. Pero, como señala Vossler, la sátira española se desenvolvía con mucha mayor holgura —con mucha mayor pujanza, diríamos nosotros— en el campo de la crítica social o el humor realista, más graves y esenciales que la parodia literaria. Ésta tuvo particular difusión entre los italianos, y de italianizante califica Vossler el poema hasta por el empleo de la silva de forma madrigalesca, con la que Lope hace "fluir su relato por modo gracioso, elástico, rítmico, pintoresco, bufonesco y elegante". Pero admite a continuación que *La Gatomaquia* encierra caracteres que revelan a la vez el modo español y la más genuina personalidad de Lope: "Ciertamente —dice— en las escenas de celos y lucha entre los gatos enamorados, en la bizarría del atavío y el indumento, en lo altisonante de sus retos y alardes, en las perspectivas impetuosas referidas a heroicas figuras míticas, castellanas y moriscas, y sobre todo en el halo rebosante de humor, de superioridad indulgente y amable que envuelve enamoramiento, celos y coquetería demasiado humanos, vibra y se impone, victorioso, el modo popular español de Lope" [106].

También es frecuente reprochar a *La Gatomaquia,* como a los otros poemas del Fénix, su demasiada longitud y excesos verbales, pero creemos que esta vez sin demasiado fundamento; el poema se desliza con encantadora frescura y ni siquiera en sus innegables amplificaciones llega a cansar.

También se deben a Lope algunos poemas narrativos de intención didáctica. Dejando aparte el *Arte nuevo de hacer comedias en este tiempo,* que hemos de

---

[105] Edición, con estudio preliminar, de F. Rodríguez Marín, Madrid, 1935; ed. de Agustín del Campo, Madrid, 1948.

[106] *Lope de Vega y su tiempo,* cit., pág. 166.

ver al ocuparnos de su teatro, merece citarse el *Laurel de Apolo,* en el que Lope siguió las huellas de Cervantes en el *Canto de Calíope* de *La Galatea* y en el *Viaje del Parnaso.* Lope menciona a más de doscientos ochenta poetas de España y Portugal y también a buen número de Italia y Francia, aparte de algunos pintores. No carece el autor de sentido crítico y muestra deseos de imparcialidad, pero en general alaba con preferencia a sus amigos y deja entrever en más de una ocasión sus prejuicios personales; a Cervantes lo alude muy tibiamente y no menciona el *Quijote*; a Góngora lo cita apenas de pasada; y hay omisiones muy graves como las de Santa Teresa de Jesús, San Juan de la Cruz, Gil Polo, etc. Esto, y sus elogios a muchos escritores menores, hoy casi desconocidos, demuestran la escasa solidez de los juicios de Lope o por lo menos la presión sobre ellos de sus afectos y sus odios. Además del amplio desfile de escritores hay en el *Laurel de Apolo* algunos interesantes comentarios sobre problemas de métrica, sobre la historia de las innovaciones italianistas, etc. Y digresiones, ajenas al tema central, como la fábula de *Narciso* y *El baño de Diana,* que, como siempre, son lo más bello del poema y a la altura de los mejores momentos líricos de Lope [107].

LAS OBRAS EN PROSA

"La Arcadia". La primera de las obras extensas de Lope que salió a luz, en 1598, fue *La Arcadia,* novela pastoril escrita, según ya dijimos, durante su estancia en la corte ducal de Alba. Lo que a propósito de este género, inequívocamente renacentista, dijimos con ocasión de sus mejores cultivadores en España, Montemayor y Gil Polo, nos evita ahora mayores consideraciones de índole general. La novela pastoril —también lo sabemos— gustaba de esconder bajo el disfraz de sus ficciones sentimentales a personajes y hechos auténticos, cuya posible identificación era motivo de goce para el lector de la época. Siguiendo el uso, Lope llevó a *La Arcadia* los amores de su señor, el duque de Alba, a quien veló bajo el nombre del pastor "Anfriso", mientras se reservaba para sí el ya utilizado de "Belardo". La novela de Lope sobresale por sus brillantes descripciones de la naturaleza, en las que el poeta acierta a fundir sus propias intuiciones personales —de gran amador del campo— con la retórica habitual del género y del tiempo. Toda la gama de convencionalismos ineludibles y el artificio de una prosa rígidamente sometida a una "entonación" especial, no consiguen del todo apagar la directa mirada del escritor, porque Lope de Vega —como declara Montesinos muy justamente— "es uno de los pocos clásicos castellanos que tuvieron un vivo sentimiento de la naturaleza" [108]. Rennert y Castro, que insisten igualmente en este aspecto, destacan a su vez las calidades "pictóricas" de muchas descripciones de paisajes de la

[107] Edición: *Obras sueltas...,* de Sancha, vol. I.

[108] "Introducción...", cit., vol. II, nueva ed., Madrid, 1952, pág. XXIV.

novela. También según la práctica de sus congéneres, intercaló Lope en *La Arcadia* numerosas composiciones líricas; no escritas exprofeso para la novela, sino espigadas de toda su producción anterior y tan distantes a veces en el tiempo como diversas en la ocasión que las produjo. Algunas de estas composiciones pueden figurar entre lo mejor de la producción poética del Fénix; en su conjunto, resumen todos los tipos de poesía —con excepción de los romances juveniles— cultivados por Lope en un primer período que puede considerarse terminado con *El peregrino en su patria.* "Lope —dice Montesinos— parece haber hecho en *La Arcadia* un alarde de riquezas poéticas. La expresión es de una maravillosa transparencia y limpidez, sin las sutilezas conceptistas que encontraremos más tarde. Por lo que afecta a los contenidos poéticos, por la hondura y la emoción, Lope escribió versos mejores; pero como totalidad, quizá no haya libro suyo mejor seleccionado en su parte lírica" [109]. Presionado por los artificios propios del género, Lope canta todavía aquí su propia intimidad con más virtuosismo que sentimiento; pero es un virtuosismo de rara finura que se hace perdonar. Por el contrario, el lastre más pesado de la novela está representado por una pedantesca exhibición de conocimientos científicos sobre las más diversas materias, desde las plantas a los astros [110].

Aludiendo a esa mencionada parte de intimidad que late bajo el derroche literario de la novela, Vossler sugiere sagazmente que *La Arcadia* puede ser entendida mucho mejor si en vez de compararla "con *La Arcadia* de Sannazaro o con otros documentos de los convencionalismos y géneros de la poesía pastoril, establecemos un parangón con la *Dorotea* de Lope mismo. Para valorar certeramente su *Arcadia* parece oportuno considerarla como un primer intento frustrado —detenido en el callejón sin salida del virtuosismo—, como un esfuerzo, no logrado, para dar forma poética a la propia vivencia del desengaño, de la reflexión y el desvío ante el laberinto de una embriaguez literariamente depurada" [111].

"El peregrino en su patria". En 1604 se publicó en Sevilla por primera vez —tenía que alcanzar varias ediciones en pocos años— *El peregrino en su patria,* complicadísima novela de aventuras compuesta en la línea de la novela bizantina y, como tal, colmada de los incidentes más asombrosos, al cabo de los cuales aguarda el final feliz. La habilidad de Lope consistió en no necesitar lejanas ni fantásticas tierras para desenvolver la maraña de su acción; le bastó con zarandear a sus personajes por unas pocas regiones españolas (Valencia, Zaragoza, Barcelona, Toledo). Una vez más, y como siempre con for-

---

[109] Ídem, íd., pág. XXVI.

[110] Ediciones: *Obras sueltas...*, de Sancha, vol. VI; ed. Cayetano Rosell, en BAE, vol. XXXVIII, cit.; ed. Sainz de Robles, en *Obras escogidas...*, vol. II, cit. Cfr.: J. P. Wickersham Crawford, "The seven liberal Arts in Lope's Arcadia", en *Modern Language Notes,* XXX, 1915.

[111] *Lope de Vega y su tiempo,* cit., pág. 169.

tuna, la proyección personal del escritor caldea con auténtica temperatura humana diversos pasajes de la obra: en esta ocasión es el eco de sus amores con Micaela de Luján, que a veces se asoma incluso a la novela, y a la que el poeta, levemente oculto bajo el nombre de Jacinto, dirige la epístola "Serrana hermosa, que de nieve helada...", una de las bellas joyas del libro.

Intercalados en él, y sin ninguna relación con su argumento, figuran cuatro "autos" sacramentales, los primeros conocidos de Lope: *El viaje del alma, Las bodas del alma y el amor divino, La maya* y *El hijo pródigo.*

El peregrino ofrece además otro aspecto del mayor interés para la historia literaria; al término de la obra, el autor incluye una lista de las comedias que hasta entonces llevaba escritas y que ascendían ya a doscientos diecinueve títulos (lista considerablemente ampliada en la edición de 1618). Al mismo tiempo, Lope expone uno de los primeros juicios que formuló sobre su propio teatro, palabras de gran importancia, que en su momento habremos de comentar: "...adviertan los extranjeros, de camino, que las comedias en España no guardan el arte, y que yo las proseguí en el estado que las hallé, sin atreverme a guardar los preceptos, porque con aquel rigor, de ninguna manera fueran oídas de los españoles" [112].

"Los pastores de Belén". En 1612 publicó Lope, dedicada a su querido hijo Carlos Félix, una de sus más delicadas obras no dramáticas: *Los pastores de Belén* [113]. Según el propio autor apunta en su subtítulo, es una *Arcadia a lo divino,* una novela de pastores —a la que no le falta tampoco una cierta trama a la usanza de cualquier novela pastoril, con muchos de sus componentes inevitables (torneos literarios, juegos populares, etc.)— pero montada en torno al Nacimiento del Redentor. En los alrededores de Belén, pocas semanas antes del Nacimiento, se congregan unos cuantos pastores que cuentan historias bíblicas, hablan de la familia de la Virgen María y de las profecías que anuncian el advenimiento de Jesús, e intervienen luego en los divinos misterios que a poco suceden.

Reuniendo todos los componentes que los relatos sagrados, la tradición y las leyendas piadosas le ofrecían, Lope compuso uno de sus libros más exquisitos, saturados de emocionada poesía, colmado de auténticas bellezas. Una vez más acierta Lope plenamente al traducir en arte literario los sentimientos colectivos de su pueblo; porque en estos *Pastores de Belén* la religión —como en tantas otras ocasiones— toma el aspecto de una realidad tangible, llana y familiar, con la ingenuidad casi infantil de un "nacimiento" de hogar español. Religiosidad popular, en suma, que baja el cielo a la tierra para decir lo más

112 Edición: *Obras sueltas...,* de Sancha, vol. V.

113 Edición, con estudio preliminar, de Salvador Fernández Ramírez, 2 vols., Madrid, 1930; ed. Sainz de Robles, en *Obras escogidas...,* vol. II, cit. Cfr.: Arturo María Cayuela, "Pastores de Belén. Prosas y versos divinos de Lope de Vega Carpio", en *Cristiandad,* Barcelona, 1951, núm. 186, págs. 526-531.

alto llanamente. Como es imprescindible en Lope, la prosa —pura prosa poética en este caso— se detiene una y otra vez para dar entrada a la canción lírica, a las letras para cantar, a los romances, letrillas y seguidillas a la Virgen y al Niño: como aquella canción "de cuna" que, con razón, se cuenta entre las más hermosas en su género:

> *Pues andáis en las palmas,*
> *ángeles santos,*
> *que se duerme mi niño,*
> *tened los ramos...* [114].

"Es un niño lo que Lope canta, un niño que tiene 'unos ojuelos tan bellos' como los que dio Murillo a sus Bautistas y a sus Cristos infantiles. Un niño que tiene frío y sueño, que 'llora de amor', pero con lágrimas de niño, y al que Lope consuela y mece con canciones de cuna que hubiera podido cantar a sus propios hijos... Lope *toca* realmente a Jesús, le acaricia. La inmensa ternura que sintió por la infancia consigue en estos versos de *Los pastores* su más fina expresión poética. Lope prestó a María —madre, pero también niña— palabras nacidas de sus propios sentimientos paternales. Muchas de estas letrillas y villancicos podrían destacarse del libro y ser leídas 'a lo humano'; tan humanamente están sentidas" [115].

Rennert y Castro sobre el abigarrado conjunto de *Los pastores de Belén* destacan "tres notas literarias de valor esencial: la emoción ingenua y candorosa que Lope, con blandura de niño, sabía proyectar en forma tan exquisita; la representación visual de los objetos, llena de encanto pictórico, y en que, junto a la primorosa objetividad del "parnaso", creemos adivinar la huella cálida de la pintura veneciana, que tanto debió influir en Lope; en fin, aunque atenuado, aparece aquí también lo sensual, lo erótico, norte de nuestro poeta, impulso que tan sin medida le eleva para el arte y le hunde para la moral" [116].

Muchos de estos pasajes de tema erótico son historias tomadas de la Biblia, tales como la de David y Bethsabé, Amnón y Tamar, Susana y los jueces, que por ser ajenas al tema principal y haber sido tratadas con muy humana libertad despertaron las suspicacias de la Inquisición, que tachó abundantes fragmentos; aunque la censura debió de ser transitoria, pues las nuevas ediciones volvieron a dar íntegro el texto. No es extraño que este regusto casi diríase paganizante, fuese rechazado por un crítico tan habitualmente adusto como Ticknor, que no pareció entender aquella religiosidad popular de Lope, tan desenvuelta y humana. Sí la entendió perfectamente Vossler, quien dice, sin embargo: "Para estos pastores se borran las fronteras críticas y el

---

[114] Ed. Sainz de Robles, cit., pág. 1.299.

[115] Montesinos, "Introducción...", cit., vol. II, pág. XLIV.

[116] *Vida de Lope de Vega,* cit., págs. 207-208.

concepto de las distancias entre Dios y el hombre, ideal y realidad, espíritu y naturaleza, presente, pasado y futuro, prosa y verso, burlas y veras. Sólo de una manera aproximada e instintiva, como hijos de la naturaleza y del pueblo, se dan cuenta aún, en su ingenuo abismamiento, de donde realmente están. Confiados y gárrulos recorren las alturas y profundidades misteriosas de la historia de la Salvación cristiana, como si de algo próximo y anecdótico se tratara. Nada profanan, pero lo empequeñecen todo" [117].

Mas no se trata en realidad de empequeñecer sino de humanizar; tanto, según dijimos, de bajar del cielo a la tierra como de la cabeza al corazón, o, si se quiere, a los sentidos. Véase, por ejemplo, esta descripción de los Reyes Magos, que no es, al cabo, sino la colorista y popular visión que tanto ha prodigado la plástica: "...vi un viejo venerable con una túnica de púrpura bordada de oro y aljófar por los extremos; un alfanje, cuyo pomo parecía un topacio, preso en una cadena de oro tan gruesa, que le sustentaba por el hombro derecho. Sobre la túnica traía un manto persa de brocado morado y blanco, y la cabeza tocada a su costumbre con tanta variedad de colores, que sobre las blancas canas parecía que el viento había derribado flores de almendro sobre nieve, cual suele suceder a los que por enero se anticipan a darlas. Al lado de éste vi entonces que, como arrebatado en éxtasis, miraba al Niño el rey segundo, la barba negra peinada, la nariz aguileña, los ojos verdes, grandes y hermosos, con un sayo árabe tan cubierto de piedras engastadas en varias labores de oro, que no pude discernir la color. El tocado era rojo, guarnecido de algunos velos, y sembrado de las mismas piedras. La espada tenía en vez de pomo una cabeza de águila de oro, con dos rubíes por los ojos, de grandeza que sin estar muy cerca se conocían. Ésta pendía de un cinto de ante blanco, que tachonaban jacintos y cornerinas, guarnecidos de unas coronas de perlas. El manto era azul, bordado de unos blancos lirios de aljófar que le daban hermosa vista. Etíope me pareció el tercero; pero os prometo, pastores, que si de mármol negro quisiera un escultor famoso retratar a Andrómeda... no la pudiera hacer más bella que el rostro del rey que os digo. Los vivos ojos de manera se mostraban en las niñas blancas como suelen las labores del marfil oriental sobre las tablas del ébano; la boca se descubría bien por la blancura de sus dientes, cual suele alguna sola estrella en tenebrosa noche. Una blanca aljaba con varias listas de oro traía vestida, que la más parte del sabeo calzado le descubría. También era el manto blanco, pero sembrado todo de labores verdes; tocábase con tantos laberintos y lazos, que no podían más discernirse que después de junta alguna bola de nieve se ven los copos. Las plumas parecían del pájaro celeste, y otras de algunas aves que tornasolando sus colores parecían de oro. De un tahalí verde con un pasador y hebilla de oro y esmeraldas pendía un cuchillo en forma de media luna, la cabeza del cual eran dos sierpes. Los medio desnudos brazos y garganta

117 *Lope de Vega y su tiempo*, cit., págs. 171-172.

ceñían algunos corales entre unas gruesas perlas de no vista grandeza. Éstos eran sus trajes y éstos los reyes" [118].

Un detalle curioso que muestra otra faceta no menos humana de Lope. Impreso *Los pastores de Belén,* le remitió un ejemplar el autor a su amigo el duque de Sessa con esta pícara aclaración: "...no era para el ingenio de V. ex.ª; podrá passarle como la vieja que rezaba, que en diciendo la primera Ave María, a todas las demás passaba con sólo decirles: como te dixe te digo" [119].

Los pastores de Belén conocieron un notable éxito; durante el siglo XVII fueron reeditados una docena de veces.

Las novelas a Marcia Leonarda. Con este nombre genérico se designan cuatro novelas cortas de Lope: *Las fortunas de Diana,* incluida por primera vez en *La Filomena* (1621), y *La desdicha por la honra, La prudente venganza* y *Guzmán el Bravo,* incluidas en *La Circe* (1624) [120]. Doña Marta de Nevares, el último y más apasionado amor del Fénix, le aconsejó que ensayase este género de la novela corta, en el que Cervantes había conseguido ya verdaderas obras maestras. Lope alude a Cervantes al comienzo de *Las fortunas de Diana,* diciendo con notable displicencia que "no le faltó gracia y estilo", aunque él tampoco estaba demasiado seguro de su propia maestría en aquel género literario que no había cultivado hasta entonces. Sus cuatro novelas van dedicadas a doña Marta de Nevares, velada bajo el nombre de Marcia Leonarda. A ella se dirige en la novela dicha, a poco de la alusión a Cervantes, para explicarle que sólo por servirla se atreve con novelas de aquella especie que representaban algo nuevo para él. Adviértase —y Lope así lo hace costar— que ni *La Arcadia* ni *El peregrino* eran, según definición de entonces, "novelas" en el mismo sentido; por tales se entendían relatos breves, de rápida andadura argumental, a la manera que los "novellieri" italianos del Renacimiento habían puesto de moda.

El ofrecimiento de aquellos relatos a Marcia Leonarda es bastante más que un mero decir retórico; porque el novelista los interrumpe, en efecto, a cada paso para dirigirse a su amada casi como única posible lectora, exponiéndole aclaraciones, trayéndola al mismo plano novelesco, y haciendo tan frecuentes como caprichosas interferencias entre ficción y realidad. Diríase que Lope, aunque escribe y publica aquellos libros para un público abierto,

---

[118] Ed. Sainz de Robles, cit., pág. 1.313.

[119] Citado por Vossler, en *Lope de Vega...,* cit., pág. 170.

[120] Edición aparte, con estudio preliminar, por John Fitz-Gerald, y A. Leora, Erlangen, 1913; ed. Cayetano Rosell, en BAE, vol. XXXVIII, cit.; ed. Sainz de Robles, en *Obras escogidas...,* vol. II, cit. Cfr.: G. Cirot, "Valeur littéraire des nouvelles de Lope de Vega", en *Bulletin Hispanique,* XXVIII, 1926. E. Carles Blatt, "Las novelas ejemplares de Lope", en *Fénix. Revista del Tricentenario de Lope de Vega,* I, Madrid, 1935, páginas 553-570. Francisco Ynduráin, *Lope de Vega como novelador,* Santander, 1962.

está recitándoselos a su amada como al oído, cual un enamorado galán que mezcla con la historia sus propios desahogos amorosos. Vossler ha señalado cómo este rasgo de las novelas, esta introducción tan completa de Marta en el ámbito creador y espiritual del propio escritor, revela el especial carácter de aquel último amor de Lope. Al ocuparnos de su vida vimos en qué medida se había convertido Marta en una Musa auténtica del Fénix. Aquella —más que dedicatoria— entrega de su obra "supone —dice Vossler— un anhelo de comunión espiritual como no será frecuente entre hombres y mujeres en la España de entonces" [121].

"La Dorotea". *La Dorotea,* publicada en 1632, es una de las más importantes obras de Lope y de las más hermosas de la prosa española. Está dividida en cinco actos y Lope la llama "acción en prosa", dando a entender que, a pesar de su estructura dramática, no la escribía pensando en su representación. En bastantes aspectos de su trama *La Dorotea* guarda contacto con *La Celestina,* pero en realidad es una de las más personales y originales creaciones del Fénix. En ella, viejo ya y cargado de experiencia tanto literaria como humana, vuelve sobre aquel apasionado amor de su juventud, el de Elena Osorio, y, orquestándolo con otros muchos sucesos de su vida, lo transfigura en alta obra poética. Lope puso en estas páginas lo mejor de sí y fue dándoles vida amorosamente a lo largo de los años. En el prólogo afirma que comenzó su libro en la juventud —muy cerca todavía de las emociones que describe— y que, habiéndolo perdido luego, lo reconstruyó y acabó en su vejez [122]. Esto puede ser casi la verdad esencial; el libro parece haber sido

[121] *Lope de Vega y su tiempo,* cit., pág. 83.

[122] Los críticos han discutido extensamente si puede darse crédito a esta afirmación de Lope y si hubo o no una *Dorotea* anterior. Morby, en su edición de *La Dorotea* (luego citada), resume los principales pareceres: para Alda Croce, en su edición italiana de la obra, *La Dorotea* es obra exclusivamente de vejez; Icaza acepta a la letra las palabras del prólogo del libro y admite la existencia de una *Dorotea* de juventud; Alan Trueblood piensa que hubo, efectivamente, una *Dorotea* primitiva, pero no de la remota fecha que Lope da a entender, sino de hacia 1595; Menéndez y Pelayo sugiere que la supuesta *Dorotea* anterior no fue una "acción en prosa", sino una comedia, *Belardo el furioso.* Morby, por su parte, resume su propia opinión de esta manera: "Mientras falten pruebas concluyentes, yo me inclino a creer que nuestra *Dorotea* es una obra de vejez y que la primitiva debió de ser muy distinta. Un solo detalle alegaré ahora, el del tono vengativo de las versiones anteriores de la misma materia, tan radicalmente opuesto al indulgente de *La Dorotea* que ésta, de ser refundición, debe de conservar poquísimo del original" (pág. 21, nota 48). Blecua, a su vez, que recapitula las opiniones anteriores —en especial la de Morby, expuesta ya en otros trabajos precedentes (citados luego)— atiende menos a la existencia concreta de una *Dorotea* de juventud, pero insiste, en cambio, en la persistencia del tema a lo largo de la obra de Lope, tanto en el teatro como fuera de él: "*La Dorotea* —dice—, es, como han visto los estudiosos, el final de una especie de tradición temática dentro de la obra lopesca, pero también la sublimación poética de un episodio, aunque esa sublimación tuvo un largo proceso, tan

escrito casi por entero en su edad madura: en la heroína se funden rasgos de Elena Osorio y de Marta de Nevares, a quien hay dedicados algunos poemas en el libro; se encuentran además en él sátiras antigongorinas de los últimos años de Lope; y se alude incluso a su propia ordenación sacerdotal. De todos modos, *La Dorotea* hermana una frescura juvenil, que su autor conservó prodigiosamente, con una madurez de increíble lozanía, porque nunca había alejado de su mente la presencia de aquel primer amor enfebrecido [123].

Morby estudia sagazmente las razones de que Lope adoptara para su más querida creación aquel extraño género (combinación de géneros, mejor dicho), que califica de "acción en prosa", nombre además de significación poco precisa entonces, y que fuera a buscar en *La Celestina* no tanto motivos de inspiración —creemos que la palabra se presta en esta ocasión a equívoco— como

---

largo que duró toda la vida literaria del gran Lope, puesto que comienza con los briosos romances de Filis y Belardo, de Zaide y Zaida, y termina con *La Gatomaquia.* La perfección de *La Dorotea* se explica mejor si tenemos en cuenta ese proceso" (Introducción a su edición de *La Dorotea,* cit. luego, pág. 32). Recorre a continuación las distintas obras de Lope en que pueden rastrearse "antecedentes o pre-Doroteas", prescindiendo de los famosos romances y sonetos, y menciona: la comedia *El verdadero amante,* la primera conocida del Fénix; *Belardo el furioso,* la comedia aducida por Menéndez y Pelayo, y más próxima que otra alguna —confirma Blecua— a *La Dorotea*; el poema *La hermosura de Angélica,* concretamente el canto XIX; *El peregrino en su patria*; el poema *La Filomena*; las *Novelas a Marcia Leonarda*; el *Isidro.* "No, no puede extrañarnos —comenta Blecua— que esa Dorotea fuese tan querida, puesto que había crecido dentro de Lope a lo largo de toda su vida literaria. Jamás en la literatura española se ha dado un caso de creación tan lenta y, al mismo tiempo, tan fácil de seguir" (ídem, íd., pág. 41).

[123] Ediciones: Américo Castro, Madrid, 1913; E. Juliá Martínez, Madrid, 1935; J. Mallorquí Figuerola, Buenos Aires, 1944; José Manuel Blecua, Madrid, 1955; Edwin S. Morby, Valencia, 1958 (todas ellas con estudio preliminar y notas). Cfr.: H. Petriconi, "Trotaconventos, Celestina, Gerarda", en *Neuere Sprachen,* XXXII, 1924, págs. 232 y ss. Agustín G. de Amezúa, "En el tercer centenario de *La Dorotea*", en *Boletín de la Real Academia Española,* XIX, 1932, pág. 695 y ss. (reproducido en *Opúsculos histórico-literarios,* vol. II, Madrid, 1951, págs. 255-267). Leo Spitzer, *Die Literarisierung des Lebens in Lope's Dorotea,* Bonn, 1932. W. C. Atkinson, "La Dorotea, acción en prosa", en *Bulletin of Spanish Studies,* XII, 1935, págs. 198-217. A. F. G. Bell, "Lope de Vega as a Writer of Prose", en *Bulletin of Spanish Studies,* XII, 1935, págs. 230-237. Alda Croce, *La Dorotea di Lope de Vega,* Bari, 1940. Edwin S. Morby, "A footnote on Lope de Vega's barquillas", en *Romance Philology,* VI, 1952-1953, págs. 289-293. Del mismo, "Levinus Lemnius and Leo Suabius in *La Dorotea*", en *Hispanic Review,* XX, 1952, págs. 108-122. Del mismo, "Persistence and Change in the formation of *La Dorotea*", en *Hispanic Review,* XVIII, 1950, págs. 108-125 y 195-217. Del mismo, "Proverbs in *La Dorotea*", en *Romance Philology,* VIII, 1954-1955, págs. 243-259. Del mismo, "Some observations on *tragedia* and *tragicomedia* in Lope", en *Hispanic Review,* XI, 1943, págs. 185-209. José F. Montesinos, "Lope, figura del donaire", en *Estudios sobre Lope,* cit., págs. 71-89. Alan S. Trueblood, "The case of an early *Dorotea*: a reexamination", en *PMLA,* LXXI, 1956, págs. 755-798. Del mismo, "Espacio, tiempo y género en *La Dorotea*", en *Nueva Revista de Filología Hispánica,* XI, 1957, págs. 189-193. Félix Monge, "*La Dorotea* de Lope de Vega", en *Vox Romanica,* Zurich, 1957, págs. 60-145.

magisterio y modelo: "Se comprende perfectamente —dice Morby— que el escritor, inspirándose en *La Celestina,* haya optado por el diálogo en prosa. Como afirma en su prólogo, ha querido esta vez que su obra sea verdad, no sólo poéticamente; es decir, que no sea literatura. Por eso abandona el verso, 'porque siendo tan cierta imitación de la verdad, le pareció que no lo sería hablando las personas en verso como las demás que he escrito'. Con esto quedaba excluido el género dramático consagrado, cuya esencia es además la acción, mientras que *La Dorotea* —pese al rótulo de *acción en prosa*— es menos acción que comentario de acciones. Esta vez lo que visiblemente pasa iba a ser lo de menos. Lo de más iba a ser cómo y por qué pasó" [124]. Y alude a continuación a la dificultad de hallar enseñanza en las formas de prosa entonces en boga, incluso en las que él mismo había cultivado: "Si esto parecía imponer la forma narrativa, reflexiónese sobre lo que era la narración extensa en tiempos de Lope: novela pastoril, bizantina, morisca, picaresca; lo exótico y lo fantástico por un lado, lo satírico por otro. Para quien quisiera tratar seriamente la prosa de la realidad sin ser Cervantes y sin comprometerse al bagaje picaresco, apenas quedaba más salida que el modelo de *La Celestina,* sobre todo si era dramaturgo y admiraba también la discreta *Comedia Eufrosina* portuguesa" [125].

Lope que había impuesto —y para muchas generaciones— el triunfo del verso en el teatro, elevando con ello el lenguaje familiar a un tono solemne que permitía alzarse sobre el estrecho realismo y abrir la escena a todos los juegos de la fantasía, sentía ahora la necesidad de abdicar de su comedia heroico-lírica, para acercarse a la realidad que deseaba expresar: "Sólo así —dice Morby— se rehuían las deformaciones *literarias* de la comedia en verso... y de los géneros novelísticos en boga, especialmente de la novela pastoril, que es donde más intensivamente se había cultivado el análisis psicológico de los estados amorosos que tanto lugar ocupa en *La Dorotea.* Ahora Lope quiere acentuar precisamente el abismo que media entre sus personajes y los de esta *literatura,* a la vez que revelar cómo esta literatura colorea sus personajes. En la forma elegida puede moverse a sus anchas, dando vueltas sin premura a cada situación según las necesidades, como en la novela; pero en el tiempo presente e inmediato del drama, donde obra y reacciona directamente el personaje" [126].

El argumento de *La Dorotea* —en el que vamos a encontrarnos tantas anécdotas de la vida del Fénix— es como sigue: Dorotea (Elena Osorio), mujer de gran belleza, elegante y culta, cuyo marido está ausente en América, decide romper sus relaciones amorosas con un joven poeta, Fernando (Lope de Vega), enamoradísimo de Dorotea pero escasísimo de dinero. En esta decisión

---

124 Edwin S. Morby, edición de *La Dorotea,* cit., págs. 10-11.

125 Ídem, íd., pág. 11.

126 Ídem, íd.

influye especialmente la madre de la hermosa, Teodora (Inés Osorio), que desea para su hija amantes más provechosos. Al fin lo encuentra en el rico indiano don Bela (Francisco Perrenot de Granvela). Gerarda —que es en la obra la encarnación de Celestina— facilita las relaciones de Dorotea con el indiano. Fernando, para tratar de olvidar a Dorotea, quiere huir de Madrid, pero no tiene dinero, y lo consigue, al fin, de Marfisa, antigua y despreciada amante, que todavía le quiere, sin embargo, y a quién Fernando finge volver a amar. Fernando pasa algún tiempo en Sevilla, pero incapaz de olvidar a su amada regresa a Madrid. Rondando de noche la casa de Dorotea hiere a don Bela. Un día, en el Prado, Fernando cuenta su historia a Felisa, hija de Gerarda, estando delante Dorotea, tapada. Dorotea se descubre y los amantes se reconcilian; pero Marfisa reprocha a Fernando su conducta para con ella, y éste, satisfecho con que Dorotea haya roto con don Bela, vuelve a Marfisa, aunque acepta a la vez de la propia Dorotea, para su socorro, dinero y regalos que ésta había recibido del indiano. Al fin deja por completo a Dorotea; don Bela muere de muerte violenta, y Gerarda, buscando agua para Dorotea, cae en una cueva y se mata.

Dorotea es una heroína digna de figurar en la galería de las grandes creaciones femeninas; mujer de complicada psicología, puede al mismo tiempo gozar su pasión personal por Fernando y entregarse a don Bela por dinero para satisfacer su afán de lujo. Pero esta amoralidad no la incapacita para la fruición de otros valores, pues en Fernando no busca sólo al joven amador, sino al poeta apasionado que puede inmortalizarla con sus versos. También ella los hace, y cultiva otras artes, y hasta se extiende en discreteos filosóficos, porque la satisfacción de su propia hermosura no le impide advertir lo que ésta tiene de fugaz.

Lope se ha descrito a sí mismo en don Fernando con pleno desparpajo: su amor tumultuoso, sus violentos celos, sus transiciones extremosas desde la adoración más rendida a las violencias y los insultos, su falta de dignidad al compartir con su rival los favores de la mujer que ama, los vive en la novela su doble literario con la misma pasión que el Lope real de los años mozos.

Todo este contenido autobiográfico que ha sido negado, discutido y reconocido al fin [127], ha hecho crecer el interés por *La Dorotea* durante las últimas décadas por el deseo de hallar en ella nuevas noticias sobre la vida íntima del Fénix. Éste, en efecto, ha recreado con profundo amor los años de su pasión por Elena Osorio, pero ha trenzado a la vez —como hemos dicho— con este hilo principal vivencias de todas las etapas de su vida (de aquí esa rara sensación de frescura y de madurez a un tiempo que el libro produce, y que justifica las polémicas sobre una *Dorotea* anterior); o, mejor dicho, ha superpuesto, fundiéndolo, el pasado con el presente, interpretándolo uno y otro en

---

[127] Véase la exposición de este problema en Rennert y Castro, *Vida de Lope de Vega*, cit., págs. 44-54.

virtud de su mutua interacción. Morby ha visto bien este carácter de *La Dorotea,* comparándolo, para su mejor comprensión, con un famoso paradigma contemporáneo: "Por su calidad —dice— de *recherche du temps perdu,* se diría una especie de anticipación de Marcel Proust: rebusca, amorosa recreación, iluminación del pasado por adquisiciones posteriores; visión del presente a la luz del pasado" [128].

Pero toda la mencionada materia autobiográfica de *La Dorotea,* de tanta importancia, sin embargo, por su valor de sinceridad y autenticidad, suele frecuentemente cegar a muchos buceadores de intimidades para estimar debidamente su afortunada transmutación artística; error contra el que sale al paso Montesinos: "Una sospechosa predilección —dice— por lo que en la obra de Lope es crónica escandalosa ha preterido o relegado a segundo término todo lo que en este libro es arte y enseñanza... Libro de grandes enseñanzas, *La Dorotea* es arte, no docencia. Léase por amor al arte, por amor a la realización misma; admírese la verdad irrefragable de las personas, verdad de arte; la exactitud de sus dichos y de sus gestos, la gracia del estilo, la transparencia cristalina de las palabras" [129]. Rennert y Castro han detallado con primor las múltiples irisaciones en que se quiebra el chorro de belleza de la obra de Lope: "Tal vez en ninguna otra corran tan parejas su vida y su arte, ni se encuentren tantas notas típicas de su genio: enorme riqueza de motivos literarios, atisbos de los innumerables a que se extendía su sensibilidad, intuición de los más variados sucesos y episodios, tesoros de minuciosa experiencia, todo ello ordenado sabia y artísticamente, como en el museo de un delicioso gustador de todas las cosas. No es obra abarcable de una sola vez; reiteradas lecturas van descubriendo nuevos solaces y amenidades, rasgos picarescos, henchidos de un humorismo que en vano buscaríamos en las novelas de aquel tema; disquisiciones de academia literaria, críticas oportunas, dichos felices y tal cual muestra de afición visual a los objetos preciosos y a los muebles, que nos hacen recordar los primores del parnasianismo" [130].

Siguiendo una tradición compartida por la novela pastoril y la cortesana del siglo XVII, Lope intercala en su *Dorotea* algunos poemas "porque descanse quien leyere en ellos —dice en el prólogo por boca de Francisco López de Aguilar— de la continuación de la prosa, y porque no le falte a *La Dorotea*

---

[128] Morby, ed. cit., pág. 23. "No es éste un libro de recuerdos —dicen Rennert y Castro—, ni tampoco un libro de confesiones: es sencillamente una 'obra de vejez', en la que sin propósito ético determinado se funden los más vivos recuerdos de una vida apasionada: sólo para los amores proscritos hay aquí atento recuerdo. Con desnudez y brío actúan en *La Dorotea* los dos móviles que gobernaron la vida del poeta: la pasión por la mujer y el amor por la literatura. Es obra de recapitulación" (*Vida de Lope de Vega,* cit., pág. 44).

[129] José F. Montesinos, "Lope de Vega, poeta de circunstancias", en *Estudios sobre Lope,* cit., pág. 297.

[130] *Vida de Lope de Vega,* cit., pág. 54.

la variedad, con el deseo de que salga hermosa..." [131]. Pero es curioso, como observa Blecua, que ninguno de estos poemas alude a sus amores con Elena Osorio, puesto que casi todos están escritos para Amarilis. Estas composiciones pueden clasificarse en varios grupos; uno de ellos está formado por los cinco coros que cierran los distintos actos a modo de "resumen sentencioso de la situación debatida o planteada en cada acto", y son los de menor interés. Otro lo constituyen romances que cantan diversos personajes, pero advirtiendo que son de Lope o de un gentilhombre "a quien se ha muerto su dama". A este grupo pertenecen los más bellos poemas: el romance "A mis soledades voy" y las cuatro famosas *barquillas,* compuestas, en los días que siguieron a la muerte de Amarilis, a manera de idilios piscatorios, elegías o endechas a la pérdida de la amada. En la primera, que comienza "¡Ay soledades tristes", describe en forma estilizada la belleza de Amarilis recordando los encantos de días lejanos; la segunda, "Para que no te vayas", da ya entrada a más hondas y desengañadas reflexiones, nota que se acentúa aún más en la tercera, la más famosa de todas, "Pobre barquilla mía"; mientras la cuarta, "Gigante cristalino", se desenvuelve en tono de mayor artificiosidad. La perfección técnica de las *barquillas* ha sido siempre ponderada; junto a esta cualidad, Blecua destaca lo que vienen a representar en el camino lírico del poeta: "Frente a los romances juveniles —dice—, tan llenos de frescura y bizarría, éstos acentúan su perfección formal, pero también se da en ellos el paso de la anécdota a la introspección. Predomina en ellos la nota íntima y melancólica y no la narrativa. El primero, 'A mis soledades voy', es quizá el más conocido y divulgado y también el romance sentencioso más bello de toda nuestra literatura. Lope, que 'por venir de sí mismo' no puede venir de más lejos, que es 'todo alma', va dando un curso sentencioso, con cierto aire popular y sin pedantería" [132].

Otro grupo de estas composiciones lo forman diversos romances escritos también para Marta de Nevares —"Zagala, así Dios te guarde" y "Unas doradas chinelas"—, muy preciosistas, en los que se combina el habitual sentimiento del poeta con un ágil virtuosismo y facilidad propios de su última etapa creadora. Merecen, finalmente, destacarse entre los sonetos los que comienzan "Canta, pájaro amante, en la enramada", "Quejosas, Dorotea, están las flores", y el ya mencionado contra Góngora, "Pululando de culto, Claudio amigo...".

---

[131] Ed. Blecua, cit., pág. 102.

[132] Idem, íd., pág. 82.

CAPÍTULO VI

LOPE DE VEGA: LA CREACIÓN DEL TEATRO NACIONAL

En el capítulo anterior hemos insistido sobre la necesidad de conceder a Lope la larga atención que merece su obra no dramática —oscurecida siempre por ésta— y en particular su inabarcable producción poética. Con todo, y aunque es incuestionable que como lírico le corresponde uno de los primerísimos puestos de nuestra historia literaria, es igualmente evidente que ninguno de sus otros títulos puede anteponerse al de creador de nuestro teatro nacional. En este campo ya no es cuestión de grados o matices, pues la existencia misma de nuestro teatro está vinculada indisolublemente a la genial obra del Fénix.

Afirmación, claro está, que no debe entenderse de manera estrecha y absoluta, pues conocemos la existencia de numerosos dramaturgos anteriores, que con intentos de desigual fortuna preparan y hacen posible su aparición. Poco, sin embargo, hubieran significado al cabo, si Lope no hubiera sobrevenido para desarrollar genialmente tales semillas y convertir en desbordante realidad los indecisos y dispersos tanteos precedentes [1].

[1] "El enorme impulso que recibió el drama español en el primer cuarto del siglo XVII y el verdadero diluvio de comedias que cayó sobre España durante los cincuenta años siguientes —dicen Rennert y Castro— se debió por completo al genio de Lope de Vega. Tuvo sus predecesores, es verdad, y con algunos de ellos alcanzó el drama un alto grado de perfección; pero correspondió al genio de Lope dotarlo del espíritu de nacionalidad. El fue realmente el creador de la llamada *comedia nueva*. El comienzo de este nuevo período de poesía dramática inaugurado por Lope puede colocarse hacia 1587-1588, época en que aquél era ya sin duda el mejor poeta dramático de Madrid. Prueba bastante es el afán con que solicitaban sus comedias los diversos autores de compañías... Al comenzar el siglo XVII llevaba Lope escritas unas ciento cincuenta comedias: la comedia nueva era ya un hecho; el drama en España había recibido una dirección definida, una forma fija, que había de conservar durante siglo y medio. Rápidamente sus comedias comenzaron a difundirse por toda España, y surgieron en todas partes compañías de actores seguidas de una multitud de poetas dramáticos" (*Vida de Lope de Vega*, Madrid, 1919, págs. 130-131).

LA ESCENA ESPAÑOLA EN TIEMPO DE LOPE

Cuando Lope se disponía a comenzar su prodigiosa carrera de autor dramático, la situación material de la escena española era todavía muy modesta. Sólo en el último tercio del siglo XVI, y con el aparato elemental que luego veremos, comenzaron a existir en contadas ciudades españolas —Valencia, Sevilla, Barcelona, Toledo— lugares fijos de representación, llamados comúnmente "corrales". Fuera de tales casos, la farándula seguía con las mismas prácticas de los viejos tiempos; los representantes eran por lo común miserables gentes andariegas, muy próximas aún a la condición de los antiguos juglares, y las comedias se ofrecían generalmente en tablados improvisados o en lugares donde resultaba posible congregar a las gentes, como la plaza pública, las tabernas o los patios de las posadas. Todavía de 1602 —aunque sus recuerdos pueden referirse a cierto tiempo atrás— tenemos un famoso y pintoresquísimo testimonio sobre las costumbres y condiciones de los cómicos: se encuentra en *El viaje entretenido* de Agustín de Rojas Villandrando: "...Sabed —dice— que hay ocho maneras de compañías y representantes y todas diferentes... Habéis de saber que hay bululú, ñaque, gangarilla, cambaleo, garnacha, bojiganga, farándula y compañía. El bululú es un representante solo, que camina a pie y pasa su camino, entra en el pueblo, habla al cura y dícele que sabe una comedia y alguna loa, que junte al barbero y sacristán y se la dirá porque le den alguna cosa para pasar adelante. Júntanse éstos y él súbese sobre una arca y dice: ahora sale la dama, y dice esto y esto, y va representando, y el cura pidiendo limosna en un sombrero, y junta cuatro o cinco cuartos, algún pedazo de pan y escudilla de caldo que le da el cura, y con esto sigue su estrella y prosigue su camino hasta que halla remedio; ñaque es dos hombres...; éstos hacen un entremés, algún poco de un auto, dicen unas octavas, dos o tres loas, llevan una barba de zamarro, tocan el tamborino y cobran a ochavo y en esotros reinos a dinerillo; ...viven contentos, duermen vestidos, caminan desnudos, comen hambrientos y espúlganse el verano entre los trigos y en el invierno no sienten con el frío los piojos. Gangarilla es compañía más gruesa; ya van aquí tres o cuatro hombres: uno que sabe tocar una locura, llevan un muchacho que hace la dama, hacen el auto de la Oveja Perdida, tienen barba y cabellera, buscan saya y toca prestada (y algunas veces se olvidan de volvella), hacen dos entremeses de bobo, cobran a cuarto, pedazo de pan, huevo y sardina y todo género de zarandaja (que se echa en una talega); éstos comen asado, duermen en el suelo, beben su trago de vino, caminan a menudo, representan en cualquier cortijo.... Cambaleo es una mujer que canta y cinco hombres que lloran; éstos traen una comedia, dos autos, tres o cuatro entremeses, un lío de ropa que le puede llevar una araña; llevan a ratos a la mujer a cuestas y otras en silla de manos, representan en los cortijos por hogaza de pan, racimo de uvas y olla de berzas...; están en los lugares cuatro o seis días, alquilan para la mujer una cama y el que tiene amistad con la huéspeda dale un costal de paja, una manta y duerme en la cocina, y en el invierno el pajar es su habitación eterna... Compañía de garnacha son cinco o seis hombres, una mujer que hace la dama primera y un muchacho la segunda; llevan un arca con dos sayos, una ropa, tres pellicos, barbas y cabelleras y algún vestido de la mujer de tiritaña. Estos llevan cuatro comedias, tres autos y otros tantos entremeses; el arca en un pollino, la mujer en las ancas gruñendo y todos los compañeros detrás arreando. Están ocho días en un pueblo, duermen en una cama cuatro... En la bojiganga van dos mujeres y un muchacho, seis o siete compañeros y aun suelen ganar muy buenos disgustos, porque nunca falta un hombre necio, un bravo, un mal sufrido, un porfiado, un tierno, un celoso ni un enamorado; y habiendo cualquiera destos no pueden andar seguros, vivir contentos ni aun tener muchos ducados. Éstos traen seis comedias, tres o cuatro autos, cinco entremeses, dos arcas, una con hato de la comedia y otra de las mujeres... Suelen traer entre siete dos capas, y con éstas van entrando de dos en dos, como frailes. Y sucede muchas veces, llevándosela el mozo, dejarlos a todos en cuerpo... Este género de bojiganga es peligrosa, porque hay entre ellos más mudanzas que en la luna y más peligros que en frontera... Farándula es víspera de compañía; traen tres mujeres, ocho y diez comedias, dos arcas de hato, caminan en mulos de arrieros y otras veces en carros, entran en buenos pueblos, comen apartados, tienen buenos vestidos, hacen fiestas de Corpus a doscientos ducados... En las compañías hay todo género de gusarapas y baratijas... saben de mucha cortesía, hay gente muy discreta, hombres muy estimados, personas bien nacidas, y aun mujeres muy honradas (que donde hay mucho, es fuerza que haya de todo), traen cincuenta comedias, trescientas arrobas de hato, diez y seis personas que representan, treinta que comen, uno que cobra y Dios sabe el que hurta... Son sus trabajos excesivos, por ser los estudios tantos, los ensayos tan continuos y los gustos tan diversos..." [2].

La cita es larga, pero la gracia y plasticidad de este aguafuerte picaresco bien lo vale.

---

[2] Edición Manuel Cañete, Madrid, 1901, págs. 149-154. En el prólogo a sus *Comedias* recuerda Cervantes los pobres recursos de que se servían los cómicos en tiempo de Lope de Rueda, siendo él muchacho; y alude luego a las que ya debieron de parecerle maravillas de presentación en sus años maduros: "No avía en aquel tiempo —dice— tramoyas, ni desafíos de moros y christianos, a pie ni a cavallo; no avía figura que saliesse o pareciesse salir del centro de la tierra por lo hueco del teatro, al qual componían quatro bancos en quadro y quatro o seys tablas encima, con que se levantava del suelo quatro palmos; ni menos baxavan del cielo nubes con ángeles o con almas. El adorno del teatro era una manta vieja tirada con dos cordeles de una parte a otra, que hazía lo que llaman vestuario, detrás de la qual estavan los músicos, cantando sin guitarra algún romance antiguo" (edición Schevill-Bonilla, vol. I, Madrid, 1915, pág. 6).

Por lo que atañe a Madrid, tan estrechamente vinculado a la actividad dramática de Lope de Vega, puede decirse que la vida de la escena había encontrado ambiente favorable durante los años de niñez y mocedad de aquél; y a veces por extraños caminos. En 1565 un grupo de madrileños fundó la Cofradía de la Sagrada Pasión para ejercer la caridad pública. A poco construyó un hospital, y como no dispusiera de suficientes fondos para mantenerlo, el cardenal Espinosa, Presidente del Consejo de Castilla, autorizó a la Cofradía para disponer de un local donde se representaran comedias y destinar los ingresos a sus fines caritativos. Otra cofradía, la de Nuestra Señora de la Soledad, fundada en 1567 con idénticos propósitos, solicitó en 1574 los mismos beneficios que la anterior. Y de este modo surgieron los primeros teatros fijos de Madrid, de los cuales el más famoso fue el *Corral de la Pacheca,* por estar en una casa propiedad de doña Isabel de Pacheco, en la calle del Príncipe. En 1579 se construyó el *Teatro de la Cruz,* en la calle del mismo nombre; y en 1582 el del *Príncipe.* Lope tenía entonces veinte años.

Semejantes teatros no fueron, en sus comienzos, sino los patios traseros de las casas, sin cubierta ni asientos; sólo podían disponer de alguna comodidad quienes utilizaban las ventanas o balcones de las casas vecinas. Algún tiempo después se cubrió ya el escenario y los lados del patio con un tejadillo, y sobre el patio se extendía un toldo que suavizaba un tanto los rigores del tiempo, en particular del sol, pues las representaciones se celebraban comúnmente por la tarde. En dicho patio, a pie, contemplaba la función, entre frecuentes alborotos, el público masculino, los "mosqueteros", aquellos a quienes el poeta dramático Alarcón tenía que calificar de "bestia fiera", y de cuya voluntad, o capricho, dependía siempre la suerte del espectáculo. A las mujeres, puesto que estaba prohibido rigurosamente que se juntaran con los hombres, se les reservaba un lugar aparte al fondo del patio, llamado "la cazuela". Con el tiempo la disposición de los teatros mejoró: se construyeron galerías de madera, a modo de anfiteatro, a lo largo de las paredes, se colocaron bancos en el patio, y se acomodó mejor el escenario y los vestuarios para los actores. Los balcones y ventanas de las casas colindantes eran a modo de palcos destinados a gente principal. Por lo común los alquilaban las cofradías para realquilarlos a su vez; si se los reservaban sus propios dueños, tenían que pagar por ellos al teatro, como localidades que eran de la mejor calidad.

La representación era tan sencilla como el local mismo. No había apenas decorado; tan sólo cortinas de distinto color que separaban unas de otras las escenas, o telones con rudimentarias pinturas que permitían situar la acción en el interior de una casa, en la calle, en el campo abierto, etc. Los actores se limitaban a entrar por un lado y salir por otro; si la escena quedaba vacía unos instantes y los actores entraban por distinto sitio, esto significaba un cambio de lugar. La palabra, en boca del actor, poseía el mágico poder de sugerir la escena correspondiente, y la fantasía del espectador había de colaborar activamente ante el conjuro del verbo, para suplir lo que aquel montaje rudimentario no podía proporcionar aún. También con el tiempo la escenografía se perfeccionó notablemente, hasta llegar a convertirse incluso en un importante elemento de la representación; pero esto apenas si tuvo lugar durante la época de Lope, y su manifestación corresponde al período del teatro calderoniano, según diremos [3].

---

[3] Para la historia de la escena y el histrionismo españoles, en torno a la época de Lope de Vega, cfr.: Casiano Pellicer, *Tratado histórico sobre el origen y progresos de la comedia y del histrionismo en España,* Madrid, 1804. Luis Lamarca, *El teatro de Valencia desde su origen hasta nuestros días,* Valencia, 1840. Ricardo Sepúlveda, *El corral de la Pacheca. Apuntes para la historia del teatro español,* Madrid, 1888. José Sánchez-Arjona, *Noticias referentes a los anales del teatro en Sevilla desde Lope de Rueda hasta fines del siglo XVII,* Sevilla, 1898. Cristóbal Pérez Pastor, *Nuevos datos acerca del histrionismo español en los siglos XVI y XVII,* Madrid, 1901. Del mismo, *Nuevos datos acerca del histrionismo español en los siglos XVI y XVII,* segunda serie, con un índice por Georges Cirot, Bordeaux, 1914. Hugo A. Rennert, *The Spanish Stage in the Time of Lope de Vega,* New York, 1909. Del mismo, "Spanish Actors and Actresses between 1560 and 1680", en *Revue Hispanique,* XVI, 1907, págs. 334-538. Julio Milego, *El teatro en Toledo durante los siglos XVI y XVII,* Valencia, 1909. Henri Mérimée, *Spectacles et comédiens à Valencia (1580-1630),* Toulouse y Paris, 1913. Narciso Díaz de Escobar, *Anales del teatro español correspondientes a los años 1581-1625,* Madrid, 1913. Del mismo, *Anales de la escena española,* Madrid, 1914. Rafael Ramírez de Arellano, *El teatro en Córdoba,* Ciudad Real, 1912. Francisco Radríguez Marín, "Nuevas aportaciones para la historia del histrionismo español en los siglos XVI y XVII", en *Boletín de la Real Academia Española,* I, 1914, págs. 60-66, 171-182, 321-349. Eduardo Juliá Martínez, "El teatro en Valencia", en *Boletín de la Real Academia Española,* IV, 1917, págs. 56-83 y XIII, 1926, págs. 318-341. Del mismo, "Nuevos datos sobre la casa de la Olivera de Valencia", en *Boletín de la Real Academia Española,* XXX, 1950, págs. 47-85. Andrés Giménez Soler, "El teatro en Zaragoza antes del siglo XIX", en *Universidad,* Zaragoza, IV, 1927, págs. 243-296. Josep Font i Solsona, "La congregació dels comediants a Madrid i Barcelona", en *Assaigs Diversos,* publicació de la Institució del Teatre, Barcelona, número 10, enero 1932, págs. 121-139. Francisco de B. San Román, *Lope de Vega, los cómicos toledanos y el poeta sastre. Serie de documentos inéditos de los años de 1590 a 1615,* Madrid, 1935. Celestino López Martínez, *Teatros y comediantes sevillanos del siglo XVI. Estudio documental,* Sevilla, 1940. Esteban García Chico, "Documentos referentes al teatro en los siglos XVI y XVII", en *Castilla,* Universidad de Valladolid, I, 1940-1941, págs. 339-364. Mariano Grau, *El teatro en Segovia,* Segovia, 1958, Juan Barceló Jiménez, *Historia del teatro en Murcia,* Murcia, 1958. N. D. Shergold, "Nuevos documentos sobre los corrales de comedias de Madrid en el siglo XVII", en *Revista de la Biblioteca, Archivo y Museo... de Madrid,* XX, 1951, págs. 391-445. Del mismo, "Tres dibujos inéditos de los antiguos corrales de comedias de Madrid", en *Revista de la Biblioteca, Archivo y Museo... de Madrid,* XX, 1951, págs. 319-321. Del mismo, "Documentos sobre los autos sacramentales en Madrid hasta 1636", en *Revista de la Biblioteca, Archivo y Museo... de Madrid,* XXIV, 1955, págs. 253-313. Del mismo, "Datos históricos sobre los primeros teatros de Madrid. Contratos de arriendo, 1587-1615", en *Bulletin Hispanique,* LX, 1958, págs. 73-95. Del mismo, "Datos sobre los primeros teatros de Madrid. Contratos de arriendo, 1615-1641", en *Bulletin Hispanique,* LXII, 1960, págs. 163-189. Del mismo, "Datos históricos sobre los primeros teatros de Madrid: prohibiciones de autos y comedias y sus consecuencias (1644-1651)", en *Bulletin Hispanique,* LXII, 1960, páginas 286-325. Del mismo, "Some Palace Performances of Seventeenth-Century Plays", en

Esta elementalidad material de la escena tuvo un influjo decisivo sobre muchos aspectos literarios de aquel teatro, sobre los que luego hemos de insistir. La posibilidad de representar sin que fuera preciso montar decoraciones apropiadas, permitía la ilimitada libertad de acción que Lope de Vega y sus discípulos llevaron hasta las últimas consecuencias; de una escena a otra podían saltarse tiempos y lugares —bruscamente, sin transición— con una facilidad que sólo el moderno cine ha conseguido; bastaba una pausa o el tiempo de un romance para que el escritor, y con él su público, pudiera suponer cumplido cualquier proceso humano o cronológico.

El espectador, que no podía echar de menos riquezas decorativas todavía no descubiertas, se dejaba cautivar de la sola sugestión de la palabra, y aceptaba complacido aquella escenificación tan elemental. Pero por esto mismo la inmensa mayoría de aquellas comedias son ahora irrepresentables. Con su gran variedad de escenas, exigirían decorados numerosísimos —tan costosos como imposibles de cambiar a la velocidad necesaria—; porque el espectador de hoy no puede ya satisfacerse con un escenario desnudo.

Cuando el teatro comenzó a convertirse en una importante realidad que atraía a las masas, se prohibió la intervención de las mujeres en escena, porque su especial atractivo era estimado como pecaminoso; y sus papeles los desempeñaban muchachos. El remedio dio tanto que discutir a moralistas y legisladores como el mal que lo provocaba; al fin se autorizó la participación femenina, que fue razón muy importante para el éxito de las comedias, pero el tema durante mucho tiempo siguió estando en litigio.

La creciente popularidad de las representaciones teatrales, el carácter casi exclusivamente amoroso de sus temas, la inclusión de bailes y canciones —muchos de los cuales se consideraban procaces—, las libertades de los cómicos y sobre todo la mencionada participación de la mujer, frecuentemente en traje de varón, plantearon bien pronto el problema de la moralidad de las comedias; hubo consultas de teólogos, largos debates, y, al fin, en 1587, se admitió la licitud de las representaciones. Con todo, la difusión de algunas danzas como la *zarabanda* y la *chacona,* y la general desenvoltura de las actrices hicieron que en 1596 se prohibiese la actuación de las mujeres en la escena, aunque es probable que la prohibición no tuviera demasiada efectividad. Cuando a fines de 1597 murió doña Catalina, hermana de Felipe II, el rey mandó cerrar los

Bulletin of Hispanic Studies, XL, 1963, págs. 212-244. Paul Kaufman, "Spanish Players at Tangier: A New Chapter in Stage History", en *Comparative Literature,* XII, 1960, páginas 125-132. José Subirá, *El gremio de representantes españoles y la Cofradía de Nuestra Señora de la Novena,* Madrid, 1960. Noël Salomon, "Sur les representations théâtrales dans les *pueblos* des provinces de Madrid et Toledo", en *Bulletin Hispanique,* LXII, 1960, págs. 398-427. Joaquín Muñoz Morillejo, *Escenografía española,* Madrid, 1923. Un buen resumen de todos estos problemas puede encontrarse en *Vida de Lope de Vega,* de Hugo A. Rennert y Américo Castro, cit., cap. VI —"Los teatros de Madrid. Su origen"—, págs. 113-131; asimismo, en el cap. XVII —"La escena española"— del libro de Vossler citado en la nota 5.

teatros, y como los teólogos volviesen a la carga para cerrarlos definitivamente, Felipe II, por una real disposición de 2 de mayo de 1598, declaró que en adelante no se representarían más comedias. La prohibición, contra la que clamaron inútilmente los hospitales, no se levantó hasta abril de 1599, bajo el reinado de Felipe III, y aún con bastantes limitaciones: se suprimían los cantos y bailes lascivos; se reducía el número de compañías; se vedaba la intervención de las mujeres; se prohibía a los clérigos la asistencia a los teatros; y se ordenaba suspender las representaciones durante la cuaresma y en ciertas fiestas religiosas. Los teatros volvieron a ser cerrados en otras ocasiones, por ejemplo en 1611 con ocasión de la muerte de la reina doña Margarita; pero aunque la hostilidad de los moralistas y las defunciones de personas reales sometían su existencia a frecuentes sobresaltos, el teatro se convirtió en un espectáculo nacional, que apasionaba y agrupaba a las multitudes sin distinción de clase o condición [4].

La función comenzaba con una introducción o *loa*, a veces cantada, y después seguía la comedia. Entre el primero y el segundo acto se representaba un *entremés*, y entre el segundo y el tercero se cantaba una *jácara*; a veces, al final, se daba un *baile* como fin de fiesta. Pero estos complementos podían variar. Las funciones duraban entre dos y tres horas. No tenían lugar todos los días, sino sólo los festivos, y a lo más dos o tres veces entre semana. Durante la cuaresma se suspendían las representaciones, como hemos dicho, y volvían a reanudarse con el estreno del domingo de Pascua.

Junto a este tipo de teatro que vamos describiendo, y que podría denominarse *civil* o *urbano*, seguía existiendo el teatro religioso que desarrolló ampliamente sus directrices medievales. El gran esplendor que los "autos sacramentales" llegaron a adquirir, no correspondió todavía al período de Lope; su gran momento fue la época de Calderón, pero con todo tuvieron ya su im-

[4] La participación de la mujer en las representaciones teatrales fue también motivo de controversia en casi todos los países europeos. En Francia la mujer no apareció en escena hasta mediada la segunda década del siglo XVII; en Inglaterra no se le permitió representar hasta después de la Restauración (1660); en Alemania hasta bien avanzado el siglo XVIII. En España, aún en los períodos de prohibición, se solía autorizar la actuación de las mujeres, cuando éstas estaban casadas. En 1587, una compañía italiana de teatro del duque de Mantua, llamada *los Confidentes italianos*, que actuaban en nuestro país, declaró que no podía representar las comedias de su repertorio sin las mujeres de su compañía; y se les concedió la autorización porque dichas mujeres estaban casadas y sus maridos con ellas (véase Rennert y Castro, *Vida de Lope de Vega*, cit., páginas 121-126 y nota 1 de la pág. 122). Para todas las materias relacionadas con los problemas religioso-morales y jurídicos del teatro véase la obra fundamental de Emilio Cotarelo, *Bibliografía de las controversias sobre la licitud del teatro en España*, Madrid, 1904. Sobre la mujer vestida de varón en el teatro, cfr.: M. Romera Navarro, "Las disfrazadas de varón de las comedias", en *La preceptiva dramática de Lope de Vega y otros ensayos sobre el Fénix*, Madrid, 1935, págs. 109-139. J. H. Arjona, "El disfraz varonil en Lope de Vega", en *Bulletin Hispanique*, XXXIX, 1937, págs. 120-145. Carmen Bravo-Villasante, *La mujer vestida de hombre en el teatro español (Siglos XVI-XVII)*, Madrid, 1955.

portancia. El hecho de que estas representaciones religiosas se celebraran una sola vez al año, en ocasiones solemnes como la fiesta del Corpus, en la Navidad o en los días de Semana Santa, y que además contribuyesen a su organización tanto la Iglesia como los poderes públicos, las cofradías, los fieles, etc., permitía dedicarles tiempo y recursos, de que el teatro "urbano" —apoyado tan sólo en los problemáticos ingresos de la taquilla— no podía disponer. Por esto mismo, las representaciones religiosas, en particular en las fiestas del Corpus, aventajaron en fastuosidad a las comedias de los "corrales", y, en cierto modo también, les sirvieron de ejemplo y de estímulo en el camino de su mejora material. En las ciudades más importantes por lo menos, junto al tablado principal se adosaban diversos *carros* móviles, con lo que se aumentaban notablemente las posibilidades del movimiento escénico, las entradas y salidas de los representantes, las dimensiones del escenario y las tramoyas de toda índole. Con todo el interés —religioso y literario— que quiera suponerse al texto de estas obras, es evidente que la sugestión que su aparato ejercía sobre los espectadores era razón muy poderosa para su perenne popularidad.

Por su parte, también el teatro cortesano otorgaba toda la importancia posible al lujo externo y a la seducción de los sentidos. Cuando había de representarse alguna comedia con ocasión de fiestas palatinas, en los Reales Sitios, etc., se invertían cuantiosas sumas en su montaje e intervenían a veces escenógrafos traídos expresamente de Italia para dotar la representación de trucos, tramoyas y aparatos, que entonces venían a adquirir mayor importancia que la obra literaria misma. Lope, no sin cierto recelo, vio todavía, en los últimos años de su carrera dramática, la peligrosa competencia que tales *excesos* escenográficos podían hacer a sus creaciones, y protestó contra ellos.

CARACTERES DEL TEATRO DE LOPE

Los temas. Cuando se oye proclamar a Lope creador del teatro nacional español, no debe pensarse que los temas de su teatro respondan a ningún género de estrecho nacionalismo: lo verdaderamente español, y lopesco, es la *fórmula* de su teatro, con la cual acertó a proporcionar al español de su tiempo el espectáculo dramático que apetecía y que era capaz de entender y de gozar. Sin embargo, en cuanto a la "materia" con que el genial inventor amasó sus innumerables producciones, reina la más inclasificable variedad. Lope entró a saco, literalmente, en todos los campos de donde se pudiera extraer un asunto de posible escenificación. Como tantas veces se ha dicho, en Lope "está todo", sin distinción de edades ni países: el mundo religioso, del que utilizó relatos bíblicos, vidas de santos, leyendas o tradiciones piadosas; los hechos de la antigüedad, tomados indistintamente de historiadores o de poetas; los temas pastoriles y caballerescos; las novelerías puestas de moda durante el Renacimiento, sobre todo por los narradores italianos; hechos y personajes famosos de la Edad Media de Europa; leyendas locales; pero de manera muy especial las viejas Crónicas españolas y el mundo épico del Romancero.

Lope animó toda esta inabarcable diversidad dramática con la palabra y el espíritu de sus propios contemporáneos, y la vistió con todo género de elementos tomados de la inmediata realidad nacional, costumbres populares, fiestas locales, cantos y danzas tradicionales; acercó a la sensibilidad del hombre de su tiempo cualquier acción apasionante sin cuidar con demasiado rigor detalles de exigencia erudita ni atormentarse por anacronismo de más o de menos, salvo en aspectos de mucho bulto, porque a Lope le importa siempre más la vida que la arqueología. Puestos en escena de este modo, los temas más ajenos o cronológicamente distantes y hasta los motivos religiosos más sutiles, reviven en la comedia lopesca con el tono de algo próximo y habitual, sencillo y claro.

Ningún comentarista de Lope ha dejado de poner de relieve este carácter fundamental de su teatro. "Sólo material, no formalmente, es decir, no espiritualmente —dice Vossler—, capta Lope cuanto se encuentra allende las ideas, las creencias y las aspiraciones españolas. Nunca reconoció un mundo extraespañol y extraeclesiástico. Le vuelve la espalda como si no existiera" [5]. Y aclara más abajo que aquel abundante material tomado de donde fuere, sin límites de tiempo ni lugar, lo trae siempre Lope al plano de su país y de su tiempo: "Su consideración del pasado no es histórica, ni crítica, y aun allí donde está matizada por lo sentimental o patético y literario, es muy ingenua siempre. Por su pluma, los personajes de las épocas más remotas y de los más lejanos países, sienten, piensan, hablan y se conducen como si fueran españoles del Barroco, gentes señoriales y de mucha honra, muy poseídas de personales y nacionales pretensiones, y lo mismo daba que se tratase de Teseo, de Ciro y Alejandro o de Fernando el Católico o de los antepasados o del hermano carnal de su protector el duque de Sessa" [6]. A este rasgo lopista, insistentemente señalado, López Estrada añade un matiz de índole más personal y lírica que nacional, conducto diverso que lleva a idéntico resultado, y aún lo refuerza, pues que lopismo y españolismo son términos hipostasiables: "Lope —dice— no pudo sentir la historia como erudición; para él todo era pasión, materia que podía fundir con su vida para convertirla en comedia; no importaba que se tratara de un tema romano, de una leyenda popular o de un cuento italiano; en lo que fuese, dejaba siempre algo de su alma, pedazos de su sentimiento o de su fantasía. Es lo suyo un anacronismo vital; traer a su inmediato presente cuanto ha acontecido" [7].

---

[5] *Lope de Vega y su tiempo,* 1.ª ed., Madrid, 1933, pág. 254.

[6] Idem, íd., pág. 258.

[7] Francisco López Estrada, "La Arcadia de Lope en la escena de Tirso", en el número extraordinario de la revista *Estudios* dedicado a Tirso de Molina; Madrid, 1949, página. 304.

Esta capacidad de españolizar lo más ajeno, que explica el esencial nacionalismo del teatro de Lope, produce frecuentemente el espejismo de suponer que la mayor parte de su dramática se basa en gentes y temas de su país, sean históricos o contemporáneos. Vossler nos advierte de ese error: "No puede decirse que Lope diera preferencia a los asuntos nacionales sobre los extranjeros. Apenas una cuarta parte de su obra está dedicada a la historia y la leyenda patrias. Sabía muy bien que la representación de hechos no españoles por actores españoles y para espectadores españoles ya era por sí la garantía de una cierta nacionalización de lo extraño. Ciertamente no se podía imaginar hasta qué punto una interpretación semejante quedaba fortalecida por el hecho de que al cabo tanto él como su público no conocían ni reconocían otro mundo ni otro carácter que el español. Tanto más lozana la nacional fuerza asimiladora de su escena popular, no quebrada por reflexiones de ninguna clase" [8].

Pero a pesar de esta temática tan universal, decíamos que los asuntos extraídos de las Crónicas y del Romancero y de leyendas locales de parecido carácter constituyen la parte más notable del teatro de Lope. En este aspecto podría afirmarse que la comedia lopesca es la transformación en poesía dramática de aquel caudal de hechos heroicos, particularmente de los siglos medios, que las Crónicas y el Romancero atesoraban. Tenemos ya bien sabido que España es el único país que había transvasado a los tiempos modernos la herencia de la vieja épica heroica bajo la forma de romances; y estos romances, que, cantados o simplemente recitados, constituían la poesía más popular de Castilla, tenían familiarizado al pueblo entero con dichos héroes y sucesos. Así pues, cuando Lope los transformó de relato poético, que había que imaginar, en hecho vivo sobre la escena, y el pueblo pudo contemplar, milagrosamente actualizados, todos aquellos personajes que encarnaban su tradición, debió sentir, inequívocamente, la impresión de estar asistiendo a un prodigio; lo escuchado o leído se convertía en palpitante realidad; los héroes largo tiempo soñados decían allí mismo —ante los ojos del espectador— sus dúos amorosos o ejecutaban sus crímenes o sus venganzas.

Para los espectadores aquella maravilla escénica encerraba un doble placer: de un lado, puesto que el tema esencial de tales piezas dramáticas les era conocido, gozaban en su "reconocimiento"; y, de otra parte, sentíanse arrastrados por el interés de nuevos episodios con que el poeta vestía y adobaba los hechos básicos. Porque una de las mayores genialidades de Lope consistía en descubrir las posibilidades dramáticas que yacían en el escueto episodio de una crónica, o en un romance fragmentario, o en una breve anécdota difundida por tradición oral, o a veces en sólo un cantarcillo popular. Dueño de aquel minúsculo germen Lope sabía dilatarlo y enriquecerlo con toda la variedad episódica de una comedia.

---

[8] *Lope de Vega y su tiempo*, cit., pág. 361.

Se ha repetido mil veces —aunque no sabemos si haciendo todo el hincapié necesario— que los espectadores de Lope, como los de Shakespeare, no seguían con el mismo espíritu que los de hoy el desarrollo "literario" de aquellas piezas. Es innegable (y volveremos sobre ello, porque representa caracteres esenciales del teatro lopista) que Lope encarnó en su teatro toda una serie de supuestos básicos —sentimiento monárquico, concepto del honor, orgullo nacional, ortodoxia religiosa— sin los cuales sus creaciones dramáticas hubieran sido rechazadas por los españoles de su tiempo. Pero pensamos que los mencionados *supuestos* —entramado ideológico imprescindible, porque era el de su sociedad, y que también al propio escritor le proporcionaron infinitas veces recursos cómodos para sus intrigas dramáticas— no pueden por sí mismos explicar el éxito arrollador de su teatro, porque con tan rico meollo doctrinal hubieran podido escribirse entonces —como se podrían escribir ahora— las peores comedias. Lo que las hizo buenas fue la genialidad de Lope, que supo dotarlas de la suficiente agilidad, amenidad, interés, donaire, gracia, picardía, intensidad, movimiento y pasión, convirtiéndolas con ello en el espectáculo maravilloso, jamás visto ni imaginado hasta entonces, y junto al cual —al menos para el inmenso e indiscriminado *pueblo*— novelas, crónicas antiguas o romances palidecían como sombras.

Por esto decíamos que con todas las bellezas literarias que una comedia de Lope pueda atesorar, no fue con ojos "literarios" o intelectuales como la contempló el espectador de entonces; los ojos "literarios" son los nuestros de hoy. El espectador de Lope, aunque no permaneciera insensible a las gracias literarias de la comedia, estimaba en ella sobre todo la peripecia, el interés dramático y argumental (de que todo el teatro de Lope anda tan colmado), y otros muchos aspectos bastante menos esenciales: la fascinante novedad del espectáculo, los bailes y canciones, el alboroto de la fiesta, las picardías del gracioso, y de manera muy particular la intervención en escena de la mujer. Los objetivos a que apuntaban las repetidas prohibiciones del teatro, o de aspectos de él, pueden ilustrarnos mucho sobre cuáles eran sus componentes que ejercían mayor seducción —mayor peligro moral, por tanto, en opinión de ciertas mentes— sobre el espectador, y, consecuentemente, contribuyeron más a su triunfo.

Lope, el más fecundo y derramado de los escritores, no desconocía, sin embargo, todo lo que en el teatro no era "literatura" en su más rigurosa significación. Este convencimiento explica la raíz de toda su dramática, tanto sus teorías como sus realizaciones, según luego veremos.

Porque Lope tuvo siempre en cuenta lo que apetecía y apasionaba al espectador, y acertó a construirlo mezclando sabiamente el debido decoro literario con todos los halagos que podían seducir a su público, creó un teatro auténticamente "popular", en el más amplio y generoso sentido, capaz de atraer sin distinción al lego y al letrado.

El "arte nuevo" de Lope. De igual manera que en el aspecto temático Lope llevó todas las aguas a su molino, también en cuanto a la técnica o disposición de la comedia desarrolló las posibilidades, ideas, gérmenes o hallazgos de todos sus predecesores; pero superándolos y armonizándolos en una síntesis de absoluta novedad. La dramatización —por ejemplo— de los temas épico-heroicos había sido ya emprendida antes de Lope, particularmente por Juan de la Cueva; pero las realizaciones de éste son apenas un premioso balbuceo ante la amplitud y variedad con que Lope profundiza en este filón; y, sobre todo, frente al temblor poético, la intensidad de vida y el ágil movimiento con que el Fénix construye sus dramas nacionales. Del mismo modo, Lope absorbió todo cuanto podía serle útil de la vieja escena medieval; del mundo dramático de los primitivos Encina y Lucas Fernández y de los grandes renacentistas Vicente y Torres Naharro aprendió en particular el fecundo maridaje del drama con la lírica; de Lope de Rueda recibió la seducción de la libertad argumental "a la italiana", y por encima de todo la gran lección del arte popular y posiblemente la misma audacia frente a las normas y convencionalismos de la escena clásica.

Pero, con todas estas deudas teóricas, la comedia de Lope —decíamos— es una novedad personalísima y una superación imponderable de todo lo anterior. En su concepción global, el teatro de Lope representa una rebeldía contra las normas del clasicismo que el Renacimiento había resucitado y que imperaban en los medios intelectuales a través de todos los tratados de retórica y preceptiva. Este carácter de abierta oposición entre las viejas normas y la desenfadada libertad de Lope parece constituir el eje principal —aunque existen bastantes más— de lo que fue una larga guerra literaria [9]. Aspecto básico de aquella preceptiva era el respeto a las tan discutidas tres unidades dramáticas de las que Lope se despreocupa en absoluto [10]. Una comedia de Lope es

[9] Cfr.: Joaquín de Entrambasaguas, "Una guerra literaria del Siglo de Oro: Lope de Vega y los preceptistas aristotélicos", en *Estudios sobre Lope de Vega,* vols. I y II, Madrid, 1946-1947.

[10] Es frecuente atribuir a Aristóteles la paternidad de las tres unidades dramáticas: tiempo, lugar y acción; pero la sola unidad de veras aristotélica es la última de ellas, ya que las otras dos son italianas. Romera-Navarro, apoyado en distintos comentaristas que cita, resume así el problema: "Al declarar Aristóteles que la tragedia griega procuraba desarrollarse en el tiempo de una vuelta del sol, lo hizo para señalar la práctica del teatro anterior, y no para dar un precepto de la composición dramática. El primero en mencionar la unidad de tiempo, entre los modernos, fue Giraldi Cintio, en 1543; Segni la fijó en veinticuatro horas (1549). Limitado el tiempo de la acción, vino como natural consecuencia la limitación del espacio, siendo Maggi quien señaló la unidad de lugar en 1550. Castelvetro es el primero en afirmar expresamente las tres unidades juntamente y en darles su forma definitiva, proponiéndolas como reglas inviolables de la composición dramática (1570)" ("Las unidades dramáticas", en *La preceptiva dramática de Lope de Vega y otros ensayos sobre el Fénix,* cit., págs. 61-81).

Sobre la unidad de acción puede afirmarse que no hubo discrepancia, ni aun a cargo de los más radicales defensores de la libertad artística: un núcleo central, una armo-

una intriga sostenida desde el principio al fin a base de incesante movimiento, de mutación de escenas, de saltos de tiempo y de lugar; el escritor trata de presentar directamente ante el espectador todos los sucesos posibles y, por añadidura, en su momento de mayor viveza; en lugar de someterse a la tiranía del tiempo y del espacio, se sirve de ellos como de instrumentos para intensificar el ritmo de la acción. Otros aspectos son también importantes: la preceptiva clásica separaba cuidadosamente lo trágico de lo cómico en géneros irreductibles; Lope, en cambio, mezcla en una misma obra la risa y las lágrimas, lo noble y lo plebeyo, buscando precisamente en su contraste efectos escénicos y alivio a las tensiones excesivas. Para la vieja preceptiva la aparición del "gracioso" en un trance dramático constituía una herejía, un insulto a la gravedad de la escena; para Lope era un recurso liberador de efecto seguro [11].

---

nía de las partes que diera homogeneidad al conjunto (que no otra cosa es la mencionada "unidad") era indispensable para hacer inteligible y gustosa una obra dramática; no importa, sin embargo, que en la práctica se violara con gran frecuencia este principio. A semejante desorden y confusión, más que a concretas faltas contra las unidades de tiempo y de lugar, por él quebrantadas, aludía Cervantes al hablar de las comedias "que no llevan pies ni cabeza".

La unidad de tiempo fue, en cambio, harto discutida. Los preceptistas rigurosos señalaban que la acción de una obra dramática nunca debía rebasar el término de un día, y se indignaban, como Cascales, contra aquellas obras en que se metía una crónica histórica completa. La presión —inevitable— del triunfo de la *comedia nueva* hizo parecer aquel plazo demasiado angosto, y los preceptistas abrieron la mano hasta conceder tres, cinco e incluso diez días, limitaciones ridículamente arbitrarias, pues como dice Romera-Navarro, "para la ficción a que se entrega el ánimo del espectador al contemplar una representación, lo mismo da un día que diez; o la acción se supone acontecida en el tiempo natural que dura la representación, o la imaginación podrá seguir al poeta en un curso de tiempo variable, que no ha de ser el seguirle a plazo contado" (lugar cit., página 73). Lope, como decimos luego, justificaba sus libertades apelando a "la cólera española"; Tirso de Molina, al hacer en *Los Cigarrales de Toledo* la defensa del teatro lopista, afirmó resueltamente que era más inverosímil el situar en una sola jornada acontecimientos que no podían suceder en tan corto tiempo, que presenciar sin levantarse de un lugar lo acaecido en varios días.

En cuanto a la unidad de lugar, que nunca mencionan Aristóteles ni Horacio, ni siquiera es aludida por Lope; de hecho, nunca en la práctica se había tenido en cuenta, y sólo levemente la exigieron algunos teóricos. Subordinada a la unidad de tiempo, la de lugar quedaba englobada en una misma solución. En el famoso capítulo XLVIII del *Quijote*, Cervantes se había burlado, ciertamente, de los saltos de lugar; pero recuérdese el pasaje, que quedó citado, al comienzo de la segunda jornada de *El rufián dichoso*, en que declara su nuevo y definitivo parecer:

> *Ya represento mil cosas,*
> *no en relación, como de antes,*
> *sino en hecho, y assí es fuerça*
> *que aya de mudar lugares...*

[11] La estricta separación entre *tragedia* y *comedia*, con la absoluta primacía de la primera sobre la segunda, era parte más importante de la preceptiva clásica que las famosas unidades tan traídas y llevadas a propósito de la *comedia nueva*; separación

También la preceptiva clásica establecía la unidad métrica para toda la obra; mientras que Lope utiliza todas las variedades de versos de acuerdo con las circunstancias de la acción o la índole del personaje.

Contra Lope se desataron las censuras de los aristotélicos; y sobre todo en los medios cultos y universitarios su comedia tuvo enconados detractores. Lope se defendió de ellos y deslizó justificaciones de su teatro en numerosos pasajes de sus comedias o de sus epístolas. Pero dedicó a dicho tema un poe-

---

que atribuía a la comedia la posesión de un estilo inferior, e incluso grosero, adecuado lógicamente para gentes de baja condición. Se partía, pues, de un doble supuesto: la inferioridad de la comedia como género dramático, y su tono cómico-alegre con desenlace feliz. El siglo XVI asiste al desarrollo de un doble objetivo: de un lado, la dignificación de la comedia por sí misma, apuntando incluso a su equiparación más o menos completa con la tragedia; de otro, a la fusión —o combinación— de lo trágico y de lo cómico, por estimarlo más acorde con la realidad que su convencional separación. Torres Naharro, en sus famosas definiciones de que tratamos oportunamente, todavía sigue atribuyendo a la comedia la exclusiva de los sucesos alegres, pero le otorga ya caracteres —"artificio ingenioso", "notables acontecimientos"— que la redimen de su supuesta inferioridad. Hacia el final del siglo, el famoso tratadista López Pinciano, aunque frecuentemente influido todavía por Aristóteles, atribuye ya a la comedia la facultad —tradicionalmente concedida a la tragedia— de depurar el ánimo "por medio del deleite y de la risa". En los comienzos del siglo XVII, con el triunfo arrollador de la dramática lopista, se impone la realidad de la fusión de todos los géneros poéticos en la comedia; la polarización tragedia-comedia queda de hecho eliminada (con la sola oposición de algunos preceptistas recalcitrantes) y se acepta el concepto de la *comedia nueva* como un espectáculo para todos, justificado esencialmente por producir en el pueblo indiscriminado placer y distracción. La opinión general queda sintetizada por Guillén de Castro en su comedia *El curioso impertinente*: un personaje, respondiendo a otro que llama imperfectas a las comedias porque contradicen las reglas del arte antiguo, dice:

Ven acá; si examinadas
las comedias, con razón
en las repúblicas son
admitidas y estimadas,
y es su fin el procurar
que las oiga un pueblo entero,
dando al sabio y al grosero
que reir y que gustar,
¿parécete discreción
el buscar y el prevenir
más arte que conseguir
el fin para que ellas son?

(en *Obras de Don Guillén de Castro y Bellvis,* edición Eduardo Juliá, vol. II, Madrid, 1926, pág. 492). Véase una acertada exposición de estos problemas en M. Romera-Navarro, "Lope y su autoridad frente a los antiguos", en *La preceptiva dramática de Lope...,* cit., págs. 11-59. Un útil resumen puede encontrarse también en "Algunas observaciones introductivas a la teoría dramática de los siglos XVI y XVII", de Alberto Porqueras Mayo, al frente del libro —escrito en colaboración con F. Sánchez Escribano— *Preceptiva dramática española del Renacimiento y el Barroco,* Madrid, 1965.

ma especial, en endecasílabos sueltos, publicado en 1609 con el título de *Arte nuevo de hacer comedias en este tiempo*[12]. Como venía sucediendo con su lírica, Lope posee mucha más fuerza como creador que como teorizador de sus propias creaciones, y así, esta defensa teórica no está a la altura, ni con mucho, de su genial producción dramática. No obstante, su *Arte nuevo* ha sido, con frecuencia, indebidamente estimado. Menéndez y Pelayo, el gran revalorizador del teatro lopista, calificó el *Arte nuevo* de "lamentable palinodia"[13], en la que el poeta trataba de armonizar sus propias contradicciones íntimas; en Lope, según el gran polígrafo, coexisten dos personalidades encontradas: de un lado, el dramaturgo popular, de otro el poeta artístico de las rimas, églogas y poemas cultos, envanecido de sus saberes latinos e italianos. Este segundo Lope se avergonzaba del primero, que creaba su teatro nacional por necesidad irreprimible de su genio, pero se sentía al mismo tiempo molestamente seña-

[12] La obra apareció por primera vez en la segunda edición de las *Rimas* (primera y segunda parte), en Madrid. Ediciones: A. M. Huntington, edición facsímil, Nueva York, 1903; ed. Sancha, en el vol. IV de las *Obras sueltas,* págs. 403-417; en BAE, volumen XXXVIII; ed. A. Morel-Fatio, en *Bulletin Hispanique,* vol. III, 1901, págs. 365-405; ed. Camilo Guerrieri Crocetti, en Testi Romanzi, núm. 33, Roma, 1915; ed. Luis Guarner, en *Lope de Vega. Poesía lírica,* vol. I, Madrid, 1935, págs. 149-159.

[13] *Historia de las ideas estéticas,* edición nacional, vol. II, Santander, 1940, páginas 294 y ss. Recogemos estas palabras de Menéndez y Pelayo por ser muy conocidas y haber servido infinitas veces para encontradas interpretaciones; pero no ignoramos que no representan la exacta opinión de don Marcelino, expuesta con mayor rigor en sus estudios posteriores sobre el teatro de Lope. En las mismas *Ideas estéticas,* apenas cuatro páginas más adelante de las palabras mencionadas, Menéndez y Pelayo valora exactamente —aunque con brevedad— la posición, y evolución, de Lope frente a su propio teatro: "No ha de tomarse el *Arte nuevo* —dice— como cifra y resumen de la Poética de Lope. La nota que va al pie [alude a la número 2, págs. 298-302] mostrará cuánta es la variedad y riqueza de doctrinas literarias esparcidas en sus múltiples obras, y eso que yo no pretendo haberlas apurado todas. Lo importante de anotar aquí es el arrojo con que Lope, a medida que avanzaban los años, y con ellos crecía su gloria y la confianza en su ingenio, modificó la posición crítica tan humilde y abatida que había tomado en 1609; llegando a calificar de *impertinentes* (en el prólogo de *La Dorotea*) las pretendidas reglas de la fábula dramática, sustituyéndolas con un solo principio, el de la *verdad humana,* defendiendo la prosa para el drama realista, y jactándose, en el prólogo de *El castigo sin venganza,* de haber escrito esta asombrosa tragedia al 'estilo español, no por la antigüedad griega y severidad latina, huyendo de las sombras, nuncios y coros, porque el gusto puede mudar los preceptos, como el uso los trajes y el tiempo las costumbres'. En estas bizarrías reconozco al gran poeta popular, para quien los romances eran capaces de todo argumento épico, y nunca convendré con los críticos de reata que, por pereza de leer sus obras innumerables, dan por fórmula definitiva de la Poética de Lope el *Arte nuevo de hacer comedias.* En la *Égloga a Claudio,* obra también de su vejez, se acusaba todavía, es verdad, más por razones éticas que estéticas, de haber solicitado la risa del vulgo vil, ocupándose siempre en fábulas de amores y manchando la tabla a prisa; pero en vez de declararse corruptor del teatro exclamaba, con justa y legítima vanagloria, que las comedias le debían *el principio de su arte* aunque este arte no se ajustase a los rigores de Terencio" (Ob. cit., págs. 298-302).

lado por el dedo de la doctrina literaria oficial; doctrina que estaba rechazando de hecho, pero sin atreverse a hacerlo del todo en teoría.

Parece, en efecto, por lo que dice en varios pasajes de sus obras y más especialmente en su *Arte nuevo,* que Lope menospreciaba su obra dramática; pero ya hemos visto por las mismas palabras de Menéndez y Pelayo, aducidas en nuestra nota, que, aun en el caso peor, no fue ésta la permanente posición del Fénix. Es innegable que existe en Lope un íntimo torcedor; si de una parte estaba persuadido de la grandeza y legitimidad de su obra, le mordían también frecuentes inquietudes provocadas por sus detractores y la conciencia de sus propias desigualdades y concesiones al gusto popular; todo lo cual se traducía en una fluctuante inquietud, de la que no puede decirse que el *Arte nuevo* carezca totalmente. En tal sentido es cierta la primera parte del parecer de Menéndez y Pelayo; Lope de Vega no se atrevía a rechazar del todo aquellos molestos fantasmas de los preceptos y sus dómines. Esta inseguridad producía también su parte de modestia; así lo reconoció Tirso de Molina cuando al sostener la autoridad de Lope para abolir los viejos preceptos y proclamar la superioridad de la *comedia nueva* sobre la antigua, escribe: "Que si él, en muchas partes de sus escritos, dice que el no guardar el arte antiguo lo hace por conformarse con el gusto de la plebe (que nunca consintió el freno de las leyes y preceptos), dícelo por su natural modestia y porque no atribuya la malicia ignorante a arrogancia lo que es política perfección" [14].

Pese a todo, creemos que en los versos del *Arte nuevo* se esconde una seguridad mucho mayor de lo que suele concederse, y que por debajo de la apariencia lo que discurre es una traviesa burla contra los santones del clasicismo, a quienes irritaba su teatro [15]. Toda esa dramática solemne que ustedes pregonan —viene en sustancia a decir— calcada sobre los antiguos, envarada y rígida, apuntalada por todo género de preceptos, encierra cuantas excelencias se le deseen atribuir... menos la de atraer al espectador; mis pretensiones —sigue diciendo con socarrona ironía—, son mucho más modestas:

escribo por el arte que inventaron
los que el vulgar aplauso pretendieron... [16].

---

[14] *Los cigarrales de Toledo,* edición Said Armesto, Madrid, 1913, pág. 128.

[15] Que esto es así, lo confirma a nuestro entender el propio Menéndez y Pelayo cuando —no sin cierta ingenuidad, diríamos— escribe: "En honor de los discípulos de Lope debe consignarse que ninguno de ellos tomó por lo serio las retractaciones contenidas en el *Arte nuevo,* ni quiso creer que fuesen sinceras, ni adoptó semejante modo de defensa, ni se allanó a convenir en que la comedia española fuese un género bárbaro, sino que emprendieron en toda forma la vindicación crítica de su maestro, atribuyendo a modestia excesiva suya las explicaciones que había dado ante la Academia de Madrid" (*Ideas estéticas...,* cit., pág. 303). Y ¿cómo iban a tomar en serio la retractación si no la había? Que los propios discípulos de Lope —sus contemporáneos— lo entendieran unánimemente así, parece que deja resuelta la cuestión.

[16] Ed. Guarner, cit., pág. 150.

Con tales procedimientos ya sé que corro el riesgo de que

me llamen ignorante Italia y Francia... [17]

pero estoy, no obstante, persuadido de que mis comedias,

aunque fueran mejor de otra manera,
no tuvieran el gusto que han tenido,
porque a veces lo que es contra lo justo
por la misma razón deleita el gusto [18].

Palabras con las que venía a proclamar el núcleo esencial de sus propósitos: hacer teatro para el recreo del pueblo, proporcionarle un espectáculo entretenido que estimulase y saciase su imaginación, aunque la estricta verosimilitud quedase con frecuencia comprometida y las reglas de los retóricos tuvieran que huir ruborizadas. Lope conocía a la perfección que su teatro gustaba al espectador precisamente porque buscaba los medios de interesarle sin someterse a norma alguna. Su público —lo sabía él muy bien— quería acción y movimiento sobre la escena:

...porque considerando que la cólera
de un español sentado no se templa
si no le representan en dos horas
hasta el final juicio desde el Génesis... [19]

y Lope se aprestaba a saciar aquella cólera española manejando cualesquierá recursos que condujeran a tal fin. Porque de lo que Lope no duda nunca es de que el "gusto" —en el más vulgar sentido de "placer" que se recibe del espectáculo— fuera el supremo norte del teatro; acabamos de verlo en alguno de los textos transcritos, pero son mucho más numerosos:

...yo hallo que si allí se ha de dar gusto,
con lo que se consigue es lo más justo [20].

O en aquellos tan traídos y comentados versos sobre las comedias, que son ya un tópico de todo comentario sobre Lope:

...porque como las paga el vulgo es justo,
hablarle en necio para darle gusto [21].

---

[17] Ídem, íd., pág. 158.
[18] Ídem, íd., pág. 158.
[19] Ídem, íd., pág. 154.
[20] Ídem, íd., pág. 154.
[21] Ídem, íd., pág. 150.

Diríase que Lope, el hombre que fue capaz de literatizar cada segundo de su existencia, hacía realidad la máxima que siglos más tarde tenía que formular Ortega y que, bien entendida, es un evangelio teatral: "el teatro no es literatura". A Lope no se le escapaba ni uno sólo de los variados componentes —literarios o no— que aseguran el triunfo de una pieza dramática, ni de los trucos escénicos que no son ciencia sino oficio, y que en la jerga de todos los tiempos se llama "carpintería teatral". La mezcla de lo trágico y de lo cómico, tan denostada por los preceptistas, sabía que para el hombre de su tiempo era una fuente de placer:

Lo trágico y lo cómico mezclado,
y Terencio con Séneca, aunque sea
como otro minotauro de Pasifae,
harán grave una parte, otra ridícula;
que aquesta variedad deleita mucho.
Buen ejemplo nos da naturaleza,
que por tal variedad tiene belleza[22].

Y no desdeñaba el efectismo de terminar escenas o actos con sonoras frases o mutis eficaces:

Remátense las escenas con sentencia,
con donaire, con versos elegantes,
de suerte que al entrarse el que recita,
no deje con disgusto al auditorio[23].

Y conocía muy bien los medios de encadenar el interés, graduando los acontecimientos y desviando al espectador de todo final previsto:

En el acto primero ponga el caso,
en el segundo enlace los sucesos,
de suerte que hasta medio del tercero
apenas juzgue nadie en lo que para.
Engañe siempre el gusto, donde vea
que se deja entender alguna cosa
de muy lejos de aquello que promete[24].

La preocupación de mantener en vilo la curiosidad del espectador, como parte esencial del éxito de la comedia, era tan viva en Lope como en cualquier "habilidoso" autor de cualquier época. Apenas unos pocos versos más arriba

---

[22] Ídem, íd., pág. 153.
[23] Ídem, íd., pág. 156.
[24] Ídem, íd., pág. 156.

del anterior pasaje había expuesto ya idénticos conceptos; vale la pena comprobarlo:

Dividido en dos partes el asunto,
ponga la conexión desde el principio,
hasta que vaya declinando el paso;
pero la solución no la permita,
hasta que llegue la postrera escena;
porque en sabiendo el vulgo el fin que tiene,
vuelve el rostro a la puerta, y las espaldas
al que esperó tres horas cara a cara:
que no hay más que saber en lo que para[25].

Maestro en la materia, Lope sabía asimismo qué ingredientes no literarios arrastraban gentes a la comedia, tales como las músicas y danzas, y sobre todo la presencia, ya aludida, de la mujer, en especial cuando se presentaba con el picante atractivo del disfraz masculino, sobre cuya importancia nunca —creemos— suele insistirse lo bastante:

...porque suele
el disfraz varonil agradar mucho[26].

Al lado de estas consideraciones, cuya bien visible finalidad consiste en atenazar el "gusto" de su público, Lope desparrama en su *Arte nuevo* otros muchos consejos de general interés: tales, por ejemplo, los que aluden a la propiedad del lenguaje en cada personaje:

Si hablare el rey, imite cuanto pueda
la gravedad real; si el viejo hablare,
procure una modestia sentenciosa;
describa los amantes con afectos
que muevan con extremo a quien escucha;
los soliloquios pinte de manera
que se transforme todo el recitante,
y con mudarse a sí mude al oyente[27].

O a los versos adecuados para cada caso, en lo que hace defensa a su vez de su característica polimetría:

Acomode los versos con prudencia
a los sujetos de que va tratando.

---

[25] Ídem, íd., pág. 155.
[26] Ídem, íd., pág. 156.
[27] Ídem, íd., pág. 156.

Las décimas son buenas para quejas;
el soneto está bien en los que aguardan;
Las relaciones piden los romances,
aunque en octavas lucen por extremo.
Son los tercetos para cosas graves,
y para las de amor, las redondillas[28].

O a la conveniente duración de una comedia:

Tenga cada acto cuatro pliegos solos,
que doce están medidos con el tiempo
y la paciencia del que está escuchando...[29].

A Menéndez Pidal debemos una luminosa y comprensiva exégesis del *Arte nuevo* de Lope[30]. Menéndez Pidal encarece la gran importancia que para su obra creadora tuvo el haber nacido Lope a la poesía entre los versos del Romancero, que le trazó indeleblemente su ruta artística. El prólogo a la edición del Romancero General de 1604 —según Menéndez Pidal recuerda— "encarece la espontaneidad de la poesía romancística, que no se cuida de 'las imitaciones y adorno de los antiguos'; en ella, dice, tienen muy poca parte 'el artificio y rigor retórico', pero mucha el ímpetu del 'ingenio elevado', el cual no excluye el Arte, sino que *le excede,* 'pues lo que la *naturaleza* acierta *sin el arte* es lo perfecto' "[31]. "El romance —añade luego— queda así declarado en 1604 por Lope y sus amigos como prototipo de naturalidad en el Arte, lo cual consiste en una íntima conformidad de las manifestaciones artísticas con el modo de ser y con las tradiciones culturales de los hombres que las crean"[32]. Y concreta después de qué manera ese romance, que está en la base de la formación poética de Lope y que viene a ser luego la piedra angular de su teatro, orienta al autor por el camino de lo natural y popular: "La relación externa del Romancero con el drama, la inspiración heroica, pastoril, morisca que le prestó, son bien patentes, pero fue más honda su influencia guiando los primeros pasos del teatro por el camino de lo *natural.* El hecho decisivo fue este de nacer Lope a la vida dramática afiliado a la escuela de los poetas romancistas, acogido a ideas platónicas sobre la *Naturaleza*; nació, pues, en

---

[28] Ídem, íd., pág. 157. Sobre las formas métricas utilizadas por Lope en su teatro, cfr.: Diego Marín, *Uso y función de la versificación dramática en Lope de Vega,* Estudios de Hispanófila, 2, Valencia, 1962. Véase además Courtney Bruerton, "La versificación dramática española en el período 1587-1610", en *Nueva Revista de Filología Hispánica,* X, 1956, págs. 337-364.

[29] Ídem, íd., pág. 157

[30] "Lope de Vega. El *Arte nuevo* y la *Nueva Biografía*", en *Mis páginas preferidas. Temas literarios,* Madrid, 1957, págs. 298-369. (Reproducido en *España y su historia,* vol. II, Madrid, 1957, págs. 283-329).

[31] Ídem, íd., págs. 303-304.

[32] Ídem, íd., pág. 305.

sino contrario a los tratadistas del teatro, que vivían aferrados a los preceptos del *Arte* sacados de la poética aristotélica; y así el conflicto doctrinal en que se desarrolla la actividad del dramaturgo español, en oposición a las doctrinas corrientes, viene a ser un confuso eco de la eterna disidencia de Platón y de Aristóteles. Frente a dos caminos abiertos por el Renacimiento, Lope deja a un lado el propio del teatro antiguo como vía muerta para seguir el otro, camino de vida para un nuevo drama" [33]. Teniendo en cuenta, sin embargo, que el mismo Lope —como ya vimos— se esforzaba frecuentemente con toda índole de artificios para encumbrar su poesía lírica, y que ésta era considerada en su tiempo como una ciencia suprema, el mismo Menéndez Pidal tiene buen cuidado en aclarar que "al decirse la comedia o el romance arte natural, no implica renuncia a una abundante literatización, sino que ésta ha de surgir de las condiciones naturales de la vida misma" [34].

Y aquí es donde reside el auténtico meollo del problema. Lope rompe con la tiranía de todas las poéticas para imitar directamente la naturaleza y la vida de su tiempo, aceptando la mezcla de lo grave y de lo fantástico, de lo noble y de lo plebeyo, tal como aparecen en la vida real, aunque las convenciones del arte antiguo los separen arbitrariamente; copiar, en una palabra, la vida, lo espontáneo y natural y no los fríos modelos académicos, que, si en un tiempo fueron vida a su vez, ya no lo son cuando la realidad que nos circunda es de muy otra manera. No por ser tan conocido hemos de prescindir aquí de repetir el pasaje del propio Lope en que define este principio (aunque recurriendo a deliciosos anacronismos —no le importaban apenas— en la persona a quien le confía el formularlo). En la comedia *Lo fingido verdadero* dialogan el emperador Diocleciano y el comediante Ginés:

> *—¿Quieres el* Andria *de Terencio? —Es vieja.*
> *—¿Quieres de Plauto el* Milite glorioso?
> *—Dame una nueva fábula que tenga*
> *más invención aunque carezca de arte,*
> *que tengo gusto de español en esto,*
> *y como me lo dé lo verosímil,*
> *nunca reparo tanto en los preceptos,*
> *antes me cansa su rigor, y he visto*
> *que los que miran en guardar el arte*
> *nunca del natural alcanzan parte* [35].

Al publicarse la *Expostulatio Spongiae,* el catedrático de hebreo de la Universidad de Alcalá, Alfonso Sánchez, escribió al final una enardecida de-

---

33 Ídem, íd., págs. 305-306.

34 Ídem, íd., pág. 308.

35 Ed. F. C. Sainz de Robles, en *Obras escogidas de Lope de Vega,* vol. III, 2.ª edición Madrid, 1962, pág. 179.

fensa de Lope, en la que expone claramente la posición doctrinal de la nueva escuela dramática. No es que las comedias de Lope —dice— carezcan de "arte", sino que siguen otro nuevo que consiste en imitar a la naturaleza, reflejando las ideas y costumbres del siglo en que se escribe. Y con plena decisión proclama la supremacía del nuevo maestro: "¿Qué te importa, magno Lope, la comedia antigua, si tú has hecho mejores comedias para tu siglo que Menandro y Aristófanes para el suyo?" [36]. Lope crea un hecho estético nuevo, y es ahora él quien debe ser imitado. Y parecidos principios —con mayor amplitud y profundidad todavía— sostuvo luego Tirso, en 1625, en la primera parte de *Los Cigarrales de Toledo,* al escribir su apología del teatro de Lope.

Idéntica revolución estaba realizando al mismo tiempo el teatro inglés (como que la había traído de la mano el Renacimiento al divinizar la naturaleza y sobreestimar la espontaneidad primigenia del hombre), aunque no con la intensidad ni amplitud que le estaba imprimiendo Lope. "El teatro inglés —dice Menéndez Pidal— acompañaba al español, al mismo tiempo, en la dramatización de su propia vida, inspirándose, como el español, en la propia historia, en las propias leyendas, en las modernas ficciones novelescas, pero Lope se sumerge en la vida circundante más aún que sus coetáneos ingleses, de lo que es buen indicio el gran número de temas dramáticos que busca fuera de las fuentes librescas (en general únicas utilizadas), las muchas obras que tiene fundadas en un romance oral, en una simple canción popular, en aventuras propias o de sus conocidos, en últimas noticias de actualidad" [37].

El corto, pero influyente, número de gentes que atacaron el teatro de Lope y trataron de contrarrestar su amplio triunfo popular, aunque hicieran hincapié, como argumento teórico, en el problema de las unidades y la preceptiva aristotélica, se apoyaban también en otras razones no tan precisas pero no menos poderosas. Ya vimos cómo el "gusto", es decir, el placer que de la comedia extraía el espectador, era para Lope el norte supremo; Menéndez Pidal recuerda una anécdota referida por Ricardo del Turia, según la cual Lope, oyendo representar así comedias suyas como ajenas, cuidaba de advertir las situaciones que provocaban aplausos para servirse de esta experiencia en el futuro. El halago al espectador arrastraba a Lope a muchas concesiones, aunque era un genio literario de excesiva potencia para descender a límites extremos. Muy al contrario, Lope tenía conciencia de la "diferencia de entendimientos" a que tenía que agradar; y así, todo su esfuerzo se encamina a lograr un "estilo medio"; ni tan elevado que agobie al público sencillo, ni tan falto de erudición, de galas literarias, de refinamientos, de intención doctrinal y verdad humana que "sea arrojado al polvo por los que entienden". En esta mezcla de gustosa llaneza y dignidad artística, que genialmente acertó a combinar, está la gloria

---

[36] El texto de la disertación de Alfonso Sánchez puede leerse completo en la *Historia de las ideas estéticas,* ed, cit., vol. II, págs. 305-307.

[37] Estudio citado, pág. 342.

y la universal popularidad de Lope; siempre trató de elevar a su público, y si éste en un principio, como dice Menéndez Pidal, pudo ser un "vulgacho de escuderos, oficiales, muchachos y mujeres", acabó "por resultar entendido y hacerse exigente, cooperando con su educador"; de tal manera —añade luego—, "que no sabe uno qué admirar más, si el gusto de ese pueblo, para agradar al cual se fabricaban tantas obras de delicada factura, o la maestría del artífice que, a la vez que era guiado, guiaba con tal facilidad y fortuna el recreo de su público por elevadas regiones de poesía" [38].

Ahora bien: aquella búsqueda de la deleitosa emoción y del interés a toda costa, acarreaba a la "comedia" sobrados elementos que el espectador "reflexivo" —llámesele, más bien, culto o pedante— estimaba pueriles, y casi siempre con razón. Ya no eran sólo cuestiones concretas de tiempo o de lugar que podían medirse con una preceptiva en la mano, sino aspectos de más problemática matización. Es frecuente que los sucesos en una comedia de Lope se atropellen en demasía; que los amores se disparen y enreden a excesiva velocidad; que los encuentros oportunos, las casualidades, las intervenciones de dueñas y criados, faciliten con demasiada comodidad los incidentes de la trama; que se prodiguen las situaciones inverosímiles; que los desenlaces sean ingenuamente felices y sobradamente acordados al cuadro de convencionalismos intocables para el espectador. A todas estas cosas se refería evidentemente Cervantes en su capítulo famoso sobre las comedias (no tan intranscendente como es frecuente afirmar) cuando aludía a sus "despropósitos" y "disparates". Las unidades de tiempo y de lugar las venían conculcando, en mayor o menor medida, desde bastante tiempo antes, hasta los más empecinados defensores teóricos de las normas clásicas. Pero la despreocupada audacia de Lope dejaba muy atrás a todos sus colegas. Con obras —puesto que nunca formuló doctrina específica sobre ello— Lope sentaba el principio de que el teatro constituía un mundo autónomo, con leyes y convenciones propias, tan peculiares —y tan arbitrarias— como las leyes convenidas de un juego; con una realidad muy *sui géneris,* que guardaba con la realidad normal la relación de una potencia con su número base; en una palabra: establecía la existencia de ese mundo de maravilla que a lo largo de siglos —y hasta que espectáculos todavía más audaces han venido a reemplazarlo— se ha llamado con toda propiedad "cosas de teatro".

Se comprende que muchas gentes de grave ceño intelectual mirasen aquellas novelescas y populares construcciones de Lope con el mismo desprecio con que, en nuestros días, tantos espíritus sesudos han juzgado al cine, con el que el teatro de Lope tiene numerosísimos puntos de contacto [39]. El paralelo no

---

[38] Ídem, íd., pág. 335.

[39] El leve tono irónico que encierran las siguientes palabras de Hartzenbusch —tan entusiasta conocedor de nuestro teatro— puede dar idea de lo que, reforzando ligeramente la intención peyorativa, podían pensar muchos contemporáneos de Lope sobre

ha sido aún trazado, que sepamos, en toda su necesaria dimensión; Menéndez Pidal ha sugerido, sin embargo, con finísima intuición, la esencial semejanza de ambos espectáculos. La pasión popular despertada parejamente por uno y otro, y la paralela incomprensión —a veces tozudamente cerrada— de los doctos de entonces y de ahora para admitirlos, podría hacernos ver mejor que nada las profundas razones de la polémica antilopista.

Y es el caso que hasta en la más *novelesca* comedia de Lope —en las de "capa y espada" o en las de intriga "a la italiana"— entra a torrentes la realidad circundante de la vida española bajo la forma de costumbrismo, en los detalles de la vida ordinaria cuidadosamente ambientados, sobre los cuales se teje una acción novelesca de libertad sin límites, en que lo humanamente inverosímil puede asomar a cada instante: el marco es cotidiano, pero la peripecia galopa sin riendas (el parentesco con el cine de nuestros días torna a parecernos estrechísimo). Américo Castro ha definido como nadie esta condición del teatro lopista, sobre todo en el tipo de comedias a que hemos aludido: "Lo que es estático en Lope pertenece a la realidad; lo dinámico, al mundo de la ilusión". Lope procura siempre colocar junto al lance inverosímil las pinceladas más realistas para darle al espectador la seguridad de un mundo familiar.

Con todo, en esa combinación tan inestable de ilusión y realidad, la porción predominante —y no sólo en Lope, sino en toda la obra de sus discípulos e imitadores— siempre es la teatral e ilusionista. Es necesario insistir y dejar bien sentados estos rasgos. El teatro de Lope ha podido servir de base para importantes investigaciones sobre la vida de su tiempo en sus más varios aspectos; y esto es legítimo, tomado en sentido general y sin extremar las deducciones en ningún caso; Lope no es, ciertamente, un índice de nuestro presunto realismo, y si puede afirmarse de la novela picaresca que deforma la realidad en el sentido de su degradación, la *comedia nueva* de Lope era una creación de signo inverso, manipulada por un poeta, que se apoyaba en la realidad para saltar elásticamente sobre ella.

Vossler, una vez más, ha precisado sagazmente estos caracteres de la comedia lopista: "La inclinación que Lope sentía hacia los temas actuales y contemporáneos —dice— no debe, sin más, tomarse por realismo, o incluso por naturalismo en el sentido de una inmediata y fiel reproducción de su época

aquel espectáculo embriagador, mezcla peregrina de bellezas literarias, de tremendos tópicos y de pueriles situaciones: "Celosos creyentes, súbditos entusiastas, caballeros pundonorosos, eran en general todos los galanes de nuestras comedias antiguas, porque estas cuatro pasiones o afectos eran los que animaban a la sociedad española: la dama era amante con preferencia a todo; sagaz, artificiosa y resuelta muchas veces, dulce y tierna otras, discreta siempre. Viejos alentados, hermanos tutores, criadas locuaces y un gracioso, agudísimo por lo común e impertinente con frecuencia, completaban los personajes que de ordinario aparecían en una fábula escénica, tejido maravilloso de lances de amor, lleno de astucias y tropelías, de disfraces, escondites y cuchilladas; cuajado todo de madrigales y epigramas, odas y rasgos épicos".

y de su contorno vital. El que sea sensible a lo actual no quiere decir, ni mu-mucho menos, que prescinda de la elaboración en su trasunto. Al contrario, literatiza y estiliza lo más inmediato por él aprehendido, tanto como lo más remoto" [40]. Y refiriéndose más adelante a la adecuación con la realidad que podamos hallar en las aventuras amorosas que pueblan las comedias de Lope, escribe: "En verdad, Lope, para este aspecto de su visión del mundo, se nutría mucho más de la novela italiana, de las novelas pastoriles y galantes y demás literatura y de sus propios ensueños eróticos, que de la vida misma. De donde el carácter de lejanía de la realidad, el rasgo lírico, retórico, romancesco y fabuloso, novelesco, milagrero y azaroso de sus comedias de amor y celos. De donde, también, su optimismo convencional, su ligereza exenta de seriedad, su musicalidad de opereta y su levedad graciosa. Sólo en la audacia y en la astucia, en la ingeniosa y descarada soberbia, en el psíquico denuedo y en la energía de la voluntad y la frescura bienhechora y exenta de sentimentalismo de los amantes mancebos y damitas que se buscan, se conquistan, se torean, se pierden y vuelven a encontrarse, se advierte aún la gravedad de la reclusión y la severa crianza de donde han surgido estos alados personajes para emanciparse en el resplandor de la escena. Si mujeres y niñas, criados y doncellas hubieran llevado una existencia menos oprimida y monótona en los hogares españoles, probablemente el teatro de Lope les hubiera hecho parecer menos desenvueltos. El teatro compensaba muchas privaciones y muchas horas de tedio de la vida cotidiana" [41].

Digamos, finalmente, que, al destacar esa desenvoltura imaginativa y libertad novelesca que predominan en el teatro de Lope, no señalamos una debilidad, sino algo excelente en sí mismo, sólo limitado por la mayor o menor perfección con que se logre. La transcendencia y profundidad ideológica o la hondura humana que puede alcanzar un determinado teatro, no anulan el goce poético ni la gracia estética de otra dramática diferente. Hemos aludido arriba a ese mundo peculiar llamado *cosas de teatro,* que Lope derramó sobre la escena durante casi medio siglo de incesante producción; sin contar —y admitamos que no sea éste el caso— el dilatado alcance que puede albergarse también detrás de un aparente juego literario, la gloria de Lope consiste en haber creado mágicos mundos de ilusión, que sólo la pedantería doctoral y el fetichismo por la imitación objetiva de la realidad podían rechazar. Aludiendo —sin referirse en particular a Lope— a la mujer vestida de varón, convencionalismo teatral difundidísimo en la escena áurea, Romera-Navarro dice muy acertadamente: "¿Puede leerse nada más delicioso, con mayor poder de atracción y simpatía, que la escena de *El vergonzoso en Palacio,* en que Serafina, con traje viril, ensaya su papel de enamorado celoso y pendenciero? Tipo lite-

[40] *Lope de Vega y su tiempo,* ed. cit., pág. 259.

[41] Ídem, íd., pág. 294.

rario, bellísimo en viveza, espiritualidad y donaire. ¿Quién, leyendo o viendo representar comedias como *La villana de Vallecas*, se acordará de conceptos doctrinales sobre la verosimilitud para condenar aquellos raudales de fantasía, gracia y emoción poética? El espectador de todos los tiempos ha ido al teatro a ver trozos de realidad y también a soñar. Y el poeta le da entrelazados la verdad y el ensueño. Hemos de convenir en que la mayoría de aquellas comedias ganan en agudeza y donaire lo que pierden en verosimilitud. Y no fue el ejemplo de la vida, repito, sino la gracia del arte, la que puso calzas varoniles a una mujer española" [42].

El esencial carácter popular del teatro de Lope, a que hemos venido aludiendo, explica que en la mayoría de sus comedias sea difícil hallar un verdadero protagonista que se encumbre por encima de los demás personajes o destaque por rasgos de carácter de universal proyección. Siendo, como es, uno de los máximos genios del teatro de todos los tiempos y el más fecundo, incomparablemente, de todos ellos, Lope no ha conseguido incorporar un solo tipo, con nombre propio, a la galería de las grandes creaciones humanas. No quiere decirse que el papel de protagonista corra entonces a cargo de la colectividad, como en el caso —famosísimo y prácticamente único— de *Fuenteovejuna*; sucede que a Lope se le diluye el hecho dramático en amplios círculos porque, como dijo muy certeramente Grillparzer, da la naturaleza "toda entera, sin selección, tal como ella se manifiesta y procede y se desarrolla" [43]. Lope no esquematiza a sus personajes, resumiendo en tipos de excepción categorías morales o psicológicas: ésta fue la tarea de Shakespeare ("Shakespeare nos da la naturaleza en compendio", decía Grillparzer), y la de Calderón, maestros en el arte de sintetizar las pasiones de sus héroes. Abarcando la naturaleza "toda entera", Lope fue el gran descubridor de asuntos y conflictos dramáticos; podría decirse que no existe situación teatral que no haya sido desarrollada o, al menos, intuida por Lope: también en este aspecto "en Lope está todo". En él tenían que entrar a saco no sólo los dramaturgos españoles que le continuaron, sino numerosísimos en otras literaturas europeas, como puntualiza Menéndez Pidal en el citado estudio sobre el *Arte nuevo*. Lope desparramó multitud de gérmenes geniales, que otros autores convirtieron luego en aciertos definitivos, entre los que es inevitable citar como ejemplo sobresaliente *El Alcalde de Zalamea* de Calderón, con tema y título idénticos a los de Lope. También fue Grillparzer quien dijo que si Lope no tiene una sola obra consumada, como las de Shakespeare, apenas tiene ninguna donde no se halle una escena comparable a las mejores de Shakespeare.

---

[42] "Las disfrazadas de varón en las comedias", en *La preceptiva dramática de Lope de Vega y otros ensayos sobre el Fénix*, cit., pág. 139.

[43] Citado por Menéndez Pidal en el estudio mencionado, pág. 366. Cfr. M. Menéndez y Pelayo, "Lope de Vega y Grillparzer", en *Estudios y discursos de crítica histórica y literaria*, ed. nacional, vol. III, Santander, 1941, págs. 27-43.

En cualquier caso, es innegable que el teatro de Lope representa una construcción genial, pero que debe ser valorada no en el detalle de sus obras particulares —aunque sean numerosísimos los aciertos— sino en el conjunto de su producción. Este carácter ha conducido innumerables veces a calificar el teatro lopesco de improvisado y descuidado, falto de intensidad humana. Aun admitiendo como prodigio único la casi milagrosa fecundidad de Lope, es innegable que sus cientos de comedias no hubieran sido posibles sin aquellos peculiares caracteres de la producción del Fénix. En lo cual mucho corresponde a su propia naturaleza y mucho igualmente a razones que estaban fuera de él. Lope tenía plena conciencia del género de espectáculo que estaba creando y el carácter del público a quien lo destinaba. Es evidente —ha podido comprobarse sobre muchos de sus manuscritos— que Lope, cuando disponía de tiempo, y sobre todo en los últimos años de su vida, corregía cuidadosamente sus comedias. Pero esto no era lo habitual; su teatro no estaba hecho "para la lectura de los que reprobaban, sino para la audición de los que aplaudían", según Menéndez Pidal define. Y el propio Lope, cuando dolido de que sus comedias se imprimiesen sin su intervención (que así lo fueron las ocho primeras "partes") y despedazadas tan sin escrúpulos que eran casi irrecognoscibles, se decidió a imprimirlas por su cuenta, dijo que aún lo hacía a disgusto y forzado por aquella necesidad, pues él no había escrito sus comedias "para que de los oídos del teatro se trasladaran a la censura de los aposentos". Cuando Góngora, en sus implacables ataques al Fénix, dijo aquellas palabras, ya citadas, de que "los versos de Lope en sacándolos del teatro son como los buñuelos, que en enfriándose no vuelven a tomar la sazón que antes, aunque los vuelvan a la sartén", apuntaba a una realidad innegable en su conjunto.

Menéndez Pidal puntualiza, en cambio, que esa estructura popular del drama de Lope no era una forma particular debida solamente al poeta, y ni siquiera al temperamento español, sino forma también corriente en los demás países: "el Renacimiento —dice— la incubó, divinizando la naturaleza, sobrestimando la espontaneidad primigenia del hombre, y si puede decirse que Lope representó en grado eminente esa modalidad, fue como caudillo principal de la reforma del teatro que se imponía en todas partes" [44]. "El gusto del espectador —añade—, no sólo en España, sino en otros países, se mostraba rebelde al arte consagrado por la imprenta; deseaba obras animadas de dramatismo, en vez de fríos temas escenificados según los preceptos" [45]. Y luego: "Lo mismo en Madrid que en París o que en Londres, durante la vida de Lope, en los quince años postreros del siglo XVI y treinta y cinco primeros del XVII, ocurre igual desbordamiento de actividad literaria, que no es otra cosa que el nacimiento del teatro moderno. Por todas partes la cólera española, la impaciencia francesa, la flema inglesa —lo misma da—, un pueblo

---

[44] Estudio cit., pág. 344.

[45] Ídem, íd., pág. 345.

consciente de vivir otra vida que la de la antigüedad, exigía renovación de impresiones escénicas, y en todas partes hallaba poetas servidores de esa apetencia insaciable, que realizaban un vivo experimento literario de espaldas a los preceptistas y de cara al público"[46].

El tema del honor. Lope convirtió en uno de los más poderosos móviles de su "comedia" los temas del honor, con plena conciencia de su eficacia dramática:

Los casos de la honra son mejores,
porque mueven con fuerza a toda gente...

dice en su *Arte nuevo*[47]. Por mucho tiempo se ha venido atribuyendo a Calderón la paternidad o, al menos, la plenitud de esta temática; y aún no falta hoy quien lo repita. Pero es, en verdad, en Lope en quien hallamos no sólo el tema sino su pleno desenvolvimiento. En un estudio de 1916, titulado *Algunas*

---

46 Ídem, íd., pág. 346. Además de las obras mencionadas, cfr.: H. J. Chaytor, *Dramatic Theory in Spain,* Cambridge, University Press, 1925 (breve antología de textos españoles de los siglos XVI y XVII sobre preceptiva dramática). J. Fitzmaurice-Kelly, *Lope de Vega and the Spanish Drama,* Glasgow, 1902. Rudolf Schevill, *The Dramatic Art of Lope de Vega. Together with La dama boba,* Berkeley, University of California Press, 1918. M. Romera-Navarro, "Ideas de Lope de Vega sobre el lenguaje dramático", en *La preceptiva dramática de Lope...,* cit., págs. 83-107. E. S. Morby, "Some observations on *Tragedia* and *Tragicomedia* in Lope", en *Hispanic Review,* 1943. Charles David Ley, "Lope de Vega y la tragedia", en *Clavileño,* 1950, núm. 4, págs. 9-12. Marvin T. Herrick, *Comic Theory in the Sixteen Century,* University of Illinois Press, 1950. Ricardo del Arco, "El *Arte nuevo* y la apología del teatro español", en *Historia general de las literaturas hispánicas,* dirigida por G. Díaz-Plaja, vol. III, Barcelona, 1953, págs. 231 y ss. Miguel Herrero, "Ideas estéticas del teatro clásico español", en *Revista de Ideas Estéticas,* V, 1944, págs. 79-100. A. A. Parker, "Reflections on a New Definition of Baroque Drama", en *Bulletin of Spanish Studies,* XXX, 1953, págs. 142-151. Del mismo, *The Approach to the Spanish Drama of the Golden Age,* Londres, 1957. Joseph S. Pons, "L'art nouveau de Lope de Vega", en *Bulletin Hispanique,* XLVII, 1945, págs. 71-78. H. Schulte-Herbrüggen, "El arte dramático de Lope de Vega", en *Anales de la Universidad de Chile,* LXXX, 1950, págs. 5-94. D. H. Roaten y F. Sánchez Escribano, *Wölfflin's Principles in Spanish Drama: 1500-1700,* Nueva York, 1952. Juana de José Prades, *La teoría literaria* (*Retóricas, Poéticas, Preceptivas, etc.*), Madrid, 1954. De la misma, *Teoría sobre los personajes de la comedia nueva,* Madrid, 1963. Margarete Newells, *Die dramatischen Gattungen in den Poetiken des 'Siglo de Oro',* Wiesbaden, 1959. Alberto Porqueras Mayo, *El problema de la verdad poética en el Siglo de Oro,* Madrid, 1961. Luis C. Pérez y F. Sánchez Escribano, *Afirmaciones de Lope de Vega sobre preceptiva dramática,* Madrid, 1961. Sanford Shepard, *El Pinciano y las teorías literarias del Siglo de Oro,* Madrid, 1962. José F. Montesinos, "La paradoja del *Arte nuevo*", en *Revista de Occidente,* II, 1964, págs. 302-330. Diego Marín, *La intriga secundaria en el teatro de Lope de Vega,* Toronto, 1958. S. Griswold Morley y Richard W. Tyler, *Los nombres de personajes en las comedias de Lope de Vega,* Parte I y II, Valencia, 1961.

47 Edición Guarner, cit., pág. 157.

observaciones acerca del concepto del honor en los siglos XVI y XVII[48], Américo Castro expone sobre el problema puntos básicos (aunque conviene recordar que el propio autor ha rechazado recientemente gran parte de las ideas expuestas en dicho estudio). En la "Introducción bibliográfica" recuerda Castro que, a comienzos de siglo, el ruso Petrof estudió el drama del honor en Lope, y a él "le corresponde el mérito de haber revisado seriamente, por primera vez, la teoría tradicional de que el honor sea calderoniano"[49]. Menéndez y Pelayo, no sin cierto partidismo lopesco, había ya apuntado a parecidas conclusiones al estudiar la estrecha deuda de Calderón con Lope en el drama *El médico de su honra.* Castro examina a su vez los precedentes del tema en el teatro prelopista del siglo XVI (y hasta en legisladores y moralistas medievales), donde el "código del honor" en sus líneas básicas aparece ya formulado. En éste, como en tantos otros casos, Lope descubre el germen en sus antecesores y lo potencia y desarrolla llevándolo a plenitud. En lo que afecta a la equivocada atribución del tema a Calderón, que ahora nos importa, dice Castro: "Creemos que ha sobrevivido en este caso una vieja idea, nacida en la época en que el romanticismo alemán miraba a Calderón como punto central de nuestra literatura dramática. Cambió esta orientación histórica: Lope fue considerado como el genuino representante de nuestro teatro; pero se siguió hablando de honor calderoniano. También han influido otras razones... Calderón ha esquematizado y, por otra parte, ha estilizado el concepto y el sentimiento del honor, que recibió de sus predecesores; pero de que le corresponda un momento especial en la evolución de un tema que anima la masa homogénea de nuestra comedia, no se sigue que en el terreno de la precisión histórica tengamos que calificar el honor en el teatro con la nota de calderoniano"[50]. Y luego: "Ninguna de las características del concepto de honra es exclusiva de Calderón, siendo así que ya aparecen todas en los dramáticos que le precedieron, y sobre todo en Lope. Y esto no es extraño: siendo el honor un motivo esencial de nuestro teatro, es natural que tenga plena vida en el autor que creó las formas esenciales del drama"[51].

No cumple aquí exponer con detalle las razones de índole histórica o social que convirtieron el tema del honor en resorte primordial de nuestra dramática áurea, estudiadas también por el propio Castro en uno de sus últimos

---

[48] Reproducido en *Semblanzas y estudios españoles,* Princeton, N. J., 1956, páginas 319-382.

[49] Ídem, íd., pág. 326. Véase el estudio de D. K. Petrof, "El amor, sus principios y dialéctica en el teatro de Lope de Vega", en *Escorial,* XVI, 1944, págs. 9-41. En nota al fin de este trabajo, Carlos Clavería, su traductor, da noticias del libro de Petrof mencionado por Castro y también de su segundo libro sobre Lope de Vega —*Zametki po istorii staroispanskoj komedii,* San Petersburgo, 1907—, al que pertenecen las páginas reproducidas en *Escorial.*

[50] Ídem, íd., pág. 331.

[51] Ídem, íd., pág. 332.

libros[52]. Según en él se dice, dos son las direcciones capitales que el tema suele adoptar en nuestros dramaturgos: una orientada hacia la inmanencia de la hombría; otra, hacia la transcendencia social de la opinión. En este último campo, los conflictos dramáticos giran con preferencia —no exclusivamente— en torno al honor conyugal, y dentro de él se dan en Lope muy diversas combinaciones y soluciones. En algunas obras Lope preconiza la venganza secreta para evitar la deshonra (aspecto que Calderón tenía que intensificar poderosamente), como en *El castigo sin venganza.* Cuando el ofensor es persona de sangre real, el sentimiento monárquico entra en conflicto, y entonces la venganza del ofendido sólo recae sobre la adúltera, como en *La locura por la honra,* en que el marido mata a la mujer, pero no al amante por ser el heredero del trono; o en *El médico de su honra,* donde por idéntico motivo se respeta al infante don Enrique de Trastamara[53]. A veces Lope hace derivar la tragedia en motivo cómico, o aun caricaturesco, como en *El castigo del discreto,* donde no un adulterio consumado, sino su intención, es castigada por el marido, oculto en la oscuridad, con una soberana paliza[54]. En *Las ferias de Madrid,* ante la indecisión de un marido ultrajado, el padre de la mujer mata a su yerno para que aquella, viuda, pueda casarse con su amante y quede honrada.

Cuando el honor no toca sólo a la opinión, sino a la "inmanencia de la hombría", como dice Castro (y no importa que entonces se dé a la vez un motivo de honor conyugal como causante del conflicto, y que ambos queden involucrados), la acción dramática conduce entonces a las obras maestras que se llaman *Peribáñez* y *Fuenteovejuna*: el "aspecto más democrático y humano del teatro de honor", como dice Valbuena. Los personajes de alto rango poseían honra por su sangre, y ellos eran por derecho propio los héroes de los dramas de honor tal como instintivamente los concebimos al estilo calderoniano; también para Lope, en muchos aspectos, la sangre aristocrática es sinónimo de espíritu noble y a ella atribuye acciones e ideales aristocráticos y caballerescos. Pero el proceso histórico-social del siglo XVI planteaba el problema del hombre español sobre nuevas bases. Con el triunfo definitivo sobre los pueblos no cristianos en la propia península y las victorias por toda Europa en guerras de religión y de gloria imperial, se afianza el concepto de que "la honra y la hidalguía iban aunados con la ortodoxia, con la misma conciencia de ser español"[55], sin distinción de clase; más aún, la de los labriegos,

---

[52] *De la edad conflictiva,* Madrid, 1961.

[53] Véase Américo Castro, *Algunas observaciones...,* cit., págs. 343-346. H. C. Heaton, "On the text of Lope de Vega's 'El médico de su honra'", en *Todd Memorial Volumes. Philological Studies,* Nueva York, Columbia University Press, 1930, vol. I, págs. 201-210.

[54] Cfr.: W. L. Fichter, *El castigo del discreto together with a study of conjugal honor in his theatre,* Nueva York, 1925. G. I. Dale, "A second source of Lope's 'El castigo del discreto'", en *Modern Language Notes,* XLIII, 1928, págs. 310-312.

[55] *De la edad conflictiva,* cit., pág. 158.

como absolutamente incontaminada, en razón de sus hábitos y origen, de toda posible sombra de judaísmo o de herejía, aspira igualmente a ser considerada "como miembros sin tacha de la casta de los elegidos" [56], y, en consecuencia, a participar del mismo patrimonio de la honra. "El honor en el drama del siglo XVI no es un simple tema literario, sino expresión de la inquietud española por el valor de su persona frente a otras personas, de la creencia constitutiva de su valor personal" [57]. Ni siquiera son necesarios los actos heroicos: tan sólo el ser es lo que cuenta. Por esto mismo, "los españoles de la comedia lopesca, hidalgos o pecheros, no aparecen en la mente y fantasía del autor como virtuosos o como sujetos de acciones grandiosas. Son altos ejemplares de español *per se,* por ser como son: modelos de existencia absoluta, hidalga y cristiana de sangre" [58].

Uno de los mayores méritos de Lope consistió en elevar a estructuras poéticas, de poderosa tensión dramática, los conflictos más íntimos, a la vez individuales y sociales, del español de su tiempo.

Menéndez Pidal ha examinado también esta materia que nos ocupa, en un agudo estudio [59], en el que atiende a motivaciones literarias que Castro no señala. Menéndez Pidal afirma que las ideas del honor en nuestro teatro no son sino el desarrollo de principios universales que regían en la Edad Media (hecho advertido también por Castro) y que se encuentran asimismo en otros países durante los siglos XVI y XVII; pese a lo cual se tienen por peculiares de España *porque sólo entre nosotros fueron tema dramático fundamental en muchas obras importantes.* Pero, ¿cuál es, a su vez, la razón de este último fenómeno?, se pregunta Menéndez Pidal. "Yo veo —dice— la explicación en lo caballeresco, pero no en lo caballeresco de los libros de caballerías [tal había sido la tesis de A. Rubió y Lluch en *El sentimiento del honor en el teatro de Calderón,* Barcelona, 1882] sino de la epopeya. Los orígenes épicos de nuestro teatro son cosa probada y fallada hace mucho. Las dos grandes supervivencias de la epopeya medieval: el Romancero y las Crónicas, afluyen con su copioso caudal al teatro, como es sabido de todos; los temas y el espíritu de la epopeya se transplantan íntegros al teatro. Pues la venganza es el

---

56 Ídem, íd., pág. 141.

57 Ídem, íd., pág. 139.

58 Ídem, íd., pág. 49. Parecidas ideas escribía hace casi un siglo Isaac Núñez de Arenas al frente de su edición de las comedias alarconianas: "Era, sin duda, entonces —dice— tan preciado y sabroso ser español, que no es extraño creyesen nuestros autores lisonjear el gusto público, poblando nuestra escena, más que de hombres con sus flaquezas y pasiones naturales, de españoles, con las exorbitancias del fanatismo por su Dios, por su Rey y por su Dama". Y más abajo: "Siendo la estirpe una verdadera predestinación, era la virtud dote puramente social, asunto de fama, ajeno de moralidad, sin raíz ni asiento en la conciencia" (*Comedias escogidas de D. Juan Ruiz de Alarcón,* edición de la Real Academia Española, vol. I, Madrid, 1867, pág. XI).

59 "Del honor en el teatro español", en *De Cervantes y de Lope de Vega,* 5.ª ed., Madrid, 1958, págs. 145-171.

componente esencial de los temas épicos, lo mismo en la epopeya griega que en la germánica o en la románica. El héroe épico se afianza y engrandece con la venganza, pues con la venganza repara su honor y restablece los principios sociales en que su honor se funda. Todas las venganzas épicas fueron tratadas por nuestro teatro desde los comienzos: las venganzas en el tema de los Infantes de Lara, en el del Cid, en el del Infante García, en el de Garcí Fernández y en otros muchos más temas españoles. Ahora, como la epopeya carecía de temas amorosos por razón de su ser (poesía política con horizonte muy distinto de la novela, toda amorosa), no son esas venganzas por lo común venganzas de adulterio. El teatro puso de suyo el asentar principalmente ese tema épico de la venganza en el terreno de la fidelidad conyugal. Pero es que aún en la epopeya española había ya el modelo de las venganzas maritales" [60]. Y refiere a continuación el autor la famosa leyenda de Garcí Fernández, el conde de las "blancas manos".

Cuando Lope, pues, y con él todos sus seguidores, transportaba al plano del honor conyugal la herencia épica que recogía en su dramática, obraba con plena conciencia de creador de un teatro popular —atento a todo género de recursos—, dramatizando las raíces historicosociales del tema, pero bajo aquellas anécdotas humanas que podían llegar más rectamente a la fácil y gustosa emoción del espectador.

Al examinar la raíz del idolátrico respeto al rey, que a cualquier mente actual, no demasiado petrificada, puede parecer no sólo "sofístico y convencional", como le parecía a Menéndez y Pelayo, sino sencillamente inadmisible, Menéndez Pidal sitúa el hecho en su momento histórico y alega motivos para su justificación: "Entre las razones que se han dado por los críticos para fundar esa doctrina —escribe— creo falta la principal, que es la expuesta por Jerónimo de Carranza en su *Destreza de las armas* (1571): el ofendido no puede matar al ofensor cuando éste es una 'persona universal, necesaria a la comunidad o ejército, como el rey o el capitán'. Esta subordinación de la dignidad individual al bien común, que terminantemente nos comprueba el carácter social del sentimiento del honor, se explica bien en *La locura por la honra,* cuando el marido que, a nombre del honor, mató a la adúltera, perdona la vida, a nombre de la patria, al otro culpable por ser el heredero del trono:

> *más vale, aunque caballero*
> *soy de tan alto valor,*
> *que yo viva sin honor*
> *que Francia sin heredero.*

Con esto tenemos ya definido suficientemente en qué consistía el honor en el siglo XVII, según las principales obras dramáticas. La venganza de honor

---

60 Ídem, íd., págs. 155-156.

es la defensa de un bien social que hay que anteponer a la vida propia o de los seres queridos; sólo cede ante el respeto al rey, o sea ante el bien común de la patria..."[61].

El "gracioso". Entre los tipos más notables de la "comedia", que Lope fija y lega a sus continuadores, convirtiéndole en una *categoría* escénica de inconfundibles rasgos, debe contarse el del "gracioso"; ni en Lope ni en ninguno de los dramaturgos tras él, puede encontrarse apenas una obra que carezca de este personaje. Con él Lope levanta genialmente a nivel estético de primer rango y profunda significación al antiguo bobo, "parvo" o pastor del teatro primitivo, que había ido desarrollándose durante el siglo XVI y que en la "escuela valenciana" —bajo muchos aspectos precursora de Lope— había adquirido ya cierto relieve; aunque siempre como algo episódico y circunstancial.

Se discute, no obstante, el origen o la raíz de este personaje. Tal como queda incorporado a la "comedia nueva" puede estimarse —decíamos— como genial creación de Lope, pero esto no excluye la existencia de gérmenes o precedentes. Para algunos críticos, no hay que buscarlos en los citados bobos o pastores de la comedia primitiva; éstos, con su comicidad burda y elemental de mera situación, nada tienen que ver con el "gracioso" socarrón y decidor, acompañante y confidente de su amo, cuyas gracias llegan a estar frecuentemente cargadas de intención irónica y que, al cabo, viene incluso a encarnar una peculiar vertiente de la vida[62]. Charles David Ley[63] supone que su modelo más directo se encuentra en los esclavos de la comedia grecorromana, sobre todo en Plauto y Terencio, y son sus semejanzas —dice— tan notables, que se distinguen más por pertenecer a otra época de la civilización que por diferencias de carácter dramático. Miguel Herrero[64] sostiene que el gracioso de la comedia corresponde a un tipo real en la sociedad española de aquel tiempo, cual era el criado-estudiante, producto genuino del ambiente universitario. Ley, que junto a los esclavos clásicos admite también antecedentes en el Arcipreste, en el *Conde Lucanor*, en el *Caballero Cifar* y aun en todo el teatro anterior, rechaza la opinión de Herrero por estimar que es necesario

[61] Ídem, íd., págs. 153-154. Merece aclararse que el texto de Carranza que Menéndez Pidal afirma aducir por primera vez, aparece citado por Castro —mucho más ampliamente— en *Algunas observaciones...*, al menos en la edición que manejamos (nota al pie, pág. 346); aunque creemos que Menéndez Pidal extrae sus consecuencias con mayor sencillez y claridad.

[62] Cfr.: José F. Montesinos, "Algunas observaciones sobre la figura del donaire en el teatro de Lope de Vega", en *Estudios sobre Lope*, México, 1951, págs. 17-18.

[63] *El gracioso en el teatro de la península*, Madrid, 1954.

[64] "Génesis de la figura del donaire", en *Revista de Filología Española*, XXV, 1941, págs. 46-78.

que intervenga de alguna manera la tradición artística para que la vida real se incorpore a la literatura [65].

De hecho, la complejidad y variedad con que se presenta la figura del gracioso, debajo de su uniformidad aparente, hace verosímiles las más diversas aportaciones para su alumbramiento. El gracioso varía notablemente no sólo de unos autores a otros, sino de una a otra comedia del mismo autor, oscila entre las burlas chocarreras y la sal más gruesa y el humorismo de largo alcance. De todos aquellos modelos y por descontado de la realidad inmediata pudo, pues, y así lo aceptamos, tomar el agua para su molino.

En cualquier caso, hay en el gracioso mucho más de creación y de artificio literario que de realidad, aunque se nutra evidentemente de mil raíces hundidas en la vida circundante. Ley ha señalado claramente este aspecto: "El gracioso, por regla general, más que un personaje es un tipo que aparece comedia tras comedia, no sólo en toda la obra de Lope, sino también en todo el teatro español contemporáneo de él e inmediatamente posterior. Se trata indudablemente de la repetición constante de una figura que había agradado al público. La novela de caballería y la novela picaresca tenían también sus figuras tradicionales e imprescindibles, pero de una manera menos rotunda, porque no son obras teatrales; el teatro siempre tiende a la estilización. Hay que añadir que tampoco se puede apartar a ninguna figura del donaire considerándola como quintaesencia de todas las demás, así como Amadís o el Lazarillo concentran en sí lo caballeresco o lo picaresco" [66].

Otro aspecto de particular interés es la relación existente entre el *gracioso* y el *pícaro*. No cabe duda de que se trata de dos mundos distintos, pero que tienen, sin embargo, bastantes puntos de contacto. Ley advierte que los mismos términos de *gracioso* y *donaire* no son de uso exclusivamente teatral. Mateo Alemán refiere a veces ocurrencias de Guzmán, historias o chistes, muy semejantes a los de cualquier gracioso de comedia, dado que, en fin de cuentas, Guzmán sirve en ocasiones de lacayo o criado, aunque en épocas de corta duración; por otra parte, Guzmán, aun como criado, es el protagonista, y no un personaje secundario como sucede siempre con el criado-gracioso de la comedia. Pero no creemos que esto baste para establecer una diferencia esencial.

Montesinos insiste especialmente en la "nobleza de carácter" del gracioso, y afirma: "El gracioso tiene el buen humor del pícaro, su alegría de la vida, aunque está animado, en general, de mejores propósitos morales" [67]; observación profunda, aunque incompleta y necesitada de matización. Entre el *gracioso* y el *pícaro* existe, a nuestro entender, la diferencia que media entre el teatro y la novela. A propósito del honor Menéndez Pidal nos ha advertido que la protesta contra tales sentimientos era posible en el libro, pero apenas,

[65] *El gracioso...*, cit., pág. 36.
[66] Ídem, íd., págs. 73-74.
[67] "Algunas observaciones...", cit.

o nada, en el teatro, siempre más convencional y estilizado, sometido a criterios ideológicos de aceptación común. Del mismo modo, el pícaro podía ironizar sobre materias transcendentes en la página escrita sin temor a ofrecernos un precipitado de escepticismo y amargura; no es que el pícaro tenga peores propósitos morales; lo que sucede es que puede darnos descarnadamente, con total sinceridad, el resultado de su experiencia, la maldad o la mentira de la vida. Pero el gracioso no podía amargarles la sesión a los espectadores de la "comedia nueva", en la que el gusto —ya lo sabemos bien— era el supremo norte del espectáculo; el gracioso podía moralizar si venía el caso y aventurar ironías de más o menos monta, pero sin que nunca torcieran su ocupación fundamental de divertir. Y esto no sólo si la comedia acababa felizmente, como sucedía por la común, sino en las obras trágicas, en las que el gracioso había de aliviar las tensiones excesivas y aportar el contraste de su comicidad: era su papel. El gracioso, pues, no podía mostrar el gesto adusto, ni la amarga gravedad ni el desengaño resentido del pícaro; en la escena sólo podía sufrir calamidades provisionales que acabasen con bien. Su "nobleza de carácter" es convencional optimismo "de teatro"; puede ser bueno y generoso porque al cabo todo es farsa sobre las tablas, fantasmagoría, comedia.

El gracioso, como figura dramática, hubiera sido muy distinto si el creador del teatro nacional no hubiera sido Lope sino Cervantes. Los personajes que el gran novelista llevaba a su teatro como elemento cómico eran de raíz picaresca, y, en consecuencia, más que de gracia venían cargados de ironías; eran, pues, menos divertidos, pero más profundos que los criados de Lope, aunque es posible que divirtiesen menos al espectador. Quizá uno de los motivos por los que el teatro de Cervantes falló ante el público fue por no haber hallado esa insondable mina de recursos del gracioso lopista, noble, optimista, superficial y generoso.

Veamos ahora algunos rasgos más concretos de este personaje. El gracioso desempeña casi siempre en la comedia el papel de lacayo o servidor del noble protagonista, al que sigue "con perruna lealtad a prueba de hambres y malos tratos, sin recompensa a veces, y hasta en muchas ocasiones no se echa de ver el motivo mismo de esa lealtad suya. El héroe de la comedia no promete ínsulas; pero su escudero no es menos constante que Sancho. Y hay casos en que la dependencia raya en lo absurdo"[68]. Psicológicamente, tal generosidad no se compagina —según veremos— con la índole del personaje; pero la arquitectura de la fábula dramática, en la creación de Lope, necesitaba de su presencia, por lo que el espectador puede estar seguro de que, no importa lo que ocurra, el "gracioso" continuará en su puesto hasta el final.

---

[68] Montesinos, íd., íd.

El gracioso, que viene a encarnar todo un concepto de la vida, es la contrafigura del héroe o del galán. Éste vive siempre, en la "comedia" de Lope, del lado ideal de la existencia (con un convencionalismo difícilmente evitable); muestra un despego altivo por los problemas materiales; es decidido y valiente y está siempre dispuesto a desenvainar la espada por cualquier puntillo de honor; posee una aguda sensibilidad para el amor, que expresa con encendidos y líricos conceptos, y hasta gusta que su pasión surja envuelta en dificultades, en celos e inquietudes, que el amante saborea con dolorosa voluptuosidad; le atrae la aventura por la aventura misma, y sueña con que su voluntad heroica se imponga a los accidentes de la realidad mezquina.

Frente a este galán, el gracioso representa la vertiente materialista y vulgar, y en líneas generales podemos pensar en Sancho como encarnación superior de dicho tipo humano. El "gracioso", pues, busca tan sólo lo provechoso y cómodo de las cosas, es cobarde hasta la exageración (que casi siempre es un motivo de comicidad), piensa constantemente en su estómago (de aquí sus frecuentes chistes sobre el hambre), no le encandila el sueño ideal del amor sino sus aspectos más tangibles, y hasta dejan éstos de interesarle si —por lograrlos— tiene que afrontar algún peligro. La comicidad de estas situaciones depende, claro está, del tono en que el gracioso se produce, ya que las mismas palabras podrían expresar una amarga queja o una actitud de frío realismo, si fueran pronunciadas con la oportuna gravedad y despojadas del propósito de la risa. Lo cómico del gracioso reside, precisamente, casi siempre, en que su cobardía no le libra de peligros ni golpes, ni su codicia le hace dueño de nada, ni su gula se ve saciada jamás, ni su pereza es posible entre las incesantes aventuras de su amo. Todo lo cual forma parte de ese contraste, a que aludíamos arriba, entre su *teórico* materialismo y el generoso desprendimiento con que sirve al señor sin obtener provecho; prueba evidente de que el gracioso es, en esencia, una convención teatral y que su realismo materialista puede extraerse de sus palabras como un producto irónico, pero no se encuentra en la propia sustancia del personaje dramático, aunque tenga profundas raíces en la realidad social.

Claro está que todos los rasgos dichos tienden con preferencia a provocar la fácil risa del espectador, pero el gracioso suele poseer también otras facetas más complejas. A veces sus apreciaciones materialistas son sinónimo de buen sentido, y sirven para destacar por contraste lo quimérico de ciertas exaltaciones; el gracioso suele, pese a todo, admirar las audacias de su amo, pero cuando a éste se le quiebran sus sueños, el gracioso se goza en su caída porque es como si la realidad insobornable viniera a darle la razón. Tan es así que, en no pocas ocasiones, esta atención a lo más inmediato y mezquino llega a darle al gracioso —como agudamente ha visto Montesinos— cierta superioridad sobre el héroe. "El gracioso —dice— es la inteligencia práctica, activa, de la comedia..., no es solamente activo en cuanto ejecutor —bien explicable sería, puesto que, en general, desempeña un papel subordinado: paje o lacayo—, sino que es activo en cuanto inteligencia. Su cerebro planea ardides, es sugeridor de tramas y es el que pone remedio a los males. La nobleza es el espíritu, pero el espíritu perdido en la contemplación... El personaje que se le subordina, gracioso o no, se encarga de tender un puente sobre el abismo que separa ambos planos... Si hay un medio de que el milagro soñado se inscriba en los contornos de la realidad, ese medio depende de la industria del criado" [69].

Montesinos hace hincapié en que el "gracioso" no se limita siempre, necesariamente, a ser una figura cómica, aunque la repetición caricaturesca de ciertos rasgos haga reir. "El sentido del gracioso en la comedia —dice— responde a su función constructiva; lo cobra en la contraposición de dos posiciones ante la vida que un psicólogo moderno consideraría como complementarias, mientras que Lope, como antes de él Rojas, las daba como exclusivas la una de la otra. Pero además, por lo que a la economía de las piezas dramáticas se refiere, el criado oficioso es una *voz* necesaria, un complemento armónico de la voz del galán, y por ello ha de estar en la comedia y decir lo que dice, sea ello cómico o no" [70]. Y añade que Lope frente al personaje cómico propiamente dicho se planteó también el problema "de hacer *comicidad moral,* de extraer comicidad de la bajeza e inferioridad morales. Las gracias del gracioso son de naturaleza ética; pero el mismo personaje interviene en otros momentos, y según su índole, en que no hay graciosidad aparente. Bajo todas sus formas es de la esencia misma de la concepción lopesca del mundo. Por eso se destaca tan acusadamente en la comedia..." [71].

Otros muchos matices puede recoger el gracioso también; en ocasiones ridiculiza las sutilezas verbales del señor, llamándole al orden de la palabra llana. Lope se sirve muchas veces de esta oportunidad para disparar su sátira contra los culteranos y exponer sus propias ideas sobre el estilo literario. Con gran frecuencia hace burla de las mismas convenciones de la comedia, con alusiones a su propio papel o al de otros personajes, como si de pronto se escapara del escenario y corriera a sentarse entre los espectadores. Esta burla era siempre de efecto seguro; por esto, lo mismo podía utilizarse con fines de sátira literaria que por la comicidad que ofrecía aquella grotesca situación del gracioso. Carmen Bravo-Villasante ha señalado esta actitud como una de las manifestaciones del realismo del gracioso, que contribuye de este modo a destruir en la comedia "la realidad de la ficción": "Indudablemente —dice—, esta postura de nadie podría ser más propia que del gracioso, realista por antonomasia; por tanto, es fácil de comprender que quien es enemigo de toda ilusión no se detenga ante la comedia, que lo es por completo" [72].

---

[69] Ídem, íd., págs. 63-64.

[70] Ídem, íd., pág. 68.

[71] Ídem, íd., pág. 70.

[72] "La realidad de la ficción negada por el gracioso", en *Revista de Filología Española,* 1944, págs. 264-265. Además de los estudios mencionados, cfr.: Böhl de Faber, *Del*

Las aventuras de los galanes proveen casi siempre al "gracioso" de amadas asequibles, que son —también invariablemente— las sirvientas de las damas. La boda del "gracioso" es casi tan inevitable como la del señor, por lo que la criada viene a ser como un complemento del "gracioso", no sólo como amante, sino por el paralelismo de sus personas; aunque Lope nunca le concede la misma intención cómica o satírica: más bien es la confidente de la dama y la auxiliar que facilita el curso de la aventura amorosa.

LOS TEMAS Y LOS GÉNEROS EN EL TEATRO DE LOPE

De la fabulosa producción dramática de Lope —sea cualquiera el número exacto de las comedias que escribió— se han conservado tan sólo alrededor de 470 obras [73]. Según ya quedó sugerido, se publicaron sin la intervención de Lope ocho volúmenes o "partes"; pero, como dice su propio autor en el prólogo de la "parte" IX, "viendo imprimir cada día mis comedias de suerte que era imposible llamarlas mías, y que en los pleitos de esta defensa siempre me condenaban los que tenían más solicitud y dicha para seguirlos, me he resuelto a imprimirlas por mis originales; que aunque es verdad que no las escribí con este ánimo, ni para que de los oídos del teatro se trasladaran a la censura de los aposentos, ya lo tengo por mejor que ver la crueldad con que despedazan mi opinión algunos intereses..." [74]. Lope publicó por sí mis-

---

gracioso de las comedias, Cádiz, s. a. S. E. Leavitt, "Notes on the gracioso as a dramatic critic", en *Studies in Philology,* 1931, M. E. Heseler, *Studien zur Figur des Gracioso bei Lope de Vega und Vorgängern,* Hildesheim, 1933, J. H. Arjona, "La introducción del gracioso en el teatro de Lope de Vega", en *Hispanic Review,* VII, 1937, págs. 1-21. Lucile K. Delano, "Lope de Vega's Gracioso ridicules the Sonnet", en *Hispania,* XXVII, 1934, págs. 19-34. De la misma, "The Gracioso continues to ridicule the Sonnet", en *Hispania,* XXVIII, 1935, págs. 383-400.

[73] Cfr.: Emilio Cotarelo y Mori, "Sobre el caudal dramático de Lope de Vega y sobre su pérdida y desaparición", en *Boletín de la Real Academia Española,* 1935. S. Griswold Morley y Courtney Bruerton, "How many 'Comedias' did Lope de Vega write?", en *Hispania,* XIX, 1936, págs. 217-234.

[74] Alude Lope a las viciosas prácticas seguidas ordinariamente en su tiempo para la edición de obras de teatro. Editores poco escrupulosos daban con frecuencia textos enteramente desfigurados, y aun autores mediocres ponían a nombre de Lope sus comedias para asegurarse una buena acogida. Curiosos también eran los medios de que los impresores solían servirse para procurarse las comedias: por lo común, los autores vendían sus obras a los representantes, que quedaban dueños de ellas y arreglaban el texto, si les apetecía, según su gusto o necesidad; corrompidas de esta manera, las vendían luego a otros cómicos o a los editores para su impresión. Pero era también frecuente que algunos profesionales tomasen de oído las comedias en las representaciones para venderlas luego, y hubo auténticos virtuosos de esta tarea, bien conocida en anécdotas innumerables. Rennert y Castro refieren una muy interesante, tomada de la *Plaza Universal...* de Suárez de Figueroa, que es como sigue: "Hállase en Madrid al presente un mancebo grandemente memorioso. Llámase Luis Remírez de Arellano, hijo de no-

mo las partes IX a XX; su yerno Luis de Usátegui hizo imprimir hasta la XXV. Algunos otros tomos, publicados fuera de esta serie, y de Madrid por lo general, han recibido el nombre de "extravagantes". Bastantes otras comedias nos han llegado en ediciones sueltas, por lo común con el texto lamentablemente maltratado, lleno de interpolaciones, supresiones y retoques. Se conserva un reducido número de manuscritos del propio Lope en las Bibliotecas Nacional y Real de Madrid y algunas otras de Europa y de Estados Unidos.

Tan gigantesca producción —a pesar de las pérdidas más gigantescas todavía— necesita ser ordenada de algún modo. De hecho, hoy por hoy, es imposible evadirse de la clasificación por temas seguida por Menéndez y Pelayo en su monumental edición de la Academia, emprendida a fines del pasado siglo [75].

---

bles padres y natural de Villaescusa de Haro. Este toma de memoria una comedia entera de tres veces que la oye, sin discrepar un punto en traza y versos. Aplica el primer día a la disposición; el segundo, a la variedad de la composición, y el tercero, a la puntualidad de las coplas. De este modo encomienda a la memoria las comedias que quiere. En particular tomó así *La dama boba, El príncipe perfecto,* y *La Arcadia,* sin otras. Estando yo oyendo la de *El galán de la Membrilla,* que representaba Sánchez, comenzó este actor a cortar el argumento y a interrumpir el razonado tan al descubierto, que obligó le preguntasen de qué procedía semejante aceleración y truncamiento, y respondió públicamente que de estar delante (y señalóle) quien en tres días tomaba de memoria cualquier comedia, y que de temor no le usurpase aquélla, la recitaba tan mal. Alborotóse con esto el teatro, y pidieron todos hiciese pausa, y, en fin, hasta que se salió de él Luis Remírez no hubo remedio de que se pasase adelante" (en *Vida de Lope de Vega,* cit., pág. 232, nota 2). Pero es de suponer que ni siquiera estos fenómenos de la memoria pudieran tomar un texto sin corromperlo profundamente; así lo declara, en efecto, Lope en el prólogo de la parte XIII de sus comedias: "A esto se añade el hurtar las comedias estos que llama el vulgo al uno *Memorilla* y al otro *Gran Memoria,* los cuales con algunos versos que aprenden mezclan infinitos suyos bárbaros, con que ganan la vida, vendiéndolas a los pueblos y autores extramuros; gente vil sin oficio y que muchas veces han estado presos. Yo quisiera librarme de este cuidado de darlas a luz; pero no puedo, porque las imprimen con mi nombre, y son de los poetas duendes que digo. Reciba, pues, el lector esta parte lo mejor que ha sido posible corregirla, y con ella mi voluntad, pues sólo tiene por interés que lea estas comedias menos erradas, y que no crea que hay en el mundo quien pueda tomar de memoria una comedia viéndola representar, y que si le hubiera, yo le alabara y estimara por único en esta potencia, aunque le faltara el entendimiento..." (citado en ídem, íd., págs. 266-267). Rennert y Castro, al comentar tan notables costumbres en la transmisión de textos (que explican la pérdida —en otro sitio comentada— de tan gran número de ellos), extraen importantes consecuencias sobre la índole más aún que popular, auténticamente colectiva de nuestro teatro. Cfr.: A. González Palencia, "Pleito entre Lope de Vega y un editor de sus comedias", en *Boletín de la Biblioteca Menéndez y Pelayo,* III, 1921, páginas 17-26.

[75] Quince volúmenes, Madrid, 1890-1914. Los estudios preliminares de esta edición han sido reunidos en seis volúmenes, bajo el título de *Estudios sobre el teatro de Lope de Vega,* formando parte de la Edición Nacional de las *Obras Completas de Menéndez y Pelayo,* Santander, 1949. Citaremos, como más asequible, por esta última. La pureza de los textos de Lope dados en su mencionada edición por Menéndez y Pelayo deja bastante que desear. El gran polígrafo, que aplicó su portentoso saber y sagacidad crítica a

El criterio ordenador de Menéndez y Pelayo ha sido cien veces discutido, pero hasta el momento nadie ha podido enfrentarle otro más científico por las enormes dificultades de la materia. Es imposible establecer un orden cronológico, pues sólo se conoce la fecha de composición de un centenar escaso de comedias [76]. Igualmente improcedente resulta la clasificación por caracterís-

ilustrar las obras de Lope con sus notabilísimos estudios, cuidó, en cambio, bastante menos el texto de las obras del Fénix: parte por no exigirlo el criterio científico de su época, parte también —en ocasiones— por estimar que bastaba reproducir las ediciones "teóricamente" vigiladas por Lope, para ofrecer un texto correcto. Pero las cosas fueron bastante más complejas. Ocupándose de este problema en su edición de la comedia de Lope *El cordobés valeroso, Pedro Carbonero,* incluida en la parte XIV, escribe Montesinos: "De las variantes que resultan de su comparación con los autógrafos se saca la consecuencia de que si Lope tenía razón en quejarse de los que sin respeto ni esmero imprimían sus comedias, no era él mismo un editor ejemplar ni mucho menos... Nuestra primera observación al comparar los textos es que el impreso no reproduce los autógrafos conocidos, sino que se basa en otros manuscritos, copias de teatro verosímilmente, y que el poeta no revisaba la impresión..." (Teatro Antiguo Español, VII, Madrid, 1929, pág. 140). Y refiriéndose después a las quejas de Lope por las ediciones piratas de sus comedias, añade: "¿Cómo interpretar esas palabras después de probarnos un cotejo detenido que entre unas ediciones y otras apenas hay diferencia? Las impresiones pirateadas eran, sin duda, pésimas; pero, sobre todo, eran ediciones pirateadas, es decir, Lope no percibía por ellas dinero alguno. Tenía, pues, buenos motivos para quejarse. Pero si su actitud está determinada por el legítimo deseo de asegurar para sí los productos de su trabajo, no hay que suponer que mintiera a sabiendas. Probablemente creía que los textos por él impresos eran mejores, aunque estos textos no eran sus propios manuscritos, vendidos a los actores y no recuperados; eran copias, y aun copias de copias. Lope fue un monstruo de la naturaleza; pero hubiera sido un milagro mayor aún que sus dotes de invención y su fecundidad el que, después de casi veinte años de escritas, recordara punto por punto sus improvisaciones. No era posible restituir el texto, y no se echa de ver que lo intentara siquiera. Si leyó las copias, lo hizo tan por encima, que no reparó en las estrofas descabaladas ni en los versos estragados. Si el impresor introdujo *enmiendas* de su cosecha, Lope, que no leía seguramente pruebas ningunas, le dejó hacer. Tal vez corrigiera algo; pero esas correcciones, perdidas entre una muchedumbre de variantes, no pueden distinguirse ya; y lo que es más importante: al corregir la copia, Lope no enmendaba *su texto*; por consiguiente no es posible decir con Menéndez Pelayo que los impresos dan la lección que el poeta tenía por definitiva; esto sólo podría afirmarse si Lope hubiera tenido a la vista los verdaderos originales" (ídem, íd., págs. 159-161).

[76]. Basándose en las combinaciones métricas que predominan en las comedias y en el hecho de que Lope mostró predilecciones temporales a este respecto, S. Griswold Morley y Courtney Bruerton han llevado a cabo una laboriosa tarea para fijar la cronología del teatro del Fénix: *The Chronology of Lope de Vega's Comedias,* Nueva York, 1940 (edición española, en la Biblioteca Románica Hispánica, Madrid, Gredos, 1967); pero sus conclusiones, aunque de sorprendentes resultados, sólo pueden aceptarse como aproximadas. De los mismos: "Addenda to the Chronology of Lope de Vega's Comedias", en *Hispanic Review,* XV, 1947, págs. 49-71. Cfr. además: Milton A. Buchanan, *The Chronology o, Lope de Vega's Plays,* Toronto, 1922 (Buchanan introdujo en este trabajo el método seguido y perfeccionado luego por Morley y Bruerton). C. Pitollet, "La chronologie des pièces de Lope de Vega", en *Hispania,* París, V, 1922,

ticas de estilo, o de la acción, o de la índole social de los personajes, o por el predominio del elemento épico o lírico, etc. Las comedias de Lope desbordan todas las barreras y ofrecen revueltos los rasgos más dispares [77].

He aquí, pues, la clasificación por temas seguida por Menéndez y Pelayo, a la que vamos a atenernos en esta ojeada a la inconmensurable obra lopesca:

I. Piezas cortas:
- Autos sacramentales.
- Autos del Nacimiento.
- Coloquios, loas y entremeses.

II. Comedias:

Religiosas:
- a) Asuntos del Antiguo Testamento.
- b) Asuntos del Nuevo Testamento.
- c) De vidas de santos.
- d) Leyendas y tradiciones devotas.

págs. 50-58. W. L. Fichter, "Notes on the Chronology of Lope's Comedias", en *Modern Language Notes,* XXXIX, 1924, págs. 268-275. Del mismo, "New Aids for dating the undated autographes of Lope de Vega's Plays", en *Hispanic Review,* IX, 1941, páginas 79-80. S. Griswold Morley, *Lope's Peregrino Lists,* University of California Publications in Modern Philology, XIV, 1930, núm. 5, págs. 345-366. Del mismo, "Notas sobre la cronología lopesca", en *Revista de Filología Española,* XIX, 1932, págs. 151-157. Marcel Bataillon, "La nouvelle chronologie de la 'comedia' lopesque. De la métrique à l'histoire", en *Bulletin Hispanique,* XLVIII, 1946, págs. 227-237. John E. Keller, "A Tentative Classification for Themes in the Comedia", en *Bulletin of the Comediantes,* vol. V, 1953. Para la bibliografía general de la obra dramática de Lope, véase la que acompaña a la *Vida de Lope de Vega* de Rennert y Castro, cit. S. Griswold Morley, "Notes on the bibliography of Lope's Comedias", en *Modern Philology,* 1922. De especial importancia es la obra, citada, de José Simón Díaz y Juana de José Prades, *Ensayo de una bibliografía de las obras y artículos sobre la vida y escritos de Lope de Vega Carpio,* Madrid, 1955. De los mismos, *Lope de Vega: nuevos estudios,* Madrid, 1961. Robert B. Brown, *Bibliografía de las comedias históricas, tradicionales y legendarias de Lope de Vega,* prólogo de Edmund Chasca, México, 1958. J. H. Parker y A. M. Fox, *Lope de Vega Studies: 1937-1962,* Toronto, 1964.

[77] Véase, por ejemplo, cómo comenta Vossler esta revuelta variedad de Lope y lo imposible de su clasificación: "La necesidad de una sinopsis ordenada de la confusa multitud de las obras teatrales de Lope es innegable. Pero ciertamente no se ve un modo científicamente satisfactorio de clasificarlas. Por el orden cronológico de su génesis —comienzo y conclusión respectivamente— pueden ordenarse las obras de manera laxa y aproximada. Conocemos la fecha de poco más de cien comedias. Es suficiente para reconstruir el proceso evolutivo de Lope, pero demasiado poco para establecer un índice cronológico de su labor. La ordenación según lugar de acción y matiz de época, o por el estilo trágico, heroico, cómico, realista, etc., nos falla aquí porque se trata, en la mayoría de los casos, de obras complejas que precisamente obtienen de estas transiciones su mejor vida dramática. Como Lope trabajaba sin pensarlo mucho, dependía en gran medida del azar el que prosperase en sus obras la unidad poética. Depende mucho del estado de ánimo, de la disposición o el ademán con que se enfrenta a este o al otro asunto. Puede tratar de muy diversa manera motivos muy semejantes, según por donde le dé... La tónica de sus dramas y, por cierto, de los mejores, es lírica. Podríamos, pues, así como hemos distinguido una triple inspiración en su lírica, dividir sus dramas en

e) Comedias mitológicas.
f) Comedias sobre historia clásica.
g) Comedias sobre historia extranjera.
h) Crónicas y leyendas dramáticas de España.
i) Comedias pastoriles.
j) Comedias caballerescas.

k) Comedias de argumento extraído de novelas: Orientales. Italianas. Españolas.

l) Comedias de enredo.
ll) De "malas" costumbres.
m) De costumbres urbanas o palatinas.
n) De costumbres rurales.

Autos y piezas cortas. En el "auto sacramental" no logra Lope el mismo progreso que había conseguido en la comedia. Menéndez y Pelayo recuerda las dos corrientes que confluyen para formar la forma más depurada del "auto" en nuestro Siglo de Oro: la parte alegórica de las "moralidades" y el elemento histórico y dogmático de los "misterios". Ahora bien: Lope no era en modo alguno un talento intelectual y discursivo, como había de serlo Calderón, y no consiguió, por tanto —ni lo intentó siquiera— la adecuación perfecta entre la alegoría y el drama, entre el símbolo religioso y su expresión, entre el contenido teológico-escolástico y la anécdota. Lope hace progresar, no obstante, el "auto" en el sentido de su mayor viveza y gracia poética, pero adelanta poco en el proceso de su estructura alegórica; sus piezas, pues, tienen todavía algo de primitivo. En cambio, sus mejores obras de esta especie se distinguen por la ternura y delicadeza del sentimiento religioso, en cuya expresión se eleva frecuentemente a grandes alturas poéticas. Es éste el mismo Lope que hemos visto en la lírica de las *Rimas sacras* o de los *Soliloquios* o en las historias de los pastores de Belén, donde la religiosidad más transcendente desciende a ser pintoresca y familiar. Lope, poeta siempre natural y efusivo, irremediablemente humano, da salida con preferencia en dichas piezas a su vena lírica por el camino del sentir profano que anima otras cualesquiera de sus obras, por donde aquellas vienen a ser más bien, como

religiosos, nacionales y sociales. Pero no había de entenderse este triple aspecto desde el punto de vista del asunto, pues ocurre a este irreflexivo poeta que se adentra en un asunto religioso con el más alegre y profano humor, con recogimiento devoto en un asunto bélico y nacional, con patriótico entusiasmo en un asunto internacional y cortesano, con galante ademán en un asunto monástico o imperialista, etc. Así pueden salir a la luz híbridos engendros como su *Caballero del Sacramento* (1610)" (*Lope de Vega y su tiempo,* cit., pág. 346-347).

dice Valbuena, "a modo de parábolas de amor, en que los motivos sacros se revisten de las galas de la primavera y de las metáforas de bodas y celos, inflamadas de pasión" [78]. La alegoría puede quedar en lo pintoresco, pero en su constante fusión de lo divino y de lo humano Lope sabe expresarse con la emoción más delicada.

Por esto mismo, sus mejores "autos" puede decirse que son aquellos en que más se aparta de la pretendida profundidad teológica, y acoge temas y cantares populares y motivos de la lírica tradicional, en que se vuelca la religiosidad sentimental y popular de su tiempo, que era exactamente la suya propia. Así acontece con singular fortuna, en *La maya,* auto "en que la alegoría eucarística está violentamente sacada de una costumbre popular, y que en el presente caso es de origen gentílico" [79]; en el *Auto de los cantares* ("mosaico rítmico", lo llama Menéndez y Pelayo), en *La siega,* "composición admirable y, a mi juicio —dice Menéndez y Pelayo— la más bella entre todos los autos de Lope" [80], en *La adúltera perdonada* y en *La venta de la Zarzuela,* en que "salvo el final eucarístico, tiene más de profano que de sagrado" [81]. *La locura por la honra* demuestra de qué modo podía Lope aproximar la intención alegórica religiosa a la estructura de auténticas comedias de amores y adulterios; así como *El hijo pródigo* revela la predilección de Lope por las parábolas de más intenso contenido humano. Especial interés encierra *El heredero del cielo,* que es la parábola de la viña "dramatizada del modo más bello que pueda imaginarse" [82]. El Labrador Celestial planta la viña y pone por guardianes a dos figuras alegóricas, el "Amor divino" y el "Prójimo", y la arrienda al "Sacerdocio" y al "Pueblo hebreo"; pero éstos se emancipan de sus guardas y se entregan a la disipación. El Labrador Celestial envía sucesivamente a tres pastores para recoger el fruto de la viña: Isaías, Jeremías y San Juan Bautista. El primero muere aserrado, el segundo apedreado y el tercero degollado. Entretanto prosigue la orgía de los arrendatarios al son de un canto popular:

A la viña, viñadores,
Que sus frutos amores son;
A la viña tan galana,
Que sus frutos amores son;
De color de oro y de grana,
Que sus frutos amores son...

---

[78] *Historia de la literatura española,* vol. II, 7.ª ed., Barcelona, 1964, pág. 341.

[79] Menéndez y Pelayo, ed. cit., vol. I, pág. 44. Cfr.: T. Maza Solano, "El auto sacramental 'La maya' de Lope de Vega y las fiestas populares del mismo nombre en la montaña", en *Boletín de la Biblioteca Menéndez y Pelayo,* XVII, 1935, págs. 369-387.

[80] Ídem, íd., pág. 81.

[81] Ídem, íd., pág. 120.

[82] Ídem, íd., pág. 70.

Llega entonces el "Heredero del cielo", pero también es desoída su voz y muere crucificado. Mientras se cubre de duelo la naturaleza y se rasga el velo del Templo, truena la voz del Padre desde lo alto, anunciando la reprobación de Israel y la vocación de los gentiles. "La severa y terrible poesía de este auto —dice Menéndez y Pelayo—, que es una de las más bellas muestras de nuestro teatro religioso, contrasta con la dulzura habitual del arte de Lope, pero está en íntima armonía con la majestad solemne del asunto. Siempre que nuestros poetas encontraron ya creada la alegoría en las parábolas de la Sagrada Escritura, anduvieron mucho más felizmente inspirados que cuando la buscaron en combinaciones arbitrarias, profanas y fantásticas" [83].

De especial importancia en estos "autos" de Lope es la figura del demonio, de que se sirve frecuentemente, y que todavía conserva rasgos propios de las farsas medievales, pero es a la vez un personaje lleno de orgullo y rebeldía, auténtico "valor de raza", según dice Valbuena, puesto que se expresa, en su calidad de eterno antagonista, "con la soberbia de un aristócrata coetáneo de Lope" [84], prodigando amenazas y desplantes.

Comedias religiosas. Lope escribió comedias del más vario asunto religioso y con las más diversas orientaciones y matices, siempre de modo bien distinto —y por supuesto muchísimo más rico— de lo que venían siendo hasta entonces las obras dramáticas de parecida especie. En tales comedias usa Lope de toda su libertad de concepción, sirviéndose de los mismos procedimientos que en su teatro profano.

En las comedias de tema bíblico toma motivos desde la creación del mundo hasta el juicio final, sirviéndose lo mismo de los libros sagrados que de los apócrifos, así como de relatos novelescos sobre la vida de los Apóstoles. Cinco hermosas comedias, escritas por cierto en plena madurez, merecen especial mención dentro de este grupo: *La creación del mundo y primera culpa del hombre, El robo de Dina, Los trabajos de Jacob,* la *Historia de Tobías,* y *La hermosa Esther.* En *La creación del mundo* agrupa Lope tres accio-

---

[83] Ed. citada, vol. I, pág. 72.

[84] Obra citada, vol. II, pág. 344. Cfr.: Antonio Restori, *Degli Autos di Lope de Vega Carpio,* Parma, 1898. J. M. Aicardo, "Autos sacramentales de Lope de Vega", en *Razón y Fe,* tomos XIX-XXIII, 1907-1908. Arturo María Cayuela, "Los autos sacramentales de Lope reflejo de la cultura religiosa del poeta y el tiempo", en *Razón y fe,* CVIII, 1935, págs. 168-190 y 330-349. Véanse además los estudios preliminares de Menéndez y Pelayo en su edición de las *Obras* de Lope, cit., y Bruce W. Wardropper, *Introducción al teatro religioso del Siglo de Oro* (*Evolución del Auto Sacramental*: *1500-1648*), Madrid, 1953, cap. XVIII, dedicado a Lope. Los autos de Lope —con algunos, seguramente, que no le pertenecen— se han publicado en los tomos II y III de la edición de Menéndez y Pelayo, cit.; puede hallarse una selección de dichos autos en E. González Pedroso, *Los Autos sacramentales desde su origen hasta fines del siglo XVII,* vol. LVIII de la BAE, nueva ed., Madrid, 1952, y en Nicolás González Ruiz, *Teatro teológico español*: *Autos sacramentales y comedias,* 2 vols., BAC, Madrid, 1946.

nes distintas, que corresponden a las tres jornadas de la obra y constituyen a modo de una trilogía: la creación y pecado de Adán; el fratricidio de Caín; y la muerte de éste a manos de Lamech. Las tres acciones se enlazan "por el vínculo moral y dramático del pecado original y sus consecuencias, resultando una concepción tan sencilla como grandiosa" [85]. Lope escenificó así los cuatro primeros capítulos del Génesis, aunque para el último episodio no se sirvió del texto bíblico, sino de una antigua tradición, muy difundida, que refería de aquel modo la muerte de Caín.

En *El robo de Dina* Lope suavizó con gran tacto poético las crudezas de la tragedia bíblica, dándole en muchos pasajes sabor de égloga pastoril, no extraña en absoluto al ambiente y personajes de la acción; e intercaló bellas "letras para cantar", de la mejor tradición castellana, como "En las mañanicas del mes de mayo...".

Los trabajos de Jacob dramatiza la conocida historia de José y sus hermanos, siguiendo en sustancia el texto del Génesis. Al cual se ciñe igualmente con rigor en la *Historia de Tobías*, en la que sólo añade a los personajes del texto sagrado algunas "figuras dialoguísticas", para rellenar escenas episódicas.

En *La hermosa Esther*, que, en opinión de Menéndez y Pelayo, merece la palma entre todas las comedias bíblicas de Lope, sigue también fielmente el texto bíblico.

Notable, aunque por la sencillez de la acción apenas merece calificarse de comedia sino de "égloga sacra", es *La madre de la mejor*, que escenifica el tema del nacimiento de la Virgen y donde Lope vertió "a manos llenas tesoros de poesía descriptiva y efusiones de puros y castísimos afectos" [86]. Lope recoge aquí las leyendas piadosas sobre el tema, derivadas, y muy difundidas en la Edad Media, de los evangelios apócrifos. La comedia, por su infantil y tierna devoción, tan típicamente lopesca, se semeja a los autos del Nacimiento, hasta en su profusión de cantos y bailes en que intervienen pastores, judíos, negros y gitanos.

Con parecidos elementos de poesía popular y religiosidad pintoresca se adereza *El vaso de elección, San Pablo*, en donde acoge Lope elementos de muy dispares procedencias, trabados con gran libertad imaginativa; así, la intervención de la Magdalena, el naufragio de los Apóstoles, la relación de San Pablo con Séneca, y sobre todo el "romántico" episodio en el que Saulo asiste a su propio entierro, anticipo —entre otros— del conocido pasaje de *El estudiante de Salamanca* de Espronceda.

En las "comedias de santos" es, sin embargo, donde puede Lope servirse más libremente todavía de toda la gama de recursos creados por él para su

[85] Menéndez y Pelayo, ed. citada, vol. I, pág. 142. Cfr.: Jennie A. Stanger, "El drama español basado en el Viejo Testamento", en *Judaica*, Buenos Aires, XIV, 1940, págs. 139-148 y 191-199.

[86] Ídem, íd., pág. 199.

"comedia" profana y que traslada a aquéllas con la más perfecta naturalidad. Lope, que se atrevía por igual con todo, dramatizó cumbres difíciles como San Agustín (*El divino africano*) y San Francisco de Asís (*El Serafín humano*), pero con muy escaso acierto; posiblemente no tanto por la grandeza de los personajes como por el hecho de que la excesiva copia de sucesos y rasgos conocidos —irrenunciables todos— asfixiaban su libertad para montar el dispositivo dramático de la pieza. Sucédele en este campo —luego hemos de insistir— como en sus comedias históricas y legendarias: un esbozo dramático, apenas apuntado en un cantar, le ofrece a Lope mayores posibilidades que el gran suceso perfectamente historiado. En las comedias de santos, cuando puede asirse de una vivaz leyenda, que él se permite manipular y enriquecer a su antojo, consigue grandes aciertos de poética intensidad. De idéntica manera, Lope se mueve con la mayor soltura cuando puede sentirse intérprete de la religiosidad popular de su tiempo: una religiosidad —ya quedó dicho muchas veces— sin abstrusas complicaciones teológicas, sencilla y elemental, crédula y emotiva, en que lo humano y lo divino se abrazan y confunden, donde el milagro se presenta con la sencilla naturalidad del hecho cotidiano y el prodigio se viste del ropaje más realista, donde el santo vive con heroísmo y exaltación equiparables a las de un personaje épico [87].

Así son sus más notables "comedias de santos". *El rústico del cielo* es ejemplo muy representativo, aunque extremoso [88]. Se trata de la historia de

---

[87] Al estudiar las "comedias de santos" en la obra de Lope señala Vossler una característica que no sólo ha de darse en su teatro sino también en toda la dramática de la época áurea: se trata de su peculiar estructura *biográfica*, es decir, lo que vulgarmente se llama "vida y milagros", copiosa sucesión de escenas que muestran el desfile de toda una existencia hasta llegar a la muerte y apoteosis final. Aclara Vossler que este esquema biográfico utilizado en las "representaciones latinas, francesas e italianas de santos y milagros de la Edad Media", se hizo insoportable en todas partes con la llegada del Renacimiento; se prefirió entonces en todas las literaturas de Europa comprimir "el fluir de la vida humana en el tiempo en breves y decisivos instantes, como Dante hizo y como hizo luego el clasicismo dramático en Francia, extrayendo de crisis y conflictos el sentido de la vida". Los españoles, sin embargo, prosiguieron el cultivo de aquella disposición dramática, "no tanto —añade Vossler— porque la materia prima les complaciese, como por su afición a la biografía. Ningún otro pueblo latino ha sabido ver el proceso vital del hombre, de lo temporal a lo eterno, de modo tan directamente poético y religioso como el pueblo español... En España, patria de la novela picaresca, se siguió cultivando lo biográfico también en la época de las formas artísticas rígidas y clásicas" (*Lope de Vega y su tiempo*, cit., pág. 352).

[88] Menéndez y Pelayo advierte los riesgos a que semejante religiosidad, demasiado sentimental y popular, podía conducir: "Esta comedia —dice— es del mismo género que *El saber por no saber*; pero, como escrita mucho antes, parece menos floja y amanerada. La santa simplicidad del protagonista raya en lo cómico y produce escenas agradables, si bien más propias del entremés que del drama religioso. Hay en todo el poema mucho movimiento y alegría, pero el género de devoción a que pertenece tiene algo de pueril y chocarrero. En el teatro no se puede abusar de nada, y menos que de nada del tipo de un siervo de Dios, pero tonto de nacimiento, como se pinta al hermano Fran-

un simplicísimo lego, Francisco, contemporáneo de Lope, cuyos pintorescos y muchas veces pueriles actos de piedad admiraron a las gentes de entonces, comenzando por los propios reyes, que lo trataron. De parecida índole, aunque inferior calidad, es *El saber por no saber y vida de San Julián de Alcalá de Henares*, lego también de "santas candideces". Semejante por su popularismo es la trilogía de comedias dedicada a san Isidro Labrador, patrono de Madrid, de quien Lope fue siempre muy devoto: *La niñez de San Isidro, La juventud de San Isidro* y *San Isidro labrador de Madrid.* Esta última parte fue, sin embargo, la primera escrita; las dos restantes fueron compuestas en 1622 para celebrar la canonización del santo, y representadas frente al Palacio Real con todo el lujo que la maquinaria teatral permitía entonces. La parte tercera es la mejor; en ella construyó Lope los mismos cuadros idílicos que había trazado en su conocido poema al Santo, "no con los falsos colores de la égloga, sino con los genuinos de la vida rústica de Castilla en los primeros tiempos de la Reconquista, tal como su alma de poeta épico la reconstituía o adivinaba" [89], y hay abundantes escenas de regocijo popular con danzas y cantos rústicos y deliciosos cuadros villanescos, que son de lo mejor creado por Lope en este género.

La buena guarda —más que comedia de santos, leyenda piadosa— "es la joya del teatro religioso de Lope y una de las obras más bellas de su repertorio" [90]. En ella se dramatiza el tema, de tan larga difusión en la literatura marial de la Edad Media, también recogido por Alfonso el Sabio en sus *Cantigas*, de la monja seducida que abandona el convento para seguir a su galán, pero la Virgen, de quien la monja continúa siendo muy devota pese a sus pecados, ocupa el puesto de la fugitiva, hasta que ésta, arrepentida, torna al convento, sin que su ausencia haya sido notada. *La buena guarda* es obra deliciosa, perfectamente escrita, llena de intensa poesía, con la que salva Lope las no escasas dificultades de su escenificación; no eran pequeñas las de dar verosimilitud a las entradas del seductor en el convento (Lope lo convierte en el mayordomo) y el presentar las escenas de amor con el natural proceso psicológico de la caída, ni tampoco la de dilatar la corta anécdota en tres

---

cisco, que en edad madura mata a un hombre sin darse cuenta de su acción, y llama *tiñoso* al diablo, y *hermanos* a los rábanos, a las berenjenas, a las zanahorias y al perejil, como si quisiera parodiar la sublime ingenuidad con que el Patriarca de Asís llamaba *frate* al sol y a todas las obras del Creador, incluso a las bestias mortíferas. Lo que es sublime en la leyenda franciscana, parece aquí una interpretación grotesca. Pero de esto no tiene la mayor culpa Lope, cuyo teatro era espejo fiel de cuanto creía y pensaba su siglo, sino el malo y torcido rumbo que comenzaba a tomar ya, por exceso de democracia frailuna, la devoción española, inclinándose a la apoteosis de lo vulgar y de lo sórdido, que pueden ser compatibles con la mayor elevación espiritual, pero que no son elementos indispensables de ella" (ed. citada, vol. II, págs. 92-93).

[89] Ídem, íd., vol. II, pág. 51.

[90] Ídem, íd., vol. II, pág. 95. Cfr.: R. Guiette, "La légende de la Sacristine", París, 1927. Antonio Gasparetti, introducción a su edición de *La buena guarda*, Casabba, 1939.

actos. Lope triunfa de todas ellas y traza un perfecto cuadro de lírica y humana emoción, riquísimo de matices.

Notable interés encierra *La fianza satisfecha,* obra que ha provocado, por su especial carácter, opiniones muy encontradas entre los críticos. Leonido, el protagonista, encarna —contra lo que es habitual en Lope— uno de los tipos de mayor crueldad y violencia imaginables, hasta llegar a extremos de evidente demasía. Ya de niño, Leonido se deleitaba en morder los pechos de su madre al mamar, y beber la sangre; trata de violar a su hermana, y la hiere en el rostro para vengarse de su resistencia; apalea a su cuñado, abofetea y saca luego los ojos a su padre; reniega de la fe cristiana y huye a Túnez, a cuyo rey le cuenta, entre otras gracias, que ha violado a más de treinta doncellas. Pero a diferencia de *El burlador* y del Enrico de *El condenado por desconfiado,* a los cuales por pecados menores condena su creador Tirso de Molina, este brutal Leonido se salva. Leonido afirma temerariamente a cada instante que "Dios ha de ser mi fiador"; y éste, en efecto, paga la fianza. El Buen Pastor, ensangrentados los pies, busca a Leonido en una de las más intensas escenas de toda la producción de Lope. Leonido vuelve a la fe y muere en el martirio, crucificado, bendiciendo a sus verdugos que le abren las puertas de la gloria. El mismo día de su muerte, su padre recobra la vista. Al contrario de Tirso, en las dos obras mencionadas, Lope no señala el camino de la justicia sino el del perdón: solución, claro está, no menos posible y cristiana y mucho más consoladora. Mezcla de excesos melodramáticos y de momentos de hondo patetismo, *La fianza satisfecha* es una de las obras más vigorosas y originales de Lope [90 bis].

Con mayores caídas en las truculencias dramáticas está todavía *El niño inocente de la Guarda,* escenificación del que fue famoso crimen perpetrado en tiempo de los Reyes Católicos por varios judíos en la persona de un niño de tres o cuatro años, a imitación de la Pasión de Cristo y con fines de conjuro ritual. Lope, que participaba plenamente del odio racial de sus contemporáneos, construye escenas del más extremado horror, complaciéndose en brutales violencias de dolor físico. También el plan de la obra es imperfecto y tosco. Y, sin embargo, abundan igualmente los momentos de desconcertante originalidad, de exquisita ternura, de terrible pero sobrecogedora poesía. Pocos ejemplos tan notorios de la asombrosa complejidad de Lope.

Mencionemos finalmente la comedia *Barlaán y Josafat,* versión dramática de la leyenda de Buda, de tan gran difusión en los tiempos medios y tantas veces utilizada en la literatura española bajo forma cristiana [91].

[90 bis] A. Valbuena Prat, "Un personaje prefreudiano de Lope de Vega" (el Leonido de *La fianza satisfecha*), en *Revista de la Biblioteca, Archivo y Museo... de Madrid,* VIII, 1931, págs. 25-35.

[91] Edición de José F. Montesinos en Teatro Antiguo Español, VIII, Madrid, 1935. En el estudio, que acompaña a la edición, se ocupa Montesinos con gran sagacidad de los caracteres que definen el teatro religioso de Lope. Lo que otorga particular interés

Comedias mitológicas. Lope, que no conoció vedado en el campo infinito de los posibles temas, aprovechó diversos mitos de la antigüedad grecolatina; pero no para interpretarlos según su propio carácter, sino trayéndolos a su personal sensibilidad y actualizándolos al gusto de su tiempo, según venía haciendo en toda su dramática. De aquellos mitos tomaba muchas veces la simple trama anecdótica, en la que hallaba motivo de acción más que suficiente,

---

a *Barlaán y Josafat* es la mezcla —pues no puede hablarse propiamente de fusión— de los elementos populares, habituales en las comedias religiosas de Lope, con otros procedentes de distintos campos dramáticos e ideológicos. Al referirnos más arriba a la dificultad de clasificar el teatro lopista, hemos dicho, con palabras de Vossler, que Lope puede tratar unos mismos motivos dramáticos con los más opuestos estilos; de aquí, precisamente, que no sea siempre en las comedias religiosas donde se encuentre el genuino espíritu religioso del autor y que puedan darse en aquéllas caracteres de muy diversa fuente. Así sucede en la comedia que nos ocupa. "A pesar de las apariencias —asegura Montesinos— *Barlaán* está más en la línea del drama filosófico que en la de *El rústico del cielo*" (pág. 191). Y añade más abajo: "Sólo en pocas escenas, y sobre todo en el tercer acto añadido, se restituye *Josafat* a la comedia hagiográfica corriente; en los que seguramente son de Lope las singularidades abundan, y las conexiones temáticas que hemos conseguido establecer enlazan con la de *Barlaán y Josafat* más comedias profanas que comedias de santos" (págs. 228-229). No cabe duda de que en la comedia religiosa o "de santos" cabían, como en cualquier otro molde dramático, las más profundas y audaces concepciones; pero el poeta —y en el caso de Lope la tentación hacía inevitable la caída— había de vencer los obstáculos insalvables de rutinas y convenciones y, sobre todo, las exigencias de una religiosidad vulgar, superficial, grosera incluso muchas veces. Sin esta concesión a lo que el espectador esperaba de su teatro, las comedias religiosas de Lope habrían podido alzarse a niveles poéticos muy superiores, pero entonces tendríamos que imaginarnos un Lope muy distinto: "Lope —dice Montesinos— supo pocas veces escribir *desinteresadamente* una comedia de santos, y esta falta de desinterés poético, no sólo irregularidades de estructura, son las que tanto dificultan la lectura de su teatro sacro. Ese desinterés artístico no estaba reñido con la fe; con la catequesis sí. Y en las largas tiradas didácticas, enumeración pueril de historias bíblicas que difícilmente podían determinar conversiones, seca exposición de dogmas, Lope parece frío, prosaico, forzado" (pág. 209). Como *Barlaán y Josafat* ha sido considerado como posible fuente de *La vida es sueño,* Montesinos traza un agudo paralelo de las dos obras: "Calderón, mucho más dentro del sentimiento católico del arte y de la vida, rehuyó cautamente los peligros. Su comedia tiene ese hondo sentimiento religioso del destino que Lope no tuvo casi nunca, y si se logró *La vida es sueño* fue justamente por el acierto de secularizar el tema. Esta secularización dio al poeta sobre la arquitectura de la pieza posibilidades que Lope dilapidó desde el segundo acto. Ambas obras dan la medida de la religiosidad de sus autores. Lope no tuvo más religiosidad que la de su lirismo sacro; Calderón fundó en religiosidad —en 'necesidades religiosas'— su sentido dramático de la vida" (págs. 250-251). Cfr.: José F. Montesinos, "Una nueva redacción de *Barlaán y Josafat*", en "Contribución al estudio del teatro de Lope de Vega", I, *Revista de Filología Española,* VIII, 1921, págs. 141-149. E. Kuhn, "Barlaan und Josaphat", en *Abhandlungen der I Klasse der Baverischen Akademie der Wissenschaften,* I, Abhandlung, Munich, 1893. F. de Haan, "Barlaan and Josaphat in Spain", en *Modern Language Notes,* X, 1895, G. Moldenhauer, *Die Legende von Barlaan und Josaphat auf der Iberischen Halbinsel,* Halle, Niemeyer, 1929.

y le daba vida con tan deliciosa como despreocupada libertad. Por su especial carácter, algunas de estas obras fueron representadas en fiestas palatinas y teniendo como actores a personas reales; tal fue el caso de *Adonis y Venus,* tema que tomó Lope de Ovidio (fuente prácticamente única de todas sus comedias mitológicas) y que, por la endeblez de su estructura dramática, es más libreto de ópera o poema lírico que verdadera comedia. Lope, en cambio, volcó en ella sus mejores galas poéticas y la cuidó con todo esmero, hasta el punto de estimarla como una de sus cinco mejores obras dramáticas.

De parecida manera escenificó otros mitos antiguos: el de las Amazonas (*Las mujeres sin hombres*), Perseo (*El Perseo*)[92], Teseo (*El laberinto de Creta*), Jasón (*El vellocino de oro,* representado en Aranjuez ante los reyes en ocasión famosa)[93], Orfeo (*El marido más firme*)[94], Aurora (*La bella Aurora*) y Dafne (*El amor enamorado*), compuesto también probablemente para otra fiesta palatina[95].

Algunas comedias más de esta especie escribió Lope, ya que las cita en las listas de uno u otro *Peregrino*; pero no han llegado hasta nosotros.

Comedias sobre historia clásica. Tiene especial interés en este grupo la comedia *Contra valor no hay desdicha,* en que se cuenta la historia de Ciro, rey de Persia. La historia del niño que es entregado a la muerte, pero que, salvado por azar, vive en un medio humilde y al cabo del tiempo viene a ser reconocido y puesto en el lugar que le corresponde, ha sido repetida muchas veces y en diversos países, por lo que está enriquecida con matices muy sugestivos. Lope aprovechó hábilmente los recursos de esta variada tradición, aunque siguió en la línea esencial el relato de Herodoto. El tema de Lope es la revelación y cumplimiento del gran destino de Ciro, y el poder de la personalidad que puede vencer, hasta imponerse, las más hostiles circunstancias. En esta obra Lope supera sus habituales procedimientos en producciones semejantes, de poner en escena toda una crónica acumulando hechos en mera sucesión cronológica; y condensa la acción, de forma mucho más dramática, en torno a personajes y momentos especialmente significativos. Hay caracteres bien trazados, animadas situaciones y bellas escenas idílicas en las que Lope acierta siempre.

---

[92] Cfr.: H. M. Martin, "The Perseus Myth in Lope and Calderón with some references to their sources", en *Publications of the Modern Language Association,* XLVI, 1931, págs. 450-460.

[93] Trátase de la fiesta que, para celebrar el cumpleaños de Felipe IV, se celebró en Aranjuez el 15 de mayo de 1622. Además de la obra de Lope se representó *Las glorias de Niquea* del conde de Villamediana, en la que tomó parte la reina doña Isabel de Borbón con las damas de su corte. Tuvo entonces lugar el famoso incendio, que se ha querido relacionar con los supuestos amores del conde y de la reina.

[94] Cfr.: Pablo Cabañas, *El mito de Orfeo en la literatura española,* Madrid, 1948.

[95] Cfr.: H. M. Martin, "The Apollo and Dafne Myth as treated by Lope and Calderón", en *Hispanic Review,* I, 1933, págs. 149-160.

La versificación es igualmente feliz. Menéndez y Pelayo considera esta comedia como "una de las buenas de su inmenso repertorio"[96].

De "desatinada" califica, en cambio, *Las grandezas de Alejandro*; y no poseen importancia mucho mayor *El honrado hermano*, sobre la historia de los Horacios, *Roma abrasada* —innecesario puntualizar que es Nerón el protagonista—, y *El esclavo de Roma*, sobre la conocida leyenda de Androcles y el león.

Comedias de historia extranjera. Afortunada entre las de esta especie es *La imperial de Otón*, inspirada en el relato de Pero Mexía en su *Historia Imperial y Cesárea*. Refiérese en la comedia la rebelión de Otón Caro (Otokar de Bohemia), pretendiente al trono imperial, al ser derrotado en la elección por Rodolfo de Habsburgo. Lope retrata a Otón como hombre abúlico y apocado, mientras es su mujer, Etelfrida, la que empuja a la lucha a su marido, hasta que éste muere combatiendo. Ambos caracteres están felizmente trazados en el drama. Lope trató de hacer más interesante la obra para su público, haciendo intervenir a un embajador español que defiende los derechos de Alfonso el Sabio de Castilla, igualmente fracasado en sus pretensiones al trono. Pero este episodio es largo en demasía, así como resulta inoportuna la inclusión de otros elementos secundarios que perjudican la debida concentración de la obra; Lope se libera difícilmente de su modo tradicional de concebir el drama histórico a la manera de crónica o novela, sin acertar a suprimir componentes innecesarios. Pero fuera de estos defectos, *La imperial de Otón* posee valores innegables. Menéndez y Pelayo compara a Etelfrida con una Lady Macbeth sin crímenes. En su arraigado popularismo, Lope introduce en oportuno momento un romance tradicional —"¿Dónde estáis, señora mía...?"—, variante del famoso del marqués de Mantua.

En *El gran duque de Moscovia y Emperador perseguido* Lope demostró su capacidad para elevar a arte dramático sucesos de su tiempo que habían interesado a las gentes. En este caso se trata del impostor Demetrio, aparecido en Polonia en 1603 y muerto en Moscú tres años más tarde. Lope, además de modificar algunos sucesos, varió el final, haciendo que Demetrio reine en paz en lugar de ser asesinado; bien porque ignorara el desenlace o porque la natural simpatía con que debía mirarse al usurpador le aconsejara este cambio. Ni aun en esta pieza faltan las letras para cantar —eterno Lope— en una bella escena de segadores y otra de cocina. El propio Lope se introduce en la obra bajo su conocido seudónimo de Belardo y aludiendo a Micaela de Luján[97].

Merece también citarse en este grupo *La reina Juana de Nápoles*, en que se dramatizan varios episodios de la vida de este personaje.

---

[96] Ed. citada, vol. II, pág. 271.

[97] Cfr.: Gertrud von Poehl, "La fuente de 'El Gran Duque de Moscovia' de Lope de Vega", en *Revista de Filología Española*, 1932.

Comedias de historia y leyendas españolas. Donde Lope alcanza sus momentos de plenitud, su mayor y más certera intensidad dramática, donde se manifiesta con todas las posibilidades de su hondura poética es al interpretar los motivos tradicionales de la leyenda o de la historia nacional. Todo el pasado español, desde los tiempos más remotos hasta sus propios días, es campo fértil del que Lope sabe arrancar héroes y sucesos. Como apuntamos anteriormente, cuando el motivo —histórico o legendario— posee demasiada grandeza o ha sido ya repetidamente tratado, Lope parece quedar como encogido ante aquella magnitud, sobradamente transitada para dejar volar la imaginación creadora del poeta. La gran gesta colombina, por ejemplo, sólo le inspira la mediana comedia *El nuevo mundo descubierto por Cristóbal Colón*[98]; otro tema de tan fecunda resonancia en nuestra literatura como los hechos de don Rodrigo y la pérdida de España encarna en *El último godo,* una de sus comedias heroicas de menor interés; y un personaje como el Cid, el más popular de los héroes nacionales, sólo una vez, y como figura secundaria, lo lleva a las tablas en *Las almenas de Toro.*

Por el contrario, Lope se eleva a sus mejores creaciones cuando da con un episodio insignificante, perdido entre las páginas atiborradas de una crónica, o con una leyenda de límites poco precisos, o con la truncada sugerencia de un romance, o a veces sólo de un cantar o de una anécdota. Claro está que cualquiera de éstos ha de poseer profundo significado como manifestación de algún problema particular o colectivo, de conflictos de clases, de alguna actitud social o política, o ser representativo de una época o encerrar un germen de honda fuerza dramática. Lope agarra entonces el núcleo esencial y lo moldea con su pujante desenfado.

Un problema destaca sobre todos en este grupo de comedias, que es el conflicto entre nobles y villanos, resuelto por la intervención del poder real. La actitud del poeta en su exaltación de la autoridad del monarca queda de manifiesto en todas estas piezas, en las cuales satisfacía a la vez las más profundas convicciones de sus contemporáneos.

Tres obras representan esta faceta de Lope de manera especial: *El mejor alcalde, el Rey*; *Peribáñez y el comendador de Ocaña,* y *Fuenteovejuna.*

Para *El mejor alcalde, el Rey* Lope se inspiró, según él mismo declara al término de la obra, en la *Crónica General,* sustituyendo lo que es allí el despojo de unas tierras por el rapto de una mujer, con lo que acrece lógicamente el interés dramático y humano de la situación. Alfonso VII es el monarca que interviene aquí en defensa de la justicia, castigando los desmanes del infanzón don Tello, en quien se encarna la violencia y arbitrariedad de una nobleza todopoderosa, acostumbrada a convertir su voluntad en ley. Don Tello

---

98 Cfr.: M. A. Morinigo, *América en el teatro de Lope de Vega,* Buenos Aires, 1946.

impide la boda de una pareja de aldeanos —Elvira y Sancho—, raptando a la novia a la que acaba por forzar; don Tello desoye las órdenes escritas del monarca, pero éste acude entonces personalmente —"el mejor alcalde, el rey"—, obliga al infanzón a casarse con la aldeana después de dotarla con la mitad de su fortuna, y lo hace matar luego para que, rica y honrada, pueda Elvira casar con su prometido. Lo mismo el desarrollo que el desenlace de la obra son de impresionante grandeza y todos los personajes están trazados con tanta sobriedad como exactitud. Para encarecer la perfección de esta obra Menéndez y Pelayo se limitó a reproducir en su estudio preliminar diversas opiniones de famosos críticos, con lo que ponía de manifiesto la unanimidad en la estima. Además de destacar los aspectos apuntados, convienen todos en ponderar la perfecta pintura del marco social que encuadra, y hace posibles, los sucesos. "Acaso —dice el francés Damas Hinard, traductor de la obra— el principal mérito de esta pieza consiste en la pintura de costumbres. Aquí están las ideas, las creencias, las supersticiones de la Edad Media española, la organización social de aquellos tiempos. Es la pintura más cabal de un siglo enérgico y todavía semibárbaro... Se ha preguntado dónde habría adquirido Lope este conocimiento íntimo de las costumbres y de los sentimientos de una época tan lejana. En primer lugar en la historia, en las primitivas crónicas, en los antiguos romances españoles, que había estudiado con amor y que conocía mejor que ninguno de sus contemporáneos; y después, lo que no podía encontrar ni en la historia, ni en las crónicas, ni en los romances, lo adivinó con su genio. Así lo hacía Shakespeare; así lo han hecho todos los grandes maestros" [99]. Otros aspectos subraya Eugenio Baret: "La comedia de Lope admite todos los matices, abarca todos los géneros. Su imaginación inagotable los había cultivado casi todos. Lope amaba con pasión la naturaleza, y no la olvida en esta obra. *El mejor alcalde* es un drama, y un drama terrible. Pero la primera jornada es una égloga, y por el lugar de la escena, por la calidad de los personajes, esta égloga está llena de verdad. Los que intervienen en ella son labradores y pastores reales, tales como se los encuentra en las montañas de Galicia o en Portugal, a orillas del Tajo y del Mondego. Aquí la verdad de las costumbres se sobrepone a lo convencional del género" [100].

El papel de monarca justiciero corresponde en *Peribáñez* a Enrique III, el rey "Doliente", en cuyo reinado colocó Lope tres de sus mejores comedias: a más de ésta, *Los novios de Hornachuelos* y *Porfiar hasta morir.*

No es fácil discernir si *Peribáñez* encierra algún fondo histórico, pero es seguro que lo posee tradicional. Menéndez y Pelayo supone que, como tantas otras obras de Lope, brotó de un cantar o de un fragmento de romance, que el autor intercala en una escena del segundo acto, en el dramático momento en

[99] Citado por Menéndez y Pelayo, ed. cit., vol. IV, pág. 19.
[100] Ídem, íd., pág. 22.

que Casilda, la esposa de Peribáñez, es solicitada por el Comendador y lo rechaza afirmando su fidelidad al marido:

Más quiero yo a Peribáñez
con su capa la pardilla,
que no a vos, Comendador,
con la vuesa guarnecida...

Es muy probable que no más de estos cuatro versos recogiera Lope de la tradición, y ellos solos le bastaron para montar toda su fábula. No parece existir especial razón para que Lope emplazara su comedia en el reinado del "Doliente", como no fuese para acercarla al siglo XV en el cual, según apunta Valbuena, encontraba especiales motivos de poesía, como centro que era —aparte otros escritores predilectos— de "cancioneros" y romances. Con algunos detalles concretos tomados de las crónicas trata Lope de ambientar históricamente su comedia, pero su verdad histórica es "mucho más honda —dice Menéndez y Pelayo— que la que puede reflejarse en las páginas de los cronistas". Y añade: "Peribáñez es un drama social, a la vez que un drama de pasión y un maravilloso cuadro de género, en que el gran pintor realista alcanza la perfección de su arte, y parece que se recrea amorosamente en su propia obra, apurando los detalles gráficos con especial fruición. Nunca la poesía villanesca, la legítima égloga castellana, hija del campo y no de los libros, saturada de olor de trébol y de verbena, se mostró tan fresca, donosa y gentil, como en esta obra" [101].

Al igual que en todos los grandes aciertos de Lope abundan los motivos populares y las "letras para cantar", tanto más naturales aquí por el medio rural de la comedia; se suceden las escenas campesinas, y con ellas un efluvio de vida real directamente captada, inmediata y concreta, que habla a los ojos. Muy bellas son las canciones de boda, en el acto primero, que entonan los músicos y bailan los labradores y labradoras; pero tienen aquéllas esta vez un carácter de lírica artística:

Dente parabienes
el mayo garrido,
los alegres campos,
las fuentes y ríos.
Alcen las cabezas
los verdes alisos,
y con frutos nuevos
almendros floridos.
Echen las mañanas,
después del rocío,

---

[101] Idem, íd., vol. V, págs. 38-39.

en espadas verdes
guarnición de lirios.
Suban los ganados
por el monte mismo
que cubrió la nieve,
a pacer tomillos.
Y a los nuevos desposados
eche Dios su bendición;
parabién les den los prados
pues hoy para en uno son...[102].

En otras ocasiones, en cambio, las canciones, acompañadas de guitarras, que cantan los segadores rompiendo el silencio de la noche, tienen todo el sabor de un aire popular; aunque nunca es posible decidir en qué medida lo tomó Lope directamente de boca de las gentes, o lo refundió o aderezó a su gusto o aun lo inventó por entero él mismo:

...Trébole, ¡ay Jesús, cómo huele!
¡Trébole, ay Jesús, qué olor!
Trébole de la soltera,
que tantos amores muda;
trébole de la viuda,
que otra vez casarse espera,
tocas blancas por defuera
y el faldellín de color.
Trébole, ¡ay Jesús, cómo huele!
¡Trébole, ay Jesús, qué olor![103]

Quizá como ninguna otra comedia de tema afín en nuestro Siglo de Oro, *Peribáñez* es un drama humano, perfectamente posible en cualquier tiempo y lugar; se dramatiza el punto de honra, pero sin ninguna de las rebuscadas sutilezas sobre su condición, ni se plantean aquellos convencionales dilemas entre el honor y el respeto al monarca. Éste —y de aquí lo atrayente de su intervención y el respeto que gana para la autoridad real— aprueba la trágica acción de Peribáñez con humana y democrática justicia[104]. Pero todo parece

[102] *Obras escogidas de Lope Félix de Vega Carpio,* ed. F. C. Sainz de Robles, tomo I, 4.ª ed., Madrid, 1964, págs. 754-755.

[103] Ídem, íd., pág. 769.

[104] Cfr.: estudios preliminares a las ediciones de A. Bonilla y San Martín, Madrid, 1916; Ch. V. Aubrun y José F. Montesinos, París, 1943; y José Manuel Blecua, Zaragoza, 1944, Además: O. H. Green, "The date of *Peribáñez*", en *Modern Language Notes,* XLVI, 1931, págs. 163-166. S. G. Morley, "La fecha de *Peribáñez*", en *Revista de Filología Española,* XIX, 1932, pág. 156 y ss. C. P. Wagner, "The date of *Peribáñez*", en *Hispanic Review,* XV, 1947, págs. 72-83. J. Loveluck, "La fecha de *Peribáñez y el Comendador de*

llano y natural hasta que la pasión del comendador provoca la tragedia. El idilio de Casilda y Peribáñez es delicioso, desde la primera escena, que es la de la boda, hasta el desenlace. Recién casados, sin recatarse de los asistentes, los enamorados comienzan a decirse sus ternezas, cuyos temas extraen de sus quereres habituales. Dícele Peribáñez a Casilda:

El olivar más cargado
de aceitunas me parece
menos hermoso, y el prado
que por el mayo florece,
sólo del alba pisado.
No hay camuesa que se afeite
que no te rinda ventaja,
ni rubio y dorado aceite
conservado en la tinaja,
que me cause más deleite.
Ni el vino blanco imagino
de cuarenta años tan fino
como tu boca olorosa;
que como al señor la rosa
le huele al villano el vino... [105].

Entre intensos lirismos, cruza en ciertos pasajes un hálito de sensualidad gozosa y limpia, como cuando responde Casilda al parlamento anterior:

No hay pies con zapatos nuevos
como agradan tus amores;
eres entre mil mancebos
hornazo en pascua de Flores
con sus picos y sus huevos.
Pareces en verde prado

Ocaña", en *Atenea* (Concepción), CX, 1953, págs. 418-424. N. Salomon, "Simple remarque à propos du problème de la date de *Peribáñez y el Comendador de Ocaña*", en *Bulletin Hispanique,* LXIII, 1961, págs. 251-258. Carolina Poncet. "Consideraciones sobre el episodio de Belardo en la tragicomedia *Peribáñez*", en *Revista Cubana,* XIV, 1940, págs. 78-79. Joseph Silverman, "Peribáñez y Vellido Dolfos", en *Bulletin Hispanique,* LV, 1953, págs. 378-380. Américo Castro, *De la edad conflictiva,* Madrid, 1961, págs. 205-207 y 214-218. E. M. Wilson, "Images et structure dans *Peribáñez*", en *Bulletin Hispanique,* LI, 1949, págs. 125-159. Roberto G. Sánchez, "El contenido irónico-teatral en el *Peribáñez* de Lope", en *Clavileño,* 29, 1954, págs. 17-24. Courtney Bruerton, "More on the date of *Peribáñez*", en *Hispanic Review,* XVII, 1949, págs. 35-46. Del mismo, "*La quinta de Florencia,* fuente de *Peribáñez*", en *Nueva Revista de Filología Hispánica,* IV, 1950, págs. 25-39. Gustavo Correa, "El doble aspecto de la honra en *Peribáñez y el Comendador de Ocaña*", en *Hispanic Review,* XXVI, 1958, págs. 188-199.

105 *Obras escogidas...,* cit., pág. 754.

toro bravo y rojo echado;
pareces camisa nueva,
que entre jazmines se lleva
en azafate dorado.
Pareces cirio pascual
y mazapán de bautismo,
con capillo de cendal,
y paréceste a ti mismo,
porque no tienes igual [106].

En una ocasión, Inés, la prima de Casilda, siente el escozor de la curiosidad ante el amor conyugal de ésta; y le pregunta:

¿Quiérete bien tu velado?
CASILDA. *¿Tan presto temes mudanza?*
No hay en esta villa toda
novios de placer tan ricos;
pero aún comemos los picos
de las roscas de la boda.
INÉS. *¿Dícete muchos amores?*
CASILDA. *No sé yo cuáles son pocos;*
sé que mis sentidos locos
lo están de tantos favores.
Cuando se muestra el lucero,
viene del campo mi esposo,
de su cena deseoso;
siéntele el alma primero,
y salgo a abrille la puerta,
arrojando el almohadilla;
que siempre tengo en la silla
quien mis labores concierta.
Él de las mulas se arroja,
y yo me arrojo en sus brazos;
tal vez de nuestros abrazos
la bestia hambrienta se enoja.
Mientras él paja les echa,
ir por cebada me manda;
yo la traigo, él la zaranda,
y deja la que aprovecha.
Revuélvela en el pesebre,
y allí me vuelve a abrazar;
que no hay tan bajo lugar

[106] Ídem, íd., pág. 754.

que el amor no lo celebre...
Acabada la comida,
puestas las manos los dos,
dámosle gracias a Dios
por la merced recibida;
y vámonos a acostar,
donde le pesa a la aurora
cuando se llega la hora
de venirnos a llamar[107].

Fuenteovejuna es el drama de la venganza colectiva, uno de los grandes aciertos no sólo de Lope, sino del teatro de todos los tiempos. De "drama épico, en toda la fuerza del término" lo califica Menéndez y Pelayo. El hecho, indudablemente histórico, está referido con gran detalle en la *Crónica de las tres Órdenes militares* de Rades y Andrada, publicada en 1572, donde seguramente lo leyó Lope[108]. El caso había ya pasado a dicho popular, como puede verse en el *Tesoro de la lengua castellana* de Covarrubias (1611) que califica de "proverbio trillado" la frase "Fuenteovejuna lo hizo", para designar alguna culpabilidad difusa que no puede concretarse. Probablemente existía también algún romance sobre este suceso, y a él deben de pertenecer estos versos que Lope utiliza:

Al val de Fuenteovejuna
La niña en cabellos baja;
El caballero la sigue
De la Cruz de Calatrava...

107 Ídem, íd., pág. 761.

108 Menéndez y Pelayo (*Estudios...*, V, págs. 172-174) reproduce el fragmento de la *Crónica* que recoge el suceso de Fuenteovejuna. Francisco López Estrada da en facsímil la portada de la *Crónica* y las páginas que refieren el episodio mencionado, en *Fuente Ovejuna en el teatro de Lope y de Monroy (consideración crítica de ambas obras)*, Discurso de apertura del Curso Académico de 1965-1966 en la Universidad de Sevilla, Sevilla, 1965, apéndice 1. Después de los estudios de Menéndez y Pelayo se ha discutido la autenticidad de los hechos, tal como quedan referidos por Rades (cfr.: Claude E. Anibal, "The Historical Elements of Lope de Vega's Fuente Ovejuna", en *Publications of the Modern Language Association of America,* XLIX, 1934, págs. 657-718). Alfonso de Palencia en su *Crónica de Enrique IV* afirma que la rebelión de Fuenteovejuna contra el Comendador fue estimulada por los enemigos políticos de éste; versión que transforma el suceso en un episodio más de las luchas nobiliarias de la época (López Estrada reproduce en su estudio citado —págs. 94-98— el fragmento correspondiente de la *Crónica* de Palencia). Lope sigue la versión de Rades con gran fidelidad, pero esto no importa, naturalmente, para el valor humano y literario del drama, ni tampoco el que aquella versión sea o no cierta. La motivación humana y social, que da Lope a los hechos, posee toda la *realidad* necesaria para hacer de *Fuenteovejuna* la gran creación dramática que es.

El argumento es harto conocido. Los desafueros y violencias de toda índole que perpetra el Comendador mayor de la Orden de Calatrava, Fernán Gómez de Guzmán, provocan al fin la rebelión en masa del pueblo de Fuenteovejuna, que asalta la casa del Comendador y le da muerte con brutal encarnizamiento. Los reyes, Fernando e Isabel, envían un juez pesquisidor que somete a tormento a muchos habitantes de la villa para determinar los principales responsables; pero ni la mayor violencia doblega la decisión del pueblo de aceptar en común la responsabilidad de la venganza:

> *—¿Quién mató al Comendador?*
> *—Fuenteovejuna, señor.*
> *—¿Y quién es Fuenteovejuna?*
> *—Todos a una.*

Hasta los ancianos, mujeres y niños soportan valerosamente el tormento y dan idéntica respuesta. El mismo gracioso, cuyas intervenciones son bien parcas, se suma a la decisión unánime, no sin dejar leve constancia de su papel en el preciso instante del tormento, con lo que Lope alivia prudentemente la crueldad de aquellas escenas. Los reyes desisten de la investigación y admiten la justicia de la venganza popular.

En *Fuenteovejuna* Lope lleva a su más robusta expresión aquellas mismas ideas de *El mejor alcalde, el Rey* y de *Peribáñez*: el sentido humano y democrático, la nobleza esencial del villano, el papel justiciero de la monarquía que se unía al pueblo para poner fin a la secular arbitrariedad de la nobleza feudal. Con ello interpretaba Lope genialmente el sentir de las gentes de su tiempo, monárquico y democrático a la vez. Mas lo que aquí nos importa es el modo cómo el poeta ha sabido convertir en creación dramática el conjunto de ideas y conflictos que pretendía expresar. "El genio, otras veces tan dulce y apacible de nuestro poeta —dice Menéndez y Pelayo—, se ha identificado maravillosamente con las pasiones rudas, selváticas y feroces de aquellas muchedumbres; y ha resultado un drama lleno de bárbara y sublime poesía, sin énfasis, ni retórica, ni artificios escénicos; un drama que es la realidad misma brutal y palpitante, pero magnificada y engrandecida por el genio histórico del poeta a quien bastaría esta obra, sin otras muchas, para ser contado entre los más grandes del mundo" [109]. Y más abajo, después de encarecer la penetración con que están trazados los caracteres de la obra, añade: "Pero más que la psicología individual importa aquí la pasmosa adivinación de la psicología de las muchedumbres, que se encuentra en Shakespeare como en Lope, pero que es tan rara en el teatro moderno, acaso porque el abuso del dilettantismo literario ha cortado la comunicación entre el poeta y su pueblo, borrando en el drama todo vestigio de sus orígenes épicos" [110].

---

109 Ed. citada, vol. V, pág. 176.
110 Ídem, íd., pág. 182.

No faltan en *Fuenteovejuna,* y tanto más por el ambiente campesino de la pieza, los momentos de lirismo popular, las "letras"; pero la intensidad del hecho dramático las deja esta vez en un plano menor.

A propósito de estos tres dramas de Lope algo dejamos apuntado con ocasión del tema del honor, pero debemos insistir aquí por su importancia. Hasta que el Fénix llevó a su teatro estos problemas, el honor era tenido como exclusivo patrimonio de las clases nobles, preeminencia heredada con la sangre; los villanos —recuerda Menéndez Pidal— no podían "sentir como un noble la misteriosa, la inmensa solidaridad social y familiar de los problemas de la honra" [111]. Hasta Lope, este criterio general había predominado también en la dramática, y cuando algún villano presumía de honor era sólo de modo accidental o venía a resultar al cabo que era de sangre noble sin saberlo; al villano en el teatro no se le concedían sino papeles cómicos.

En los días de Lope, como Américo Castro ha demostrado [112], la preocupación por la limpieza de sangre hizo ascender en estima a los villanos debido a su calidad de cristianos viejos, incontaminados de toda herencia no cristiana, ya que precisamente por su baja condición social no se habían mezclado con la población judía, rica por lo común, y emparentada en consecuencia con las clases nobiliarias o las gentes hidalgas. Al convertir en protagonistas de sus dramas de honor a los villanos, Lope acogía seguramente esta idea de índole religiosa, entonces vigente, aunque tampoco debe excluirse lo que sin demasiado anacronismo hemos podido calificar de sentimiento democrático, nacido de la creciente dignidad del hombre como tal. No es posible exponer ahora las razones —quizá no suficientemente indagadas— por las que los "casos de honra", en toda su variedad, "eran mejores y movían con fuerza a toda gente"; lo único que ahora importa es afirmar que sólo el genio dramático de Lope dio forma a tales temas y, muy particularmente, que sólo él llevó al villano a protagonizar un caso de honra: "Fue genial innovación de Lope de Vega —dice Menéndez Pidal— hacer protagonista de un drama de honor a Peribáñez, un labrador de Ocaña, 'aunque villano muy honrado', y haber henchido de alta poesía el amor de la villana Casilda, y haber dado grandeza heroica a la muerte que el labrador da al noble comendador de Ocaña..." [113].

Con todo ello, en los tres dramas de este grupo que hemos considerado, resulta de interés —para mejor comprender a Lope— señalar unos matices en la calidad social del héroe. En *El mejor alcalde, el Rey,* Sancho, el protagonista, guarda los ganados y la huerta de su señor don Tello; es, pues, modesto agricultor o pastor, pero no carece de cierta dignidad en su origen. Al pedirle a su futuro suegro la mano de Elvira, le dice:

---

[111] *Del honor en el teatro español,* cit., pág. 162.
[112] *De la edad conflictiva,* cit.
[113] *Del honor...,* cit., pág. 163.

Nuño, mis padres fueron, como sabes,
y supuesto que pobres labradores,
de honrado estilo y de costumbres graves[114].

Cuando se dirige al rey, en la primera ocasión, para quejarse de la violencia de don Tello, afirma:

Señor, yo soy hidalgo,
si bien pobre (mudanzas de fortuna,
porque con ellas salgo
desde el calor de mi primera cuna)[115].

Y en la segunda entrevista con el monarca, después de disculparse por requerir su intervención de nuevo, aquél le dice:

No es posible que no tengas
buena sangre, aunque te afligen
trabajos, y que de origen
de nobles personas vengas,
como muestra tu buen modo
de hablar y de proceder...[116].

Existe, pues, inequívocamente, en Lope una preocupación por dejar a salvo alguna calidad en la persona, y hacer así menos profunda la sima que separa al ofendido del ofensor; Sancho no es un villano de condición ínfima, o, mejor dicho, no es un villano propiamente.

Peribáñez es un labrador, cierto que bastante acomodado, pero villano, y así lo confiesa cuando se justifica ante el rey de haber dado muerte al comendador; naturalmente, tiene buen cuidado en proclamar aquella limpieza de sangre a que aludíamos y de la que también participa su mujer:

Yo soy un hombre,
aunque de villana casta,
limpio de sangre, y jamás
de hebrea o mora manchada...
Caséme con la que ves,
también limpia, aunque villana...[117].

Pero ni aun esto parece bastarle a Lope para paliar la audacia de la situación, y recurre a lo que no dudaríamos en calificar de estratagema: el comendador, con la intención de alejarlo del pueblo, designa a Peribáñez capitán de las

[114] *Obras escogidas...*, cit., tomo I, pág. 474.
[115] Ídem, íd., pág. 488.
[116] Ídem, íd., pág. 492.
[117] Ídem, íd., pág. 788.

tropas que se dispone a enviarle al rey; Peribáñez le pide entonces que le ciña la espada, a lo que responde el comendador:

> *...haréos caballero,*
> *que de esos bríos espero,*
> *Pedro, un valiente soldado*[118].

Luego, cuando el comendador cae herido por Peribáñez y el criado Leonardo quiere vengar la agresión hecha por un villano, el propio comendador, moribundo, responde:

> *Yo le abono.*
> *No es villano, es caballero;*
> *que pues le ceñí la espada*
> *con la guarnición dorada,*
> *no ha empleado mal su acero*[119].

Insistimos en puntualizar estas cautelas de Lope, que no anulan la significación global atribuida a tales dramas, pero que representan atenuaciones nada despreciables; había convenciones extremas que ningún género de audacia se atrevía a saltar, y que es forzoso tener en cuenta cuando se piensa en Lope frente a su público[119 bis].

---

[118] Ídem, íd., pág. 778.

[119] Ídem, íd., pág. 785.

[119 bis] Sería también necesario indagar la parte correspondiente a la presión de la sociedad y de los convencionalismos teatrales sobre el pensamiento de Lope, y lo que provenía de la mentalidad del propio autor. La idea de que sólo la nobleza de sangre podía sustentar altos ideales y ejecutar grandes acciones era una vivencia colectiva que nadie se había atrevido a rebatir. La concepción cristiana del hombre y de la vida obliga a Lope, como a otros muchos hombres de su tiempo, a hacer ciertas salvedades en cuanto a que el honor sea sólo patrimonio de la nobleza; pero se trata más de una "teoría" que se piensa que de una "actitud" que se vive; Montesinos lo afirma taxativamente: "Lope —dice— no parece venir en ello *ex abundantia cordis.* Lo que nos lleva a realizar acciones nobles es la nobleza de la sangre heredada" (Lope de Vega, *El cuerdo loco,* Teatro Antiguo Español, IV, Madrid, 1922, pág. 185, nota 3). Y esta actitud inspira casi por entero el clima humano de la dramática de la época. El mismo Montesinos dice en otra parte: "El riguroso sentido aristocrático de la comedia explica la psicología de sus personajes, el planteamiento de sus problemas, mejor que ningún otro concepto central... El carácter popular de nuestro teatro no se opone al aristocratismo de los motivos dominantes... Los ideales de una literatura popular no son siempre democráticos, y, además, en el público de los corrales encontramos una gran mescolanza más bien que una gran democracia..." (Lope de Vega, *El cordobés valeroso, Pedro Carbonero,* Teatro Antiguo Español, VII, Madrid, 1929, pág. 185). Los galanes de la comedia lopista son siempre idealizaciones estilizadas de los hidalgos de su tiempo; su energía es una energía "noble", nunca aplicada a fines prácticos, y que en términos contemporáneos podríamos calificar de "deportiva": una actividad que tiene su placer y su fin en la aventura misma, que se consume en la conquista amorosa, en el riesgo afrontado con orgullo de casta y de sangre.

En *Fuenteovejuna,* sin embargo, tales atenuaciones no tienen lugar; todos los protagonistas de la tragedia son villanos auténticos, sin esos oportunos ennoblecimientos con los que Lope trata de eludir incómodos problemas. Y a tono con esta valiente solución, sin concesiones esta vez, está también la mayor violencia del desenlace; ya que idéntica gradación puede advertirse sobre este punto en las obras que consideramos. En *El mejor alcalde, el Rey,* el villano no toma venganza alguna; es el monarca quien decide la muerte del despótico comendador, quizá no tanto por el desmán contra Elvira como por el desacato hacia la majestad real, cuyas órdenes no había aquél acatado:

Cuando esta causa no hubiera,
el desprecio de mi carta,
mi firma, mi propia letra,
¿no era bastante delito? [120].

En *Peribáñez* es ya el esposo ofendido quien mata por su propia mano al ofensor, acción que aprueba luego el monarca.

Pero en *Fuenteovejuna* la actitud rebelde deja muy atrás a la graduada violencia de los otros dos dramas; no importa que se produzca un solo asesinato como en *Peribáñez* y por idénticos motivos: son el tono a que se alza la indignación popular, el sorprendente alcance de las palabras, el carácter que reviste la ira colectiva los que confieren al drama la peculiar significación que suele atribuírsele. Se ha discutido muchas veces si *Fuenteovejuna* es un drama revolucionario. Lo es, sin duda alguna; lo fue en sus días el hecho histórico que Lope dramatiza. Como que fue una rebelión sangrienta contra una vieja realidad social, derribada al fin conjuntamente por el pueblo y el rey pára poner en su lugar un estado nuevo. La crítica más reciente tiende, en cambio, a rechazar esta interpretación, que se califica de anticuada concepción decimonónica, y se buscan nuevas valoraciones filosóficas y literarias [121]. Casalduero,

[120] Ídem, íd., pág. 500.

[121] En su estudio citado —"*Fuente Ovejuna*" *en el teatro de Lope y de Monroy*— López Estrada resume de este modo la dirección de las nuevas interpretaciones: "El resultado fue que el punto de vista de Menéndez y Pelayo iba quedando sobrepasado por nuevas apreciaciones, en las que los gritos de justicia del pueblo no eran lo más sonado que pasaba en la escena, a pesar del vocerío que se oía sobre las tablas. La poesía de la obra no resulta ser bárbara, sino artística; hay en ella énfasis, hay retórica; asoman lecturas más bien que representaciones del instinto; hay artificios escénicos, y lo que parecía torbellino revolucionario de un pueblo sediento de justicia se ha cambiado por la expresión de una concepción musical, de la que resulta que cuentan tanto los gritos de odio como las canciones de la obra, y que unos y otras no son sino contrapuntos de una melodía que hay que aprender a oir. La investigación histórica ha probado que no son verídicos los hechos tal como los cuenta Lope, y no fue su intención política o social la clave que movió a Lope para escribir la tragicomedia. Veamos, pues, paso tras paso, cómo fue posible este cambio en el enjuiciamiento de *Fuente Ovejuna.* La cuestión comenzó cuando el análisis de los elementos integradores de la obra fueron

por ejemplo, califica de *desafortunadas* las páginas en que Menéndez y Pelayo estudia *Fuenteovejuna,* y afirma que el resumen de su argumento que se cuenta generalmente (es el nuestro, en sustancia) "no da la menor idea de la obra", y añade: "La decisión del pueblo y su heroísmo al sufrir el tormento atraen toda la virtualidad dramática de la comedia, pero no se deben desfigurar estos momentos haciéndolos ir a dar a un conflicto de orden político" [122].

No cabe negar en *Fuenteovejuna* la existencia de otras facetas, quizá no valoradas antes suficientemente; pero, prescindir de la tradicional interpretación del drama nos parece mucho más *desafortunado* que limitarse a ella; Menéndez Pidal, refiriéndose a *Fuenteovejuna* como drama de honor y de venganza colectiva —refiriéndose a lo que allí hay, en una palabra—, lo califica de "atrevimiento teatral como no hubo otro en toda la Europa de entonces, y que como novedad se traduce y representa en la Europa de ahora" [123]. Un hálito de drama popular sacude, en efecto, la escena desde el primer instante, perfilando la despótica actitud del comendador, que ha de provocar la tragedia: con las mozas que quiere llevar a su casa; en la escena con Laurencia y Fron-

---

deshaciendo las bases de la posición de Menéndez y Pelayo. Se entendió que no había que interpretar la obra de Lope como la anticipación de las doctrinas que predicaban la rebeldía violenta frente a la tiranía, ni tampoco como la exposición sola de la defensa de la dignidad del hombre frente al poder injusto. En la *Fuente Ovejuna* de Lope había rebelión y vencían los ofendidos, pero todo eso se hallaba en función de una razón más profunda y definidora que había que buscar hasta el fondo de la intuición creadora de Lope y referirla a los espectadores que oyeron la obra" (pág. 12). Cita a continuación los trabajos en que tales interpretaciones se exponen y que nosotros reproducimos: S. Griswold Morley, "'Fuente Ovejuna' and its Theme-Parallels", en *Hispanic Review,* IV, 1936, págs. 303-311. Geoffrey W. Ribbans, "The Meaning and Structure of Lope's 'Fuenteovejuna'", en *Bulletin of Hispanic Studies,* XXXI, 1954, págs. 150-170; reproducido, en versión española, en el libro *El teatro de Lope de Vega. Artículos y estudios,* prólogo y selección de José Francisco Gatti, Buenos Aires, 1962, págs. 91-123. Leo Spitzer, "A Central Theme and Its Structural Equivalent in Lope's *Fuenteovejuna*", en *Hispanic Review,* XXIII, 1955, págs. 274-292; también reproducido en el libro mencionado, págs. 124-147. Bruce W. Wardropper, "*Fuente Ovejuna:* 'el gusto' and 'lo justo'", en *Studies in Philology,* LIII, 1956, págs. 159-171. W. C. McCrary, "*Fuente Ovejuna:* Its Platonic Vision and Execution", en *Studies in Philology,* LVIII, 1961, págs. 179-192. Helga Hoock, *Lope de Vegas 'Fuente Ovejuna' als Kunstwerk,* tesis doctoral, Würzburg, 1963. Erwin Félix Rubens, "Fuente Ovejuna", en *Lope de Vega. Estudios en conmemoración del IV Centenario de su nacimiento,* La Plata (Argentina), págs. 135-148. Y el artículo de Casalduero, abajo citado. Consúltese además: Rafael Ramírez de Arellano, "Rebelión de *Fuenteovejuna* contra el Comendador Mayor de Calatrava Fernán Gómez de Guzmán", en *Boletín de la Real Academia de la Historia,* XXXIX, 1901, págs. 446-512. Manuel Cardenal, "*Fuenteovejuna*", en *Clavileño,* II, núm. 2, sep.-oct. 1951, págs. 20-26. J. Robles Pazos, "Sobre la fecha de *Fuenteovejuna*", en *Modern Language Notes,* L, 1953, págs. 179-182. McDonald, "An interpretation of *Fuenteovejuna*", en *Babel,* Cambridge, L, 1940, págs. 51-62.

[122] Joaquín Casalduero, "Lope de Vega. *Fuenteovejuna*", en *Estudios sobre el teatro español,* Madrid, 1962, pág. 12.

[123] *Del honor...,* cit., pág. 163.

doso, que pone fin al acto primero, enfrentando con amenazas de muerte a los dos protagonistas; en la reunión de la plaza —a comienzos del segundo— con los hombres del pueblo, a los que escarnece, después de pedirle al propio padre de Laurencia que la ponga en sus manos; cuando entrega a Jacinta a los apetitos de la tropa:

> *Ya no mía, del bagaje*
> *del ejército has de ser*[124],

en la escena final del acto segundo, cuando el comendador interrumpe la boda de Laurencia y Frondoso y hace apresar a los dos.

Desde que se inicia el acto tercero, se desencadena un arrebato de violencia ininterrumpida (no son sólo *momentos*, como asegura Casalduero; son todas las escenas, sin exceptuar una sola), que apenas tiene igual en ningún teatro del mundo:

> *—¿Qué es lo que quieres tú que el pueblo intente?*
> *—Morir, o dar la muerte a los tiranos,*
> *pues somos muchos y ellos poca gente.*
> *—¡Contra el señor las armas en las manos!*
> *—El rey solo es señor, después del cielo,*
> *y no bárbaros hombres inhumanos...*[125]

dicen los hombres de Fuenteovejuna en la sala del concejo. Poco después llega Laurencia, que ha logrado escapar de las manos del comendador, y los insulta por su pasividad:

> *¿Vosotros sois hombres nobles?*
> *¿Vosotros padres y deudos?*
> *¿Vosotros, que no se os rompen*
> *las entrañas de dolor,*
> *de verme en tantos dolores?*
> *Ovejas sois, bien lo dice*
> *de Fuenteovejuna el nombre.*
> ....
> *Liebres cobardes nacisteis;*
> *bárbaros sois, no españoles.*
> *Gallinas, ¡vuestras mujeres*
> *sufrís que otros hombres gocen!*
> *Poneos ruecas en la cinta:*

---

124 *Obras escogidas...*, cit., pág. 840.
125 Ídem, íd., pág. 845.

¿para qué os ceñís estoques?
¡Vive Dios, que he de trazar
que solas mujeres cobren
la honra de estos tiranos,
la sangre de estos traidores,
y que os han de tirar piedras,
hilanderas, maricones,
amujerados, cobardes,
y que mañana os adornen
nuestras tocas y basquiñas,
solimanes y colores! [126].
....

La reacción del pueblo es inmediata; y la escena tiene toda la violencia desenfrenada y espectacular que la historia de todos los tiempos nos ha ofrecido tantas veces:

BARRILDO. *Descoge*
un lienzo al viento en un palo,
y mueran estos inormes.
JUAN ROJO. *¿Qué orden pensáis tener?*
MENGO. *Ir a matarle sin orden:*
Juntad el pueblo a una voz;
que todos están conformes
en que los tiranos mueran.
ESTEBAN. *Tomad espadas, lanzones,*
ballestas, chuzos y palos.
MENGO. *¡Los reyes nuestros señores*
vivan!
TODOS. *¡Vivan muchos años!*
MENGO. *¡Mueran tiranos traidores!*
TODOS. *¡Traidores tiranos mueran!...* [127].

Aunque nada tan vibrante como el momento en que las mujeres se suman a la rebelión:

LAURENCIA. *¿No veis cómo todos van*
a matar a Fernán Gómez,
y hombres, mozos y muchachos
furiosos, al hecho corren?
¿Será bien que sólo ellos

[126] Ídem, íd., pág. 846.
[127] Ídem, íd., pág. 847.

desta hazaña el honor gocen,
pues no son de las mujeres
sus agravios los menores?

JACINTA. *Di, pues: ¿qué es lo que pretendes?*
LAURENCIA. *Que puestas todas en orden,*
acometamos un hecho
que dé espanto a todo el orbe.
Jacinta, a tu grande agravio
que seas cabo corresponde
de una escuadra de mujeres.
JACINTA. *No son los tuyos menores.*
LAURENCIA. *Pascuala, alférez serás.*
PASCUALA. *Pues déjame que enarbole*
en un asta la bandera:
verás si merezco el nombre.
LAURENCIA. *No hay espacio para eso,*
pues la dicha nos socorre:
bien nos basta que llevemos
nuestras tocas por pendones...[128].

He aquí el momento en que los amotinados irrumpen en el aposento del comendador:

ESTEBAN. *Ya el tirano y los cómplices miramos.*
¡Fuenteovejuna! Los tiranos mueran.
COMENDADOR. *Pueblo, esperad.*
TODOS. *Agravios nunca esperan.*
COMENDADOR. *Decídmelos a mí; que iré pagando,*
a fe de caballero, esos errores.
TODOS. *¡Fuenteovejuna! ¡Viva el rey Fernando!*
COMENDADOR. *¿No me queréis oir? Yo estoy hablando;*
yo soy vuestro señor.
TODOS. *Nuestros señores*
son los Reyes Católicos.
COMENDADOR. *Espera.*
TODOS. *¡Fuenteovejuna! ¡Fernán Gómez muera!.*[129].

A poco, en medio de la furia exultante de la gente que alborota, canta y baila en la plaza, "traen —dice la acotación— la cabeza de Fernán Gómez en una lanza", y el gracioso Mengo se ríe del macabro espectáculo gritando su parodia:

---

[128] Ídem, íd., pág. 847.
[129] Ídem, íd., pág. 848.

¡Vivan los reyes cristiánigos
y mueran los tiránigos! [130].

No parece necesario seguir reproduciendo. Después de estas escenas, leer que el habitual resumen del argumento de *Fuenteovejuna* "no da la menor idea de la obra" nos deja estupefactos.

Quizá no sea fácil precisar el alcance que quiso Lope atribuirle a todo eso que, evidentemente, puso y existe en *Fuenteovejuna.* Porque aunque con la intervención, totalmente innecesaria en la obra, del Maestre de Calatrava pretendiera Lope —según entiende Anibal— [131] halagar al duque de Osuna, del linaje de aquel Maestre, es fuerza preguntarse cómo sonarían en la escena de su tiempo aquellas tremendas imprecaciones contra los tiranos, aunque se las situara en los días de los Reyes Católicos. Lo cierto es que no sabemos nada de aquella posible reacción, y ni siquiera si *Fuenteovejuna* fue representada; cuestiones éstas de mucho mayor interés, a nuestro juicio, que el buscarle a la obra metafísicas neoplatónicas sobre el amor. Menéndez y Pelayo —como puntualiza López Estrada— hizo notar que esta obra "por raro capricho de la suerte" era de las menos conocidas en España, y que su difusión había partido del romanticismo europeo, no del español. A lo cual añade López Estrada otros tres datos: 1.º, que en los años del más fervoroso romanticismo español, *Fuenteovejuna* no fue representada en Madrid, aunque lo fueron otras muchas obras de Lope [132]; 2.º, que en la *Historia de Fuente Ovejuna* escrita hacia 1783 por el regidor perpetuo de la localidad don Francisco Caballero Villamediana, ni siquiera se alude al drama de Lope de Vega, que ha hecho famoso a dicho pueblo [133]; 3.º, la obra de Lope tampoco se menciona entre las representadas en la Lima virreinal [134].

¿Cuál fue, pues, en realidad, la vida escénica de *Fuenteovejuna*? El problema es doble y no sabemos contestarlo. ¿Hasta donde llegaba la consciente intención de Lope en este drama de villanos sin gota de nobleza, que matan, decapitan y arrastran el cuerpo del comendador? ¿Cuál fue su aceptación? Los datos mencionados hacen suponer que bien escasa: ¿por qué? López Estrada admite que la versión de *Fuenteovejuna* hecha por Monroy tuvo mayor éxito entre el público; y la obra de Monroy había modificado sustancialmente el espíritu del drama de Lope: "la cuestión —dice— que se plantea en Monroy

---

[130] Ídem, íd., pág. 850.

[131] Cfr.: "The Historical Elements of Lope de Vega's *Fuente Ovejuna*", cit., página 668.

[132] Cfr.: Juana de José Prades, "El teatro de Lope de Vega en los años románticos", en *Revista de Literatura,* XVIII, 1960, págs. 235-248 (cit. por López Estrada en el estudio mencionado, pág. 8).

[133] López Estrada, estudio cit., págs. 7-8.

[134] Cfr.: Guillermo Lohmann Villena, *El arte dramático en Lima durante el virreinato,* Madrid, 1945 (cit. por López Estrada, pág. 7).

no es un negocio violento que se ventila entre la villa y su Comendador, sino un arreglo de honor entre los caballeros..." [135]. Páginas más arriba, aludiendo a la posición de Menéndez y Pelayo escribe: "Realmente Menéndez y Pelayo, arrastrado por una interpretación romántica, parece no haberse dado cuenta de que lo más difícil en Lope sería esta concepción de un pueblo villano que triunfase frente a su noble señor, y de qué manera esto podía presentarse en las tablas sin que resultase violencia para los espectadores nobles, que antepusiesen la defensa de los de linaje al sentido de la virtud" [136]. Creemos que Menéndez y Pelayo sí que advirtió el problema; sólo que su explicación no lo resuelve. Pero tampoco lo resuelven, a nuestro entender, las recientes exégesis.

Veamos brevemente algunas otras comedias entre las numerosas sobre historia o leyendas españolas.

El último godo, según ya dijimos, desdice de la importancia del asunto. El sistema de dramatizar la historia (entiéndase lo mismo leyenda o novela) en forma lineal, falla de nuevo ostensiblemente, puesto que se acumulan demasiados hechos y se quiebra la intensidad de la acción, que el autor prolonga desde los amores de don Rodrigo con la Cava hasta la batalla de Covadonga.

Mucho mejor es *Las famosas asturianas,* sobre el tributo de las cien doncellas. Cuando éstas son conducidas de camino hacia el reino musulmán, una de ellas se desnuda totalmente y sólo se viste de nuevo al llegar a tierra de moros; dando a entender así que no había hombres en su tierra de quienes se tuviera que avergonzar. Afrentados con ello los guardianes, tornan a León y se declara la guerra, que termina con la victoria cristiana en Clavijo. La comedia, que tiene grandes aciertos dramáticos, está afeada por el empleo de una "fabla" convencional, con la que Lope trataba de imitar el lenguaje de los tiempos medios.

Al tema de Bernardo del Carpio dedicó Lope *Las mocedades de Bernardo* y *El casamiento en la muerte,* para las cuales comedias se sirvió de crónicas y de romances y aún les añadió episodios de su imaginación. Con uno de éstos de gran fuerza dramática, termina la segunda obra: cuando Bernardo encuentra muerto a su padre, junta la mano de éste con la de su madre, casándolos en la muerte —de donde el título de la obra— para legitimarse a sí mismo. Los inevitables anacronismos de detalle no perjudican apenas la sombría grandeza de primitivo sabor épico que poseen numerosas escenas.

La leyenda de los infantes de Lara fue dramatizada por Lope en *El bastardo Mudarra.* Lope recoge en su obra la totalidad de la leyenda, utilizando completo el texto de la *Crónica,* de la que acierta a tomar "todos los rasgos poéticos en ella conservados al par que la rapidez y fuerza narrativa de la

---

135 López Estrada, estudio cit., pág. 61.

136 Ídem, íd., pág. 29.

antigua prosa historial", y los romances viejos de los "cuales adoptó el metro, imitó su corte y sus giros en muchas escenas, y aun insertó algunos íntegros o copió de otros bastante número de versos" [137]. La maestría y fidelidad con que Lope interpreta estos materiales le permite lograr una dramatización de poderosa robustez y sencillez épicas.

De cómo Lope era capaz de extraer su inspiración de un fragmento lírico y combinar los elementos más diversos fundiéndolos en un poema dramático, da buena prueba *El vaquero de Moraña.* El título y la idea inicial los tomó Lope de la segunda serranilla del marqués de Santillana; y una glosa anónima a esta misma composición, de finales del siglo XV o comienzos del XVI, le suministró otros elementos poéticos de la fábula. El resto lo puso Lope de su magín, sirviéndose de episodios de otras comedias y de situaciones también repetidamente utilizadas. El rey Bermudo (Lope no especifica cuál) encierra en un convento a su hermana para evitar sus amores con el conde de Saldaña. El conde huye a Castilla, temeroso del rey, y lo mismo hace la infanta. Ambos se refugian en la casa de un rico labrador de la sierra de Ávila, a quien sirven, disfrazados respectivamente de vaquero y de segadora. Un día llega el rey hasta allí cazando, y la infanta, después del reconocimiento, logra el perdón para sí y para su enamorado.

El ambiente rústico favorecía extraordinariamente la inclusión de escenas populares; y, en efecto, las hay bellísimas, con trozos de poesía para cantar de lo más perfecto de Lope: como el famoso canto de los segadores:

TODOS. *Esta sí que es siega de vida,*
Esta sí que es siega de flor.
TIRRENO. *Hoy, segadores de España,*
Vení a ver a la Moraña
Trigo blanco y sin argaña,
Que de verlo es bendición.
TODOS. *Esta sí que es siega de vida,*
Esta sí que es siega de flor.
TIRRENO. *Labradores de Castilla,*
Vení a ver a maravilla,
Trigo blanco y sin neguilla,
Que de verlo es bendición.
TODOS. *Esta sí que es siega de vida,*
Esta sí que es siega de flor [138].

---

137 Menéndez y Pelayo, ed. citada, vol. III, pág. 316. Cfr.: Ramón Menéndez Pidal, *La leyenda de los Infantes de Lara,* 2.ª ed., Madrid, 1934, págs. 127-138. Eva R. Price, "The 'Romancero' in 'El bastardo Mudarra' of Lope de Vega", en *Hispania,* XVIII, 1935, págs. 301-310. J. Moore, *The 'Romancero' in the Chronicle-Legend Plays of Lope de Vega,* Filadelfia, University of Pensylvania, 1940.

138 *Obras de Lope de Vega,* ed. de la Academia, t. VII, pág. 569.

O el precioso romance en que el rey se dirige, sin reconocerla, a su hermana, disfrazada de serrana:

> *Vaquero, que Dios te guarde,*
> *Pues por estas sierras altas*
> *Tu fértil ganado llevas*
> *Al helado Guadarrama,*
> *¿Has visto ciertos monteros*
> *Con capotes de dos haldas*
> *De verde paño de Londres,*
> *Con jacerinas y abarcas,*
> *Que en esta tierra pusieron*
> *Ayer tarde dos zamarras,*
> *Cuando el sol daba sus rayos*
> *A los jardines del alba?...*
> *Que voy perdido tras ellos*
> *Entre aquestas peñas altas,*
> *Sin caballo y sin sustento,*
> *Desde ayer por la mañana* [139].

El rey don Pedro I de Castilla, con su dramática y controvertida personalidad, tenía que ser figura de gran atractivo para Lope, que lo sacó en varias comedias —*La carbonera, Los Ramírez de Arellano*— pero de modo principal en *Audiencias del rey don Pedro* y en *El rey don Pedro en Madrid o El infanzón de Illescas*. En la primera de dichas comedias —la más antigua de nuestro teatro en que se presenta a don Pedro administrando justicia por sí mismo— Lope recoge la tradición que convertía al rey castellano no en "cruel" sino en "justiciero". Una de aquellas audiencias —que no son tantas como parece prometer el título, pues Lope, para dar mayor interés, se enreda en una historia de amor—, la del prebendado y el zapatero, ha gozado de especial popularidad hasta los días del Romanticismo.

De mucho mayor calidad es la segunda de las comedias citadas. Lope hizo intervenir con bastante frecuencia en su teatro elementos sobrenaturales; pero nunca, en opinión de Menéndez y Pelayo, con la fuerza dramática que en este caso. Don Pedro (el hecho es referido como auténtico por el Canciller Ayala) había hecho matar a un clérigo porque le había anunciado que moriría a manos de su hermano don Enrique. En la comedia la sombra del clérigo muerto se le aparece en tres ocasiones al rey, pero éste le hace frente con una arrogancia que define a maravilla la arriscada índole del monarca, tal como Lope lo deseaba dramatizar.

---

[139] Ídem, íd., pág. 588.

Otra intervención del "misterio", que Lope manejaba tan certeramente, tiene lugar en una de sus más bellas creaciones: *El caballero de Olmedo.* Su asunto posee un fondo histórico, aunque Lope lo traslada del tiempo de los Reyes Católicos al de Juan II. Existen varias informaciones escritas del suceso, que es éste, en sustancia, según lo recoge el *Nobiliario* de Alonso López de Haro: "Don Juan de Vivero, caballero del hábito de Santiago, señor de Castronuevo y Alcaraz, fue muerto viniendo de Medina del Campo de unos toros, por Miguel Ruiz, saliéndole al camino vecino de Olmedo sobre unas diferencias que traían, por quien se dijo aquella cantinela que dicen:

Esta noche le mataron
al caballero,
la gala de Medina,
la flor de Olmedo" [140].

Pero es muy posible que Lope no conociera sino este cantarcillo popular y las escasas noticias, conservadas por la tradición, que lo completaban. Con ello le bastó para urdir el nudo de su comedia. Tiene ésta como dos vertientes que a la par se contraponen y complementan: en los dos primeros actos se teje la fábula de amor del caballero entre deliciosas —y a veces cómicas— escenas de costumbres, tercerías celestinescas (las imitaciones de la *Celestina* son frecuentes y deliberadas) y prácticas supersticiosas y de agüeros, muy propias de la época de Juan II, cuya nota ambiental cuida Lope perfectamente. En el acto III se precipita la tragedia, preparada por una atmósfera de presagios y presentimientos, a que se suma la misteriosa aparición de la sombra que canta en la noche, mientras el caballero camina hacia Olmedo por el camino de la muerte. No todos los críticos han estimado del mismo modo la relación entre la primera y la segunda parte de la comedia; Menéndez y Pelayo, en cambio, gran admirador de esta obra, hace notar de qué sutil y poética manera se viene preparando el desenlace dramático, conducido a su fin como por un inatajable fatalismo.

También por esta intervención del misterio ofrece interés otra comedia de Lope de discutible clasificación, *El marqués de las Navas,* combinación un tanto extraña de dos mundos diversos. Los dos primeros actos pertenecen por entero al grupo de comedias calificadas como *de enredo* o *costumbres*: escenas de amor, aventuras románticas y maravillosas trenzadas sobre el fondo desbor-

---

[140] Citado por Menéndez y Pelayo, ed. cit., vol. V, pág. 56, Cfr.: José M. Blecua, "Notas a 'El Caballero de Olmedo' ", en *Nueva Revista de Filología Hispánica,* VIII, 1954. Del mismo, introducción a su edición de *El caballero de Olmedo,* 2.ª ed., Zaragoza, 1943. E. Juliá Martínez, estudio preliminar a su edición de *El Caballero de Olmedo,* anejo II de la *Revista de Bibliografía Nacional,* Madrid, 1944. Fidel Fita, "*El caballero de Olmedo* y la Orden de Santiago", en *Boletín de la Academia de la Historia,* XLVI, 1905, págs. 398-422. J. Serrailh, "L'histoire dans 'El caballero de Olmedo' de Lope de Vega", en *Bulletin Hispanique,* XXXVIII, 1936, págs. 337-352.

dante y alegre de la vida de Madrid, con sus paseos, fiestas y esplendores cortesanos. En el acto tercero, el milagro y la intervención del más allá tuercen inesperadamente el rumbo de la trama: Leonardo, un personaje de la comedia que llega a Madrid para casarse después de abandonar a otra mujer, es muerto en una pendencia por el marqués de las Navas, a quien luego se le aparece el espíritu de Leonardo para pedirle que atienda a unos asuntos, dejados sin resolver a causa de su muerte repentina; y el marqués lleva a efecto el encargo del difunto.

Montesinos, que a propósito de esta comedia ha estudiado la intervención de lo maravilloso en el teatro de Lope [141], destaca la peculiaridad de *El marqués de las Navas.* Como hemos indicado, son numerosas las comedias en las que Lope hace intervenir el misterio en la vida real, pero, comúnmente, en obras de carácter legendario o a lo menos alejadas en el tiempo, por lo que, aun revistiendo color de verdad histórica, parece que admiten normalmente la ingerencia de lo maravilloso. En ésta, en cambio, el prodigio se sitúa en los mismos días del poeta y como sucedido lo habían aceptado sus contemporáneos; adopta, pues, como en ninguna otra ocasión, el carácter de hecho real, poniendo de relieve aquella extraña facilidad con que el milagro, para la estimación colectiva, se insertaba en lo cotidiano. "Sería difícil —dice Montesinos— encontrar en todo el repertorio lopesco una comedia de más interés como documento, un documento que nos da la medida del sentido de la realidad en la España de los días del Fénix; esa confusión de planos..., ese confluir del cielo y de la tierra en una sola oleada de vida, presta a la persona y a la época de Lope una luz extraña e inquietante a cuya claridad nos son comprensibles no pocas cosas y sucesos" [142].

---

[141] Lope de Vega, *El marqués de las Navas,* edición y estudio de José F. Montesinos, en Teatro Antiguo Español, VI, Madrid, 1925.

[142] Ídem, íd., pág. 139. Montesinos fija los diferentes grados de estas apariciones maravillosas en el teatro lopesco, por lo común bajo la forma de sombras o de difuntos. Las sombras —"encarnaciones, corporeizaciones del lúgubre ambiente que rodea a los héroes en quienes la fatalidad se ceba" (págs. 141-142)—, en general de carácter agorero, aparecen en *La imperial de Otón,* en *Las paces de los reyes y judía de Toledo,* en *El caballero de Olmedo,* en *El precio de la hermosura,* en *Contra valor no hay desdicha*; pero estos espectros no intervienen en la acción generalmente, y su papel se limita a advertir o amonestar al héroe. En otras comedias son personas difuntas los aparecidos: Dios se vale de las almas desencarnadas como instrumentos para castigar o premiar a los vivos, y aquellos cuyo destino en la tierra estuvo más unido al del héroe de la comedia, son los que cumplen tal misión. En ocasiones hay una relación de destinos individuales, que se prolongan más allá de la muerte. De esta índole son los aparecidos de *El duque de Viseo, Don Juan de Castro, El infanzón de Illescas, Dineros son calidad.* Aludiendo al carácter que en el mundo de Lope adopta esta irrupción del más allá en la vida real y refiriéndose, como ejemplo, a la última de las comedias mencionadas, dice Montesinos: "El tono con que esa sombra se expresa no puede ser ya más humano, ni su actitud. Si el rey se resiste a oírle, le acusa de cobarde como pudiera hacerlo un galán que motejara a otro por rehuir un desafío. Y en cuanto al efecto teatral, ¿cabe

Imposible detenernos en otras muchas obras de gran interés, aunque es imprescindible citar al menos algunas de ellas. Así, *La estrella de Sevilla* (la paternidad de Lope ha sido muy discutida)[143], que plantea el conflicto —tan repetido en nuestra escena áurea— entre la obediencia al rey y los sentimientos familiares; *Las almenas de Toro,* única comedia de Lope en que aparece el Cid; *La campana de Aragón,* que dramatiza la popular leyenda de Ramiro el Monje y la campana de Huesca; *La desdichada Estefanía,* obra de intenso dramatismo, comparada al *Otelo* de Shakespeare, en que se presenta el drama de una mujer a quien mata su marido por creerla adúltera, cuando es una criada la que se sirve de los vestidos de su señora para acudir a citas nocturnas; *Porfiar hasta morir,* sobre la popular historia de los amores del trovador Macías; *Las paces de los reyes y judía de Toledo,* sobre los amores de Alfonso VIII con una judía toledana, a la que asesinan los nobles para evitar su influjo; *Los comendadores de Córdoba,* sobre una trágica tradición andaluza, consistente en la venganza de un caballero cordobés que asesina a su esposa y a dos comendadores de Calatrava por supuesta infidelidad de aquélla[143 bis].

diferenciar, sobre la escena, el cielo de la tierra, cuando vivos y muertos se sientan en el brocal de un pozo a conversar mano a mano sobre un asunto?" (pág. 159). La calidad del prodigio como recurso artístico y su eficacia teatral disminuyen manifiestamente de aquel primero a este segundo grupo de comedias. Pero todavía cultiva Lope un tercer estadio en el que la intervención de lo sobrenatural se aparta aún más de aquella condición estética y valor dramático para relacionarse con su ingenua credulidad religiosa, que era la de su público: "Los vivos —comenta sobre este punto Montesinos— tienen una obligación de caridad con respecto a los que ya abandonaron este suelo, obligación cuyo cumplimiento puede exigir, en todo caso, el difunto, que al tropezar con negligencia u olvido, porfía pertinazmente, en reapariciones sucesivas, como en el caso de *El marqués de las Navas.* Así, los espíritus dolientes, devueltos a la tierra con cuidados de su salvación, proceden de una manera enteramente humana, y salvo los caracteres exteriores, de apariencia, no se les creería desencarnados. Éste es el resultado a que Lope llega, su fórmula definitiva. La menos eficaz" (pág. 166). Y añade, finalmente, sobre los procedimientos de Lope en la comedia que nos ocupa: "El cielo y la tierra resultan demasiado próximos, y el cielo, sobre todo, demasiado real; Lope pinta el milagro con paleta realista" (págs. 167-168).

[143] Cfr.: R. Foulché-Delbosc, "Consideraciones preliminares" a su edición de *La estrella de Sevilla,* París-Nueva York, 1920 (niega la atribución a Lope). A. F. G. Bell, "The author of *La estrella de Sevilla*", en *Revue Hispanique,* LIX, 1923, págs. 296-300. Henry Thomas, "*La estrella de Sevilla*" *attributed to Lope de Vega* (edición e introducción), Oxford, 1930. Emilio Cotarelo y Mori, "*La estrella de Sevilla* es de Lope de Vega", en *Revista de la Biblioteca, Archivo y Museo... de Madrid,* VII, 1930, págs. 12-24.. S. E. Leavitt, *The "Estrella de Sevilla" and Claramonte,* Harvard University Press, 1931. C. E. Anibal, "Observations on *La estrella de Sevilla*", en *Hispanic Review,* II, 1934, págs. 1-38. John M. Hill, introducción a su edición de *La estrella de Sevilla,* Boston-Nueva York, 1939.

[143 bis] Cfr.: G. A. Nauta, "Analecta Lopeana" (sobre *Las paces de los reyes*), en *Neophilologus,* Amsterdam, XIX, 1934, págs. 98-100. S. G. Morley y Courtney Bruerton, "Lope de Vega, Celia y 'Los comendadores de Córdoba' ", en *Nueva Revista de Filología Hispánica,* VI, 1952, págs. 57-68.

Comedias pastoriles. Es difícil imaginar que Lope no llevara a las tablas temas pastoriles, tan prestigiosos en su tiempo. La primera comedia suya que conocemos, *El verdadero amante,* fue de esta índole, aunque es casi seguro que la retocó bastante al publicarla mucho tiempo después. En esta obra, como en las otras de su especie —*La pastoral de Jacinto, Belardo el furioso, La Arcadia*— son frecuentes los aspectos autobiográficos y las alusiones a personajes de la intimidad de Lope, en forma semejante a lo que vimos en el género propiamente pastoril. El nombre de Belardo, tras el que Lope se escondió en ocasiones múltiples, lo mismo en sus obras poéticas que en las dramáticas, revela enseguida el fondo autobiográfico de la comedia de este nombre, anticipo, en cierta manera, de *La Dorotea.* Junto a la inevitable profusión de elementos líricos en estas piezas, Lope abre la puerta a la vigorosa corriente de la realidad inmediata en forma de escenas de costumbres; el Lope autor dramático comprendió la escasa viabilidad teatral de estos temas, y su fuerte sentido de las circunstancias y del público a que servía le movió a dejarlos muy pronto. Cuando en alguna ocasión tornó incidentalmente a ellos fue más bien para servir encargos cortesanos, como en *La selva sin amor,* primera ópera española, que fue cantada ante Felipe IV y presentada con escenografía del italiano Cosme Loti.

Comedias caballerescas. El mundo caballeresco tentó naturalmente a Lope, que aprovechó de él numerosos temas susceptibles de dramatización. Acertó menos cuando fue a tomarlos de fuentes cultas, como el poema de Ariosto, pero logró plenos aciertos al servirse de los romances, en los que ya tenía como un camino esbozado, sobre todo por la frecuencia del diálogo. Modelo de este género es *El marqués de Mantua,* en donde Lope dramatiza los romances de éste y Valdovinos, de los cuales —según recuerda Menéndez y Pelayo— intercaló "un número enorme de versos con poca o ninguna alteración; pero los acomodó con tal arte dentro de las situaciones dramáticas, que parecen nacidos allí, y producen doble efecto por la reminiscencia épica que sugieren y por la nueva vida que adquieren transportados, sin esfuerzo alguno, de la poesía narrativa a la activa. Esta transfusión del alma nacional en el alma del poeta nadie la ha conseguido en tanto grado como Lope, y esta comedia es inapreciable para estudiar prácticamente sus procedimientos" [144]. Como los romances no ofrecían sino la agonía de Valdovinos en brazos del marqués de Mantua y la acusación y castigo del príncipe Carloto, Lope forjó de propia invención todo un primer acto de deliciosa factura para motivar los hechos. En el segundo, la tierna despedida de Valdovinos y su esposa Sevilla prepara con gran habilidad el contraste con las dramáticas escenas que van a seguir; y al igual que en otras comedias —según tenemos visto— Lope enhebra con los diálogos de amor la sombra sutil de siniestros presagios, hasta llegar a las patéticas escenas

---

[144] Ed. citada, vol. VI, pág. 338.

del bosque, donde comienza la imitación de los romances y la indicada utilización de versos literalmente tomados.

Otras comedias de este grupo son *Los palacios de Galiana,* sobre la leyenda de Maynete y Galiana [145]; *La mocedad de Roldán; Angélica en el Catay; Ursón y Valentín,* etc. En esta última supone Menéndez y Pelayo que pensaba Cervantes especialmente cuando escribió, en su famosa invectiva sobre las comedias, aquellas palabras: "¿Qué mayor disparate puede ser en el sujeto que tratamos, que salir un niño en mantillas en la primera escena del primer acto, y en la segunda salir ya hecho hombre barbado?". La comedia encierra evidentes elementos folletinescos, aunque mucho menores que el libro de caballerías francés que proporcionó el asunto. Comienza con el repetido tema de la esposa calumniada, reina esta vez; un hijo suyo, nacido en la selva, es criado en estado salvaje hasta que le vence al cabo la hermosura de la mujer. Menéndez y Pelayo señaló en Ursón cierta semejanza con el Calibán shakespeariano de *La tempestad,* aunque atemperado por el natural optimismo de Lope; y vio en él asimismo un precedente del Segismundo de Calderón [146].

Comedias tomadas de novelas. El gran acervo novelesco de viejos y nuevos temas que el Renacimiento puso en circulación por toda Europa a través, sobre todo, de los novelistas italianos, proporcionó también a Lope enredos para muchas de sus fábulas dramáticas. No busca en ellas Lope sino entretener gustosamente la atención del espectador con el fluir de los sucesos, y nada especial suponen salvo la habilidad siempre fresca del Fénix para sacar partido de todo; Lope, como en cualquier materia que maneja, actualiza y españoliza todos estos asuntos, aunque conserve muchas veces el emplazamiento geográfico que tenía la historia en su origen [147].

Algunas comedias merecen recordarse en este grupo. *El halcón de Federico* está basado en una novelita de Boccaccio. Un caballero pobre se enamoró de una dama rica que se casó con otro. Andando el tiempo la dama quedó viuda, y con su hijo pequeño fuese a vivir al campo, cerca de la casa del caballero pobre; éste poseía un halcón que estimaba en mucho. Enfermó el niño y se le antojó el halcón del vecino. La madre, venciendo su repugnancia, fue a visitar a su antiguo enamorado, quien no teniendo otra cosa con que obsequiarla, mató y sirvió a la mesa el halcón. Después de la comida la dama se lo pidió, y el caballero hubo de explicarle el caso. Como el hijo muriera, la viuda casó con su antiguo pretendiente, que le había dado tantas pruebas de amor.

La difunta pleiteada es un folletinesco asunto tomado de una novela de Bandello. Una joven recién casada sufre un desvanecimiento y se la da por

---

[145] Sobre esta leyenda, cfr., Ramón Menéndez Pidal, "Galiene la Belle y los palacios de Galiana en Toledo", en *Poesía árabe y poesía europea,* 5.ª ed., Madrid, 1963, págs. 79-106.

[146] Ed. citada, vol. VI, págs. 390 y 394.

[147] Cfr.: Joseph G. Fucilla, *Relaciones hispano-italianas,* Madrid, 1953.

muerta. Dispuesto a enterrarse con ella va a la tumba otro hombre, su verdadero enamorado, quien descubre que aún vive, la lleva consigo y se dispone luego a casarse con ella. Pero el marido la reconoce, pone pleito sobre su mujer y lo gana [148].

También en una novela de Bandello se basa *El castigo sin venganza*, trágica historia de adulterio. Casandra casa con el duque de Ferrara, que la abandona a poco de la boda. Federico, hijo del duque, había salvado anteriormente a Casandra, sin sospechar que era la prometida de su padre. Casandra y Federico se enamoran apasionadamente. El duque descubre aquella pasión y plannea su venganza con cruel lucidez: engañando al hijo, hace que éste mate a su madrastra, y llama enseguida a sus criados para que maten allí mismo a su hijo a quien acusa de asesino. La terrible fábula está aderezada esta vez con gran habilidad; los caracteres han sido bien estudiados, y perfectamente calculado el proceso de sus pasiones, que en la escena resultan convincentes y humanas [149]. Según parece, esta obra se representó sólo una vez por pleitos de comediantes, y no, como se vino diciendo algún tiempo, porque se viesen en ella alusiones al príncipe don Carlos, hecho que habría motivado su prohibición.

Comedias de enredo y de costumbres. Englobamos en este último apartado para mayor brevedad, todas aquellas comedias así llamadas, por ser de idéntica traza en lo esencial aunque varíen los accidentes del medio costumbrista ("malas" costumbres, urbanas o de ambiente rural) que, al cabo, importan poco.

Puesto que en toda la producción dramática de Lope hemos venido mencionando —como componente de particular importancia— las escenas de costumbres, debemos aclarar que las de este último grupo vienen a ser predominantemente costumbres *contemporáneas* (como tales podrían ser definidas estas comedias de Lope) y por añadidura de la vida nacional. Lope nacionalizaba y "aproximaba" todo cuanto caía en sus manos, pero aquí es la misma vida en torno

---

148 Cfr.: María Goyri de Menéndez Pidal, *La difunta pleiteada*, Madrid, 1909. A. Gasparetti, *Las novelas de Bandello como fuentes del teatro de Lope de Vega*, Salamanca, 1939.

149 Cfr.: estudio preliminar a la edición de A. van Dam, Groningen, 1928. Ramón Menéndez Pidal, "El castigo sin venganza. Un oscuro problema de honor", en *El P. Las Casas y Vitoria con otros temas de los siglos XVI y XVII*, Madrid, 1958, págs. 123-152. Amado Alonso, "Lope de Vega y sus fuentes" (se ocupa en especial de *El castigo sin venganza*), en *Boletín del Instituto Caro y Cuervo*, VIII, 1952, págs. 1-24 (reproducido en *El teatro de Lope de Vega. Artículos y estudios*, selección de José Francisco Gatti, cit., págs. 193-218). Hugo A. Rennert, "Über Lope de Vega's *El castigo sin venganza*", en *Zeitschrift für Romanische Philologie*, XXV, 1901, págs. 411-423. E. Gigas, "Études sur quelques 'comedias' de Lope de Vega. III. *El castigo sin venganza*", en *Revue Hispanique*, LIII, 1921, págs. 589-604. Harri Meier, "*El castigo sin venganza* de Lope de Vega", en *Ensaios de Filologia Romanica*, Lisboa, 1948, págs. 243-246. T. E. May, "Lope de Vega's *El castigo sin venganza:* the idolatry of the Duke of Ferrara", en *Bulletin of Hispanic Studies*, XXXVII, 1960, págs. 154-182.

la que el poeta lleva a la escena [150] Dijimos, y es bien cierto, que a ninguna otra especie de comedias lopescas conviene tanto como a éstas la fórmula de Américo Castro: la intriga o nudo argumental puede volar por todas las regiones de la fantasía, del capricho y de la inverosimilitud, pero siempre por sobre un paisaje de vida real contemporánea. Un aspecto cualquiera de la vida de la ciudad o del campo (con preferencia de la ciudad), tipos curiosos del abigarrado bullicio madrileño, lugares famosos y frecuentados, calles, paseos, posadas, fiestas o romerías, sirven de marco cierto y real a una fábula de amor en que los lances más increíblemente estupendos se presentan con deliciosa naturalidad. En todas estas escenas de amores, de celos, de intrigas femeninas, de galanterías, de desdenes fingidos, de alcahueterías y enredos, de rivales enamorados, de estocadas y lances callejeros, se encuentra el Lope más vivaz, más lozano y dinámico, más asombroso observador. Las situaciones pueden repetirse hasta el infinito —como que, al fin, se juega con pocas y bien sabidas pasiones— y trenzarse con todas las combinaciones imaginables; pero la fantasía de Lope puede renovar en cada ocasión la más manida trama con mil brillantes toques de su incansable mano.

Con estas comedias Lope crea un género, que ninguno de sus mayores sucesores del siglo XVII —aunque aporten perfiles de detalle o intensifiquen algún aspecto particular— variará en sus rasgos esenciales: la andadura, el tono de la intriga, hasta innumerables lances externos de toda comedia de enredo serán ya siempre los de Lope. Claro que la desigualdad preside, como todas, esta porción dramática del Fénix, y en muchas comedias sólo merece destacarse este o aquel acierto parcial: gérmenes que sus herederos perfeccionaron. Pero no es poco en su haber la gama inmensa de posibilidades que dejó abiertas.

En su edición de *Santiago el Verde,* una de las más características comedias de este grupo, Oppenheimer destaca la deliciosa variedad que sabe Lope comunicarles, dentro de la aparente monotonía de sus moldes dramáticos: "En lo que suele llamarse comedias de capa y espada —dice— hay numerosos subgrupos y no es posible pensar en ellas como en un género inflexible, por muchas que fueran las recetas que los ingenios de segundo orden derivaron de las enseñanzas de Lope... El tema que fundamenta y da sentido a todas estas comedias, cuya acción se desarrolla en el medio de la pequeña nobleza o de lo que para hacernos entender llamaríamos la burguesía de la época, es el amor... Este tema del amor está, diríamos, desprovisto de la solemnidad que encontramos en las obras exaltadas; Lope acentúa el carácter festivo de la comedia, que en estas dos cosas lo es con toda la plenitud de significación que tradicionalmente ha tenido este nombre. Sin embargo, Lope consigue este efecto circunstanciando,

---

150 Cfr.: F. O. Reeds, "Spanish Usages and Customs in the 17h Century as noted in the works of Lope de Vega", en *Philological Quarterly,* 1922. Ricardo del Arco, *La sociedad española en las obras dramáticas de Lope de Vega,* Madrid, 1942. Ángel Valbuena Prat, *La vida española en la Edad de Oro,* Barcelona, 1943.

aproximando a las circunstancias contemporáneas pasiones y afectos que en las piezas de carácter heroico están tratadas como algo absoluto, independiente de las limitaciones de cualquier realidad. La exaltación, perfectamente seria, del mundo cómico de Lope, circunscrita dentro de los límites de una realidad contemporánea, vestida con las formas de la vida diaria, obra festivamente sobre los espectadores. En cierto modo, esta 'realización' de las pasiones y de los afectos hace resbalar un poco la fábula escénica hacia la perspectiva de la figura del donaire" [151].

Como en ningún otro campo de su dramática, en estas comedias de enredo se muestra el natural humano y optimista del poeta. El mundo que vive en estas comedias no parece conocer más dolor que los obstáculos precisos para provocar el gozo de vencerlos y hacer más deleitoso el inevitable final feliz. Optimismo y humanidad del poeta, pero también habilidad del dramaturgo que se sabía proveedor de un espectáculo popular y procuraba halagar el gusto de su gente.

Casi es inútil subrayar el puesto preponderante que ha de ocupar la mujer en comedias de tal especie. "Nota saliente —dice Oppenheimer— en las comedias de capa y espada del Fénix son los papeles femeninos; el arte de Lope en caracterizar a las mujeres ha sido ensalzado con frecuencia y razón, y ciertamente la lectura de sus obras nada nos ofrece de más perfecto y gracioso. Los caracteres femeninos aparecen en la obra de Lope con riquísima variedad, no con personalidad cerrada y radicalmente distinta en cada heroína sino como variantes animadas de algunos tipos genéricos: el dramaturgo hace selección de ellas con su personal gusto y su rica experiencia..." [152].

Sólo es posible hacer aquí mención de alguna de estas comedias. En *El acero de Madrid,* Belisa y Lisardo se enamoran perdidamente al verse en una iglesia, pero la rígida dueña Teodora impide que se traten. Belisa se finge enferma, y Lisardo, médico también fingido que va a visitarla, le recomienda prolongados paseos y que tome todas las mañanas el "agua de acero" o ferruginosa de una fuente pública que pueda curar la enfermedad de Belisa. Con ocasión de los paseos, los enamorados pueden dar curso a su amor.

Parecida en su esencia es *Santiago el Verde,* en que el galán se finge sastre para poder acercarse a su amada.

En *El perro del hortelano* (que, según el viejo refrán, "ni come ni deja comer"), la condesa Diana se enamora de su secretario, pero ni permite que éste se case con Marcela, a la que ama, ni ella se decide a casarse porque él es de inferior condición. El conflicto entre el amor y la vanidad, complicado con los celos hacia Marcela, se resuelve satisfactoriamente con el triunfo del amor; cierto que a ello contribuye (¿qué pensaría el espectador actual ante

[151] R. A. Oppenheimer, en su ed. de *Santiago el Verde,* Teatro Antiguo Español, IX, Madrid, 1940, págs. 172-173.

[152] Ídem, íd., págs. 193-194.

solución semejante?) el hecho de que el secretario resulta ser de condición noble.

En *La moza de cántaro,* una dama de gran belleza y arrestos varoniles da muerte a un caballero que había abofeteado a su padre. Para escapar de la justicia huye a Madrid, donde sirve como "moza de cántaro", hasta que sus parientes le gestionan el perdón. Casa entonces con un caballero que, sin conocer su condición social, la había preferido a una dama de alto linaje.

En *La villana de Getafe* un caballero seduce a una humilde labradora y pretende luego a una dama de elevada condición. Pero cree más tarde que la "villana" ha heredado una cuantiosa fortuna, y casa con ella después de reconocer su deuda de honor.

El villano en su rincón, una de las comedias más interesantes del Fénix, ha sido calificada frecuentemente de "comedia filosófica" más que de "costumbres", porque en ella la precipitada intriga lopista cede el lugar a una acción más reposada y comedida y porque las reflexiones de índole moral predominan sobre los lances novelescos. La comedia viene a ser, en esencia, una alabanza de la vida retirada y desprecio de la agitada y falsa vida de corte. Un rico propietario, Juan Labrador —nombre alegórico—, vive retirado en sus posesiones próximas a París, mientras sus hijos lamentan el alejamiento cortesano de su padre y aprovechan toda ocasión para trasladarse a la ciudad. El rey descubre la existencia de Juan Labrador con ocasión de una cacería, y decide visitarle fingiéndose alcalde de París. Las palabras de Juan Labrador, que se niega a visitar al rey pero está dispuesto a servirle con todos sus recursos, cautivan al monarca, que lo pone repetidamente a prueba. Al fin consigue llevarlo a la corte y apadrina la boda de su hija con un noble [153].

Las bizarrías de Belisa, la última probablemente de las comedias que escribió, prueba de qué milagrosa manera conservaba Lope la vivacidad de su ingenio al cabo de los años. Belisa, "bizarra" mujer, persigue, disfrazada de varón, al hombre que ama, cuya vida salva dos veces en las calles de Madrid, y con quien al fin acaba casándose.

Y docenas y docenas de comedias más —nunca tan cierta la ponderación como al hablar de Lope— cuyas anécdotas no importa detallar, porque son su índole y carácter los que cuentan, y ya quedaron dichos [154].

---

[153] Cfr.: Marcel Bataillon, "*El villano en su rincón*", en *El teatro de Lope de Vega. Artículos y estudios,* selección de José Francisco Gatti, cit., págs. 142-192. Everett W. Hesse, "The sense of Lope's *El villano en su rincón*", en *Studies in Philology,* LVII, 1960, págs. 165-177. Alonso Zamora Vicente, ed. y estudio de *El villano en su rincón,* Madrid, 1961. Joaquín de Entrambasaguas, *Lope de Vega y su tiempo. Estudio especial de "El villano en su rincón"*, 2 vols., Madrid, 1961.

[154] Para ediciones y estudios de las comedias de Lope, cfr. especialmente las colecciones bibliográficas de J. Simón Díaz y Juana de José Prades, cit. en la nota 1 del capítulo precedente.

CAPÍTULO VII

LA ESCUELA DRAMÁTICA DE LOPE:

CASTRO. MONTALBÁN. ALARCÓN. AMESCUA. VÉLEZ. DRAMATURGOS MENORES

GUILLÉN DE CASTRO Y EL GRUPO VALENCIANO

Al ocuparnos del teatro prelopista fueron mencionados, aunque ciertamente de pasada, algunos de los dramaturgos valencianos que florecían por los días de la llegada de Lope a la ciudad mediterránea. Estos escritores vienen a representar el enlace entre el teatro prelopista —que todavía siguen, e imitan, sobre las huellas de los autores de la propia escuela valenciana— y el triunfo pleno de la dramática del Fénix, muchos de cuyos hallazgos adoptan ya como seguidores de la nueva escuela. Su importancia sólo relativa, lo mucho que se ha perdido de su obra y exigencias de espacio nos mueven a no volver ahora sobre ellos, para detenernos en el más importante de los dramaturgos valencianos de la época de Lope, y uno de los más notables de nuestro teatro nacional: Guillén de Castro.

SU VIDA. ASUNTOS Y ÉPOCAS DE SU OBRA TEATRAL

Nació Guillén de Castro en Valencia en 1569 [1] —era, pues, siete años más joven que Lope— y con el nombre de "Secreto" figuró entre los asistentes a la famosa "Academia de los Nocturnos", donde ingresó en 1592. Sirvió como

[1] Cfr.: Henri Mérimée, "Notes sur Guillén de Castro", en *Revue Hispanique,* I, 1894. Del mismo, "Pour la biographie de Guillén de Castro", en *Revue des langues romanes,* IV, 1907. Del mismo, *L'art dramatique à Valencia,* Toulouse, 1913. Del mismo, *Spectacles et comédiens à Valencia (1580-1630),* Toulouse-París, 1913. F. Martí Grajales, *Poetas valencianos,* Madrid, 1927. Del mismo, "Biobibliografía de Guillén de Castro", en *Anales del Centro de Cultura Valenciana* IV, 1931. Eduardo Juliá Martínez, "Observaciones preliminares" a su edición de las *Obras de Don Guillén de Castro y Bellvis* (luego citada), vol. I.

capitán de "caballería de la costa", cuerpo encargado de su vigilancia contra ataques de los piratas. Casó en 1595 con doña Marquesa Girón de Rebolledo, pero hay indicios de que estuvo casado anteriormente con otra dama, de la que se separó mediante proceso. De doña Marquesa quedó viudo al poco tiempo, aunque en fecha no conocida. Debió de dejar su cargo militar para entrar al servicio del duque de Gandía como procurador general, y en 1607 marchó a Italia, donde fue nombrado gobernador de Scigliano por el conde de Benavente, virrey de Nápoles. Su corta estancia en Italia no pasó de ser un accidente en la vida del poeta y apenas si dejó huella en sus obras ni tuvo consecuencias de interés. Vuelto a Valencia en 1609 trató de resucitar la "Academia de los Nocturnos" con el nombre de "Los montañeses del Parnaso" de quienes fue elegido presidente. Su renombre como autor dramático debía de ser ya por entonces considerable, puesto que al publicarse en 1608 una colección de *Doze comedias famosas* de dramaturgos valencianos, se incluían dos de Guillén de Castro[2]. Andaba el escritor muy corto de dinero y los préstamos que tomó para editar en 1618 la *Primera parte* de sus obras le acabaron de llenar de deudas, por lo que en 1619 se trasladó a Madrid al servicio del marqués de Peñafiel, hijo del famoso duque de Osuna, con cuyo apoyo remedió su situación. También con la ayuda del marqués contrajo, en 1626 —cuando tenía ya el poeta 56 años de edad—, segundas nupcias con doña Ángela Salgado, dama al servicio de la duquesa de Osuna. Por este tiempo vivió activamente en la corte entre los medios literarios. Fue gran amigo de Lope de Vega, a cuya hija Marcela dedicó la *Primera parte* de sus comedias[3]; Lope, a su vez, le dedicó *Las almenas de Toro*. Murió el dramaturgo valenciano en 1631, en Madrid, si no en la abundancia, al menos no tan pobre como sostiene una leyenda bastante difundida[4].

Guillén de Castro ocupa un puesto de primer orden entre los dramaturgos de nuestra época de oro; evidentemente inferior a las tres cumbres —Lope,

[2] *Doze comedias famosas de quatro poetas naturales de la insigne y coronada ciudad de Valencia,* Valencia, 1608; las dos comedias que se incluían de Guillén de Castro eran *El caballero bobo* y *El amor constante.*

[3] La edición de esta *Parte* ha ocasionado un curioso problema bibliográfico. Guillén de Castro la hizo imprimir en 1618 en Valencia y la mandó transportar a Madrid con la esperanza de venderla toda en la corte; la realidad fue muy distinta, y en 1621 el poeta, para ver de darle algún movimiento a aquella edición dormida, sustituyó la portada y el primer pliego, estampó la nueva fecha y, presentándola como nueva, dedicó la obra a la hija de Lope. El minucioso cotejo de ambas "ediciones" ha permitido descubrir la superchería (véase Juliá, *Obras,* I, págs. XXIV-XXX).

[4] Juliá reproduce íntegro (ídem, íd., págs. XVIII-XXII), tomándolo de la *Bibliografía madrileña* de Cristóbal Pérez Pastor, el testamento de Guillén de Castro. El inventario de sus bienes permite suponer la inexactitud de la extrema pobreza del poeta, pero sin extremar tampoco las consecuencias por el lado contrario; Guillén de Castro anduvo endeudado toda su vida, y el hecho es que algunas de las prendas que figuran en la relación estaban empeñadas.

Tirso y Calderón—, puede colocarse a la par de cualquiera de sus notables discípulos. Su producción, en buena parte perdida, debió de ser abundante a juzgar por el número —casi medio centenar— de las comedias que se conservan [5]. Pero la inmensa fama que, así en su tiempo como en los siglos posteriores, conquistó con su drama *Las mocedades del Cid,* ha dejado eclipsado injustamente el resto de sus obras. Cultivó Castro en su teatro, a semejanza de su admirado maestro Lope, los temas más diversos: escribió comedias bíblicas y de santos, históricas, caballerescas, mitológicas, de costumbres contemporáneas, y algunas también tomadas de novelas (sus comedias religiosas importan poco).

Pero tanto como sus asuntos interesa distinguir en la dramática del valenciano las épocas de su producción, dado que no se advierten preferencias temáticas a lo largo de aquéllas, pero es, en cambio, visible la evolución interna de su obra; bien entendido, sin embargo, que no ha sido posible hasta el momento fijar con exactitud la cronología de sus comedias, por lo que toda afirmación a este respecto puede quedar sometida a rectificaciones. Una primera parte puede estimarse como señaladamente prelopista. Durante ella sigue todavía las huellas de Virués en su afición por los asuntos novelescos, tratados en forma grandilocuente y hasta algo desorbitada, buscando la eficacia dramática en la violencia de las pasiones y las acumulaciones efectistas; a este momento pertenecen las comedias caballerescas *El conde de Irlos* y *El nacimiento de Montesinos* o la histórica *El cerco de Tremecén.* La escuela valenciana había caminado, en virtud de natural evolución, hacia las mismas metas de Lope, y hasta en esta primera etapa de Castro pueden encontrarse ya felices aciertos

---

[5] Ediciones: *Comedias escogidas,* edición Mesonero Romanos, en BAE, vol. XLIII, nueva edición, Madrid, 1951. *Comedias escogidas,* ed. Pi y Margall, en Colección de libros españoles raros o curiosos, vol. 12, Madrid, 1897. *Obras de Don Guillén de Castro y Bellvis,* ed. de Eduardo Juliá Martínez, Real Academia Española, Biblioteca Selecta de Clásicos Españoles, 3 vols., Madrid, 1925-1927. *Las mocedades del Cid,* ed. de Carolina Michaelis, en *Tres flores del teatro antiguo español,* Leipzig, 1870; ed. de W. Foerster, Bonn, 1878; ed. de A. Sánchez Moguel, Madrid, 1885; ed. de H. Mérimée en la Bibliothèque Méridionale, vol. 2, Toulouse, 1890; ed. de E. Lacroix, en la Colección Mérimée, vol. 7, París, 1897; ed. de W. v. Wurzbach, en la Biblioteca Románica, núms. 37-39, Estrasburgo, 1907; ed de Víctor Said Armesto, en Clásicos Castellanos, Madrid, 1.ª ed., 1913; ed. J. M. Tenreiro, en Las cien mejores obras de la literatura española, vol. 54, Madrid, s. a. *Ingratitud por amor,* ed. de Hugo Albert Rennert, Philadelphia, 1899. *Comedia del pobre honrado,* ed. de M. Serrano y Sanz, en *Bulletin Hispanique,* vol. IV, 1902. *El curioso impertinente,* ed. de F. Martínez, Valencia, 1908. *El ayo de su hijo,* ed. de H. Mérimée, en *Bulletin Hispanique,* vols. 8, 9 y 11, 1906-1909. *La tragedia por los celos,* ed. de H. Alpern, París, 1926. *Quien malas mañas ha...,* ed. de Eduardo Juliá, Madrid, 1916. Cfr.: Eduardo Juliá, "La métrica en las producciones dramáticas de Guillén de Castro", en *Anales de la Universidad de Madrid* (Letras), III, 1934, págs. 62-71. Courtney Bruerton, "The Chronology of the *Comedias* of Guillén de Castro", en *Hispanic Review,* XII, 1944, págs. 89-151. W. E. Wilson, "The Orthoëpy of certain words in the Plays of Guillén de Castro", en *Hispanic Review,* XXI, 1953, páginas 146-150.

dentro del molde lopista, como la comedia de enredo *El caballero bobo* y el drama mitológico *Progne y Filomena*. Es posible incluso que todavía pertenezca a esta primera época una de las más notables obras de Castro, *Dido y Eneas*.

En la segunda época, bien aprendida la lección de Lope y vueltos "los ojos hacia la realidad en ocasiones y otras veces hacia sus lecturas" [6], escribe Castro bellas comedias costumbristas o de enredo, como *Los malcasados de Valencia*; insiste con pleno acierto en la comedia caballeresca —*El conde Alarcos*—; y logra sus grandes creaciones en el drama histórico y tradicional con sus dos obras sobre el Cid: *Las mocedades del Cid* y *Las hazañas del Cid*; intenta, a su vez, felizmente, la escenificación de temas cervantinos con *Don Quijote de la Mancha* y *El curioso impertinente*. En su tercer momento, menos diferenciado, sigue indistintamente las dos direcciones anteriores, pero perfeccionando el rasgo psicológico y atenuando los efectismos dramáticos —*El nieto de su padre, La tragedia por los celos*—; torna a los temas cervantinos —*La fuerza de la sangre*—; y dentro del ambiente coetáneo escribe hábiles comedias de enredo como *El Narciso en su opinión*. Juliá resume de este modo la evolución de Castro en lo que respecta al estudio de los caracteres: "La psicología de los personajes de Guillén de Castro va complicándose según avanza su producción. En las obras de su primer período se puede decir que toda la psicología consiste en la fuerza y hasta la barbarie para el hombre, y el amor y la belleza para la mujer... El hombre siempre es atrevido, valiente, intrépido en las composiciones de Guillén de Castro. Reniega éste de los afeminados, y cuando eligió un protagonista débil, atildado, elegante, fue para burlarse de él y ponerlo en ridículo: *El Narciso en su opinión* resulta un azote contra los petimetres de todos los tiempos y lugares. En cambio, cuando una mujer contempla a un sujeto varonil, le ama, como la Infanta de *El amor constante*:

> *porque hombres de veras son*
> *para queridos de veras.*

Tal concepto del hombre obliga a Castro a inclinarse hacia tipos de leyenda heroica, y a ello se debe que tanto se enamorase del Cid y otros caballeros cual el Conde de Ribadeo, los doce Pares de Francia y aquellos que las leyendas locales enaltecían como desfacedores de toda violencia y favorecidos de la fortuna en cualquier combate. Ahora bien, el héroe vence en la contienda, pero sucumbe ante el amor, y Guillén de Castro se complace en ofrecérnoslo enamorado" [7].

---

[6] Juliá, *Obras*, cit., vol. I, pág. XXXVII.
[7] Ídem, íd., págs. XXXVIII-XXXIX.

CARÁCTER Y DESARROLLO DE SU OBRA DRAMÁTICA

Se ha señalado en la obra dramática de Castro una veta de sátira y aversión contra el matrimonio, que pudo quizá tener origen en algún motivo personal (en esta opinión insiste Valbuena), del que sería indicio suficiente su supuesto divorcio; rara es la obra en que el autor no aluda al engaño y hastío del obligado trato entre los esposos, o al constante fingimiento que exige la vida conyugal, o al tormento de una esposa celosa. Pero tanto como esta vivencia íntima pudo influir, en la dirección que imprime el poeta a sus conflictos de amor, un ideario particular que discrepa sensiblemente del código amoroso de la época, y más todavía de las ideas sobre el honor. Castro, tan lopista como le fue posible en los procedimientos, parece que pone empeño en diferenciarse de su maestro en los desenlaces, y no sólo por afán de originalidad. En su más lograda comedia, *Los malcasados de Valencia,* un conflicto matrimonial se resuelve mediante el divorcio: solución tan atrevida para su época como inusitada en nuestro teatro clásico. En *El curioso impertinente,* que no desmerece en penetración psicológica al lado de la novela de Cervantes, Castro recoge, y aun intensifica, el pensamiento de aquél, al sostener el triunfo del adulterio y del amor frente a los derechos del marido, que muere perdonando a los culpables. "La independencia de este drama —dice Valbuena Prat— frente al concepto usual del honor en el teatro, no hay que buscarla sólo en la oriundez cervantina, sino que se explica por una predisposición de gran parte de la dramática de Guillén a una más liberal idea de la honra y de la moral de la justicia sin temer las situaciones más difíciles y escabrosas" [8]. La posición de Castro en tal materia, aunque se define con mayor amplitud en las dos últimas comedias citadas, puede rastrearse también en otras muchas de sus obras; así en *Engañarse engañando* o en *Progne y Filomena,* en que por boca de sus personajes protesta el poeta contra las rigurosas leyes de honor.

Eduardo Juliá no cree, por su parte, que las ideas de Castro sobre el matrimonio estén fundadas en motivos autobiográficos. Queda, sin duda, la cuestión de su problemático divorcio, pero no las explican sus dos matrimonios: el primero fue muy fugaz y nada autoriza a suponer que fuera desgraciado; más aún, el escritor parece lamentar con toda sinceridad la pérdida de su mujer. El segundo tuvo lugar en los últimos años del poeta, cuando la mayor parte de sus comedias, o quizá todas, habían sido escritas. Los recelos de Castro ante la mujer o, mejor, frente al matrimonio, nacen más bien de la transcendencia que le concede, pues que ve en él la posibilidad de arruinar la vida de un hombre. Juliá lo afirma taxativamente: "Resulta la mujer veleidosa, inconstante, oscura y desamorada la perdición del hombre; tal es la causa de las diatribas que contra el matrimonio formula Guillén de Castro:

---

[8] *Historia de la literatura española,* vol. II, 7.ª ed., Barcelona, 1964, pág. 373.

Si la mujer puede así
borrar lo más celebrado
de un hombre, u aventaxado
hacerle, nunca un marido
se tenga por bien nacido
si no fuera bien casado,

dice en *Ingratitud por amor*[9]. Y luego: "Por consiguiente, la mujer es para amada; el matrimonio, para temido. No debe esto equivocar al lector, ya que parece hacer sospechar que Guillén de Castro fuese partidario de teorías modernas. No hay tal; estudiando detenidamente sus obras se ve con claridad que sus ideas acerca del problema del matrimonio no son de condenación del mismo, sino de vituperio contra la mujer que no sabe cumplir con sus deberes"[10].

Dejando aparte —sostiene también Juliá— lo que en las diatribas antimatrimoniales de Castro pueda haber de mero recurso literario (utilizadísimo en todo tiempo y del que no está libre ningún dramaturgo de aquélla época), lo cierto es que el valenciano fue creador de apasionados tipos de mujer que son al mismo tiempo dechados de lealtad y constancia; y el hecho de que Castro vea en la mujer no tanto el objeto cuanto el sujeto más firme del amor, explica muchos rasgos de su teatro y en particular de sus desenlaces. Cuando en *Las mocedades del Cid* se plantea como núcleo del drama el conflicto entre el honor y el amor, "éste es quien logra la victoria, no sin repudiar nuevamente Ximena las leyes humanas:

A voces quiero decillo;
que quiero que el mundo entienda
cuánto me cuesta el ser noble,
y cuánto el honor me cuesta.
De Rodrigo de Vivar
adoré siempre las prendas,
y por cumplir con las leyes,
¡que nunca el mundo tuviera!
procuré la muerte suya,
tan a costa de mis penas..."[11].

Idéntico triunfo del amor sobre el honor se produce en *El curioso impertinente,* según ha puntualizado Valbuena. Lo que permite resumir a Juliá: "He de confesar que veo como móvil principal de las obras de Guillén de Castro no el honor sino el amor, y que aunque aparentemente es un detractor

[9] *Obras,* cit., vol. I, pág. XL.
[10] Ídem, íd.
[11] Ídem, íd., pág. XLII.

de la mujer y del matrimonio, en el fondo es el cantor del corazón femenino apasionado y fiel" [12].

La misma originalidad muestra Guillén de Castro acerca de otros motivos muy discutidos en su tiempo por políticos y juristas —de que no solían hacerse eco los convencionalismos teatrales de la época—, tales como la fidelidad al rey en el caso de que éste falte a la justicia. Castro llega a mostrarse partidario del regicidio cuando la autoridad real degenera en tiranía —así en *El amor constante,* quizá su más antigua comedia— o cuando adviene al poder mediante usurpación: *El perfecto caballero.* En *El amor constante* llega a decirse:

> *—¿Y es razón que muera un rey?*
> *—Si es tirano, poco importa...*
> *Que a un rey, en siendo tirano,*
> *pueden quitalle ese nombre* [13].

En *La justicia en la piedad* el pueblo se subleva contra el rey para libertar al príncipe condenado a muerte por su padre. En muchos pasajes de sus obras insiste Castro en los deberes del rey, sin cuyo cumplimiento no merece el respeto y la obediencia de sus súbditos. Así, en *Dido y Eneas* dice que el oído de los reyes

> *para el rico y para el pobre*
> *jamás ha de estar cerrado...*
> *aunque le ofendan las quejas*
> *y aunque las dudas le enojen...* [14].

Con claros influjos todavía de la escuela de Virués, Castro consiguió una obra de gran intensidad en su tragedia *Dido y Eneas,* que gozó de gran renombre en su tiempo y siguió representándose muchos años. Guillén de Castro no sigue la versión —adoptada por Virués— que hacía de Dido una mujer honesta, fiel al recuerdo de su marido, sino la virgiliana, convirtiendo a la famosa reina en un personaje apasionado, de gran énfasis dramático —muy en la línea del autor—, que muere de despecho al ser abandonada por Eneas. Para componer esta obra, "el poeta valenciano —dice Juliá— siguiendo ya los derroteros que tanta honra debían conquistarle y tan celebrado había de hacer al teatro español, se adentró en los Romances para narrar las aventuras de la esposa de Siqueo" [15]. Efectivamente, Guillén de Castro aprovechó con gran habilidad casi todos los romances, muy numerosos y popularizados entonces,

---

[12] Ídem, íd.

[13] Ed. Juliá, cit., vol. I, págs. 12 y 14.

[14] Ídem, íd., pág. 173.

[15] Ídem, íd., pág. LXVII.

sobre la reina de Cartago, en particular los recogidos en la *Rosa de Amor* de Timoneda y en el *Cancionero de Romances.*

Los malcasados de Valencia es una comedia de enredo, quizá de lo más complicado y movido de todo nuestro teatro clásico; era necesaria una maestría escénica de primer orden para no enredarse de veras en aquel laberinto de sustituciones y equívocos, fabulosamente inverosímiles, pero de positiva eficacia dentro del marco teatral en que se sitúa el escritor. Por su estructura, *Los malcasados* es lo que hoy se llamaría un "juguete cómico", y por la índole de muchas situaciones es un auténtico "vodevil", con momentos bastante escabrosos. En medio de aquella divertidísima madeja, el dramaturgo va deslizando muchas de las consideraciones sobre el matrimonio y los casados, a que nos hemos referido, y que se aceptan como fundamentales para la ideología del autor a tal respecto. Confesamos, no obstante, que el desenfadado juego a que se entrega Guillén de Castro en *Los malcasados,* nos deja bastante inciertos entre lo que puedan ser conceptos graves o burla necesaria para la marcha del enredo. Lo que parece quedar patente es que el escritor no siente un entusiasmo muy profundo por el vínculo matrimonial, que queda bastante malparado. Y mucho más todavía se despreocupa —o se ríe incluso— de los convencionalismos de época sobre el honor. Tras los repetidos y cómicos atentados de que éste es objeto en toda la comedia, las soluciones sangrientas se desploman grotescamente entre aquel aire de farsa; y los atropellados divorcios del final —cuyas causas jurídicas se descubren tan rápida como oportunamente— son el único desenlace que resulta humano.

Pero la obra, dijimos, a que debe Guillén de Castro su inmortalidad es *Las mocedades del Cid.* Castro, siguiendo con personal acento las directrices de Lope, había aprendido a servirse del Romancero tanto en sus primeras comedias históricas como en las caballerescas; pero esta utilización de la poesía tradicional alcanza su punto de perfección en sus dos grandes creaciones cidianas, particularmente en *Las mocedades.* Todos los romances sobre el Cid son aprovechados por Castro, pero no para intercalarlos llanamente, sino para extraer de ellos su espíritu y, de acuerdo con él, desarrollar situaciones y caracteres que apenas estaban esbozados. Consigue así una perfecta dramatización de la épica, comparable a las mejores creaciones de su especie en nuestro teatro, y en no pocos aspectos superior a todas ellas.

El Cid de esta obra —ya el título lo indica— no es el héroe reposado y maduro del viejo poema, que en su tiempo era desconocido, sino el guerrero juvenil. Comienza la comedia cuando el Cid es armado caballero y el rey Fernando nombra como ayo de su hijo Sancho al padre del Cid, Diego Laínez: decisión que disgusta al conde Lozano, padre de Jimena, la amada de Rodrigo. En la discusión que sobreviene, Lozano afrenta, abofeteándolo, a Diego, y éste, ya anciano, pone en manos de su hijo la ejecución de la venganza. Rodrigo mata al conde y se plantea así el nudo sentimental de la obra: ambos, Rodrigo y Jimena, viven desde entonces el trágico conflicto entre las exigencias de la honra y el deber, y la fuerza de su mutuo amor. Mientras Jimena se ve obligada a pedir justicia al rey contra su amado, éste se expatría y comienza en tierra de moros la rueda de sus hazañas. La acción fundamental deja paso incidentalmente a otras figuras: a la infanta Urraca, enamorada también de Rodrigo y celosa, por tanto, de Jimena, y al infante don Sancho, entusiasta del Cid, con lo que se prepara la privanza de éste, desarrollada en la segunda obra. Las encontradas pasiones de Jimena —carácter férreo, que llega hasta insolentarse con el rey en su demanda de justicia— se desenvuelven en bien graduado proceso a lo largo de la segunda y tercera jornada, hasta acabar con el triunfo del amor y la boda de Jimena y Rodrigo. "En *Las mocedades* —dice Juliá— Castro vuelve a contraponer honor y pasión amorosa y hace triunfar al amor, como siempre. En el Romancero encontró la inspiración; y el Romancero, infiltrado de las ideas medievales, estaba saturado de venganza y de honra. Se ha dicho que la conquista de Guillén de Castro era el carácter de Jimena. Esto no es sino proclamar que el dramaturgo valenciano adoptó las ideas de los romances, pero para contraponerles otros ideales nacidos al calor del Renacimiento y de un ambiente de cultura tan excepcional como el que en Valencia se respiraba en aquel entonces. La pasión de Ximena es digna hermana de aquella pasión albergada en el alma de Dido, y la de María, la heroína de *La humildad soberbia*, y de Filomena, la desgraciada hermana de Progne, y de tantos corazones femeninos como llevó a la escena Guillén de Castro" [16].

Castro recoge en *Las mocedades* todos los elementos conservados por la poesía tradicional sobre la juventud de su héroe, incluso la aparición de San Lázaro en forma de leproso, episodio que podía satisfacer al piadoso espectador del siglo XVII, pero que destruye —sólo en este episodio, por fortuna— la consistencia humana del personaje. Cierto que el propio Rodrigo asegura, en esta escena, al pastor que se asombra de sus demostraciones de piedad, que "el ser cristiano no impide ser caballero"; y no puede dudarse. Pero el Cid comiendo en el mismo plato del leproso y haciendo consideraciones piadosas sobre los caminos del cielo, resulta inconcebible. No en vano suprimió Corneille este episodio en su *Cid*; no, como suele decirse, porque el espectador francés fuese incapaz de entenderlo, sino porque sólo el espectador español de entonces era capaz de contemplarlo sin reir.

Pero, hasta en este mismo pasaje, *Las mocedades* encarnan una manifestación irreprochable de nuestra dramática nacional con todos los elementos que mejor la representan y la constituyen: la índole del héroe, el hálito de poesía tradicional que atraviesa la obra desde la primera a la última escena, el ritmo de su acción, el épico redoblar de sus versos, la calidad de los sentimientos, sobre todo el de la venganza y de la honra. Al lado de este tradicionalismo y nacionalismo esenciales, el conflicto amoroso entre los dos pro-

[6] Idem, íd., vol. II, págs. XIV-XV.

tagonistas alcanza una realidad humana de valor universal por la hondura y verdad de sus pasiones. Y hasta en la misma intensificación de sus valores nacionales y de época, por lo que tienen de inequívocamente representativos, *Las mocedades* son un valor universal también.

La obra de Castro inspiró —como ya ha quedado apuntado— la no menos famosa de Corneille, *Le Cid*. Dejando aparte —y no es poco a favor de Castro— que la obra del francés no pudo ni concebirse sin su modelo, toda comparación entre ambas es ociosa, porque pertenecen a estéticas diametralmente contrarias —de las que podrían tomarse como perfectos arquetipos— y sólo pueden ser enjuiciadas dentro de su propio código poético. Corneille eliminó numerosos episodios y condensó su obra en torno al conflicto de ambos personajes entre el amor y el deber, conflicto moral, intemporalmente humano, que podría quedar desprendido de cualesquiera circunstancias; Castro, por el contrario, pone en acción un mundo épico, con toda su variedad de episodios y su consiguiente movilidad cinematográfica; el poeta salta, de una escena a otra, a lugares distantes, y el escenario se le queda angosto para montar encuentros, desafíos y toda suerte de hechos dramáticos, que, frecuentemente, no puede sino dejar sugeridos entre bastidores [17].

LOS DRAMATURGOS DEL GRUPO MADRILEÑO

JUAN PÉREZ DE MONTALBÁN

Discípulo predilecto de Lope, Juan Pérez de Montalbán nació en Madrid en 1602. Era hijo del librero Alonso Pérez, gran amigo de Lope y editor de muchas de sus obras. Montalbán estudió en Alcalá, donde su padre había tenido anteriormente tienda de libros, se doctoró en Teología y fue ordenado de sacerdote en 1625. Fue notario de la Inquisición, y vivió activamente la vida literaria de Madrid. Perdió la razón en sus últimos años y murió prematuramente en 1638.

Hoy día se le recuerda sobre todo por su *Fama póstuma* en honor de Lope y por sus elogios y recuerdos del Fénix: sombra, pues, simplemente de su maestro. Pero en sus días gozó de gran popularidad, como lo demuestran las repetidas ediciones de sus obras, y tuvo a la vez numerosos enemigos que le zahirieron con despiadadas burlas. Entre todos aquéllos se distinguió Quevedo, que le dirigió la sarcástica *Carta consolatoria*, con motivo de haberle sil-

[17] Cfr.: J. Ruggieri, "*Le Cid* de Corneille et *Las Mocedades del Cid* de Guillén de Castro", en *Archivum Romanicum*, XIV, 1930. Joaquín Casalduero, "Guillén de Castro. Primera comedia de 'Las Mocedades del Cid' ", en *Estudios sobre el teatro español*, Madrid, 1962, págs. 45-71.

bado una comedia, le ridiculizó en su *Perinola* cuando publicó Montalbán su libro de miscelánea *Para todos* y compuso probablemente aquel gracioso epigrama en que satirizaba las supuestas pretensiones de hidalguía del madrileño:

> *El Doctor tú te lo pones,*
> *el Montalbán no lo tienes,*
> *con que quitándote el don*
> *vienes a quedar Juan Pérez.*

No parece que fueran sólo razones literarias las que estimularon a Quevedo contra la persona y la obra de Montalbán. El padre de éste había lanzado ediciones piratas de algunos escritos del gran satírico, y aunque éste había conseguido la condena judicial del librero, no se sentía satisfecho aún y deseaba aprovechar la baza que los libros del hijo le ofrecían; así fue cómo urdió *La Perinola,* "la más truculenta diatriba personal —dice Amezúa— que conocen nuestras letras" [18].

Estos ataques de sus contemporáneos —que, a pesar de la modestia de Montalbán, no dejaron de hacerle mella, y que quizá influyeron, incluso, en su locura— han ocasionado también en buena parte la desestimación literaria de que en nuestros días se le viene haciendo objeto; desestimación, y casi oscurecimiento, que como herencia irremediable recibe al cabo de los siglos. Pero la verdadera importacia de Montalbán debe quedar a media distancia entre la gloria excesiva que le otorgaron en su tiempo muchos de sus lectores y el demasiado desprecio de que le hicieron víctima algunos. Directo discípulo del Fénix ("retacillo de Lope" lo llamó, con gracia cruel, Quevedo) que influyó muy de cerca en su formación y a quien debió el poder estrenar una comedia a sus 17 años, trató de asimilarse las cualidades de su maestro con tanto provecho a veces, que algunas obras suyas le fueron atribuidas a Lope. Muy lejos, sin embargo, de su genio, pero igualmente apresurado, su versatilidad y falta de madurez cuajó en una obra desigual, con momentos brillantes y numerosos fallos que su muerte temprana le hizo imposible remediar.

En 1624 publicó Montalbán el *Orfeo en lengua castellana,* poema en cuatro cantos, alabado por Lope a quien algunos contemporáneos se lo atribuyeron. Montalbán se defendió de este cargo en dedicatoria al propio Lope de una de las novelas incluidas en su libro *Sucesos y prodigios de amor.* Con palabras que no velan la amargura de quien se siente despiadada y alborozadamente

[18] Agustín G. de Amezúa, "Las almas de Quevedo", en *Opúsculos histórico-literarios,* tomo I, Madrid, 1951, pág. 409. Cfr.: del mismo, "Las polémicas literarias sobre el *Para todos* del Doctor Juan Pérez de Montalbán", en *Estudios dedicados a Menéndez Pidal,* II, Madrid, 1951, págs. 409-453. E. Glaser, "Quevedo versus Pérez de Montalbán: the *Auto del Polifemo* and the Odyssean tradition in Golden Age Spain", en *Hispanic Review,* XXVIII, 1960, págs. 103-120. R. A. del Piero, "La respuesta de Pérez de Montalbán a la *Perinola* de Quevedo", en *PMLA,* LXXVI, 1961, págs. 40-47. Victor Dixon, "Juan Pérez de Montalbán's *Para todos*", en *Hispanic Review,* XXXII, 1964, págs. 36-59.

perseguido por la sistemática maldad de los colegas, se queja de los que pretendiendo deshacer sus obras "y viéndose convencidos a que están escritas con acierto, se las atribuyen a v. m., error grande de su mala intención, pues no advierten que, mejorándolas de dueño, las califican; y lo mismo que intentan para desconsolarme, viene a servirme de panegírico" [19]. Menéndez y Pelayo, que estudió el problema, no se atrevió a desposeer a Montalbán de la paternidad del *Orfeo* [20]; en nuestros días, sin embargo, Pablo Cabañas da por seguro que es obra de Lope [21]. Amezúa, aun admitiendo como posible este fallo, sostiene que la producción poética de Montalbán no carece de positivas cualidades, y subraya particularmente "la facilidad, corrección y sentimiento de su numen lírico, del que hizo gala no sólo en sus comedias, sino también en los muchos versos que, ora injirió en estas novelas, ora compuso para exornar los preliminares de los libros de sus amigos" [22]. Los frecuentes elogios de Lope a la lírica de su discípulo no siempre parecen desinteresados, porque el padre de Montalbán era su editor, y nada se diga si el *Orfeo* era, en efecto, suyo; pero el lector puede juzgar por sí mismo que no siempre los elogios a los versos de Montalbán eran inmerecidos.

En el mismo año en que apareció el *Orfeo* hizo imprimir *Sucesos y prodigios de amor*, colección de ocho novelas, varias veces reeditadas y pronto traducidas al italiano, francés e inglés, y de las cuales asegura el autor, como mayor mérito, que nada debían ni a Bandello ni a los demás novelistas italianos. Montalbán se sintió tentado por la popularidad de un género que los imitadores y seguidores más o menos directos de Cervantes habían puesto de moda. La llamada *novela cortesana*, en particular, gozaba de apasionada demanda entre un público ocioso, que alternaba este entretenimiento con las comedias. Montalbán, que tenía entonces veintidós años y una desbocada imaginación, satisfizo cumplidamente los gustos de aquellos lectores: asuntos fantásticos y misteriosos, aventuras amorosas entre gentes de alta posición, apariciones y anagnórisis, escenas de cautivos, viajes y naufragios llenan a colmo el libro; y todo ello adobado con una exaltación sentimental del más genuino romanticismo, con sus pasiones frenéticas, calenturienta fantasía, desprecio absoluto de toda norma estética. Componente del mayor interés en todas estas novelas es la abundancia de rasgos licenciosos, que al lector de nuestros días, con ideas preconcebidas sobre la severidad de la época, deben dejarle

[19] Dedicatoria a Lope de *La mayor confusión*; cit. por Agustín G. de Amezúa, en "Dos estudios sobre el doctor Juan Pérez de Montalbán", en *Opúsculos histórico-literarios*, tomo II, Madrid, 1951, pág. 50.

[20] Cfr.: M. Menéndez y Pelayo, *Estudios sobre el teatro de Lope de Vega*, vol. II, edición nacional, Santander, 1949, págs. 234-235 (a propósito de la comedia de Lope, *El marido más firme*, sobre la fábula de Orfeo).

[21] Cfr.: Pablo Cabañas, *Juan Pérez de Montalbán. Orfeo en lengua castellana*, Madrid, 1948. Del mismo, *El mito de Orfeo en la literatura española*, Madrid, 1948.

[22] *Dos estudios...*, cit., pág. 50.

estupefacto; y más todavía a quien no sea capaz de imaginar la literatura de la época áurea sino bajo la especie de pura literatura, y suponga que el halago a las más sensuales apetencias es sólo propiedad del libro o del espectáculo contemporáneo. "Casi todas sus novelas —dice Amezúa de las de Montalbán— parecen una conjugación recalcitrante del verbo *gozar,* en la tercera acepción que da a esta voz nuestro Diccionario académico, tan favorita y empleada en el lenguaje de entonces por novelistas y dramaturgos para significar el logro carnal de la pasión amorosa. Todas sus heroínas son de una facilidad pecadora por demás para caer a pocos lances en brazos de sus galanes... En este aspecto, las novelas de Montalbán son de las más atrevidas de su tiempo, sin que él sienta empacho alguno en adentrarse por estas escabrosidades y licencias con harto desenfado" [23].

Pero esto no es nada para lo que afirma concretamente de la cuarta novela de los *Sucesos,* la titulada "La mayor confusión": "A no conocer —dice— la limpia vida de Montalbán, la pureza de sus costumbres y sus hábitos clericales, cabría sospechar que esta repugnante novela se había escrito por un plumífero libidinoso y degenerado, carente de todo sentido moral, de encanallados gustos y corrompido entendimiento, sin respeto a la figura más sagrada y entrañable en la vida, que es la de la madre, ante quien se han detenido, antes de mancharla, las plumas más soeces y viles. Sacar, como lo hace Montalbán en su relato, a una madre que concibe una pasión incestuosa por su hijo, y que, empujada por ella, llévala criminalmente con engaños y ardides a gozar de él y a concebir una niña, que, para mayor aberración, y colmo de erotomanía, será también la esposa de su propio padre y hermano, es algo tan monstruoso y repulsivo, que verdaderamente faltan en la lengua castellana vocablos suficientes para calificar tal inmundicia" [24]. Y añade más abajo: "No obstante, si él pudiera ahora defenderse de tan severos juicios, acaso aduciría que estos temas de contubernios sexuales e incestos repugnantes eran muy del gusto de la época, y solían tratarse sin empacho en las *Silvas, Polianteas* y recopilaciones de casos anormales de la antigüedad, que tanto se imprimían" [25]. Quevedo no leyó estas novelas, pero sí las tres que incluyó Montalbán en su *Para todos,* con las cuales se completa su tarea de novelista; y con ellas fue todo lo implacable de que su pluma era capaz.

Quince ediciones, sin embargo, conoció la colección de Montalbán durante el siglo XVII y diversas traducciones de que ya hicimos mención. "Con Cervantes, Céspedes, Castillo Solórzano y doña María de Zayas —dice Amezúa— aunque estéticamente sea muy inferior a todos ellos, comparte Montalbán la popularidad novelística de su siglo" [26]. Innegables virtudes es necesario supo-

---

23 Ídem, íd., págs. 54-55.

24 Ídem, íd., págs. 56-57.

25 Ídem, íd., pág. 57.

26 Ídem, íd., págs. 62-63.

nerle a Montalbán, o recursos con que seducir al lector, para que semejante éxito fuera posible: "El temperamento melifluo, suave y apacible de Montalbán, y su fina sensibilidad, que a veces degenera también en cierta candorosa y ñoña sensiblería, saben darlas un tono delicado y afectivo, muy raro en otros cultivadores de este género. Menos brioso y varonil que ellos, ganábales, en cambio, en delicadeza, ternura y pasión, cualidades siempre dignas de loa en todo ingenio, y con las cuales suele llegarse más certeramente al corazón de las muchedumbres que con otras prendas literarias más brillantes y deslumbradoras" [27].

En 1633 publicó Montalbán el libro ya citado *Para todos. Exemplos morales, humanos y divinos,* dividido en siete partes, una para cada día de la semana, en el que agrupó novelas, comedias, discursos sobre materias diversas y donde cita hasta trescientos escritores al modo de *El Laurel de Apolo* de Lope. El *Para todos* se sirve una vez más del tan utilizado marco del *Decamerón* de Boccaccio; el autor imagina que en una quinta a orillas del Manzanares se reúnen los hombres de mayor ingenio y las damas de más belleza y gracia de la corte, y acuerdan que durante los días de una semana tratarán sobre temas de erudición, acabando con la lectura de una comedia o novela.

El *Para todos* responde a un tipo de libros que gozaron por entonces de gran predicamento; eran a modo de enciclopedias como hoy diríamos, llamadas entonces *sumas, compendios* o *polianteas,* donde se condensaban todo género de historias, leyendas, opiniones, se contaban anécdotas ciertas o fantásticas, se exponían ejemplos y moralidades, erudiciones y pasatiempos. Allí acudían lectores de toda condición en busca de variado y cómodo saber, y no pocos conocimientos que escritores, dramaturgos, predicadores y maestros exhibían, no tenían más honda fuente que estas enciclopedias. Montalbán debió de aprovechar cumplidamente los abundantes fondos de la librería paterna y las bibliotecas de sus muchos amigos religiosos. Con todo ello amasó una abigarrada, pedantesca y farragosa mixtura de *saberes,* como en cajón de sastre, donde se daban la mano cosas ciertas con desatinos manifiestos, historias con fábulas mitológicas y descabelladas supersticiones, gentiles con cristianos, opiniones sensatas con los dislates más peregrinos. Montalbán agregó al final de su obra dos listas de escritores madrileños y de dramaturgos coetáneos de los que hizo breves semblanzas, y es esto, sin duda, lo más valioso de su libro.

Entre tantas cosas reprobables y algunas buenas, merece también destacarse el patriotismo del autor, que se vuelca en encendidos elogios a España y particularmente a su ciudad natal, con frecuencia en un tono hiperbólico. Pero esto no bastaba para hacer callar a los enemigos del "retacillo", que aguardaban la oportunidad de poner en ridículo a su presa. Quevedo se llevó la palma una vez más y arremetió no sólo contra la parte *didáctica* del libro, para lo cual le sobraba razón, sino contra las novelas que contenía —y en esto abulta-

[27] Ídem, íd., pág. 63.

ba los defectos— y contra las obras dramáticas, que son la parte mejor del libro.

Pero todos estos escritos, con su innegable interés para el estudio de innumerables facetas de la cultura y vida de la época, son, al cabo, *historia* literaria. Los aciertos mayores y más permanentes de Montalbán pertenecen al teatro, aun con los grandes desniveles ya aludidos. Fue poco afortunado en los "autos"; en su *Polifemo,* incluido en el *Para todos,* trató sin éxito de llevar el conocido mito del gigante al simbolismo religioso: "Esto no es alegoría, sino algarabía", dijo Quevedo. Mucho mejores son algunas de sus comedias de santos o leyendas piadosas, como *La gitana de Menfis, Santa María Egipciaca*; *Escanderbech,* sobre la conversión al cristianismo de Jorge Castriota, llamado Iskanderberg por los turcos; y, sobre todo, *El divino portugués, San Antonio de Padua,* movido y pintoresco cuadro de religiosidad popular, sentimental y colorista, con delicados aciertos poéticos, que emulan con fortuna la veta lopista.

También cultivó Montalbán la comedia caballeresca —*Palmerín de Oliva, Don Florisel de Niquea*—; la novelesca, escenificando *La Gitanilla* de Cervantes, y el tema de origen bizantino *Los hijos de la Fortuna, Teágenes y Clariquea.* En este último grupo puede incluirse *Los amantes de Teruel* —asunto originariamente de Boccaccio, pero incorporado a las tradiciones nacionales—, escenificado ya por Rey de Artieda y Tirso de Molina, y que Montalbán no logra mejorar.

Con soltura mucho mayor se mueve en las comedias de intriga o de capa y espada, donde consigue dos bellas obras: *La toquera vizcaína,* que recuerda en muchos aspectos a *La villana de Vallecas* de Tirso, y *La doncella de labor.* Montalbán se esforzaba por trazar interesantes caracteres femeninos en competencia con Tirso y Lope; sus mujeres, menos resueltas y agudas que las de Tirso, no tienen tampoco la apasionada ternura de las del segundo, pero con todo componen tipos de sugestiva feminidad.

En sus comedias sobre historia de España dramatizó la vida de personajes enérgicos, como *El señor don Juan de Austria, Diego García de Paredes* y *La monja alférez*; y en *La puerta macarena,* en dos partes, abordó el tema del rey don Pedro y de su esposa doña Blanca de Borbón. De la primera parte dice Lomba y Pedraja que "más que otra alguna de las [comedias] que tratan de D. Pedro, merece el nombre de histórica" [28]. Está inspirada en la *Crónica* de López de Ayala, a la que sigue con alguna libertad, intercalando tradiciones admitidas ya por la poesía y por el pueblo. La segunda parte continúa la historia del rey don Pedro, siguiendo también la *Crónica* del Canciller, aunque más libremente que en la parte primera. Pero su obra más notable de esta especie es la *Comedia famosa del gran Séneca de España, Felipe II,* con su segunda

---

[28] José R. Lomba y Pedraja. "El rey don Pedro en el teatro", en *Homenaje a Menéndez y Pelayo,* II, Madrid, 1899, pág. 262.

parte de igual título. Montalbán veía en el rey "Prudente" la encarnación del ideal senequista, el príncipe perfecto. La obra, más que una acción dramática ligada, es una galería de personajes famosos, que se mueven en torno al rey, y de escenas diversas que permiten a Felipe II actuar y manifestarse en relación con gentes y sucesos. La comedia consigue darnos de ese modo una visión muy convincente de la vida interna de la corte con caracteres bien trazados, entre los cuales se perfila la serenidad del monarca, recto y trabajador, sereno y grave, intransigente y humano al mismo tiempo. La segunda parte abarca los años finales de Felipe II; se acumulan los descalabros políticos y las desgracias de familia, que el rey recibe con estoica serenidad, a la vez que avanza el proceso de sus dolencias; el rey se retira a morir al Escorial entre crecientes muestras de piedad, que acrecientan la soledad y tristeza del cuadro, muy bien conseguidas. Montalbán, llevado quizá de la gravedad del tema, traza su obra con dignidad apropiada, con noble y conciso estilo [29].

La producción dramática de Montalbán, que alcanza la no pequeña cantidad de medio centenar de obras, está falta sin duda de un estudio suficiente que establezca su valor real. Mesonero Romanos, al frente de la edición de sus comedias, escribió unos *Apuntes biográficos y críticos,* en los que fija en cierta manera algunas de sus notables cualidades: "Los artificios de sus comedias —dice— son muy ingeniosos y están complicados y desenvueltos con gran destreza; los caracteres, especialmente el de los galanes, nobles, pundonorosos y simpáticos; en los de las damas, se inclina más bien a la desenvoltura de Tirso que a la elevación y ternura de las de Lope; su estilo es, por lo regular, fuerte, sentencioso, epigramático y lleno de corrección y de chiste cómico; y con excepción de Tirso de Molina y de Moreto, acaso de ningún otro autor de nuestro teatro pudieran extractarse tantos trozos bellísimos de elocución, tantos pensamientos elevados, tiernos o satíricos, encerrados en versos correctos

---

[29] Ediciones: *Comedias,* ed. de Mesonero Romanos, en BAE, XLV, nueva ed., Madrid, 1951. *Novelas,* ed. de E. de Ochoa en el Tesoro de Novelistas Españoles, vol. 2, París, 1847. Ed. de Fernández de Navarrete, en BAE, XXXIII, nueva ed., Madrid, 1950. *Some Poems,* ed. de G. W. Bacon, en *Revue Hispanique,* XXV, 1911, págs. 458-467. *The Comedia El segundo Séneca de España,* ed. de G. W. Bacon, en *Romanic Review,* I, 1910. *The Nun Ensign, together with la Monja Alférez, a play by Montalbán,* ed. de J. Fitzmaurice-Kelly, Londres, 1908. *Il Para todos,* ed. de A. Restori, en La Bibliofilia, vol. 29, Firenze, 1927. Cfr.: G. W. Bacon, "Life and Dramatic Works of J. Pérez de Montalbán", en *Revue Hispanique,* XXVI, 1912, págs. 1-474. R. Mesonero Romanos, "El teatro de Montalbán", en *Semanario Pintoresco Español,* 1852. E. Cotarelo y Mori, *Sobre el origen y desarrollo de la leyenda de los Amantes de Teruel,* Madrid, 1907. A. García Solalinde, "El Purgatorio de San Patricio en España", en *Homenaje a Menéndez Pidal,* II, Madrid, 1925. J. H. Parker, "The Chronology of the Plays of Juan Pérez de Montalbán", en *PMLA,* LXVII, 1952, págs. 186-210. Ada Godínez de Battle, "Labor literaria del Dr. Juan Pérez de Montalbán", en *Revista de la Facultad de Letras y Ciencias,* Universidad de La Habana, XXX, 1920, págs. 1-151. Victor Dixon, "Juan Pérez de Montalbán's *Segundo Tomo de las Comedias*", en *Hispanic Review,* XXIX, 1961, páginas 91-109.

inspirados y llenos de la más bella poesía"[30]. Por su parte, Amezúa aventura un juicio igualmente favorable sobre las posibilidades, sólo en pequeña parte desarrolladas, que albergaba la dramática del fiel discípulo de Lope: "Si en sus obras dramáticas sigue, de ordinario, dócil y reverente, los pasos de Lope, su maestro, a veces acierta también a volar por cuenta propia, con personalidad original. Su prematura muerte, que la locura anticipó para su inteligencia un año y medio, hubo de malograr un ingenio que, acaso, con el transcurso del tiempo, más experto y seguro de sí mismo, habría podido hombrearse con un Francisco de Rojas o un Agustín Moreto, valiéndose de aquellas dos facultades esenciales en todo dramaturgo, que holgadamente Montalbán poseía asimismo, a saber: la fantasía creadora y el arte de decir"[31].

JUAN RUIZ DE ALARCÓN

Aunque mejicano de nacimiento, no es en manera alguna improcedente situar a Juan Ruiz de Alarcón entre los dramaturgos del grupo madrileño, puesto que fue en Madrid donde nació para el teatro, vivió su intensa vida literaria y compuso e hizo representar sus obras.

La personalidad de Alarcón. Nació, efectivamente, Alarcón en la ciudad de Méjico, alrededor de 1580. Por su padre descendía de una noble familia de Cuenca y por su madre estaba emparentado con la casa de los Mendoza. Comenzó los estudios en su ciudad natal y vino a proseguirlos en España, graduándose en Salamanca de Bachiller en Cánones y a continuación en Leyes. Sin acabar la Licenciatura dejó las aulas y actuó como abogado en Sevilla. En 1608 regresó a Méjico donde se licenció en Leyes, ejerció la abogacía en la Audiencia de Nueva España y opositó, sin éxito, a varias cátedras de Derecho. En 1614 estaba de vuelta en Madrid como pretendiente en corte, y para distraer sus ocios —según cuenta— comenzó sus actividades literarias. Obtuvo el puesto de relator interino del Consejo de Indias en 1625, cargo que pasó a ocupar en propiedad ocho años más tarde. Los últimos de su vida parece que gozó de buena posición económica. Dejó heredera de sus bienes a una hija natural, habida de doña Ángela Cervantes. Murió Alarcón en Madrid en 1639[32].

---

[30] *Comedias,* ed. cit., pág. XXXII.

[31] *Dos estudios...,* cit., pág. 51.

[32] Para la biografía de Alarcón cfr. especialmente: Luis Fernández-Guerra y Orbe, *Juan Ruiz de Alarcón,* Madrid, 1871. F. Rodríguez Marín, *Nuevos datos para la biografía del insigne dramaturgo D. Juan Ruiz de Alarcón,* Madrid, 1912. Nicolás Rangel, "Investigaciones bibliográficas. Los estudios universitarios de Don Juan Ruiz de Alarcón y Mendoza", en *Boletín de la Biblioteca Nacional de México,* marzo-abril de 1913, páginas 1-6. Del mismo, "Investigaciones bibliográficas. Noticias biográficas del dramaturgo mexicano Don Juan Ruiz de Alarcón y Mendoza. Nuevos datos y rectificaciones", en Ídem, íd., noviembre de 1915, págs. 1-24, y diciembre de 1915, págs. 4-65. Emilio Cotarelo

Imposible ocuparse de Alarcón sin hacer referencia a su famosa deformación física: era jorobado de pecho y espalda, de corta estatura y barba rojiza y rala. Tan grotesca facha debió de ser obstáculo para la obtención de alguno de los puestos que pretendía, pues que era perjudicial —según se dijo en un informe del Consejo de Indias— para la "autoridad que ha menester representar en cosa semejante". Para sus contemporáneos, y muy en particular para sus colegas de letras, la mengua física de Alarcón fue motivo de crueles sarcasmos. Nuestra sensibilidad actual rechaza la falta no ya de humanidad que tales burlas suponen, sino de simple delicadeza. Sin embargo, los más altos ingenios de su tiempo —sobre todo sus enemigos literarios, que los tuvo muy enconados— aprovecharon al máximo para sus fines las jorobas de Alarcón. Lope de Vega, Góngora, Quevedo, Tirso, Suárez de Figueroa, Vélez de Guevara, don Antonio de Mendoza y otros muchos le dedicaron epigramas de todo género, tan bochornosos siempre como sobrados de gracia a veces. La hostilidad contra el "corcovado" no quedaba siempre en palabras; Lope y sus amigos urdieron una auténtica conjura para hacer fracasar estrepitosamente en el día del estreno una de las comedias de Alarcón, *El Anticristo,* mediante el auxilio de "cierta redomilla que enterraron en medio del patio, de olor tan infernal, que desmayó a muchos".

Con tales datos, se ha pretendido explicar los caracteres —o muchos de ellos— del teatro de Alarcón por su complejo de inferioridad física; a lo que se añade un segundo rasgo, que es su "mejicanismo" original. Dicho complejo habría derivado hacia un caso de "resentimiento" (y se cita inevitablemente a Scheler o a sus exégetas) que nos conduciría, como una clave mágica, a la profunda interpretación de la obra alarconiana. La existencia del "complejo de inferioridad" nos parece perfectamente admisible (aun no siendo tampoco inevitable), pues se trata de una realidad psicológica bien frecuente y vulgar. Ahora bien: declaramos que el pretendido "resentimiento" alarconiano, que habría de derivarse de aquel complejo, no lo vemos en parte alguna de sus obras, y estamos persuadidos de que si se ignorara la contextura física del

---

y Mori, "Los padres de Alarcón", en *Boletín de la Real Academia Española,* II-1915, págs. 525-526. Dorothy Schons, "Apuntes y documentos nuevos para la biografía de Juan Ruiz de Alarcón y Mendoza", en *Boletín de la Real Academia de la Historia,* XCV, 1929, págs. 59-151. Julio Jiménez Rueda, *Juan Ruiz de Alarcón. (Origen y fecha de su nacimiento. La juventud del poeta. Su experiencia universitaria),* México, 1934. Del mismo, *Juan Ruiz de Alarcón y su tiempo,* México, 1939. R. Monner Sans, "Don Juan Ruiz de Alarcón. El hombre, el dramaturgo, el moralista", en *Revista de la Universidad de Buenos Aires,* vols. XXX y XXXI. Francisco Pérez Salazar, "Dos nuevos documentos sobre Alarcón", en *Revista de la Literatura Mexicana,* julio-septiembre, 1940. Antonio Castro Leal, *Juan Ruiz de Alarcón, su vida y su obra,* México, 1943. Hannah E. de Bergman, "Una caricatura de Juan Ruiz de Alarcón", en *Nueva Revista de Filología Hispánica,* VIII, octubre-diciembre, 1954, págs. 419-422. Véanse además las introducciones que acompañan a las diversas ediciones citadas luego.

poeta, la lectura de sus comedias no la haría sospechar siquiera. Se habla repetidamente de la "habilidad" con que se comportan algunos personajes de Alarcón, de su "sinuosa" actitud, de la moral más bien utilitaria que idealista que parecen defender. Dejando aparte el hecho de que tales rasgos no definen de modo absoluto su teatro —como diremos luego—, creemos que la "habilidad" no arguye necesariamente resentimiento, sino prudencia y sentido común, y en su defensa, así como en la de una moral práctica y posible, sin vanas quimeras, se habían ejercitado durante siglos los más variados ingenios —comenzando por don Juan Manuel—, ninguno de los cuales había tenido jorobas.

Lo que acontece —y con ello adelantamos uno de los rasgos del teatro de Alarcón— es que sus personajes no actúan con aquella exaltación romántica que distingue a la mayoría de los galanes en el teatro de la época —tan rabiosamente teatrales—, sino con más mesura y comedimiento, y no se embriagan tan fácilmente de palabras, sino que pesan y miden más sus actos apoyándolos en razones, en buenas normas de moral... o en conveniencias prácticas, porque los hombres son así, y Alarcón tampoco retrataba dechados ideales, sino criaturas con pasiones comunes.

Lo que sucede en el teatro de Alarcón es que, de entrada, nos da el sabor de "algo distinto"; de una vida más normal, de unos seres trazados a escala más ordinaria, de unos sucesos menos "novelescos" (aunque tampoco Alarcón está reñido, ni muchísimo menos, con la teatralidad inverosímil, piedra angular de toda nuestra escena áurea). Por esto mismo, comparándolo con cualquier desenvuelta comedia costumbrista o de intriga de Lope o de los suyos, el teatro de Alarcón sabe de inmediato a cosa de mayor ponderación y gravedad, hay allí gentes que razonan y no son sólo pavesas arrastradas por lances caballerescos. De aquí aquella impresión de "cautela", humana y natural, que no se debe confundir con resentidas insatisfacciones.

Por otra parte, tampoco faltan en el teatro de Alarcón los personajes de elevados y nobles ideales, presentados y sostenidos por el autor como arquetipos humanos, realmente increíbles de tan perfectos. Un mezquino resentimiento habría negado la existencia de tales noblezas de espíritu desenmascarándolas en su supuesta hipocresía, o las hubiese dejado destruir por enemigos *prácticos*; en cualquier caso, hubiera negado su fe en lo noble y proclamado su seguridad en la bajeza humana. Compruébese, sin embargo, a qué extremos de nobleza llega el personaje don Fadrique, protagonista de *Ganar amigos*, que protege al matador de su hermano, porque, antes de saber que lo era, le había dado palabra de guardarle, salva luego la vida a quien trataba de hacerle perder la privanza real, y cuando luego está a punto de ser ajusticiado, es salvado —en porfía de idealismos— por sus antiguos enemigos. Y algo semejante cabe señalar en el "romántico" drama *El tejedor de Segovia*.

Otro aspecto merece ser también considerado. Hemos aludido a la diferencia, inmediatamente perceptible, entre la mesurada comedia alarconiana y la tantas veces atolondrada aventura galante de las obras de sus colegas. Pues bien: aunque dentro de su peculiar estilo, el teatro de Alarcón no rechaza, ni mucho menos, esa brillante fauna humana —sin la que apenas se concibe teatral o novelesca peripecia— del galán portador de excelencias, belleza y energía vital, que cumple en sus comedias como mandan los cánones más convencionales, hace una sola excepción: en *Las paredes oyen* el apuesto y rico galán don Mendo es vencido al fin en el amor de la dama por un rival, don Juan, feo y sin fortuna, porque sus condiciones morales lo hacen preferible. En esta obra suele verse un desquite o desahogo del contrahecho Alarcón, y sería vano negar la posible existencia de esta liberación psíquica. Pero como argumento probatorio de un permanente resentimiento es excesivo. Primero porque, en la comedia, don Juan sufre su inicial fracaso amoroso con resignada aceptación, sin réplicas biliosas o agresivas; en segundo lugar, porque Alarcón, que gustaba de colocar en cada comedia su moraleja, bien pudo querer decir en una de ellas que un galán provisto de las mejores dotes físicas podía perfectamente ser un hombre ruin, y que haría bien en rechazarlo cualquier mujer con dos adarmes de sentido.

Quevedo hablaba de lo "mosca y zalamero" que era Alarcón. Es muy posible que el jorobado, que no podía mantener desplantes ni gestos agresivos en la sociedad, tratara instintivamente, o concienzudamente, de compensar su mengua con una actitud de amabilidad y cortesía, de nobleza y bondad; quién sabe si, de haber poseído la majeza de un Vélez de Guevara, pongo por caso, no hubiera sido otro hombre, y otra su obra. Sugerimos con esto que no pretendemos negar el influjo que sobre su espíritu pudo ejercer su circunstancia personal: joroba o lo que fuese. Lo que negamos es la existencia de un esencial resentimiento *en la obra escrita* del poeta, que si fue capaz de sentirlo, lo supo sublimar humana y artísticamente.

Lo de "zalamero" o lo de "suave" o cortés se recuerda también a propósito de su "mejicanismo", otra de las cosas que una erudición un tanto ociosa ha sido capaz de descubrir en la obra de Alarcón. Hablar de "mejicanismo" en los días del dramaturgo nos parece un anacronismo de bastante bulto. Pudo sentirlo, todo lo vivo que se quiera —más bien oscuramente, diríamos—, la masa india, pero la conciencia de esa *personalidad* nacional nace a la historia bastante tiempo después. En todo caso, Alarcón no debió de sentirse demasiado arraigado en la ancestral tradición y muchísimo menos en la sangre azteca, que en manera alguna llevaba, por lo que hablar de la "sinuosidad india" de Alarcón nos parece ya un grave exceso. Su nacimiento en Méjico fue poco menos que ocasional; residió pocos años en el país y ni una sola palabra en toda su obra lo recuerda; eran sus padres españoles, y de su nobleza y origen se jactaba Alarcón, hasta el punto de que sus pujos nobiliarios dieron a sus enemigos tanta ocasión de burla como sus jorobas. Si Alarcón era un hombre educado y cortés, porque así era, no creemos necesario buscar raíces en ningún mejicanismo que —y éste es el punto principal— no está visible en sus comedias[33].

Moral y estilo de Alarcón. Ruiz de Alarcón es el creador —se dice siem pre— de un teatro costumbrista de intención y fondo moral, con lo que quiere indicarse que en sus comedias existe una preocupación adoctrinadora que viene a convertirlas en algo así como una lección de vida. Si se atiende a la idea dominante en sus comedias más significativas a este respecto, a lo que podría llamarse "tesis" o "moraleja", parécenos que nunca es demasiado importante, bien por lo trivial de la lección, bien por su excesiva vaguedad; adoctrinar sobre lo indigno de la ingratitud o la inconstancia amorosa o contra la maledicencia o la mentira no constituye propósito muy original, y no parece exagerado el afirmar que las moralejas dramáticas alarconianàs apenas aventajan a las contenidas en las fábulas de Samaniego. Pero la "moralidad" de Alarcón es muy otra en realidad; de lo que se trata es de la motivación "moral" —entendida en su más alto sentido— de los hechos de sus personajes. Apuntamos anteriormente que lo que distingue a la primera mirada el teatro de

[33] Con estas breves apreciaciones no pretendemos, en manera alguna, intervenir en la ya larga polémica sobre el "mejicanismo" de Alarcón; tan sólo deseamos dejar constancia de nuestro parecer en este problema. Pedro Henríquez-Ureña fue quien lo puso en circulación en su ya famosa conferencia de 1913, *Juan Ruiz de Alarcón* (publicada en México en 1914 y reproducida en *Seis ensayos en busca de nuestra expresión,* Buenos Aires, 1928; dentro de esta obra, y con algunos retoques, ha sido publicada nuevamente en su volumen antológico, titulado *Obra crítica,* México, 1960). Desde entonces, apenas ha existido crítico o editor de Alarcón que no se haya ocupado, más o menos extensamente, de su "mejicanismo", que ha tenido su más ilustre mantenedor en el gran erudito mejicano Alfonso Reyes. Debido a su gran número, citamos sólo algunos de los más interesantes trabajos sobre este aspecto del dramaturgo, y también acerca de su no menos discutido "resentimiento": Ermilo Abreu Gómez, "Juan Ruiz de Alarcón", en su libro *Clásicos, románticos, modernos,* México, 1934. Genaro Fernández MacGregor, "La mexicanidad de Alarcón", en *Letras de México,* II, agosto de 1939. Dorothy Schons, "The Mexican Background of Alarcon", en *Bulletin Hispanique,* XLIII, 1941, págs. 45-64 (reimpreso en *PMLA,* LVII, 1942, págs. 89-104). José María Castro y Calvo, "El resentimiento de la moral en el teatro de Juan Ruiz de Alarcón", en *Revista de Filología Española,* XXVI, 1942, págs. 282-297. Ruth Lee Kennedy, "Contemporary Satire Against Juan Ruiz de Alarcón as a Lover", en *Hispanic Review,* XIII, 1945, págs. 145-165. Antonio Castro Leal, "Juan Ruiz de Alarcón y la moral", en *Filosofía y Letras,* México, V, 1942, págs. 73-79. Carmelo Samonà, "Problemi ed aspetti della personalità di Alarcón", en *Studi di Letteratura Spagnola,* I, Roma, 1953, págs. 35-67. Otis Howard Green, "Juan Ruiz de Alarcón and the *topos* 'Homo deformis et parvus' ", en *Bulletin of Hispanic Studies,* XXXIII, 1956. Joaquín Casalduero, "Ruiz de Alarcón. Sobre la nacionalidad del escritor", en *Estudios sobre el teatro español,* Madrid, 1962, págs. 145-159. Antonio Alatorre, "Breve historia de un problema: la mexicanidad de Ruiz de Alarcón", en *Antología Mexico City College,* 1956, págs. 27-45. Alfonso Reyes ha reunido varios de sus trabajos sobre Alarcón en *Capítulos de Literatura Española. Primera serie,* México, 1939, y *Segunda serie,* México, 1945; también en *Letras de la Nueva España,* México-Buenos Aires, 1948, y en *Medallones,* Buenos Aires-México, 1951.

Alarcón es el encontrarnos con gentes que razonan sus actos de acuerdo con criterios de vida ordinaria, de dignidad y de sensatez, de moderación y de sentido común; no son fantásticas siluetas apresuradas —como hay tantísimas en el mundo lopesco— sino seres de sentimientos matizados, verosímiles rasgos psicológicos y humano proceder. De donde resulta que lo que importa en las comedias de Alarcón no es su intención moralizadora, bien secundaria, sino el cuidado desarrollo de los caracteres. Ésta es su cualidad mayor y el rasgo inconfundible de su teatro.

Cualquiera de sus comedias está sembrada de sentencias y consideraciones que no son precisamente "morales", sino avisos de buen sentido, normas de prudencia y sabiduría de vivir, que tienen muy en cuenta las pasiones y debilidades de los hombres y tratan de bandearse entre sus escollos. En *Los pechos privilegiados,* por ejemplo, el rey Alfonso vuelve a su gracia a Rodrigo después de haberse indispuesto gravemente con él y cuando todavía su ánimo está calmado más en apariencia que de hecho; entonces, la nodriza de Rodrigo —esa campesina gigante y viriloide, creación asombrosa de Alarcón— le aconseja que no regrese a la corte, por si acaso:

Sandio, Rodrigo, seredes
en atender confiado
nin la fe de un ofendido
nin la piedad de un contrario [34].

Avisos semejantes, de los que existen a cientos en las comedias de Alarcón, dándoles ese tono de reflexión constante, son los que hacen pensar a algunos en "cautelas" y "sinuosidades de indio"; pero no parece imprescindible ser indio mejicano para discurrir de esa manera.

Junto a los caracteres, Alarcón estudia y gradúa con igual cuidado la lógica de las acciones y el proceso de la trama, conteniendo la desbordada pluralidad lopesca y ciñéndose todo lo posible a una línea de unidad temática y argumental. Con esta ponderación psicológica y de ritmo dramático, la creación alarconiana queda convertida en el prototipo de la comedia urbana y civil, de estudio de caracteres, de matices psicológicos, de tono conversacional y cotidiano, de atención a la pequeña circunstancia, teatro de tono menor, pero, precisamente por eso, entrañablemente humano y real. Todo lo cual supone en muchos aspectos un avance notable sobre la fórmula lopista, y abre la puerta a muchas posibilidades modernas del teatro por el camino que marcha recto a Molière y, entre nosotros, a la comedia urbana de Moreto. Menéndez y Pelayo calificó a Alarcón, con frase siempre citada, de "Terencio español" y de "clásico en medio de un sistema romántico". Debe advertirse, sin embargo, que, al fin, como engranado en el sistema dramático del gran Lope, el teatro de Alarcón no anda por lo común escaso de aventura, incluso a veces

[34] Edición Núñez de Arenas (citada luego), vol. I, pág. 94.

harto complicada; y aunque es cierto que las "tapadas" y los disfraces son poco gratos a Alarcón, son asimismo bien frecuentes las escenas de patente inverosimilitud, de encuentros fortuitos, de personajes que averiguan propósitos, ocultos tras los árboles o al otro lado de una pared. No obstante, el autor procura con evidente cuidado suavizar la transición entre el fondo de realismo costumbrista de la comedia y la aventura que vuela sobre ese paisaje real; Alarcón matiza, mide, gradúa las situaciones. Esto y el tono —ya definido— de los caracteres, permite una fusión mucho más natural, un paso más fácil, entre lo cierto y lo fantástico, de lo que es habitual en el teatro de la época.

El estilo literario de Alarcón es igualmente matizado, ajustado; ningún autor dramático de su tiempo presenta un lenguaje de tan sostenida perfección, sin fallos, sin tropiezos, con rara sensación de fluidez, de adecuación exacta a la situación e índole del personaje. Pero, visiblemente, estos resultados no proceden de una espontánea facilidad, sino de constante labor de lima del poeta, que se esfuerza por conseguir la más perfecta naturalidad; naturalidad elaborada, sin duda, a la que llega el autor al cabo de lenta depuración, selección de vocablos, estudiada colocación de éstos en la frase y el verso. Alarcón evita cualquier ajuste imperfecto con no menor cuidado que las frases de hueca sonoridad, los confusos juegos de palabras o las metáforas deslumbrantes. Su editor Núñez de Arenas escribe que su lenguaje es "entre los escritores dramáticos, como entre los prosistas el del *Símbolo de la Fe*". Y añade luego que fue "el que enseñó a sus personajes habla más sencilla, despejada, correcta y popular" [35]. Calificativo este último que —a nuestro juicio— debe entenderse como sinónimo de sencillez, que en Alarcón quiere decir aristocrática llaneza.

Quizá por esta falta de brillo aparente, o quizá también de cierta "sequedad", nacida de la vigilancia cerebral del poeta, se ha dicho de su teatro que estaba falto de lirismo. Pero éste se manifiesta en otros aspectos: en la delicada atención al dato pequeño y cotidiano, sobre todo de índole doméstica; en la finura descriptiva de incontables detalles; en la misma elegancia, limpia de excesos, de toda su construcción. Podría decirse, en conjunto, que su lirismo es más de sensibilidad profunda que de forma poética. En cualquier caso, su lenguaje nunca es prosaico [36].

---

[35] Ídem, íd., vol. I, págs. XXXI y XXXII.

[36] Sobre ese apego de Alarcón a las cosas de valor cotidiano, apunta Afonso Reyes una sabrosa observación, que cumple reproducir aquí: "En el mundo febril de la comedia española —dice— tienen verdadero encanto esos descansos de la acción, esos bostezos de la intriga que nos permiten sorprender los aspectos normales y desinteresados de aquellas vidas tan lejanas. Entonces, como el Crespo de *El Alcalde de Zalamea,* se nos habla del pedazo de jardín en que la hija se divierte, del viento que suena entre las parras. Entonces acude el poeta a la sátira de las costumbres y de los modos de vestir. Otras veces son unos lugares comunes apacibles. Para un pueblo en quien la voluntad

Algunos datos más pueden acabar de perfilar la personalidad literaria de Alarcón. El primero de ellos es la ausencia casi total de veta religiosa en su obra. Una sola de sus comedias, *El Anticristo,* es de argumento sacro; ya hicimos alusión al estrepitoso fracaso de su estreno, que aunque promovido por los manejos de sus enemigos, deja ver que algún ambiente favorable para la burla del público debía de ofrecer tal tema en tal autor; de todos modos, los críticos modernos convienen en admitir la escasa calidad de la comedia, la grotesca acumulación de horrores, la poca habilidad para servirse de los elementos sobrenaturales. Algunas ironías, sembradas aquí y allá por sus comedias, sobre la irreligiosidad hipócrita o superficial, podrían ayudarnos a determinar la posición alarconiana ante el hecho religioso. Pero digamos que tampoco son aquéllas mayores de las que pueden hallarse en otros escritores de no dudosa religiosidad.

Tampoco es frecuente en Alarcón la presencia de aspectos maravillosos, que con tan certero instinto poético utiliza Lope, como vimos. A este respecto es significativa *La cueva de Salamanca,* cuyo protagonista, Enrico, es un sabio que hace "prodigios", pero prodigios científicos, logrados por la fuerza de la razón y del saber, según el mismo personaje gusta en poner de relieve. Alarcón, en suma, no es un temperamento religioso, sino urbano y burgués, fríamente razonable, laico, diríamos [37].

---

estética era más despierta y más pura —el pueblo griego— el coro, base tradicional de la tragedia, llenaba esos descansos de la acción, emprendiendo un himno patético, que venía a ser verdadera y oportuna descarga de las emociones acumuladas por los episodios anteriores. Aquí se prefiere, a veces, algo como un momentaneo olvido, un ligero desmayo, que acaba por tener ese pudoroso encanto de las cosas humildes. Yo quiero llamar la atención del lector sobre el ambiente sereno de algunos pasajes de Alarcón. En *La verdad sospechosa* (III, 10) hablan don Juan de Luna y don Sancho, los dos viejos, sobre ir a pasear al río; sala con vistas a un jardín:

> *—Parece que la noche ha refrescado.*
> *—Señor don Juan de Luna, para el río,*
> *éste es fresco, en mi edad, demasïado.*
> *—Mejor será que en ese jardín mío*
> *se nos ponga la mesa, y que gocemos*
> *la cena con sazón, templado el frío.*
> *—Discreto parecer; noche tendremos*
> *que dar al Manzanares más templada;*
> *que ofenden la salud estos extremos.*

No es más que el miedo a la corriente de aire: un miedo burgués" (*Teatro* de Alarcón, en Clásicos Castellanos, luego cit., págs. XLII-XLIII).

[37] Sobre este *laicismo* alarconiano, que es, en realidad, aplicable no tanto al hecho religioso como a su sentido general de la vida humana, escribe Olga Brenes: "La suya es una moral laica a cuya formación debieron contribuir sus estudios humanísticos y quizá su profesión. En esto difiere de la moral de Tirso y de Calderón, humanista de raíz teológica. Tal vez al hecho de que en Alarcón el moralista deriva del jurista y no del teólogo se deba el que sus virtudes no sean las heroicas que llevan a la santidad, sino

En medio de los fecundos dramaturgos de su tiempo, Alarcón, con apenas una treintena de comedias, representa un lugar aparte de inconfundible significación. Contempló con aristocrática altivez muchas de las tiránicas convenciones de la escena lopista y se negó cuanto pudo a plegarse a ellas en busca de creaciones más exigentes y cuidadas; abandonó el sistema de la crónica en acción a base de apasionantes sucesos épicos, para centrarse en el estudio de pasiones y caracteres de contextura más cotidiana. Por todo ello, su influjo en la dramática de los siglos siguientes consiguió ser más amplio, y su obra conserva en nuestros días mucho mayor modernidad.

La obra dramática de Alarcón. A pesar de su brevedad, no resulta sencillo trazar una división de la obra alarconiana. Un buen grupo de sus comedias (*La crueldad por el honor, El tejedor de Segovia, Los pechos privilegiados, Ganar amigos,* entre otras) suelen ser llamadas por algunos comentaristas "históricas", "heroicas" o "de historia nacional", pero con propiedad muy discutible. *No hay mal que por bien no venga,* por ejemplo, sucede nada menos que en tiempo de Alfonso III de León, cuyo pretendido destronamiento por su hijo don García es la anécdota que provoca el enredo del drama; pero ni tales hechos ni el medio histórico encierran significación de ninguna especie dentro de lo que viene a ser el verdadero meollo de la pieza. Prescindimos enteramente de los anacronismos de ambientación, por ser achaque común a todo nuestro teatro áureo; podemos olvidar que un personaje, estupendísimo, de la comedia, don Domingo de Don Blas, haga la apología —en unas graciosísimas escenas con su sastre y su sombrerero— de modos de vestir que comenzaban a imponerse como la última moda en los días del poeta. Lo importante es que no aparece un solo motivo que justifique la elección de aquel momento histórico; el autor, para desarrollar su comedia, ha escogido el reinado de Alfonso III con un capricho absoluto, ya que sólo le sirve de pretexto para disponer de una fábula dramática y unas situaciones; hubiera podido, en suma, mudar tranquilamente de rey, de reino y de siglo —o inventarlos sin más— sin variar una sola palabra en todo el texto fuera del nombre del monarca. Podemos llegar al mismo resultado con otra cualquiera de sus comedias llamadas *históricas.* Lo cual nos conduce a una deducción capital: a Alarcón le importan únicamente en su teatro los caracteres, y, al lado de éstos, aquellas situaciones que le permitan trenzar sus abundantes reflexiones que, según di-

---

las laicas al alcance de todas las almas. Su moral es razonable, elemental y sencilla. Las virtudes que exalta son las virtudes lógicas, asequibles a todo hombre, noble o villano, rico o pobre: la generosidad, el perdón, el deber de cumplir las promesas, la cortesía, la sinceridad, la lealtad, la gratitud, la discreción, la caridad. Estas ideas morales forman parte de la textura íntima de la comedia y aparecen ya incorporadas al diálogo, ya corporizadas en los personajes" (*El sentimiento democrático en el teatro de Juan Ruiz de Alarcón,* cit. luego, pág. 91).

jimos, no tienen tanto de moralizadoras como de lecciones sobre la conducta humana y explicación de sus móviles.

Parécenos, pues, que toda división de la dramática alarconiana es casi ociosa por entero. Alarcón no escribió de hecho (claro es que del modo más perfecto y puro sólo en su momento de plenitud, cuando llegó a dominar el instrumento dramático que pretendía) más que comedias *de carácter*, que emplazó en la época que le plugo, según necesidades de la acción. Y es muy posible que sus fugas *históricas* a otros escenarios que la villa y corte de sus días, o la búsqueda de motivos de magia o de tramoya, no fuesen en el fondo sino concesión —una de sus poquísimas concesiones— al gusto de la época, que buscaba, o creía hallar, en remotos tiempos y lugares mayor ocasión de peripecia y variedad, campo abierto a la fantasía: ni más ni menos que vino a suceder después en el teatro de la época romántica, tan afín en muchos aspectos con nuestra escena áurea.

Una sola división, en cambio, creemos que puede aceptarse, de acuerdo con el mayor dramatismo de algunas piezas y el tono heroico de sus protagonistas: es decir, algo tan simple como hablar de *dramas* y *comedias*, pero unas y otras con un denominador común, como queda dicho [38].

---

[38] Ediciones: *Comedias*, ed. de J. E. Hartzenbusch, en BAE, XX, nueva ed., Madrid, 1946. *Comedias escogidas*, ed. de Núñez de Arenas, en Biblioteca Clásica Española de la Real Academia Española, 3 vols., Madrid, 1867. *Teatro*, ed. de Alfonso Reyes, en Clásicos Castellanos, vol. 37, 1.ª ed., Madrid, 1918. *Teatro*, tomo II, en ídem, íd., ed. de Agustín Millares Carlo, Madrid, 1960. *Teatro Completo*, ed. de Ermilo Abreu Gómez, México, 1951. *Obras Completas de Juan Ruiz de Alarcón*, ed. de Agustín Millares Carlo, México; publicados dos volúmenes, en 1957 y 1959. *Cuatro comedias*, ed. de Antonio Castro Leal, México, 3.ª ed., 1965. Para la relación completa de las ediciones de Alarcón, véase la *noticia bibliográfica* antepuesta por Millares Carlo a cada una de las comedias en su edición citada de *Obras Completas*. Cfr.: J. E. Hartzenbusch, *Del carácter de las obras de Ruiz de Alarcón*, discurso en la Real Academia Española, Madrid, 1842. M. Menéndez y Pelayo, *Historia de la poesía hispano-americana*, ed. nacional, vol. I, Santander, 1948, págs. 57-58. Nicolás Rangel, *Bibliografía de Juan Ruiz de Alarcón*, México, 1927. Ermilo Abreu Gómez, *Ruiz de Alarcón, bibliografía crítica*, México, 1939. Alfonso Reyes, "Bibliografía de Ruiz de Alarcón", en *Letras de México*, II, agosto de 1939. Walter Poesse, *Ensayo de bibliografía de Juan Ruiz de Alarcón y Mendoza*, Valencia, 1964. Del mismo. "Ensayo de bibliografía de Juan Ruiz de Alarcón y Mendoza: Suplemento", en *Hispanófila*, núm. 27, mayo, 1966, págs. 23-42. S. Griswold Morley, *Studies in Spanish Dramatic Versification of the Siglo de Oro: Alarcón and Moreto*, Berkeley, 1918. Elisa Pérez, "Influencia de Plauto y Terencio en el teatro de Ruiz de Alarcón", en *Hispania*, XI, 1928, págs. 131-149. Carlos Vázquez Arjona, "Elementos autobiográficos e ideológicos en el teatro de Alarcón", en *Revue Hispanique*, LXXIII, 1928, págs. 557-615. Niceto Alcalá Zamora, *El derecho y sus colindancias en el teatro de don Juan Ruiz de Alarcón*, Madrid, 1934 (nueva ed., México, 1949). Clotilde Evelia Guirarte, *Personajes de Juan Ruiz de Alarcón (galanes, criados y mujeres)*, México, 1939. Serge Denis, *Lexique du théâtre de Juan Ruiz de Alarcón*, París, 1943. Del mismo, *La langue de Juan Ruiz de Alarcón. Contribution à l'étude du langage dramatique de la comédie*

Esto supuesto, intentamos unas someras indicaciones sobre las más notables piezas del teatro alarconiano.

Probablemente la obra maestra de todo él sea *La verdad sospechosa:* época, la contemporánea del autor; y escenario, la corte. Por conocido no merece la pena detenernos en su argumento: un joven muy dado a mentir, se enreda en sus propios embustes, cuyas consecuencias paga, y no consigue al cabo que le crean cuando más interesado está en ello (la vieja fábula del lobo y el pastor). Alarcón pone largo empeño en demostrar la fealdad moral de la mentira y sus riesgos sociales; pero, como en todas sus obras, mucho más importante que la lección —harto sabida— son los personajes que le dan vida en la escena, y sobre todo el del mentiroso, que es un carácter formidable y un acertadísimo tipo de comedia. Creemos, sin embargo, que don García no es exactamente un embustero, por mucho que se esfuerce en decírnoslo el autor; ninguna de sus mentiras es importante en el fondo, y que a causa de ellas se quede al cabo sin la muchacha que le gusta, parece mucho castigo, porque, pese a todo, don García acaba por hacérsenos simpático. Más que embustero, en el grave sentido de la palabra, don García es un vanidoso, que fanfarronea para chafar a los demás; en este aspecto es un estupendo paradigma del español petulante, capaz de todo con tal de que no lo tomen por tonto ni tenga que admitir ajenas superioridades. La escena que reproducimos a continuación es excelente y merece ser leída con cuidado; un interlocutor pregunta la razón de uno de sus enredos y responde don García:

---

espagnole, París, 1943. Del mismo, "Notes sur Madrid dans le théâtre d'Alarcón", en *Les Langues Modernes,* París, XXXVII, 1939, págs. 248-253. Thomas Earle Hamilton, *The structure of the Alarconian comedy,* Austin, Texas, 1940. Del mismo, "Spoken letters in the *comedias* of Alarcón, Tirso and Lope", en *PMLA,* 1947, págs. 62-75. Del mismo, "Comedias attributed to Alarcón examined in the light of his known epistolary practices", en *Hispanic Review,* XXVII, abril, 1949, págs. 124-132. Guido Mancini, "Motivi e personaggi del teatro alarconiano", en *Studi di Letteratura Spagnola,* I, Roma, 1953, págs. 7-34. Del mismo, *Il teatro di Juan Ruiz de Alarcón,* Roma, 1953. Inoria Pepe, "Arti magiche e superstizioni nell' opera di Alarcón", en *Studi di Letteratura Spagnola,* I, Roma, 1953, págs. 69-82. Lore Terracini, "Un motivo stilistico: l'uso dell'iperbole galante in Alarcón", en ídem, íd., págs. 83-121. Miriam Virginia Melvin, *Juan Ruiz de Alarcón. Classical and Spanish influences,* Ann Arbor, Michigan, 1942. Juan Granados, *Juan Ruiz de Alarcón e il suo teatro,* Milán, 1954. B. B. Ashcom, "Verbal and conceptual parallels in the plays of Alarcón", en *Hispanic Review,* XXV, enero, 1957, págs. 26-49. G. E. Wade, "Mythological and other classical allussions in the theatres of Tirso, Alarcón and Vélez", en *Bulletin of the Comediantes,* X, 1958, núm. 2. Alva V. Ebersole, "Supersticiones españolas y la obra de Juan Ruiz de Alarcón", en *Hispanófila,* II, 1958, págs. 35-48. De la misma, *El ambiente español, visto por Juan Ruiz de Alarcón,* Valencia, 1959. Carmen Olga Brenes, *El sentimiento democrático en el teatro de Juan Ruiz de Alarcón,* Valencia, 1960. Alice M. Paulin, "The religious motive in the plays of Juan Ruiz de Alarcón", en *Hispanic Review,* XXIX, 1961, págs. 33-44. Augusta M. Espantoso-Foley, "The Problem of Astrology and its use in Ruiz de Alarcón's *El dueño de las estrellas*", en *Hispanic Review,* XXXII, 1964, págs. 1-11.

Fingílo, porque me pesa
Que piense nadie, que hay cosa
Que mover mi pecho pueda
A invidia o admiración,
Pasiones que al hombre afrentan;
Que admirarse es ignorancia,
Como invidiar es bajeza.
Tú no sabes a qué sabe,
Cuando llega un portanuevas
Muy orgulloso a contar
Una hazaña o una fiesta,
Taparle la boca-yo
Con otra tal, que se vuelva
Con sus nuevas en el cuerpo,
Y que reviente con ellas [39].

Y añade enseguida:

Quien vive sin sêr sentîdo,
Quien sólo el número aumenta,
Y hace lo que todos hacen,
¿En qué difiere de bestia?
Ser famosos es gran cosa,
El medio cual fuere sea.
Nombrenme a mí en todas partes
Y murmúrenme siquiera,
Pues uno, por ganar nombre,
Abrasó el templo de Efesia;
Y al fin, es éste mi gusto,
Que es la razón de más fuerza [40].

Creemos que sobra con esto para definir a don García.

Alarcón no se porta muy limpiamente con su héroe; para que sus embustes conduzcan al castigo deseado por el autor, tiene éste que recurrir a una confusión de nombres entre dos damas, con lo que el bueno de don García se arma un enorme lío y se queda sin la novia. Pero sin semejante —y bien caprichosa— equivocación, todas las mentiras de don García no le hubieran privado del éxito final, y la moraleja del poeta hubiera quedado por los suelos; si aquélla parece salvarse al fin, es gracias a la treta del dramaturgo que le pone una zancadilla al personaje. Éste, en cambio, queda como una creación humana de primer orden. La comedia, en su conjunto, es una joya

[39] Ed. Núñez de Arenas, cit., vol. III, pág. 384.
[40] Ídem, íd., pág. 385.

de nuestro teatro, una maravilla de ironía y de intención satírica, un inmejorable cuadro de costumbres, una seductora galería de personajes, un incesante fluir de situaciones cómicas de inimitable gracia; recuérdese, por ejemplo, aquella escena en que el padre de don García le recrimina duramente su vicio, y don García, para evitar el matrimonio que le prepara, le espeta a continuación la más estupenda sarta de fantasías, que el padre cree entonces como la más incuestionable verdad.

La obra de Alarcón fue imitada, y en parte traducida para su *Menteur*, por Corneille, que encareció altamente la obra del poeta español. También la imitó Goldoni, en obra del mismo título. Pero ninguno aventajó la gracia, la variedad y el movimiento de *La verdad sospechosa*[41].

Ganar amigos suele ser estimada como una de las mejores creaciones de Alarcón. Es comedia dramática, y por el tono de sus caracteres y la calidad de sus pasiones pertenece al tipo que cabe calificar de "heroicas". La acción se sitúa en tiempos del rey don Pedro, también aquí "Justiciero", que tiene una intervención importante. Según ya sugerimos, *Ganar amigos* encierra una galería de nobles caballeros de extraordinaria elevación moral, en quienes vienen a encarnarse las más altas virtudes. Destaca entre todos el marqués don Fadrique, privado del rey, dechado de honor, a quien al fin, perdida su privanza y en trance de morir ajusticiado, son sus propios enemigos, trocados en amigos por su nobleza, quienes le salvan y devuelven al favor del rey. El título de la obra encierra inequívocamente la moraleja, pero más bien parece que viene a rebajar su tono. El alto desinterés de los personajes, que no se mueven por ningún género de egoísmo, no enseña lo que parece una lección de intereses a través del título; éste debió servir más bien para una comedia

---

41 Ediciones: de E. Barry, *precédée d'une notice biographique el litéraire et accompagnée de notes, de variantes et des imitations de Pierre Corneille,* tercera ed., París, 1913; de Julio Jiménez Rueda, México, 1917; de A. Hamel, en *Romanische Bucherei,* cuaderno 2, Munich, 1924; de Arthur L. Owen, Boston-Nueva York, 1928; de Pedro Henríquez Ureña y José Bogliano, Buenos Aires, 1939; de Ángel Valbuena Prat, Barcelona, 1940; de E. Juliá Martínez, Zaragoza, 1943; de G. Delphy y Serge Denis, *Introduction, notes, appendices sur le milieu Madrilène, résume analytique, comparaison avec le Menteur de Corneille, bibliographie et lexique,* París, 1947; de Luis Santullano, México, 1950. Véanse además las ediciones citadas en la bibliografía general, nota 38. Cfr.: J. B. Segall, *Corneille and the Spanish Drama,* Nueva York, 1902. G. Huszar, *Pierre Corneille et le théâtre espagnol,* París, 1903. A. L. Owen, "*La verdad sospechosa* in the Editions of 1630 and 1634", en *Hispania,* VIII, 1925, págs. 85-97. John Brooks, "*La verdad sospechosa*: The Source and Purpose", en *Hispania,* XV, 1932, págs. 243-252. Francisco Monterde, "*La verdad sospechosa* y Corneille", en *Letras de México,* II, núm. 8, agosto, 1939, págs. 9 y ss. Vicenzo Spinelli, "Los tres mentirosos", en *Clavileño,* núm. 24, 1953. Antonio María Lobatón, "*La verdad sospechosa,* una obra cumbre del siglo XVII", en *Alvernia,* México, 14-15; 1953, págs. 91-114. Alfonso Reyes, "Ruiz de Alarcón y el teatro francés", en *Cuadernos del Congreso por la libertad de la Cultura,* París, XIV, 1955, págs. 3-13. E. C. Riley, "Alarcón's 'mentiroso' in the light of the contemporary theory of character", en *Hispanic Studies in honour of I. González Llubera,* Oxford, 1959, páginas 267-297.

satírica de costumbres; la enseñanza del drama es de nobleza, y el título parece prometerla de apicarado ventajismo. Como se ve, no puede hallarse nada más distante que *Ganar amigos* del supuesto Alarcón avinagrado y resentido: todo aquí respira calidad moral, y hasta tal punto de sublimación, que bien puede calificarse de inverosímil sin pecar de demasiado escépticos en la bondad humana. Muy discretamente, refiriéndose a su elevado idealismo, lo apuntaba ya así el editor de Alarcón, Núñez de Arenas: "El teatro no ofrece composición dramática en que más abunden los caracteres levantados; por eso hemos dicho que si el mérito ha de medirse por la verosimilitud, y la verosimilitud por la realidad histórica, el presente drama pertenecerá al mundo de las eternas aspiraciones del espíritu, no al mundo del cuerpo y de los sentidos" [42].

El gracioso de la obra, Encinas, posee una notable participación. En un curioso parlamento casi al final de la obra, profiere palabras que son al mismo tiempo un alegato democrático y una ironía contra los convencionalismos de la comedia a propósito de los graciosos:

Señor,
Tienen los pobres criados
Opinión de interesados,
De poco peso y valor.
¡Pese a quien lo piensa! ¿andamos
De cabeza los sirvientes?
¿Tienen almas diferentes
En especie nuestros amos?
Muchos criados ¿no han sido
Tan nobles como sus dueños?
El ser grandes o pequeños,
El servir o ser servido,
En más o menos riqueza
Consiste sin duda alguna,
Y es distancia de fortuna,
Que no de naturaleza.
Por esto me cansa el ver
En la comedia afrentados
Siempre a los pobres criados...
Siempre huir, siempre temer...
—Y por Dios que ha visto Encinas
En más de cuatro ocasiones,
Muchos criados leones
Y muchos amos gallinas.

---

[42] Ed. cit., vol. I, págs. 459.

DON DIEGO.

Bien dices. Vete con Dios,
Y más peligro no esperes.

ENCINAS.

Adiós; que donde murieres
Hemos de morir los dos.
Hoy han de ser restaurados
En su opinión, por mi fe,
Los que sirven; hoy seré
Un Pelayo de criados[43].

De parecido carácter, y tanta o mayor calidad, es una de las más famosas obras de Alarcón, *El tejedor de Segovia.* Consta de dos partes, pero la atribución de la primera ha sido discutida y es probable que sea obra de otro ingenio, aunque también la paternidad de Alarcón es verosímil. En cualquier caso, la segunda parte, que es la segura de Alarcón, fue la primeramente escrita; pero la obra hacía referencia a varios sucesos previos tan cargados de interés dramático, que alguien —o el mismo Alarcón— se sintió tentado de darles vida en una primera parte.

Como creación indudable vamos a ocuparnos tan sólo de la segunda. Imposible referir en detalle su argumento —cuajado de aventuras—, pero es imprescindible dar alguna idea de él. La acción se sitúa esta vez en el reinado de Alfonso VI, finales del siglo XI. Un noble, Fernando Ramírez, perseguido por sus enemigos políticos —su padre, alcaide de Madrid, había sido injustamente ajusticiado— se oculta en Segovia donde vive como tejedor. Sin conocerle, el conde don Juan, su enemigo, traba pendencia con él por una rivalidad amorosa, y Fernando para en la cárcel. Se escapa junto con todos los allí presos y vive por algún tiempo en la sierra como jefe de bandoleros. Después de variadas y dramáticas peripecias, Fernando consigue hallar al conde y le da muerte. Su partida se encuentra luego con un ejército moro que ponía en fuga al del rey, lo detiene y contribuye luego a su derrota. Tras de lo cual se descubre al monarca, que lo vuelve a su gracia, perdonando a la vez a todos sus compañeros de bandidaje. Alberto Lista señaló el carácter inequívocamente romántico de esta obra, en la que no se echa de menos ninguno de los componentes característicos para definirlo como tal: pasiones desatadas, escenas de cárcel, fugas, escalos, pendencias, muertes, venganzas, bandoleros, etc., y sobre todo caracteres indomablemente valerosos, vencedores al fin. Digamos que la pieza es una obra maestra, y dada a conocer en los días del Romanticismo hubiera tenido rival difícilmente.

---

43 Ídem, íd., págs. 418-419.

Esta vez no es fácil hallar una moraleja de carácter global, aunque el ponderado y grave Alarcón está presente siempre, y con sus habituales cualidades hace humanas, y casi siempre verosímiles, las novelescas aventuras del tejedor. Hay escenas de un dramatismo casi brutal, como son las dos veces en que aquél escapa de sus enemigos: la primera, en la cárcel, para libertar sus manos de los ganfiones que las sujetan, se arranca con los dientes "los dos últimos artejos de los pulgares"; la segunda, cuando es cogido por la traición de un antiguo criado suyo, rompe sus ataduras poniendo las manos en un velón, a trueque de quemarlas horriblemente.

Suele decirse que el "gracioso" en el teatro de Alarcón se transforma más bien en compañero o confidente de su amo; sucede a veces, pero no es ésta la norma general, como puede verse en *El tejedor*. El "gracioso" de esta pieza conserva los rasgos del tipo clásico, exagerando sobre todo su miedo, el más frecuente tópico de comicidad de este personaje[44].

Heroica también por el ambiente y protagonistas puede estimarse la comedia dramática *Los pechos privilegiados*, cuya acción se desarrolla en los tiempos de Alfonso V de León. Éste apetece, para amante, que no para esposa —pues tiene concertado su matrimonio con una infanta, hija del conde castellano— a una hija de su privado, el conde Melendo; lo que lógicamente le enfrenta con éste y con el noble Rodrigo de Villagómez, que pretende a otra hermana mayor. Hay valientes y dignas escenas entre el rey y Rodrigo, que le afea su capricho. Melendo y Rodrigo caen de la privanza del monarca y aquél se desnaturaliza mientras el segundo busca refugio en sus feudos. La trama pasa por mil complicaciones, en las que no faltan desafíos, huidas y todo género de novelescas aventuras. Interviene el rey de Navarra, que solicita a la hija de Melendo tras la que anda el rey de León; competencia —en la que ambos reyes llegan a las manos— que acaba cuando el rey Alfonso acepta al fin como esposa a la hija de Melendo y torna a su gracia a éste y a Villagómez.

En medio de este ajetreo folletinesco, que las manos de Alarcón moderan y humanizan siempre, merecen destacarse dos cosas. En el conflicto que se plantea entre servir al rey en sus caprichos y la propia dignidad, el triunfo recae claramente a favor de ésta; las palabras de Villagómez al monarca son hermosas y terminantes, y el alejamiento de la corte de Melendo y Rodrigo, sin que importen riesgos, subraya con hechos los principios que se habían defendido. Al final del acto primero, el rey allana la morada de Melendo y trata de sorprender a su amada en su habitación; a las voces de ésta acude el padre y, al saber que es el rey, deja caer al suelo la espada, pero sus pala-

[44] Cfr.: Joseph H. Silverman, "El gracioso de Juan Ruiz de Alarcón y el concepto de la figura del donaire tradicional", en *Hispania*, XXXV, 1952. Joaquín Casalduero, "Ruiz de Alarcón. El gracioso de 'El Anticristo' ", en *Estudios sobre el teatro español*, cit., págs. 131-144. Ermilo Abreu Gómez, "Los graciosos en el teatro de Ruiz de Alarcón", en *Investigaciones lingüísticas*, México, III-IV, mayo-agosto, 1935, págs. 189-201.

bras son tan duras que el monarca reconoce la indignidad de sus propósitos y abandona la casa. Cuando casi al final de la obra el rey Alfonso cruza su acero con el de Navarra, Villagómez se pone, sin embargo, del lado de su rey, porque entonces toca a la lealtad debida a su monarca frente a un poder extraño.

El segundo aspecto destacable es un asombroso personaje, Jimena, el ama que había criado a Villagómez, una campesina de descomunal tamaño, fuerzas y bravura, que le protege maternalmente cuando aquél se refugia en el campo. Casi increíble en algunos de sus excesos, resulta un tipo entrañable y humanísimo con sus rudos y elementales sentimientos, pero hondos y generosos. Hay una escena —la última del acto II— que casi no creemos que pudiera ser representada: el rey va a la quinta de Villagómez en busca nuevamente de la mujer que codicia, y cuando aquél se opone a sus pretensiones, el rey le tira una puñalada, que Villagómez desvía cogiéndole del brazo; y mientras duda en cómo salir de aquella difícil situación de violencia con la persona real, Jimena, que seguía oculta la escena, coge al rey en brazos como a un muñeco y se lo lleva, diciendo que defiende a su hijo sin ofenderlo a él. No es posible poner en mayor ridículo a la persona de un monarca.

Los pechos privilegiados encierran un pequeño interés de maledicencia literaria. El "gracioso" Cuaresma, que también hace consistir en el miedo las más divertidas de sus gracias, en un sabroso parlamento del tercer acto (escena III) incluye aquellos malévolos versos destinados a zaherir a Lope: "Culpa a un viejo avellanado — tan verde, que al mismo tiempo...".

Las paredes oyen pertenece al grupo de las más típicas comedias alarconianas "de carácter". Se ha supuesto siempre que en uno de los personajes, don Juan de Mendoza, había pretendido retratarse el autor. La comedia satiriza la maledicencia. Don Mendo, noble rico y apuesto, tiene aquel feo vicio, y por su culpa pierde la mujer que ama a manos de su rival, don Juan, hombre pobre y de escasos atractivos físicos, pero de grandes prendas morales. Alarcón —se dice— habría querido descargarse de sus agobiadores complejos, haciendo que un casi doble suyo gane la partida —por cualidades de espíritu— sobre un apuesto galán. Cabe en lo posible. Al comienzo de la comedia alude don Juan a su mengua física que le cohibe para aspirar a tan hermosa mujer, pero con resignada y comprensiva melancolía. Digamos que tampoco se ensaña Alarcón en exagerar los rasgos de don Mendo. En realidad —y es ésta una de las mejores cualidades del dramaturgo— nunca recarga las tintas de aquellos personajes en quienes quiere ejemplificar la fealdad de un vicio; por esto, a veces, hasta esos mismos personajes nos resultan altamente simpáticos (recordemos el don García de *La verdad sospechosa*), y también por esta ecuanimidad del autor son sus creacciones tan humanas, tan matizadas y reales. En cambio, suele en ocasiones forzar, ya que no el carácter, sí las situaciones, como en el caso de aquella "zancadilla" de que hablábamos en *La verdad sospechosa*. Aquí sucede algo semejante: la maledicencia de don

Mendo no nos parece tan grave, y la que lanza contra su propia amada doña Ana, más bien es prueba de amor, porque desea desviar de ella la atención de un duque mujeriego a quien considera peligroso rival. El hecho es muy humano, y no creemos que fuera de las tablas pudiera dar origen, tras larga serie de derivaciones, al rompimiento de dos amantes tan perfectamente ensamblados. Pero el autor hace posible, con una escandalosa casualidad del más efectista "lopismo", que sea la propia dama quien, oculta tras su ventana, oiga las improcedentes palabras de su galán; y tras ello viene todo lo demás [45].

Mudarse por mejorarse es una deliciosa comedia, de enredo y de costumbres a la vez, del más puro sabor. Un galán de corte deja a su amada, viuda de muy buen ver, cuando se presenta una sobrina joven. Pero ésta lo deja a su vez cuando encuentra un pretendiente mejor. La comedia tras complicada sucesión de divertidas situaciones, acaba "demasiado bien" para la moral alarconiana, puesto que el pretendiente aprovechado no queda corrido y solo, como debiera, sino que puede volver a su primera enamorada.

Parecida por lo gracioso de la peripecia y los ágiles y variados episodios es *El examen de maridos,* especie de farsa o juguete cómico. Una dama rica y soltera convoca a modo de un concurso de pretendientes para escoger esposo. Tan peregrina situación da pie para sutiles discreteos, juegos de ingenio y todo género de opiniones sobre el amor.

La magia se junta a la comedia de carácter y a la confesada intención moral en *La prueba de las promesas,* asunto inspirado en un cuento de *El conde Lucanor.* Don Juan está enamorado de Blanca, hija del mago don Illán de Toledo, pero éste la tiene prometida a otro pretendiente, don Enrique. Para atraerse al padre de su amada, don Juan pide al mago que le enseñe las ciencias ocultas a cambio de grandes ofrecimientos. Desde ese instante, don Juan asciende rápidamente en categoría y poder hasta llegar a presidente de Castilla. Entonces no sólo incumple sus promesas con don Illán, sino que rechaza a Blanca, después de intentar conservarla como manceba. Don Illán deshace entonces el conjuro, y resulta que todas las grandezas de don Juan han sido tan sólo apariencias forjadas por el mago para probarle [46].

Como de "carácter" debe también considerarse la comedia *No hay mal que por bien no venga,* sin que modifique aquella condición la caprichosa cir-

---

[45] Ediciones: de Caroline Brown Bourland, en New Spanish Series, vol. 14, Boston-Nueva York, 1914; de Peter A. Ortiz, México, 1942 (véanse las ediciones citadas en la bibliografía general). Cfr.: Benjamín B. Ashcom, "An error in the text of Alarcón's *Las paredes oyen*", en *Modern Language Notes,* LIII, 1938, págs. 530-531. Del mismo, "Three notes on Alarcón's *Las paredes oyen*", en *Hispanic Review,* XV, 1947, págs. 378-384. José Frutos Gómez de las Cortinas, "La génesis de *Las paredes oyen* de Juan Ruiz de Alarcón", en *Revista de Filología Española,* XXXV, 1951, págs. 92-105.

[46] Edición y estudio de Frank Otis Reed y Frances Eberling, Nueva York, 1928. Cfr.: S. M. Waxman, "Chapters on Magic in Spanish Literature", en *Revue Hispanique,* XXXVIII, 1916.

cunstancia —ya declarada— de que el autor emplace la acción en los remotos días del reinado de Alfonso III. El nudo principal es también un enredo amoroso. Don Juan, noble un tanto tronado y sin dinero, pretende a Leonor, hija del rico don Ramiro, que no consiente la boda. Surje un rival, don Domingo de Don Blas, estupenda creación de Alarcón: se trata de un burgués (perdónesenos el anacronismo, ya que el autor nos fuerza a ello) comodón y sibarita, codicioso de todo lo confortable, que protesta con mucha sal de modos y costumbres de su tiempo, que dicho se está que son las de los días del poeta; don Juan y don Domingo actúan y dialogan como dos galanes del tiempo de los Felipes y no hay rasgo posible que permita suponerlos de los albores de la Reconquista.

La escena en que don Domingo declara su pasión a doña Leonor es verdaderamente deliciosa; la comodidad, un tanto cínica, de don Domingo protesta también de todas aquellas absurdas molestias que el "servicio" de las damas exigía, y con las cuales se ponía a prueba su amor. Cuando le dice a la asombrada dama que no está dispuesto a sufrir relentes, rondando rejas en bobas trasnochadas, le recrimina doña Leonor:

No os juzgué tan material.

A lo que don Diego replica:

Por dicha ¿será cordura
Que en material hermosura
Busque yo gusto mental?
Pienso que yerra el camino
Quien trueca un orden tan llano:
Lo humano quiero a lo humano,
Lo divino a lo divino.
Y al fin, porque mis intentos
Entendáis, en vuestro amor
Gustos pretendo, Leonor,
Que no pretendo tormentos.
Mirad, pues, si es acertado
Que negocie mi esperanza
Placeres en confianza
Con pesares de contado.
Cuando miro un pretendiente
Que con mucho afán procura
La comodidad futura,
Despreciando la presente,
Le digo: "Necio ambicioso,
Contra tus intentos pecas,
Pues buscas el bien, y truecas

Lo cierto por lo dudoso.
¿Sabes tú que gozarás
Lo porvenir que apercibes?
Acomoda lo que vives
Y no lo que vivirás".
Y así, Leonor bella, advierto,
Aunque aspiro a tal favor,
Que el bien presente menor
Prefiero al mayor incierto.
Hoy vivo: esperanza es vana
La de mañana, y no doy
Las certidumbres de hoy
Por las dudas de mañana...
....
Atormentarse no más
¿Es medio de merecer?
¿No hay regalos? ¿No hay servicios?
¿No hay fiestas? ¿No hay galanteos?
¿No merecen los deseos?
¿No obligan los beneficios?
¿Por fuerza he de trasnochar?
¿Qué me hubiera a mí importado
Haber dos veces pagado
Esa casa, si el estar
A la vuestra tan cercana
No ha de excusar que me halle,
Como decís, en la calle
Tantas veces la mañana? [47].

A pesar de regirse por tan positiva filosofía, don Domingo conoce también las exigencias de la nobleza y la dignidad personal, y cuando llega el caso necesario, da muestras de tal valentía y decisión que asombra a quienes no le creerían capaz de ello. Es posible que ésta debiera de ser la moraleja de la comedia, y no el refrancillo del título que le viene un tanto postizo.

Desesperado don Juan de las negativas del rico don Ramiro, decide robarle para empobrecerle y quitarle así las razones de su superioridad. Cuando entra en la casa con el fin de ejecutar tan novelesco como pueril designio, encuentra a su rival don Domingo, que había sido raptado y encerrado en la casa de don Ramiro (fautor de la conjura), para que no obstaculizara la rebelión del infante don García contra su padre el rey Alfonso. Dicho se está que este descubrimiento —"no hay mal que por bien no venga"— impide la

[47] Ed. cit., vol. I, págs. 212-214.

conjuración. Don Juan gana la simpatía más absoluta de don Ramiro haciéndole creer al rey —cuando los mayores peligros se cernían sobre la cabeza del avaro— que el propio don Ramiro había descubierto los manejos del príncipe. Y la comedia acaba con la correspondiente boda. Con dos bodas, mejor dicho. Porque si don Juan se lleva al fin a doña Leonor, don Domingo se apaña con una prima suya, de parecidas gracias, cuyo favor había cultivado por si le hacía falta al final. Previsión que el desenlace de la comedia demuestra estar muy en su punto [48].

La habilidad, el tino, la medida y ponderación con que logra el poeta barajar tan caprichosos elementos y recursos tan convencionales con una sabia madurez de experiencia y doctrina, para lograr un conjunto armónico de tanta belleza y humanidad, esto —decimos— es lo que constituye el secreto del arte dramático alarconiano.

LOS DRAMATURGOS ANDALUCES

El grupo andaluz de los seguidores de Lope está representado especialmente por dos ingenios de muy notables cualidades: Mira de Amescua y Vélez de Guevara. A ambos —en líneas generales— les distinguen las notas de estilo que se estiman como características de su región: profusión de metáforas, tendencia colorista, gusto por lo enfático y ornamental.

ANTONIO MIRA DE AMESCUA

Vida y carácter. Antonio Mira de Amescua nació en Guadix, entre 1574-77. Fue hijo natural de Melchor Amescua y Mira y de Beatriz de Torres y Heredia, ambos solteros. Estudió las primeras letras y la Gramática en Guadix y Cánones y Leyes en Granada, se ordenó de sacerdote y fue nombrado capellán de la capilla de los Reyes Católicos de dicha ciudad. Desde 1606 tenía ya gran fama en la corte. Entró al servicio del conde de Lemos y hasta 1616 estuvo con él en Nápoles. En 1622 permutó su capellanía de Granada por una de Madrid, cuando hacía ya diez años que no residía en Granada, a donde todas las quejas y presiones de sus superiores eclesiásticos no consiguieron hacerle volver. Durante este tiempo vivía en la corte como capellán del cardenal-infante don Fernando, metido por entero en la vida literaria de la capital, escribiendo comedias, asistiendo a tertulias y concurriendo a justas poéticas.

En 1632, cuando andaba ya el dramaturgo por los sesenta años, vacó el cargo de arcediano en la catedral de Guadix, su patria; Mira lo solicitó y

---

[48] Ed. de Adolfo Bonilla, en Clásicos de la Literatura Española, vol. 2, Madrid, 1916.

obtuvo, y allí vivió retirado, sin salir ya más de la ciudad, hasta su muerte ocurrida en 1644. Mira dejó recuerdo entre el cabildo por sus intemperancias y malos modos, de los que había dado buenas muestras también en los corrales de Madrid; en cierta ocasión abofeteó al maestrescuela y hubo de ser multado y recluido temporalmente en la misma catedral. Rodríguez Marín nos describe al poeta, por los años en que concluyó sus estudios, como "un mozo muy corpulento, travieso, decidor y díscolo, cualidad esta última que había de acarrearle muchos riesgos y sinsabores" [49]. A aquella corpulencia del dramaturgo alude Lope de Vega en su *Epístola* dirigida a Francisco de Rioja con el título de *El jardín de Lope,* al referirse al retrato de Mira pintado por Heredia el Mudo:

El divino pincel del mudo Heredia
(que entera no pudiera) al doctor Mira
de su figura retrató la media [50].

Suelen atribuirse a la obsesión por la mancha de su origen la arbitrariedad y destemplaza de su conducta y sus violencias injustificadas, que hacen pensar en un hombre desequilibrado y neurótico; motivación que no es posible negar en absoluto, pero que no nos parece convincente para explicar los rasgos de un carácter, sostenidos a lo largo de una vida y en medio de tan variadas circunstancias. Cotarelo da una razón, mucho más llana y plausible a nuestro juicio, para explicar los incidentes con el cabildo y el malhumor de Mira en los primeros tiempos de su retiro en Gaudix, y que unida a su irritabilidad temperamental, justifica bien lo ocurrido: "Pasados —dice— los primeros meses, en que la novedad de vida, el verse entre sus viejos amigos de la infancia y los deberes anejos al cargo, pues a veces, en ausencia del Deán, presidía el Cabildo, ocuparían su actividad sin tedio ni fatiga, comenzó a revelarse su inquietud y malestar causados por las menudas intrigas propias de lugares pequeños. Quizá no sería mirado con el respeto a que el alto papel literario que había desempeñado en el mundo le daba derecho; quizás él mismo no consideraría a sus compañeros en términos de igualdad fraternal; su carácter y genio naturalmente desapacibles exacerbarían los inevitables choques que traería un mutuo y continuo desacuerdo; ello es que nuestro poeta, provocado o no, se entregó a arrebatos de ira que, a más del natural escándalo, hubieron de quedar consignados en las actas capitulares de la iglesia guadijeña" [51]. Por lo demás, parece que el comportamiento posterior de Mira fue siempre correcto; el escritor vivió oscuramente desde entonces en aquel voluntario retiro, diríase que ajeno a sus jornadas de triunfo y bullicio cortesano, y olvidado a su vez, más cada día, por los nuevos valores de las letras y por el mismo público que le

---

[49] F. Rodríguez Marín, *Pedro Espinosa...*, luego cit., pág. 92.

[50] Citado por Rodríguez Marín, en ídem, íd.

[51] Emilio Cotarelo y Mori, *Mira de Amescua y su teatro,* luego cit., 1930, pág. 502.

había aplaudido. Cotarelo señala que, cuando en 1635 murió Lope de Vega, fue Mira el único, entre quienes habían sido sus amigos, que no colaboró en la *Fama póstuma.* A su vez, cuando sobrevino su propia muerte, parece que no se tuvo noticia de ella, pues nadie la consigna, ni siquiera aquellos gaceteros de la época que, como Pellicer, daban cuenta de los más triviales sucesos.

En estos últimos años de silencio y aislamiento se inició, sin duda, el olvido en que fue cayendo la obra dramática de Amescua, con la consiguiente falta de noticias sobre su vida y su misma producción, que sólo en nuestros días ha comenzado a ser remediada. Mira —lo mismo que Vélez de Guevara— nunca reunió sus obras en volumen, y sólo en las habituales colecciones de la época, mezcladas con las de otros escritores, falsamente atribuidas a veces y con gran frecuencia mutiladas y corregidas, fueron publicadas algunas. En general, los historiadores de nuestra literatura o de nuestra dramática han dedicado a Mira escasa atención hasta tiempos muy recientes; y aunque algunos estudiosos contemporáneos han editado pequeñas porciones de su producción dramática y revalorizado en parte su personalidad, es mucho todavía lo que en torno a este escritor queda por hacer; gran parte de sus obras, sólo existentes en copias manuscritas o en aquellas ediciones de la época, son prácticamente inasequibles para el lector.

Sin embargo, Mira gozó en su tiempo de dilatada estima; Cervantes, Agustín de Rojas, Lope de Vega, Suárez de Figueroa, Montalbán, Tamayo de Vargas, le dedicaron elogios. Cuando en 1602 visitó Lope Granada, parece que los poetas de la ciudad le recibieron fríamente, con excepción de Mira, ya famoso como lírico, que le dedicó sus versos, y a quien Lope, agradecido, dedicó un soneto que imprimió en *La hermosura de Angélica.* Rojas Villandrando, en su *Viaje entretenido,* al escribir la *Loa de la Comedia,* destaca a Mira entre los dramáticos de su tiempo; no se conocen, sin embargo, comedias de Mira anteriores a la redacción del *Viaje* —1603—, ya que la primera de que se tiene noticia, dice Cotarelo, es *La rueda de la Fortuna,* estrenada en Toledo en 1604. En todo caso, los años de mayor actividad dramática de Mira fueron los quince que siguieron a su regreso de Nápoles en 1616. Durante este tiempo, Mira, a pesar de sus singularidades de carácter, debió de mantener muy amplias relaciones de amistad con numerosos literatos de la corte; quizá ningún otro escritor de entonces haya escrito tantas aprobaciones de libros y, sobre todo, de poesías en elogio de obras ajenas.[52].

---

[52] Cfr.: Bartolomé José Gallardo, *Ensayo de una biblioteca española de libros raros y curiosos,* vol. III. C. Pérez Pastor, *Bibliografía madrileña,* vol. III, Madrid, 1907. R. Mesonero Romanos, "El teatro de Miradamescua", en el *Semanario Pintoresco Español,* 1852. Torcuato Tarragó, "El Dr. Mira de Amescua", en *La Ilustración Española y Americana,* 1888, II. N. Díaz de Escobar, "Siluetas escénicas del pasado. Autores dramáticos granadinos del siglo XVII: el Doctor Mira de Amescua", en *Revista del Centro de Estudios Históricos de Granada y su reino,* 1911, vol. I. Fructuoso Sanz, "El Dr. Antonio Mira de Amescua: nuevos datos para su biografía", en *Boletín de la Real Acade-*

Mira de Amescua como lírico. Aunque su mayor importancia reside en su obra dramática, también la producción lírica de Amescua ofrece considerable interés. Su estilo como poeta lírico muestra las mismas contradicciones propias de su carácter: oscila entre la sencilla y emotiva poesía al modo de Lope, con las tiernas y populares composiciones de sus "autos" de Navidad, y las brillantes exuberancias del gongorismo; pero, en conjunto, o, si se quiere, preferentemente, Amescua es poeta de opulencias, formas suntuarias a lo Góngora, fuertes contrastes de color y gran riqueza formal. Así es su bello poema mitológico en 58 octavas reales, *Fábula de Acteón y Diana.* Esta plenitud se ciñe a una elegancia menos derramada, aunque igualmente rica, cuando se aplica a temas morales o filosóficos, como en la famosísima y sentida *Canción real a una mudanza* (de atribución discutida, sin embargo) en que el eterno tema de la caducidad de los seres se expresa con originales y poderosas metáforas. Esparcidos por sus comedias, pueden hallarse también bellos fragmentos líricos, muy influidos en general por las corrientes culteranas[53].

El teatro de Mira de Amescua. Amescua, como autor dramático, queda inequívocamente dentro de la escuela de Lope, aunque con rasgos personales bien definidos. Amescua reparte por igual los brillantes momentos de sorprendente inventiva y los fallos más manifiestos en la construcción teatral. Con frecuencia su plan es débil, las escenas se suceden sin trabazón íntima, la acción se atropella y bifurca con una dualidad de intrigas que convierte muchas veces la comedia en un caos de sucesos; defecto este último que podemos hallar hasta en sus obras más notables. Habilísimo para la invención de peripecias dramáticas —cualidad que, no bien enfrenada, explica en buena parte sus mencionadas caídas— acierta al mismo tiempo con profundos rasgos psicológicos y gusta de intercalar enseñanzas morales y políticas con fines ejemplares. Muestra predilección por los temas nuevos y extraños y por soluciones audaces.

En el teatro de Amescua (sus obras conservadas ascienden a unas sesenta)[54] ocupan destacado lugar las piezas religiosas, entre las que hay que se-

---

mia Española, 1914, I. Francisco Rodríguez Marín, *Pedro Espinosa: estudio biográfico, bibliográfico y crítico,* vol. I, Madrid, 1907. Del mismo, *Nuevos datos para las biografías de cien escritores de los siglos XVI y XVII,* Madrid, 1923. Emilio Cotarelo, "Mira de Amescua y su teatro", en *Boletín de la Real Academia Española,* XVII, 1930, págs. 467-505 y 611-658, y XVIII, 1931, págs. 7-90. Véanse además los estudios que acompañan a las ediciones citadas luego.

[53] *Poesía,* ed. de A. de Castro, en BAE, XLII, nueva ed., Madrid, 1950. *Canción real a una mudanza,* ed. de Foulché-Delbosc, en *Revue Hispanique,* XVI, 1907. Cfr.: José Manuel Blecua, "La canción 'Ufano, alegre, altivo, enamorado...' ", en *Revista de Filología Española,* XXVI, 1942.

[54] Ediciones: *Comedias escogidas,* edición de R. Mesonero Romanos, en BAE, XLV, nueva edición, Madrid, 1951. *Mira de Amescua, Teatro,* edición de A. Valbuena Prat,

parar las *comedias* de los *autos.* Valbuena Prat, que ha estudiado el teatro de Amescua, señala que los autos de éste representan un estadio de transición o puente entre los de Lope y los de Calderón. Amescua, dueño de una mayor cultura religiosa, puede ya rebasar la sencilla estructura, puramente anecdótica, de los autos de Lope, y tratar de fundir más íntimamente el relato dramático con la alegoría. "El tipo de autos en Mira —dice el crítico mencionado— es el que, en general, domina en la época de Lope. La trama es sencilla, no hay absoluta compenetración del símbolo con lo representado, y no responde el desarrollo de la acción a la magnitud de la idea. No se ha sabido escoger, en los autos historiales, un hecho capital y en torno a él construir el drama alegórico. Se amontonan sucesos incidentales y no se llega a una poderosa unidad"[55]. "Con todo —explica luego— comparando a Amescua con sus contemporáneos, vemos que hay en él una mayor seguridad teológica, un deseo por unir la alegoría con la historia, y hasta un cierto empleo de algunas personificaciones que han de quedar en el auto tipo. Fijándonos en los primeros autos de Calderón, veremos que ofrecen ciertas coincidencias con los de Mira; así, por ejemplo, en *El divino Jasón*"[56]; lo que, evidentemente, otorga a los autos del guadijeño gran importancia histórica en la evolución del género *sacramental.*

Amescua escribe autos que abarcan el ciclo de Navidad, sobre Nuestra Señora, y sobre el tema propiamente eucarístico. En los primeros, como el *Auto del Santo Nacimiento, intitulado Los pastores de Belén,* es, según precisa Valbuena, donde está más cerca del estilo de Lope; pero aun en estas mismas piezas de Navidad, la natural tendencia del ingenio de Amescua le lleva ya "al tipo escolástico del auto calderoniano", como en el *Auto famoso del Nacimiento de Cristo Nuestro Señor y Sol de medianoche,* en el que intervienen figuras alegóricas como la Naturaleza Humana, la Avaricia, la Soberbia, etc.; el hecho de la adoración de los pastores se enlaza con el tema teológico de la esclavitud del hombre por la culpa. También en el auto de la Virgen *De Nuestra Señora de los Remedios* intervienen figuras alegóricas como la Am-

---

en Clásicos Castellanos, 2 vols., Madrid, nueva ed., 1960 y 1957; comprenden, respectivamente, *El esclavo del demonio* y *Pedro Telonario* y *La Fénix de Salamanca* y *El ejemplo mayor de la desdicha. El esclavo del demonio,* ed. de Milton A. Buchanan, Baltimore, 1905. *El arpa de David,* ed. de C. E. Anibal, The Ohio State University Studies, 1925. Cfr.: Hugo A. Rennert, "Mira de Amescua et 'La judía de Toledo' ", en *Revue Hispanique,* VII, 1900. A H. Krappe, "Notes on the 'Voces del cielo' de Mira de Amescua", en *Romanic Review,* XVII, 1926. C. E. Anibal, "Another Note on the 'Voces del cielo' de Mira de Amescua", en *Romanic Review,* XVIII, 1927. Otis Howard Green, "Mira de Amescua in Italy", en *Modern Language Notes,* XLV, 1930. Margaret Wilson, "*La próspera fortuna de don Álvaro de Luna*: An oustanding work by Mira de Amescua", en *Bulletin of Hispanic Studies,* XXXIII, enero, 1956, págs. 25-36.

[55] Prólogo a la edición citada, vol. I, pág. XXVIII.

[56] Ídem, íd., pág. XXIX.

bición, la Herejía y la Fe, con muchos momentos, dice Valbuena, que parecen preludiar las formas calderonianas.

Dentro del género sacramental, la obra más notable de Amescua es el auto titulado *Pedro Telonario,* inspirado en la leyenda hagiográfica del "rico de Alejandría". Consiste en la lucha que riñen la Caridad y la Avaricia por el alma del rico Pedro, avaro empedernido; triunfa al cabo la Caridad, y Pedro llega a convertirse tan por entero, que entrega todas sus riquezas a los pobres, y hasta se vende él mismo por esclavo para poder hacer una limosna más. El auto, muy dentro aún de la manera lopista "es una obra de gran ternura e ingenua devoción, con todo el primitivismo de una moralidad medieval" [57], pero encierra ya, sobre todo en el diálogo entre la Caridad y la Avaricia y en la alegórica visión del juicio del alma, elementos precalderonianos.

En la comedia sacra —género que Amescua no cultivó con gran acierto— destaca, en cambio, con valores propios *El arpa de David,* sobre la historia del rey poeta, con acertadas pinceladas sobre la lucha íntima de David en su pasión por Betsabé, su caída y su arrepentimiento. Encierra la obra gran variedad de acción y numerosos episodios, dado que abarca de hecho la vida entera de David: joven pastor en el acto primero, rivalidad con Saúl hasta la sucesión al trono en el segundo, episodio de Betsabé, caída y arrepentimiento, cantos y profecías en el tercero. Trátase, pues, a la manera de Lope, de una "crónica en acción"; pero la figura del protagonista, bien matizada, da unidad a la obra.

En las "comedias de santos", aparte *El esclavo del demonio* que veremos luego, sobresale *La mesonera del cielo,* tema medieval dramatizado ya por la monja Hroswitha, pero que Amescua acerca a su tiempo para tejer una apasionante pieza de contrastes y oposiciones —de índole muy barroca— entre el amor sagrado y el profano. Abraham abandona a su esposa Lucrecia en el mismo día de sus bodas, porque piensa que el matrimonio es un obstáculo para su vida de piedad. El ermitaño encuentra luego a su esposa herida en la selva y se produce una conmovedora escena, que acaba nuevamente con el triunfo del ascetismo. Paralelo a este asunto, y según norma tan frecuente en Amescua, corre otro tema que da el título a la pieza. Una sobrina de Abraham, que había vivido piadosamente junto a éste largos años, es seducida por otro ermitaño que la visita. Huye entonces, se entrega a la vida disoluta y llega a vivir como ramera en un mesón, de donde al fin la rescata Abraham. Con sus contrastes entre el mayor realismo y la estilización, entre las figuras piadosas y las jocosas, con sus aciertos de versificación, Valbuena califica a *La mesonera del cielo* de una de las más pintorescas, dramáticas y castizas comedias de santos de la Edad de Oro: "conjunto desproporcionado y anár-

---

57 Ídem, íd., pág. LXXIV.

quico, pero de intensa vida y belleza, de emoción moderna y anunciadora de los dramas románticos"[58].

Pero su más notable obra de esta especie, dijimos, y la mayor de toda la producción de Amescua, es *El esclavo del demonio,* en que recoge, con ciertas variantes, la leyenda de frey Gil de Santarén, especie de Fausto portugués, asunto contado por fray Hernando del Castillo en su *Historia General de Santo Domingo y de su orden de predicadores* y también recogido en el *Flos Sanctorum...* de Alonso de Villegas. Una vez más Amescua castellanizó caracteres y ambiente y enredó el asunto con diversas acciones, por lo que se hace difícil resumir la trama. En cierta manera podemos intentarlo así: don Gil de Santarén, hombre de gran piedad, impide con sus prédicas que un caballero, don Diego de Meneses, rapte a su amada Lisarda, cuyo padre Marcelo se oponía al matrimonio. Pero don Gil cae entonces en la tentación de seducir a Lisarda, vencido por su belleza, y lo logra sirviéndose de la misma escala preparada por don Diego. Los dos pecadores huyen, mientras don Diego cree que su amada se retiró a una aldea con su padre, y éste piensa que huyó con don Diego. Lisarda y Gil se hacen bandoleros; apresan al padre de Lisarda y a una hermana de ésta, Leonor, por quien don Gil arde enseguida con pasión tan desesperada, que firma un pacto con el demonio haciéndose su esclavo a fin de lograr sus deseos. Don Diego cae también en las manos de don Gil y trata entonces de moverle al arrepentimiento con las mismas razones de que éste se había servido para convencerle a él. Lisarda intenta matar a don Diego, pero le falla su arma de fuego; cree que esto es un aviso del cielo, se arrepiente, da todos sus bienes y se entrega a sí misma como esclava a un villano. El diablo ofrece a don Gil todos los bienes de este mundo, pero Gil desea tan sólo a Leonor; cuando aquél la trae, descubre aterrado que tan codiciada belleza no es más que un esqueleto. Comprende entonces la vanidad de todo, pero no pudiendo invocar a Dios, llama al Ángel de su guarda, que lucha con el diablo y rescata el papel firmado por don Gil. Éste, vestido de penitente, confiesa sus culpas. Todavía hacemos gracia al lector de abundantes episodios, pero era necesario sugerirle al menos lo que puede ser una trama complicada concienzudamente por Amescua. En tan abstrusa sucesión de hechos, el poeta logra momentos de patética emoción y rasgos humanos de notable hondura. Sobre todos los personajes destaca Lisarda, brioso tipo femenino, de elementales pero vigorosas pasiones, mujer muy española, tan impulsiva para el bien como para el mal, y cuya vida de bandolera está psicológicamente preparada por la independencia de su carácter.

La ideología fundamental de la obra estriba en la valoración del libre albedrío, ya que el mayor pecador, aun después de un pacto con el diablo, puede recibir voluntariamente los auxilios de la gracia. Don Gil encarna teológicamente esta tesis, pero posee a la vez una más rica complejidad psicológi-

[58] Ídem, íd., pág. XXXV.

ca: su pecado proviene, por una parte, de una íntima desesperación al ver perdido en un momento de debilidad el fruto de su anterior vida piadosa; por otro lado, lanzado ya al mal, se empecina en él por una mezcla de orgullo y rebeldía, por resentimiento, diríamos, contra su fracasada santidad. Valbuena ha visto con gran sagacidad los entresijos de este complejo carácter: "Don Gil —dice— es un doctor Fausto "a lo divino", el Fausto de la España del siglo XVII. No está harto de ciencias, sino de ascetismo, devoción y teología. Lo mismo el alemán que el castellano buscan sustituir el reposo por la acción; pero Fausto quiere placeres y don Gil quiere *pecados*... A don Gil le basta *sólo vivir*. Nada de estudios, ciencias ni meditación. Lujuria, bandolerismo y arrogancia es su divisa. Un principio de vanagloria le lleva al pecado. Aun después de convertido, la soberbia española no le deja, pues efecto de ella es el deseo de que *asombre su penitencia*" [59]. Al lado de este Fausto español, el autor introduce también su Mefistófeles en la persona del diablo, personaje con quien el espectador de la época áurea llegó a tener estrecha familiaridad, y que en esta obra hace una de sus primeras apariciones; aquí se llama Angelio: "Su vista —dice Valbuena— produce escalofrío y espanto. Pero es muy español. Habla de mujeres hermosas, sabe el secreto de 'las sevillanas, las granadinas, las toledanas y aragonesas'. Conoce Francia e Italia, 'la grandeza de París', las amplias calles florentinas, el puerto de Lisboa y los jardines valencianos. También sabe escolastizar y hablar de la mezquindad de la vida. Es vanaglorioso y matón. Le gusta asustar con apariciones terroríficas e imponerse a toda costa. No hay en él nada de la seriedad teológica de los demonios de Calderón ni de la ironía helada del Mefistófeles de Goethe. Más bien es un 'chulapo' dominador y con puntos de socarronería" [60].

Amescua introduce una variante más en la leyenda de don Gil: aquí no es la Virgen la que liberta al pecador del pacto diabólico, sino el Ángel, solución que, calculada o no por el autor, puede encerrar una intención: la de que, siendo aquél figura más abstracta que María, viene a simbolizar la gracia que ayuda a la voluntad del pecador, pero no la sustituye, pudiendo, por tanto, actuar el libre albedrío plenamente.

El esclavo del demonio, que tuvo gran éxito e influyó mucho en su tiempo, fue imitado por Calderón en *La devoción de la Cruz* y sobre todo en *El mágico prodigioso,* y además por Moreto en *Caer para levantar.*

En el teatro profano cultivó Amescua los mismos géneros, cuya cantera había abierto Lope, y hasta utilizó —según era en su tiempo tan frecuente— temas tratados ya por sus contemporáneos; pero dando siempre a sus obras —a sus versos, cuando no a sus personajes— aquel peculiar andante de brioso ímpetu, en el que nunca queda clara la divisoria entre la energía y la exage-

---

[59] Ídem, íd., págs. LXII-LXIII.

[60] Ídem, íd., págs. LXIII-LXIV. Cfr.: Alexander A. Parker, "Santos y bandoleros en el drama español del Siglo de Oro", en *Arbor,* núm. 43-44, julio-agosto, 1949.

ración. Trató temas de historia extranjera en *El ejemplo mayor de la desdicha y capitán Belisario,* donde mezcla historias y leyendas del reinado de Justiniano, con los supuestos amores de la emperatriz Teodora y el general y la caída de éste, que sirve al autor para buscar una ejemplaridad político-moral contra los validos; también en *La rueda de la Fortuna,* basada asimismo en otra folletinesca intriga de la corte de Bizancio. Ambas obras permiten volver, con intenciones moralizadoras, sobre el tema tan insistentemente tratado en su tiempo, de la caducidad de las glorias humanas.

En busca de argumentos complicados y espectaculares, Mira acude a todas las cortes europeas y a cuantas figuras famosas podían proporcionarle materia escenificable. De las cuarenta y seis obras que enumera y describe Cotarelo —aparte los autos—, veintiuna tienen por protagonistas a reyes o príncipes, y en las restantes —salvo contadas excepciones— no se baja de nobles de alta condición, condes cuando menos. Probablemente, sólo el teatro de Vélez de Guevara excede proporcionalmente al de Mira en la utilización de personajes de sangre real. Queremos decir con ello que en la dramática de Mira apenas es posible encontrar situaciones de vida cotidiana o índole costumbrista; Mira precisa asuntos de excepcional enredo y violencia, y va a buscarlos en torno a aquellos personajes y hechos de la Historia que cree propicios. La monarquía francesa le atrajo en varias ocasiones: el casamiento de Carlomagno con la princesa Sevilla, hija del emperador de Constantinopla, y la traición del conde Magancés, constituye el argumento de *Los carboneros de Francia*; el rey Clodoveo protagoniza *Las lises de Francia*; los reyes Ludovico de Alemania y Carlos de Francia son los personajes principales de *El primer conde de Flandes.* Y otros reyes y príncipes, más o menos fantásticos, extrajo también Mira de otras cortes, como la de Nápoles para *La adúltera virtuosa* (llamada a veces equivocadamente, según advierte Cotarelo, con el segundo título de *Santa María Egipcíaca,* que nada tiene aquí que ver), y para *Examinarse de rey*; la de Sicilia para la comedia de enredo *Amor, ingenio y mujer,* y para otra de parecida condición, *No hay reinar como vivir*; la de Hungría para *La confusión de Hungría*; Flandes, para *Lo que toca al valor y el Príncipe de Orage*; y otras varias. Tan sólo en un sentido muy amplio pueden estas obras calificarse de "históricas", no sólo por la desenfadada libertad con que el poeta forja los hechos de la trama, sino por la absoluta despreocupación con que trata las circunstancias ambientales de tiempo y de lugar; en *La rueda de la Fortuna,* por ejemplo, Mira sitúa la acción en el siglo XIV, siendo así que tuvo lugar a fines del siglo VI y comienzos del siguiente. Sin perderles demasiado el respeto a las brillantes calidades poéticas que valoran tan frecuentemente estas piezas de Mira, puede afirmarse de ellas que son inequívocos melodramas o folletines en acción, como sólo podremos volver a encontrar en el teatro o la novela del Romanticismo.

Cultivó Amescua el género caballeresco en *El conde Alarcos*, basándose probablemente no en los viejos romances sino en la obra del mismo título de Guillén de Castro, de quien queda muy atrás en esta ocasión.

Al tema nacional pertenece *Lo que puede el oir misa*, en donde Amescua se adelantó a otros varios autores que trataron idéntico motivo (el caballero que se retrasa en llegar al combate por haber asistido al Santo Sacrificio, y gracias a ello consigue mayores triunfos); y *La desdichada Raquel* sobre el asunto, repetidamente escenificado, de la judía toledana, amada por Alfonso VIII, y a la que Mira da el nombre de Raquel, siguiendo a Lope, que así lo había hecho al llevar la leyenda al teatro por vez primera en su comedia *Las paces de los reyes y judía de Toledo*; nombre que la protagonista había ya de ostentar en las versiones futuras. Cotarelo pondera en esta obra de Mira la sencillez y acierto con que está conducida la acción, a diferencia de lo que es habitual en su técnica dramática: en el acto primero se produce el encuentro del rey con la judía y su enamoramiento fulminante, cuando con otros hombres y mujeres de su religión se presenta al monarca para pedirle que suspenda la ejecución de unos decretos; en el segundo acto el rey tiene ya a Raquel en una quinta, donde consigue enamorarla; en el tercero, Raquel, dueña del ánimo de Alfonso, "es ya el alma de todo el gobierno de Castilla": surge la oposición de los nobles, y se conjuran contra la judía, cuya ejecución les facilita la ausencia del rey que se va de caza. Otras comedias de tema "nacional" son *Las desgracias del rey don Alfonso el Casto*, que incluye una versión de la leyenda de Bernardo; *La hija de Carlos V*, sucesión de escenas deshilvanadas sobre el retiro del emperador en Yuste; y *Lo que es no casarse a gusto*, obra de intriga amorosa y de dramáticas violencias, que Mira emplaza nada menos que en la corte del rey Fruela de León.

Amescua enriqueció la comedia de intriga y de costumbres con afortunadas producciones. *No hay burlas con las mujeres, o casarse y vengarse* es una comedia de intriga con desenlace dramático; una mujer venga por sí misma —con "secreta venganza"— su honor (ofendido no por ataque a su honestidad, sino por haber sido abofeteada a causa de celos infundados), con lo que incide el poeta en el tipo de la mujer varonil, puesta de moda por los dramaturgos de su tiempo, en especial por Tirso, y sobre todo introduce el tema de la mujer vengadora de su propio honor: modalidad de que se tiene por creador a Rojas, pero de la que Amescua se jacta en las palabras finales de su comedia como de una "nueva invención". Otras dos bellas comedias, *La tercera de sí misma* y *La Fénix de Salamanca* se sirven de la mujer disfrazada de varón —recurso utilizado cada vez más en su época—, para mover los hilos de una intriga —particularmente en la segunda comedia— tan divertida como inverosímil.

LUIS VÉLEZ DE GUEVARA

Entre los seguidores de Lope, si se exceptúa a Tirso, cuya importancia casi no admite la calificación de mero discípulo, es posible que el dramaturgo de mayor riqueza teatral sea Luis Vélez de Guevara. También por su fecundidad deja atrás a todos sus émulos, pues consta que escribió cerca de cuatrocientas comedias, aunque el número de las conservadas apenas se acerca al centenar.

Vélez de Guevara fue de los pocos comediógrafos del Siglo de Oro que no cuidaron de dar a la estampa sus comedias; singularidad algo difícil de explicar. De este modo, cuando la popularidad de que gozaron un tiempo decayó en las últimas décadas del siglo XVII, su teatro, más que olvidado, llegó a ser casi desconocido. Muchas de sus obras, a merced del capricho y codicia de los editores, se incluyeron en diversas colecciones, como las de *Comedias escogidas*, o de *Varios*, o de *Diferentes autores*, o *Las mejores comedias*, que vieron la luz durante la segunda mitad del siglo; algunas de ellas se publicaron, de buena o mala fe, a veces con títulos que no les correspondían, entre las comedias de Lope, a lo cual contribuía la semejanza de tantos de sus rasgos; muchas, también, aparecieron como *sueltas* y hoy constituyen auténticas rarezas. Por otra parte, se le han atribuido algunas obras que no son suyas, sino de su hijo Juan, también comediógrafo fecundo. En el pasado siglo, al renacer el interés por el teatro áureo, Eugenio de Ochoa escogió una comedia de Vélez de Guevara para su *Tesoro del Teatro*, y otras seis fueron incluidas más tarde en el volumen de la BAE dedicado a los *Dramáticos contemporáneos de Lope de Vega*. Pero tan mínima porción no permitía formar apenas idea de la dramática de Vélez, uno de los menos favorecidos por la atención de los investigadores a lo largo del siglo XIX. Sólo en sus finales y en los comienzos del siglo actual, al mismo tiempo que se componía por primera vez una biografía fidedigna del dramaturgo merced a los esfuerzos de Rodríguez Marín, Paz y Meliá, Pérez Pastor, Felipe Pérez González y Adolfo Bonilla, se avanzaba igualmente en la tarea de reunir y estudiar su obra. Emilio Cotarelo, sirviéndose de todos los datos recogidos por los bibliógrafos, dio cuenta, en su estudio sobre la vida y obras de Vélez de Guevara, de unas noventa obras; número apenas acrecentado por los diligentes investigadores de su teatro, F. E. Spencer y Rudolph Schevill. Otros estudiosos más recientes han editado algunas de estas comedias. De todos modos, la mayoría de ellas carecen todavía de ediciones modernas que las pongan al alcance del lector. Un juicio global de la dramática de Vélez de Guevara no puede, pues, hacerse aun en nuestros días sino de forma muy incompleta por el corto número de sus obras a que se tiene acceso.

Su vida. Vélez de Guevara nació en Écija en 1579. Estudió en Osuna y se graduó de Bachiller en Artes, pero interrumpió luego sus estudios. Entró muy joven al servicio del cardenal de Sevilla don Rodrigo de Castro. Pasó luego a Italia como soldado, estuvo en el ejército del conde de Fuentes y tomó parte en varias expediciones por el Mediterráneo. A su regreso a España se instaló en Madrid, de donde ya no se movió prácticamente; cambió entonces su apellido Vélez de Dueñas o Vélez de Santander por el de Vélez de Guevara, que debía de gustarle más pero que no le pertenecía. Sirvió al conde de Saldaña, luego al marqués de Peñafiel, y obtuvo en 1625 un puesto de ujier en el Palacio Real, cargo más honorífico que remunerativo, y que además no tuvo efectividad hasta diez años más tarde. Vélez fue desde muy joven poeta famoso en la corte, pero sus ingresos fueron siempre muy menguados, y la falta de dinero constituyó el gran drama de su vida. Para sustentarse a sí y a su numerosa familia (casó cuatro veces) tuvo que andar frecuentemente mendigando socorros de los nobles en memoriales poéticos, que componen un doloroso cuadro de época. Su cuarta mujer tenía alguna dote, pero apenas si mejoró la situación del poeta, no calificado tampoco ciertamente por su buena administración.

Debió de ser Vélez de Guevara lo que se entiende por un andaluz típico —con un andalucismo que llevó siempre a cuestas sintiéndolo y exhibiéndolo— y un español, a la vez, muy de su tiempo. Hay noticia de pendencias con otros escritores y de conflictos a los que le llevó su carácter indisciplinado y un tanto dado a la majeza; era, sin embargo, hombre simpático y abierto, comunicativo y enamorador, tan derramado en su vida como en sus versos. Orgulloso y pobre, paseó por Madrid la estampa de quien ha de cubrir con gesto altivo la amargura de su constante estrechez. A ésta deben atribuirse, sin duda, las tremendas desigualdades de su obra, puesto que muchas veces hubo de escribir apresuradamente para remediar necesidades del momento.

De Vélez se hicieron famosos muchos donaires, anécdotas y maledicencias, pese a lo cual, y a no faltarle enemigos entre sus colegas, parece que gozaba de general estima por su campechanía y por su ingenio. Rodríguez Marín, en el prólogo a su edición de *El diablo cojuelo,* recoge buen número de testimonios elogiosos en los escritos de sus contemporáneos: Lope de Vega, Claramonte, Tamayo de Vargas, Pérez de Montalbán, Salas Barbadillo. En todos ellos hay, si se quiere, bastante retórica de oficio. Pero son, en cambio, de gran significación las palabras que le dedicó Cervantes, en las cuales se intuyen claramente aquellas condiciones de carácter del poeta ecijano, a que hemos aludido; en el *Viaje del Parnaso* dice el autor del *Quijote*:

> *Este que es escogido entre millares*
> *de Guevara, Luis Vélez, es el bravo*
> *que se puede llamar* quitapesares... [61].

Y más adelante le dedica estos versos, que descubren su natural y afectuosa amistad con el escritor:

[61] Capítulo II, ed. de F. Rodríguez Marín, pág. 27.

Topé a Luis Vélez, lustre y alegría
y discreción del trato cortesano,
y abracéle en la calle a medio día... [62].

Y en el prólogo a sus *Ocho comedias...*, al tratar de los seguidores de la dramática de Lope, pondera "el rumbo, el tropel, el boato, la grandeza de las comedias de Luis Vélez de Guevara" [63].

Cotarelo se pregunta, cómo con tales prendas y habida cuenta de los muchos personajes a quienes tuvo acceso o sirvió, no obtuvo aquel mínimo, a lo menos, de bienestar que disfrutaron otros muchos poetas de su tiempo: "La respuesta —dice— quizá esté en las condiciones morales de Vélez. Sabemos que era maldiciente, poco agradecido, descontentadizo y rebelde a aquella domesticidad que, por lo visto, era necesaria para subir a los mejores empleos. Y así cambió con facilidad y frecuencia de amos y protectores, y nunca pudo obtener el aprecio franco del Rey ni de su privado... Tenía además Luis Vélez otros defectos: era pródigo, imprevisor y hasta presumimos que no poco vanidoso. En sus manos el dinero se evaporaba, y así se comprende que sus Mecenas se cansasen pronto de favorecerle, y él no pudiese clavar jamás la instable rueda de su fortuna" [64].

Murió Vélez en Madrid en 1644, después de rápida enfermedad.

La personalidad de Vélez como dramaturgo. Vélez de Guevara es autor de una de las más curiosas y difundidas novelas picarescas: *El diablo cojuelo,* cuyo estudio hacemos en un párrafo posterior. La fama de esta novela ha perjudicado más que favorecido la debida estimación de su personalidad, que debe valorarse sobre todo en función de su obra dramática [65].

---

[62] Capítulo VIII, ídem, íd., pág. 110.

[63] Edición de Schevill y Bonilla, vol. I, Madrid, 1915, pág. 8.

[64] Emilio Cotarelo y Mori, "Luis Vélez de Guevara y sus obras dramáticas", en *Boletín de la Real Academia Española,* III, 1916, págs. 621-652, y IV, 1917, págs. 137-171, 269-308 y 414-444 (la cita corresponde a III, pág. 623). Cfr. además: Antonio Paz y Meliá, "Nuevos datos para la vida de Vélez de Guevara", en *Revista de Archivos, Bibliotecas y Museos,* VII, 1902. Adolfo Bonilla y San Martín, "Algunas poesías inéditas de Vélez de Guevara sacadas de varios manuscritos", en *Revista de Aragón,* Zaragoza, III, 1902, págs. 573-583. Felipe Pérez González, ed. de *El diablo cojuelo,* con *Nuevos datos para la biografía de Luis Vélez de Guevara,* Madrid, 1903. Cristóbal Pérez Pastor, *Bibliografía madrileña,* III, Madrid, 1907, págs. 499-515. Del mismo, *Noticias y documentos relativos a la historia y literatura españolas,* I, págs. 289 y ss. F. Rodríguez Marín, "Cinco poesías autobiográficas de Luis Vélez de Guevara", en *Revista de Archivos, Bibliotecas y Museos,* XIX, 1908, págs. 62-78. Del mismo, *Luis Vélez de Guevara* (conferencia), Madrid, 1910. J. Gómez Ocerín, "Un nuevo dato para la biografía de Vélez de Guevara", en *Revista de Filología Española,* IV, 1917, págs. 206-207. L. Astrana Marín, "Rumbo y tropel de Vélez de Guevara", en *Cervantinas y otros ensayos,* Madrid, 1944.

[65] Ediciones: *Comedias,* en *Dramáticos contemporáneos de Lope de Vega,* ed. de Mesonero Romanos, BAE, XLV, nueva ed., Madrid, 1951. *Ocho comedias desconocidas de Don Guillén de Castro, del Licenciado Damián Salustio del Poyo, de Luis Vélez de*

El estilo poético de Vélez oscila entre las encontradas solicitaciones de lo culto y lo popular. A lo primero le lleva el gusto dominante en la época y, tanto o más, su raíz andaluza, puesta de relieve en su afición a lo florido y a la metáfora colorista. Esta vertiente, sin embargo, suele ser en Vélez más bien decorado exterior, intuitivo y espontáneo, que fruto de laborioso cultivo. Porque Vélez, aunque es poeta de mayor artificio que Lope, es también, como éste, un gran poeta popular, una sensibilidad muy despierta para la poesía tradicional y un gran adaptador de temas nacionales en su teatro. Vélez hizo suyo de tal manera el sistema dramático de Lope, que en algunos casos se han planteado difíciles problemas de atribución. Como su maestro, utiliza frecuentemente romances o letras para cantar tradicionales, no sólo insertándolos en el drama, sino tomándolos en ocasiones como base de la acción; dicho de otro modo, y según en Lope tenemos visto, extrayendo y desarrollando la acción dramática encerrada como una simiente en el romance o el cantar. En las más acertadas creaciones de Vélez sucede de este modo; así, en *La luna de la sierra* en que se utilizan varios cantares populares sobre este asunto, o en *Los hijos de la Barbuda* —con variaciones del romance de *Fonte frida*—, en *Reinar después de morir,* en *La niña de Gómez-Arias,* sugerida por un cantar, en *La serrana de la Vera,* etc.

En esta última, Vélez deriva directamente la acción de los romances populares relativos a la "serrana", como había hecho Lope anteriormente en su comedia del mismo título, pero extrayendo de ellos mayor intensidad poética que aquél. Modificó asimismo el curso de la acción, para llegar —a diferencia de Lope— a un desenlace trágico profundamente natural y humano. La "serrana" de Lope es de familia noble, huye a la sierra y se entrega a la vida

Guevara, etc., ed. de Adolfo Schaeffer, Leipzig, 1887. *El águila del agua y batalla naval de Lepanto,* ed. de A. Paz y Meliá, en *Revista de Archivos, Bibliotecas y Museos,* X, 1904, págs. 182-200 y 307-325; XI, 1904, págs. 50-67. *La serrana de la Vera,* ed. de R. Menéndez Pidal y María Goyri, en Teatro Antiguo Español, vol. I, Madrid, 1916. *El rey en su imaginación,* ed. de J. Gómez Ocerín, en Teatro Antiguo Español, vol. III, Madrid, 1920. *Los novios de Hornachuelos,* ed. de J. M. Hill y F. O. Reed, Nueva York, 1929. *Teatro escogido, I: Reinar después de morir; La luna de la sierra,* ed. de A. Valbuena Prat, Madrid-Buenos Aires, s. a. *El conde don Pero Vélez y don Sancho el Deseado,* ed. de R. H. Olmsted, Minneápolis, 1944. *La luna de la sierra,* ed. de L. Revuelta, Zaragoza, 1950. *El embuste acreditado,* ed. de Arnold G. Reichenberger, Universidad de Granada, 1956. *La niña de Gómez Arias,* ed. de Ramón Rozzell, Universidad de Granada, 1959. *Reinar después de morir* y *El diablo está en Cantillana,* ed. de Manuel Muñoz Cortés, Clásicos Castellanos, Madrid, 1959. Cfr., además de las introducciones y estudios que acompañan a las ediciones mencionadas: Forrest Eugene Spencer y Rudolph Schevill, *The dramatic works of Luis Vélez de Guevara. Their plots, sources and bibliography,* Berkeley, 1937. G. E. Wade, "The Orthoëpy of the Holographic *Comedias* of Vélez de Guevara", en *Hispanic Review,* IX, 1941, págs. 459-481. Courtney Bruerton, "The date of Schaeffer's *Tomo antiguo*", en *Hispanic Review,* XV, 1947, págs. 346-364. Del mismo, "*La ninfa del cielo, La serrana de la Vera* and Related Plays", en *Estudios Hispánicos. Homenaje a A. M. Huntington,* Wellesley, Mass., 1952, págs. 61-97. Del mismo, "Eight Plays by Vélez de Guevara", en *Romance Philology,* VI, 1953, págs. 248-253.

de bandidaje ante la oposición familiar al matrimonio que desea; la de Vélez, de origen villano, famosa en toda la Vera por sus alardes varoniles y sus enormes fuerzas, es seducida, bajo palabra de matrimonio, por un capitán que luego la abandona y se burla de ella. Gila, la serrana, se lanza entonces por desesperación a la vida bandolera; un día se encuentra con el capitán, que cruza el monte, y se da a conocer; éste quiere tardíamente reparar su falta, pero Gila, después de una intensa escena de odio y ternura —de odio enamorado— que prepara emocionadamente el trágico final, lucha con él y lo despeña desde lo alto de un precipicio. Responsable de este crimen se entrega luego a la Santa Hermandad, mientras que la "serrana" de Lope, después de lograr un oportuno perdón para sus actos de bandidaje, acaba por casar con su antiguo enamorado.

Menéndez Pidal y María Goyri, en su edición citada, trazan un paralelo entre las dos comedias de ambos dramaturgos y no dudan en conceder la supremacía a la creación de Vélez: "La comedia de Lope —dicen— tiene, como todas las suyas, excelentes versos, trozos de poesía afortunada, escenas rebosantes de plasticidad que nos traen a la vista jirones de la vida de antaño; pero como obra dramática es de las peores del autor. Es casi únicamente fruto de las inferiores cualidades de Lope: de su temperamento blando, enemigo de los desenlaces trágicos; de su excesiva habilidad para los enredos; del amaneramiento en los recursos inútiles. Ni siquiera se percibe en *La serrana de la Vera* ese aliento de poesía popular que tantas veces anima la inspiración personal de Lope. Éste, que tan admirablemente compendia los romances heroicos, no gustó de este romance villanesco; sólo lo aceptó falseándolo radicalmente. Al contrario, Vélez, aceptando la tradición en todo su vigor, procuró desentrañar el fondo poético del romance, y logró en su obra un vigor dramático que falta en la de Lope" [66]. Después de comparar también la escasa consistencia humana de la serrana lopesca —"cuya fiereza montaraz y salteadora" resulta injustificada— con la natural bravura de la de Vélez, derivada de su género de vida y su complexión varonil, y perfectamente coherente con todas sus circunstancias y con los motivos que la embravecen y desesperan, recaban para Vélez "el mérito de haber ideado un carácter para su serrana, lo que no hace Lope"; pero señalan, en cambio, sus deficiencias en la realización: "Por lo demás —añaden— no sólo queda muy por bajo de éste en la habilidad escénica y soltura del diálogo, sino que en la ejecución, ya que no

---

[66] Edición cit., págs. 140-141. Sobre los orígenes de la leyenda de la "serrana" y la posibilidad de que se base en un hecho real, cfr.: Vicente Barrantes, "La serrana de la Vera", en *La Ilustración de Madrid,* año II, 1871, y Vicente Paredes, *Orígenes históricos de la leyenda "La serrana de la Vera"*, Plasencia, 1913. Menéndez Pidal, en su edición citada, rechaza la hipótesis de que la "serrana" se origine en un hecho histórico, opinión compartida más recientemente por Julio Caro Baroja, que la supone el último avatar de una antigua divinidad de las montañas ("¿Es de origen mítico la leyenda de la serrana de la Vera?", en *Revista de Dialectología y Tradiciones Populares,* II, 1946).

en su fondo, la presente comedia es inferior a otras del mismo Vélez. El arranque y las direcciones de la acción son muy superiores a sus lánguidos desarrollos. La obra gana con los abundantes atajos que para la representación se le hicieron, pues hay pesadez en las situaciones cómicas, en las acciones episódicas, así como en exagerar el esfuerzo y las fechorías de la Serrana" [67].

Esto último nos parece de particular interés por aportar un nuevo ejemplo de esa condición de nuestra dramática áurea a que tan escasamente se atiende: es decir, la existencia de poderosísimos resortes, enteramente ajenos a los valores literarios, pero que tuvieron parte muy principal en el éxito de la "comedia". Vélez de Guevara no sólo escribió su *Serrana* con el propósito de ajustarla a las condiciones de la famosa actriz Jusepa Vaca (que la estrenó y a quien va dedicado el manuscrito), sino que el escritor compuso su obra calculando minuciosamente la sugestión que sobre el público había de ejercer aquella actriz de belleza tan provocativa, que había de mostrarse en traje de hombre y prodigar, por añadidura, las majezas que requería su papel. Desde su primera aparición en escena, montada a caballo, "con el cabello tendido", toda la comedia estaba preparada para la exhibición de aquella arrogante mujer, que tira de espada repetidamente, derriba a un toro en la plaza y hace huir o mata a varios varones; en una escena del acto segundo dice la acotación: "salga luego [Gila] con un manteo como que se levanta de la cama" [68]. Al comienzo del acto III, en una bella escena, un caminante canta el romance de la serrana que la describe muy significativamente:

Allá en Gargantalaolla,
en la Vera de Plasenzia,
salteóme una serrana
blanca, rubia, ojimorena.
Botín argentado calça,
media pagiza de seda,
alta vasquiña de grana
que descubre media pierna;
sobre cuerpos de palmilla
suelto ayrosamente lleba
un capote de dos faldas
hecho de la misma mezcla;
el cabello sobre el onbro
lleva partido en dos crenchas,
y una montera redonda
de plumas blancas y negras;
de una pretina dorada,

67 Ídem, íd., pág. 142.
68 Ídem, íd., pág. 75.

dorados frascos le cuelgan;
al lado isquierdo un cuchillo,
y en el onbro una escopeta.
Si saltea con las armas,
también con ojos saltea[69].

Y dice la acotación del dramaturgo: "Agora vaia baxando por la sierra abaxo, abriendo una cabaña que estará hecha arriba, Gila la serrana como la pinta el romanze, sin hablar"[70]. Su majestuoso descenso debía de resultar impresionante para los impetuosos mosqueteros. Menéndez Pidal y María Goyri lamentan esta debilidad del escritor, que echaba a perder la comedia buscando demasiadas ocasiones de lucimiento para la actriz: "La imaginación del poeta —dicen— se complacía demasiado en las guapezas de su protagonista, encantado con el gentil talle de hombre que sabía lucir la famosa actriz..., y ni en las acotaciones de tales hombradas puede contener su admiración previa: 'que lo hará muy bien la señora Jusepa'"[71] (verso 396, pág. 16 del texto). Y añaden (porque el caso, naturalmente, no es único): "También Lope, en su juventud, había escrito *Las mocedades de Roldán* 'a devoción del gallardo talle, en hábito de hombre, de la única representante Jusepa Vaca"[72], para la cual compuso Lope también *Las almenas de Toro.*

Con *La serrana de la Vera,* otras dos obras representan lo más notable de la dramática de su autor: *La luna de la sierra* y *Reinar después de morir.* La "luna de la sierra" es una aldeana bellísima de quien están enamorados el maestre de Calatrava y el príncipe don Juan. Ella, que quiere al campesino Antón, acude a la Reina Católica en demanda de auxilio contra sus importunos pretendientes, y la reina la entrega a su novio; pero éste se la devuelve, junto con su dote, porque no desea enfrentarse con tan poderosos señores. La reina toma en su mano la solución, que no se muestra en la obra, por lo que bien puede cerrarse ésta, como al final se dice,

sin tragedia y sin desgracia
ni casamiento a la postre.

Original desenlace, evidentemente, que debía de satisfacer a su autor, preciado con frecuencia de acabar sus obras fuera de los tópicos más en uso.

Reinar después de morir versa sobre los trágicos amores de doña Inés de Castro con don Pedro de Portugal, tema repetido anteriormente en nuestra literatura y en diversos géneros. La más afortunada versión había sido hasta entonces la obra dramática en dos partes de fray Jerónimo Bermúdez, *Nise*

[69] Ídem, íd., págs. 81-82.
[70] Ídem, íd., pág. 82.
[71] Ídem, íd., pág. 142
[72] Ídem, íd.

lastimosa y *Nise laureada,* que estudiamos en su lugar correspondiente como caso representativo de la tragedia clasicista. Vélez ahora, rotas aquellas trabas, construye su tragedia con la total libertad que había hecho posible la revolución dramática lopista; y, combinando variadas formas poéticas, consigue una de las realizaciones más bellas de nuestro teatro áureo.

Dentro de la veta histórico-tradicional, la más genuina de Vélez, merecen también destacarse *Más pesa el rey que la sangre,* sobre la gesta de Guzmán el Bueno; *El águila del agua,* sobre don Juan de Austria; *A lo que obliga el ser rey,* en que plantea un drama de honor promovido porque Alfonso X el Sabio codicia a la prometida de un vasallo, pero sabe renunciar al fin a sus propósitos al considerar los deberes que "el ser rey" le impone; *El diablo está en Cantillana,* sobre otra pasión semejante del rey don Pedro, pero resuelto el drama esta vez por el camino de lo cómico: el galán enamorado es alejado por el rey, pero se le aparece a éste en forma de fantasma para impedir los tratos con su amada, hasta que don Pedro descubre el caso, otorga su perdón y accede al matrimonio.

Gracias a la edición moderna de Ramón Rozzell podemos conocer ahora *La niña de Gómez Arias,* tema famoso por la versión de Calderón, ya que la comedia de Vélez, sólo conservada en tres ediciones sueltas de la época, era prácticamente inasequible. Se basa la comedia, como arriba dijimos, en un viejo cantar —parte quizá de un romance antiguo— que debió de alcanzar gran difusión y popularidad:

> *Señor Gómez Arias,*
> *doleos de mí;*
> *soy niña y muchacha*
> *y nunca en tal me vi.*

Spencer y Schevill, como también Rozzell en su edición, recogen las numerosas alusiones que a la "niña de Gómez Arias" se le hicieron durante los siglos áureos en novelas, comedias y poesías líricas, bien en forma dramática, bien en la de parodia, utilizando sobre todo el último verso del cantar para aludir, con intención irónica, a la falsa inocencia y al simulado recato. Pero el origen de esta copla, así como el de la leyenda de Gómez Arias —el hombre que seduce a una doncella y luego la vende a un moro—, no ha podido ser precisado a pesar de la diligencia de los eruditos. La acción de la comedia transcurre en los últimos días de la guerra de Granada; Gómez Arias induce a Gracia, hermana de su mejor amigo, a que huya de Córdoba con él; al saber que el padre y el hermano de su amada han salido en su busca, decide escapar a Portugal, pero, cansado ya de Gracia, para procurarse dinero decide venderla al moro Abenjáfar, alcaide de Benamejí. Entre los ruegos que la muchacha dirige a su amante para que no la abandone, Gracia recita dos veces los cuatro versos del cantar. El seductor es apresado luego y condenado a muerte por los reyes; pero así como en el drama de Calderón se cumplirá la sentencia, Vélez salva a su personaje a condición de que repare su falta y case con la mujer ofendida. El desenlace de Calderón parece mucho más justo y natural que el caprichoso convencionalismo de Vélez; pero este acierto no redime a Calderón de haber tejido su obra con un complicado y absurdo enredo de novelerías. La obra de Vélez es, por el contrario, mucho más sencilla, y recoge con mayor fidelidad el espíritu de la leyenda que late en los versos tradicionales. A pesar de ello, tampoco es una obra maestra la comedia del ecijano, que debe de pertenecer a su primer período; su composición es bastante descuidada, y Calderón le vence en muchas bellezas de detalle. Rozzell ha destacado en la pieza de Vélez abundancia de componentes picarescos y escenas de entremés.

Hemos aludido a la amplitud que los temas histórico-tradicionales ocupan en la dramática de Vélez; Cotarelo hacía ya notar que "más de la mitad de sus comedias son históricas, legendarias o genealógicas"[73]. Pero advirtamos que nunca debe aceptarse la denominación de *históricas* en sentido literal; Vélez se tomaba con los hechos y personajes históricos —lo mismo nacionales que extranjeros— idénticas libertades que todos los dramaturgos de su tiempo: la Historia era sólo un depósito generosamente colmado de acontecimientos y tipos de excepción, en donde proveherse para urdir conflictos de comedia. Y esta condición es todavía más notoria en el teatro del ecijano, hasta el punto de constituir una de sus más acusadas características. Ningún otro dramaturgo llevó a las tablas, en la misma medida que Vélez, tantos reyes y reinas, apasionadas damas y audaces caballeros, siempre trazados a escala heroica. No faltan entre sus obras, como advierten Spencer y Schevill, las piezas de más sencillo y natural enredo, pero la mayor parte de las suyas están repletas de románticos sucesos, violencias y crímenes, virtudes conducidas hasta imposible perfección o pasiones de anormal y bárbaro primitivismo.

Es posible que Vélez, como sugieren los citados críticos, proyectara en sus personajes las dinámicas cualidades de su propio carácter; pero habría que suponer un Vélez mucho más indisciplinado y descomedido de lo que fue. Más bien creemos que el escritor tenía plena conciencia de los recursos con que podía excitar el interés de sus espectadores y les servía de buen grado las turbulentas peripecias que ellos deseaban (sin olvidar otros aderezos, según llevamos dicho a propósito de la *Serrana*). Spencer y Schevill advierten que gran parte de las obras de Vélez pertenecen a lo que entonces se llamaban "comedias de ruido", las cuales precisaban para sus dramáticos acontecimientos gran cantidad de tramoya escénica, numerosos representantes y amplios escenarios. Cotarelo sospecha que en las palabras de Cervantes sobre el "rumbo, tropel y boato" de las comedias de Vélez había su buena punta de ironía, no incom-

---

[73] *Luis Vélez de Guevara...*, cit., III, pág. 622.

patible con la amistad. El hecho es que el propio Vélez se burla también lindamente de estas piezas aparatosas en *El diablo cojuelo,* en donde traza una grotesca caricatura de un poeta dramático, que componía obras *históricas* de aquel jaez, como la llamada *Tragedia troyana, Astucias de Sinón, Caballo griego, Amantes adúlteros y Reyes endemoniados,* y en la cual, para acompañamiento de los reyes de Troya, habían de desfilar sobre las tablas "once mil dueñas a caballo"[74].

La aludida propensión de Vélez hacia lo heroico desmesurado explica también la abundancia en su obra de personajes femeninos de varonil carácter, a veces incluso hombruno (*La serrana de la Vera* sería un caso sobresaliente de esto último), pero que Vélez acierta muchas veces a combinar con rasgos no menos delicados y femeninos; todo lo cual cristaliza en atractivos y poderosos tipos de mujer, para los que Vélez contaba, según vimos, con la asistencia humana de las actrices que las habían de encarnar. Así son, por ejemplo —aparte la *Serrana*—, Pascuala, la "luna de la sierra", que defiende su honor con la propia espada del maestre que pretendía seducirla; doña Violante de Aragón en *A lo que obliga el ser rey,* mujer intrigante y compleja; la apasionada y tierna doña Inés de Castro; la Rosaura, traidora, vengativa y cruel de *Celos, amor y venganza;* y otras muchas .

Una faceta algo distinta de sus obras de "rumbo y de boato" —aunque tampoco exenta de éstos— nos muestra, como dice su moderno editor Arnold Reichenberger, la comedia de Vélez *El embuste acreditado y disparate fingido,* también llamada *Los encantos de Merlín.* Esta pieza (que Cotarelo calificó de "comedia palaciega, tan desatinada que parece más bien burlesca". Y añade: "No se concibe argumento más absurdo y ridículo")[75] desarrolla un novelesco

---

[74] Ed. Rodríguez Marín, luego cit., pág. 106. En sus "notas" a la mencionada edición de *La niña de Gómez Arias,* Rozzell hace algunas acotaciones de interés, que puntualizan estos rasgos de la dramática de Vélez a que acabamos de referirnos; así, en la "nota" a los versos 1433-1436 escribe: "La violencia es un rasgo dominante en las comedias de Vélez, y el derramamiento de sangre constituye uno de sus aspectos. En varias piezas hay indicaciones escénicas de que debe correr sangre por el escenario; baste un ejemplo: '...el cuerpo sin cabeza, corriendo sangre' (*El catalán Serrallonga,* BAE, LIV, p. 584c)"; nota al verso 1520: "muchos personajes de Vélez mueren arrojados de una peña o de un balcón. Es éste otro aspecto de su pasión por la violencia"; nota al verso 2529: "uno de los rasgos característicos del teatro de Vélez son las largas y complejas indicaciones escénicas. Algunas escenas ocupan todo el tablado y están montadas con gran aparato. Cf., por ejemplo, *El amor en vizcaíno,* f. 5 v.º; *El espejo del mundo,* f. 59 r.º; *El pleito que tuvo el diablo,* p. 214; *La serrana de la Vera,* p. 10; *El águila del agua,* RABM, X, 319; *Más pesa el rey que la sangre,* p. 108; *El cerco de Roma,* p. 26"; nota al verso 2531: "En cuatro comedias de Vélez las indicaciones escénicas dicen de un personaje femenino que "sale a caballo". Se sabe que estas acotaciones todavía se seguían al pie de la letra cuando, entre el 15 y el 20 de enero de 1787, se representó en el Teatro del Príncipe *El alba y el sol* de Vélez".

[75] *Luis Vélez de Guevara...,* cit., IV, pág. 441, nota al pie núm. 2.

asunto de amor, que se complica porque la pasión del galán hacia la duquesa Rosimunda entra en conflicto con otros deberes de amistad. Vélez lleva la acción a las cortes de Milán y Sicilia, con lo que la lejanía del escenario hace las veces —para la libertad imaginativa del escritor— de la distancia histórica en las comedias "de ruido". Un criterio realista —que fue, seguramente, el de Cotarelo— sería inaceptable para juzgar *El embuste acreditado*, donde Vélez echa mano de todas las licencias para tejer una intriga divertida, llena de travesuras y de humor, un "juego escénico", en suma, donde toda verosimilitud cede el puesto al placer derivado del interés y movilidad de la trama.

Merlín, que es el "gracioso" de la obra, asegura poseer una redoma encantada, y en ella encerrado un "demonio" que puede hacer a su servicio cuanto él le pida. Rosimunda muere de celos, porque su amado, huido a Sicilia, va a casar con la hija de su rey, y Merlín le promete llevarla en un vuelo por las esferas para que vea lo que allí sucede y reconquiste su amor. La pueril credulidad de Rosimunda en magias y supersticiones hace posibles las inagotables trapacerías de Merlín, que, de hecho, es el verdadero motor de la comedia.

Se ha notado la semejanza que el "vuelo" de Rosimunda guarda con el de don Quijote en el Clavileño, así como otros posibles influjos de obras de Cervantes, en particular del entremés de *La cueva de Salamanca.* Reichenberger estudia la significación de Merlín y sugiere que Vélez quizá introduce con él "una novedad cuando permite al previamente existente tipo listo del gracioso tomar tales proporciones que, en la intriga de *El embuste,* Merlín se convierte en el real antagonista de Rosimunda, poniendo su ingenio e inteligencia en el mismo plano que la pasión y deseo de venganza de esta última. Haciendo esto se anticipa al gracioso de Moreto y crea un carácter casi comparable a Fígaro" [76].

Una faceta de interés en la dramática de Vélez es la actitud frente a la persona del rey o de los nobles cuando quedan implicados en dramas o conflictos de honor, en lo cual sigue también las huellas de Lope. Vélez mantiene con viril dignidad en muchos pasajes el derecho al honor que posee lo mismo el plebeyo que el caballero, y Antón, el pretendiente campesino de *La luna de la sierra,* lo dice por todos en forma inequívoca:

pues de unos mismos primeros
padres, por diversos modos,
maestre, venimos todos,
villanos y caballeros.

Al comienzo de *La serrana de la Vera,* el capitán don Lucas pretende aposentarse en la casa de Giraldo, el padre de la serrana, pero éste se opone a tal servidumbre, alegando que jamás se había sometido a ella. Irritado el ca-

[76] Ed. cit., pág. 93.

pitán ante la resistencia del labriego, le pregunta: "¿Sois hidalgo?" A lo que Giraldo responde:

No, señor;
pero soy un labrador
con honrrado nazimiento,
cristiano viejo y honrrado,
que nosotros no pudimos
escoxer quando nacimos
la nobleza ni el estado;
que a fee que, a ser en mi mano,
y a quererlo tanbién Dios,
naziera mexor que vos... [77].

Si es el rey el que, abusando de su autoridad, intenta atropellar a un vasallo, todavía podemos encontrar algún pasaje de Vélez en que se exponen conceptos como el de "del rey abajo, ninguno", defendidos en una u otra forma desde Lope a Rojas (así se dice, sobre más o menos, en *A lo que obliga el ser rey*). Pero —y esta misma comedia podría servir de prueba— Vélez exige en reciprocidad que el monarca comience por ser ejemplo de honor y de buenas costumbres; rey es quien da honra y no quien infama, quien da buen nombre y no quien atropella. Si lo "del rey abajo" constituía una valla que era forzoso respetar, tanto más obligado estaba el rey a vencer sus pasiones y mostrarse digno de su puesto; como lo hace Alfonso el Sabio en la comedia que protagoniza. En *Más pesa el rey que la sangre* han querido, por el contrario, ver algunos, un caso de sacrificio a la persona real hasta de los sentimientos más íntimos y poderosos, como es el amor al propio hijo. Pero creemos que no sucede así. El conflicto, para Guzmán el Bueno, no se plantea entre el sacrificio del hijo y la lealtad idolátrica al rey —aunque así parezcan decirlo algunas frases de la famosa escena, e incluso el título del drama— sino entre el amor filial y su *compromiso de honor* en servir al monarca, su lealtad a la palabra empeñada, que aquí tiene al rey por término, pero con equivalencia a *patria*, de quien aquél es como símbolo, y que con idéntica fuerza hubiera podido ser otro cualquiera. Lo que Guzmán el Bueno deja en lo alto es el respeto a la dignidad humana, que no debe doblegarse ni por sentimientos ni por interés. Y el caso es muy distinto.

De mucho menor interés y extensión es el teatro religioso de Vélez de Guevara. Merecen, sin embargo, recordarse sus *Autos*, entre los que se cuentan *La abadesa del cielo*, que repite el tema de la "buena guarda" de Lope, de tan prolongada tradición en nuestra literatura; el *Auto de la Mesa Redonda*, fusión alegórica de lo religioso y lo caballeresco; y el *Auto del Nacimiento*, en el cual Spencer y Schevill señalan la importancia de los pasajes líricos.

[77] Ídem, íd., pág. 4.

De sus comedias religiosas los críticos citados recogen nueve títulos, de ninguno de los cuales existen ediciones modernas. No obstante, Vélez debió de gozar en su tiempo de gran estima como autor de comedias religiosas o "a lo divino". Cotarelo reproduce un testimonio de interés, ya recogido por Felipe Pérez González. Según el comentarista, Vélez, al comienzo de su carrera dramática, se hizo famoso sobre todo por sus comedias de esta especie. Para conmemorar en 1616 la beatificación de la que luego fue Santa Isabel de Portugal, la Diputación del Reino encargó una comedia sobre la santa, y el comisionado para ello daba cuenta de su gestión en estos términos: "Es muy justo que VS. solemnice la fiesta con hacer la comedia; pero no está aquí Lope de Vega, a quien VS. me manda que se haga componer de la santa vida de la Reina, porque ha muchos días que se fue a Valencia. Pero hanme asegurado algunas personas pláticas que Luis Vélez, poeta moderno, la hará muy bien; porque las que son a lo divino hace casi mejor que Lope de Vega. VS. verá lo que en esto le parece, o si gustará que se escriba a Valencia para que la haga Vega..."[78]. En otra carta posterior decía: "VS. verá si el poeta que le escribí será de su gusto, que todos los *autores* me aseguran que la hará muy bien. Llámase Luis Vélez: es en cosas a lo divino quien mejor hace agora"[79].

Al examinar en conjunto el teatro de Vélez, Cotarelo destaca el predominio, repetidamente aludido, de las obras "históricas" y legendarias y su tratamiento preferentemente dramático. Por el contrario, "de la verdadera comedia —añade— no nos ha dejado muestras, ni aun de aquella cortesana o palaciega que tan delicados modelos tiene en Lope o Tirso, ni menos aún de la de costumbres particulares de la clase media, ni de la de enredo, al estilo de Calderón, ni de la de costumbres locales especialmente madrileñas"[80]. Lamenta luego lo que el crítico califica de pobreza de inventiva, ya que gran parte de sus asuntos los tomó de Lope o de Tirso, y también de otros autores de menos fama (no debe nunca olvidarse, sin embargo, el criterio entonces mantenido sobre la originalidad, y cuán frecuente fue la práctica de esta "colaboración" colectiva, tan peculiar —según nos tiene explicado Menéndez Pidal— de nuestra historia literaria). Con todo, esta misma falta de originalidad, dice el comentarista, queda compensada por otros méritos y aciertos, como es la calidad de su lenguaje poético, que sólo por excepción cae en lo prosaico o se hincha excesivamente. "En los caracteres —añade— tiene de todo. Aquellos que venían impuestos por la naturaleza del asunto no decaen en sus manos y conservan el aspecto y vigor que les pertenece, como sucede en los personajes históricos. En los de invención poética suele exagerar la nota característica, o bien dejarlos insigni-

[78] Citado por Cotarelo, en *Luis Vélez de Guevara...*, cit., III, pág. 648.
[79] Ídem, íd.
[80] Ídem, íd., IV, pág. 441.

ficantes. Los caracteres cómicos son buenos, y es de lamentar que no hubiese cultivado la comedia de costumbres comunes" [81].

Por su parte, Spencer y Schevill señalan que el interés de Vélez recae sobre todo en el desarrollo de la acción más que en el perfecto trazado de los caracteres; era incapaz, afirman, o por lo menos indiferente, del riguroso análisis psicológico. Al ocuparse de su deuda con Lope subrayan que se le asemeja en la agilidad de la acción, en la facilidad poética, en la rápida transición de escenas y, sobre todo. en su intuición para conocer el gusto popular.

Vélez de Guevara y la picaresca: "El diablo cojuelo". Vélez de Guevara contribuyó a la picaresca con esta novela [82], tardía en su producción y en la historia del género (fue publicada en 1641), a la que debió de entregarse como descanso o diversión de su obra dramática. Vélez no tenía precedentes como prosista, lo que puede explicar —aun habiendo compuesto el libro en su madurez— algunas inseguridades de estilo. Si como dramaturgo, cuando se aparta de lo popular, incide en lo colorista y exuberante del gongorismo, metido a prosista bebe en el conceptismo más inequívoco y toma a Quevedo como maestro, aunque su falta de ejercicio en el manejo del instrumento de la prosa le lleva en ocasiones a acumular retorcimientos y dobles sentidos, adelgazar significados y rebuscar analogías con acierto vario. Pero es sólo un exceso a ráfagas, como si le diesen venas, y debemos advertir que no son tampoco demasiadas. Pese a tales defectos, ofrece su estilo muchas vertientes de interés en su afán de forzar la originalidad y romper construcciones tradicionales. Vélez es el único de nuestros grandes dramaturgos que apenas si escribe comedias "de capa y espada", por lo que tampoco el cuadro de costumbres —mediante el cual podía relacionarse con la picaresca— había tenido importancia en su obra; sólo las sátiras de sus graciosos podían sugerir la que desarrolla ampliamente en *El diablo cojuelo.* Con todo ello, y pese a sus desigualdades de andadura, la novela posee méritos más que suficientes para explicar la difusión y estima de que ha venido gozando. A los que tampoco hay que suponer ajena la naturaleza del protagonista: el "cojuelo" pertenecía al folklore popular, corría en consejas, dichos y refranes y hasta en fórmulas de hechicería y conjuros de más o menos seriedad.

---

[81] Ídem, íd., pág. 444.

[82] Ediciones: en BAE, XXXIII, nueva edición, Madrid, 1950. Edición de Adolfo Bonilla, en la Sociedad de Bibliófilos Madrileños, Madrid, 1910. Ed. de Felipe Pérez González, Madrid, 1903. Ed. de F. Rodríguez Marín, en Clásicos Castellanos, 1.ª ed., Madrid, 1918. Ed. en Colección Universal, núm. 57, Madrid-Barcelona, 1919. Cfr.: Manuel Muñoz Cortés, "Aspectos estilísticos de Vélez de Guevara en su 'Diablo Cojuelo'", en *Revista de Filología Española,* XXVII, 1943. G. Cirot, "Le style de Vélez de Guevara", en *Bulletin Hispanique,* XLIV, 1942, págs. 175-180. Del mismo, "Le procedé dans *El diablo cojuelo*", en *Bulletin Hispanique,* XLV, 1943, págs. 69-72. Del mismo, "À propos du *Diablo cojuelo.* Aperçus de stylistique comparée", en *Bulletin Hispanique,* XLVI, 1944.

El artificio de la novela es muy conocido: un estudiante, Cleofás Leandro Pérez Zambullo, "hidalgo a cuatro vientos, caballero huracán y encrucijada de apellidos", huyendo de la justicia por los tejados, penetra en la buhardilla de un astrólogo que tenía encantado en una redoma al "diablo cojuelo"; Cleofás lo desencanta, y el diablo, en pago, se ofrece a mostrarle lugares y gentes de Madrid, "esta arca del mundo, que la del Diluvio, comparada con ella, fue de capas y gorras". Lo lleva a lo alto de la torre del Salvador, y desde allí "levantando a los techos de los edificios, por arte diabólica, lo hojaldrado, se descubrió la carne del pastelón de Madrid como entonces estaba, patentemente". Es decir: que el diablo va a sorprender a las gentes de la corte en su salsa natural, cuando no se imaginan observadas (aunque al cabo no resulta de sólo Madrid, porque el "cojuelo" refiere otras andanzas y lleva también a Cleofás por casi toda España, "pajareando", como él dice, a todo vuelo).

La disposición de la novela descubre, pues, su intención satírica. Suele afirmarse por esto que *El diablo cojuelo* es más novela satírico-social que picaresca, pero no nos parece así; claro que no hay pícaro protagonista a la manera usual, pero menudo lo es el "cojuelo", y por haber servido de siempre a tantos "amos" y poder sorprenderlos como nadie en su intimidad, hace efectiva aquella condición, tan propia de la picaresca, de ver el mundo y sus habitantes desde abajo o desde su reverso. No creemos que pueda echarse de menos en este libro componente alguno de la picaresca; sólo varía la naturaleza del pícaro, pero en ello precisamente hay un motivo de originalidad que el autor busca dentro de un género en trance ya de agotamiento. Lo que sí falta —y esto no modifica la condición de la novela, aunque afecta otros aspectos de su hondura— es la dimensión humana del protagonista: el "cojuelo" no es un Lázaro ni un Guzmán; es casi un juguete mecánico, y, mecánicamente —sin calor ni dolor de hombre vivo— lleva a Cleofás lanzado por los aires a cumplir el recorrido propuesto. Fuera de ello, la mayoría de los episodios son excelentes y de mucha intención y gracia, y aunque muchas de las sátiras vuelven sobre motivos inevitables que la picaresca anterior había ya exprimido, la variedad de aspectos —bastantes de ellos nuevos— es tal, aunque desfilen a ritmo vertiginoso, que el cuadro en su conjunto seduce y entretiene por su agudeza y colorido más que la mayoría de sus congéneres.

En el último "tranco" de la novela Vélez traza una sátira, muy a lo Quevedo, contra los culteranos, citando en concreto *Las Soledades* de Góngora. De vez en cuando, y con excesiva frecuencia, el autor pone en marcha verdaderos desfiles de nobles y gentes ilustres, cuyas grandezas enumera; el recurso forma parte, evidentemente, de las prácticas del poeta pedigüeño y adulador. Son fragmentos que molestan como borrones.

DRAMATURGOS MENORES

En la triunfante nave de la comedia lopesca se embarcaron también —aparte los grandes discípulos mencionados— otros innumerables escritores, que contribuyeron al arraigo del nuevo teatro nacional abasteciendo la insaciable demanda de los corrales. Sólo unos pocos podemos mencionar aquí. En conjunto, no representan ninguna aportación esencial respecto de lo creado por el Fénix y sus más famosos seguidores, aunque siempre es posible hallar en sus obras detalles o aciertos de menor importancia que, a veces, los mismos maestros llevaban a su molino para aprovecharlos o potenciarlos. En todo caso, una consideración sobre el teatro de estos autores —y esto nos fuerza en mayor medida a ser tan breves— es apenas posible por el escaso número de sus piezas a que se tiene acceso, ya que de muy pocas comedias de estos ingenios menores poseemos ediciones modernas, y muchas de ellas sólo se conservan en manuscritos.

Jiménez de Enciso. Una especial mención exige, sin embargo, el dramaturgo sevillano Diego Jiménez de Enciso, mucho menos favorecido de lo que debiera por la atención de los estudiosos y por la fama; cierto que la obra de Enciso, no sólo la conservada sino toda la que salió de su pluma, es notoriamente reducida, y la desbordada fecundidad parece ser recomendación capital para estimar la producción de nuestros dramaturgos del siglo áureo.

Jiménez de Enciso, descendiente de una familia riojana, nació en Sevilla en 1585, y allí desempeñó algunos cargos: veinticuatro, teniente de alguacil mayor y tesorero-juez de la Casa de Contratación. Vivió algún tiempo en la corte, donde trató a los principales escritores y tuvo amistad con altos personajes, entre ellos el Conde-Duque, de quien llegó a ser íntimo y algo así como representante o corresponsal en la capital andaluza. Gozó Enciso de bastante notoriedad en los medios literarios y cortesanos de Madrid; una comedia suya de espectáculo, *Júpiter vengado,* con "apariencias" de Cosme Loti y gran derroche de galas y representantes, fue escogida para las fiestas que solemnizaron en 1632 la jura del príncipe Baltasar Carlos como heredero de la monarquía. Pero su fama nunca fue ruidosa, a lo cual debió de contribuir la vida retirada del escritor, sus prematuros achaques de salud —quizá estaba impedido—, y sobre todo su carácter ajeno a toda vanidad; Enciso, que no casó, y dedicó constante atención a los asuntos y matrimonios de sus sobrinos, cedió a éstos los títulos de nobleza que pudo haber ostentado, sin reservar ninguno para sí. Tan insólita falta de vanidad nobiliaria en un español de aquellos tiempos, atrae hacia su persona la más entusiasta simpatía.

A pesar de su aludida falta de popularidad, el teatro de Enciso ha merecido sorprendentes elogios de varios investigadores, que no han conseguido, sin embargo, incorporar su nombre a la lista de los elegidos. En su estudio sobre Enciso y su teatro, Cotarelo y Mori [83] recoge varias de aquellas opiniones, y vale la pena repetirlas. El conde Schack, que fue probablemente el primero que llamó la atención sobre el teatro del sevillano, dice que es "entre todos los poetas dramáticos, el que más sobresale por su pintura de caracteres", y de *La mayor hazaña de Carlos V* llega a decir que contiene escenas "cuyo brillo y espléndido colorido no fueron nunca superados". El hispanista francés Antonio de Latour al estudiar en particular la comedia de Enciso sobre el príncipe don Carlos destaca su fidelidad a la verdad histórica, y concluye que por la sobriedad de su estilo y gravedad de tono su teatro posee "una fisonomía aparte" entre los autores de su época. El historiador alemán de nuestra dramática, Adolfo Schaeffer, que tradujo a su lengua dos dramas de Enciso, afirma de él que, como Alarcón, fue un genio original e independiente, que sólo se dejó influir por su época lo indispensable para ser entendido por sus contemporáneos, pero sin apartarse de su propio camino. Schevill lo considera "figura excepcional", y asegura de sus tres dramas principales que "son insignes modelos del verdadero drama histórico, como no se hallan en la literatura española"; destaca que sólo él parece haber entendido, entre sus contemporáneos, lo que debe ser un drama de esta especie; y señala finalmente que la obra *El príncipe don Carlos* "es de las que pueden llamarse únicas del teatro español". El investigador italiano Ezio Levi, al estudiar muy por extenso el mencionado drama, vuelca elogios del más subido entusiasmo, y refiriéndose a la figura del príncipe afirma que el haber comprendido la extraña psicología del personaje y "haber creado este tipo de amargo y extraño Hamlet español es, cierto, la mayor y más luminosa gloria de Enciso".

Sólo diez obras de su producción dramática se conocen en nuestros días [84]: con excepción de la mencionada comedia mitológica, *Júpiter vengado,* tam-

---

[83] Emilio Cotarelo y Mori, "Don Diego Jiménez de Enciso y su teatro", en *Boletín de la Real Academia Española,* I, 1914, págs. 209-248, 385-415 y 510-550. Las citas aducidas se encuentran en la primera parte de dicho estudio, págs. 210-215. Los trabajos a que corresponden son: Conde de Schack, *Historia de la literatura y arte dramático de España,* trad. española, vol. III, págs. 367 y ss. Antonio de Latour, "El Infante don Carlos. El poeta Enciso y sus dramas", en su libro *La España religiosa y literaria,* París, 1863, págs. 47-112. Adolfo Schaeffer, *Geschichte des Spanischen Nationaldramas,* vol. I, pág. 406. Del mismo, *Der Prinz don Carlos. Die grösste That des Kaisers Karl V; zwei Dramen von Don Diego Ximénez de Enciso aus den Spanien in fünfussigen Jamben übertr.,* Leipzig, 1887. Rodolfo Schevill, "The *Comedias* of Diego Ximénez de Enciso", en *PMLA,* XVIII, abril 1903, págs. 194-210. Ezio Levi, "La leggenda di Don Carlos nel teatro spagnuolo del seicento", en *Rivista d'Italia,* 1913, págs. 855-913. Cfr., además: J. P. W. Crawford, "*El Príncipe don Carlos* of Ximénez de Enciso', en *Modern Language Notes,* diciembre, 1907, págs. 238-241. Ezio Levi, *Il principe don Carlos nella leggenda e nella poesia,* Roma, 1924.

[84] Ediciones: *Los Médicis de Florencia,* en BAE, vol. XLV, nueva ed., Madrid, 1950. *El príncipe don Carlos,* ed. de Juan Hurtado y A. González Palencia, Letras Españolas, Madrid, s. a. *El Encubierto* y *Juan Latino,* ed. de Eduardo Juliá Martínez, Madrid, 1951.

bién llamada *Fábula de Criselio y Cleón,* y de una comedia devota, *Santa Margarita,* todas ellas pertenecen al género que, con la amplitud de criterio seguida por el teatro de la época, puede calificarse de "histórico". Menor interés ofrece *El valiente sevillano,* imaginación urdida sobre un personaje real, Pedro Lobón, que, de simple soldado, llegó, merced a sus hazañas, a gobernador de una ciudad y embajador de Carlos V en Francia. Amores apasionados y problemas de celos y honor constituyen la trama de dos comedias colmadas de novelescos episodios, *Los celos en el caballo* y *El casamiento con celos y rey don Pedro de Aragón.* En *El Encubierto* escenifica Enciso las andanzas de este famoso personaje de las Germanías de Valencia, que se decía hijo póstumo del príncipe don Juan, heredero de los Reyes Católicos. Enciso varía el desenlace histórico, y hace que el Encubierto, al que dota de atrayentes cualidades, muera reconciliado con el Emperador y perdonado por la Iglesia. En *Juan Latino,* curiosa y agradable comedia, el dramaturgo sevillano poetiza la historia del que fue famoso esclavo negro del duque de Sessa, a quien apellidaron Latino por su saber en esta lengua, y que llegó a ser catedrático de ella y a casar con la noble y hermosa dama granadina doña Ana de Carloval.

Más que en las dos últimas comedias citadas se aparta Enciso de la historia en su drama *Los Médicis de Florencia;* sin embargo, ha sido ésta una de sus obras más conocidas, y no sin razón, porque se trata de un poderoso drama en que se combinan las pasiones de amor con las políticas, para lograr una convincente reconstrucción de ambiente, ya que no de sucesos reales. El nudo de la obra lo constituye la traición de Lorensaccio contra Alejandro de Médicis, y la muerte de aquél a manos de su primo Cosme. Cotarelo destaca el acierto —aunque se trata de una figura secundaria— del viejo republicano Cefio de Pazzi, último vástago de aquella famosa familia de conspiradores, mortal enemigo de los Médicis y de toda tiranía dinástica, que, viejo e inútil, se rebela contra el creciente poderío de Alejandro.

Pero las dos obras maestras de Enciso, por las que ha recibido los elogios de que hemos dado cuenta, son dos dramas de asunto español, cuya proximidad pudo quizá ayudarle a la profunda y acertada captura de ambiente y personajes, en la que radica el mérito principal de ambas producciones: *La mayor hazaña de Carlos V* y *El príncipe don Carlos.* La primera trata del retiro a Yuste del Emperador, pero esto, en la obra de Enciso, no es "la mayor hazaña"; es necesario además que se disponga a morir como simple mortal y pecador. Carlos se somete a todo género de sufrimientos y obediencia, pero un fantasma que se le aparece en su propia figura, le advierte que todavía le falta saber morir. Comenta Cotarelo que el escritor no se atrevió a llevar a escena este supremo trance y lo sustituyó con un relato que hacen a Felipe II, con lo cual, el desenlace, como en otras obras de Enciso, resulta frío. Pero el autor se propuso mostrar en una serie de escenas la grandeza de alma del Emperador, capaz de renunciar a todo su poder y encerrarse en el más oscuro rincón de sus dominios; y esto lo consigue el poeta, dice Cotarelo, de tal modo, "que algunas escenas del drama alcanzan la magnitud y la profundidad filosófica de las culminantes de Macbeth" [85].

Como fuente esencial para *El príncipe don Carlos* se sirvió Enciso de la *Historia de Felipe II* de Cabrera de Córdoba, y aprovechó también algunas anécdotas recogidas por Baltasar Porreño en sus *Dichos y hechos del señor Rey don Felipe Segundo el prudente;* se atuvo con rigor a los hechos históricos, aunque varió el orden cronológico en alguna ocasión para conseguir el efecto dramático apetecido. Pero lo capital en la obra de Enciso es la profunda verdad de los caracteres, la sagacidad en el trazo del rasgo psicológico, la sobriedad del desarrollo y la perfecta estructura de la construcción dramática. Glosando las afirmaciones de Ezio Levi sobre este último punto, dice Cotarelo que "a diferencia de lo que sucede de ordinario en el primer acto de estas piezas, que es una simple introducción aclaratoria, aquí el drama es ceñido, vigoroso y potente desde la primera palabra. No hay relaciones de sucesos anteriores, ni presentaciones inútiles: basta un acento, un gesto; basta el silencio para abrir ante nuestra vista con evidencia cristalina el secreto del alma más cerrada y más oscura" [86]. Ninguna de las muchas obras compuestas sobre el mismo asunto puede compararse con la de Enciso ni en verdad histórica ni en autenticidad de caracteres; el famoso drama de Schiller, aunque abundante en bellezas literarias, es una falsedad otal que recoge todos los tópicos folletinescos acumulados por la leyenda; la obra de Montalbán, *El segundo Séneca de España,* comparable a la de Enciso en su fidelidad a los hechos, queda muy atrás en intensidad dramática, en la fuerza y matización de los personajes y en unidad y creciente interés de la acción. Cotarelo no duda en calificar *El príncipe don Carlos* de "uno de los mejores o quizá el mejor de nuestros dramas históricos del siglo XVII" [87].

Como rasgos peculiares en el conjunto de la obra dramática de Enciso destaca el mismo crítico que el elemento cómico apenas existe en sus obras, y que, por lo común, sus caracteres femeninos son grises y de escaso interés; este andaluz, que apenas sabía de gracias, no acertó tampoco a poner en acción figuras femeninas con aquella frescura y agilidad de su maestro Lope. Compensó, sin embargo, estas menguas con una "habilidad asombrosa en lo que podemos llamar técnica del arte: en la disposición de los planes, en el orden y combinación de escenas, en el manejo del diálogo, en la sobriedad y energía de las relaciones y antecedentes, que casi llegó a suprimir por completo en algunas comedias; en la justificación de todo movimiento de personajes" [88].

---

[85] "Don Diego Jiménez de Enciso...", cit., pág. 406.
[86] Ídem, íd., pág. 530.
[87] Ídem, íd., pág. 548.
[88] Ídem, íd., pág. 549.

Luis Belmonte Bermúdez, sevillano también (1587-1650), pasó muy joven a Méjico y luego al Perú, y tomó parte con Fernández de Quirós en diversas expediciones de exploración por el Pacífico. Al regresar a España se estableció en Sevilla. Escribió Belmonte algunos poemas épico-cultos muy al gusto de su época, como *La aurora de Cristo* y *La Hispálica* sobre la conquista de Sevilla. Pero su mayor actividad literaria estuvo dedicada al teatro; se conocen de él unas veinticinco comedias, algunas escritas en colaboración, la mayoría de las cuales permanecen inéditas. Su obra más conocida es *El diablo predicador,* extraña mezcla de elementos realistas y sobrenaturales, que a trechos parece tomar el andante de una comedia bufa, pero que debió de hacer las delicias de los "mosqueteros" de su tiempo; el diablo asedia a los franciscanos de un convento, tratando de vencerlos por hambre, pero San Miguel le obliga a desistir de sus propósitos y aun a que recoja limosnas para los mismos frailes; mezclada a esta acción corre también una trama de amores, aderezada igualmente con sucesos milagrosos.

En colaboración con Moreto y Martínez de Meneses escribió Belmonte *La renegada de Valladolid,* leyenda piadosa muy difundida entonces, que recoge la vida de una mujer que apostata y luego se convierte. Sobre temas de historia nacional compuso *El Conde de Fuentes en Lisboa* y *Darles con la entretenida* sobre García de Paredes. Y sobre historia extranjera destacan *El gran Jorge Castrioto y Príncipe Escanderberg,* asunto ya tratado por Montalbán, acerca de la conversión de este famoso héroe, y *El príncipe perseguido* sobre Boris Godunof, en donde sigue a Lope [89].

Igualmente sevillano, como los dos anteriores, es **Felipe Godínez** (1588-1639), de origen judío. Era doctor en Teología y muy conocido como orador; un discurso fúnebre suyo a la muerte de Lope fue incluido en la *Fama póstuma.* Fue acusado de judaizante, y se le hizo salir al tablado con sambenito en un auto de fe celebrado en Sevilla en noviembre de 1624; fue condenado además a un año de prisión y a seis de destierro.

Godínez cultivó con preferencia los asuntos bíblicos, quizá —como suele afirmarse con fácil deducción— por influjo de su origen racial; así, escribió, entre otras comedias y dramas, *La mejor espigadera* sobre la historia de Rut, *Amán y Mardoqueo o la horca para su dueño* sobre la historia de Ester, *Judit y Holofernes, Las lágrimas de David,* y *Los trabajos de Job,* de gran fuerza patética. Compuso además una comedia de intriga, de notable belleza, *Aun de*

---

[89] Textos en BAE, vol. XLV, cit. Noticias sobre sus entremeses, en Emilio Cotarelo y Mori, *Colección de entremeses, loas, bailes, jácaras y mojigangas desde fines del siglo XVI,* NBAE, vol. I, Madrid, 1911, pág. LXXX. Cfr.. William A. Kincaird, "Life and works of Luis Belmonte Bermúdez", en *Revue Hispanique,* LXXIV, 1928, págs. 1-260. L. Rouanet, *Le diable predicateur de Luis Belmonte Bermúdez,* París, 1901. Narciso Alonso Cortés, "La renegada de Valladolid", en *Miscelánea vallisoletana,* 5.ª serie: Eduardo Juliá Martínez, *Rectificaciones bibliográficas. La renegada de Valladolid,* Madrid, 1930.

noche alumbra el sol, que acredita sus condiciones de brillante y hábil dramaturgo [90].

Es autor asimismo de una comedia hagiográfica, *O el fraile ha de ser ladrón, o el ladrón ha de ser fraile,* título que los escasos comentaristas de Godínez califican de "extraño", pero que lo es bastante menos si se recuerda el refrán, de que dicho título procede, tal como ha sido recogido por Gonzalo Correas: "Ladrón con fraile, o el ladrón será fraile, o el fraile será ladrón, y es lo más cierto, porque se pega más lo peor". La comedia no escenifica exactamente, como suele también decirse, la vida de San Francisco, aunque sí interviene éste como personaje importante en la obra. Edward Glaser, que la ha estudiado detenidamente, nos describe su asunto, basado en una anécdota de las *Florecillas,* pero que Godínez modificó para darle la conveniente fuerza dramática; en sustancia, se trata de la conversión de dos malhechores, ganados por la generosidad y la humildad de los frailes franciscanos, entre los cuales habían buscado refugio en una ocasión. Glaser destaca la maestría con que Godínez da cuerpo en su obra al mundo espiritual del "mensaje franciscano", y la verdad humana de uno de los malhechores, Bruno, personaje principal de la comedia, perfectamente trazado en sus vacilaciones. Muy a tono con el espíritu que anima la obra la Godínez, la conversión de Bruno —dice Glaser— no se produce como resultado de "abstrusas discusiones dogmáticas", sino vencido paulatinamente el malhechor por el ejemplo de la vida del santo de Asís y de sus hermanos. Afirma Glaser finalmente que no se encuentran en la comedia aspectos que permitan identificar al autor como "cristiano nuevo"; para el comentarista no existen en la obra más alusiones bíblicas que las ordinarias en cualquier otro autor y en tema semejante; y descarga a Godínez, después de examinar los oportunos pasajes, de la acusación de irreverencia hacia el estado eclesiástico que Menéndez y Pelayo había señalado como otra supuesta manifestación de la heterodoxia del comediógrafo.

---

[90] Textos: *Aun de noche alumbra el sol,* en BAE, vol. XLV, cit. Cfr.: M. Menéndez y Pelayo, *Historia de los Heterodoxos Españoles,* edición nacional, vol. IV, Santander, 1947, cap. II. Adolfo de Castro, "Noticias de la vida del doctor Felipe Godínez", en *Memorias de la Real Academia Española,* VIII, 1902, págs. 277-283. Edward Glaser, "La comedia de Felipe Godínez, *O el frayle ha de ser ladrón, o el ladrón ha de ser frayle*", en *Revista de Literatura,* XII, núms. 23-24, julio-diciembre, 1957, págs. 91-107.

CAPÍTULO VIII

TIRSO DE MOLINA

Entre la larga y brillante serie de los discípulos de Lope destaca, indiscutible, la magna figura del mercedario fray Gabriel Téllez, universalmente conocido por su seudónimo de Tirso de Molina. Junto con Lope y Calderón forma la gran tríada de cumbres de nuestra dramática áurea. En cierto modo —y tal es la opinión de muchos comentaristas— viene a ser algo así como el lazo o puente entre ambos; y lo es, si atendemos a aspectos de índole más bien formal, puesto que Tirso se dejó influir en no corta medida por ciertas técnicas barrocas, sobre todo del conceptismo, en lo cual se aparta de la suelta fluidez de Lope y se acerca considerablemente al artificio de las creaciones calderonianas. Cronológicamente, sin embargo, la obra de Tirso, más que seguir, corre paralela a la de su maestro, de la cual vendría a ser a modo de contrafuerte o complemento; y tal es, de hecho, la opinión de la gran tirsista doña Blanca de los Ríos, para la cual, la misma obra de Lope, en lo que tiene de invención genial de nuestra dramática, no habría podido consumarse en toda su dimensión sin la tarea colaboradora y perfeccionadora del mercedario [1].

Anticipemos que tal opinión parece exagerada o, por lo menos, demasiadamente exclusivista. Nuestro teatro, dijimos, resulta inconcebible sin el sobrehumano empujón del Fénix, que lo levantó sobre cimientos muy rudimentarios y que, junto a incontables creaciones ya perfectas, dejó trazadas y abiertas todas sus posibles rutas futuras. Es evidente que la asombrosa obra de Lope, en virtud de su peculiar personalidad y circunstancias de vida, dejaba muchos

---

[1] El contenido de los numerosos trabajos publicados por doña Blanca de los Ríos sobre la vida y obras de Tirso de Molina ha sido incorporado íntegramente a su gran edición del teatro de Tirso: *Tirso de Molina. Obras dramáticas completas,* 3 vols., Madrid, vol. I, 1946; vol. II, 2.ª ed., 1962; vol. III, 1958. Para mayor comodidad, en toda referencia a sus juicios, nos remitiremos siempre a esta edición, que hace innecesaria la consulta de los trabajos anteriores. La opinión aludida puede verse ampliamente expuesta en el vol. I, págs. 30-50.

hallazgos limitados a meros atisbos geniales, donde anidaba el germen fecundo, pero que había que madurar y desarrollar. En esta tarea colaboraron, en mayor o menor medida, pero con evidente eficacia, todos los dramaturgos que deben llamarse sus discípulos y que se lanzaron a cultivar su propia porción en el nuevo continente descubierto; y cada uno de ellos, no siendo sino mero continuador, aportó rasgos peculiares, y matizó o enriqueció los imperfectos logros del maestro. En nada empece la grandeza de Lope el que cada uno de sus seguidores —amigos o enemigos— mejorara aspectos parciales de su obra y le aventajara en esto o en aquello: Guillén de Castro, Vélez de Guevara, Mira de Amescua, Alarcón, hasta —en ciertos detalles— el modesto Montalbán, efectuaron aportaciones que, al completar la obra de Lope, robustecían su consistencia y confirmaban su grandeza, porque, en fin de cuentas, no hacían sino asegurar la definitiva creación de la dramática de su tiempo. El propio Lope dicho se está que aprendió lecciones también de sus discípulos, y no pocos hallazgos de éstos contribuyeron a su propia madurez. Por otra parte, la obra de Lope, si tan popular por un lado, tan combatida al mismo tiempo, hubiera encontrado mayores dificultades para su total aceptación sin el coro de sus satélites, que al invadir con él la escena, dieron al nuevo teatro popular el carácter de un fenómeno irrevocable y consumado. En tal aspecto todos los seguidores de su dramática deben llamarse con idéntica propiedad colaboradores de la empresa lopista.

.No sólo Tirso, pues, como parece deducirse de ciertos juicios demasiado absolutos de doña Blanca de los Ríos; aunque sí fue éste, sin posible discusión, quien aportó mayores y más decisivas conquistas para redondear la obra de Lope (que "era el único dramaturgo digno de hombrearse con Lope" dijo de él Menéndez y Pelayo). Por repetidas y conocidas puede anticiparse cuáles fueron aquéllas: la creación de caracteres —algunos de ellos elevados al rango de mitos universales—; la fuerza cómica; la intención satírica; y el contenido intelectual. Para su papel de "consolidador" —por decirlo con palabra de doña Blanca— no carece de peso su también asombrosa fecundidad, muy inferior a la de Lope, pero superior a la de todos los restantes. Y algo de gran importancia también, que fue su mayor agudeza crítica para medir, o al menos para acertar a destacar, la transcendencia de la revolución que Lope y los suyos estaban llevando a cabo en la dramática. Lope, como sabemos, había escrito en 1609 su tímida defensa del *Arte nuevo,* y solo en su vejez —según recuerda doña Blanca— rompió abiertamente por la superioridad de su teatro en los prólogos de *El castigo sin venganza* (1631) y de *La Dorotea* (1632); pero no fue sino diez años después de que Tirso escribiera en sus *Cigarrales de Toledo* (1621) la más profunda y consciente afirmación de la dramática lopista, que era la suya propia.

Para doña Blanca de los Ríos, la década, aproximada, de 1605 a 1615, correspondiente a lo que llama el "período toledano" de Tirso, coincidió con la estancia casi seguida de Lope en la ciudad del Tajo, y a esta época de evidente contacto —según supone— entre los dos grandes dramaturgos, corresponde ciertamente el período de mayor plenitud de ambos. Lo que entraña un argumento más para hablar de "colaboración" o "apoyo" tanto como de magisterio. No obstante, las palabras definitivas sobre este problema nos siguen pareciendo las que Menéndez y Pelayo escribió para prologar precisamente el libro de doña Blanca, *Del Siglo de Oro,* en que iniciaba su gran reivindicación del maestro Téllez: "No es Tirso el Príncipe del Teatro Español, porque no lo representa él solo, como Calderón tampoco. Si en un gran naufragio histórico, como el que sepultó tanta parte de la cultura grecolatina, pereciese su repertorio, perderíamos un tesoro de poesía y un buen número de obras maestras; pero la fórmula de nuestro drama nacional podría estudiarse íntegra en las comedias de Lope de Vega que hoy tenemos. Por el contrario, si éstas sucumbiesen a los estragos del tiempo, y todas las demás se salvaran, la historia de nuestro Teatro resultaría manca y sin sentido, por faltarnos la clave de sus evoluciones. Con ningún otro poeta es posible tal sustitución. Pero al mismo tiempo es cierto que Lope no se halla, respecto de sus contemporáneos españoles, en aquella relación de abrumadora superioridad en que está Shakespeare respecto de Marlowe, Ben Jonson, Beaumont y Fletcher, y demás ingenios del tiempo de la Reina Isabel. Aquí la distancia es mucho menor, y Tirso (para no hablar de otros) es tan genial como Lope en sus mejores momentos. Y considerado meramente como escritor y hablista, es el primero de todos. Alarcón, que es el que más se le acerca en estas condiciones, parece frío y prosaico comparado con él. Pero Alarcón rara vez cae en los extravíos de gusto que es tan fácil señalar en Tirso de Molina. Cada cual tiene sus dotes propias, y hay algunas que recíprocamente se excluyen por forzosa ley estética" [2].

EL ENIGMA BIOGRÁFICO DE TIRSO DE MOLINA

La ingente obra dramática de Tirso de Molina, oscurecida durante el siglo XVIII como la de tantos otros escritores del siglo barroco, comenzó a ser reivindicada y publicada durante los años del Romanticismo, debido especialmente a la diligencia de don Agustín Durán y de don Juan Eugenio Hartzenbusch; pero las noticias que se poseían sobre la vida del autor eran muy escasas. A finales del siglo, otro de los más importantes colectores del teatro tirsista, don Emilio Cotarelo y Mori, esclareció bastantes puntos oscuros de la vida del mercedario en su estudio *Tirso de Molina. Investigaciones biobibliográficas* (Madrid, 1893). Pero tan sólo en nuestros días la infatigable, y casi feroz, tirsista doña Blanca de los Ríos, ha conseguido levantar los hitos

[2] Reproducido, bajo el título de "Edad de Oro del Teatro", en *Estudios y discursos de crítica histórica y literaria,* edición nacional, vol. III, Santander, 1941, págs. 5-23 (la cita es de la pág. 22).

capitales de la biografía de Tirso sobre datos seguros, documentalmente comprobados, y aportar conocimientos que han permitido a su vez estudiar con método científico su dilatada producción dramática.

Tirso nació en Madrid, según propias y repetidas afirmaciones; pero la fecha, largamente discutida, no fue conocida hasta el descubrimiento por doña Blanca de un documento capital: trátase de la real cédula expedida el 23 de enero de 1616, que acompaña a la relación de religiosos de la Merced que marchaban a Santo Domingo [3]. En el segundo puesto de dicha relación figura "Fray Gabriel Téllez, Predicador y letor de edad de treinta y tres años, frente elebada, barbinegro", de donde se deduce que Tirso había nacido en 1583. Pero el documento más famoso y controvertido es la partida de bautismo, real o supuesta, descubierta también por doña Blanca en la Iglesia de San Ginés de Madrid [4]. En dicha partida consta que a 9 de marzo de 1584 fue bautizado "Gabriel, hijo de Gracia Juliana y de padre incógnito"; al margen, debajo del nombre "Gabriel" habían sido escritas, y enérgicamente tachadas luego, unas palabras que la señora De los Ríos ha creído leer de este modo: "Téllez Girón, hijo del duque de Osuna". La diferencia de un año entre ambos documentos la explica su descubridora haciendo constar que entonces unos contaban la edad por años cumplidos y otros por años por cumplir, diferencias comprobadas, efectivamente, en otros frailes del mismo grupo que se embarcó con Tirso.

Pero el problema capital consiste en demostrar si el Gabriel bautizado el 9 de marzo de 1584 se identifica o no con el dramaturgo. Doña Blanca no sólo lo ha defendido sin posibles reservas sino que ha montado toda una interpretación literaria e ideológica de la obra de Tirso sobre la base de su supuesta bastardía. Esta condición, que algunos comentaristas han admitido, siguiendo a doña Blanca, explicaría, como reacciones propias de un "resentido", muchas de las características —luego volveremos sobre ellas— que se observan en su teatro: la defensa de los bastardos y de los desheredados de la fortuna, la sátira contra los excesos de los poderosos, la excelencia de la nobleza ganada sobre la heredada:

> *No heredada, adquirida*
> *con noble ingenio y estudiosa vida*
> *que ilustra más la personal nobleza...* [5]

y otras ideas semejantes, que Tirso sostendría como quien defiende una causa propia, "con el rubor oculto y desesperado del hijo sin nombre que se siente afrentado en las veneradas fuentes de su vida y paga en rubor y en menosprecios la culpa de haber nacido" [6]. Dicha bastardía aclararía asimismo

[3] Reproducido por doña Blanca, vol. I, págs. 84-85.

[4] Reproducido, texto y fotocopia, en ídem, íd., págs. 83-84.

[5] *El melancólico,* acto II, escena I, *Obras...,* cit., vol. I, pág. 234.

[6] *Obras...,* cit., vol. I, pág. 60.

las malévolas alusiones que doña Blanca cree haber rastreado en numerosos textos de sus contemporáneos.

La atribución de la famosa partida, y en consecuencia de la supuesta bastardía de Tirso, ha suscitado poderosos contradictores y dista mucho de estar probada[7]. Por de pronto, se desconoce totalmente el verdadero nombre en el siglo de Tirso de Molina, ya que el de Gabriel es el que adoptó en religión, pero se ignora si conservó su nombre propio o lo cambió, ya que ambas cosas eran permitidas —e igualmente posibles— al profesar en su orden. Suponiendo, pues, que el Gabriel del discutido documento sea, en efecto, hijo bastardo del duque de Osuna, lo que no puede afirmarse por el momento en modo alguno, mientras otros documentos no los relacionen, es que el mercedario y el problemático hijo de Téllez Girón sean la misma persona. El nombre de Gabriel era frecuentemente adoptado por frailes mercedarios, debido a la estrecha vinculación mariana de este arcángel, y el apellido Téllez era en aquella época harto vulgar; por otra parte, dada la absoluta anarquía mantenida entonces en el uso de los apellidos, ni siquiera es seguro que fray Gabriel Téllez tomara el de su padre (sirvan, como analogía, entre miles, los casos de Lope, Cervantes, Góngora y Quevedo). Los mencionados investigadores, Padres Ríos y Penedo, aducen a continuación una razón "canónica" de mucho peso: los bastardos, de acuerdo con rigurosas prescripciones de la Iglesia, no podían ser admitidos en las órdenes religiosas sin previa dispensa; ni, en caso de serlo, podían luego ser promovidos a ninguna dignidad o cargo, sin nueva dispensa especial y renovada en cada ocasión. Ahora bien: en los numerosos documentos referentes a la vida de religión de Tirso, descubiertos precisamente en su mayoría por doña Blanca de los Ríos, no se encuentra una sola alusión a su bastardía ni se aduce dispensa alguna; requisito que no hubiera podido soslayarse por las graves penas con que se aseguraba.

En cuanto a "las buídas saetas de sus contemporáneos" a este respecto, son en su mayoría tan problemáticas que lo único que demuestran es la asombrosa capacidad que puede alcanzar un erudito para extraer las deducciones más sorprendentes.

Resta una consideración de orden moral, que nos fuerza a repetir alguna de las ideas apuntadas a propósito de Alarcón. Imposible desconocer a estas alturas el decisivo influjo que sobre el espíritu humano puede ejercer su envoltura física, la herencia biológica, la educación, riqueza, medio social o geográfico: la "circunstancia", en suma. Pero, más admirados cada día ante ese

---

[7] Cfr.: Fray Miguel L. Ríos, O. de M., "Tirso de Molina no es bastardo. Doña Blanca de los Ríos. La fe de bautismo de Gabriel-Juliana", en la revista *Estudios,* número extraordinario dedicado a Tirso de Molina, Madrid, 1949, págs. 1-13. P. Manuel Penedo Rey, O. de M., "Ampliación al trabajo del P. Ríos 'Tirso no es bastardo' ", en ídem, íd., págs. 14-18. Jenaro Artiles, "La partida bautismal de Tirso de Molina", en *Revista de la Biblioteca, Archivo y Museo del Ayuntamiento de Madrid,* XX, 1928. F. Miguel L. Ríos, *Tirso de Molina ante una hipótesis,* Madrid, 1955.

misterio desconcertante, rebelde a todo raquítico determinismo, que es la personalidad humana, nos resistimos a admitir que para denunciar la injusticia social, fustigar los excesos de los grandes o de los pequeños, defender el honor y la dignidad, ser hombres íntegros, en una palabra, haya que ser hijo ilegítimo, poseer dos jorobas o ser de origen mejicano. Sería un tanto desconsolador. Aunque no negamos en redondo que tales condiciones, si no esenciales, puedan ser favorables.

He aquí ahora, en síntesis, la vida de Gabriel Téllez tal como hasta el presente puede ser reconstruida [8]. Nada se sabe de su infancia ni del lugar donde transcurrió. De su familia sólo se tiene la noticia que nos da el propio Tirso en *Los cigarrales,* en donde, personificado en "humilde pastor del Manzanares", gana un premio en un imaginario torneo y se lo envía a "una hermana suya que tenía en su patria, parecida a él en ingenio y desdichas" (evidentemente —y doña Blanca aprovecha la ocasión para recordarlo en este caso— sorprende la falta tan absoluta de noticias sobre la familia de Tirso). Se sabe que a los dieciséis años era novicio de la Merced en el convento de Guadalajara y que allí profesó, a los diecisiete, el 21 de enero de 1601. Uno de los errores de mayor transcendencia sobre la vida de Tirso, no destruido hasta las recientes investigaciones, consistía en afirmar que su ingreso en la Merced tuvo lugar siendo ya de edad madura y después de una vida azarosa y aventurera; lo que suponía consecuentemente que la casi totalidad de su obra dramática había sido compuesta durante estos años de vida seglar. Muy al contrario, toda su producción para el teatro nació en el claustro y en años de juventud. Prosiguió Tirso sus estudios en Guadalajara y en Toledo; en el convento de esta última debió de residir por algún tiempo a partir de 1606, y en esta ciudad —por la que tuvo verdadera predilección y donde decía haber hallado "mejor acogida en la llaneza generosa de Toledo que en Madrid, su patria"—, y por esa fecha, debió de comenzar su producción dramática. Es muy probable que estudiara también por algún tiempo en Salamanca, y residió temporalmente en Galicia y en Portugal, de las que quedó notable huella en las obras que denomina doña Blanca "ciclo galaico-portugués". Entre 1614 y 1615 pasó algún tiempo en Aragón en el monasterio de Estercuel, probablemente desterrado por sus sátiras contra la nobleza y los ministros. En 1616 emprendió el mencionado viaje a Santo Domingo, de donde regresó en 1618 [9]. Su estancia en Sevilla, mientras tenían lugar los preparativos para el embarque,

---

[8] Aparte los estudios, rigurosamente documentados, de doña Blanca de los Ríos en la edición citada, cfr.: P. Manuel Penedo Rey, "Tirso de Molina. Aportaciones biográficas", en *Estudios,* núm. cit., págs. 19-122. Alexandre Cioranescu, "La biographie de Tirso de Molina. Points de repère et points de vue", en *Bulletin Hispanique,* LXIV, 1962, 3-4. Gerald Wade, "The year of Tirso's Birth", en *Hispanófila,* 19, septiembre, 1963, páginas 1-9.

[9] Cfr.: Fr. Pedro Nolasco Pérez, O. de M., "Tirso de Molina pasajero a Indias", en la revista *Estudios,* núm. extra, cit., págs. 185-197.

debió de ser de gran importancia para la gestación de *El Burlador* y de *El rey don Pedro en Madrid,* si, como defiende doña Blanca, esta última obra es suya. En 1620 se encuentra Tirso en la corte, asiste a la Academia Poética, publica *Los Cigarrales de Toledo* (1624)[10] y concurre al certamen literario por la canonización de San Isidro, sin obtener premio alguno.

En marzo de 1624 "para entender en materia de vicios, abusos y cohechos" se creó por real decreto una "Junta de Reformación", que en su sesión del 6 de marzo de 1625 se ocupó del escándalo que promovía el Maestro Téllez "con comedias que hace profanas y de malos incentivos y ejemplos", y lo condenaba a destierro de la corte y a no escribir en el futuro, bajo pena de excomunión, comedias ni otros versos profanos[11]. Tan sorprendente hecho plantea varios problemas. Según Cotarelo, tuvo lugar, efectivamente, la salida de Tirso de Madrid y se cumplió asimismo la prohibición de escribir para el teatro; aunque admite que compuso al menos *La huerta de Juan Fernández* en la primavera de 1626 y *Las Quinas de Portugal* en 1638. El padre Penedo, en detenido estudio, alega razones para suponer que las sanciones quedaron sin efecto (aunque es posible que alguno de los viajes posteriores de Tirso tratara de suavizar la situación) tanto respecto al destierro como a la tarea literaria; sostiene que otras comedias, además de la dicha, fueron escritas en 1625, y es de esperar que la crítica histórico-literaria haya de trasladar a este período la fecha de otras varias. De todos modos, admite dicho investigador que "el decaimiento de la producción dramática de nuestro mercedario a partir de 1626 hasta el final de su vida parece un hecho no obstante"; y añade luego que "ignoramos los motivos de tal retraimiento, infausto y lamentable para las letras españolas"[12].

El segundo problema es el de la causa verdadera de la condena contra Tirso. Cotarelo supone que los rivales literarios —muchos, encarnizados e influyentes— irritados por las burlas y sarcasmos de que Tirso les hacía objeto, lanzaron una denuncia apoyada en el escándalo, real o supuesto, que nuestra inveterada mojigatería hallaba en un fraile que surtía de comedias los corrales. Pero los tiros debieron de proceder de muy distinto origen. El padre Penedo los atribuye a causas políticas[13]; doña Blanca de los Ríos ha rastreado, en efecto, minuciosamente dentro del grupo de las comedias que ella llama "teatro de oposición"[14] y que, comenzado bastante antes, se intensifica al princi-

[10] Aunque la obra estaba terminada en 1621, la primera edición conocida es de esta fecha.

[11] Cfr.: Ángel González Palencia, "Quevedo, Tirso y las Comedias ante la Junta de Reformación", Madrid, 1946, separata del *Boletín de la Real Academia Española*. P. Manuel Penedo Rey, *Tirso de Molina. Aportaciones biográficas,* cit., en su capítulo II, "Tirso de Molina en Sevilla: 1625-1626", pág. 29 y ss.

[12] Ídem, íd., págs. 73 y 74.

[13] Ídem, íd., págs. 32 y ss.

[14] Cfr.: en *Obras...,* cit., los "Preámbulos" correspondientes a las comedias calificadas por doña Blanca de este modo.

pio del reinado de Felipe IV, los motivos que provocaron la orden de destierro y la prohibición de escribir. Tirso gozaba de gran popularidad como autor de comedias, y el peso de su personalidad poseía un directo influjo sobre la multitud; siendo, como era, religioso de observante conducta [15], hacía intensa vida literaria y cortesana, movíase activamente entre la gente representativa de la corte —escritores, políticos, miembros de la nobleza— y representaba un importante factor de la opinión. La muerte de Felipe III y el ascenso vertiginoso del poder de Olivares con la sañuda persecución de todos los políticos preeminentes del anterior reinado, colocó a Tirso en enemiga abierta contra el nuevo estado de cosas; y no pudiendo darle cauce de otro modo, la disolvía en sus comedias con hábiles sugerencias, disfrazando frecuentemente a gentes del momento bajo capa de viejos personajes históricos de parecidas circunstancias, que los oyentes captaban de inmediato. Tirso llegó a convertirse en una voz molesta para la política reinante, y la hipocresía encontró buen pretexto en el fraile autor de comedias para obligarle a callar. Si las razones de moralidad teatral hubieran sido auténticas, no se habrían esgrimido tan sólo contra Tirso, como sostiene el padre Penedo y con razón, ya que todos sus colegas se movían en las mismas aguas; y muchos, si no frailes, eran sacerdotes.

Después de un viaje a Sevilla, tras la decisión de la "Junta", Tirso regresó a la corte, todavía en la primavera de 1626; asistió al capítulo provincial de Guadalajara y allí fue nombrado comendador del convento de Trujillo. No es de suponer, sostiene el padre Penedo, que se tratara de un destierro, puesto que iba como superior [16]. Acabado su mandato, debió de ser enviado al convento de Madrid. Durante su estancia en él fue sujeto de otro episodio importante, no conocido hasta fechas recientes. A raíz de la visita canónica girada por el padre Salmerón, Tirso fue confinado al convento de Cuenca, decisión que le disgustó profundamente y contra la que recurrió con toda energía ante el Nuncio [17]. En su descargo Tirso llegó a aducir, entre otras razones, la desafección del visitador hacia su persona. No se conoce el resultado del recurso, pero, en cambio, son de presumir las causas de la condena, que no fueron otras sino las políticas ya mencionadas. El padre Salmerón era conocido como

---

[15] Cfr.: Fray Ramón Serratosa, "El P. Maestro Fr. Gabriel Téllez, como religioso", en la revista *Estudios,* núm. extraordinario, cit., págs. 687-697.

[16] *Tirso de Molina. Aportaciones...,* cit., págs. 55-56. Doña Blanca, por el contrario, no duda que se trataba de un destierro: "Reciente —dice— el duro fallo de la Junta de Reformación que ordenaba echar a Tirso de Madrid a un monasterio lejano de su Orden, y cumplido el acuerdo confinándolo en Trujillo, en convento pobre, pequeño y distante de la corte..." (*Obras...,* vol. II, pág. 535).

[17] Cfr.: P. Manuel Penedo Rey, *Tirso de Molina. Aportaciones...,* cit., en su capítulo III, "Tirso de Molina confinado en Cuenca", págs. 80 y ss. Fray Gumersindo Placer López, "Fray Gabriel Téllez y el Padre Salmerón", en *La Merced,* V, 27, mayo-junio, 1948, págs. 74-76. J. C. J. Metford, "Tirso de Molina and the Conde-Duque de Olivares", en *Bulletin of Hispanic Studies,* XXXVI, enero, 1959, págs. 15-27.

muy afecto a la persona del monarca y a la política de su valido. Tirso no se servía ya por entonces de la tribuna de sus comedias, pero es posible colegir cuáles serían sus palabras y actitud por muchos pasajes deslizados en los escritos de historia y de piedad en que se ocupaba durante aquel período. Entre las disposiciones de la visita el padre Salmerón ordenaba a los religiosos que no tuviesen consigo "libros profanos de comedias ni de poesías", y si los tuvieren, que los echaran fuera, "vendiéndolos o trocándolos por otros" en el término de veinticuatro horas. Es de suponer que Tirso poseyera al menos un ejemplar de las "partes" de su propio teatro, ya publicadas, y que tratara, muy humanamente, de retenerlas en su poder; hecho que debió de ser aprovechado para sus fines por el padre visitador.

Los últimos años de la vida de Tirso dejan también lapsos oscuros. Había sido nombrado cronista general de la orden en 1632; en 1645 fue elegido comendador del convento de Soria y en 1646 definidor provincial de Castilla. Y a fines de febrero de 1648 moría el insigne mercedario en el convento de Almazán, a donde se había retirado desde la vecina Soria por motivos que se desconocen [18].

CARACTERES DE LA DRAMÁTICA DE TIRSO

La incomparable superioridad de la obra dramática de Tirso sobre sus otras facetas de novelista e historiador —también muy importantes, sin embargo— aconseja dejar estas últimas para un posterior apartado. Como llevamos dicho, con palabras de Menéndez y Pelayo, Tirso es el único que puede hombrearse con Lope incluso en fecundidad. Según declara él mismo en *Los Cigarrales de Toledo,* en menos de tres lustros, que corresponden a sus años de producción intensa, escribió trescientas comedias, y el número total de las piezas que compuso puede aumentarse casi indudablemente en un centenar más.

Aunque Tirso, como dejamos sugerido también, sería inconcebible, al igual que todos los dramaturgos de su época, sin la genialidad innovadora de Lope ("poblador de la escena", le llama magníficamente doña Blanca de los Ríos) y debe además ser situado con toda propiedad dentro de lo que viene denominándose "ciclo lopista", posee numerosos aspectos de personalísima originalidad, nacidos de la independencia y vigor de su genio y de su carácter. A diferencia de Lope, Tirso poseía una sólida formación intelectual en ciencias humanas y teológicas; había vivido desde su primera juventud la observancia del claustro, y esta constante disciplina le apartaba en buena medida

[18] Cfr.: P. Manuel Penedo Rey, *Tirso de Molina. Aportaciones...*, cit., cap. IV, "Tirso Comendador de Soria. Definidor Provincial. Su muerte en Almazán", págs. 93 y ss. Del mismo, "Muerte documentada del Padre Maestro Fray Gabriel Téllez en Almazán y otras referencias biográficas", en la revista *Estudios,* I, 1945, págs. 192-206. Florentino Zamora Lucas, "Evocación de Tirso en sus conventos de Soria y Almazán", en *Estudios,* núm. ext., cit., págs. 123-155.

de la desparramada torrencialidad de su maestro. Tirso no era, sin embargo, un religioso recluido en su vida de piedad; su atención vigilante y satírica al mundo político y humano de su tiempo nos lo define claramente como hombre de activa relación social, que vivía en alerta su momento histórico, y para quien el reducto de su condición religiosa no era tanto un refugio como un observatorio. La realidad que le envolvía le atraía de modo especialísimo, y ella fue, en no inferior medida que sus prolongados estudios, su gran maestra. Era un sagaz observador, y de aquí los rasgos que se consideran dominantes en su teatro y en los que excede a todos sus colegas: la profundidad psicológica y la fuerza creadora de caracteres. Suele hablarse de que Tirso pudo adquirir su gran conocimiento del corazón humano por su práctica como confesor; pero no consta que se entregase de manera especial a esta actividad, de la que no cabe negar tampoco que su experiencia pudiera beneficiarse.

Llamar "realista" al teatro de Tirso para diferenciarlo del de sus contemporáneos sería tan exagerado como anacrónico, o, por lo menos, el vocablo podría inducirnos a confusión. La escena de Tirso, autor de algunas de las más movidas y enmarañadas comedias "de enredo", cedía también inevitablemente a las libertades de aquel teatro inundado de aventura, donde las más novelescas situaciones podían tener lugar; por otra parte, ya dijimos que en el teatro lopesco la más arriscada trama se encerraba en un marco de exacto costumbrismo, de donde nada como la comedia de Lope para mostrarnos la sociedad española de su tiempo. Sin embargo, el teatro de Tirso está agarrado con mayor fuerza —o, si se quiere, con distinta fuerza— a la realidad contemporánea; no en el detalle pintoresco y ambiental, popular diríamos, más propio de Lope, pero sí en los aspectos psicológicos de los persónajes y en el sabor y tono general de la vida que retrata. Menéndez y Pelayo aludió claramente a estos rasgos que "contrastaban con los hábitos dominantes en el teatro de su tiempo", debido a los cuales, aunque ha sido indebidamente valorado en ocasiones, se nos antoja hoy más "vivo", más humano y más próximo. "Su alejamiento relativo —dice— de aquel ideal caballeresco, en gran parte falso y convencional; su poderoso sentido de la realidad, su alegría franca y sincera, su buena salud intelectual, aquella intuición suya tan cómica y al mismo tiempo tan poética del mundo, la graciosa frescura de su musa villanesca, su picante ingenuidad, su inagotable malicia tan candorosa y optimista en el fondo, nos enamoran hoy y tienen la virtud de un bálsamo añejo y confortante, ahuyentador de toda pesadumbre y tedio..." [19]. Doña Blanca de los Ríos ha abundado luego en estas mismas ideas, y sus palabras (restémosles el matiz peyorativo contra Lope) definen con exactitud el vigoroso núcleo realista del arte dramático de Tirso: "Llevado —dice— de su ardiente

[19] "Tirso de Molina. Investigaciones biográficas y bibliográficas", en *Estudios y discursos...*, ed. cit., vol. III, págs. 51-52.

amor a la verdad, de su poderoso sentimiento de lo vivo y de lo humano, apartó de aquel enorme arte embrionario todo lo falso y convencional, lo fabuloso, lo andantesco, lo pastoril palaciano, lo puramente épico o novelesco o lo crudamente celestinesco y rufianesco, que informaba gran parte del teatro de Lope, sin admitir tampoco ni los elementos mitológicos ni las alegorías sacramentales, que constituyen lo más característico del teatro calderoniano... Así, el mundo de sus invenciones no fue tan vario, pero sí moralmente más amplio y más real que el de su maestro y mucho más humano que el de su continuador. Suprimió los paladines imaginarios, los pastorcicos de Arcadia palaciega, las criaturas selváticas o mitológicas; inventó menos *personajes*, pero creó verdaderas *personas*, supremacía que ejerció sin rivales; único fue también en el modo de fundir en su teatro el mundo real con el suprasensible, y en el integrar las dos mitades de la dramática: los *caracteres* y el *ambiente...*" [20].

Esta "humanidad" de Tirso, a que hemos aludido repetidamente, difiere también de la tan ponderada "humanidad" de Lope. Era la de éste más efusiva y sentimental; mientras que en Tirso es más cerebral y reflexiva, se manifiesta menos en la ternura y el color, pero llega más profundamente al campo de las costumbres y a zonas más íntimas de la conducta humana. En este sentido Tirso ha podido ser justamente comparado con Cervantes, a propósito sobre todo del tema del honor, respecto al cual ambos discreparon —con mucho más humanas soluciones— de los convencionalismos de la época, convertidos por Calderón en frías fórmulas abstractas. Mucho contribuye a la comprensiva y abierta humanidad de Tirso su peculiar humor, uno de sus rasgos más personales, en el cual ni se le aproxima siquiera ningún otro autor dramático de su tiempo; humor que le empareja igualmente con Cervantes, haciendo posible en ambos aquella generosa tolerancia, que es su mayor nobleza.

Aspecto capital en la dramática de Tirso es el papel preponderante que en ella juega la mujer, y la penetración psicológica del escritor se ejerce muy especialmente en escrutar las sutilezas del espíritu femenino. La mujer, que en el teatro de Lope —aun abundando en tipos deliciosos— se muestra con cierta monotonía, sometida a un patrón convencional, adquiere en Tirso una sorprendente variedad al mismo tiempo que un más humano realismo. Las mujeres de Tirso, al menos en sus momentos más felices, y son muy numerosos, no sólo se individualizan y concretan, sino que ascienden al rango de auténticas creaciones. La mujer en su más elevada y augusta representación la encarnó Tirso en la figura de doña María de Molina, protagonista de *La prudencia en la mujer*, el más vigoroso carácter femenino de todo nuestro teatro clásico. Esta creación, de indiscutible grandeza, merece ser destacada además porque a lo largo de todo él apenas existe otro tipo de mujer fuera de

---

20 *Obras...*, cit., vol. I, págs. 41-42.

la dama soltera, presa amorosa —al final de la comedia— de las solicitudes del galán. En el drama de Tirso doña María de Molina no encarna sólo a la reina poseedora de una autoridad y talento político eminentes, sino que se muestra además en función de madre, aspecto éste cuya total ausencia de aquel teatro ha sido alegada siempre como muestra de sequedad y falta de vida familiar en su forma más humana y sencilla.

Aunque no con idéntica importancia, la presencia de la "madre" puede constatarse en otras varias obras de Tirso, como en *La república al revés, Ventura te dé Dios, hijo* y *La mejor espigadera.* "La exclusión de la madre —dice doña Blanca— de toda la dramática del siglo XVII, excepto la de Tirso, demostraría concluyentemente cuál fue el menos convencional, el más humano de aquellos poetas, si tal verdad necesitase mejor demostración que el respirante mundo de Téllez" [21].

De la proteica variedad de mujeres que la potencia creadora de Tirso fue capaz de forjar, sírvanos esta enumeración de doña Blanca, en la que no apura la serie en absoluto. "De 1611 a 1615 —escribe— creó la hechizadora doña Magdalena de Aveiro de *El vergonzoso,* la mimosa gallega Mari-Hernández, la culminante figura de la voluptuosa y sanguinaria Jezabel, y poco después la idílica y dulce Ruth y la ejemplar Noemi; la vengadora Laurencia de *La dama del Olivar*; Ninfa, la condesa bandolera y arrepentida con nimbo de santidad; Octavia, la buena madre, en *Ventura te dé Dios, hijo*; la traviesa doña Juana, transmutada en el delicioso *Don Gil de las calzas verdes*; y la extática *Santa Juana*; la renacentista duquesa de Amalfi, uno de los más prodigiosos caracteres femeninos de Téllez; y después *Marta la piadosa,* la hipócrita por amor; y la doña Violante, convertida en *Villana de Vallecas*; y *La celosa de sí misma,* madre de todas las *damas duendes*; y la prefeminista doña Jerónima de *El amor médico*; y la augusta doña María de Molina; y las sublimes enamoradas de *El Amor y el Amistad* y *La firmeza en la hermosura*" [22].

Suele afirmarse, repitiendo la apresurada opinión de Durán difundida por Schack, cuando el estudio del teatro de Tirso estaba en sus comienzos, que todas sus mujeres son intrigantes y desenvueltas, fogosas y siempre dispuestas a tomar la iniciativa en el amor, mientras los hombres, por el contrario, son tímidos y débiles; juicio sobre el que influye el fácil recuerdo de una de sus más conocidas comedias, *El vergonzoso en palacio*, pero que en modo alguno puede generalizarse. Cierto que Tirso volvió una y otra vez sobre caracteres semejantes —*La mujer que manda en casa, El caballero de Gracia, Santo y sastre* son casos de hombres tímidos y retraídos; *Don Gil de las calzas verdes, Marta la piadosa, La villana de Vallecas* pueden ser representativas de mujeres insinuantes y audaces—, en los que, a no dudarlo, encontró especiales motivos de interés humano. Pero es lo cierto que en el dominio

[21] Ídem, íd., pág. 45. Cfr.: Blanca de los Ríos, "Las mujeres de Tirso", en *Del Siglo de Oro. Estudios literarios,* Madrid, 1910.

[22] *Obras...,* cit., vol. I, pág. 45.

de lo psicológico Tirso lo intentó todo, y junto a la aludida variedad de sus mujeres no es menor la de los caracteres masculinos. Para comprobar que Tirso sabía crearlos de muy distinto nervio que el "vergonzoso" Mireno, basta recordar a Don Juan, símbolo de la agresividad erótica masculina, o a los tres conquistadores Pizarro, o al señor de Vizcaya don Diego de Haro en *La prudencia en la mujer*; y en el dominio de la complejidad psicológica recuérdese el Rogerio de *El melancólico,* lleno de "neuróticos escrúpulos intelectuales", encarnación dramática de la lucha entre el entendimiento y la voluntad, si no bastara por sí solo el Paulo de *El condenado por desconfiado,* atormentado escrutador de los designios de la Providencia. Un estupendo caso de sutilezas psicológicas lo representa aquel desvergonzado duque de Bretaña de *El pretendiente al revés,* que pide a su mujer le sirva de tercera para lograr a otra dama, asegurándole que, sólo cuando la consiga, se liberará de su pasión y podrá tornar íntegramente —como quien se cura de una enfermedad nerviosa u obsesión mental— al tranquilo amor de su esposa.

En esta capacidad creadora de caracteres Tirso avanzó resueltamente a lo largo de su producción. En las comedias de sus primeros años hay todavía un predominio de la intriga, en lo cual sigue muy de cerca los pasos de Lope. Pronto, sin embargo, disminuye la intensidad de aquélla y se acrecienta la importancia de los caracteres que llegan a dominar la escena, en tal forma que el nudo de la acción no parece en muchas ocasiones sino pretexto para su desarrollo. A este rápido y creciente proceso de observación psicológica alude en particular Blanca de los Ríos cuando afirma que Tirso fue a su vez maestro de su maestro, puesto que éste, Lope, sólo en su vejez, cuando tenía ya delante los grandes modelos de Tirso que imitar, sobre todo en caracteres femeninos, logró sus mejores y más vivaces tipos de mujer, los más individualizados y personales.

Las exigencias de la escena de la época hacían, sin embargo, muy difícil renunciar a la complicación del enredo anecdótico. Tirso diríase que a veces lo intensifica con premeditada artificiosidad —concesión, en suma—, pero la realidad y el interés de los caracteres humanos sobresale siempre por encima de la peripecia, que desmaya en ocasiones por poco interesante o no resulta convincente por su misma acumulación. "Las gentes de Tirso —dice exactamente doña Blanca— no interesan por lo que hacen en las revueltas de una intriga complicada (en sus obras casi no hay intriga), interesan porque *son,* porque están vivas y tienen la complejidad armoniosa y la fuerte irradiación psíquica de los seres humanos. Y hasta cuando no constituyen un carácter completo o una entidad simbólica; hasta cuando no representan ni hacen nada, *son,* y porque *son,* son inmortales" [23].

No todos los críticos, sin embargo, tienen la misma opinión sobre el carácter y calidad de la intriga dramática en la obra de Tirso. Por supuesto, la

---

[23] Ídem, íd., vol. I, pág. 47.

afirmación de doña Blanca de que en las obras del mercedario "casi no hay intriga", resulta difícil de probar. Tirso gustaba sobremanera del enredo teatral, aunque es cierto, como hemos dicho, que hay un proceso en el sentido de la sobriedad argumental y del predominio de los caracteres. El problema de la verosimilitud en el teatro quedó ya apuntado a propósito de Lope y no es posible tratarlo en estas páginas con el cuidado que sería menester. El teatro del Siglo de Oro no se propuso ni por un solo instante ser realista; pretendía crear un espectáculo apuntado preferentemente al goce plástico y a la imaginación; y en cuanto a la aventura y peripecia se refiere, tan sólo levemente y con la punta de un solo pie se apoyaba en la realidad inmediata. Las mayores inverosimilitudes formaban parte de convencionalismos por todos aceptados, y sólo se las juzgaba en razón de su propia coherencia interna o, mejor, de la gracia, belleza y entretenimiento que proporcionaban. En este terreno es donde hay que emplazar a Tirso; y también aquí se le discute. Vossler afirma que, dado que Tirso no había vivido los enredos de sus comedias, tenía que inventarlos; de aquí, dice, se derivan ciertos descuidos y faltas; ciertos excesos y desmesuras, quiere realmente decir. Y aduce en su apoyo palabras de Agustín Durán: "Los vicios de que [Tirso] adolece principalmente consisten en la inverosimilitud y pobreza de sus invenciones, en la mala economía que usa para desenvolver sus fábulas... en la demasiada confianza que tiene en la fe de los espectadores...". Y añade Vossler por su cuenta: "No hay duda, y lo saben los expertos, que la inverosimilitud de la trama y la confianza en la buena fe del público son característica general del teatro español del siglo XVI. Pero hay diferencias de grado, y nuestro Tirso es de los más incautos y confiados en materia de arquitectura y economía dramáticas" [24]. No nos parece, sin embargo, que peque Tirso de exceso de confianza o falta de cautela; lo que hay en Tirso, que se picaba de ingenioso, es un desborde de travesura y desenfado para trazar enredos, lances, situaciones y desenlaces de lo más sorprendente y peregrino, como con manifiesta inconsecuencia reconoce Vossler en otro lugar afirmando la siempre proclamada condición humorística, divertida, burlona y escurridiza del mercedario. La mayor "realidad" de Tirso —ya lo hemos dicho— queda del lado de lo humano psicológico y moral; cuando este propósito no entraba en juego —como sucede, de preferencia, en las comedias "de enredo" o "de capa y espada"—, Tirso jugaba al teatro con mayor desparpajo que ningún otro dramaturgo.

En lo que atañe a las cualidades de estilo Tirso ha sido unánimemente estimado como un maestro del idioma, un auténtico virtuoso, dominador de sus secretos. Gran parte de su penetrante fuerza cómica reside en su capacidad para apurar los registros del lenguaje y extraer de ellos insospechados y originales tonos. Este dominio de la palabra, que fue precioso colaborador de

---

[24] Karl Vossler, *Lecciones sobre Tirso de Molina,* Madrid, 1965, pág. 40.

su fecundidad como dramaturgo, no tiene, en cambio, la natural fluidez de Lope; hay siempre en Tirso un algo como de trabajada artificiosidad, en la que pudo influir tanto su peculiar carácter como las corrientes estilísticas del momento barroco que vivía ya plenamente. De entre ellas anda siempre más próximo al conceptismo, del que se sirve para adelgazar, haciéndolas más penetrantes, las flechas de su sátira. En sus últimas obras dramáticas doña Blanca ha advertido cierto influjo calderoniano, no muy intenso, sin embargo, y extendido a escasas producciones.

Esmeralda Gijón ha destacado el aspecto predominantemente estilístico y formal que reviste este aludido barroquismo tirsista: "Tirso —dice— escribe dentro del período barroco y esta modalidad no deja de informar lo exterior de su estilo, sembrado frecuentemente de conceptismos a lo Quevedo y a lo Gracián; pero su espíritu permanece incontaminado. De ahí que, si admite ciertos extremos en la forma de sus escritos, aquel retorcimiento no alcanza al contenido nunca. Hay en Tirso, bajo la envoltura conceptista, un espíritu profundamente clásico que sólo acepta del barroco lo que es alarde de ingenio, prueba de virtuosidad, acabada maestría y dominio del lenguaje, y que rechaza, por un imperativo natural, todo lo que el barroco pueda tener de exagerado, de grotesco y de mal gusto"[25].

---

[25] "Concepto del honor y de la mujer en Tirso de Molina", en *Estudios,* núm. cit., página 491. Sobre aspectos diversos de la dramática de Tirso, cfr.: A. H. Bushee, "The five 'Partes' of Tirso de Molina", en *Hispanic Review,* III, 1935, págs. 89-102. Del mismo, "Tirso de Molina (1648-1848)", en *Revue Hispanique,* LXXXI, 1933, págs. 338-362. Ruth Lee Kennedy, "Certain Phases of the Sumptuary Decrees of 1613 and their Relation to Tirso's Theatre", en *Hispanic Review,* X, 1942, págs. 91-115. De la misma, "On the Date of Five Plays by Tirso de Molina", en *Hispanic Review,* X, 1942, págs. 183-214. De la misma, "Studies for the Chronology of Tirso's Theatre", en *Hispanic Review,* XI, 1943, págs. 17-46. F. C. Hayes, "The Use of Proverbs as Titles and Motives in the Siglo de Oro drama: Tirso de Molina", en *Hispanic Review,* VII, 1939, págs. 310-333. A. F. G. Bell, "Some notes on Tirso de Molina", en *Bulletin of Spanish Studies,* XVII, páginas 172-203. I. L. McClelland, "Tirso de Molina and the Eighteenth Century", en *Bulletin of Spanish Studies,* XVIII, 1941, págs. 182-204. De la misma, "The Conception of the Supernatural in the Plays of Tirso de Molina", en ídem, íd., XIX, 1942, págs. 148-163. De la misma, *Tirso de Molina. Studies in Dramatic Realism,* Liverpool, 1948. A. Morel-Fatio, "Études sur le théâtre de Tirso de Molina", en *Bulletin Hispanique,* II, 1900, págs. 1-109 y 178-203. S. G. Morley, "Colour Symbolism in Tirso de Molina", en *Romanic Review,* VIII, 1917, págs. 77-81. Del mismo, "El uso de las combinaciones métricas en las comedias de Tirso de Molina", en *Bulletin Hispanique,* XVI, 1914, páginas 177-208. Del mismo, "The Use of Verse-Forms (Strophes) by Tirso de Molina", en íd., íd., VII, 1905, págs. 387-408. Gerald E. Wade, "Notes on Tirso de Molina", en *Hispanic Review,* VII, 1939, págs. 69-72. Del mismo, "The Orthoëpy of the Holographic *comedias* of Tirso de Molina", en PMLA, LV, 1940, págs. 993-1009. Del mismo, "Tirso's Self-Plagiarism in Plot", en *Hispanic Review,* IV, 1936, págs. 55-65. E. H. Templin, "Another Instance of Tirso's Self-Plagiarism", en *Hispanic Review,* V, 1937, págs. 176-180. Del mismo, "The 'burla' in the Plays of Tirso de Molina", en íd., íd., VIII, 1940, págs. 185-201. Ángel Valbuena Prat, "En el centenario de Tirso de Molina", en *Finisterre,*

Como corresponde a la amplitud de su producción dramática, Tirso cultivó, sin excepción, todos los géneros en uso, desde los autos a las comedias de historia y de costumbres, y en casi todos ellos compuso obras de primera magnitud, dentro siempre de cauces peculiares, propios de su genio[26].

EL TEATRO RELIGIOSO DE TIRSO

Sus directrices. Parece a primera vista que siendo Tirso el único de nuestros grandes dramaturgos que hizo de por vida profesión religiosa, habría de abundar en él un teatro de devoción y sobre todo el "auto sacramental", tan representativo de la escena sacra de su tiempo. No es así, sin embargo. Mas como luego hemos de ver que sus dos obras capitales son precisamente "dramas religiosos", importa precisar las directrices dramáticas de Tirso en este sector de su teatro. Doña Blanca de los Ríos nos da de nuevo esta vez

---

I, fas. 4 (abril, 1948), págs. 293-313. Myron A. Peyton, "Some Baroque Aspects of Tirso de Molina", en *Romanic Review,* XXXVI, 1945, págs. 43-69. Hymen Alpern, "Jealousy as a Dramatic Motive in the Spanish 'comedia' ", en *Romanic Review,* XIV, 1923, páginas 276-285. Alonso Zamora Vicente, "Acercamiento a Tirso de Molina", en *Presencia de los clásicos,* Buenos Aires, 1951, págs. 33-74. F. G. Halstead, "The Attitude of Tirso de Molina toward Astrology", en *Hispanic Review,* IX, 1941. M. García Blanco, "Algunos elementos populares en el teatro de Tirso de Molina", en *Boletín de la Real Academia Española,* XXIX, 1949. A. Nougue, "Le thème de l'aberration des sens dans le théâtre de Tirso de Molina. Une source possible", en *Bulletin Hispanique,* LVIII, 1956. Fray Gumersindo Placer López, "Los lacayos de las comedias de Tirso de Molina", en la revista *Estudios,* II, núm. 4, 1946, págs. 59-115. Ricardo del Arco y Garay, "La sociedad española en Tirso de Molina", en *Revista Internacional de Sociología,* VIII, 1944, páginas 175-190, X, 1945, págs. 459-477, y XI-XII, 1945, págs. 335-359. Del mismo, "Más sobre Tirso y el medio social", en *Boletín de la Real Academia Española,* XXXIII, 1953. Alice Huntington Bushee, *Three Centuries of Tirso de Molina,* University of Pennsylvania Press, Philadelphia, 1939. P. Ángel López, O. de M., *El cancionero popular en el teatro de Tirso de Molina,* Madrid, 1958. Esmeralda Gijón, *El humor en Tirso de Molina,* Madrid, 1959. Alda Croce, "Tirso de Molina e Italia", en *Bulletin Hispanique,* LXV, 1963, págs. 99-120. M. Wilson, "Tirso and *pundonor*: A Note on *El celoso prudente*", en *Bulletin of Hispanic Studies,* XXXVIII, enero, 1961, págs. 120-125.

26 Textos de las obras dramáticas de Tirso de Molina: *Comedias escogidas de Tirso de Molina,* edición de Juan Eugenio Hartzenbusch, volumen V de la BAE (contiene 36 comedias y estudio preliminar), Madrid, nueva ed., 1944. *Teatro escogido de Fray Gabriel Téllez,* edición J. E. Hartzenbusch, 12 volúmenes, Madrid, 1839-1842. *Comedias de Tirso de Molina,* edición Emilio Cotarelo y Mori, 2 volúmenes, IV y IX de la NBAE (contiene 45 comedias), Madrid, 1906-1907 (el segundo de los volúmenes incluye un "Catálogo razonado del teatro de Tirso de Molina"). *Tirso de Molina. Obras dramáticas completas,* edición Blanca de los Ríos, 3 volúmenes (todo el teatro conocido), Madrid, vol. I, 1946, vol. II, 2.ª ed., 1962, vol. III, 1958. Las ediciones sueltas de obras de Tirso son numerosísimas; puede verse una relación muy completa en Everett W. Hesse, "Catálogo bibliográfico de Tirso de Molina (1648-1948)", en la revista *Estudios,* núm. extraordinario, cit., págs. 781-889, y en los "Suplementos" al "Catálogo", publicados en los números siguientes.

la definición justa; y la cita, aunque larga, es insustituible: "Sabido es que Tirso no cultivó el género *sacramental* y que sus *autos* son 'comedias abreviadas' que suelen carecer de los caracteres determinantes de los *autos*; pero, en cambio, rayó a suprema altura en el drama que Hartzenbusch llamó *parabólico*, en el *drama religioso*, que teniendo por alma una tesis moral o teológica, en su forma externa es igual a las obras profanas, tiene por personajes, no abstracciones ni alegorías, sino *hombres*; por móviles, no prodigios ni misterios, sino *afectos*, y es, por tanto, mucho más intrínsecamente dramático y de valor más universal y de vida más permanente que los autos sacramentales, que, a pesar de su indiscutible excelsitud moral y poética, no fueron sino una manifestación aislada, de limitadísima vida en el tiempo y en espacio, un sublime imposible estético, un *caso* insólito, único, porque la celeste poesía y el deífico misterio eucarístico no caben entre los lienzos de un teatro. El genio esencialmente realista de Tirso rechazaba igualmente las alegorías artificiosas y las abstracciones incorpóreas, pero su alma de teólogo penetraba las misteriosas profundidades de la divina ciencia, conocía los arcanos y el funcionalismo de la psiquis humana, sorprendía los deseos y las tentaciones *en potencia*, y su vigoroso temperamento artístico sabía encarnarlos y convertirlos *en hecho*, en pasión y en drama. Aquel propio amor a la verdad que le llevó a rechazar pastoreos, andantismos y mitologías contrahechas, hízole aceptar la realidad espiritual e histórica de sus tiempos, puesta siempre la mira en los destinos eternos del alma. Por eso en su teatro la realidad sensible confina con la sobrenatural" [27].

Tirso, evidentemente, no podía tampoco concebir un drama religioso como campo de efusiones sentimentales o pintorescos coloridos, sino como lección de conducta pública y privada. Por esto mismo, aunque en manera alguna era insensible —y dio mil muestras de no serlo— a la delicada poesía en que se expresaba la religiosidad popular, y compuso comedias religiosas de carácter anecdótico y escasa intención doctrinal, tuvo siempre presente —y, por descontado, en sus más altas creaciones de esta índole— la necesidad de la parábola y el ejemplo. Y entiéndase bien que no con prédicas sermoneadoras, sino encarnándolas en personajes vivos que rebosan realidad y humanidad; porque a Tirso su condición de fraile no le apagaba el brío varonil ni su orgullo de escritor ni su ambición de dramaturgo aplaudido. Humano él mismo, llevaba humanidad y lección moral a su teatro religioso, no blandas delicuescencias; y no sentía empacho de que sus más graves enseñanzas las vivieran los más atrevidos tipos de hombre o mujer, ni fuese la mayor desenvoltura la salsa gustosa que acrecentara su interés sobre la escena. Este peculiar carácter *moral* del teatro de Tirso —y sobre todo de su teatro religioso— ha sido definido también muy atinadamente por Esmeralda Gijón: "Tirso —dice— es el autor dramático de nuestro Siglo de Oro que más huella dejó

---

[27] *Obras...*, cit., vol. I, pág. 50.

en su obra de su condición de religioso y de hombre profundamente cristiano e infiltrado de la verdad evangélica. Que, en él, no se reducía a cantar, en autos, los misterios de la Fe, y, en las comedias, las vidas de los santos, en lo que todos estaban de acuerdo, sino a limpiar y purificar de lastre gentílico y mundano las ideas, costumbres y preocupaciones que poco a poco habían ido corrompiendo la verdad cristiana"[28]. Y refiriéndose luego al tema del honor, a cuyo propósito escribe las palabras citadas, y en especial sobre el adulterado honor "tenoriesco", añade: "El verdadero restablecedor del honor en el teatro en su verdadera pureza y debelador del prejuicio, ya en broma, ya en veras, fue el maestro Tirso, más imbuido intelectual y sentimentalmente de la verdad cristiana en su pura esencia de tolerancia, caridad y comprensión, que todos los autores contemporáneos"[29].

Los "autos". Tirso, pues, ofrece escaso interés por sus "autos sacramentales", que apenas si merecen tal nombre; trátase más bien de breves piezas en un acto de asunto religioso, que por su estructura no suponen avance alguno sobre los "autos" de Lope, a quien evidentemente sigue, y con quien guarda en el cultivo de este género bastantes semejanzas; las mismas limitaciones, idéntica incapacidad para el manejo de ideas abstractas y sobre todo para darles realidad sensible y, con ella, corporeidad dramática, impiden a los dos profundizar y avanzar por las difíciles galerías del "auto sacramental". Como Vossler explica, lo misterioso, divino y demoníaco, todo lo que desborda el plano de lo natural, reviste en la mente y el sentimiento de Tirso caracteres ingenuamente concretos, realísimos y hasta familiares. El escritor no puede, en consecuencia, sentirse cómodo cuando pierde contacto con el infinito espectáculo de la inmediata vida humana; o, como dice Vossler también: "Me parece poder advertir en sus autos sacramentales cierta modestia y timidez, humanamente muy simpática, pero poco favorable a la eficacia dramática y sugestión teatral. No es que falten a Tirso el saber ni la preparación —ya que había estudiado filosofía y teología en Alcalá—, es que no tiene afición, no tiene amor a las ideas abstractas, no siente su majestad y poder lógico, no las toma en serio. No es intelectualista, ni profesor de filosofía, sino poeta. De ahí que en sus Autos se le deslizan fácilmente chistes, juegos de palabras y toda suerte de bromas"[30].

Tan sólo cuatro "autos" (llámense así con más o menos propiedad), que enumeramos a continuación, pueden atribuirse con plena seguridad a Tirso. *El colmenero divino* es probablemente la más antigua obra conocida de Tirso, aunque fue incluida por él tardíamente en su *Deleitar aprovechando*. Toda la pieza está basada, como dice con gracia Vossler, "en metáforas de apicultura

---

28 *Concepto del honor...*, cit., pág. 527.

29 Ídem, íd., pág. 528.

30 Karl Vossler, *Lecciones...*, cit., pág. 47.

a lo divino"[31]: Dios es el colmenero; la Iglesia, el colmenar; el alma, la abeja; el cuerpo, el zángano; el diablo, el oso que roba y se come la miel... *El colmenero divino* merece señalarse por las reminiscencias del *Cantar de los Cantares* y de la lírica popular:

> *Pastorcico nuevo*
> *de çolor de azor,*
> *bueno sois, vida mía,*
> *para labrador*[32].

No le arriendo la ganancia es más bien una farsa sacramental, cuya fábula tiene muy escasa relación con el tema eucarístico. Consiste en el tan repetido contraste entre la vida de la aldea y la de la corte. De dos hermanastros —*Acuerdo,* hijo legítimo de *Entendimiento* y de *Experiencia,* y *Honor,* hijo bastardo de *Entendimiento* y *Fama*—, el primero se conforma con la vida sosegada de la aldea, mientras el segundo prefiere la corte; y allá se va, donde sufre todo género de asechanzas, hasta que su hermanastro *Acuerdo* lo libera. Todos los personajes de la pieza son alegóricos, y a pesar del nombre de "auto o coloquio sacramental" que le da el autor, consiste realmente en una sucesión de máximas o aforismos, más aún que de contenido moral, de intención satírica contra la política y costumbres cortesanas. Fue también incluido en *Deleitar aprovechando.*

Los hermanos parecidos, también inserto en el *Deleitar,* se apoya en el concepto teológico de la doble naturaleza de Cristo, Hombre-Dios, "para presentarnos el misterio de la Redención como una tramposa picardía en la que Cristo se sustituye por el hombre pecador"[33]. Tirso hace aquí una transposición al plano divino del enredo de los *Menecmos* de Plauto. Por su tema, es éste el más sacramental de los "autos" de Tirso.

En *El laberinto de Creta* el autor se sirve, con fines sacramentales, del mito clásico del Minotauro —tema ya utilizado anteriormente por varios dramaturgos, Lope y Calderón entre ellos, y por libretistas y músicos italianos—, pero la espesa red de asociaciones que pretende trenzar el poeta da a la pieza un simbolismo muy forzado y poco feliz. El propio Tirso, que advirtió el resultado, añadió a la pieza un comentario en prosa para aclarar sus intenciones. Pero lo único que, al cabo, resulta convincente es el gracioso Risel, representante del Recelo.

Doña Blanca de los Ríos atribuye a Tirso el "auto" *La Ninfa del cielo,* que sería traslado al género sacramental de su drama del mismo título, llamado también *Condesa bandolera y obligaciones de honor.* En forma alegórica, se

---

[31] Ídem, íd., pág. 49.
[32] Edición Blanca de los Ríos, cit., vol. I, pág. 149.
[33] Karl Vossler, *Lecciones...,* cit., pág. 49.

siguen los caminos del alma desde la caída al arrepentimiento y la unión con el Amado [34].

Debe también mencionarse aquí otra pieza religiosa en un acto, *La madrina del cielo,* no incluida por Tirso en ninguno de sus libros ni partes de sus obras, pese a lo cual ofrece el interés de cierta analogía argumental con *El condenado por desconfiado.* No es propiamente un "auto", puesto que no se refiere al Sacramento, sino a la glorificación del Rosario, y su intención es de carácter moral, pero su forma dramática es parecida a la de las piezas eucarísticas.

Las comedias religiosas. Doña Blanca de los Ríos ha dividido el teatro religioso de Tirso en cuatro ciclos: bíblico, hagiográfico, filosófico y teológico, y ejemplar. Fundiendo —por ser, de hecho, idénticos— los dos últimos, a que pertenecen las grandes creaciones dramáticas de Tirso, profanas en su forma exterior pero de profunda intención religioso-moral, cabe estudiar aparte las obras de cada uno de los grupos primeros.

a) C i c l o b í b l i c o. Comienza cronológicamente con *La mujer que manda en casa,* trágica historia de Acab y Jezabel a la que Tirso convierte en instigadora de todas las maldades del primero. Nabot rehúsa las solicitaciones de Jezabel que le ofrece su amor y el trono, y despechada hace que el rey le condene a ser apedreado, suerte que al fin sufre la misma reina. Aunque no exenta de exageraciones, Jezabel representa un tipo poderoso de mujer dominadora y sensual, insaciable de mando y de placer, junto al que quedan, bellamente trazados, el fiel Nabot, la delicada y amorosa Raquel y el venerable profeta Elías. La escena en que Jezabel espera la llegada del vengador Jehú y se prepara para seducirle, mientras se ciernen los presagios de su fatal tragedia y la voz de una misteriosa mujer canta las coplas alusivas a la desgracia de Raquel, constituye un notable acierto dramático.

En *La mejor espigadera* creó Tirso la antítesis de Jezabel, la dulce y amorosa Rut, a la que acompaña uno de los tipos más ajenos a nuestro teatro y sólo utilizado en escritos de fáciles burlas: la suegra, que Tirso reviste, en cambio, con todas las delicadezas de una madre (las escenas de la jornada III entre Rut y su suegra Noemi, cuando aquélla le declara a ésta el amor que siente por Bohoz, son de la más exquisita ternura). El idilio entre Rut y Bohoz está trazado con cálida poesía en medio de un seductor ambiente bucólico, que es el marco oportuno de la acción. Tirso transporta felizmente la poesía tradicional, campesina, un florecer de bailes y canciones aldeanas, directamente aprendidas en la Sagra toledana, al mundo patriarcal donde había florecido el idilio de Rut. La fusión de aquella poesía bíblica con la poesía popular española ofrece en esta obra muchas resonancias de la vena lírica

[34] Cfr.: *Obras,* cit., vol. II, págs. 745-753.

de Lope; aunque el acento del canto popular tiene siempre en la pluma de Tirso vibraciones más cultas:

> *Quién espiga se tornara,*
> *costara lo que costara,*
> *porque en sus manos gozara*
> *las rosas que hacen su cara*
> *por Agosto primavera.*
> *Segadores, afuera, afuera,*
> *dejen llegar a la espigaderuela.*
> *Si en las manos que bendigo*
> *fuera yo espiga de trigo,*
> *que me hiciera harina digo*
> *y luego torta o bodigo,*
> *porque luego me comiera.*
> *Segadores, afuera, afuera,*
> *dejen llegar a la espigaderuela.*
> *Si yo me viera en sus manos*
> *perlas volviera los granos,*
> *porque en anillos galanos*
> *en sus dedos soberanos*
> *eternamente anduviera.*
> *Segadores, afuera, afuera...* [35].

En *Tanto es lo de más como lo de menos* funde Tirso las dos parábolas bíblicas del "hijo pródigo" y del "rico avariento". Doña Blanca de los Ríos sostiene que en la primera de ellas —fundamental en la obra— Tirso esbozó en el "pródigo" una primera encarnación del Don Juan; mientras que en el avaro Mineucio pretendió retratar, en arriesgada audacia satírica, al omnipotente valido de Felipe III, el duque de Lerma. Las consecuencias de esta sátira política, que había ya comenzado —según afirma la investigadora— con su primera comedia bíblica *La mujer que manda en casa,* y que en esta nueva ocasión debió de ser transparente, cristalizaron —piensa doña Blanca— en aquel primer confinamiento del poeta al monasterio aragonés de Estercuel.

La vida y muerte de Herodes tiene por argumento central el drama conyugal de dicho personaje, sus violentos celos y la trágica muerte de su esposa la sensual y bella Mariadnes. Para toda esta parte de su obra se inspiró Tirso directamente en la historia de Flavio Josefo. Lope, como sabemos, había dramatizado ya las sangrientas venganzas de honor, según el concepto de la época en varias de sus más celebradas obras —*Peribáñez, El castigo sin venganza. Los comendadores de Córdoba*—, pero fue Tirso quien por primera vez convirtió

---

[35] Jornada III, escena VIII, edición cit., vol. I, págs. 1.018-1.019.

en tema central no el honor ofendido sino la pasión misma de los celos con sus desgarradoras inquietudes; con ello vino a crear, mucho más que Lope con sus obras citadas, el modelo de aquellos terribles dramas en los que Calderón tenía que simbolizar a sus celosos maridos exterminadores [36]. El predominio del monólogo con su rigurosa introspección, está ya plenamente en esta obra de Tirso. El drama de Herodes se cierra con el nacimiento de Cristo y la matanza de los Inocentes, que Tirso escenifica siguiendo el Evangelio de San Mateo. Pero tan grandes acontècimientos no consiguen la dimensión requerida en unas precipitadas escenas finales, que en lugar de añadir grandeza a la obra, destruyen su equilibrio y desmoronan la intensidad dramática anterior.

Parecida falta de proporción puede encontrarse en el último drama bíblico de Tirso, *La venganza de Tamar,* al que ha podido considerarse, sin embargo, por sus muchos aciertos, como una de las mejores obras de su autor. Hay fragmentos bellísimos, como son las escenas en que Amón prepara la seducción de Tamar, sin que el tono de las barrocas galanterías consiga destruir, con su anacronismo, el cálido acento humano de aquella escabrosa situación. Quedan, sin embargo, demasiados cabos sueltos sin el necesario desarrollo, quizá por el exceso de posibilidades dramáticas y de personajes importantes, gérmenes por sí solos para varios dramas completos; así sucede con Absalón —cuya silueta de equívoca belleza queda, no obstante, vigorosamente trazada— y con el rey David, que apenas deja sugerida su íntima tragedia ante el múltiple drama de sus hijos. La heroína Tamar sale igualmente de las manos de Tirso sin la necesaria matización psicológica, quebrándose esta vez la maestría del mercedario para penetrar el misterio femenino. Con todo, repetimos, el drama bíblico encierra hermosos momentos, y en su andadura desigual es pieza muy representativa de aquel atropellado hacer, a golpes de genio, en el que Tirso seguía tan de cerca al Fénix [37].

---

36 Existe, sin embargo, una profunda diferencia entre el drama de Tirso y los dramas calderonianos. Los maridos de Calderón —compuestos de cautela, orgullo y silogismos— son máquinas pensantes que actúan fríamente de acuerdo con principios y convenciones sociales, a las que se doblegan con inhumana impasibilidad. El Herodes de Tirso mata por celos, pero no por preocupaciones sociales sobre el honor, o, al menos, en escasísima medida. Refiriéndose al drama conyugal de Herodes puntualiza Esmeralda Gijón: "Este personaje representa el matiz más acentuado de una constante tendencia en los maridos tirsianos, que les hace, a pesar de los monólogos de rigor, más sensibles a la pérdida de un afecto que a las consecuencias sociales del caso". Y añade luego: "Otro de los caracteres de los maridos de Tirso es que, aun satisfecha la venganza y limpio el honor, el dolor continúa sobreponiéndose a la satisfacción de la honra... En Tirso el celoso y el marido son siempre inseparables. No se da el marido simplemente marido, sin ninguna otra aleación de humanidad" ("Concepto del honor...", cit., págs. 521 y 522).

37 Cfr.: Fr. Alfonso López, "La Sagrada Biblia en las obras de Tirso", en la revista *Estudios,* núm. extr., cit., págs. 381-414 (estudia todas las obras de Tirso de tema bíblico). J. C. J. Metford, "Tirso de Molina's Old Testament Plays", en *Bulletin of Hispanic Studies,* XXVII, 1950, págs. 149-163.

b) Comedias hagiográficas. Compuso Tirso un importante grupo de comedias hagiográficas, algunas de las cuales son de primordial interés. Con el nombre de *La Santa Juana* escribió una trilogía tomando como protagonista a una monja de fines del siglo XV y comienzos del XVI, que profesó y vivió en un convento de Cubas, aldea próxima a Toledo. La fama de sus virtudes se difundió por toda Castilla, y el pueblo le anticipó el nombre de santa, no alcanzado por cierto aún, aunque sí ha sido beatificada. La Sagra, en particular, estaba llena de los recuerdos de esta mujer, y en ellos se inspiró especialmente Tirso, aunque también se sirvió de fuentes escritas, pues a la "Santa" se le habían dedicado libros y poemas.

La trilogía de Tirso encierra una deliciosa variedad de motivos en que se ejercita la maestría del mercedario. En la primera parte, sobre todo, sirve de fondo un mundo campesino con hondo sabor de égloga, poética y realista a un tiempo, en el que nuevamente la Sagra, tan amada de Tirso, ofrece sus motivos populares y tradicionales. La Santa que rechaza un matrimonio ventajoso, tras divertido razonamiento con su padre, entra en el convento donde teje su prodigiosa vida de piedad; los hechos sobrenaturales, los raptos y éxtasis de la santa, las apariciones de santos y de su ángel guardián se funden en transiciones de naturalidad asombrosa con los sucesos más llanos, entre los que cabe la rivalidad de monjas envidiosas. Al final, el emperador Carlos V, el arzobispo Fonseca y el Gran Capitán —"pintoribus atque poetis..."— van juntos al convento de Cubas a visitar a la Santa Juana.

En la segunda y tercera parte la acción es más varia y se complica con la intervención de nuevos personajes y el desarrollo de otras intrigas. En la segunda aparece un don Jorge, en el que doña Blanca (la primera que ha valorado adecuadamente la importancia de esta trilogía) descubre uno de los gérmenes del don Juan manifestados en la propia obra de Tirso (luego volveremos sobre ello), y en quien, en todo caso, encontramos un interesante tipo de seductor "feudal", al modo de los que provocaron las tragedias de *Fuenteovejuna, Peribáñez* y *El mejor alcalde, el rey* (a alguna de las cuales precedió, muy probablemente, la obra de Tirso). A don Jorge le sirve un criado, Lillo, que es también antecedente manifiesto del Catalinón de *El Burlador*. La escena (IV del acto I) en que ambos personajes toman posesión visual de su nuevo campo de conquistas —"hermosas labradorcillas / hay en Cubas..."— es una pincelada maestra, y hay muchísimas, reveladora del desparpajo del fraile y de su capacidad genial para caracterizar con cuatro rasgos. Preciosa asimismo es la escena en que don Jorge seduce junto a la fuente a Mari Pascuala. Y en muy diferente situación, parécenos de singular encanto la escena con que comienza el acto III: la abadesa ha prohibido a la santa predicar a las gentes y la recluye en su celda; desde ella, Juana llama a los animales, a las plantas y fuentes —la naturaleza invade milagrosamente la habitación— y, cual otro Santo de Asís, les dirige la palabra con ingenua gracia, casi infantil, de lo más bello:

Aves, que con varias plumas,
dándoos el viento papel,
estáis escribiendo en él
de Dios las grandezas sumas;
peces, que cortando espumas
formáis círculos mejores;
hierbas, que en tantas colores
cartas al cielo escribís;
fuentes claras que imprimís
vuestros lazos en sus flores...
Animalejos de Dios,
plateados pececicos...[38]

y les da prudentes consejos, en los que la voz generosa de Tirso no nos será desconocida:

El perro leal me espanta
de ver que tanto amor cobre
al rico, que ladre al pobre;
ésa es poca caridad,
que el pobre en la calidad
es oro, y el rico es cobre.
También en reñir me fundo
los peces, que, cual los ricos,
los grandes tragan los chicos,
pegando esta peste al mundo...[39].

En la tercera parte surge un nuevo burlador con el nombre de don Luis, más próximo todavía al don Juan definitivo, a quien el mismo Lillo sirve de trujimán —convertido por intercesión de la Santa el primer señor— con un casi espectacular cinismo. Lillo es una creación de primer orden, que merece ser destacado entre la fauna picaresca del mercedario. Y sobre todas estas peripecias se cierne, entre prodigios y actos de piedad, la mano remediadora de la Santa, hasta el momento mismo de su muerte.

La Ninfa del cielo, cuyo título completa con *Condesa bandolera y obligaciones de honor*, prosigue aquella dramática del bandolerismo femenino, que Lope había iniciado con *La serrana de la Vera* y Vélez de Guevara llevó a su mejor momento con la tragedia del mismo nombre. También Mira de Amescua con su Lizarda de *El esclavo del demonio* había creado un ejemplar notable de esta especie, si bien con bandolerismo transitorio y no esencial, como es el caso de ambas "serranas". Ninfa, la bandolera de Tirso, también es víc-

[38] Parte II, acto III, escena I; edición cit., vol. I, pág. 855.
[39] Ídem, íd., págs. 856-857.

tima de un seductor y por odio a los hombres se lanza a dicha vida; mas luego, de acuerdo con aquella intención moralizadora y ejemplar que Tirso pretendía para su obra, la acción toma otro rumbo: cuando Ninfa, desesperada, intenta arrojarse al agua, la detiene el Ángel de su Guarda y la encamina hacia la vida de piedad. También, pues, el de Ninfa, como el de Lizarda, es un bandolerismo ocasional, etapa entre el pecado y el arrepentimiento; y su escenificación dramática no es una tragedia de la venganza, sino un ejemplo de piedad. Al final de la obra dice Tirso que Ludovico Blosio cuenta esta historia en sus *Ejemplos morales,* afirmación inexacta en cuanto a lo anecdótico, puesto que allí no se refiere semejante historia. De Blosio debió de tomar Tirso solamente ideas hagiográficas de carácter general; pero la Ninfa debió de ser creación de su fantasía. Posteriormente Tirso, llevándola al plano de la alegoría, transformó probablemente su comedia en el auto del mismo título.

Vossler afirma de este drama, en que se combinan y penetran tradiciones profanas y místicas, que es muy fantástico y enteramente inverosímil, "pero muy profundo, considerado como psicología mística e intuición poética". Y trata luego del lugar que esta pieza ocupa en la evolución dramática de Tirso, en el camino, sobre todo, del mayor dominio psicológico. "La gran importancia —dice— que en esta pieza tan ruidosa concede Tirso a la introspección religiosa y psíquica se desprende ya de la frecuencia de los monólogos. Hay nueve monólogos, de los que siete corresponden a la heroína, Ninfa. Añadiendo los diálogos que ella tiene que recitar, en parlamento con figuras simbólicas y sobrehumanas como la Suerte, el Ángel, el Diablo, el Niño Jesús, o con una gente cualquiera que la oye pasivamente, se acaba por descubrir una notable preponderancia de la acción psíquica sobre el drama exterior por espectacular que éste sea" [40].

La dama del Olivar fue compuesta probablemente durante el breve confinamiento de Tirso en el monasterio aragonés de Estercuel (últimos meses de 1614 y primeros de 1615). La parte religiosa consiste en la aparición de la Virgen y en el milagro que realiza en un pastor de dicho pueblo y que dio origen a la fundación del monasterio mercedario del Olivar. Con esto se engarzan las violencias y desafueros de don Guillén de Montalbán, Comendador de Santiago, que a punto de casarse con la hermana de don Gastón, señor de Estercuel, hace raptar a la pastora Laurencia, prometida del pastor Morato. Esta segunda trama ofrece un doble motivo de interés. De un lado, la condición "tenoriesca" del Comendador —un Tenorio todavía "feudal", más que "caballeril", como los llama con felicísimo neologismo doña Blanca—, emparentado con los conocidos comendadores de Lope y los burladores tirsistas de *La Santa Juana*: nuevo precedente, por tanto, del Burlador sevillano en la obra del propio Tirso. De otro lado, importa la venganza colectiva que el pueblo de Estercuel, arrastrado por la ira de la pastora atropellada, lleva a cabo pren-

[40] *Lecciones...*, cit., pág. 67.

diendo fuego a Montalbán. Lo incierto de las fechas impide asegurar si *La dama del Olivar* es imitación o precedente de *Fuenteovejuna*; en cualquier caso, la obra de Tirso queda bastante por debajo de la grandiosa creación del Fénix.

LAS GRANDES CREACIONES DRAMÁTICAS DE TIRSO

"El Burlador de Sevilla y Convidado de Piedra". La capacidad creadora de caracteres, que repetidamente hemos atribuido a Tirso como su mérito más alto, se manifiesta especialmente en estas dos grandes producciones dramáticas: en *El Burlador de Sevilla y Convidado de piedra* y en *El condenado por desconfiado*; mucho más, sin embargo, en la primera de ellas, con la que Tirso crea el gran mito humano y literario del Don Juan, del que afirma doña Blanca de los Ríos, sin exageración alguna, que "en grandeza y universalidad excede a los gigantes de Shakespeare, en interés humano y en intensidad dramática supera a Fausto y en virtud prolífica a don Quijote" [41], aseveración indudable, pues aparte la perennidad inagotable y la universalidad de las pasiones de que es portador —o precisamente por ello—, ningún otro mito literario ha reflorecido tan insistentemente como él en todas las literaturas, circunstancias y ambientes, ni recibido tan diversas interpretaciones y matices, que modifican detalles pero dejan intacto su carácter esencial.

Don Juan, mito eterno, ha venido a convertirse —cualesquiera que sean sus grados— en símbolo viviente de la seducción amorosa masculina, de la agresividad sexual, del conquistador irresistible, del hombre audaz y disoluto que convierte el placer en fin de todas sus acciones. De aquí su condición de "burlador", es decir, de hombre que busca a la mujer para la satisfacción egoísta de su goce, y escapa a toda permanente coyunda.

En esta forma fue dramatizado por Tirso en su obra. Don Juan Tenorio, hijo de noble familia sevillana, huye de Nápoles después de burlar a la duquesa Isabela, en cuya habitación había penetrado fingiéndose el duque Octavio, su prometido. Naufraga en las playas de Tarragona, es llevado a la cabaña de una pescadora, Tisbea, la seduce bajo palabra de casamiento y huye luego. Llega a Sevilla; entra en la casa de doña Ana de Ulloa, hija del Comendador don Gonzalo, debido a que consigue interceptar una carta de aquélla en que citaba a su prometido el marqués de la Mota. Cuando a los gritos de doña Ana, que advierte el engaño, acude su padre, don Juan lo mata y se da a la fuga. Mientras prenden al marqués de la Mota, don Juan huye a Dos Hermanas a tiempo en que está para celebrarse allí una boda de campesinos; aleja al novio con engaños y seduce a la novia deslumbrándola con sus riquezas y la promesa de matrimonio. Después de dejar burlada a la infeliz campesina regresa a Sevilla. Cierto día encuentra en una iglesia la estatua del Comendador,

---

[41] *Obras...*, cit., vol. I, pág. 734.

que él había matado, puesta sobre su tumba, la escarnece y la invita a cenar; el Comendador acude al convite y le invita a su vez para otra cena en su propia sepultura. Don Juan acepta, pero al tender la mano a la estatua, siente que le penetra por ella un fuego que le mata. Grita, pide confesión, pero ésta no llega y muere como un réprobo.

Atiéndase bien a este desenlace, porque es indispensable para entender el drama de Tirso. A lo largo de toda la obra se le amenaza a don Juan con el castigo que pueden acarrearle sus acciones. Tisbea había tratado de asegurarse de la promesa de matrimonio de don Juan, diciéndole:

Advierte,
mi bien, que hay Dios y que hay muerte... [42]

a lo que responde para sí don Juan, con palabras que ha de repetir muchas veces con cínica temeridad: "¡Qué largo me lo fiais!".

Cuando don Juan acude al convite del Comendador, cantan misteriosamente unas voces:

Adviertan los que de Dios
juzgan los castigos grandes
que no hay plazo que no llegue
ni deuda que no se pague [43].

Y luego:

Mientras en el mundo viva,
no es justo que diga nadie:
¡Qué largo me lo fiáis,
siendo tan breve el cobrarse! [44].

Cuando cae muerto don Juan de la mano del Comendador, dice éste:

Ésta es justicia de Dios:
quien tal hace, que tal pague [45].

De la pluma de Tirso, puesta en pie por su genio, salió la estampa del Burlador, lista para correr el mundo con el mito de su significación amorosa. Pero la intención última que había puesto en ella, al crearla, el fraile mercedario era manifiestamente moral y ejemplarizadora. Por esto dijimos arriba que *El Burlador* encerraba, no menos que *El condenado por desconfiado,* un drama religioso. "Lo capital y lo generador —dice doña Blanca— en la obra

[42] Jornada I, escena XVI; edición cit., vol. II, pág. 649.
[43] Jornada III, escena XX; ídem, íd., pág. 684.
[44] Ídem, íd.
[45] Ídem, íd.

de Tirso era *Don Juan,* el católico libertino y olvidadizo de Dios, que remite su conversión a la vejez, o a la hora de la muerte, entregándose por entero, no al amor, al deleite de la voluptuosidad. Y la causa del éxito inmenso, de la divulgación universal de aquella creación de Tirso, fue la fusión del carácter dramático del seductor profesional, arrogante y fascinador, que ha dado nombre a todo un género de burladores amorosos, con el elemento sobrenatural, con el felicísimo recurso escénico de la intervención de la estatua animada y vengadora, que extermina al libertino impenitente escarnecedor de los muertos y retador de la eterna justicia" [46].

Menéndez y Pelayo señaló con toda claridad que cuando el Romanticismo despojó a Don Juan de su grave lección moral, destruyó la finalidad perseguida por su creador; si bien, claro es, lo lanzó a vivir por otro de los muchos caminos abiertos y posibles a su proteica diversidad. "La idealización monstruosa —dice— del seductor eterno e irresistible, ídolo de un panteísmo erótico que devora sin cesar humanos corazones, y el delirio sentimental de la redención por el amor, son igualmente ajenos al alma profundamente cristiana del fraile de la Merced, que si crea un ser de maldad y rebeldía, es para mostrar en acción la justicia divina"[47]. Por esto mismo don Juan sólo puede alcanzar su dimensión completa en medio de un ambiente místico-religioso; tenía que ser creyente para que su desafío a la justicia divina, su confianza retadora —*¡Qué largo me lo fiais!*— tuviera la dimensión del más grave pecado. "Si don Juan no fuera creyente, su rebeldía ante los poderes sobrehumanos perdería toda su grandeza; si don Juan fuera un vulgar libertino, su figura perdería todo su esplendor legendario, y sin la extrema lucha de don Juan con la estatua ante la eternidad abierta, sin la pavorosa grandeza insuperable de la escena de la condenación, apagaríase en torno a la gallarda figura de don Juan la aureola fulmínea que le envuelve en satánico prestigio" [48].

Puede entenderse ahora mejor lo que apuntamos antes sobre la génesis y desarrollo del don Juan en la mente de Tirso a través de su propia obra. Doña Blanca de los Ríos ha señalado que la figura del Burlador, en su carácter de caballero libertino, va preformándose en cuatro momentos capitales: el duque de Calabria de *La Ninfa del Cielo,* los dos galanes —don Jorge y don Luis— de la segunda y tercera *Santa Juana,* el pródigo Liberio de *Tanto es lo de más como lo de menos,* y el Comendador de *La dama del Olivar.* "Y no fue casualidad —escribe doña Blanca— el que de una parábola bíblica y en cuatro comedias hagiográficas nacieran los cuatro bocetos precursores del don Juan. Nadie ignora que el objeto de las parábolas evangélicas era la ejemplaridad. La doctrina dramatizada, no vertida en sentencias y en sermones, sino encarnada en personajes humanos, tan invasoramente representativos

---

46 *Obras...,* cit., vol. I, pág. 738.

47 *Edad de oro del teatro,* citada, pág. 21.

48 Blanca de los Ríos, *Obras...,* cit., vol. II, pág. 576.

de nuestro doble ser, de nuestro pecar y de nuestro arrepentimiento, o de nuestra impenitencia y condenación, que por sí solos se metieron en la escena"[49].

Estos "caballeros libertinos" fueron también perfilándose fuera de las manos de Tirso; de donde los reales o supuestos precedentes que luego hemos de ver. A ellos pertenecen aquellos Comendadores de *Fuenteovejuna* y *Peribáñez* —donjuanes feudales—, y sus derivaciones del "donjuanismo castrense", del que pueden servir como ejemplo los capitanes de *El Alcalde de Zalamea* de Lope (luego uno sólo en Calderón). Pero el don Juan que cuajó en la creación definitiva de Tirso posee otros rasgos inconfundibles, y nada más diferentes de aquellos nobles que atropellaban hembras con la brutalidad de su poder feudal. El Tenorio —llamémosle ya por su nombre— es un "caballero" apuesto y cortesano, que encubre sus perfidias con refinada elegancia aristocrática, sabe envolver su persona de cuanto pueda hacerla atractiva —en particular su nobleza y el arriscado valor a toda prueba que no retrocede ante poderes terrenales o de ultratumba—, y rinde religioso culto al honor (palabra que no se le cae de la boca), siempre que se trate del propio, por supuesto; porque pisotear el ajeno es una de sus glorias:

Sevilla a veces me llama
el Burlador, *y el mayor*
gusto que en mí puede haber
es burlar una mujer
y dejarla sin honor[50].

Cuando la estatua del Comendador, asesinado por don Juan, le pregunta si cumplirá su promesa de acudir al segundo convite, don Juan responde:

Honor
tengo y la palabra cumplo
porque caballero soy[51].

El cinismo y una petulancia espectacular forman parte esencial de su persona; aunque adobados con la elegancia necesaria para hacerlos más atractivos aún.

Este don Juan, si seductor de un lado, repugnante por tantos conceptos, al que llama doña Blanca con exquisito acierto "caballeril", tenía escasos precedentes, fuera de la obra de Tirso, en los "donjuanes" feudales o castrenses. En cualquier caso, hay un hecho cierto: ninguno de los burladores más o menos esbozados anteriormente ha conseguido darle su nombre al personaje ni lanzarlo a la vida universal con la grandeza de un mito que define una cate-

[49] *Obras...*, cit., vol. I, pág. 734.
[50] Jornada II, escena VIII; edición cit., vol. II, pág. 656.
[51] Jornada III, escena XIV; edición cit., vol. II, pág. 678.

goría humana, un modo de ser o de actuar encerrado en una sola palabra de significado inconfundible: "donjuanismo". Antes de Tirso, el "don Juan" puede ser un precedente; pero sólo de la mano del mercedario nace a la vida.

Comentando la universalidad y perennidad del Burlador, escribe Valbuena: "Por proceder de una creación vital, antes que literaria, Don Juan ni se logra ni se muere. Queda siempre —sombrero de plumas y espada al cinto— en todas las encrucijadas de las épocas, presto a emprender una nueva conquista, pero también pronto a evadirse". No nos parece justo, en cambio, cuando añade: "Así como Don Quijote vive por Cervantes, Hamlet por Shakespeare y Segismundo por Calderón, Don Juan no vive por Tirso, aunque éste le haya adivinado". Don Juan no existe en toda su asombrosa plenitud hasta que Tirso lo pone en pie, que es algo más que "adivinarlo". Lo que sucede —y aquí sí que nos parece exactísimo— es que el Don Juan de Tirso "no agota el tema"; aunque no por insuficiencia de la creación literaria, sino precisamente por aquel carácter *vital*, por la universalidad y necesidad de la pasión que simboliza, que desborda tiempos y lugares y puede revestirse de todas las formas y accidentes. Y creemos cierto que "el Don Juan de Molière tiene perfecto derecho de personalidad, y el de Zamora, y el diáfano y rococó de Mozart, y el de Byron, y el de Lenau, el de Zorrilla, el de Shaw, el de Lenormand..." [52].

En la creación dramática de Tirso se ensamblan dos elementos diferentes que corresponden a las dos partes de su título: un burlador de mujeres y un componente de orden sobrenatural o fantástico, que corresponde al episodio del *Convidado*. Para ambos han sido propuestos diversos orígenes o fuentes. En sus famosos, y muy discutidos, estudios sobre don Juan [53], Farinelli trató de encontrar a través de todas las literaturas los precedentes del tipo o, más bien, de lo que él llama "la leyenda" del personaje. No cumple ahora detenernos en las indagaciones del erudito italiano, dado que sus conclusiones nos parecen enteramente superadas por los estudios tirsistas de doña Blanca de los Ríos. Las fuentes literarias españolas han sido también repetidamente señaladas: el Cariofilo de la comedia *Eufrosina* de Jorge Ferreira de Vasconce-

[52] *Historia de la literatura española,* vol. II, Madrid, 7.ª ed., 1964, pág. 404.

[53] Arturo Farinelli, "Don Giovanni: note critiche", en *Giornale Stórico della Letteratura Italiana,* XXVII, 1896, págs. 1-77 y 254-326; "Cuatro palabras sobre Don Juan y la literatura donjuanesca del porvenir", en *Homenaje a Menéndez y Pelayo,* vol. I, Madrid, 1899, págs. 205-222. Con el mismo propósito de encontrar los orígenes de la "leyenda" de Don Juan escribió Víctor Said Armesto su libro *La leyenda de Don Juan. Orígenes poéticos de "El Burlador de Sevilla y Convidado de Piedra"*, Madrid, 1908; pero frente a la opinión de Farinelli que pretendió arraigar en Italia al mítico personaje, Said Armesto buscó con preferencia las posibles fuentes y tradiciones españolas, sobre todo en lo referente a la "leyenda del Convidado". G. Gendarme de Bévotte en su extenso trabajo *La Légende de Don Juan. Son évolution dans la Littérature dès origines au Romantisme,* 2 vols., París, 1911 (tesis doctoral, considerablemente ampliada luego), ensanchó las investigaciones de Farinelli con parecida orientación.

los; el Leucino de *El infamador* de Juan de la Cueva; el pródigo de *La comedia pródiga* de Luis de Miranda; los pecadores arrepentidos de *El rufián dichoso* de Cervantes, de *La fianza satisfecha* de Lope y de *El esclavo del demonio* de Mira de Amescua. Asimismo, como posibles modelos históricos se han sugerido al sevillano Miguel de Mañara (relación imposible, puesto que éste nació compuesto ya, seguramente, *El Burlador*) [54] y, aparte otros libertinos andaluces, el famoso conde de Villamediana.

Pero el Don Juan, como tipo humano, debe datar de los mismos días del Paraíso; y en cuanto a los "tenorios" españoles que pudieran servirle a Tirso de modelos vivos, en la España de su tiempo debían de brotar como amapolas. Compártimos del todo la opinión de doña Blanca cuando concluye que, con todos aquellos antecedentes abrumadores, coleccionados por la paciencia erudita de Farinelli, la realidad del "Burlador" estaba allí mismo, ante los ojos; *no faltaba sino crear el personaje*. Es lo que Tirso hizo, simplemente. Ya hemos visto los sucesivos tanteos que efectúa, con los cuales va aproximándose a su creación definitiva; a los que aún hay que añadir la comedia *¿Tan largo me lo fiáis?*, tenida como primera versión de *El Burlador*. La estancia de Tirso en Sevilla, de paso para las Indias, debió de ser —supone doña Blanca— estímulo capital para que Tirso acabara de intuir los últimos rasgos y el ambiente necesario para enmarcar a su personaje [55].

---

[54] Cfr.: Blanca de los Ríos, "Leyendas sevillanas", "La confusión entre Mañara y Tenorio" y "La tradición oral. Memorias y vestigios de los Tenorios y Ulloas en Sevilla", en *Obras...*, cit., vol. II, págs. 547-552.

[55] Cfr.: Blanca de los Ríos, "Génesis del 'Don Juan' en el teatro de Tirso", en *Obras...*, cit., vol. I, págs. 740-759; y "La Sevilla que vio Tirso" y "Don Juan y el rey don Pedro", ídem, íd., vol. II, págs. 523-535. Aceptamos la prioridad cronológica de *Tan largo me lo fiáis* tan sólo a título provisional y, sobre todo, para no quebrar el hilo esencial de nuestra exposición. El problema, sin embargo, ha sido largamente discutido, y en estos últimos años con carácter de viva polémica; su complejidad nos impide entrar aquí no ya en su discusión, sino ni siquiera en su exposición minuciosa, y únicamente podemos dar los datos imprescindibles para situarlo. Quienes suponen la prioridad de *El Burlador* (Cotarelo y Mori, Casalduero, Américo Castro, Hill y Harlan, Varey y Shergold), aceptan, en general, que *Tan largo me lo fiáis* es una refundición de autor anónimo que empeora notablemente el texto; entre quienes admiten la prioridad de *Tan largo me lo fiáis* (Manuel de la Revilla, doña Blanca, Aubrun, Wade y Mayberry, María Rosa Lida de Malkiel), unos piensan (Revilla, doña Blanca) que *El Burlador* perfecciona aquella primera versión, mientras los otros afirman que dista mucho de mejorarla y quizá incluso la empeora. Wade y Mayberry suponen una primera redacción de la comedia, escrita antes de 1630, de la cual habrían derivado las dos comedias conocidas. Daniel Rogers acepta la superioridad global de *El Burlador*, aunque señala la inferioridad de algunas escenas del final. Albert Sloman admite la prioridad cronológica de *Tan largo me lo fiáis*, pero reparte eclécticamente las excelencias, aunque inclinándose manifiestamente del lado de *El Burlador*. Debe advertirse que todos los investigadores convienen en que el texto que poseemos de ambas obras ha llegado a nosotros en versiones muy incorrectas y viciadas. Los trabajos en que las mencionadas opiniones han sido expuestas, son los siguientes: Manuel de la Revilla, "Una nueva redacción de *El Burlador de Se-*

Algo parejo a la "leyenda" del don Juan sucede con la de *El Convidado de piedra.* Farinelli demostró también que existían en todo el mundo leyendas de convites macabros, desafíos de estatuas y escarnecedores de difuntos. Menéndez Pidal, en un bello trabajo *Sobre los orígenes de El Convidado de piedra*[56], ha probado igualmente que existían en España numerosas tradiciones de convites y citas fúnebres, bajo muy curiosas variantes. Tirso debió de conocer seguramente alguna, o muchas, de estas versiones y las utilizó como le plugo —con habilidad dramática innegable— para lograr algo que era esencial en su creación: un punto extremo de arrogancia, de rebeldía y temeridad, de reto a los poderes sobrehumanos, para que el carácter de su protagonista se manifestara en su más alto desafuero y concitara el castigo fulminante, sin arrepentimiento posible, en que consistía la profunda lección del drama. El carácter, pues, y no la circunstancia que lo dispara, era lo principal. La afirmación de Farinelli de que la obra de Tirso era "mero desarrollo artístico de una antigua leyenda" casi no merece refutación[57].

---

villa de Tirso de Molina", en *La Ilustración Española y Americana,* 1878, págs. 255-287. Emilio Cotarelo y Mori, en su edición de *Comedias de Tirso de Molina,* II, Madrid, 1907, págs. VII-VIII. Joaquín Casalduero, "Contribución al estudio del tema de don Juan en el teatro español", en *Smith College Studies in Modern Languages,* XIX, 1938. Del mismo, "El desenlace de *El Burlador de Sevilla*", en *Estudios sobre el teatro español,* Madrid, 1962, págs. 113-130. Blanca de los Ríos, estudios citados. Américo Castro, ed. de *El vergonzoso en palacio* y *El burlador de Sevilla,* en Clásicos Castellanos, Madrid, 1932, pág. XXXI. J. M. Hill y Mabel M. Harlan, ed. de *Cuatro comedias,* Nueva York, 1941, pág. 331. J. E. Varey y N. D. Shergold, ed. de *El Burlador de Sevilla,* Cambridge, 1954, pág. V. Charles V. Aubrun, "Le Don Juan de Tirso de Molina: essai d'interprétation", en *Bulletin Hispanique,* LIX, 1957, págs. 26-61. Gerald E. Wade y Robert J. Mayberry, "*Tan largo me lo fiáis* and *El Burlador de Sevilla*", en *Bulletin of the Comediantes,* XIV, I (primavera de 1962), págs. 1-16. María Rosa Lida de Malkiel, "Sobre la prioridad de *¿Tan largo me lo fiáis?* Notas al *Isidro* y a *El Burlador de Sevilla*", en *Hispanic Review,* XXX, 1962, págs. 275-295. Daniel Rogers, "Fearful symmetry: the ending of *El burlador de Sevilla*", en *Bulletin of Hispanic Studies,* XLI, julio, 1964, págs. 141-159. Albert E. Sloman, "The two versions of *El Burlador de Sevilla*", en *Bulletin of Hispanic Studies,* XLII, enero, 1965, págs. 18-33.

[56] Reproducido en *Estudios Literarios,* 8.ª ed., Madrid, 1957, págs. 83-107.

[57] Cfr.: R. Miquel i Planas, *Influençia del Purgatori de Sant Patrici en la llegenda de Don Juan,* Barcelona, 1914. Francisco Agustín, *Don Juan en el teatro, en la novela y en la vida,* Madrid, 1928. Rosa Arciniega, "La Celestina, antelación del Don Juan", en *Revista de Indias,* XXXVI, 1939, págs. 258-279. J. Austen, *The Story of Don Juan: A Study of the Legend and the Hero,* Londres, 1939. Werner Krauss, "El concepto de Don Juan en la obra de Tirso de Molina", en *Boletín de la Biblioteca Menéndez y Pelayo,* V, 1923, págs. 348-360. Lorenzi de Bradi, *Don Juan. La légende et l'histoire,* París, 1930. José R. Lomba y Pedraja, *La leyenda y la figura de Don Juan Tenorio en la literatura española,* Murcia, 1921. Ramiro de Maeztu, *Don Quijote, Don Juan y la Celestina,* 2.ª ed., Buenos Aires, 1939. Américo Castro, "El Don Juan de Tirso y el de Molière como personajes barrocos", en *Hommage à Ernest Martinenche,* París, 1939, págs. 93-111. Del mismo, "El don Juan de Tirso y el Eneas de Virgilio", en *Semblanzas y estudios españoles,* Princeton, 1956, págs. 397-402. José M.ª de Cossío, "El caballero de Oliveira. Do-

Como en tantas otras creaciones de nuestro teatro del Siglo de Oro, se ha repetido muchas veces que la ejecución de *El Burlador* es imperfecta y apresurada y queda muy por debajo de su concepción. Aquel atropellado sucederse de episodios, conquistas amorosas, huidas y lances de toda especie podría ser hoy calificado, sin sombra de menosprecio, con el nombre de "cinedrama" que don Ramón Menéndez Pidal afirmó que podía atribuirse a tantas comedias de Lope. Tal condición es la más común en el teatro de su tiempo; y, sin embargo, aceptada la falta hasta de un mínimo reposo que tienen tan frecuentemente las aventuras del Burlador, hay que admitir también que su ritmo vertiginoso no deja de armonizar con su más íntimo sentido humano, como, con su habitual entusiasmo tirsista, sostiene doña Blanca de los Ríos: "Aquel continuo cambio de lugar y aquella rauda marcha de la acción, tan censurados por la crítica, fueron otro gran acierto de Tirso; marcaban el ritmo arrebatado del tempestuoso carácter dramático de don Juan, y daban al espectador, sucesivamente sorprendido, fascinado, aterrado, la sensación de haber vivido en el convencional escorzo cronométrico del espectáculo, la vida audaz, aventurera, legendaria, pecadora, sacrílega y trágicamente exterminada del Burlador" [58].

---

cumentos para la biografía de Don Juan", en *Revista de Occidente,* VII, 1925, págs. 359-366. Benedetto Croce, "In torno a Giacinto Andrea Gicognini e al 'Convitato di Pietra' ", en *Homenaje a A. Rubió i Lluch,* Barcelona, 1936, vol. I, págs. 419-432. Leo Spitzer, "En lisant le 'Burlador' ", en *Neuphilologische Mitteilungen,* XXXVI, 1935, págs. 282-290. Mario Penna, *Don Giovanni e il mito di Tirso,* Turín, 1958. Francisco López Estrada, *Rebeldía y castigo del avisado Don Juan. Una interpretación del 'Burlador',* Sevilla, 1951. Archimeda Marni, "Did Tirso employ counterpassion in his *Burlador de Sevilla?*, en *Hispanic Review,* XX, 1952, págs. 123-133. Bruce W. Wardropper, "*El Burlador de Sevilla*: a tragedy of errors", en *Philological Quarterly,* XXXVI, 1957, págs. 61-71. H. Bihler, "Más detalles sobre ironía, simetría y simbolismo en *El Burlador de Sevilla*", en *Actas del Primer Congreso Internacional de Hispanistas,* Oxford, 1964. C. B. Morris, "Metaphor in *El Burlador de Sevilla*", en *The Romanic Review,* LV, diciembre, 1964, págs. 248-255. Guillermo Díaz-Plaja, "Don Juan, mito barroco", en *Ensayos elegidos,* Madrid, 1965, págs. 134-163.

La bibliografía sobre Don Juan, bajo sus más variados aspectos, es abrumadora. Puede consultarse Everett W. Hesse, *Catálogo Bibliográfico de Tirso de Molina (1648-1948)*", cit. (la sección V está dedicada expresamente al tema de Don Juan). Véase también la "Bibliografía" recogida sobre el tema por Blanca de los Ríos, en *Obras...*, cit., vol. II, págs. 688-694.

[58] *Obras...*, cit., vol. II, pág. 558. Idénticas ideas expone sobre esta materia Carlos Vossler: "Desde el principio hasta el fin del drama —dice— el ansia de vivir acucia al protagonista, de aventura en aventura, con ciega fuerza y confianza en sí mismo. Como al pasar y sin detenerse, en un instante ofende, engaña, seduce y se burla de sus víctimas. No puede ni quiere quedarse, porque no tiene ningún rumbo fijo ni nada que le detenga, y sólo en el ímpetu, en la rapidez con que se adelanta y engaña a los demás, logra la confirmación de su propio ser, la satisfacción de su soberbia y la realización de su fe excesivamente confiada. Lo casual, pasajero e inconexo de sus apariciones en escena, lo impreciso en la caracterización de las figuras con las que el protagonista se encuentra y lo improvisado de todo ello corresponde aquí a la naturaleza de la visión poética, pudiendo estas cosas sólo ser consideradas como faltas o defectos por críticos

De la larga descendencia suscitada en todas las literaturas por el Burlador apenas es necesario hacer mención por lo sabida. Casi inmediatamente pasó a Italia, donde se difundió en diversas versiones; luego a Francia, de la mano de Molière y de Tomás Corneille, y todavía conoció en el mismo siglo XVII la nueva derivación de Rosimond; en Italia lo refundió Goldoni en el siglo XVIII, tras la nueva versión española de Antonio de Zamora, y a fines de la misma centuria Mozart escribió su maravillosa ópera, "la más alta representación estética que ha logrado el drama inmortal de Tirso". El Romanticismo consagró la gloria de don Juan como suprema encarnación de la rebeldía individualista de la época, y las versiones se multiplicaron: Hoffmann, Merimée, Dumas, Puschkin, lord Byron, lo interpretaron según su peculiar sensibilidad o capricho[59]. En nuestra patria el númen popular de José Zorrilla logró con su *Don Juan Tenorio* la más afortunada versión, convertida en institución de nuestra escena, inderrocable hasta hoy, sin que le afecten cambios de técnicas o de gusto. Aparte de sus incontables reencarnaciones —dramáticas, poéticas o novelescas— Don Juan ha suscitado raudales de comentarios teóricos, que han tratado de interpretarle y de estudiarle bajo todos los ángulos de la esté-

poco entendidos. Antes bien, lo que hay que admirar es la sobriedad que Tirso se ha impuesto al esbozar las figuras de los personajes femeninos y en las escenas de amor, es decir, en lo mejor de sus recursos escénicos, que hubiera podido multiplicar indefinidamente en esta comedia" ("Tirso de Molina", en *Escritores y poetas de España*, Madrid, 1944, págs. 43-65; la cita es de la pág. 64). En otro lugar Vossler profundiza sobre el tema con nuevos matices que nos invitan a reproducir también sus palabras: "Entre las mujeres burladas por Don Juan: Isabel, Ana, Tisbea y Aminta, no hay más que una, Tisbea, que tenga fisonomía individualizada. Las otras dos quedan pálidas. Sólo Aminta, con su gran credulidad, tiene unos modestos rasgos cómicos. Y nótese que Tirso pasa por un gran pintor de mujeres y que el asunto del *Burlador* le ofrecía una magnífica ocasión de inaugurar una copiosa galería de retratos de señoras, doncellas y muchachas. Tirso renunció, y sus imitadores aprovecharon lo que él había dejado de explotar por razones de una más alta economía artística. A él le importaba la rapidez y variedad de la acción, ya que la sentía necesaria e indispensable para explicar la fogosidad del temperamento donjuanesco e ilustrar las desolaciones, destrozos y estragos que ese hombre, ese monstruo erótico y caricatura del insaciable amor platónico causaba por donde pasaba. Todos los personajes secundarios del drama están como eclipsados por Don Juan. Tirso no hizo más que abocetarlos provisoriamente. Se puede decir que todo el drama, considerado en su conjunto, tiene el aspecto de un esbozo o bosquejo gigantesco que, por la extravagancia de la figura central y lo colosal de sus dimensiones, no pudo menos de salir irregular" (*Lecciones...*, cit., págs. 101-102).

[59] Cfr.: Jacques Arnavon, *Le Don Juan de Molière*, París, 1948. F. Fua, *Don Giovanni attraverso le letterature spagnuola e italiana*, Turín, 1921. M. Joubert, "Don Juan in Literature and Music", en *Contemporary Review*, Londres, CXLIX, 1936, págs. 216-222. R. Mitjana, "Don Juan en la música", en *Discantes y contrapuntos*, Valencia, s. a., págs. 9-68. J. A. Oría, *Don Juan en el teatro francés*, Instituto Nacional de Estudios de Teatro, Buenos Aires, IX, 1936, págs. 9-39. L. Costanzo, *Don Giovanni Tenorio nel teatro spagnolo e romano*, Nápoles, 1938. C. A. Manning, "Russian versions of Don Juan" en *PMLA*, XXXVIII, 1923, págs. 479-493. Consúltense las dos bibliografías generales, mencionadas en la nota 57.

tica, de la filosofía y hasta de la biología, como si de un ser histórico y vivo se tratara, pues que lo es al cabo, como mito y símbolo, más poderoso que la misma realidad mudable. En los últimos lustros la tradicional significación de don Juan, como prototipo de la virilidad, ha entrado en crisis a partir sobre todo de las paradójicas interpretaciones de Shaw; escritores españoles —Unamuno, Pérez de Ayala, Marañón— han contribuido con originales puntos de vista a la revisión humana del personaje. Pero su condición de mito universal, símbolo de una categoría o modo de ser, quedó lograda a perpetuidad por el poder creador del mercedario.

"El condenado por desconfiado". La atribución a Tirso de esta obra capital de nuestra dramática ha dado lugar a largas controversias. Apareció incluida en la "parte" segunda de las comedias de Tirso, que fue publicada después de la tercera, en 1635, por su fingido o auténtico sobrino don Francisco Lucas de Ávila. Al frente del volumen —que así en el título como en las tres aprobaciones para su impresión se denomina inequívocamente *Segunda Parte de las Comedias del Maestro Tirso de Molina*— se indica a su vez que sólo cuatro de aquellas doce comedias son de Tirso, y que pertenecen a diversos autores las otras ocho, "que no sé por qué infortunio suyo, siendo hijas de tan ilustres padres, las echaron a mis puertas". Tan asombrosa afirmación ha dado origen a lo que Menéndez y Pelayo calificó de "rompecabezas bibliográfico". En la tarea de precisar cuáles son las cuatro comedias de Tirso, la paternidad de *El condenado por desconfiado*, reconocida anteriormente por Agustín Durán y por Hartzenbusch, fue negada en 1878 por don Manuel de la Revilla, con lo cual el "rompecabezas" se convirtió en controversia de eruditos, y *El condenado* fue atribuido diversamente a Lope, a Mira de Amescua, al mercedario fray Alonso Remón, e incluso a Ruiz de Alarcón; Menéndez y Pelayo, que expuso dudas en algún momento, acabó por admitir resueltamente la paternidad de Tirso. No podemos seguir en detalle el curso de la polémica; baste decir que la opinión de Menéndez y Pelayo ha sido compartida por Cotarelo y Mori, Menéndez Pidal, Américo Castro, S. G. Morley y, sobre todo, por doña Blanca de los Ríos, que ha defendido tenazmente la atribución con razones que nos parecen concluyentes y a las que, en consecuencia, nos atenemos. Defensores de la opinión contraria son Cejador, Valbuena Prat y, sobre todo, el P. José López Tascón, que ha mantenido con gran ahínco la atribución a fray Alonso Remón [60].

---

[60] Los trabajos respectivos en donde cada uno de los autores mencionados ha expuesto su parecer sobre la atribución a Tirso de *El condenado por desconfiado*, son los siguientes: Menéndez y Pelayo, *Tirso de Molina. Investigaciones biográficas y bibliográficas*, cit. Cotarelo y Mori, *Tirso de Molina. Investigaciones biobibliográficas*, cit. y *Comedias de Tirso de Molina*, cit., introducción al vol. I. Menéndez Pidal, *El condenado por desconfiado de Tirso de Molina*, cit. —de hecho, Menéndez Pidal apenas si se ocupa de este problema, que prácticamente da por resuelto—. Américo Castro, introducción a su

El condenado por desconfiado, escrito probablemente antes que *El Burlador*, es, en cuanto a su intención religioso-moral, complemento de éste, o, mejor dicho, un planteamiento, desde la opuesta orilla, de un mismo problema: la posición del hombre frente a Dios en el negocio de la salvación eterna. Don Juan desafía a la Providencia confiado hasta la temeridad en que ha de concederle el tiempo necesario para su arrepentimiento; Paulo, protagonista de *El condenado*, la ofende desconfiando de la misericordia divina, y exigiéndole pruebas, no menos temerarias, de su salvación. Ambos tientan a Dios, y ambos perecen. Aunque la conducta de Paulo encierra, aparte el mencionado, otros motivos de gran complejidad que habrán de ser expuestos.

El asunto del drama es como sigue. Paulo, después de vivir diez años como ermitaño, desea conocer si todos aquellos sacrificios no serán inútiles, y ruega a Dios que le revele su destino final:

> *¿Quién, ¡oh celeste velo!,*
> *aquesos tafetanes luminosos*
> *rasgar pudiera un poco*
> *para ver...? ¡Ay de mí! Vuélvome loco...* [61]
>
> *...¿Qué fin he de tener? Pues un camino*
> *sigo tan bueno, no queráis tenerme*
> *en esta confusión, Señor eterno.*
> *¿He de ir a vuestro Cielo o al infierno?*
> *Treinta años de edad tengo, Señor mío,*
> *y los diez he gastado en el desierto,*
> *y si viviera un siglo, un siglo fío*
> *que lo mismo ha de ser: esto os advierto.*
> *Si esto cumplo, Señor, con fuerza y brío,*
> *¿qué fin he de tener? Lágrimas vierto.*
> *Respóndeme, Señor; Señor eterno,*
> *¿he de ir a vuestro cielo o al infierno?* [62].

El diablo, bajo forma de ángel, le dice que su suerte será la misma que la de un hombre llamado Enrico, que vive en Nápoles. Paulo se encamina a la ciudad, encuentra a Enrico y averigua que es un rufián, autor de crímenes y

---

edición del teatro de Tirso en Clásicos Castellanos. S. G. Morley, *The use of Verse-Forms (Strophes) by Tirso de Molina*, cit. Blanca de los Ríos, preámbulo al texto de *El condenado*, ed. cit., vol. II, págs. 405-453. Julio Cejador, "El condenado por desconfiado", en *Revue Hispanique*, LVII, 1923, págs. 127-159. A. Valbuena Prat, *Historia de la literatura española*, cit., vol. II, págs. 415 y ss. P. José López Tascón, "*El condenado por desconfiado* y Fray Alonso Remón", en *Boletín de la Biblioteca Menéndez y Pelayo*, 1934 (fasc. IV), 1935 (fasc. I, II y III) y 1936 (fasc. I y II).

[61] Acto I, escena I; ed. cit., vol. II, pág. 454.

[62] Acto I, escena III; ídem, íd., pág. 456.

robos. Pensando que el destino de aquel forajido no puede ser sino la eterna condenación, considera inútiles sus sacrificios, deja los hábitos y se convierte en un bandolero. Pero Enrico, en medio de sus maldades, había conservado, como último rescoldo de bondad, un gran amor a su padre, por cuyas exhortaciones —estando preso y condenado a muerte— se arrepiente y se salva; mientras que Paulo, hundido en la desesperación, reniega de Dios y se condena.

Menéndez y Pelayo definió *El condenado* como el "mayor drama teológico del mundo". Los problemas teológicos que tienen expresión en la obra de Tirso, venían siendo objeto por entonces de delicadas controversias, puesto que atañían al tremendo problema de la predestinación. La escuela de Báñez, dominico, profesor de la Universidad de Salamanca, sostenía, con un sentido más fatalista, el predominio de la "gracia eficiente", que en gran medida condicionaba la voluntad del hombre; para Molina, en cambio, jesuita, profesor de la Universidad de Coimbra, el libre albedrío, que puede actuar en todo momento, lo mismo en estado de gracia que en pecado, es el único que en último término decide nuestra salvación o condenación, sin que la presciencia divina —condición que angustiaba de manera especial a Paulo— pueda influir en ella. Como Paulo piensa que, por ser ya sabido de Dios, su destino se cumplirá inexorablemente, desea conocerlo, para no proseguir en vano su vida de piedad, si al cabo ha de condenarse: desconfianza en la misericordia divina que provoca su castigo.

Acerca de cuál es la verdadera posición de Tirso en el desarrollo teológico del drama, en relación con una u otra escuela, se han escrito trabajos incontables; pero la exposición de estas doctrinas no es tarea nuestra [63]. Creemos, sin embargo, que cualquiera que sea la sutileza teológica acumulada en *El condenado*, hay en éste valores de tipo estrictamente humano y psicológico que consideramos al menos de equivalente, cuando no superior, profundidad. Atormentado o no por presciencias y albedríos, lo que de manera inequívoca se revela en Paulo es un egoísmo monstruoso; toda su vida de piedad desconoce la caridad y el amor, vive en la soledad del yermo para asegurar su bienaventuranza, y pide a Dios seguridades de que el "negocio" de su salvación va por

[63] Cfr.: Norberto del Prado, "*El condenado por desconfiado*". *Estudio crítico-teológico del drama*, Vergara, 1907. R. M. Hornedo, "*El condenado por desconfiado* no es una obra molinista", en *Razón y Fe*, CXX, 1940, págs. 18-34. Del mismo, "*El condenado por desconfiado*. Su significación en el teatro de Tirso", en ídem, íd., págs. 170-191. Del mismo, "La tesis escolástico-teológica de *El condenado por desconfiado*", en ídem, íd., diciembre, 1948. P. Martín Ortúzar, O. de M., "*El condenado por desconfiado* depende teológicamente de Zumel", en revista *Estudios*, IV, enero-abril, 1948, págs. 7-41. Del mismo, "*El condenado por desconfiado* depende teológicamente de Zumel. Nueva aclaración", en *Estudios*, núm. extraordinario, cit., págs. 321-336. Fr. J. M. Delgado Varela, "Psicología y teología de la conversión en Tirso", en revista *Estudios*, núm. ext., cit., págs. 341-377 (artículo de interés para la atribución de *El condenado* a Tirso). P. Gómez, "Un drama teológico: *El condenado por desconfiado*", en *España Evangélica*, Madrid, I, 1920, págs. 261-263.

buen camino, y no está perdiendo un tiempo que, si se ha de condenar, podría gastar en goces. Y como un acreedor impaciente que exige el pago de una deuda, Paulo se dirige a Dios para reclamarle el pago de sus virtudes. Apenas puede darse nada más mezquino que este concepto de la vida piadosa, ni más distante del consejo evangélico —haced sencilla y naturalmente la voluntad de Dios y el resto se os dará por añadidura— o de aquellas sublimes palabras "aunque no hubiera cielo yo te amara, aunque no hubiera infierno te temiera".

Cuando Paulo queda convencido de que su suerte, como la de Enrico, está echada, no se conforma siquiera con tornar a su vida normal, sino que trata de vengarse de Dios, o poco menos:

> *Tan malo tengo de ser*
> *como él, y peor si puedo;*
> *que pues ya los dos estamos*
> *condenados al infierno,*
> *bien es que antes de ir allá*
> *en el mundo nos venguemos*[64].

Y al decidir su vida de bandolero, exclama:

> *pues cuando Dios, Juez eterno,*
> *nos condenare al infierno,*
> *ya habremos hecho por qué*[65].

Junto a su desmedido egoísmo hay otro aspecto no menos "condenable" en el alma de Paulo, que es su orgullo sangrante cuando se ve igualado a aquel despreciable hombre que es Enrico. Paulo, envanecido de su vida de santidad, no puede concebir semejante equiparación, ni admitir el mérito de un hombre, hundido en sus pecados, aunque le quede un cogollo íntimo de bondad, por donde pueda asirle la Gracia. Por encima, insistimos, de problemas teológicos, *El condenado por desconfiado* es un drama profundamente humano y una grave lección moral de incalculable alcance. Doña Blanca afirma que *El condenado* encarna "el escarmiento de la soberbia humana"; junto a ello, creemos que Tirso dramatiza algo todavía más importante: la transparente, y a la vez misteriosa, máxima evangélica de que "quien pretende salvar su alma, la perderá".

A semejanza del Don Juan, *El condenado* realiza la fusión de dos diversos elementos: una doctrina teológica —en este caso, el problema de la predestinación y el libre albedrío— y una leyenda de tradición secular. Como en el caso de *El Burlador*, afirmamos de nuevo que todos los materiales precedentes, aunque sean inexcusables como arcilla sobre la que actúa la mano creadora

[64] Acto I, escena XIII; ed. cit., vol. II, pág. 470.
[65] Acto II, escena X; ídem, íd., pág. 479.

del escritor, nunca son nada por sí mismos sin el genio de éste, que logra encarnarlos en mito artístico perdurable. Todo el caudal tradicional, que Tirso incorpora a *El condenado,* existente desde muchos siglos atrás, está claro que no había cristalizado en drama alguno hasta que Tirso lo escribió. No obstante, este componente tradicional ofrece ahora para nosotros el interés de hacer más visible lo que hemos considerado como lección fundamental del drama.

Ha sido en esta ocasión el maestro Menéndez Pidal quien ha fijado estas fuentes tradicionales de la obra en su trabajo *El condenado por desconfiado de Tirso de Molina*[66]. Menéndez Pidal ha seguido las transformaciones de un relato que aparece por vez primera en el poema indio *Mahabharata,* pasa luego a través de la literatura pelví a la persa sasánida, y de aquí a los árabes y judíos, que lo difunden por occidente, y también a los cristianos griegos. El hecho sustancial bajo todas estas versiones es la confrontación que ha de sufrir un hombre envanecido de sus virtudes y superioridad moral ante otro hombre de vida despreciable y que practica un ruin oficio. En la versión del poema indio es un brahmán quien reconoce al cabo la excelencia de un cazador —profesión odiosa en aquel país— que cumple sencillamente su deber proveyendo a todos de la carne necesaria, y vive además atento al servicio y honra de sus padres, mientras que el brahmán había abandonado a los suyos para buscar su propia solitaria perfección. De parecida manera, según la versión árabe, Moisés ruega a Alá que le muestre cuál ha de ser su compañero en el Paraíso,, y Alá le señala un humilde carnicero, cuya única excelencia es también el amor a sus padres; idéntica es la versión judía, salvo en el nombre de los protagonistas. En Egipto, cuna del monacato, es donde la leyenda sufre una elaboración más activa, pero de todas sus versiones Menéndez Pidal tiene por más interesante la de San Pafnucio. Este eremita de la Tebaida rogó al Señor que le mostrase a cuál de los santos era semejante, y un ángel le respondió que a cierto músico, que en la aldea se ganaba el pan tañendo. Asombrado el santo, buscó al tañedor y vio que era un borracho y libertino y que hacía poco había dejado la vida de ladrón; difícilmente, a las preguntas de Pafnucio, pudo recordar alguna acción honesta, aunque al cabo contó cómo en cierta ocasión había redimido con su dinero de la cárcel a una familia. Pafnucio reconoció, humillado, que él nunca había hecho tanto; logró luego llevar al tañedor a la vida de piedad, pues le había encontrado tan afecto a Dios, y en la hora de su muerte decía humillándose: "A nadie en este mundo se le debe despreciar, ora sea ladrón, ora comediante, ora labre la tierra, o sea mercader, o viva ligado en matrimonio; en todos los estados de la vida hay almas agradables a Dios que tienen virtudes escondidas en que Él se deleita".

---

66 Reproducción en *Estudios literarios,* 8.ª ed., Madrid, 1957, págs. 9-79.

Esta versión recogida en las *Vitae Patrum* supone Menéndez Pidal que influyó directamente en Tirso para inspirarle la comparación del ermitaño Paulo con el rufián Enrico. Pero Paulo —y de aquí la enorme fuerza dramática y profundidad, más que teológica, moral, de la obra de Tirso— no se humilla como el brahmán o como Pafnucio: "aparece rico en todas las virtudes del ascetismo, pero falto de la serena calma del santo... el ansia de una expresa revelación de su destino y el orgulloso desprecio del pecador le arrastra a la más infernal desesperación". Con ello el drama, según Menéndez Pidal añade luego, "por cima del aspecto dogmático ortodoxo o de tal o cual escuela [adquiere] un valor moral universal", y Paulo "es una figura real y viviente en todas las edades" [67].

No es frecuente, en las interpretaciones de *El condenado*, que se subraye de manera especial ese carácter moral y humano que nosotros preferimos encontrar en él y que en cierta medida hemos podido apoyar en las apreciaciones de Menéndez Pidal arriba transcritas. Igualmente Vossler —aunque sin insistir tampoco en el problema todo lo que el caso requiere— apunta a parecida interpretación. Hace ver que la idea teológica fundamental referente a la intervención de la Gracia en el destino del hombre, que siempre se supone eje del drama, "apenas la menciona nuestro poeta. No encuentro en todo el drama —dice Vossler— más que una sola y pálida alusión, allí donde el pastorcillo dice: 'Voy con la triste nueva a mi mayoral, y cuando lo sepa —*aunque ya lo sabe*— sentirá su mengua, no la ofensa suya...' ". "Es que Tirso —añade a continuación—, poeta radicalmente humano, mira al lado práctico, ético y psicológico de la cuestión, abandonando las sagacidades especulativas a los profesores de teología. Gracias a esta concentración íntimamente humanística, el drama de *El condenado* sobrepasa a la ocasión de la que brotó y aun la doctrina que intentaba celebrar". Y concluye afirmando que "el punto en que Tirso hace hincapié con particular insistencia no es la divina, es la humana

---

[67] Ídem, íd., págs 48 y 55. Cfr.: Gordon H. Gerould, "The hermit and the saint", en *PMLA*, XX, 1905, págs. 529-545. Una variante de la leyenda examinada también en su trabajo por Menéndez Pidal, fue la recogida por don Juan Manuel en el "enxemplo" III de su *Conde Lucanor*: "Del salto que fizo el rey Richarte de Inglaterra en la mar contra los moros". Además de las obras mencionadas, consúltense: Hugo A. Rennert, "Tirso de Molina. 'El condenado por desconfiado' ", en *Modern Language Notes*, Baltimore, XVIII, 1903, págs. 136-139. J. Pijoán, "Acerca de las fuentes populares de 'El condenado por desconfiado' ", en *Hispania*, California, VI, 1923, págs. 109-114. E. H. Templin, "The 'encomienda' in 'El condenado por desconfiado' and other Spanish Works", en *Hispania*, XV, 1932, págs. 465-482. Leo Spitzer, "Una variante italiana del tema de 'El condenado por desconfiado' ", en *Revista de Filología Hispánica*, I, 1939, págs. 361-368. Carlos Vossler, "Alrededor de 'El condenado' de Tirso de Molina", en *Revista Crítica*, XIV, 1940, págs. 19-37. Ch. V. Aubrun, "La comédie doctrinale et ses histoires de brigands. 'El condenado por desconfiado' ", en *Bulletin Hispanique*, LIX, 1957. T. E. May, "*El condenado por desconfiado*: I. The enigmas. 2. Anareto", en *Bulletin of Hispanic Studies*, XXXV, julio, 1958, págs. 138-156.

'scientia futurorum'; en otros términos: no es la concordia de la ciencia de Dios con su voluntad y potencia, es la concordia del hombre con su destino, consigo mismo" [68].

Bajo el aspecto puramente literario no es *El condenado por desconfiado* una pieza de perfecta arquitectura a tono con la potencia dramática que emana del conflicto vivido por sus protagonistas, ni se distingue por lo cuidado de su estilo y ni siquiera por el acierto en el estudio de los caracteres. El de Enrico es de una caprichosa y desmesurada violencia, de gran efectismo teatral pero escasa verdad. La escena en que Enrico se caracteriza a sí mismo, muchas veces alabada, nos parece más bien una caricatura retórica; y pensamos, con Vossler, que dicho personaje carecería en sí mismo de vida poética si no la recibiera, por ley de contraste, de Paulo. Vossler, gran admirador de *El condenado*, no palia, en cambio, sus defectos de construcción y de estilo: "El condenado —dice— representa, sin apartarse de la tradición española, un tipo excepcional: versificación negligente y casi improvisada, insistencia didáctica hasta el pedantismo, rigidez y desmayo conceptual, obstinación silogística, pasión ergotizante, poca flexibilidad y escasa experiencia psicológica en el dibujo de los caracteres, tendencia a exagerar y simplificar los casos del mundo y de la conciencia humana, humorismo parco, entre tímido y grosero". Mas a pesar de tantas deficiencias admite que "el drama está todo penetrado, animado y vivificado por el más espontáneo, íntimo y serio fervor religioso. Si no me equivoco, sustancialmente debe de ser obra de un autor no digo ya joven y juvenil —por ser tan profunda y madura su actitud reflexiva—, pero novicio y poco experto en el arte de hacer comedias. Principiante en los juegos de la escena y maestro consumado en los peligros de vida y muerte del alma, tal debió de encontrarse, según mi modesta opinión, el ignoto poeta a la sazón en que elaboraba el drama del *Condenado*" [69].

Vossler subraya en otro pasaje la parte importantísima que, como en *La Ninfa del cielo*, ocupan en *El condenado* los monólogos: nueve en aquella obra y doce en esta última; "algunos de ellos, y sobre todo los de Paulo, son de extremada profundidad y sutileza psicológica y fructuación efectiva; mientras los diálogos traicionan acá y allá cierta negligencia y hasta desgana" [70].

Aunque muy lejos de la intensidad dramática de *El condenado* y de su importancia literaria, ofrece también interés otra obra de Tirso de fondo religioso: *El mayor desengaño*, sobre la conversión de San Bruno, estudiante rico y disoluto en París, que se convierte cuando el cadáver del gran maestro Dión, en su funeral de "corpore insepulto", se yergue y declara que ha sido condenado a las penas eternas. Los dos primeros actos constituyen una come-

[68] *Lecciones...*, cit., pág. 83.
[69] Ídem, íd., págs. 76-77.
[70] Ídem, íd., pág. 82.

dia de capa y espada, en la que Tirso fantaseó a su gusto sobre las andanzas amorosas, militares y estudiantiles del protagonista. En el acto III se representa (escena II), para mostrar la sabiduría de Bruno, todo un acto académico, bastante pedantesco, que refleja recuerdos universitarios del autor. Luego —todo muy apresurado— tiene lugar la fúnebre escena del maestro Dión, la fulminante conversión de Bruno y su decisión de fundar la Cartuja. Però hay un punto importante, aunque insuficientemente desarrollado: mejor diríamos, apuntado apenas; un personaje, Roberto, explica las razones por las que Dión, hombre de tan gran sabiduría y virtud, se ha condenado, y que no son otras que el orgullo excesivo de su ciencia. No piensa Tirso, por descontado, que ésta sea nociva para la salvación; pero es inútil sin humildad y caridad, como lo era la vida piadosa de *El condenado*; intención moral en la que ambas obras se hermanaban en la mente de Tirso.

COMEDIAS DE HISTORIA NACIONAL

Siguiendo una de las más fértiles corrientes dramáticas de su tiempo, cultivó Tirso de Molina el drama histórico, no con la abundancia y diversidad de Lope, pero sí, en cambio, con extraordinario vigor y perfección. Menéndez y Pelayo decía que aquellas reconstrucciones épico-dramáticas de nuestra tradición heroica las había llevado a cabo Lope doscientas veces en su vida; Tirso una sola, *La prudencia en la mujer,* pero "no tengo inconveniente —añade— en admitir que sea el mejor drama histórico de nuestro teatro" [71]. A diferencia de Lope que resucitó ambientes y episodios históricos con rapsodias colectivas empapadas de evocador lirismo, Tirso, intenso psicólogo, encarna sus dramas del pasado en figuras concretas de poderosa vida y gran valor representativo.

La heroína de *La prudencia en la mujer* es la gran figura de doña María de Molina, portentoso carácter que jugó tan decisivo papel durante los reinados de su esposo Sancho IV, su hijo Fernando IV y su nieto Alfonso XI. Tirso se documentó minuciosamente para su obra en la *Crónica de Fernando IV*, en el *Origen de las dignidades de Castilla y León* del doctor Salazar y Mendoza, y en la *Nobleza de Andalucía* de Argote de Molina; y tomó también pasajes de la *Historia* del padre Mariana. Adaptó, sin embargo, libremente el famoso episodio de "la cena de la reina" (que trasladó del reinado de Enrique III el Doliente, a quien se atribuye, al período de la regencia de doña María durante la menor edad de Fernando IV) con gran visión dramática, puesto que constituye una de las más vigorosas y sugerentes escenas de la obra. "Más que un drama de sobria y calculada arquitectura —dice doña Blanca— *La prudencia en la mujer* es una sucesión de escenas y episodios sueltos; pero nunca la Edad Media castellano-leonesa respiró con tan avasa-

---

[71] *Tirso de Molina: Investigaciones biográficas y bibliográficas,* cit., pág. 80.

lladora fuerza de vida y de emoción en el teatro" [72]. En realidad asistimos a la sorda lucha entablada por los intrigantes y codiciosos infantes don Juan y don Enrique y por don Diego de Haro para alzarse con el poder, y cuyos manejos deshace al fin la prudencia y energía de doña María, que salva el trono para su hijo. Se suceden los momentos de gran tensión dramática, y los caracteres de casi todos los personajes, modelos de doblez, constituyen formidables aciertos de penetración psicológica. La versificación posee la energía y virilidad apropiadas a las situaciones, y es necesario ponderar las escenas iniciales del drama cuando los tres políticos se disputan la mano de doña María y, con ella, la posesión del poder; así como el diálogo que sigue entre la reina y don Juan. Famosos son los versos con que termina el parlamento primero del señor de Vizcaya:

> *Infantes, si a la lengua iguala el brío,*
> *intérprete es la espada del valiente;*
> *el hierro es vizcaíno, que os encargo,*
> *corto en palabras, pero en obras largo* [73].

Anteriormente hicimos referencia a la condición de doña María como madre, papel inexistente, fuera de Tirso, en nuestra dramática áurea; y también a las abundantes y atrevidas sátiras contra personajes y sucesos políticos del momento, que el mercedario, sin caer en deformaciones ni anacronismos, escondió en diversos pasajes del drama de doña María [74].

---

[72] *Obras*..., cit., vol. III, pág. 895.

[73] Acto I, escena I; ed. cit., vol. III, pág. 906.

[74] Cfr.: Ruth Lee Kennedy, "'La prudencia en la mujer' y el ambiente en que se escribió", en revista *Estudios,* núm. extraordinario, cit., págs. 223-293. Prosiguiendo en la fecunda dirección de doña Blanca de los Ríos, de investigar en la producción dramática de Tirso su contenido satírico contra hombres y hechos de la política de su tiempo, la Sra. Kennedy profundiza el tema en esta obra, una de las más características de Tirso a tal respecto. De las conclusiones de su trabajo pueden dar idea los párrafos que siguen: "el mercedario escribió un 'de regimine principum' en forma dramática. Es uno de los varios espejos para príncipes escritos con la mente en Felipe IV por un hombre hostil, en este caso por varias razones, al nuevo régimen y a sus fuertes dirigentes". Y más abajo: "En 'La prudencia en la mujer' encontraron eco, como sobre una caja de resonancia, todas las habladurías y críticas que flotaban sobre la Corte: el continuo temor y la profunda desilusión claramente manifestados poco después del advenimiento de este monarca al trono, la desorbitante ambición y codicia de sus nuevos favoritos, el desgraciado destino de quienes habían estado en otro tiempo al lado de su padre" (página 227).

Véase también, A. Morel-Fatio, "'La prudence chez la femme', drame historique de Tirso de Molina", en *Études sur l'Espagne,* III, 1904, págs. 27-72. A. H. Bushee, "A Bibliography of 'La prudencia en la mujer'", en *Hispanic Review,* I, 1933, págs. 271-283 (reproducida en su libro *Three Centuries of Tirso de Molina,* Filadelfia, 1939).

Alusiones políticas a la realidad contemporánea existen igualmente en las dos obras dedicadas a la persona de don Álvaro de Luna y a la corte de Juan II, de las que tantas resonancias podía hallar el dramaturgo en la de su rey Felipe IV. Titúlanse estas comedias *Próspera fortuna de Don Álvaro de Luna y Adversa de Ruy López Dávalos* y *Adversa fortuna de Don Álvaro de Luna.* En opinión de doña Blanca, fueron escritas por Tirso en 1615 con la colaboración de Quevedo, muy amigo entonces del mercedario; luego, en 1621, Tirso, enemistado con el autor de *El Buscón,* las rehizo deslizando todas aquellas sugerencias que la semejanza de situaciones ofrecía para su propósito. Son obras de carácter desigual y muy inferiores como reconstrucción histórica y en profundidad de caracteres a *La prudencia en la mujer.*

Importancia mayor tiene la trilogía de los Pizarro. Tirso dramatizó, en estas piezas, también con suerte desigual pero con logro de abundantes bellezas, muchos aspectos de la conquista americana; aunque en conjunto dista mucho de la grandeza épica del tema [75]. Por otra parte, la injerencia de una finalidad concreta y ocasional encoge frecuentemente las plenas posibilidades de aquella dramatización. Tirso compuso su trilogía especialmente para reivindicar la memoria de Gonzalo y de Hernando Pizarro cuando, en 1631, fue creado el título de Marqués de la Conquista en la persona de don Juan Hernando Pizarro, descendiente de los conquistadores. La primera parte, *Todo es dar en una cosa,* abarca la juventud de Francisco [76] bastante poetizada, siguiendo la versión de López de Gómara; la segunda, *Amazonas en las Indias,* recoge las andanzas americanas de Gonzalo [77]; y en la tercera, *La lealtad contra la envidia,* apura sobre todo la reivindicación de Hernando, para la cual rebaja todo lo posible a su rival Almagro. Concorde o no con la verdad histórica, Hernando no carece en este relato dramático de grandeza proporcionada a su papel.

Hay en la trilogía de Tirso reminiscencias indudables de su estancia en tierras americanas, pero no demasiado intensas por lo demás; su visión del mundo natural en que se encaja la acción, procede más de su cultura de hombre renacentista que de observaciones personales. En las *Amazonas* se sirve como fuente de algunos cronistas, pero trata el famoso mito —que no toma muy en serio, ciertamente— con mentalidad clásica, y hasta los nombres de las amazonas, Martesia y Menalipe, están tomados de la *Historia Universalis* de Justino. Menos abundante en sucesos que las otras dos partes, *Amazonas en las Indias* es un dramático retablo de la energía y sufrimientos de los conquis-

[75] Cfr.: O. H. Green, "Notes on the Pizarro Trilogy of Tirso", en *Hispanic Review,* IV, 1936, págs. 201-205.

[76] Cfr.: G. Lohmann Villena, "Francisco Pizarro en el teatro clásico español", en *Modern Philology,* Chicago, XXIII, 1941, págs. 549-556.

[77] Cfr.: Aurelio Miró Quesada Sosa, "Gonzalo Pizarro en el teatro de Tirso de Molina", en *Revista de las Indias,* 2.ª época, V, 1940, págs. 41-67.

tadores, lleno de vivas imágenes [78]. En *La lealtad contra la envidia* es famosa la animada escena de una corrida de toros, con la que comienza la obra, y aquella velazqueña descripción del caballo montado por Hernando Pizarro:

...en éste solo se enseña,
si quieres examinallo,
la perfección de un caballo:
cabeza airosa y pequeña,
viva, alegre y descarnada;
los ojos grandes; abiertas
las narices, por ser puertas
del aliento; bien poblada
la crin, que el talle hace bello,
de plata, espesa y prolija,
que se escarcha y ensortija;
ancho el pecho; corto el cuello;
las dos caderas partidas;
al pisar, firmes y llanos
los pies, echando las manos
afuera, y tan presumidas
que a los estribos se atreven,
tan sujeto al freno y fiel,
que parece que con él
le habla el dueño... [79].

COMEDIAS DE CARÁCTER

La capacidad psicológica de Tirso, tantas veces puesta de relieve, explica suficientemente que esta modalidad dramática sea una de las más afortunadas de su producción. Varias comedias merecen destacarse dentro del grupo. *El vergonzoso en palacio* es, sin duda, la más famosa, y su protagonista, doña Magdalena ("una de las más acabadas psicologías femeninas de las que sólo a Tirso le fue dado producir") ha contribuido poderosamente a crear la reputación de desenvoltura de que gozan las mujeres de su teatro. Un pastor, Mireno, que es el "carácter" de la comedia, entra al servicio de doña Magdalena, hija del duque de Avero; el amor prende inmediatamente, pero a pesar de las insinuaciones de la dama, Mireno no se atreve a declarar el suyo porque se cree de inferior condición. Magdalena facilita al fin el camino, y, concertadas las bodas, se averigua que Mireno es hijo de un noble que, acusado falsamente

[78] Véase especialmente el largo relato de Francisco de Carvajal, en la Jornada II, escena III, ed. cit., vol. III, págs. 712-716.

[79] Jornada I, escena I, ídem, íd., pág. 743.

de traición, estaba encarcelado. *El vergonzoso* fue incluido por Tirso en *Los cigarrales de Toledo,* pero había sido compuesto y estrenado bastantes años antes y retocado al ser incluido en dicho libro. Por cierto que su estreno constituyó un fracaso ruidoso por la impropiedad del actor que encarnó el personaje; luego, en cambio, y durante mucho tiempo, se representó con gran éxito por toda España. De especial interés es la escena (XIV del acto II) en que Tirso pone en boca de un personaje femenino una bella enumeración de los deleites de la comedia; y recuérdese que al comentar esta pieza en el texto de *Los cigarrales* es cuando escribe Tirso, a su propósito, la famosa defensa de la nueva dramática lopista [80].

Marta la piadosa comparte la popularidad de la obra anterior. Marta —se dice siempre— es la dramatización de la hipocresía, en lo cual trazó Tirso el modelo, y se anticipó con ventaja, a *El hipócrita* de Molière y a *La mojigata* de Moratín. Enamorada del matador de su hermano, Marta finje haber hecho voto de castidad para evitar el matrimonio que le propone su padre con un viejo acomodado. Luego introduce en casa a su enamorado como profesor de latín y lleva adelante su amor hasta acabar en matrimonio. Con todo ello, las hipocresías de doña Marta son más bien travesuras amorosas, vestidas de picante desenfado, que auténtica doblez moral; Marta es un personaje simpático —ajeno al repugnante disimulo de los hipócritas de Molière o de Moratín—, con mucho más de deliciosa astucia femenina que de vicio odioso. Tirso desliza, sin embargo, leves sátiras contra la falsa y aparente religiosidad.

Por entero diferente de estas dos comedias es *El melancólico,* una de las más interesantes, y menos conocidas también, de Tirso. Doña Blanca ha señalado en esta obra uno de los profundos desahogos autobiográficos del autor, y no puede negarse que atendiendo a muchos pasajes de la comedia —déjese aparte la discusión documentada de su nacimiento— parece escucharse por boca del "melancólico" Rogerio una defensa de los bastardos, de apasionado acento

---

[80] En la edición de Said Armesto, citada luego, págs. 125-128. Cfr.: Américo Castro, introducción a su volumen del teatro de Tirso en Clásicos Castellanos, 3.ª ed., Madrid, 1932. A propósito del mundo femenino que vive en tantas comedias de Tirso, pero quizá de manera especial en *El vergonzoso,* escribe Castro: "Nótese que estas damitas del Vergonzoso tienen como rasgo común proceder libremente en el grave negocio de elegir amante y marido, y se convierten en nuevo reflejo del tema de la libertad de amar, que, desde el Renacimiento, viene apareciendo en la literatura moderna. Estos atisbos de una moral femenina compatible con la naturaleza hallarán mayor eco en España que en otra parte; y antes que Molière, Cervantes y nuestro popular teatro presentaron el problema: Cervantes con un alcance y profundidad maravillosas; el teatro en forma vivaz, disuelto en acciones complicadas y brillantes, sin tesis ni razonamientos moralizadores. No por esto ha de ser menos notado y estimado este aspecto tan renovador de la comedia, y tan exportable y tan poco local que en él toman arranque *L'école des femmes* y *L'école des maris* de Molière" (págs. XVI-XVII). Cfr. también: Joaquín Casalduero, "Sentido y forma de 'El vergonzoso en palacio' ", en *Estudios sobre el teatro español,* cit., págs. 83-112.

personal. Rogerio, bastardo de un duque de Bretaña, ha sido criado bajo la tutela de su preceptor Pinardo, a quien tiene por padre; al fin el duque lo legitima y nombra su heredero, pero Rogerio recibe este reconocimiento como una desventura, casi como una humillación: había puesto todo su orgullo en valer por sí mismo,

> *ambicioso de fama y de grandeza*
> *no heredada, adquirida,*
> *con noble ingenio y estudiosa vida,*
> *que ilustra más la personal grandeza...* [81].

Y prorrumpe entonces en diatribas —casi insultos— contra nobles y poderosos, contra los "necios opulentos / que llamo sabios yo, por testamentos":

> *—Agora, pues, que veo*
> *frustrados mis estudios y deseos,*
> *y que en fe de esta herencia*
> *no hay entre mí y el necio diferencia,*
> *pues fortuna inconstante*
> *con riqueza me iguala al ignorante*
> *¿no te parece justo*
> *que cuando adquiero estado, pierda el gusto?* [82].

Y añade luego:

> *—A pocos poderosos*
> *he oído celebrar por ingeniosos,*
> *que en ellos, de honras llenos,*
> *es el ingenio lo que vale menos;*
> *y así siento, ofendido,*
> *tener en menos lo que más ha sido,*
> *pues creerá quien me jura*
> *que no es sabio quien tiene tal ventura...* [83].

Este equiparar casi necesariamente la necedad con la riqueza y la sangre ilustre lo repite Tirso más de una vez. En *La elección por la virtud*, "panegírico de la humildad y virtudes" del Papa Sixto V, cuando éste es vejado por sus competidores a causa de su humilde origen, el Papa reinante le dice a Sixto:

> *Yo y todo, en mis principios,*
> *nací de un pobre labrador, y anduve*
> *de puerta en puerta mendigando el tiempo*

81 Acto II, escena I; ed. cit., vol. I, pág. 234.
82 Ídem, íd.
83 Ídem, íd.

que estuve en mis estudios ocupado.
Parientes tengo yo cual vos, fray Félix,
pobres y en traje de sayal grosero;
que si se precia de su sangre el necio,
más noble es la virtud de que me precio [84].

En la escena anterior, cuando Ascanio Colonna le reprocha la pobreza de su familia, el propio Sixto le explica lo que él opina sobre el valor de la nobleza y los linajes (y estos conceptos los expuso Tirso en sus obras tantas veces, que pueden quedar aquí como representativos de su más firme pensar):

...De un pastor
nací, pero no es ultraje;
que el más soberbio linaje,
que a mayor nobleza aspira,
si el principio suyo mira,
hará que el orgullo abaje.
El río de más corriente
que hace ilustre su ribera,
amansará su creciente
si el principio considera
que le da una humilde fuente.
La fuente considerad
de vuestro linaje honroso,
y estimaréis mi humildad;
pues sois río caudaloso,
porque os veis en la mitad
de vuestro curso opulento;
que si yo, conforme intento,
no os igualo y menos soy
con ser río, es porque estoy
cerca de mi nacimiento... [85].

El disgusto que produjeron las audacias de *El melancólico* obligó a Tirso a refundir la obra en la comedia *Esto sí que es negociar*, sustituyendo la "melancolía" de Rogerio por las ingeniosas travesuras de la pastora Leonisa; palinodia que también fue obligado a repetir con *El castigo del penséque* —donde había atacado de modo muy directo a la familia Girón— escribiendo la segunda parte, titulada *Quien calla, otorga.*

---

[84] Jornada III, escena VI, ed. cit., vol. I, pág. 362.
[85] Jornada III, escena V, ídem, íd., pág. 361.

Otras muchas comedias que pueden, con mayor o menor propiedad, ser calificadas también como "de carácter", pertenecen a este extenso sector —*Cómo han de ser los amigos, Cautela contra cautela, El privar contra su gusto*—, pero es imposible detenerse en cada una de ellas.

COMEDIAS DE INTRIGA Y VILLANESCAS

No menos rico y variado es el grupo de estas comedias, suficientes por sí solas para forjar la importancia de un dramaturgo de primera línea. En ellas vuelca y baraja Tirso muchas de sus más excelentes condiciones: su gracejo y desenvoltura, su vis cómica, su intención satírica, su capacidad para definir con cuatro rasgos tipos y caracteres, captar un ambiente y mantener el interés de una acción, aun tomándose libertades de la mayor audacia argumental.

Principalísimo lugar ocupa entre estas comedias *Don Gil de las calzas verdes* [86], una de las más movidas de Tirso, en la que abundan a más no poder los lances inverosímiles, pero urdidos con tal gracia y habilidad que su frescura ha desafiado el paso de los años. En busca de su amante va doña Juana a la corte disfrazada de varón —don Gil de las calzas verdes—; para robarle a su enamorado la nueva dama que éste pretende, la enamora ella a su vez bajo su disfraz masculino. Y claro está que, a vuelta de mil incidentes, logra al cabo lo que intenta y todo acaba en boda.

Lo inverosímil y desenvuelto de los lances de esta comedia y otras del mismo porte, lleva a considerarlas comúnmente como meros juguetes dramáticos en que el ingenio enredador de Tirso se solazaba. Pero no todo en ellas es puro alarde libérrimo de fantasía creadora. En esta digamos "agresividad" de tantas heroínas tirsistas vibra una exaltación de la mujer de no pequeña transcendencia; estas desenfadadas damitas arrollan prejuicios —¿no nos recuerdan nada a las muchachas rebeldes de nuestros días, que el cine ha popularizado, convirtiéndolas en un explosivo social?— y se enfrentan con los hombres para igualarse a ellos no sé si tanto en importancia como en libertad. Esmeralda Gijón ha visto bien la significación de estas mujeres, a las que llama el "antitenorio", como burladoras que acaban siendo de sus propios "burladores". "Los más acabados modelos de este tipo magnífico de mujer —escribe—, rescatador de su honra, son Doña Violante de *La villana de Vallecas* y Doña Juana de *Don Gil de las calzas verdes,* en las que el valor, el ingenio y la astucia colaboran para reconquistar su honor. Mujeres fuertes también, en cierto sentido, que no sucumben al dolor, ni buscan la inhibición de su conflicto huyendo del mundo, o superándolo y transponiéndolo a planos sobrenaturales, sino que se enfrentan con él, le desafían y le vencen; que manejan lo mismo que su ofensor la astucia, la mentira y toda clase de enredos, pero con más

---

[86] Cfr.: J. Millé y Giménez, "Miscelánea erudita: la fecha del 'Don Gil de las calzas verdes' ", en *Revue Hispanique,* XLVIII, 1926, págs. 193-206.

gracia. Esta figura del antitenorio es, junto con sus graciosos y graciosas, una de las máximas creaciones del humor de Tirso" [87].

Bella comedia es *El amor médico,* protagonizada por otra mujer, muy a lo Tirso, doña Jerónima, en la que encierra el autor una declarada defensa del feminismo y de la libertad de la mujer, casi inconcebible en su tiempo:

> *¿Siempre han de estar las mujeres*
> *sin pasar la raya estrecha*
> *de la aguja y la almohadilla?* [88]

dice doña Jerónima. Y decide disfrazarse de varón y estudiar entre la masculina grey estudiantil y doctorarse luego de medicina en Coimbra. Sólo que, al cabo, el amor hace su camino y deja la medicina para casar con el colega de quien era competidor... y enamorada.

En *Por el sótano y el torno,* de lo más gracioso y divertido que compuso Tirso, una viuda joven trata de casar a su hermana con un viejo rico para que las dote a ambas; pero dos jóvenes galanes remedian el problema con más deleitosa solución. En ésta, al igual que en otras dos comedias de parecida movilidad y gracejo —*Los balcones de Madrid, En Madrid y en una casa*— recurre Tirso a ingeniosos artificios de gran habilidad teatral para hacer posible la sorpresa de que un personaje aparezca a un tiempo en dos lugares. De no menor interés son también *Averígüelo Vargas, Desde Toledo a Madrid, La huerta de Juan Fernández* —con otra atractiva dama, doña Petronila, vestida de varón— y *La celosa de sí misma.*

También en la comedia "villanesca" produjo Tirso modelos inimitables de inmarcesible frescura; su musa traviesa se complacía y jugaba a sus anchas cuando podía correr por estos ambientes desenvueltos y manejar personajes —mujeres sobre todo— de apicarada gracia. Que no son únicos, en absoluto —ya ha quedado visto—, hasta el punto de pretender definir a Tirso por esta modalidad de su teatro, pero que representan sin duda una vertiente muy brillante de su polifacético talento. Primera en méritos es quizá *La villana de Vallecas,* que, pese a su nombre, es esta vez una dama valenciana, doña Violante, que, seducida y abandonada por su galán, marcha a Madrid en su busca; y vive entretanto, en aquella barriada de Madrid, como criada en una panadería. El enredo es complicadísimo y las escenas saladísimas se multiplican. En un episodio secundario, otro galán, que se enamora de la "villana" y trata de conquistarla, da ocasión a una de las más famosas escenas de galantería de Tirso: un diálogo vivísimo, incitante, del que Tirso —que se repetía en muchos aspectos— dio abundantes versiones a lo largo de su teatro, pero que en esta ocasión queda en su punto superior.

[87] *Concepto del honor y de la mujer en Tirso de Molina,* cit., pág. 647.

[88] Acto I, escena I, ed. cit., vol. II, pág. 971.

Menos importante, aun siéndolo, es *La gallega Mari-Hernández*, con la que comienza el llamado ciclo "gallego-portugués". La acción se traslada ahora al siglo XV, y junto a la intriga de la comedia es destacable el aire de bucólica gallega y los elementos folklóricos, así como la directa observación del paisaje que recoge el autor[89].

En *La villana de la Sagra* torna Tirso a su campo toledano, tantas veces presente en sus comedias, pero nunca probablemente con el movimiento y color de esta pieza. Y no solamente como pintura de esta región, sino como traslado a la escena de la vida aldeana —con sus fiestas, canciones, costumbres, rivalidad de pueblos vecinos, captadas en toda su rústica pero también poética realidad—, tiene esta obra especial significación, no sólo en el teatro de Tirso sino en toda la escena de su tiempo.

TIRSO PROSISTA

Como prosista Tirso es autor de dos colecciones misceláneas correspondientes a dos momentos muy distintos de su vida. La primera, *Los cigarrales de Toledo*[90], pertenece a la época de su juventud y al más intenso período de su actividad como dramaturgo. Inspirado por la disposición novelesca del *Decamerón*, tantas veces imitado en esto, supone que varios amigos para entretener ocios del verano en la ciudad de Toledo, acuerdan reunirse cada día en el "cigarral" de uno de ellos, que se obliga a divertir a los demás (la obra se limita a cinco "cigarrales"). Con este pretexto se van intercalando entre el relato en prosa que los enhebra, novelas, comedias y poesías líricas. Entre las primeras sobresale la preciosa narración *Los tres maridos burlados*, y de las segundas *El vergonzoso en palacio* y *El celoso prudente*. Hemos dejado ya destacada la importancia de la defensa que hace Tirso, a propósito de *El vergonzoso*, de la nueva dramática nacional que Lope, con todos sus seguidores, había hecho triunfar frente a la resistencia de los teóricos del antiguo teatro clásico.

---

[89] Cfr.: Edwin S. Morby, "Portugal and Galicia in the Plays of Tirso de Molina", en *Hispanic Review*, IX, 1941, págs. 266-274. Alonso Zamora Vicente, "Portugal en el teatro de Tirso de Molina", en *Biblos*, Coimbra, XXIV, 1948, págs. 1-41. Fray Gumersindo Placer, O. de M., "Tirso y Galicia", en revista *Estudios*, núm. extraordinario, cit., págs. 415-478.

[90] Edición Víctor Said Armesto, con estudio preliminar, Madrid, 1913; edición "Espasa-Calpe", en Colección Universal, Madrid, 1928. Cfr.: C. A. Soons, "Poetic elements in the plots of Tirso's novels", en *Bulletin of Hispanic Studies*, XXXII, octubre, 1955, páginas 194-203. M. Wilson, "Some aspects of Tirso de Molina's *Cigarrales de Toledo* and *Deleytar aprovechando*", en *Hispanic Review*, XXII, 1954, págs. 19-32. Fray Manuel Penedo Rey, "El fraile músico de los *Cigarrales de Toledo* de Tirso de Molina", en la revista *Estudios*, III, septiembre-diciembre, 1947, págs. 383-390. André Nougué, *L'Oeuvre en prose de Tirso de Molina*, Toulouse, 1962. Gerald E. Wade, "Tirso's *Cigarrales de Toledo*: some clarifications and identifications", en *Hispanic Review*, XXXIII, 1965, páginas 246-272.

Como prosista Tirso muestra aspectos diversos. En los relatos, de agudo filo picaresco por lo general, se sirve de una prosa incisiva y ágil, muy apropiada a la narración y abundante a su vez en felices descripciones llenas de colorido (Tirso es un virtuoso de la palabra gráfica y sugerente). El escritor amaba a Toledo, quizá no tanto en su paisaje urbano como en la tierra circundante, los "cigarrales", el río, que adquieren calientes tonos en su entusiasta pintura. En los fragmentos introductores de cada "cigarral" la brillantez imaginativa se encrespa, en cambio, con un exceso de ampulosos rebuscamientos, mucho menos felices; su conceptismo temperamental, que tanto juego da a la movilidad e ingenio de sus diálogos dramáticos, se asfixia frecuentemente con un ropaje culterano más de corteza que de auténtica hondura poética.

La segunda colección miscelánea pertenece al período de la madurez de Tirso, cuando apartado total o parcialmente (pues sabemos que es punto controvertible aún) de su mundana producción teatral, encerrado preferentemente en la vida del claustro, se entregó con dedicación mucho mayor al servicio de su orden y a la redacción de obras históricas o doctrinales. Titúlase esta miscelánea *Deleytar aprovechando*, parecida en su técnica novelesca a *Los cigarrales*; sólo que ahora son tres matrimonios que, para huir de las paganas fiestas de Carnaval, se reúnen y distraen con representaciones sacramentales y relatos piadosos. Destaca sobre todos estos últimos *El bandolero*, sobre la conversión de San Pedro Armengol, modelo de narración devota y a la vez de reconstrucción histórica, en la que se une la minuciosidad del investigador con el calor imaginativo del novelista. La prosa mucho más clásica y ceñida que en *Los cigarrales* contribuye también a la belleza del relato. Los autos incluidos en este libro fueron ya vistos en su apartado correspondiente [91].

La historia de la Orden de la Merced, conservada en manuscrito en la Academia de la Historia y desconocida hasta que fue descubierta por doña Blanca de los Ríos, es de especial interés para el conocimiento de muchos aspectos biográficos del escritor y para estudiar la evolución de estilo y de carácter hacia este Tirso grave y sereno de los años maduros.

---

[91] No existe edición moderna de *Deleytar aprovechando*. La narración *El bandolero* ha sido editada aparte, con estudio preliminar, por L. C. Viada y Lluch, Barcelona.

CAPÍTULO IX

LA NOVELA PICARESCA EN EL SIGLO XVII. OTRAS FORMAS DE LA NOVELA

EVOLUCIÓN Y DESARROLLO DE LA PICARESCA

Al estudiar, en el capítulo correspondiente, la aparición de la picaresca con su primera y más famosa novela, el *Lazarillo de Tormes,* y establecer sus rasgos capitales y el proceso de su evolución, dijimos que el género queda fijado entonces en su esencia, pero que sólo fructifica y desarrolla el denso haz de sus posibilidades en lo que puede denominarse "segunda época de la picaresca", comenzada al nacer el siglo XVII [1].

Parece extraño que habiendo alcanzado el *Lazarillo* tan resonante popularidad, hubiese de transcurrir media centuria para que comenzara a producirse su natural y fecunda descendencia. Pero el período de Felipe II no era en manera alguna propicio para el florecimiento de aquel género. El componente erasmista del *Lazarillo,* con su sátira antieclesiástica —recordemos que la novela fue prohibida y autorizada sólo en ediciones "castigadas"—, proyectaba sobre aquella modalidad novelesca una sombra de prevención. En el momento en que se producía con auténtico desborde la mística y la ascética, y florecía la literatura idealizante con los libros de caballerías, la novela pastoril, el teatro de imitación clásica y la épica, una novela como el *Lazarillo,* o cualquiera de sus posibles hijos, habría sonado como una nota extraña. Digamos también que aquellas causas de índole económica y social que, según vimos, contribuyen a la fermentación del mundo picaresco y, consecuentemente, a la literatura que había de reflejarlo, no existen todavía en toda su gravedad durante el reinado de Felipe II, sino que es a lo largo de él cuando comienzan a intensificarse. Finalmente, aunque el realismo y la sátira —componentes esen-

---

[1] Sobre los problemas de la picaresca en general cfr. la bibliografía citada en el capítulo XVII del volumen I.

ciales de la picaresca— tenían tan larga ascendencia y fecundo arraigo en el suelo literario español, y aun en esta segunda mitad del XVI persisten como corriente ininterrumpida, no es entonces, por cierto, cuando viven su momento más significativo; muy al contrario, la plenitud del Renacimiento que entonces se produce favorece el culto de la belleza ideal que, en el terreno del amor humano, tiene su voz más alta en la lírica de Herrera. Tampoco creemos que debe echarse en olvido la exaltación patriótica que vive España durante aquel período contrarreformista, nada propicio por lo tanto para el desarrollo de una literatura que sólo mostraba la vida por el lado del pesimismo, el fracaso y la negación.

Así, pues, es evidentemente significativo que la *Primera parte del Guzmán de Alfarache* de Mateo Alemán, con que la picaresca se reanuda, vea la luz en 1599, un año después de muerto Felipe II, es decir, cuando al mismo tiempo quedaba cerrada la etapa ascendente de la política española, y la clásica serenidad renacentista se quebraba en las atormentadas inquietudes del barroco.

Dejamos dicho a propósito del *Lazarillo* cuáles eran las diferencias capitales entre dicha novela —que constituye por sí sola la creación y la primera etapa del género— y las que luego, en el siglo XVII, van a representar su florecimiento y plenitud. Pero aquellas diferencias son tan profundas en muchos aspectos, que casi plantean el problema de su supuesta paternidad: el pesimismo sistemático, la deformación caricaturesca, la insistente sátira social, la plena conciencia que el pícaro posee de su existencia y significación como clase, el aditamento de largas reflexiones morales y los procedimientos naturalistas de la narración, distan en gran medida del simpático desenfado del *Lazarillo*, de su prodigiosa naturalidad, de su objetivo realismo sin grotescas deformaciones, de la atmósfera de verdad que envuelve todo el relato. Y como todos aquellos rasgos —combinados en diversas proporciones— son componentes básicos de la picaresca del siglo XVII a partir del *Guzmán*, puede admitirse que la verdadera picaresca, en toda su plenitud y alcance, es en esta llamada "segunda época" cuando realmente aparece. Con ello llegamos al resultado un tanto paradójico de que la obra madre del género carece de aquellos rasgos que habían de definirlo luego de manera inequívoca. La deducción, llevada al extremo, no es, en cambio, cierta: el *Lazarillo* contiene todos los gérmenes que la picaresca posterior tenía que hacer fructificar, sólo que en una medida que podríamos calificar de *clásica*, y que la picaresca barroca —la propia, pues, dado que constituye un grupo inconfundible— tenía que exagerar y retorcer; reservándose, a lo mejor, tan sólo —para beber en él con preferencia o con exclusión de los demás— alguno en particular de los canales que el *Lazarillo* había llevado a su cauce. En el *Lazarillo* no solamente se dan sin demasía y violencia los rasgos que han de distinguir a la picaresca posterior, sino que incluso hallamos en él algunos brotes de idealización. Américo Castro ha destacado con claridad este carácter, que no es frecuente tener en cuenta, pero que encierra gran importancia, sin embargo: "Suele mirarse el *Lazarillo de*

Tormes como la primer manifestación del género picaresco. Es exacto, aunque debe tenerse en cuenta un matiz importante: que el *Lazarillo* es fuente y punto de arranque del género picaresco, pero encierra al mismo tiempo gérmenes de una visión de la vida más compleja que la adoptada por las obras clásicas de ese género, en las que, sobre todo, pensamos al decir novela picaresca. La figura del Escudero, algunos aspectos de Lázaro hacen presentir (ya lo sugirió, por primera vez si no me engaño, Navarro Ledesma) algo del maravilloso dualismo Don Quijote-Sancho. Tras de las críticas del Clérigo de Maqueda y del Buldero laten inquietudes erasmistas, que suponen ideal y afanes renovadores. En el *Lazarillo* falta el tono amargo, el encallecido y estático pesimismo que consideramos consustancial con el género picaresco. De esta encantadora obrita podían derivarse novelas picarescas; pero, al mismo tiempo, algo más. Si Mateo Alemán sume en él sus raíces, también Cervantes recoge allá elementos para su sintético realismo" [2].

Al tratar de establecer una clasificación de la picaresca barroca, dejamos también sugerido que ninguna de las allí consideradas era satisfactoria; los caracteres que, de manera global, hemos señalado como componentes de estas novelas, se dan de tal manera combinados, que no es posible, sin forzar los hechos, delimitar con rigor tendencias o grupos. Valbuena Prat sugiere otra clasificación, habida cuenta de la fusión mayor o menor entre la ética y la picaresca. Según este criterio distingue tres grados: un primer grado "lo representa el primitivo y perfecto 'Lazarillo'. Es una picaresca sin sermones morales, aunque en algún momento no falte la lamentación del personaje, una mínima lección de desengaño o desilusión". "El segundo grado —dice luego— lo significa la perfecta fusión de ética y picaresca. Fusión íntima e integral en el 'Guzmán'; fusión superficial y en cierto modo anecdótica, en 'El donado hablador' ". "Un tercer grado —afirma finalmente— lo representa la mera mezcla de lo moral y lo picaresco"; y cita en este grupo, como novelas representativas, *La pícara Justina* y *El escudero Marcos de Obregón* [3].

Pero aun admitiendo la importancia del elemento moralizador en la picaresca —sobre el cual aún hemos de volver luego—, es innegable que sólo puede servirnos para definir parte de sus novelas; lo mismo podríamos intentar con el criterio de la sátira social, con la mayor o menor pureza del realismo o con el predominio de la caricatura, con la insistencia en el cuadro de costumbres o la preferencia por la andariega variedad, con el pesimismo más o menos acentuado. Así, pues, hemos de insistir en la dificultad de toda clasificación satisfactoria y la necesidad de reducirnos al estudio de los distintos autores con sus matices peculiares.

---

[2] Américo Castro, *El pensamiento de Cervantes,* Madrid, 1925, págs. 233-234.

[3] A. Valbuena Prat, *La novela picaresca española,* 4.ª ed., Madrid, 1962, "Estudio preliminar", págs. 26, 27 y 29.

Acerca del componente moralizador en la picaresca y el amplio lugar que en ella ocupa, algunas ideas esenciales dejamos ya apuntadas en el capítulo mencionado. Creemos que las razones que explican esta condición de la novela son tan complejas como las que provocan su misma aparición como género. Valbuena Prat apunta una indiscutible: "la fiscalización religiosa de la época, que hubiera impedido una literatura de malos ejemplos y de venenosos sucesos si al lado del mal no estuviera propuesto el remedio, como la triaca junto al veneno. El autor de *La pícara Justina* emplea la comparación con el médico al advertir que escribe su libro 'enseñando virtudes y desengaños emboscados donde no se piensa' "[4].

Otras razones de este prurito sermoneador creemos que pueden señalarse en raíces más próximas a la misma persona del autor. Por lo común —con la excepción del *Lazarillo,* lo que sirve también para explicar la diferencia— el novelista escribe su relato curtido ya por los años, al cabo de una vida colmada de experiencias, de las que quiere dejar constancia y dar lección con la gravedad —bien que parezca disimulada a veces— de un filósofo. En realidad, aun dentro de la ficción novelesca protagonizada por el pobre pícaro, la enseñanza, bien sea moral o meramente escarmentada, representa su salvación íntima, la justificación de su vida miserable; al pretender adoctrinar a los demás desde la insignificancia de su condición social, se está afirmando a sí mismo con gesto de profundo orgullo, del orgullo del cínico que pisotea las excelencias de los grandes con la suficiencia de su saber experimentado, comprado al precio de su pobreza y sus trabajos. Los demás han gozado de las ventajas de la existencia, pero sólo el pícaro que se ha reído de ellas o no ha podido alcanzarlas, posee el secreto de su inanidad. Dueño de estos saberes, es muy difícil que renuncie a comunicárnoslos.

Otro aspecto nos parece también digno de ser considerado. Claro está que la literatura de la época conoce manifestaciones, y algunas capitales, de géneros nacidos para el solo recreo; tal el teatro sobre todo, que aunque en muchas ocasiones es portador de transcendentes propósitos, de un modo general puede afirmarse que no vivía sino para proveer de diversión a un pueblo sediento de entretenimiento y novedad. Pero el caso de la literatura escrita era muy distinto. Aquel concepto medieval, de tan profundo arraigo, que medía el valor de los escritos por la calidad de su doctrina y el valor de sus enseñanzas (aquella preocupación moralizadora que forzaba a don Juan Manuel a disculparse de haber escrito un libro de cuentos alegando el propósito de hacer más atractiva la enseñanza, o llevaba al marqués de Santillana a definir la poesía como "un fingimiento de cosas útiles") subsistía con pleno vigor durante todo el siglo de oro; ningún libro que se estimase en un adarme dejaba de ponderar su pretensión de adoctrinar, porque, reducido a mero pasatiempo gustoso, merecía el desprecio o despertaba el recelo de moralistas y legislado-

[4] Ídem, íd., pág. 26.

res. Cervantes sabía muy bien que si conseguía convencer de que sus novelas eran "ejemplares", multiplicaba su valor. De idéntico modo, la picaresca podía exhibir su desenfado, cruzar sin temor por los más vidriosos parajes y alzarse a cualquier atrevimiento de fondo o de palabra, con el salvoconducto de su intención moral, que hacía provechosa hasta la exhibición de lo más bajo.

Cuestión de interés es el tan proclamado carácter realista de la novela picaresca. La discusión rigurosa del alcance que puede darse al término "realismo" nos llevaría a debatidos problemas y no es de este lugar. Baste decir que el realismo de la picaresca barroca no es el llano y humano de Cervantes y de Velázquez, sino que tiende a la deformación deshumanizada, exagerando rasgos y escorzos, abultando proporciones o cultivando lo deforme y grotesco con el fin de intensificar la eficacia satírica. Cuando tales deformaciones no tienen lugar o son menos extremadas, el autor recurre por lo menos a la visión unilateral y premeditadamente fragmentaria o a los lances inverosímiles, con lo que da de la llana realidad una imagen no menos caprichosa. Claro está que este resultado caricaturesco en modo alguno puede calificarse de "realista", aunque el vocablo se viene utilizando comúnmente, y todavía más cuando se desea aludir a su misma exageración. Pero entonces, con manifiesta impropiedad.

Tampoco toda la picaresca cultiva la caricatura y la estilización en idénticas proporciones, y en ellas vamos a encontrar uno de los criterios para diferenciar unas de otras las novelas. El caso extremo de lo desmesurado lo representa *El Buscón* de Quevedo, mientras que el *Guzmán* o el *Marcos de Obregón* pueden significar la picaresca de carácter más humano y próximo al llano realismo. Con frecuencia la sátira social desemboca en el cuadro alegórico donde la realidad puede llegar a esquematizarse en abstracciones o, cuando menos, a desconyuntarse en caricaturas por el camino del *Buscón*: tales son, por ejemplo, *Los antojos de mejor vista* de Rodrigo Fernández de Ribera o *El diablo cojuelo* de Vélez de Guevara.

Bajo el punto de vista artístico estas técnicas expresivas de la novela picaresca tan sólo pueden producirse desde el momento en que caducan los cánones clásicos de la belleza ideal, difundidos y cultivados durante el período renacentista, y se proclama —de hecho al menos— el valor estético de lo feo con vigencia propia, y mucho más aún como elemento de contraste. Valbuena Prat recuerda muy a propósito aquellas palabras de *La pícara Justina* en que ésta desecha las falsas idealizaciones: "Antes pienso pintarme tal cual soy, que tan bien se vende una pintura fea, si es con arte, como una muy hermosa y bella". El autor tiene plena conciencia de su postura artística, puesto que añade: "Y tan bien hizo Dios la luna con que descubrir la noche oscura, como el sol con que se ve el claro y resplandeciente día... en el orden del Universo también hacen su figura los terrestres y ponzoñosos animales. Y finalmente, todo lo hizo Dios, hermoso y feo" [5].

[5] Cit. por Valbuena Prat en ídem, íd., págs. 19 y 20.

Esta acentuación unilateral de rasgos con sistemática exclusión no sólo de lo ideal caballeresco o pastoril, sino de la vulgar realidad cotidiana en lo que ésta ofrezca de digno y bello —esta selección a la inversa, diríamos— plantea a su vez otros problemas sobre la picaresca desde el ángulo moral o, quizá mejor, desde la calidad o dignidad moral del personaje y, concretamente, de la visión del mundo que a través de aquéllos nos deja. Américo Castro, que ha valorado agudamente aspectos esenciales de la picaresca, apunta a la vez graves reservas sobre la licitud de semejante visión de la vida tan exclusivista y parcial. "El héroe de ésta —dice— se halla prietamente aherrojado por la fórmula literaria que le hace surgir al mundo del arte; y pegado a la tierra, por fuerza ha de contemplar la vida de abajo arriba. Cuando Mateo Alemán ha querido realzar el bajo nivel de su relato, ha tenido que abandonarlo, y sobreponerle mecánicamente largas digresiones moralizadoras: salvación artificiosa y estéticamente infecunda desde el punto de vista del género novelesco"[6]. Y luego: "El novelista picaresco ha de recortar y abstraer la realidad para obtener ese agrio escorzo que nos brinda, ya que una gentil sonrisa o un noble gesto son tan reales como los huevos podridos o la diarrea; es un arte idealista de signo contrario. En esa reducción a veces se producen rasgos de violencia y de sobriedad que no dejan de tener su encanto. Mas un efecto de belleza, pleno y noble, las novelas éstas no creo que lo causen nunca"[7].

Pero semejante apreciación es harto discutible. Cierto que muchas novelas picarescas abultan malignamente o deforman gentes y sucesos para obtener efectos cómicos; tomada, en cambio, en su conjunto, la picaresca no es más parcial y excluyente que la literatura idealista que llena el siglo XVI —caballeresca o pastoril o al modo novelesco italianizante—. Sin duda alguna lo es bastante menos, pues por debajo de sus deformaciones caricaturescas palpita una realidad sangrante, una sociedad con todas sus maldades y miserias, y cuya verdad no queda anulada porque se diga que el pícaro la describe desde la orilla del resentimiento y el rencor: rencor y resentimiento que casi siempre están justificados. Vista así, la picaresca no sólo se justifica hasta en sus posibles excesos, sino que viene a cumplir una función de alerta social, que incluso en las más perfectas comunidades —y la española de la época distaba mucho de serlo— es un arma dignísima.

En cualquier caso, el concepto que el pícaro merezca como ser social no puede en modo alguno extenderse a la literatura picaresca como creación literaria. Valbuena Prat nos pone en guardia contra esta actitud, bastante difundida: "Sería peligroso y confusionista que una censura a la actitud del pícaro en la vida misma pudiera traer un prejuicio para desvalorar el género novelesco... A nuestra literatura le corresponde la gloria de haber sublimado en el nimbo del arte un tipo y una actitud procedentes de los más bajos y

[6] *El pensamiento de Cervantes,* cit., pág. 234.

[7] Ídem, íd., pág. 235.

equívocos fondos sociales". Y comparando más abajo la picaresca con sus equivalentes en la pintura, escribe: "Junto a las figuras cortesanas de Velázquez, el realismo vivificador del pintor nos dejó las muestras de sus bufones y bobos, llenos de malicia unos, documentos de degeneración otros, trazados por una técnica admirable. La picaresca viene a llenar en lo literario ese mismo lugar"[8].

Evidentemente, en esa dignificación artística del pícaro no todas las novelas alcanzan el mismo valor. El *Lazarillo* y el *Guzmán* ocupan el primer puesto indiscutible, dentro del género estrictamente considerado; y al lado de ambos, las varias novelas de Cervantes más o menos afines a la picaresca, acerca de cuyos caracteres y especial valor hemos tratado en su lugar.

Dejando aparte el *Buscón* de Quevedo y *El diablo cojuelo* de Vélez de Guevara, estudiados en las páginas dedicadas a la obra de cada autor, nos ocupamos a continuación de las novelas picarescas más notables.

LA "SEGUNDA PARTE DE LAZARILLO DE TORMES" DE H. DE LUNA

Aunque el *Guzmán de Alfarache,* como llevamos dicho, es la obra que cronológicamente abre el nuevo período de la picaresca, anteponemos esta *Segunda parte de Lazarillo de Tormes*[9] por su inmediata relación con el libro progenitor del género. De todas las continuaciones del *Lazarillo* ninguna ofrece el interés de la que con el título citado apareció en París en 1620 a nombre de H. de Luna (o I. de Luna), "intérprete de la lengua española" en dicha ciudad. Menéndez y Pelayo lo identifica con un Juan de Luna, que el año anterior, y también en París, había publicado unos *Diálogos familiares,* especie de manual de conversación español-francés con los "modos de hablar, proverbios y palabras españolas más comunes"; y el parentesco de muchas de estas locuciones con las de la novela hace segura la identidad de ambos autores. También Menéndez y Pelayo se preguntaba si H. de Luna pudo ser un protestante emigrado, dadas sus duras y repetidas sátiras contra los clérigos y frailes: hipótesis bien posible. Aunque cree más bien que se trata de uno de aquellos "vagabundos españoles, intérpretes y maestros de la lengua patria que con más o me-

---

[8] *La novela picaresca...*, cit., págs. 18-19. Cfr.: Emilio Carilla, "La novela picaresca española (Introducción al *Lazarillo de Tormes*)", en sus *Estudios de literatura española,* Rosario, República Argentina, 1958, págs. 55-71, donde se abordan con gran ponderación éste y otros varios problemas. Sobre las relaciones de la picaresca con otros géneros literarios véase Mariano Baquero Goyanes, "El entremés y la novela picaresca", en *Estudios dedicados a Menéndez Pidal,* VI, 1956, págs. 215-246.

[9] Ediciones: Buenaventura Carlos Aribau, en BAE, III, nueva ed., Madrid, 1944. Eugenio de Ochoa, en Tesoro de Novelistas Españoles, I, París, 1847. José Trelles Graíño, Madrid, 1947. A. Valbuena Prat, en *La novela picaresca...* cit. Cfr.: A. S. Sloan, "J. de Luna's *Lazarillo* and the french translation of 1660", en *Modern Language Notes,* XXXVI, 1921.

nos honestos y plausibles títulos, y no por causas políticas o religiosas, sino impulsados por la necesidad, sexto sentido del hombre, o por su natural inclinación a la vida suelta y buscona, pasaron los puertos y vivieron en Francia".

El autor explica que habiéndole venido a las manos la anónima continuación del *Lazarillo,* libro "sin rastro de verdad" y lleno de "disparates tan ridículos como mentirosos y tan mal fundados como necios", se decidió a sacar a luz esta *Segunda parte,* "al pie de la letra, sin quitar ni añadir, como la vi escrita en unos cartapacios, en el archivo de la jacarandina de Toledo, que se conformaba con lo que había oído contar cien veces a mi abuela y tías, al fuego, las noches de invierno, y con lo que me destetó mi ama..." [10]; con lo que daba a entender que Lázaro y sus aventuras constituían ya un motivo folklórico.

El libro de Luna, apenas algo más extenso que el *Lazarillo* auténtico, está compuesto con indudable gracia y soltura, con una amenidad singular difícilmente superada por otras novelas del género, y un arte sorprendente para la disposición de los episodios. Su prosa produce tal impresión de modernidad que parece haberse adelantado con mucho a su época; la frase cortada y justa, sin retorcimientos ni palabras inútiles, gráfica y precisa lo mismo al narrar que al describir, es un modelo del mejor estilo novelesco: "A pocas calles andadas encontré con una mujer de verdugado y chapines de más de marca, puesta la mano en la cabeza de un muchacho, un manto de soplillo, que la cubría hasta los pechos; preguntóme si sabía de un escudero; respondíle no sabía de otro sino de mí, y que si le agradaba podía disponer como de cosa propia. Concertéme con ella en dame acá esas pajas; prometióme tres cuartillos de ración y quitación; tomé posesión del oficio dándole el brazo; arrojé el palo, porque no tenía dél necesidad, pues sólo lo traía para mostrarme enfermo y mover a piedad... Quedé medio atónito de ver la gravedad de aquella mujer, que parecía, por lo menos, lo era de algún caballero pardo, o de algún ciudadano rico; espantóme también de ver que para ganar tres pobres cuartillos cada día había de servir a siete mujeres; pero consideré que valía más algo que nada, y que aquél no era oficio trabajoso, de lo que yo huía como del diablo: porque siempre quise más comer berzas y ajos sin trabajar que capones y gallinas trabajando. Dióme el manto y los chapines en llegando a casa, para que los diese a la criada; vi lo que deseaba; no me dejó de agradar la mujercilla: era briosa, morenica y de buen talle; sólo me desagradó que la relucía la cara como cazuela barnizada..." [11].

El episodio del naufragio y los capítulos que siguen, cuando los salvadores de Lázaro lo pasean por el país dentro de una cuba llena de agua para mostrarlo a las gentes como monstruo marino, abunda en lances exagerados y no siempre felices. Mas cuando acaba aquella extraña aventura, la novela ca-

---

[10] Ed. Valbuena, cit., pág. 114.

[11] Idem, íd., pág. 136.

mina hasta su término con el mejor pie. Hay capítulos graciosísimos; así, aquél en que cuenta "cómo sirvió de escudero a siete mujeres juntas", el de la juerga que acaba a palos y con la intervención de la justicia, tan mal parada; cuando Lázaro se hizo ermitaño; y la burla de que es objeto cuando pretende casarse por segunda vez.

La novela abunda en escenas escabrosas, y la sátira antieclesiástica —según dejamos apuntado— es tan continua como desenfadada. Evidentemente, la obra de Luna no hubiera podido publicarse entonces en España, y el hecho de que lo fuera en París explica sus abundantes libertades.

El escudero del *Lazarillo* original reaparece, en los comienzos de la novela, más derrotado y roto; su dramático, y casi conmovedor, orgullo se ha convertido en caricaturesca petulancia de valentón español, muy de la época: "—Consoléla lo mejor que pude, dándole esperanzas que si su enemigo estaba en el mundo, se tuviese por desagraviada... Viéndome burlado, comencé a echar espumajos por la boca, diciéndole que si como era mujer fuera hombre, la sacaría el alma de cuajo. Un soldadillo de los que allí estaban se llegó a mí y me hizo una mamona, no osando darme un bofetón, que si me lo hubiera dado, allí podían abrir la sepultura. Como vi aquel negocio mal encaminado, sin decir chus ni mus me fui más que de paso, por ver si me seguiría algún soldado de talle para matarme con él; porque si me pusiera con aquel soldadejo y le matara (como sin duda hiciera), ¿qué honra o qué fama ganaría? Mas si hubiera salido el capitán o algún valentón, les hubiera dado más cuchilladas que arenas hay en el mar. Como vi que ninguno osaba seguirme, fuíme muy contento..." [12].

La estoica gravedad castellana del *Lazarillo* se ha transformado en las manos de Luna en una picaresca desvergonzada, que gana en donaire y frivolidad lo que pierde en humanidad y hondura. La estampa del escudero, que roba después a Lázaro sus vestidos, señala profundamente la diferencia entre ambas novelas. Del mismo Lázaro ha desaparecido también aquella conformidad desengañada, que le daba toda su humana profundidad.

EL "GUZMÁN DE ALFARACHE" DE MATEO ALEMÁN

Con la publicación de la *Primera parte de Guzmán de Alfarache* en 1599, la novela picaresca renace —al medio siglo de su aparición— y produce a la vez la obra más perfecta, la más representativa y arquetípica del género [13].

---

[12] Ídem, íd., págs. 116-117.

[13] Ediciones: J. Tió, en Tesoro de Autores Ilustres, vols. 9 y 11, Barcelona, 1843. Buenaventura Carlos Aribau, en BAE, III, nueva ed., Madrid, 1944. Eugenio de Ochoa, en Colección de los Mejores Autores Españoles, vol. XXXIII, París, 1847. J. Cejador, en Biblioteca Renacimiento, vols. 1 y 2, Madrid, 1912-1913. P. Holle, en Bibliotheca

Su autor, Mateo Alemán, a la manera de Cervantes con quien tiene no pocas semejanzas, es escritor de pocos libros y tardíos, pero le fueron suficientes para alcanzar su plenitud.

Mateo Alemán nació en Sevilla a fines de septiembre de 1547, casi en los mismos días en que Cervantes veía la luz en Alcalá. Su padre Hernando Alemán, era médico, profesión que ejerció primeramente en Jerez de los Caballeros, de donde en 1540 se trasladó a Sevilla; allí casó en segundas nupcias con doña Juana de Enero (o Henero) que había de ser la madre del novelista. A fines de 1557 y después de algunos años de dificultades económicas, obtuvo el cargo de médico-cirujano de la Cárcel Real de Sevilla. Acompañando a su padre en sus visitas, el pequeño Mateo adquirió en aquel medio sus primeras experiencias del mundo apicarado y de las gentes del hampa y la miseria. Su instrucción fue muy cuidada desde la niñez, y no cumplidos todavía los 17 años se graduó de Bachiller en Artes y Filosofía en la llamada "Universidad de Maese Rodrigo". Se ha supuesto que estudió también en la famosa Academia de Humanidades del maestro Mal-Lara, pero no parece muy probable, pues Alemán, que tantos recuerdos nos ha dejado de su juventud a través de su héroe, no menciona al gran humanista. Matriculóse luego en la escuela de Medicina de Sevilla, estudió el segundo curso en Salamanca y el tercero y el cuarto en Alcalá. Pero la muerte del padre debió de dejar a la familia muy corta de recursos, y Mateo abandonó sus estudios de Medicina, aunque, quizá por una viciosa práctica de la época, se llamaba "licenciado" sin serlo. Por lo demás, no es de creer que la medicina le interesara demasiado, y las repetidas sátiras que en su novela dedicó a los médicos no siempre parecen meros tópicos, como aquellos tan prodigados en su época.

Interrumpida su carrera, Mateo Alemán volvió a Sevilla con su madre, y para subvenir a las necesidades de los suyos contrajo deudas. Una de ellas, de largas consecuencias, tiene especial interés. Alemán anduvo en amores con una joven, doña Catalina de Espinosa, hija natural de un rico sevillano, que tenía por curador de su persona y bienes al capitán Alonso Hernández de Ayala. Alemán recibió de éste cierta cantidad en préstamo, a condición de casar con doña Catalina si no devolvía la suma en el plazo convenido. Alemán gastó el dinero y trató luego de esquivar su compromiso con la joven, pero las amenazas jurídicas del tutor forzaron al novelista al matrimonio. Éste constituyó lógicamente un fracaso y fue una larga cruz para Alemán; los abundantes pasajes de sus libros en que zahiere la institución matrimonial, dan clara idea de lo que le hizo pensar de ella su unión con doña Catalina.

A partir de entonces Mateo Alemán ganó su vida con diversos empleos: primeramente fue recaudador del subsidio de Sevilla y su Arzobispado; luego, en Madrid, obtuvo el de Contador de Resultas, y unos dos años más tarde

---

Romanica, Estrasburgo, 1913-1914. S. Gili Gaya, en Clásicos Castellanos, vols. 73, 83, 90 y 93, Madrid, 1926-1929. A. Valbuena Prat, en *La novela picaresca...*, cit.

(1573) regresó a su ciudad, donde anduvo por algún tiempo metido en negocios de varia índole. Pero Alemán era poco prudente en sus gastos y todavía menos ordenado en las cuentas, por lo que en octubre de 1580 —tenía entonces 33 años— reclamado por sus acreedores, dio con sus huesos en la cárcel sevillana, la misma que de niño frecuentaba con su padre, y donde pudo ahora completar, con más despiertos ojos, su información. Puesto en libertad al cabo de año y medio, volvió a sus negocios, y en 1586 estaba nuevamente en Madrid donde vivió de cualesquiera asuntos que le vinieran a las manos, con tal que diesen algún dinero.

Durante estos años en la corte, Mateo Alemán fue cerniendo sus experiencias, contrastando sus reflexiones y escribiendo su libro. Hasta entonces tan sólo unos pocos íntimos sospechaban que aquel hombre tan atareado pudiese albergar un escritor; tan sólo había escrito el prólogo a los *Proverbios Morales* de Alonso de Barros y traducido dos odas de Horacio. La *Primera parte de Guzmán de Alfarache* estaba terminada en 1597, la aprobación fue firmada el 13 de enero de 1598 y el privilegio de impresión el 16 de febrero de 1599; unos meses más tarde aparecía impresa en Madrid. Mateo Alemán tenía entonces 52 años y de golpe escalaba la fama. El éxito del libro fue extraordinario; aquel mismo año se hicieron otras dos ediciones en Barcelona y una en Zaragoza; al siguiente aparecieron dos en Madrid, una en Barcelona, y otras en Bruselas, París, Coimbra y Lisboa. Numerosos escritores —Hernando de Soto, Vicente Espinel, Lope de Vega— alabaron el libro con sincero entusiasmo. Pero tan elevado número de ediciones no aliviaron los comprometidos bolsillos del escritor, dado que varias de ellas fueron fraudulentas. Medio entrampado, abandonó la corte a fines de 1600 y regresó a Sevilla donde prosiguió sus viejas actividades comerciales, y, nuevamente, deudas que no pudo satisfacer, le llevaron a la cárcel (1602). Esta vez estuvo pocos meses pues un familiar suyo proporcionó el dinero para saldar las cuentas. Aquel mismo año experimentó Alemán otro rudo golpe, que fue la aparición de la falsa *Segunda parte* de su libro, editada a nombre de Mateo Luján de Sayavedra. En 1604 publicó Alemán su *Vida de San Antonio* y marchó a Lisboa con ánimo de venderla en el vecino país, donde existía gran devoción por este santo. Llevaba también consigo el manuscrito de la *Segunda parte* del *Guzmán,* que hizo imprimir en Lisboa a fines de aquel mismo año.

Vuelto a Sevilla y como sus andanzas mercantiles no anduvieron más prósperas que de costumbre, decidió resucitar su antiguo proyecto de pasar a las Indias, cosa que efectuó a mediados de 1608; se embarcaba con dos hijas, habidas fuera de su mujer, y con una dama, doña Francisca Calderón, con quien vivía maritalmente desde hacía algún tiempo, y a quien hizo pasar en el expediente para el embarque como una hija más.

Alemán se estableció en Méjico, donde su vida —había ya cumplido los sesenta años— se fue apagando rápidamente. Allí publicó su *Ortografía* que, al menos en su mayor parte, había compuesto en España, y los *Sucesos de fray García Guerra, arzobispo de Méjico* (1613), tras lo cual perdemos el rastro de su existencia, que ya no debió de prolongarse mucho [14].

Lo que conocemos de la vida de Mateo Alemán permite ver que no pequeña parte de sus andanzas inspiraron las complicadas aventuras de su héroe, aunque las de éste aventajaron a las de aquél en amplitud y malos resultados. Con todo, es cierto que el autor se vació en su personaje, no sólo prestándole sucesos y experiencias, sino lo que en este caso importa bastante más: su concepto de los hombres y de las cosas. El fundamental pesimismo que a lo largo y lo ancho traspasa el libro de Alemán, suele explicarse —y la explicación es en buena parte legítima— por los infortunios y malandanzas del autor, entre las cuales sus dos estadías en la cárcel se recuerdan siempre.

No creemos, sin embargo, que el pesimismo del novelista proceda tanto de sus fracasos personales como de su peculiarísima condición mental, nacida de su penetrante talento, de su capacidad de observación y sobre todo de su implacable lucidez para escrutar la miseria humana, comenzando por la propia. Cierto que anduvo casi siempre alcanzado de dinero —no siempre, pues en Madrid llegó a edificar una casa para sí—, pero este achaque en sus días era bastante común. Alemán da más bien la impresión de un vividor poco constante y algo trapisondista en sus negocios, y si sus cuentas se le confundían con frecuencia, quizá más que a falta de escrúpulos se debiera a sobra de abulia para llevarlas con rigor, y sobre todo a cierta despreocupación en el gastar. Sus dos encarcelamientos no debieron de parecerle demasiado injustos, pues adeudaba lo que se le pedía; ni tampoco fueron tan acerbos. Durante el primero de ellos, el más largo, su misma mujer con la que hacía tiempo no tenía trato conyugal, contribuyó con su dinero a suavizar el rigor del encierro. Su fracaso matrimonial no le privó de otras aventuras; cuando embarcó para las Indias llevaba consigo —como vimos— dos hijas naturales (había tenido otra por lo menos y, ya sexagenario, una amante —que fue posible hacer pasar también

[14] Cfr.: C. Pérez Pastor, *Bibliografía madrileña,* II. J. Gestoso y Pérez, *Nuevos datos para ilustrar las biografías del maestro Juan de Malara y de Mateo Alemán,* Sevilla, 1896. F. Rodríguez Marín, *La vida y las obras de Mateo Alemán* (Discurso de recepción en la Real Academia Española), Madrid, 1907. Del mismo, *Documentos referentes a Mateo Alemán y a sus deudos más cercanos (1546-1607),* Madrid, 1933. Urban Cronan, "Mateo Alemán and Miguel de Cervantes", en *Revue Hispanique,* XXV, 1911. F. A. de Icaza, *Sucesos reales que parecen imaginados de Gutierre de Cetina, Juan de la Cueva y Mateo Alemán,* Madrid, 1919. J. B. Avalle Arce, "Mateo Alemán en Italia", en *Revista de Filología Hispánica,* VI, 1944. Irving A. Leonard, "Mateo Alemán en México", en *Boletín del Instituto Caro y Cuervo,* V, 1949. Guzmán Álvarez, *Mateo Alemán,* Buenos Aires, 1953. Antonio Rodríguez Moñino, "Residencia de Mateo Alemán", en *El Criticón,* núm. 2, 1935, pág. 32. Claudio Guillén, "Los pleitos extremeños de Mateo Alemán: I. El Juez, 'Dios de la Tierra' ", en *Archivo Hispalense,* 2.ª época, 1960, núms. 99-100, págs. 387-407. Donald McGrady, "Was Mateo Alemán in Italy?", en *Hispanic Review,* XXXI, 1963, págs. 148-152.

por hija— de reconocida belleza y calidad). Era hombre alto y apuesto, de excelente salud, y puede pensarse que, como buen sevillano, no carecería de recursos para el trato social. Durante muchos años —y el dato es de interés— fue Hermano Mayor de una de las más populares cofradías religiosas de su ciudad, la hermandad de "los Nazarenos", lo que arguye que con todas sus deudas y cuentas, más o menos embrolladas (esto debía de ser muy frecuente), gozaba de general consideración.

Por todo ello, repetimos, más nos parece Alemán un pesimista cerebral que un sufridor en propia carne; y, por esto mismo, más profundo y sincero, ya que su concepto de los hombres y su visión de la vida no hubiera cambiado aunque la suerte le hubiera favorecido con alguna mayor largueza. A Mateo Alemán le encendieron el pesimismo su formación, que fue profunda, y su talento para ver y para juzgar sin confundir la vana corteza con la raíz profunda de las cosas. La crisis política a que andaba abocada su nación, no le pasaba inadvertida; sus experiencias de la cárcel —como visitante cuando chico y habitante cuando mayor— más que dolores propios, le dieron a conocer los ajenos y la variedad de maldades y miserias que la grey humana era capaz de protagonizar; sus largos años de "negocios" con traficantes y vividores de toda laya, le enseñaron las infinitas tretas y ruindades de las que se vive... y es preciso vivir. Alemán nadaba entre ellas, para salir a flote, pero el filósofo y el moralista que él era de raíz, miraba largo y profundo y se cargaba de aquella desengañada ciencia de la vida, de la que iba a dejar tan empapado a su Guzmán.

Dijimos arriba que en la novela de Alemán se produce la más exacta síntesis de picaresca y ética, carácter que —sabemos también— es distintivo de todo el género. El *Guzmán* salía a luz cuando la muerte del rey Prudente abría la puerta a la nueva época en que la picaresca iba a florecer; pero la obra de Alemán había sido concebida y realizada todavía durante el período de la ascética y de la mística, y aunque escrita de cara al futuro, llevaba muy arraigado el signo de los años en que había madurado el espíritu del escritor. Esto sólo bastaría para explicar el profundo carácter moralizador de la novela. Pero hay además en Alemán un hondo sentido religioso que no se adormece por sus muchas debilidades, cualesquiera que éstas hayan sido, y que, transportado a la novela, afecta en la misma medida a su protagonista. El escritor y su héroe —es indispensable fundirlos en este aspecto— no se empecinan en la maldad; como un eco constante de las doctrinas, tan debatidas entonces, sobre la gracia y el libre albedrío, la novela insiste una y otra vez en las posibilidades que se le ofrecen a Guzmán para redimir y dignificar su vida, y en muchas ocasiones le conmueven profundamente. Pero son los malos hábitos, las malas compañías, la necesidad, las que impiden que la flaca voluntad de Guzmán retorne al buen camino. Este profundo sentido cristiano no sólo se advierte en el contenido doctrinal, sino en el respeto del autor por todo lo eclesiástico; nada más alejado que el *Guzmán* de la sátira erasmista del *Lazarillo*

—nada digamos de la continuación de Luna— y hasta de los leves alfilerazos de cualquiera de sus congéneres. En medio de la total negrura que el novelista nos describe, los personajes eclesiásticos que aparecen, son siempre de intachable conducta, y en muchas ocasiones los únicos que consuelan al pícaro y hasta lo remedian en lo material. Los pasajes de esta naturaleza son abundantísimos: en una ocasión, hambriento Guzmán, se acerca en una venta a dos señores y trata de servirlos para ganar qué comer: "...al primer ofrecimiento me dijo uno: —A un lado, señor galán, desvíesenos de aquí. —¡Oh traidores enemigos de Dios! —dije— ¡Con qué caridad comienzan! ¿Qué esperanza podré tener me darán la comida? O si en el camino me rindiere, ¿me dejarán subir en ancas de una mula?... Llegó allí un fraile franciscano a pie y sudando. Sentóse a descansar y de allí a poco sacó de una talega en que llevaba pan y tocino. Yo estaba tan traspasado de hambre, que casi quería expirar; y no atreviéndome con palabras, de vergüenza o cobardía, con los ojos le pedí me diese un bocado por amor de Dios. El buen fraile, entendiéndome, dijo con un ahínco cual si le fuera la vida en darlo: —Vive el Señor, aunque me quedara sin ello y cual tú estás ahora, te lo diera. Toma, hijo" [15].

---

[15] Ed. Valbuena, cit., pág. 297. No ignoramos que la actitud religiosa de Mateo Alemán y su sinceridad frente a la Iglesia viene siendo objeto de discusión. Moreno Báez (en su estudio citado luego) y Valbuena Prat sostienen, en conjunto, la interpretación que nosotros hemos acogido. Por el contrario, Van Praag en su comentario al *Guzmán* (citado también después) cree en un Alemán fundamentalmente hipócrita —partiendo de su origen judaico— y destaca una serie de pasajes para demostrar la posición burlona y rencorosa del escritor frente a muchas prácticas religiosas. El asunto requeriría larga exposición, que no podemos traer a este lugar. Digamos, sin embargo, que, según nuestro entender, lo que empapa las páginas del *Guzmán* es una sátira implacable contra la inmensa hipocresía que debía de tener atenazados a tantos españoles de su tiempo, de toda clase y condición, para acomodarse al bien parecer y hacer su agosto sin peligro; no es lo religioso auténtico, sino su falsificación, lo que enciende el desprecio de este escéptico avisado, que apenas podía creer en la sinceridad de nadie, desde el fraile hasta el último pícaro. No es, pues, un problema de principios, sino de realidades humanas. Es el mismo escepticismo que emana del cervantino patio de Monipodio y de tantas páginas de Quevedo, aunque varíe el tono, claro está. Parécenos muy arriesgado pretender alcanzar el íntimo meollo de la conciencia del escritor, pero creemos que solamente una creencia sincera puede alimentar sátiras tan amargas contra tanto farsante. Es muy posible que a Alemán se las dictara su resentimiento judaico y, si se quiere, hasta una absoluta falta de fe. Pero afirmamos que todos los pasajes espigados por Van Praag no lo demuestran; lo mismo podía haberlos inspirado la más entrañable y auténtica religiosidad. Insistimos: lo que el novelista desenmascara es la hipocresía de las conductas, sean de clérigos o de seglares. Por esto, quizá, cuando el personaje religioso tiene la significación, más genérica, de una idea o una institución, el novelista respeta y alaba. Así, creemos, puede compaginarse su elogio a las instituciones y a los ministros dignos con la sátira despiadada contra lo fingido e inauténtico. Todas las citas de Van Praag son de esta última especie; ¿es necesario ser judío para denunciarlo, o basta tener amor a la verdad y hombría para hacerlo? Tampoco diremos que éstas sean cualidades vulgares y que no precisen algún resorte especial para ponerse en movimiento. El ser judío o resentido puede ser uno de ellos: los que ven la fiesta desde el balcón de honor, nunca protestan.

Con tal criterio, se explica perfectamente no sólo que Alemán tomara a su pícaro como cabeza en quien ejemplificar su amarga filosofía, sino la estrecha fusión de picaresca y de doctrina, de novela y de lección moral que pone en su libro: cuestión ésta muy debatida y diversamente juzgada. Repetidamente se ha dicho que las largas disquisiciones moralizadoras del *Guzmán* representan un elemento pegadizo y cansado, que embaraza la andadura de la novela. Américo Castro lo cree así (sus palabras fueron ya citadas a otro propósito): "Cuando Mateo Alemán ha querido realzar el bajo nivel de su relato, ha tenido que abandonarlo, y sobreponerle mecánicamente largas digresiones moralizadoras: salvación artificiosa y estéticamente infecunda, desde el punto de vista del género novelesco" [16]. Valbuena Prat ha insistido, por el contrario, en el valor, inseparable, de los dos planos del *Guzmán*: "Mateo Alemán —afirma— sabe coordinar el doble sentido de su novela: vida de un pícaro, como hilo de acción, pero a la vez atalaya de toda la vida humana. Una amplia concepción encaja la serie de malicias, trapacerías y miserias de Guzmán en el dolor humano de un íntimo fracaso para enseñanza y ejemplo... Sería frívolo pensar en que lo interesante está en las 'picardías' del libro, y que las sátiras o los sermones morales son algo pegadizo y que sobra. En alguna edición se han suprimido los pasajes morales y ha quedado una obra manca y coja, en que no sólo se resiente la belleza de estilo de los fragmentos que faltan, sino que se percibe claramente un hueco: la explicación, la razón de ser de todos los hechos narrados. Cada soliloquio de Guzmán es una maravilla de pensar reconcentrado, de meditación amarga o esperanzada, de desilusión humana y fe íntima en Dios, a pesar de sus pecados y sus malos ejemplos" [17].

Si el sentimiento religioso era tan poderoso en Alemán que condicionaba todo su pensamiento y prédica ascética así como la íntima estructura de su novela, ni lo amoroso ni lo heroico dejaron, en cambio, huella en él. No le fue ajeno el deseo de mujer, como hemos visto, pero el amor como pasión, no como devaneo, le inspiró escaso entusiasmo, quizá por el fracaso de su matrimonio o porque toda coyunda le asustase; así, con los fragmentos —muy numerosos— de sus obras, que no sólo del *Guzmán*, en que satiriza a la mujer, podría formarse la mejor antología de la misoginia.

Lo heroico quiebra igualmente en Alemán, y en tal aspecto el escritor mira ya muy recto a la próxima centuria, colmada de fracasos, cansada y desengañada de esfuerzos tan agotadores. Las generaciones entusiastas habían desaparecido, y Alemán las ve perderse con gesto escéptico. Por lo revelador, aunque se haya citado muchas veces, es preciso repetir aquel pasaje de su *Ortografía*: "Yo conocí en mi niñez a Montesdoca, soldado viejo que lo había sido del Emperador Carlos Quinto, el cual traía colgando del cinto un puñal de orejas de

[16] *El pensamiento de Cervantes*, cit., pág. 234.
[17] *La novela picaresca...*, cit., pág. 27.

los tiempos de Marras, tan vil y despuntado, que apenas con buenas fuerzas lo hicieran entrar por un melón maduro. Y decía estimarlo en más que un majuelo que había comprado en mucho precio; y todo el fundamento de su estimación era porque un bisabuelo suyo de Utrera lo había dado a su padre para ir en el campo del Rey don Fernando el Católico a la conquista del Reino de Granada"[18]. Alemán no comprende ya aquel orgulloso recuerdo del soldado, del que sólo advierte lo vano de su gesto y lo "vil" y "despuntado" del puñal.

El *Guzmán de Alfarache* no sólo es la novela más representativa de la picaresca, su cima y plenitud, como obra que reúne y funde sabiamente todas las características del género, sino que también por la calidad de su prosa viene a significar un punto de perfección en el cruce de dos épocas. Alemán encarna el paso del período amplio y rotundo de la época renacentista hacia la cláusula corta del barroco, pero todavía sin la extremada concisión frecuentemente retorcida y alambicada de Quevedo y Gracián. En las páginas del *Guzmán* se alían la sobriedad y la elegancia, dentro de una prosa visiblemente elaborada con todo rigor, cuidada en cada detalle, con un absoluto dominio del idioma, pero de la que está asimismo ausente toda sombra de afectación o de amaneramiento. Con hábil técnica de contrastes, Alemán posee un estilo vigoroso, gráfico, de gran fuerza expresiva. De la jugosa plasticidad de su prosa puede dar fe esta divertida descripción de la vida de pupilaje, que el autor conoció durante sus días de estudiante en Alcalá, y donde está el probable modelo de conocidos pasajes del *Buscón*; sólo que sin su desmesurada y grotesca caricatura: "Halcíaseme trabajoso si me quisiese sujetar a la limitada y sutil ración de un señor maestro de pupilos, que había de mandar en casa, sentarse a cabecera de mesa, repartir la vianda para hacer porciones de los platos con aquellos dedazos y uñas corvas de largas como una avestruz, sacando la carne a hebras, extendiendo la mienestra de hojas de lechuga, rebanando el pan por evitar desperdicios, dándonoslo duro por que comiésemos menos, haciendo la olla con tanto gordo de tocino, que sólo tenía el nombre y así daban un brodio más claro que la luz o tanto, que fácilmente se pudiera conocer un pequeño piojo en el suelo de la escudilla, que tal cual se había de migar o empedrar, sacándolo a pisón. Y desta manera se habían de continuar cincuenta y cuatro ollas al mes, porque teníamos el sábado mondongo. Si es tiempo de fruta, cuatro cerezas o guindas, dos o tres ciruelas o albarcoques, media libra o una de higos, conforme a los que había de mesa; empero tan limitado, que no había hombre tan diestro que pudiese hacer segundo envite. Las uvas partidas a gajos como las merienditas de los niños, y todas en un plato pequeño, donde quien mejor libraba, sacaba seis. Y esto que digo no entendáis que lo dan todo cada día, sino de sólo un género; que cuando daban higos no daban uvas,

[18] Citado por Guzmán Álvarez en *Mateo Alemán*, cit., pág. 19.

y cuando guindas, no albarcoques. Decía el pupilero que daba la fruta tercianas, y que por nuestra salud lo hacía. En tiempo de invierno sacaban en un plato algunas pocas de pasas, como si las quisieran sacar a enjugar, extendidas por todo él. Daba para postre una tajadita de queso, que más parecía viruta o cepilladura de carpintero según salía de delgada, porque no entorpeciese los ingenios; tan llena de ojos y transparente, que juzgara quien la viera ser pedazo de tela de entresijo flaco..." [19].

Las otras obras de Alemán no añaden aspectos esenciales a su personalidad literaria y humana, pero no están carentes de interés. Su *San Antonio* está escrito con una primordial intención piadosa, pero el autor intercala numerosas digresiones sobre aspectos diversos de la conducta humana, que podrían ser otros tantos pasajes del *Guzmán*; muchas de estas digresiones nos ilustran también sobre la propia vida del novelista, y allí podemos encontrar asimismo algunas de sus invectivas más notables contra las mujeres y el matrimonio. El libro fue bien recibido por sus contemporáneos y mereció elogios en verso y prosa de grandes escritores, entre ellos Lope de Vega, que le dedicó una canción; con todo, parece evidente que fue un trabajo en gran parte improvisado.

En la *Ortografía castellana* donde también, aunque de pasada, da importantes detalles de su vida, recoge todos sus conocimientos gramaticales, principalmente fonéticos, y trata de organizarlos en un sistema claro y sencillo. Al lado de estos temas, Alemán expone interesantes opiniones sobre la lengua, su propiedad, la enseñanza de la gramática; en estas páginas puede advertirse la preocupación del escritor por el cuidado y perfección del estilo [20].

[19] Ed. Valbuena, cit., pág. 529. Cfr.: R. Foulché-Delbosc, "Bibliographie de Mateo Alemán", en *Revue Hispanique,* XLII, 1918. M. García Blanco, *Mateo Alemán y la novela picaresca alemana,* Madrid, 1928. Enrique Moreno Báez, *Lección y sentido del 'Guzmán de Alfarache',* anejo XL de la *Revista de Filología Española,* Madrid, 1948. Sherman Eoff, "The picaresque psichology of Guzmán de Alfarache", en *Hispanic Review,* XXI, 1953. Edward Glasser, "Two antisemitic plays in the 'Guzmán de Alfarache' ", en *Modern Language Notes,* LXIX, 1954. J. A. van Praag, "Sobre el sentido de Guzmán de Alfarache", en *Estudios dedicados a Menéndez Pidal,* V, Madrid, 1954. Gonzalo Sobejano, "De la intención y valor del *Guzmán de Alfarache*", en *Romanische Forschungen,* LXXI, 1959, págs. 267-311. Giovanni Calabritto, *I Romanzi Picareschi di Mateo Alemán e Vicente Espinel,* Valleta, 1929. V. Todesco, "Note sulla cultura dell'Alemán, ricavata del *Libro de San Antonio de Padua*", en *Archivum Romanicum,* XIX, 1935, págs. 397-414. Arturo Capdevila, "Guzmán de Alfarache o el pícaro moralista", en *Boletín del Instituto de Investigaciones Literarias,* La Plata, III, 1949, págs. 9-27. F. Sánchez Escribano, "La fórmula del barroco literario presentida en un incidente del *Guzmán de Alfarache*", en *Revista de Ideas Estéticas,* XII, 1954, págs. 137-142. G. J. Geers, "Mateo Alemán y el Barroco español", en *Homenaje a J. A. van Praag,* Amsterdam, 1956, págs. 54-58. Edward Nagy, "La honra familiar en el *Guzmán* de Mateo Alemán", en *Hispanófila,* núm. 8, enero, 1960, págs. 39-45. C. A. Soons, "El paradigma hermético y el carácter de Guzmán de Alfarache", en *Hispanófila,* núm. 12, mayo, 1961, págs. 25-31. Donald McGrady, "Heliodorus' influence on Mateo Alemán", en *Hispanic Review,* XXXIV, 1966, págs. 49-53.

[20] Edición de El Colegio de México, México, 1950; introducción de Tomás Navarro.

La última obra de Alemán fueron los *Sucesos de fray García Guerra, arzobispo de Méjico*[21]. En ellos cuenta la llegada a América de este prelado, sus hechos y vida ejemplar, su muerte y funerales, y termina con una *Oración fúnebre*. El libro puede estimarse como recopilación de toda la ideología pesimista y desengañada de Alemán, y una nueva prueba, en su respeto y cariño a la persona del Arzobispo, de cómo "el llamado escritor sin entrañas del *Guzmán* poseía su honda y secreta fuente de emoción ante las personas que la merecían".

EL "GUZMÁN" APÓCRIFO

Como vimos, en 1602 —el mismo año en que Alemán habitaba por segunda vez la cárcel sevillana— apareció la *Segunda parte* del Guzmán escrita por un usurpador, que movido sin duda por el éxito de la novela, quisó aprovecharlo[22]. La obra fue editada en Valencia y se decía "compuesta por Mateo Luján de Sayavedra natural y vecino de Sevilla". Pero este nombre y patria eran también una impostura. El autor era valenciano, llamábase Juan Martí y era abogado de profesión. Se ha pretendido identificarle con Micer Juan José Martí, doctor en cánones y miembro de la Academia de los Nocturnos con el nombre de "Atrevimiento"; pero tal atribución, que admitió Menéndez y Pelayo[23], ha sido rechazada por Foulché-Delbosc[24].

La usurpación de Martí tuvo mayor gravedad de la que suele en estos casos, porque le pisó además a Alemán buena porción del argumento de su li-

---

21 Edición y estudio de Alice H. Bushee, "The *Sucesos* of Mateo Alemán", en *Revue Hispanique,* XXV, 1911, págs. 359-457.

Entregadas ya estas páginas a la imprenta, llega a nuestras manos un trabajo interesantísimo de Germán Bleiberg, "Mateo Alemán y los galeotes" —*Revista de Occidente,* núm. 39, junio de 1966, págs. 330-363—, que descubre zonas hasta ahora ignoradas de la vida de Mateo Alemán y puede ser utilísimo a su vez para iluminar rincones de su ser más íntimo. De las investigaciones de Bleiberg se deduce que Alemán debió de ejercer en Madrid el cargo de Contador de Resultas por más tiempo del supuesto: en calidad de tal fue designado, en enero de 1593, juez visitador, para indagar acerca de la administración y trato dado en las minas de azogue de Almadén —explotadas entonces por los Fúcar— a los galeotes, allí enviados para trabajar como forzados. La personal y minuciosa gestión llevada a cabo por Alemán, estudiada y descrita por Bleiberg, nos descubre una nueva fuente —quizá la más intensa— en donde pudo el novelista beber su amarga ciencia de la vida y trabar estrecho contacto con el mundo de los miserables. Esta nueva experiencia de Alemán, no como víctima sino como testigo, parece confirmar nuestra intuición, expuesta en el texto, acerca de la índole activa y no pasiva del pesimismo del escritor.

22 Ediciones: en BAE, III, cit. A. Valbuena Prat, en *La novela picaresca...*, cit.

23 En su Introducción a la edición del *Quijote* de Avellaneda (Barcelona, 1905), reproducida en *Estudios y discursos de crítica histórica y literaria,* edición nacional, vol. I, Santander, 1941, págs. 357-420. Cfr.: J. E. Serrano Morales, "El Licenciado Avellaneda, ¿fue Juan Martí?", en *Revista de Archivos,* XI, 1904.

24 Véase su "Bibliographie de Mateo Alemán", cit., págs. 507-512.

bro. No se sabe exactamente lo que sucedió; quizá Alemán dio a conocer a Martí el plan y las aventuras de su segunda parte —con ocasión de algún viaje a Valencia, o como fuera— y hasta puede que le diese a leer parte del libro que ya tuviera escrita. En las palabras "Al lector" de su *Segunda parte* dice Alemán que "me aconteció lo que a los perezosos: hacer la cosa dos veces. Pues por haber sido pródigo comunicando mis papeles y pensamientos, me los cogieron a el vuelo. De que viéndome, si decirse puede, robado y defraudado, fue necesario volver de nuevo al trabajo, buscando caudal con que pagar la deuda, desempeñando mi palabra. Con esto me ha sido forzoso apartarme lo más que me fue posible de lo que antes tenía escrito"[25]. Es decir: que Alemán, para no repetir los episodios en que Martí se le había adelantado, hubo de variar su plan e inventar otros nuevos. Precisamente, en el libro del valenciano, la primera mitad, que pudo ser la que oyó a Alemán, aventaja al resto, suplido por la imaginación poco fértil del usurpador.

El *Guzmán* apócrifo no carece de cualidades, pero en manera alguna puede competir con el original; la fusión de novela y doctrina es muy imperfecta, y el autor recarga la segunda con largas y pedantescas disquisiciones, a veces insufribles. Algunos pasajes, mal ensamblados en el conjunto, porque la habilidad de Martí para novelar es bastante escasa, tienen, sin embargo, considerable interés de por sí, como la minuciosa descripción de las fiestas celebradas en Valencia con ocasión del matrimonio de Felipe III con Margarita de Austria; todo el movimiento, ornato y diversiones de la ciudad componen un animado cuadro, de muy levantino sabor, captado con viveza, como de cosa propia.

"LA PÍCARA JUSTINA" DE FRANCISCO LÓPEZ DE ÚBEDA

En 1605, inmediatamente después de la segunda parte del *Guzmán* auténtico, se publicó en Medina del Campo una nueva novela picaresca titulada *Libro de entretenimiento de la pícara Justina*[26], a nombre del licenciado Francisco López de Úbeda. Se ha supuesto que la obra debió de ser escrita bastantes años antes de su impresión, quizá bien adentro del siglo XVI. El autor dice que la compuso siendo estudiante en Alcalá, a ratos perdidos, y que la retocó a la vista del *Guzmán* "tan recibido", es decir, que había tenido tanto éxito. Alusiones a profesores de Salamanca, que florecieron mucho tiempo atrás, el tipo de cultura que exhibe el autor —mitología, historia clásica— y las citas de autores españoles muy de moda en el XVI pero entonces casi olvidados,

---

[25] Ed. Valbuena, cit., pág. 383.

[26] Ediciones: Eugenio de Ochoa, en "Tesoro de novelistas españoles", I, París, 1847. C. Rosell, en BAE, XXXIII, nueva ed., Madrid, 1950. J. Puyol y Alonso, "Sociedad de Bibliófilos Madrileños", vols. 7, 8 y 9, Madrid, 1912. A. Valbuena Prat, en *La novela picaresca española,* cit.

han hecho suponer —opinión hoy en entredicho— que la novela nacía ya entonces con un marchamo de vejez.

Se discute su autor. Desde los días de Nicolás Antonio se aceptó la especie de que lo era el dominico leonés fray Andrés Pérez, y que el nombre de López de Úbeda era sólo un seudónimo. Mayans siguió aquella opinión, y en los primeros años de este siglo la ratificó Menéndez y Pelayo[27]. Poco después el erudito Julio Puyol y Alonso tomó sobre sí la tarea de estudiar cuidadosamente este y otros problemas de *La pícara Justina,* y al publicar su edición defendió igualmente la paternidad de fray Andrés, basándose sobre todo en que el autor revela un conocimiento muy exacto de la tierra, ciudad y costumbres de León, donde fray Andrés estaba radicado; éste además publicó varios libros piadosos, cuyo estilo parece tener afinidades con el de *La pícara.* Pero como quiera que desde 1895 se había documentado la existencia en Toledo de un médico llamado Francisco López de Úbeda, como el autor a cuyo nombre se publicó la novela[28], Foulché-Delbosc había rechazado la mencionada atribución a pesar de las razones que se aducían[29]. En nuestros días Marcel Bataillon acepta decididamente la autoría de López de Úbeda, y hasta se pregunta con asombro cómo ha sido posible la atribución a fray Andrés[30]. Refiriéndose al pretendido carácter arcaizante de la novela, que se supuso escrita bastantes años antes que la novela de Alemán, se admira igualmente de que se haya pensado "que esta quintaesencia del picarismo se destiló veinte años antes de Guzmán de Alfarache". Acerca de este punto recuerda Bataillon unas palabras de Mayans sobre el autor de *La pícara*; el gran erudito del siglo XVIII advirtió ya que aquél no era un tardío imitador del amaneramiento de Guevara, sino un audaz innovador barroco: "el primer español —dice Mayans—, que dejando la propiedad y gravedad de nuestra lengua, abrió el nuevo camino de inventar por capricho, no sólo vocablos, sino modos de hablar"[31].

Como construcción novelesca, y atendiendo a su interés humano, todos los críticos han coincidido, en cambio, en condenar a *La pícara Justina* con los más severos juicios, y le reprochan su absoluta falta de amenidad, su pobreza de invención y lo absurdo y enrevesado de su estilo; el mismo Puyol y Alonso, pese a haberle dedicado su más escrupulosa atención, es quizá su censor más implacable, y llega a calificar el libro —atendiendo a su prosa— de "ingente y estrepitoso galimatías". Menéndez y Pelayo recuerda que el autor de *La pícara*

---

[27] En su Introducción a la edición del *Quijote* apócrifo, cit.

[28] La referida documentación fue llevada a cabo por C. Pérez Pastor en su trabajo *La imprenta en Medina del Campo,* Madrid, 1895.

[29] R. Foulché-Delbosc, "L'auteur de *La pícara Justina*", en *Revue Hispanique,* X, 1903. Defiende también la atribución a fray Andrés, M. Canal, "El P. Fr. Andrés Pérez de León, autor de *La pícara Justina*", en *Ciencia tomista,* XXXIV, 1926.

[30] Marcel Bataillon, "Urganda entre 'Don Quijote' y 'La Pícara Justina' ", en *Varia lección de clásicos españoles,* Madrid, 1964, págs. 268-299.

[31] Citado por Bataillon en ídem, íd., pág. 269.

Justina "es una de las rarísimas víctimas literarias que sin contemplaciones inmoló Cervantes; uno de los pocos a quienes no alcanzó su inagotable benevolencia en el *Viaje del Parnaso,* donde el Licenciado Úbeda figura entre los que capitaneaban el escuadrón de los poetas chirles" [32]. Y comenta más abajo: "El que escribió *La pícara Justina* era hombre de poca inventiva, de perverso gusto y de ningún juicio, y en este concepto mereció la sátira de Cervantes, pero poseía un caudal riquísimo de dicción picaresca, y una extraña originalidad de estilo, en la cual cifraba todos sus conatos, esforzándose siempre por decir las cosas del modo más revesado posible, con mucho lujo de colores chillones y de abigarradas y grotescas asociaciones de ideas y de palabras, atento siempre a sorprender más que a deleitar, y más a lucir el ingenio propio que a interesar al lector con el insulso cuento de las aventuras de su heroína. De este modo consiguió hacer un libro estrafalario, oscuro y fastidioso, que pasa por muy libre entre los que no le han leído, aunque quizá no le haya más inofensivo en toda la galería de las novelas picarescas. En este monumento de mal gusto todas las cosas están dichas por los más interminables rodeos; y las descripciones, muy curiosas por otra parte, que el libro contiene, de la vida popular en León y comarcas limítrofes, yacen ahogadas bajo tal profusión de garambainas, paronomasias, retruécanos, idiotismos, proloquios familiares, alusiones enmarañadas y pedanterías de todo género, que el libro se convierte en un rompecabezas, y a ratos parece escrito en otra lengua diversa de la castellana, no ciertamente porque el autor la ignorase, sino al revés, porque sabiéndola demasiado (si en esto cabe exceso), pero careciendo de discreción y gusto para emplearla, derrama a espuertas su diccionario, y quiere disimular su indigencia de pensamiento con el tropel y la orgía de las palabras" [33].

Con Menéndez y Pelayo convienen todos los críticos en reconocer la importancia de la novela por la abundancia y riqueza del idioma, cuyo caudal —sobre todo en materia picaresca— es inagotable en las manos del autor.

Quizá a Menéndez y Pelayo le faltó añadir que cada capítulo del libro se encabeza con unos versos que no pueden ser calificados sino de horrendos. Y se termina con unos *aprovechamientos* que el autor pega allí sin venir casi nunca a cuento con la acción que le precede. Valbuena Prat, al hacer su división de la picaresca en orden a la fusión de aquélla con la ética, dice que en la novela de López de Úbeda "la mezcla no puede ser más burda" [34]. "La lectura, para el saboreo de detalles —dice en otro momento—, debe hacerse por partes, y sin pensar en el asunto ni en la acción, que realmente son llevados con torpeza. Es un libro de hablista, más que de estilista, y el mérito que le corresponde, documental, como en los leonesismos de lenguaje, o detallista y episódico, es, por tanto, exterior al sentido novelístico de su género" [35].

---

[32] Introducción a la edición del *Quijote* apócrifo, cit., págs. 376-377.

[33] Ídem, íd., págs. 377-378.

[34] *La novela picaresca...*, cit., pág. 30.

[35] Ídem, íd., págs. 58-59.

"LA HIJA DE CELESTINA" DE SALAS BARBADILLO

Si *La pícara Justina* representa la entrada de la mujer en el mundo de la picaresca, *La hija de Celestina* de Salas Barbadillo, que la deja muy atrás en interés humano y gracia literaria, supone su plena aceptación.

Alonso Jerónimo de Salas Barbadillo (1581-1635), nacido en Madrid, es un ingenio cortesano y hombre muy de su tiempo: poeta fácil, satírico mordaz, pendenciero metido más de una vez en procesos por ofensas y desafíos, más que a sus versos, hoy casi olvidados, debe su fama a una serie de producciones novelescas entre las que destaca *La hija de Celestina*, publicada en Zaragoza en 1612 [36]. Al ser reeditada dos años más tarde se le añadieron fragmentos en verso y algún nuevo episodio, que sólo sirven para entorpecer la fresca desenvoltura de la primera redacción; también el título se adicionó con una segunda parte: *La ingeniosa Elena*, nombre de la heroína. En su forma original, *La hija de Celestina* es un relato afortunado, escrito con gran sentido de lo que son los elementos esenciales de la novela, ágil y ameno, con movidos y variados episodios, y lo bastante breve para dejar al lector sin sombra de cansancio. Su prosa es fluida y perfectamente adecuada al tono de la narración.

Como corresponde a la índole de la protagonista, el mundo picaresco gira en torno a los ardides de esta mujer para cazar corazones en la trampa de su hermosura. Elena es un personaje lleno de simpatía y animación, de gracia y de belleza, que el autor ha creado con todo entusiasmo: "¡Oh, qué mujer, señores míos! —nos dice después de habernos encomiado sus "ojos negros, rasgados, valentones y delincuentes"—. Si la vieran salir tapada de medio ojo, con un manto destos de lustre de Sevilla, saya parda, puños grandes, chapines con virillas, pisando firme y alargando el paso..." [37].

La acción de la novela transcurre en tres ciudades: Toledo, Sevilla y Madrid, donde la bella puede desarrollar sus tretas, y con las que el autor funde gráficos cuadros de costumbres. En Sevilla, Elena y su rufián consiguen engañar a las gentes haciéndose pasar —en farsa aparatosa— por personas de heroica caridad; es éste uno de los episodios mejores y un cuadro de época impagable.

La novela termina trágicamente, ajusticiada la protagonista, por haber envenenado a su rufián; final que la ejemplaridad parecía exigir.

Salas Barbadillo siguió cultivando la novela, en general de corta extensión, e incluso reuniendo misceláneas de relatos, como *La casa del placer honesto*. Sus obras mejores son *El caballero puntual* (1614), *El sagaz Estacio, marido*

[36] Ediciones: J. López Barbadillo, en Colección Clásica de Obras Picarescas, vol. I, Madrid, 1907. P. Holle, en Bibliotheca Romanica, Estrasburgo, núms. 149-150. A. Valbuena Prat, en *La novela picaresca...*, cit.

[37] Ed. Valbuena, cit., pág. 886.

examinado (1620), donde recoge hechos autobiográficos de sus lances y procesos, *El sutil cordobés Pedro de Urdemalas* (1620), y, sobre todo, *Don Diego de noche* (1623), compuesto de nueve aventuras nocturnas del protagonista. En esta etapa de su producción Salas crea una forma especial de novela, combinando elementos picarescos, cuadros satíricos y de costumbres —fruto de su aguda y curiosa observación— y episodios novelescos al modo de la novela corta italianizante[38].

"LA VIDA DEL ESCUDERO MARCOS DE OBREGÓN" DE VICENTE ESPINEL

La vida de Vicente Espinel no anduvo parca en aventuras. Nació en Ronda en 1550, estudió en Salamanca, fue escudero del conde de Lemos, se embarcó para Italia y fue apresado por los piratas de Argel. Recuperó su libertad cuando el galeón en que servía fue capturado por los genoveses. Se incorporó entonces en Milán al ejército de Alejandro Farnesio y tres años más tarde regresó a España. Desde muy joven había gozado de un beneficio en su ciudad natal, sin ser clérigo, pero entonces se ordenó de sacerdote y obtuvo nuevos beneficios en Roma y en Granada. Le atraía, sin embargo, la vida de Madrid, y al fin obtuvo una plaza de capellán del Obispo de Madrid como maestro de música. Gozó de la amistad de grandes personajes y de los más famosos escritores. Era gran humanista (prosiguió sus estudios hasta muy tarde, pues se graduó de maestro en Artes en Alcalá en 1599) y profundo conocedor del latín. De muchacho se había visto envuelto en cuentas con la justicia por su trato con gente apicarada, y también en su madurez tuvo problemas y complicaciones por irregularidades de conducta. Pero, en conjunto, fue hombre bien asentado y de vida moderada y feliz, a lo que le ayudaba su carácter abierto y optimista y su simpatía personal. Fue bastante estimado como poeta lírico por sus contemporáneos, y se le atribuía la invención de la "décima" —de él llamada "espinela"— al menos con la estructura que había de ser tan popular. Era excelente

[38] Otras ediciones de Salas Barbadillo: *El curioso y sabio Alexandro,* en Tesoro de Novelistas Españoles, ed. Ochoa, cit., vol. II, París, 1847, y en BAE, XXXIII, cit. *El cortesano descortés* y *El necio bien afortunado,* ed. de F. R. de Uhagón, en la Sociedad de Bibliófilos Españoles, vol. XXXI, Madrid, 1894. *Corrección de vicios, La sabia Flora Malsabidilla, El caballero puntual* y *Prodigios de amor,* ed. de E. Cotarelo y Mori, en Colección de Escritores Castellanos, vols. 128-129, Madrid, 1907-1909. *La peregrinación sabia* y *El sagaz Estacio,* ed. de F. A. de Icaza, en Clásicos Castellanos, Madrid, 1924. *La casa del placer honesto,* ed. de E. B. Place, The University of Colorado Studies, Boulder, 1927. Cfr.: P. d'Aglosse, *Molière, Scarron et Barbadillo,* Blois, 1888. Narciso Alonso Cortés, *Noticias de una corte literaria,* Madrid, 1906. E. B. Place, "Salas Barbadillo satirist", en *Romanic Review,* XVII, 1926. M. Herrero García, "Imitación de Quevedo", en *Revista de la Biblioteca, Archivo y Museo del Ayuntamiento de Madrid,* V, 1928. G. C. La Grone, "Salas Barbadillo and the Celestina", en *Hispanic Review,* IX, 1941. Del mismo, "Quevedo and Salas Barbadillo", en ídem, íd., X, 1942.

músico —de su sensibilidad musical dejó repetidas pruebas en sus escritos— y él fue quien introdujo la quinta cuerda de la guitarra. En 1591 publicó sus *Rimas*[39], y en 1618 la novela *Vida del escudero Marcos de Obregón*[40]. Murió en Madrid en 1624.

Dentro del marco de la picaresca, si uniforme de un lado, vario y lleno de novedad como la vida incierta de sus héroes, la obra de Espinel se nos ofrece con caracteres muy distintos, matices nuevos y rasgos peculiares que no podremos encontrar en ningún otro libro de su familia literaria. Los críticos modernos, haciendo hincapié en estas diferencias, señalan la escasa "picardía" que hay en el libro de Espinel y hasta pretenden separarla del género. Zamora Vicente, en su bello estudio sobre la novela, es aún más tajante: "Estamos acostumbrados —dice— por una de esas tenaces pervivencias de la poltronería

---

[39] Ed. de J. López de Sedano en el Parnaso Español, vols. 1, 3 y 8, Madrid, 1786 y ss. *Diversas Rimas de Vicente Espinel*, con estudio preliminar de Dorothy Clotelle Clarke, Hispanic Institute in the United States, Nueva York, 1956. Cfr.: Juan Pérez de Guzmán, "Cancionero inédito de Espinel", en *La Ilustración Española y Americana*, vol. XXVII, Madrid, 1883, págs. 134-135, 159-162 y 178. Del mismo, introducción a su edición del *Marcos de Obregón*, cit. luego. Diego Vázquez Otero, *Vida de Vicente Martínez Espinel*, Málaga, 1948. Joaquín de Entrambasaguas, "Datos biográficos de Vicente Espinel en sus *Diversas Rimas*", en *Revista Bibliográfica y Documental*, IV, 1950. Del mismo, "Vicente Espinel, poeta de la reina Ana de Austria", en *Revista de Literatura;* VIII, 1955, págs. 228-238, y IX, 1956, págs. 139-148. Eugenio Mele y Adolfo Bonilla, "Sátira de Espinel contra las damas de Sevilla", en *Revista de Archivos, Bibliotecas y Museos*, tercera época, año VIII, vol. X, 1904, págs. 410 y ss. Fr. Julián Zarco Cuevas, "La primera edición de unas poesías latinas y españolas de Vicente Espinel", en *Boletín de la Real Academia Española*, XVIII, 1931, págs. 91-101. Juan Millé y Giménez, "Sobre la fecha de la invención de la décima o espinela", en *Hispanic Review*, V, 1936, págs. 40-51. Dorothy Clotelle Clarke, "Sobre la espinela", en *Revista de Filología Española*, XXIII, 1936, páginas 293-304. De la misma, "A note on the *décima* or *espinela*", en *Hispanic Review*, VI, 1938, págs. 155-158. F. Sánchez Escribano, "Un ejemplo de la espinela anterior a 1571", en *Hispanic Review*, VIII, 1940, págs. 349-351. José M. de Cossío, "La décima antes de Espinel", en *Revista de Filología Española*, XXVIII, 1944, págs. 428-454. Diego Vázquez Otero, "En torno al IV centenario de Espinel", en *Gibralfaro*, vol. II, núm. 2, 1952, págs. 145-150. José Navas, "Vicente Espinel, músico", en ídem, íd., págs. 151-154. José Fradejas Librero, "De Pedro Alfonso a Espinel", en *Revista de Literatura*, IX, 1956, págs. 154-156. George Haley, "Vicente Espinel and the *Romancero General*", en *Hispanic Review*, XXIV, 1956, págs. 101-114.

[40] Ediciones: Cayetano Rosell, en BAE, XVIII, nueva ed., Madrid, 1946. J. Cuesta, en Biblioteca Escogida, vol. 2, Madrid, 1868. J. Pérez de Guzmán, Barcelona, 1881. Samuel Gili Gaya, en Clásicos Castellanos, 2 vols., Madrid, 1922-1923. A. Valbuena Prat, en *La novela picaresca...*, cit. Cfr.: L. Claretie, *Lesage romancier*, París, 1890. Ernest Muret, "Notes sur *Marcos de Obregón*", en *Mélanges de linguistique et de littérature offerts à M. Alfred Jeanroy*, París, 1928. Giovanni Calabritto, *I romanzi picareschi di Mateo Alemán e Vicente Espinel*, Valetta, 1929. A. Parducci, "Echi e risonance boccaccesche nella *Vida de Marcos de Obregón*, romanzo picaresco del secolo XVII", en *Mélanges de linguistique et de littérature romanes offerts à Mario Roques*, París, II, 1953, págs. 207-217. G. Haley, *Vicente Espinel and Marcos de Obregón. A life and its literary representation*, Providence, Brown University Press, 1959.

erudita, a considerar el *Obregón* como una novela picaresca, cuando la realidad es que anda muy lejos de ello". El crítico matiza enseguida y nos da la clave de alguna de sus notas diferenciadoras: "Sí, tiene algo de la picaresca —no hay por qué empeñarse en negarlo— pero es, siempre, adjetivo y externo, más bien un ropaje forzoso, que armoniza bien con el fondo total. La médula del libro no es de la picaresca, sino de algo muy distinto. Es un libro transido de sentimientos nobilísimos, de muy primera mano, desplegados ante el lector con una sosegada alegría, con un pudor atenazante y fresco a la vez" [41].

Esta "nobleza" de sentimientos es lo primero, evidentemente, que nos sorprende en el *Obregón*. Consideramos consustancial a la picaresca el pesimismo, la visión a ras de tierra, el concepto amargado y antiheroico de la vida. Espinel, por el contrario, tiene para todo una mirada de bondad y es capaz de echar a buena parte hasta las cosas más ruines. No sólo esto, sino que, de hecho, va por el mundo evitando daños y remediando entuertos como un pequeño Quijote, sólo que mucho más eficaz porque casi siempre logra su propósito. Otra diferencia: Obregón no es el protagonista exactamente de los sucesos que refiere, sino su observador; las cosas más que ocurrirle a él, suceden a su lado, y él es menos sujeto que testigo. Sin duda son caracteres diferenciadores, pero pensamos que más de apariencia que de raíz; juzgamos exacta la opinión de Valbuena cuando, después de definir la novela de Alemán como la más representativa y cabal del género picaresco, afirma que "es una cima, pero no un cierre de posibilidades", y hay que admitir por tanto la existencia de variantes muy personales en cada autor sin exigir la acomodación a un molde demasiado uniforme y canónico. En la novela de Espinel los sucesos y personajes son de muy variada especie, pero en su inmensa mayoría pertenecen a la más genuina picaresca: fullerías, estafas, robos, infidelidades, trampas y miserias de toda índole. ¿Son acaso más graves los de Lázaro o de Guzmán? Los hechos en el *Obregón* quedan descritos; lo que les falta es el comentario despiadado de Alemán, que la bondad temperamental de Espinel no era capaz de extraer. Lo que varía en ambos cuadros no son los hechos, sino la glosa. Alemán era un trágico, pero Espinel era un "buen hombre". Corolario de esta bondad del escritor es que Espinel no toma para sí la condición de pícaro; no lo fue, sin duda, en la vida real, pero sobre todo no sentía la amargura de un pesimismo que le moviera a fingirse como tal y a disparar desde aquel reducto su desprecio o su descontento. Espinel no era un satírico agresivo, sino un predicador de la paciencia, y precisaba situar los hechos fuera de sí para acudir a su cura con su bálsamo.

El hecho de que el *Obregón* pueda estimarse como un libro de memorias tampoco nos parece un rasgo muy diferenciador: el *Guzmán* lo es, y el *Laza-*

---

[41] Alonso Zamora Vicente, "Tradición y originalidad en 'El escudero Marcos de Obregón' ", en *Presencia de los clásicos,* Buenos Aires, 1951, págs. 77-140 (la cita corresponde a la página 77).

rillo. Sólo que a medio camino de la vida, cuando quedan todavía muchos rumbos inciertos, y por supuesto su final. Espinel escribe su libro desde la última vuelta del camino, jubilado diríamos, con la mirada tranquila del que descansa en seguro puerto, sin que le aguarden inciertas navegaciones. Por otra parte la andadura toda de la novela, el peregrinar incesante del héroe, la variedad de ambientes y personas, la sucesión de episodios, su construcción lineal, no difieren en nada de la picaresca más ortodoxa.

Otros aspectos, en cambio, sí son muy peculiares del libro de Espinel y constituyen su mayor excelencia. Era Espinel un espíritu delicado y selecto. Valbuena destaca muy certeramente la emoción del autor frente a la naturaleza —sentimiento apenas imaginable en la literatura de su tiempo—, su gusto por los perfumes de las flores, su repetido deleite ante la belleza del paisaje, al que nos lleva hundiendo en él no sólo su mirada, sino exprimiendo el goce de todos sus sentidos: y aún más notable es la intuición fresca y espontánea del escritor, limpia de tópicos literarios, excitada sólo por su personal sensibilidad.

Aunque compuesta, como venimos diciendo, desde fuera, la novela nos produce desde la primera página una intensa impresión autobiográfica; enseguida nos sentimos en directo contacto con la sensibilidad, los gustos, las ideas del escritor. Muchos episodios habrán sido urdidos por la fantasía del novelista, pero aun en ellos advertimos su emoción directamente vivida, cálida y humana, ante los hechos.

"EL DONADO HABLADOR ALONSO, MOZO DE MUCHOS AMOS", DEL DOCTOR JERÓNIMO DE ALCALÁ

Publicóse esta novela en dos partes: la primera en 1624 y la segunda en 1626, y está toda ella dialogada, aunque más bien consiste en un largo monólogo o narración en primera persona, que de vez en cuando —para dividir el relato o dar entrada a nuevos temas— interrumpe el interlocutor con leves comentarios. En la primera parte Alonso es donado de un convento y dialoga con el vicario de su orden, que se interesa por su vida; en la segunda, convertido en ermitaño, habla con el párroco de San Zoles, a cuya jurisdicción pertenece su retiro [42].

Como el título indica, Alonso sirve a muchos amos, a muchos más —probablemente— que cualquier otro pícaro, con lo que puede mostrarnos un panorama muy variado y completo de la sociedad española del siglo XVII, haciendo entrar en él ambientes y clases sociales que no son frecuentes en otras obras del género. Alonso no es un pícaro exactamente, si entendemos por tal

[42] Ediciones: E. de Ochoa, en Tesoro de Novelistas Españoles, cit. vol. II. Cayetano Rosell, en BAE, vol. XVIII, cit. A. Valbuena Prat, en *La novela picaresca...*, cit. Cfr.: T. Baeza y González, *Apuntes biográficos de escritores segovianos,* Segovia, 1877. Samuel Gili Gaya, "Jerónimo de Alcalá y la tradición novelesca", *Revista de estudios segovianos,* I, 1949.

a quien está dispuesto a hacer picardías y vivir de ellas; por el contrario, y un poco a semejanza del escudero Obregón, Alonso es una persona excelente que cambia de dueño por su mala ventura y más por culpas ajenas que propias, y el peor vicio que tiene es meterse a dar consejos y a tratar de corregir a los demás: manía que le cuesta más de un empleo y hasta el puesto de donado en el convento, del que le hace expulsar el propio vicario, su interlocutor, cuando llega a un punto en que no puede ya aguantar sus prédicas: "Tiénenle por hablador —le dice el vicario— y que se mete en negocios del gobierno del convento: cosa que no es permitida a un lego, cuanto más a un donado. El prior quiere regir sus frailes sin que tenga quien sentencie sus causas: si lo hizo bien o lo hizo mal, el hermano gobiérnese a sí, que no hará poco, y no se meta en gobiernos que ni le pertenecen ni los puede juzgar. En el tiempo que con nosotros ha morado, no ha habido prior, vicario, predicador, sacristán ni portero que no hayan pasado por su arancel: negocio insufrible, y más de un mozo a quien de derecho se le debe poco respeto. Y si con buena intención y buen pecho, que en verdad que así lo tengo yo entendido, lo ha hecho o dicho, intenciones o voluntades júzguelas el Señor, y no los hombres, y así, para evitar pesadumbres, quédese con Dios, y para su camino tome esos cincuenta reales. Que yo quisiera darle muchos más, y en paz se quede. Y diciéndome esto, me sacó de la portería, y cerrando la puerta me dejó en la calle" [43].

Con esto, queda declarado el carácter moralizador de la novela. El doctor Jerónimo de Alcalá estaba familiarizado con la literatura sagrada; él mismo, en 1615, había publicado una colección de *Milagros de Nuestra Señora de la Fuencisla,* y después de la novela publicó otro libro religioso, *Verdades para la vida cristiana, recopiladas de los santos y graves autores.* Según era costumbre seguida en tales libros, el autor siembra su novela de anécdotas y ejemplos. Pero esta profusión de "buena doctrina" no empece para la amenidad y el interés de su "donado hablador", que con esta diversidad de ejemplos, unidos a los múltiples episodios de sus andanzas y aventuras, resulta una de las más variadas y entretenidas novelas picarescas. El autor sabe contar con gran habilidad —en una prosa fluida, muy desenvuelta y natural, sencilla y adecuada a la situación— y traba los distintos pasajes con verdadera maestría. Hemos aludido a la amplitud del cuadro social que queda retratado. El "donado" no nace de padres poco santos, en lo que echamos ya de ver un motivo de buena voluntad en el autor, pero queda huérfano enseguida, y con la pobreza y el desamparo comienza su dolorido peregrinar. La mayoría de los episodios son excelentes. Las costumbres de los estudiantes en Salamanca, con las bromas a los novatos y otras trapisondas, nos son ya más conocidas, pero su camino hasta la ciudad es muy gracioso en lo que concierne al donado y muy sugeridor en cuanto a ciertas prácticas estudiantiles: "No hay para qué cuente a

---

[43] Ed. Valbuena, cit., pág. 1.264.

vuesa paternidad las travesuras que por el camino hacían, y en las posadas el buscar de las gallinas y el hurtarlas, haciéndome a mí encubridor de todos sus delitos, y que yo las sacase del gallinero metidas en los gregüescos; el acostarse en la cama con espuelas y botas, no mirando el lodo que se les había pegado por el camino. Un real se pagaba de cada uno y diez se le hacía de daño al pobre mesonero; y no se podía decir por nosotros que ganábamos indulgencia plenaria hurtando al ladrón, porque verdaderamente era cargo de conciencia lo que se hurtaba de cada posada"[44].

Los abusos de los soldados en sus alojamientos por los pueblos componen un cuadro de época, al que el autor no rebaja las tintas de su gravedad, y por boca de Alonso expone su compasión hacia los labradores, tan injustamente tratados: "De allí adelante fui siempre el amparo y favorecedor de mis huéspedes, corrigiendo a mis compañeros cuando veía hacer algún agravio a los labradores: poníales delante el gran trabajo que pasaban desde su sementera hasta el coger el trigo; el rigor del erizado invierno, sus insufribles fríos, nieves y escarchas; el intolerable calor del sol; su poco regalo, pues contentos con una cabeza de ajos o cebolla, y cuando mucho, con un poco de cecina mal curada, se ponen a la inclemencia de los cielos, y con su continuo cansancio sustentan el regalado rico, que en su cama blanda se vuelve del otro lado cuando sale él a ver las resplandecientes estrellas"[45].

Es curioso que el donado, a propósito del médico al que sirve por algún tiempo, se evada de las trilladísimas y tópicas malevolencias contra esta profesión —repetidas con ramplona pesadez en todo escrito satírico del Siglo de Oro— y escriba su defensa —¿la única?— y ciertamente con muy oportunas razones.

Muy interesantes son sus ideas, de amplia tolerancia, sobre las comedias. Muy edificante es su descripción de la vida de las monjas; en cambio, salen algo peor parados los frailes, entre quienes era donado, que le expulsan con tan pobres motivos. Para que nada falte en esta divertida sucesión de picardías y aventuras, Alonso hace su viaje a las Indias y es también apresado por los piratas de Argel; luego, al ser libertado, es cuando se convierte en ermitaño.

Su matrimonio con una viuda en Zaragoza le da ocasión para dar muestras de su antifeminismo, no exagerado, porque nada lo es en el libro del doctor Alcalá, pero innegable. Precisamente la clásica medida de su estilo sólo da paso a ciertas deformaciones caricaturescas a propósito de temas femeninos; así sucede en el retrato de la mujer —de grotesca traza— que casa con el caballero toledano, y con el de la suya propia, también exagerado en su fealdad. Algo menos, aunque también caricaturesco, es el episodio de la señora casada que se llevó a su casa el retrato de la suegra, y el de la redomilla de agua que sirvió para hacer callar a la mujer charlatana y pendenciera.

---

[44] Ídem, íd., pág. 1.192.

[45] Ídem, íd., pág. 1.197.

Todo en *El donado hablador* mantiene un tono de discreción y de mesura, así en la prosa como en los sucesos; aunque el autor sabe alcanzar el dramatismo necesario cuando el asunto lo requiere, como en la sangrienta represión popular de los desmanes de los soldados y en el trágico episodio de la viuda valenciana.

Un dejo de cristiana conformidad preside todo el relato del doctor segoviano; a vuelta de sufrimientos y malandanzas, Alonso sólo encuentra su puerto de reposo y seguridad en el retiro religioso, primero en el convento, como ermitaño después. Un tono de bondad, de serena moderación, de placidez, de desengañada melancolía se percibe en todas estas páginas, muy amenas y variadas al mismo tiempo, y quizá menos conocidas y leídas de lo que debieran.

LAS NOVELAS PICARESCAS DE CASTILLO SOLÓRZANO

Entre los más interesantes novelistas del siglo XVII debe contarse a este escritor, nacido en 1584 en Tordesillas, donde su padre era camarero del duque de Alba. Fue Solórzano gentilhombre del marqués del Villar, y luego maestresala del marqués de los Vélez y de su hijo don Pedro, virrey de Aragón, capitán general de Cataluña, embajador en Roma y virrey de Sicilia, y a todas estas partes parece que le acompañó. Movióse mucho entre las academias literarias de Madrid, donde gozaba de general estima, siendo amigo de los más notables ingenios de la corte. Murió hacia 1648.

Cultivó Solórzano la poesía jocoso-satírica (su producción de esta especie fue reunida en *Donaires del Parnaso* y publicada en Madrid en 1624), la comedia, el entremés, el cuento y la novela, pero es en estos dos últimos géneros en los que sobresale. Con frecuencia ambos andan mezclados, pues gusta de intercalar narraciones cortas en sus novelas más largas, costumbre que sigue también con sus entremeses. La producción novelesca de Solórzano se muestra en dos campos principales: la novela de costumbres —calificada por Amezúa de "novela cortesana"— y la picaresca. Aquella primera se manifiesta sobre todo en los cuentos y relatos breves, de los que reunió varios volúmenes: *Tardes entretenidas* (1625), *Jornadas alegres* (1626), *Tiempo de regocijo y Carnestolendas de Madrid* (1627) y *Noches de placer* (1631). Solórzano tenía gran facilidad para este género literario, y se jactaba de que sus cuentos no eran traducidos del italiano, sino nacidos de su ingenio. En estos libros que no tienen sólo su escenario en la corte sino en las más importantes ciudades españolas, traza un retablo variadísimo de la bulliciosa vida ciudadana, con su diversidad de gentes, sus aventuras y placeres, fiestas, modas, discreteos de damas y galanes, ardides de toda ley. Solórzano es un maestro indiscutible, ameno, lleno de ingenio y gracia, dueño del secreto de interesar y entretener. La novela en sus manos se afina y urbaniza, convirtiéndose en recreo cortesano.

La plenitud del arte novelesco de Solórzano está representada, sin embargo, por sus cuatro novelas picarescas, todas ellas de regular extensión, tres de las cuales están protagonizadas por personajes femeninos: *Las harpías de Madrid* (1631), *La niña de los embustes, Teresa de Manzanares* (1632) y *La garduña de Sevilla* (1642); *El bachiller Trapaza,* su otra novela picaresca, fue publicada en 1637[46].

Plenamente picarescos por la condición de sus héroes o heroínas, mézclase también en estos libros aquel ambiente cortesano a que aludíamos, y, con él, el cuadro de costumbres en toda su variedad de medios y ciudades. Solórzano no rehúye el adoctrinar, y al cabo de cada acción que lo merece, destila su gota de saludable moraleja y cauto aviso; pero evidentemente nunca es ésta su mayor preocupación, y menos ocupado en moralizar, tiene más campo para contar sucesos y mover la aventura, por lo que sus novelas exceden en amenidad a cualquier otro libro picaresco.

El bachiller Trapaza es una afortunada creación, con rasgos muy peculiares que definen no sólo el arte de Solórzano, sino el nuevo estilo de vida de la época. Trapaza no es un pícaro roto y arrastrado, víctima de mil percances sino un trapisondista vividor de lo más agudo, tan falto de escrúpulos como fértil de ardides, que en cualquier momento de nuestra historia debió acabar forrado de dignidades y dinero; Solórzano todavía no se atreve a tanto, y le hace morir de una estocada —casada ya su hija con un indiano rico— después de haberlo tenido en galeras. Pero en más de una ocasión dispone de dinero —robado o estafado— y está a un pelo de casar con dama principal, encaprichada de su persona; fracaso que lamenta el lector, porque de menos los hace Dios todos los días, y Trapaza no era más malo —o de otro género de maldad— que otros muchos caballeretes nobles de la novela —amparados en su linaje— que siempre acaban con bien.

Tampoco consigue Solórzano hacernos aborrecible a Teresa de Manzanares, *la niña de los embustes,* que es algo así como un Trapaza femenino. No cree-

[46] Ediciones: *La garduña de Sevilla, La inclinación española* y *El disfrazado,* en Tesoro de Novelistas Españoles, cit., vol. II; las mismas obras en BAE, vol. XXXIII, cit. Ed. de E. Cotarelo y Mori en Colección Selecta de Antiguas Novelas Españolas, Madrid, 1906 y ss.: el vol. III contiene *La niña de los embustes, Teresa de Manzanares*; el V, *Noches de placer*; el VII, *Las harpías de Madrid* y *Tiempo de regocijo*; el IX, *Tardes entretenidas*; el XI, *Jornadas alegres. La garduña de Sevilla,* ed. de F. Ruiz Morcuende en Clásicos Castellanos, Madrid, 1922. Ed. de A. Valbuena Prat, en *La novela picaresca...,* cit.; contiene, *La niña de los embustes, Teresa de Manzanares, Aventuras del bachiller Trapaza* y *La garduña de Sevilla. Comedias,* en BAE, XLV, nueva edición, Madrid, 1951. *Entremeses,* ed. de E. Cotarelo y Mori, en *Colección de entremeses, loas, bailes, jácaras y mojigangas...,* NBAE, XVII, Madrid, 1911. Cfr.: E. García Gómez, "Boccaccio y Castillo Solórzano", en *Revista de Filología Española,* XV, 1928. Peter N. Dunn, *Castillo Solórzano and the Decline of the Spanish Novel,* Oxford, 1952. Rafael María de Hornedo, "Fernández de Avellaneda y Castillo Solórzano", en *Anales Cervantinos,* II, 1952. J. A. van Praag, "La pícara en la literatura española", en *Hispanic Review,* III, 1936, págs. 63-74.

mos que Teresa sea tampoco un pícaro hembra, sin más, a pesar de sus artes para sacar provecho de los hombres que la cercan y de su escaso escrúpulo para utilizarlas. Teresa es otra creación muy feliz en la que se encarna un tipo de mujer de todo tiempo y lugar; quizá con más acierto para darle un nombre solo y sugerente, y sin los requilorios de tan largo título, gozara Teresa de mucho mayor renombre en la historia literaria (y a fe que lo merece). Nacida en la pobreza, esta mujer tiene el deseo, nobilísimo, de evadirse de su condición, y pone para ello cuantos medios están en su mano, honestos mientras puede. Descubre el arte de hacer pelucas y postizos (parécenos estar leyendo una situación de hoy mismo) y con ello gana dinero y se relaciona con gente principal. No podía aspirar entonces a tanto como hoy lo haría una peluquera de moda de la aristocracia, y Teresa aprovecha la ocasión para casar —cotiza lo único que puede— con un viejo rico, de quien espera recibir honra y cómoda situación; a cambio de otras menguas. Teresa, que sabe lo que hace, pero tiene —vive en su tiempo— plena conciencia de lo que van a pensar de ella los demás, escribe unas palabras muy significativas, que definen su carácter y explican toda su vida: "Veme aquí el señor lector mujer de casa y familia, y con un retumbante *don* añadido a la Teresa y un apellido de *Manzanedo* al *Manzanares.* No fui yo la primera que delinquió en esto, que muchas lo han hecho, y es virtud antes que delito, pues cada uno está obligado a aspirar a valer más" [47]. Sobre este "aspirar a valer más", humanísimo y legítimo en que, como decíamos, se resume el mundo de Teresa, vuelve Solórzano en varios pasajes de sus novelas, a fuer de agudo observador femenino; sólo que, encerrado en los prejuicios de su tiempo, no vio el alcance de lo que observaba y metió a Teresa a "pícara", sin advertir que aquella estupenda mujer estaba recorriendo, para salir de males, el único camino que le dejaba abierto aquella sociedad. Cuando abandona Sevilla, viuda de su tercer marido —un rico indiano a quien había ocultado, para poder casarse con él, sus pasadas andanzas— escribe: "No soy la primera que de esa estratagema se ha valido, ni seré la postrera, pues se debe agradecer en cualquier persona el anhelar a ser más" [48]. En *El bachiller Trapaza,* en uno de los entremeses que se incluyen, llamado *de la Castañera,* se alude a una moza de Écija, que es sacada de vender castañas por un mercader rico, que se larga luego a las Indias pero la deja bien acomodada; y la joven marcha entonces a Madrid dispuesta a casar bien, "a valer más". Dice la castañera:

Quiso gozo, estaféle, y no fue nada.
Heme vuelto a Madrid desconocida,
de castañera en dama convertida,
que por amores no soy la primera
que de baja subió a mayor esfera;

[47] Ed. Valbuena, cit., pág. 1.351.
[48] Ídem, íd., pág. 1.401.

tengo mi casa así bien alhajada,
soy bien vista, aplaudida y visitada,
y porque de casarme tengo intentos,
llueven en esta casa casamientos,
y éstos de todo género de gentes[49].

Teresa de Manzanares, casada con el viejo, que repite con ella el motivo cervantino de *El celoso extremeño* (tema muy insistido también por Solórzano), sufre la acometida de su juventud, y así comienza, fatalmente, con la admisión de su primer amante, el camino de sus irregularidades. En sus andanzas llega a primera dama de una compañía de teatro —vida de picardía entonces—, lo que le sirve al novelista para trazar un excelente cuadro del mundo de la farándula.

Para encontrar un panorama de la vida española de aquel tiempo, más rico y vario del que nos brinda el conjunto novelesco de Solórzano, habría que pensar —salvadas distancias de toda índole— en la obra cervantina. Su estilo es fluido, sencillo y natural, perfectamente acomodado al ritmo de la narración; recurre a veces a ciertos juegos conceptistas, sobre todo para lograr efectos cómicos o agudezas satíricas, pero siempre con parquedad. Es, en cambio, curiosa su burla del culteranismo; para apostillar las ridículas maneras de su amo don Tomé, poeta famélico y culterano, dice Trapaza: "...parece que no hay cosa como la claridad. En los versos no digo yo que sean tan humildes que no se levanten del suelo; pero los que tienen las voces graves, significativas y bien colocadas, siempre son estimados, y éste no es uso sino una fullería de jerigonza que han aprendido los mal oídos poetas para que el vulgo los aplauda y celebre, que, como no lo entiende, hace misterio de lo que no lo es, celebra a ciegas lo que se escribió con ojos ciegos de la razón. No aconsejaría a vuesa merced que prosiguiese en este modo de versificar, porque sería echar a perder su buen natural; los cultos, o incultos por mejor decir, escriban así, hablen frases bárbaras, hagan transposiciones, encajen una metáfora en otra como cesto sobre cesto, para que el mismo demonio no lo entienda, y vuesa merced se ría de ellos dándose a la pura claridad, a lo grave y bien colocado, haciendo la fuerza en el concepto y no en el exquisito modo de decir" [50].

"VIDA Y HECHOS DE ESTEBANILLO GONZÁLEZ, HOMBRE DE BUEN HUMOR, COMPUESTA POR ÉL MISMO"

Cerrando prácticamente el ciclo de la picaresca en el siglo XVII aparece esta obra en 1646 en Amberes[51]. Estebanillo era un pícaro bufón que sirvió como

[49] Ídem, íd., pág. 1.497.

[50] Ídem, íd., pág. 1.471.

[51] Ediciones: en Tesoro de Novelistas Españoles, cit., III, París, 1847. En BAE, vol. XXXIII, cit. Juan Millé y Giménez, en Clásicos Castellanos, Madrid. A. Valbuena

tal a Octavio Piccolomini, duque de Amalfi, a quien va dedicada la obra; y si no en su totalidad, parece seguro el carácter autobiográfico de gran parte de la novela. El mismo Estebanillo lo asegura así en sus palabras "Al lector": "Y te advierto que no es la vida fingida de Guzmán de Alfarache, ni la fabulosa de Lazarillo de Tormes, ni la supuesta del Caballero de la Tenaza, sino una relación verdadera, con parte presente y testigos de vista, y contestes, que los nombro a todos para averiguación y prueba de mis sucesos, y el dónde, cómo y cuándo, sin carecer de otra cosa que de día, mes y año, y antes quito que no añado" [52]. Aunque es evidente que el autor inventa más o menos y, sobre todo, adereza los hechos con los recursos propios del género, muchos de ellos ya tópicos, la novela sigue un hilo de sucesos reales que sirven de base al relato, con lo cual —aparte lo que encierra de confesión personal del autor— tenemos un caso de injerto de la picaresca en la historia. De este modo, la novela se desliza hacia la crónica con el riesgo de perder su propio carácter; pero a la vez nos da una visión de los acontecimientos contemporáneos desde el punto de mira del pícaro bufón, que, dada la índole de Estebanillo, cristaliza en un retablo caricaturesco y contorsionado, en una interpretación esperpéntica de todo un período de la historia española, que sucede a veces en circunstancias y lugares de primordial interés. Porque Estebanillo, aparte los muchos oficios que ejerce al trote de su condición de pícaro, en España y fuera de ella, y de sus andanzas y viajes por media Europa al servicio del duque de Amalfi, sirve también largo tiempo en el ejército español, y con él recorre Italia, Flandes y el Imperio y hasta asiste a hechos tan memorables como la batalla de Nordlingen.

A propósito de la sostenida visión grotesca del autor, se suele hablar de la "parodia de lo heroico" que el libro entraña. La pintura deformadora está, en efecto, allí, pero entendemos —y la diferencia es importante— que no por la intención satírica de Estebanillo, sino como resultado de sus gracias bufonescas, abultadas siempre para lograr el efecto cómico. Exagerar el hambre, la cobardía, la codicia por lo inmediato y práctico, era un recurso picaresco de segurísima eficacia, no sólo en los libros sino en boca de los "graciosos" de la comedia, utilizado hasta el cansancio cuando la pretendida "parodia de lo heroico" no era imaginable aún. En la mencionada batalla de Nordlingen, no vemos una burla del valor, porque las tropas entre las que sirve no sólo son valientes, sino que ganan la batalla después de heroica lucha; Estebanillo es el único cobarde, y huye y se esconde para hacer reir. Si lo consigue, es justamente por el contraste de su actitud; si todo el ejército hubiera huido como él, el efecto jamás podría ser cómico, sino trágicamente vergonzoso. En todos

---

Prat, en *La novela picaresca...*, cit. Cfr.: Ernest Gossart, *Les espagnols en Flandre. Histoire et poésie,* Bruselas, 1914. Del mismo, "Estevanille González", en *Revue de Belgique,* Bruselas, 1893. Willis Knapp Jones, "Estebanillo González", en *Revue Hispanique,* LXXVII, 1929.

[52] Ed. Valbuena, cit., pág. 1.711.

los episodios de esta índole —muy numerosos— queda siempre patente la grotesca distancia que media entre las conductas, la suya y las ajenas: "Ganamos algunas villas, cuyos nombres no han llegado a mi noticia, porque yo no las vi ni quise arriesgar mi salud ni poner en contingencia mi vida, pues la tenía yo tan buena que mientras los soldados abrían trincheras, abría yo las ganas de comer; y en inter que hacían baterías, se las hacía yo a la olla, y los asaltos que ellos daban a las murallas, los daba yo a los asadores. Y después de ponerse mi amo a las inclemencias de las balas y de venir molido, me hallaba a mí muy descansado y mejor bebido, y tenía a suerte comer quizá mis desechos, y beber, sin quizá, mis sobras" [53]. Al final de este capítulo, el bufón repite el mismo juego: "Encontré a mi amo, que lo traían muy bien desahuciado y muy mal herido, el cual me dijo: —Bergante, ¿cómo no habéis acudido a lo que yo os mandé? Respondíle: —Señor, por no verme como vuesa merced se ve... Lleváronlo a la villa, adonde, por no ser tan cuerdo como yo, dio el alma a su Criador..." [54].

Si a lo largo del libro hay cosas innumerables que provocan nuestro desagrado y descubren raíces de nuestra decadencia y ruina, están allí sin que Estebanillo las haya puesto para eso, y por las trazas ni lo ha pensado siquiera; lo más abyecto le parece excelente si le rinde provecho. Casi al final del libro, cansado de correr y deseando tener oficio descansado, se llega a su Majestad —cosa no difícil para Estebanillo, porque por algo al rey Felipe IV le encantaban los bufones— y le pide "poder tener una casa de conversación y juego de naipes en la ciudad de Nápoles". A lo que accede el monarca: "la cual no solamente me dio por merced particular y provisión en forma, pero de más a más carta para el almirante de Castilla, virrey de aquel reino, para que me amparara y favoreciera...". Y Estebanillo, agradecido, comenta el favor real con este párrafo —portento de adulación y de mal gusto— que merece ser recordado: "Yo quedé tan ufano y tan agradecido de ver que un refulgente Apolo y un león coronado se acordase de remunerar servicios tan útiles y hechos por tan humilde sabandija, que a no saber que mi madre me había parido en Salvatierra de Galicia, reino que me ha honrado en poderme nombrar su real vasallo, me hubiera, al mismo punto que recibí la merced, partido por la posta a Roma, y sacado su esqueleto de la tumba adonde yace, y trayéndolo lleno de paja, como caimán indiano, en llegando con él al primer puerto de cualquiera de sus reinos, lo vaciara y me zampara de nuevo en su vientre, aunque estuviera en él en cuclillas, y la obligara a que me volviera a parir vasallo de tal deidad. Que si supieran bien los que lo son, el rey que tienen y las mercedes y honras que cada instante les hace, le sirvieran de rodillas; pues siempre las pregona la fama, las publican las historias y las envidian los reinos extranjeros" [55].

[53] Ídem, íd., pág. 1.764.
[54] Ídem, íd., pág. 1.766.
[55] Ídem, íd., pág. 1.828.

La obsequiosa devoción de Estebanillo a todos los grandes —pues conocía a infinitos y tenía con ellos más entrada que el propio rey—, de los cuales había vivido como parásito, divirtiéndolos con sus groserías y bufonadas, está siempre incontaminada de toda sátira: "Al cabo de dos días hice mi entrada en Bruselas, que fue el segundo día de Cuaresma, adonde fui muy bien recibido de mi amo, haciéndome la merced que siempre me ha hecho y gozando en su palacio de la generosidad que siempre he gozado. Fui a visitar a los demás señores, en quien hallé la misma grandeza, y aun más que antes, y con más quilates aventajadas las dádivas" [56]. ¡Lo que Guzmán de Alfarache hubiera dicho, de haber vivido las experiencias de este grotesco congénere!

Con todo, el relato de Estabanillo resulta un documento de época de incalculable valor pese a la ausencia de voluntad crítica; y a pesar de la desmesurada caricatura con que se retrata a sí mismo y de que desrealiza grotescamente personas y sucesos, sólo preocupado con hacer reir, es a la vez muy preciso en la descripción de lo que llamaríamos "materia objetiva".

Estebanillo González tenía un gran ingenio natural, que debió de cultivar en buena medida, aunque no se sabe cuándo ni cómo. No parece que el largo trato que tuvo con gente principal y el haber vivido mucho tiempo en medios elevados sea bastante para explicar las huellas de muchos conocimientos literarios, que, aunque de pasada, descúbrense en su libro. Al principio de él alude a sus estudios: "Gustó mi padre de darme estudio; y con no haber, por mis travesuras, llegado a la filosofía, salí tan buen bachiller, que puedo leer cátedra al que más blasone dello" [57]. Pero no añade nada más. Luego, en diversos pasajes, siempre breves y al paso, alude a su formación para justificar los saberes que demuestra poseer. En numerosas ocasiones se sirve, como propias, de frases o expresiones tomadas de libros, comedias o poemas de escritores famosos, que deja entreveradas entre las suyas; con lo que demuestra serle familiares muchas obras literarias: "Aficioneme de una doncella de su señora, y dama de dame, labradora en el aseo y cortesana en guardar fe" [58]; "...que en campos de zafir pisa tapetes de luceros..." [59].

Posee Estebanillo muchos recursos de expresión y gran facilidad para hacer diabluras con el lenguaje; gusta con exceso de los retorcimientos conceptistas; multiplica las metáforas —para cuyo alumbramiento está más que dotado— trayéndolas frecuentemente por los pelos, a veces con gracia y otras muchas con más que dudoso gusto: "Respondíle que no tenía dueño, y que andaba en busca de uno que me tratase bien, y que era tan solo como el espárrago y del tiempo de Adán, que no usaban parientes" [60]. "Le di tal cuchillada

[56] Ídem, íd., pág. 1.834.
[57] Ídem, íd., pág. 1.716.
[58] Ídem, íd., pág. 1.788.
[59] Ídem, íd., pág. 1.836.
[60] Ídem, íd., pág. 1.720.

en el pescuezo que, como quien rebana hongos, di con su cabeza en tierra, y apenas lo vide don Álvaro de Luna, cuando quedé turbado y arrepentido" [61].

Llevado de cierta pedantesca afición a mostrar su cultura, cae en pueriles rebuscamientos; en cierta ocasión baja a tierra en un puerto griego, y al tratar de comprar un carnero, es objeto de una burla que cuenta de este modo: "Pescóme el taimado la pieza con la mano derecha, y con la izquierda hizo amago de entregarme el aventajado marido al uso. Y al tiempo que fui a asir de la ya venerada cornamenta, soltó el villano el atril de San Marcos, y dejó en libertad el origen del vellocino de Colcos" [62].

Tiene el relato de Estebanillo tal cantidad de episodios y se suceden tan al hilo, que llegan a cansar; todo gira a velocidad excesiva, jamás hay un remanso, y la nube de personajes que aparecen, se mueven como muñecos agitados mostrando sólo su silueta grotesca, sin un solo atisbo psicológico. Con su evidente interés y su valor documental, el *Estebanillo González* demuestra ya el agotamiento de un género asfixiado por sus propios excesos.

OTRAS NOVELAS PICARESCAS

"La desordenada codicia de los bienes ajenos" del doctor Carlos García. Un año antes de la *Segunda parte del Lazarillo* de Luna se publicó, también en París (1619), una interesante novela picaresca escrita por el doctor Carlos García [63]. Desde Nicolás Antonio se venía suponiendo que no existió tal doctor y que su nombre era sólo un seudónimo; pero hoy se da por admitido que se trata de un personaje real. El doctor García, por razones no bien conocidas, se marchó a Francia. Otro emigrado español, contemporáneo suyo, Marcos Fernández, que se titulaba "maestro de lenguas", publicó en Amberes, en 1655, un libro titulado *Olla podrida a la española, compuesta y sazonada en la descripción de Munster en Westfalia, con salsa sarracena y africana,* y a propósito de otra obra de García habla de él en los términos más injuriosos, llamándole entre otras lindezas "albeitar de matachines". Hay que pensar, por el tono de estos insultos, en la melevolencia de un compatriota rival; pero las palabras

[61] Ídem, íd., pág. 1.736.

[62] Ídem, íd., pág. 1.722.

[63] Ediciones: J. M. de Eguren, en Libros de Antaño, vol. VII, Madrid, 1877; contiene también la otra obra del Dr. García, *Oposición y conjunción...*, citada luego. A. Valbuena Prat, en *La novela picaresca...*, cit. Cfr.: J. M. Sbarbi, *In illo tempore y otras frioleras,* Madrid, 1903 (propone la absurda hipótesis de que el nombre de Carlos García fuese un seudónimo de Cervantes, y que fuera éste el autor de ambos libros). Ludwig Pfandl, "Carlos García...", en *Münchener Museum,* II, 1913. Joaquín López Barrera, "Libros raros y curiosos. Literatura hispanófoba en los siglos XVI y XVII", en *Boletín de la Biblioteca Menéndez y Pelayo,* 1925. A. Rey, "A French Source of one of Carlos García's Tales", en *Romanic Review,* XXI, 1930. A Carballo Picazo, "El Dr. Carlos García, novelista español del siglo XVII", en *Revista Bibliográfica y Documental,* V, 1951.

citadas hacen también suponer que el doctor García fue un hombre aventurero, relacionado con gente de dudoso vivir, de la que adquirió los saberes picarescos de su libro.

El doctor García no habla como pícaro en la novela ni en primera persona, sino que cede la palabra al ladrón Andrés, verdadero protagonista. Por razones que no detalla, va a parar a la cárcel, y allí conoce a Andrés que le cuenta diversos episodios de su vida. En el capítulo primero el autor hace una descripción, por cuenta propia, de la cárcel. Cualesquiera que hubiesen sido sus andanzas, adviértese enseguida que se trata de un hombre de sensibilidad superior, caído allí por algún malaventurado azar. El cuadro es dantesco en muchas de sus partes; el escritor desciende a los aspectos más repulsivos de aquella tétrica existencia, que pinta con negras y vigorosas pinceladas.

A partir del capítulo II comienza el relato de Andrés con una apología de la nobleza y excelencia del hurtar, hace historia de la profesión y trata luego de su universalidad, que expone con muy graciosas ironías: "Este noble arte de hurtar estuvo siempre tenido en grande consideración entre la gente más calificada del mundo. Pero, como no hay género de virtud o nobleza que no sea invidiada de la gente plebeya y vulgar, se hizo, andando los tiempos, tan común y ordinaria, que no había remendón ni ganapán que no quisiera imitar la nobleza de ser ladrones. De donde y del poco recato y demasiada desenvoltura que en esto había, vino a menos preciarse de tal suerte, que los que públicamente la ejercitaban, eran castigados con penas muy afrentosas y tenidos por infames. Pero como todas las cosas deste mundo tienen su contrapeso y declinación, ordenó el tiempo que este abuso se remediase, buscando un medio de hurtar sin castigo, y de tal suerte disfrazado, que no solamente el hurto no pareciese vicio, pero fuese estimado por rara y singular virtud. Para este fin inventaron muchos buenos entendimientos la variedad de oficios y cargos que hoy se practican en la república, de los cuales cada uno se sirve para hacer su agosto y enriquecerse con hacienda ajena..." [64]. Y a continuación examina en detalle cargos y profesiones.

En el capítulo VII se ocupa "de la diferencia y variedad de los ladrones", para acabar con una divertida historieta de un robo de gallinas, que tiene sabor de fabliau medieval. Traza no muy distinta tiene el episodio de su fuga de las galeras, el más extenso de todos y quizá el más divertido. En el último capítulo se ocupa de la organización de los ladrones, en forma que recuerda el *Rinconete y Cortadillo* de Cervantes.

La novela sabe a poco. El autor tiene gracia y soltura para contar, y los lances son tan movidos como amenos y bien conjuntados; hay algunas disquisiciones teóricas, en que aquél exhibe sus conocimientos, pero quedan siempre sazonadas por la agudeza de su intención satírica.

---

[64] Ed. Valbuena, cit., págs. 1.163-1.164.

El doctor Carlos García es autor de otra obra (la aludida por Marcos Fernández), titulada *Oposición y conjunción de los dos grandes luminares de la tierra,* llamada también *Antipatía de los franceses y españoles,* publicada en París en 1617 y traducida luego al francés. El libro fue escrito con motivo del matrimonio de Luis XIII con Ana de Austria, y expresa el deseo de que cunda la comprensión y colaboración entre ambos países. El doctor García escribe tratando de complacer al rey de Francia, pero, al mismo tiempo, demuestra gran amor a su patria, a la que exalta en páginas llenas de entusiasmo.

"La vida de don Gregorio Guadaña" de Antonio Enríquez Gómez. Este escritor, descendiente de judíos conversos portugueses, era natural de Segovia, y se llamaba en España Enrique Enríquez de Paz. Perseguido por la Inquisición, se refugió en Francia y obtuvo cargos en la corte de Luis XIII, a quien sirvió de secretario y mayordomo; luego vivió en Amsterdam. Fue acusado de judaizante, y en un auto de fe celebrado en Sevilla en 1660 fue quemado en efigie; se dice que cuando se le comunicó la noticia, estando en Amsterdam, comentó graciosamente: "Ahí me las den todas". A pesar de la persecución y de que convivió con la comunidad judía holandesa, no es seguro que profesara el judaísmo, aunque Menéndez y Pelayo afirma que murió judío en Amsterdam; el propio Menéndez y Pelayo admite la posibilidad de que hubiera sido víctima de alguna intriga cortesana, que se sirvió, para perderle, de pretextos religiosos. En varias composiciones líricas Enríquez alude insistentemente a sus envidiosos y enemigos, pero no menciona motivos de índole religiosa; habla siempre con gran nostalgia de España y es lo cierto que publicó todas sus obras en español.

Enríquez fue notable poeta lírico; escribió versos de honda sinceridad y fue a la vez brillante creador de metáforas gongorinas (*Academias Morales de las Musas,* 1642; *Sansón Nazareno,* 1656)[65]. Dentro de la escuela de Calderón compuso una veintena de comedias, que se representaron con éxito en España[66]. Pero lo más notable de su producción es la novela picaresca *La vida de don Gregorio Guadaña*[67], que forma parte de otro libro, titulado *El siglo pitagórico.* En éste, basándose en la fábula de la transmigración, refiere las transformaciones de un alma que encarna sucesivamente en diferentes cuerpos pertenecientes a distintos estados sociales, de lo cual se vale para trazar

---

65 *Poesías,* en BAE, XLII, nueva ed., Madrid, 1950.

66 *Comedias,* en BAE, XLVII, nueva ed., Madrid, 1951.

67 En BAE, XXXIII, cit. Cfr.: José Amador de los Ríos, *Historia social, política y religiosa de los judíos en España y Portugal,* 3 vols., Madrid, 1875-1876. M. Menéndez y Pelayo, *Historia de los heterodoxos españoles,* ed. nacional, vol. IV, 2.ª ed., Madrid, 1965, págs. 314-320. G. M. Vergara, *Ensayo de una colección de noticias referentes a la provincia de Segovia,* Guadalajara, 1904. N. Díaz de Escobar, "Antonio Enríquez Gómez", en *Boletín de la Academia de la Historia,* LXXXVIII, 1926.

una alegoría de intención satírica. *El siglo pitagórico* está escrito todo en verso, excepto las transmigraciones XI y XII, correspondientes a un arbitrista y a un hidalgo, y un pequeño fragmento hacia el final; también la *Vida de don Gregorio Guadaña* está compuesta en prosa, y por esto y por su extensión y caracteres especiales se ve que es una obra independiente, intercalada con cierta arbitrariedad dentro del conjunto. De hecho ha sido publicada aparte varias veces y es el fragmento más notable del libro.

Guadaña no es novela picaresca exactamente, sino más bien de aventuras, aunque no faltan los elementos de picardía; también el protagonista se diferencia del pícaro habitual, pues es de mejor condición y sus andanzas son casi siempre de tipo erótico. Esto último le da a la novela un carácter de frivolidad que establece su principal diferencia con las normas del género; es ésta una picaresca de aire francés, compuesta en la misma línea de Luna y el doctor García, con una libertad y desenvoltura muy peculiares, y donde la ironía amarga y desengañada, adusta y severa con frecuencia, del pícaro español, se convierte en picante desenfado. En el *Guadaña* hay episodios de notable atrevimiento, como la ronda nocturna del juez en Carmona, que llena el capítulo IV.

En la obra de Enríquez hay un visible influjo de Quevedo; Menéndez y Pelayo afirmaba que el *Guadaña* estaba hecho de "residuos y desperdicios" del *Buscón*, pero el juicio es exagerado, como señala Valbuena, porque las obras son bien distintas de ambiente y de trama. Parécenos evidente, sin embargo, que Enríquez trabaja su libro sobre modelos anteriores, y que —con todas sus cualidades— es obra de imitación y, en múltiples aspectos, de segunda mano. Así, por ejemplo, el capítulo VIII copia, con muy escasas diferencias, un suceso del capítulo XVII de *La niña de los embustes* de Castillo Solórzano: Guadaña atrae a su habitación a una señora casada; inesperadamente se ve obligado a salir y deja encerrada a la mujer, creyendo que va a regresar enseguida; al no serle posible, le pide a un conocido, sin saber que es el esposo de la dama, que vaya a abrirle para que aquélla pueda volver a su casa; el esposo —que en este caso es un alguacil, ridiculizado en lances anteriores, y de aquí la degradación del tono trágico existente en la novela de Solórzano— apuñala a la mujer.

Enríquez tiene gran afición a los juegos de palabras, al chiste y al retruécano, en donde se advierte sobre todo la imitación quevedesca; a veces posee auténtica sal, otras cae en vulgares gracias, pero apenas en alguna ocasión se aproxima a la retorcida intensidad del modelo. También se deleita frecuentemente en escenas de comicidad inverosímil, un tanto bufa, como la citada de la ronda nocturna, o aquella en que convence a un letrado, en la venta de Sierra Morena, de que una mula habla en griego.

OTRAS FORMAS DE LA NOVELA EN EL SIGLO XVII

El recorrido anterior nos ha permitido ver cómo los límites de la picaresca, en manos de sus distintos cultivadores, adquieren una notable elasticidad. El género picaresco aunque, en forma teórica, parece poseer caracteres muy definidos, de hecho se mueve dentro de amplios márgenes; por esto mismo insistimos en su momento sobre la dificultad de trazar divisiones convincentes, dadas las varias proporciones en que cada autor combina los sumandos de lo pícaro. Imposible resulta arrancar de cualquier novela picaresca la aventura y lo costumbrista, pues son parte esencial; con todo, no cabe duda que al correr del siglo y a medida que lo estrictamente picaresco se debilita por razón de su propio desgaste, el cuadro costumbrista y la aventura por sí misma adquieren un predominio cada vez mayor, hasta llegar, diríamos, a una situación de equilibrio y acabar más tarde por ocupar el plano principal, eliminando por entero el mundo de la picardía. Sin embargo, sería inexacto suponer en esta transformación un rigor demasiado cronológico; el *Estebanillo,* por ejemplo, cuyo carácter picaresco ha sido discutido para calificarlo de libro de aventuras y recuerdos, precede a otras novelas picarescas de inconfundible filiación.

El costumbrismo. Fundido con la sátira social, el costumbrismo adquiere una interesante manifestación en varios libros de forma dialogada o también como colecciones de anécdotas o "avisos".

Dentro de este grupo ofrece un interés particular el *Viaje entretenido* de Agustín de Rojas Villandrando, publicado en Madrid en 1603 [68]. Rojas, aun para la España de su tiempo, debió de ser un tipo de excepción. Nació en Madrid hacia 1577. Llevado del ansia de aventuras dejó su casa a los catorce años y sentó plaza de soldado; combatió en Francia, fue apresado por los franceses y sirvió por algún tiempo en aquel país hasta que fue rescatado; navegó durante dos años en corso contra los ingleses, visitó Italia y regresó a su patria al cumplir los veintidós. Como escribiente de un pagador vivió en Granada y luego en Málaga. En esta última ciudad dio muerte a un hombre y se acogió a sagrado en una iglesia, cercado de corchetes y alguaciles. A los dos días, arriesgándolo todo, decidió salir, pero se encontró con una mujer bellísima, que, enamorada súbitamente de él, le hizo volver a la iglesia y concertó su libertad por 300 ducados, que representaban todo su dinero. Ro-

---

68 Ediciones: Manuel Cañete, en Colección de Libros Picarescos (dirigida por Adolfo Bonilla), vols. III y IV, Madrid, 1901. M. Menéndez y Pelayo, en NBAE, vol. XXI, Madrid, 1915. J. García Morales, Madrid, 1945. Cfr.: N. Alonso Cortés, "Agustín de Rojas, nuevos datos biográficos", en *Revista castellana,* VII, 1923. G. Cirot, "Valeur littéraire du *Viaje entretenido*", en *Bulletin Hispanique,* XXV, 1923.

jas ocultó a la mujer en su casa, y para alimentarla, cuando carecía de otros recursos, pedía limosna de noche o escribía sermones para un fraile de San Agustín: "y faltándome esto —dice el propio escritor— no sé si quité capas, destruía las viñas, asolaba las huertas; finalmente, tiré más de dos meses la jábega para llevalla que comiera..." [69]. Ignoramos, porque Rojas quiso guardar silencio sobre ello, en qué acabó la aventura. Por la índole de las suyas (en Sevilla fue herido gravemente por unos rufianes en un lance) y no saberse nunca de dónde sacaba sus recursos, se le llamaba "el caballero del milagro". Obligado por apremios de dinero o su afán de constante novedad, entró en una compañía de cómicos y anduvo en la farándula por toda España durante unos tres años: experiencia que recogió en su *Viaje entretenido*. Como hubiesen prohibido temporalmente las comedias, estando en Granada, Rojas puso una mercería "sin entender lo que era" y salió prósperamente con ella (el público femenino debía dársele como rosquillas). Al publicar el *Viaje*, que fue muy bien acogido, se apartó del teatro y se retiró por algún tiempo para vivir en soledad como ermitaño en las sierras de Córdoba, de donde salió luego, casó, desempeñó varios empleos sin importancia, fue escribano real en Zamora y murió oscuramente sin que se sepa dónde ni cuándo.

Tal fue el hombre que escribió el *Viaje entretenido*, del que dice don Manuel Cañete: "La importancia del *Viaje entretenido* como retrato de costumbres es de tal naturaleza que, fuera del *Quijote*, no hay en español libro ninguno que en este punto le aventaje" [70]. Afirmación que hay que aceptar como muy poco exagerada. El libro está escrito en forma dialogada; intervienen, además de Rojas, tres de sus compañeros de farándula: Ramírez, Solano y Ríos, que hablan de todo, mientras van recorriendo el país para ganarse la vida representando. Claro está que Rojas tiene la parte principal; historietas, sucedidos, datos biográficos del propio autor, comentarios sobre instituciones, gentes, costumbres, ciudades, se suceden a lo largo del libro, formando un conjunto variadísimo, un espléndido cuadro de la vida nacional, prodigio de amenidad y penetrante observación. Dada la ocupación de los interlocutores, el mundo del teatro ocupa el primer plano, por lo que el *Viaje* es documento insustituible para su historia y costumbres en aquellos tiempos. Por el carácter de los protagonistas, y su vida libre y errante, y el desenfado de sus dichos, el libro encierra también no pocos rasgos de la picaresca más genuina. La prosa de Rojas es de excelente calidad, rica y abundante a trechos, quebrada y ágil en otras ocasiones en que recoje vocablos y expresiones populares y gran caudal de refranes.

Rojas intercala en su obra cuarenta *loas* —diez en cada uno de los libros— de las que era autor, y en ellas se muestra tan ágil y divertido poeta como es-

[69] Edición Cañete, cit., vol. I, pág. 160.
[70] Idem, íd., pág. 23.

critor en prosa; sólo cuatro de ellas están escritas en esta forma, y en verso las restantes. El uso de la *loa* estaba ya perfectamente establecido en los días de Rojas y gozaba de general estimación; el escritor es un maestro en este género, y por ello ha podido suponerse que el *Viaje* no fue sino un pretexto para intercalarlas y ponerlas así al alcance —defendiendo mejor, al mismo tiempo, su paternidad— de los actores que podrían representarlas. La hipótesis es quizá arriesgada, porque el *Viaje* se justifica con creces por sí mismo; pero, en todo caso, es innegable que Rojas aprovechó cumplidamente la posibilidad de encajar sus *loas*, y que en el mismo texto la acción y los diálogos de los protagonistas conducen siempre ingeniosamente al recitado de dichas piezas. Los temas de las *loas* son variadísimos: algunas se ocupan de lugares y ciudades por donde pasaban, y es de suponer que Rojas las utilizaría provechosamente; otras tratan sobre las mujeres, la vida del soldado, el bien y el mal, la oportunidad de las lágrimas en los hombres, las edades de la vida, el matrimonio, los días de la semana (una loa para cada día), anécdotas y costumbres de los cómicos andariegos, sucesos de la vida del autor... En realidad, las *loas* completan el variado y sugestivo panorama de la vida española que dibuja Rojas en su relato. Merece especial mención la llamada *Loa de la Comedia,* en la que el escritor recorre la historia del teatro desde los orígenes hasta su tiempo; y también, algo como un largo romance pastoril, repartido en tres recitaciones en los libros II, III y IV, que parece preludiar la historia de Cardenio en la primera parte del *Quijote.* Tan variadas como en sus asuntos son las *loas* de Rojas en cuanto al tono y la intención: históricas o biográficas, sagradas o profanas, en unas y otras puede encontrarse realismo y fantasía, delicado sentimiento poético o desgarradas crudezas. También varían mucho en cuanto a la extensión, que oscila entre cien y cuatrocientos versos (la más corta tiene 96, y 408 la más larga). También es diverso el número de actores necesarios para representarlas: algunas son un monólogo, otras requieren gran número de representantes. Estas últimas, que vienen a ser como pequeños entremeses, han sido repetidamente señaladas como un próximo precedente de este género.

El interés que ofrece Rojas no se limita, con ser tan grande, a su *Viaje entretenido.* En 1611 publicó en Salamanca *El gran república,* libro que prohibió y recogió la Inquisición. James White Crowell, que ha estudiado el ejemplar que se conserva en la biblioteca del Escorial, supone que la prohibición fue ocasionada por los muchos pasajes en que el autor se ocupa, con bastante credulidad, de la astrología. La obra está escrita en forma de carta —de Rojas, desde Zamora, a dos amigos suyos, Salustio y Delio, que viven en Sevilla—. Según Crowell, el libro contiene muchos datos autobiográficos, pero, en su conjunto, es una masa heterogénea de temas en que se mezclan ideas morales y políticas, religiosas y filosóficas, de escasa originalidad y a veces ridículas. El título proviene del plan general de la obra, que trata de las buenas y las malas formas de gobierno, las relaciones entre el príncipe y los gobernados, sobre la prosperidad y felicidad de los súbditos, el modo de contener la inmigración, el desarrollo de la agricultura, la dignidad de la clase mercantil, etc.

De Rojas se conserva también una comedia, *El natural desdichado,* cuya fecha de composición se desconoce. Su editor, único por el momento, Crowell, supone que se trata del primer trabajo literario del autor, y que es posible que se aluda a su representación, o estreno, en una *loa* del *Viaje.* La comedia sigue, naturalmente, la senda de Lope, triunfante ya por entero en la escena nacional; Rojas se sirve de un encuadre histórico —la ascensión de Vespasiano al trono imperial de Roma— para tejer una novelesca trama de amor, con toda la libertad para imaginar y resolver sucesos, propia del caso. Como obra inmatura que es, y muy dentro de un molde llevado a perfección por los maestros, la comedia no tendría una importancia mayor que el haber salido de la misma pluma que el *Viaje entretenido.* Pero ofrece un motivo de particular atención. Los "fuentistas" que han indagado los orígenes de *La vida es sueño* de Calderón, han señalado la posible deuda de ésta con un pasaje del *Viaje,* en que Ramírez dice las palabras que constituyen el tema del famoso drama: "Veis aquí, amigo, lo que es el mundo, todo es un sueño". La probabilidad del influjo ha sido discutida, dado que el texto de Rojas es una idea mostrenca. Pero, en *El natural desdichado* existe, en cambio, un episodio de mayor importancia para el caso. El gracioso Mogrollo, que habla en un italiano macorrónico (por algo vive en Roma, aunque sea en los días imperiales), se cae borracho en la calle, lo descubre el emperador Vespasiano y ordena a sus criados que lo lleven a su palacio, lo vistan de rey y observen luego su conducta. Dspués de la escena que puede imaginarse, al despertar, Vespasiano manda que emborrachen de nuevo al gracioso y lo vuelvan al sitio donde quedó caído en la calle. Y el emperador comenta las palabras de Mogrollo, admirado de lo que le ha sucedido, diciendo:

Veis aquí lo que es el mundo.
Todo, amigos, es un sueño.

El profesor Dale, en un artículo comentado por Crowell en su estudio preliminar de la comedia, señala que la historia del borracho dormido debió de impresionar particularmente a Rojas, ya que la repite —sólo que atribuida esta vez a un duque de Borgoña— en el *Viaje,* y al final de la anécdota es cuando se incluyen las palabras que se han venido suponiendo fuente de Calderón. Las escenas de *El natural desdichado* encierran ya, sin embargo, una sorprendente semejanza de forma y de intención con el artificio de Calderón que hace posible su drama, y ya no parece tan aventurado suponer en ellas una chispa por lo menos de inspiración. Rojas, evidentemente, no ideó el *sueño* de su gracioso sino como un motivo de comicidad, que en la representación debía de resultar un poco bufa, pero esto no es óbice para haber inspirado más graves y profundas ocasiones. Recuérdese lo sucedido —según el criterio de Menéndez Pidal— con el *Quijote* respecto del *Entremés de los romances* [70 bis].

Afín en cierto modo al *Viaje* es *El passagero* de Cristóbal Suárez de Figueroa, tan famoso en su tiempo por sus escritos como temido por sus maledicencias. Nació este escritor en Valladolid en 1571. Dejó su casa a los 17 años y marchó a Italia, donde se graduó de doctor en Derecho por Bolonia y Pavía. Fue fiscal de Martesana y juez de Teramo. Regresó por algún tiempo a España y tornó a Nápoles con el duque de Alba. Siendo auditor en Calabria libertó a un funcionario público que había encarcelado la Inquisición, por lo que ésta le excomulgó y llamó a Roma, pero Figueroa se negó a ir. La Inquisición le metió en la cárcel, de la que fue sacado por intervención de Felipe IV, que quiso dejar a salvo la autoridad del virrey. Fue designado luego fiscal de la audiencia de Trani. Se ignora la fecha de su muerte. La hostilidad de Figueroa hacia numerosos escritores de su tiempo pudo nacer tanto de su carácter malhumorado y rencoroso como de razones y criterios puramente literarios; distinguió particularmente con su aversión a Cervantes y a Lope de Vega, y es seguro que fue Figueroa quien azuzó a Torres Rámila para escribir la *Spongia* contra el Fénix.

Cultivó Figueroa la novela pastoril con *La constante Amarilis* y fue discreto poeta, pero la más personal de sus obras es *El passagero*, publicado en Madrid en 1617 [71]. Intervienen en él cuatro interlocutores: un Doctor, que es el propio Figueroa: un Maestro en Artes y Teología, en que parece representarse a Torres Rámila; don Luis, militar aventurero; e Isidro, orífice o platero, con lo que quedan reunidos cuatro clases o estados característicos, adecuados para el propósito del autor. El artificio del libro es también un viaje

[70 bis] *Agustín de Rojas' "El natural desdichado", edited from an autograph in the Biblioteca National at Madrid, with an introduction and notes* by James White Crowell, Instituto de las Españas, Nueva York, 1939. George Irving Dale, "Agustín de Rojas y *La vida es sueño*", en *Hispanic Review*, 1934, II, págs. 319-326 (artículo comentado por Crowell). El pasaje aludido del *Viaje* pertenece al libro II, ed. Menéndez y Pelayo, cit., págs. 536-537. Las escenas del borracho en *El natural desdichado* son del acto III, ed. cit., págs. 124-125, 137-140 y 146-149. Cfr. además, Antonio Paz y Meliá, "*El natural desdichado*", en *Revista de Archivos, Bibliotecas y Museos*, V, 1901.

[71] Ediciones: R. Selden Rose, Sociedad de Bibliófilos Españoles, vol. XXXVIII, Madrid, 1914. Francisco Rodríguez Marín, Biblioteca Renacimiento, Madrid, 1913. Cfr.: H. A. Rennert, "Some documents of the life of Suárez de Figueroa", en *Modern Language Notes*, VII, 1892. J. P. Vickersham Crawford, *The life and works of Christóbal Suárez de Figueroa*, Filadelfia, 1907 (trad. de Narciso Alonso Cortés —*Vida y obras de Cristóbal Suárez de Figueroa*—, Valladolid, 1911). Del mismo, "Suárez de Figueroa's *España defendida* and Tasso's *Gerusalemme liberata*", en *Romanic Review*, IV, 1913. Erasmo Buceta, "Carrillo de Sotomayor y Suárez de Figueroa", en *Revista de Filología Española*, VI, 1919. Narciso Alonso Cortés, *Miscelánea vallisoletana: 4.ª serie*, Valladolid, 1926 (contiene un capítulo sobre Figueroa). A. Rodríguez Moñino, "Bibliografía inédita de C. Suárez de Figueroa", en *Revista del Centro de Estudios Extremeños*, III, 1929. J. Dowling, "Un envidioso del siglo XVII: Suárez de Figueroa", en *Clavileño*, XXII, 1953. Joaquín de Entrambasaguas, *Una guerra literaria del siglo de oro*, Madrid, 1932.

que realizan juntos los cuatro desde Madrid a Barcelona, y desde ésta a Italia. Para entretener las jornadas hablan de sus vidas, refieren anécdotas, hacen comentarios, exponen opiniones sobre el amor, las mujeres, la milicia, etc. Por descontado, las más interesantes, sobre todo en el orden ideológico, son las del Doctor, y en particular las que tratan de temas literarios; habla sobre los caracteres de la poesía y de la prosa, sobre las comedias de su tiempo —lo que aprovecha para exponer sus ideas sobre la dramática y atacar el teatro de Lope— y alude de modo más o menos extenso a gran número de escritores contemporáneos. El libro, escrito en excelente y sobria prosa, constituye un rico muestrario de ideas y un sugestivo cuadro de la vida y costumbres de su tiempo.

En cierto modo viene a completarlo su otra obra, *Plaza universal de todas ciencias y artes, parte traducida del toscano y parte compuesta por...* (Madrid, 1615), adaptación de la *Piazza Universale* de Tomás Gazzoni, aumentada con ideas y observaciones de Figueroa sobre su propio país. Se extiende en consideraciones sobre muchas industrias y artes, y a propósito de ellas proporciona curiosos detalles sobre formas de vida, profesiones, modas, y alude también a muchos hombres notables de las artes y la literatura.

Algo diversa por su estructura es la *Guía y avisos de forasteros* (Madrid, 1620) de Antonio Liñán y Verdugo. Dialogan un Maestro graduado en Artes y Teología, un cortesano viejo y un caballero joven. Con este pretexto se intercalan cuentos y anécdotas en las que aparecen tipos pintorescos y picarescos de la vida de Madrid: busconas, rufianes, criados, escuderos, viudas fingidas, arbitristas. El objeto que persigue el autor, con mucha gracia y soltura, es poner sobre aviso a los que llegan a la corte acerca de las muchas tretas de que pueden hacerles objeto los mil y un parásitos aprovechados, que sólo viven de explotar la confianza de los incautos. Con esta descripción de las entretelas de Madrid, también la *Guía* constituye un documento de primer orden sobre gentes y costumbres de la época.

De Liñán y Verdugo no se posee referencia alguna, y su identidad está muy controvertida. El Padre Zarco supone que tras este nombre se esconde el conocido mercedario fray Alonso Remón, comediógrafo de la escuela lopista[72].

La novela corta: Zayas, Céspedes, Lozano. Entre los cultivadores del relato breve —cuento, novela corta— ocupa sobresaliente lugar en esta época la escritora doña María de Zayas y Sotomayor. De su vida no se conoce apenas nada. Nació en Madrid en 1590 de familia noble. Formando parte de la casa del conde de Lemos, el padre de doña María acompañó a éste a su virreinato de Nápoles, y allí pasó sus años juveniles la futura escritora. La estancia en Italia le permitió familiarizarse con la literatura —sobre todo la novelesca—

[72] Cfr.: P. Zarco, "Antonio Liñán y Verdugo", en *Boletín de la Real Academia Española*, XVI, 1929.

de aquel país, y le dejó recuerdos y experiencias de interés, que recogió luego en sus libros. Se ignora en qué fecha regresó a la Corte; pero desde 1639 había dejado de nuevo de residir en ella. Probablemente estuvo casada y se fue a vivir a Zaragoza o a Barcelona, donde, respectivamente, publicó el primero y el segundo volumen de sus novelas. De los últimos años de su vida, así como del lugar y fecha de su muerte, no se posee dato alguno.

Su primer libro apareció en 1637 con el título de *Novelas ejemplares y amorosas*; el segundo volumen, *Desengaños amorosos. Segunda parte del Sarao y entretenimiento honesto,* salió a luz en 1647 [73]. Ambos volúmenes se sirven de idéntico artificio novelesco, que no es otro sino la repetida fórmula boccacciana: varias damas y galanes que se reúnen con determinado pretexto, se comprometen a referir cada uno una historia en noches sucesivas. Fuera de este recurso, que permite enebrar los distintos relatos, la escritora debe muy poco a las fuentes novelescas conocidas, aunque se haya pretendido, un tanto ociosamente, determinarlas con especial rigor. Por consistir todas sus novelas en anécdotas amorosas, no es difícil hallarles semejanzas argumentales; pero por encima de ellas sobresale el arte de la escritora, que narra con inconfundible personalidad. Doña María, que, como puede verse a través de todos sus escritos, debía de poseer un carácter muy brioso y apasionado, se vuelca en sus novelas con un ardor tan subido como sincero, que explica a su vez las condiciones de su estilo: claro, suelto, nervioso, "sin razones retóricas ni cultas", según ella misma declara, como si, haciendo verdadero el artificio del relato, se contaran las cosas de viva voz.

Doña María insiste repetidamente en que los sucesos que refiere son casos ciertos tomados de la realidad; y la afirmación no es un mero tópico de épo-

---

[73] Ediciones: *Novelas exemplares y amorosas,* ed. de E. de Ochoa, en Colección de los Mejores Autores Españoles, vol. XXXV, París, 1847. Una selección de cuatro novelas en BAE, XXXIII, cit. Emilia Pardo Bazán, *Novelas de Doña María de Zayas,* en Biblioteca de la Mujer, vol. III, Madrid, 1892 (contiene una selección de las novelas). Agustín González de Amezúa, edición de las novelas completas de Doña María de Zayas, vols. VIII y IX de la Biblioteca Selecta de Clásicos Españoles, de la Real Academia Española, Madrid, 1948-1950, con sendos estudios preliminares. Cfr.: Manuel Serrano y Sanz, *Apuntes para una biblioteca de escritoras españolas,* II, Madrid, 1905, págs. 583-587. Lena E. V. Sylvania, "Doña María de Zayas y Sotomayor: A contribution to the study of her works", en *Romanic Review,* XIII, 1922, págs. 197-213, y XIV, 1923, páginas 197-232. Edwin B. Place, *María de Zayas, an outstanding woman short-story writer of seventeenth century in Spain,* The University of Colorado Studies, vol. XIII, número I, págs. 1-56. Del mismo, "Spanish sources of the diabolism of Barbey d'Aurevilly", en *Romanic Review,* XIX, 1928, pág. 332 y ss. M. V. de Lara, "De escritoras españolas", en *Bulletin of Spanish Studies,* IX, 1932, págs. 31 y ss. J. A. van Praag, "Sobre las novelas de María de Zayas", en *Clavileño,* XV, 1952. Segundo Serrano Poncela, "Casamientos engañosos (Doña María de Zayas, Scarron y un proceso de creación literaria)", en *Bulletin Hispanique,* LXIV, 1962, págs. 248-259. Ricardo Senabre Sempere, "La fuente de una novela de doña María de Zayas", en *Revista de Filología Española,* XLVI, 1963, págs. 163-172.

ca; como tampoco lo es el llamar a sus novelas *ejemplares*, porque la escritora tiene un propósito muy definido al componerlas. Su intención consiste en vindicar a la mujer de todas las limitaciones a que la tenía sujeta la vida social de entonces y de todos los denuestos volcados sobre ella por siglos de literatura. Doña María es una feminista apasionada, la mayor que nuestras letras han alumbrado jamás. Por esto mismo desea convencer de que sus "historias" lo son efectivamente, ya que de lo contrario perderían la condición de aviso y enseñanza que pretende darles. Esta intención hácese todavía más patente en el segundo volumen, donde ya no da a sus relatos el nombre de novelas, sino de *desengaños*, es decir, lecciones de escarmiento, a través de las cuales aprendan las mujeres —poniéndose a su nivel y usando de todas las armas— a no dejarse sorprender por los engaños y tretas de los hombres, a los que hace doña María responsables así de sus menguas y opresión como de sus caídas.

Las mujeres de estas novelas son seres que viven sus pasiones con plena intensidad y arrojo, rompiendo trabas y sirviéndose de todos los medios, todas las sutilezas, para lograr sus fines y alcanzar la felicidad que apetecen, o simplemente su placer. Porque estas mujeres de doña María no defienden sus derechos con razones, sino lanzándose a vivirlos, como una fuerza contenida que se libera al fin, impetuosamente; se colocan a la par del varón para "vivir su vida" —exactamente esas palabras que hace unas décadas vulgarizaron los avances del nuevo feminismo— con idéntica libertad que aquél. "La vida para Zayas —escribe su editor Amezúa— singularmente la amorosa, se desliza en una trayectoria rectilínea, rígida, inexorable, casi fatal; sus heroínas entréganse a sus galanes por el *fatum* del amor, que no perdona; no es sólo la simple libídine o apetito sexual lo que provoca su caída, sino un rendimiento pleno, impetuoso, del cuerpo y del alma, aún más vencida que aquél, juntos y abrazados, como si obedeciesen los amantes a una fatalidad tiránica que gobernase sus vidas con total inhibición de su personal albedrío. No parecen hombres y mujeres cristianos, y así, algunas de sus novelas son como una pasajera evasión al paganismo; libre el alma de toda suerte de frenos, despéñase en una grandeza trágica, en que la mujer, presa de la pasión, abandona todo, hogar, padres, recato, honra familiar, amigos, todo en fin, en pos de un amor desesperado e irresistible" [74].

Aunque iguales en el fondo, los dos volúmenes de novelas de doña María encierran dos momentos distintos que se completan: en las *ejemplares*, sus heroínas, generalmente, se disparan a vivir; en los *desengaños amorosos* suelen fracasar y salen mal libradas; todavía los hombres las aventajan y las burlan; hay, pues, que aprender más y andarse con cautela. De aquí la lección y aviso de los *desengaños*.

La "ejemplaridad" de estas novelas no es, pues, de índole moral o doctrinaria, sino de vida y de experiencia. Quiere decirse, por tanto, que resulta bien

---

[74] Introducción a la edición citada, vol. VIII, págs. XX-XXI.

compatible con todo el desenfado que se quiera, y las novelas de doña María han sido, en efecto, calificadas muchas veces de desenvueltas y hasta subidas de color; abundan, sin duda, las situaciones libres y hasta escabrosas. Doña Emilia Pardo Bazán decía —sin escandalizarse, por supuesto— que estas novelas constituían "una picaresca de la aristocracia" [75]. Sí se escandalizaba, en cambio, Pfandl, al calificar las novelas de Zayas de "historias libertinas", que "degeneran unas veces en lo terrible y perverso, otras en obscena liviandad" [76]; y Ticknor, cuando afirma de esa nòvela deliciosísima que se titula *El prevenido engañado* que "aunque escrita por una señora de la corte, es de lo más verde e inmodesto que recuerdo haber leído nunca en semejantes libros", y de la que dice también Pfandl que "es una libertina enumeración de diversas aventuras de amor" [77]. Con mucha mayor comprensión dice Amezúa que nunca doña María "descendió [en dichas novelas] al pormenor salaz, al rasgo lúbrico y obsceno" [78]; y fray Pío Vives, al estampar en 1648 su aprobación para la parte segunda, escribió estas palabras, que después de lo que precede resultan asombrosas: "antes en él veo un asilo donde puede acogerse la femenil flaqueza más acosada de importunidades lisonjeras, y un espejo de lo que más necesita el hombre para la buena dirección de sus acciones. Y, así, le juzgo muy provechoso y digno de comunicarse al mundo por la estampa" [79].

Problema capital es el del carácter realista y costumbrista que quepa atribuir a las novelas de doña María de Zayas. Como vimos, ella reclama insistentemente para sus relatos la condición de auténticos sucedidos. No obstante, resalta el hecho de que la misma pasión con que dota a sus heroínas la lleva a exacerbar los incidentes de sus novelas, que pecan con frecuencia de inverosímiles y truculentas; en sus páginas se alía un realismo crudo y naturalista a veces y un talento descriptivo de primer orden —de gran valor costumbrista— para captar detalles con tanta gracia como propiedad, con una fuerte tendencia a franquear los límites de lo posible y aun de lo creíble. "Esta intensidad de color —escribe Amezúa—, su ímpetu pasional y arrebatado estilo, con el empleo mismo de recursos que a veces rayan en lo inverosímil y fantástico, nos llevan a pensar que doña María no es sólo una escritora realista, sino que, anticipándose a su época, siente y delira como una auténtica romántica, pues por románticos puros pueden tenerse el episodio del marido que fuerza a beber a su esposa en la calavera de su pretendido amante; los desmayos profundos en que caen a menudo damas y galanes; la pasión de ánimo que los postra en el lecho por causa de amores infaustos, poniéndolos a punto de morir; los disfraces o trueques de vestidos entre hombres y mujeres ya dichos, rasgos

[75] En la "Breve noticia..." antepuesta a su edición citada, pág. 13.

[76] *Historia de la Literatura Nacional Española en la Edad de Oro*, Barcelona, 1933, págs. 369-370.

[77] En *Historia...*, cit., pág. 369.

[78] Introducción, cit., pág. XXXV.

[79] Edición Amezúa, cit., vol. IX, pág. 5.

y notas románticos, que, con otros anacronismos y despreocupaciones geográficas, por ejemplo, hacer a Fez puerto de mar, nos parecen dignos de los tiempos de Dumas y Jorge Sand. A este carácter pasajero romántico corresponde también otro de los elementos novelísticos favoritos de doña María, a saber: el frecuente y deliberado empleo que hace de lo sobrenatural y maravilloso..." [80]. Por todo ello se pregunta el mismo Amezúa si las mujeres españolas de su tiempo eran "tan ingeniosas, apasionadas y temerarias" como doña María las pintá y si la sociedad de su tiempo abundaba hasta tal extremo en sucesos extraordinarios. Amezúa, profundo conocedor de la vida y costumbres de aquella época, se inclina a aceptar que doña María no hiperboliza demasiado. Parécenos, con todo, evidente, que dentro de las amplias parcelas que la realidad circundante le ofrecía, el carácter impulsivo y arrebatado, de inspiración romántica, de la escritora, proclive a lo asombroso y lo patético, le movía a preferir muchos aspectos que, con lenguaje contemporáneo, podrían calificarse de tremendistas.

Las novelas de Zayas gozaron de enorme aceptación: "con excepción de Cervantes, de Alemán y de Quevedo, no hubo acaso ningún otro autor de libros de pasatiempo cuyas obras lograsen tantas ediciones como ella" [81], y su fama penetró muy a lo largo del siglo XVIII; fueron muy pronto traducidas a casi todos los idiomas europeos, y ejercieron marcado influjo en narradores de otros países, particularmente franceses; con inaudita desfachatez Scarron las tradujo y publicó como propias, superchería de la que fue desenmascarado por su segundo traductor en Francia M. D'Ouville.

Sin desconocer lo que en este éxito pudo influir la naturaleza de sus temas, es preciso reconocerle a doña María el don de la amenidad. Sus novelas se concentran en el nervio de la acción, sin nada apenas que distraiga, sin remansos de pedantescas reflexiones o exhibiciones eruditas. En cambio, se detiene lo necesario para afilar el rasgo psicológico que defina un carácter, la mutación de un estado de ánimo, los vaivenes de una pasión. "En este empleo de la psicología como elemento novelístico —dice Amezúa— adelántase bastante a su tiempo, y con excepción de Salas Barbadillo y, a ratos, de Céspedes y Meneses, no hallo entre los novelistas contemporáneos suyos quienes la ganen ni se acerquen siquiera en tales atisbos, percepciones sutiles y adivinaciones de la psicología amorosa, que todavía tardarían cerca de un siglo en hacer su aparición en la literatura universal" [82].

Doña María de Zayas maneja también el verso con notable habilidad, y a la menor ocasión interrumpe el relato para dejar constancia de su afición poé tica; con demasiada frecuencia, probablemente. A ello alude Pfandl —con frase tan malhumorada como todos sus juicios sobre doña María— cuando dice:

---

[80] Introducción, cit., págs. XXVII-XXVIII.

[81] Ídem, íd., pág. XXXI.

[82] Introducción al vol. IX, pág. XVII.

"Las canciones de amores, de galanteos, de celos y de quejas no acaban nunca" [83].

Sin la finura de doña María de Zayas y por muy diferentes caminos de exageración cultivó también el relato de sabor romántico un personaje, novelesco él mismo, Gonzalo de Céspedes y Meneses (1585?-1638). Nació en Madrid y martes, como decía para justificar su mala estrella. Estuvo preso y a punto de ser ajusticiado por un lance amoroso, sufrió varios procesos, fue encarcelado nuevamente en Madrid, se le conmutó por destierro una pena de ocho años en galeras a que había sido condenado en Granada, acabó siendo cronista real, murió en casa de un duque y fue enterrado en una iglesia. Publicó una *Historia apologética* sobre los sucesos de Aragón en torno a Antonio Pérez, y el libro fue recogido; escribió una *Historia de Felipe IV* y, escarmentado al fin, trató de prodigar los elogios y ocuparse lo menos posible de las personas, aunque la obra, en general, es bastante objetiva. Para nuestro objeto ofrecen interés sus relatos. En *Historias peregrinas y ejemplares* [84] (Zaragoza, 1623) agrupó seis episodios históricos, sucedidos en otras tantas ciudades, lo que le da ocasión para tratar del origen, condiciones y excelencias de cada una de ellas con sugestivas pinceladas. En el *Poema trágico del español Gerardo y desengaño del amor lascivo* [85] (Madrid, 1615) mezcla aventuras fantásticas con sucesos de su propia vida, y, aun sabiéndola tan extraordinaria, la historia deja un sabor de acumulación folletinesca. Su asunto, lo retorcido de la prosa, y sobre todo el gusto del autor por las descripciones macabras, lágrimas, terrores, sombras y misterios, hacen del libro una característica manifestación de la novela barroca y hasta, a trechos, de delirios románticos que no hubieran rechazado los novelistas de esta escuela en el siglo XIX. Américo Castro advirtió en el libro de Céspedes cierto sentido lírico y pictórico del paisaje, que señala como otro rasgo genuinamente barroco del autor; pero puntualicemos que es bastante leve. La *Fortuna varia del soldado Pindaro* (Lisboa, 1626) acentúa todavía más la deleitación en asuntos macabros, historias de aparecidos, fantasmas y sucesos impresionantes; lo costumbrista se evapora, en su mayor parte, para ceder el campo a la aventura [86].

En esta misma línea prerromántica debe colocarse también al escritor de Hellín, Cristóbal Lozano (1609-1667), doctor en Teología, que desempeñó diversos cargos eclesiásticos hasta morir en Toledo de capellán de los Reyes Nuevos. Escribió varias obras de historia novelada. En su *David perseguido* cuenta

---

83 *Historia...*, cit., pág. 369.

84 Edición de E. Cotarelo y Mori, en Colección Selecta de Antiguas Novelas Españolas, vol. II, Madrid, 1906 (con introducción biográfica).

85 Edición en BAE, XVIII, nueva ed., Madrid, 1946.

86 Cfr.: E. B. Place, "Una nota sobre las fuentes españolas de *Les Nouvelles* de Nicolás Lancelot", en *Revista de Filología Española,* XIII, 1926, pág. 65 y ss.

la historia de este rey tomada de la Biblia, pero intercala muchas digresiones y anécdotas de la historia de España, así como sucesos varios, de que los poetas románticos del XIX tomaron motivos con frecuencia; así, Zorrilla, que extrajo el tema de dos de sus leyendas: *Dos amigos generosos* y *El talismán*, y de un drama, *El excomulgado*. En *Reyes Nuevos de Toledo* recoge asimismo diversas leyendas españolas. Mayor interés ofrece el libro *Soledades de la vida y desengaños del mundo*, colección de novelas cortas que escribe el autor con propósitos moralizadores. Aquí aparece la leyenda de Lisardo el estudiante, que presencia su propio entierro: tema recogido por Espronceda en *El estudiante de Salamanca* y por Zorrilla en *El capitán Montoya*; la novela, contada en la "soledad" tercera, con el ajusticiamiento y entierro simulados pasó al drama de García Gutiérrez *El tesorero del rey*. El carácter prerromántico de estos relatos queda de manifiesto en la índole de sus asuntos, en el gusto por lo macabro y en el sentido de desilusión y hastío ante la vida [87].

[87] Ediciones: *Historias y leyendas*, selección de Joaquín de Entrambasaguas, en Clásicos Castellanos, 2 vols., Madrid, 1943. Cfr.: Joaquín de Entrambasaguas, *El Dr. Cristóbal Lozano*, Madrid, 1927.

CAPÍTULO X

GÓNGORA Y LA LÍRICA BARROCA
LA LÍRICA NO GONGORINA

LA POLÉMICA SOBRE GÓNGORA

Al ocuparnos de la lírica de Herrera y determinar su significación en la segunda mitad del siglo XVI, hicimos ver cómo a lo largo de la centuria se produce un lógico proceso de intensificación en el sentido de lo culto que, por entonces, conoce en dicho poeta su posición más avanzada. Este proceso sigue su curso en los postreros años del siglo XVI y penetra en el XVII hasta desembocar, al fin, en la más representativa y capital figura de la poesía barroca: Góngora. Su lírica elevaba a condición de "poesía-límite" los procedimientos estéticos introducidos y desarrollados por el Renacimiento; no había, pues, ni interrupciones ni saltos imprevistos en este proceso, pero lo extremo del resultado provocó, ya entre sus mismos contemporáneos, apasionada discusión a la que hemos de referirnos luego. Esta controversia, que convirtió a Góngora en poeta tan ensalzado por sus admiradores como denostado y ridiculizado por sus enemigos, ha proseguido hasta nuestros días. El siglo XVIII envolvió a Góngora en el repudio casi general con que sentenció a nuestra literatura del siglo XVII. Más tarde, el romanticismo, tan afín en múltiples aspectos con el barroco, inició la tarea de las reivindicaciones. Los románticos alemanes descubrieron a Calderón y proclamaron su culto. Poco después llegó la hora de Lope, traído también en parte por los críticos de aquel país, pero sobre todo por el esfuerzo y la autoridad del gran polígrafo español Menéndez y Pelayo. Góngora, sin embargo, no encontró en toda la centuria la mano salvadora. Precisamente Menéndez y Pelayo, que hubiera podido resucitar la obra del gran poeta, lanzó sobre él una condena implacable, casi con la furia de un anatema. Se habla —y la hay, sin duda— de radical incomprensión, pero debe advertirse que Menéndez y Pelayo, tan abierto a todas las estéticas, sentía en el campo de la lírica una preferencia profunda, arraigada en gustos y convicciones muy íntimas, por la serena armonía de los clásicos, y nada podía darse más distante de aquélla que el frenesí barroco de la poesía gongorina. Góngora siguió, pues, siendo el poeta descalificado, autor de caprichosas e indescifrables vaciedades.

La tardía reivindicación se inició al cabo con los poetas simbolistas franceses; Paul Verlaine, que apenas sabía español y, a buen seguro, no comprendió el alcance de la obra de Góngora, de la que sólo debió de conocer algunos fragmentos, despertó el interés de su generación y Rubén Darío lo absorbió y lo extendió a España. Con Verlaine compartía también su admiración por Góngora —una admiración igualmente vaga y desprovista de sólidas raíces— otro poeta simbolista, Jean Moréas, que, según cuenta Rubén Darío, tenía la costumbre de saludar a éste gritándole: "¡Viva don Luis de Góngora y Argote!". Aunque el impulso era, evidentemente, pueril, y tan superficial como esnobista, los efectos fueron incalculables. Rubén Darío testimonió su homenaje a Góngora mediante los tres sonetos de su *Trébol,* incluidos en *Cantos de vida y esperanza,* y que también acreditan la escasa profundidad de su gongorismo. Pero, a pesar de todo, el hecho cierto es que en los medios literarios españoles más sensibles a las nuevas inquietudes despertó la atención por el poeta cordobés. Lo entendieran o no debidamente, para los simbolistas franceses y modernistas españoles Góngora poseía la seducción del artista hermético, raro, incomprensible, rechazado por la crítica académica y oficial; era un nuevo aliado poderoso en su ofensiva contra el realismo y en su propósito de crear una poesía exquisita, aristocrática, de esforzada perfección, que sustituyera el mundo de las cosas por otro de representaciones [1].

---

[1] Cfr.: Dámaso Alonso, "Góngora y la literatura contemporánea", en *Estudios y ensayos gongorinos,* 2.ª ed., Madrid, 1960, págs. 540-588 (exposición fundamental sobre el proceso de la polémica gongorina desde el siglo XVIII, y sobre todo de la "vuelta a Góngora"). Del mismo, "Góngora entre sus dos centenarios (1927-1961)", en *Cuatro poetas españoles,* Madrid, 1962, págs. 47-77. Guillermo de Torre, "Góngora entre dos centenarios: 1927-1961", en *La difícil universalidad española,* Madrid, 1965, págs. 76-109 (útil resumen del problema). M. Menéndez y Pelayo, *Historia de las ideas estéticas en España,* edición nacional, vol. II, 2.ª ed., Santander, 1940, págs. 324 y ss. H. Petriconi, "Góngora und Darío", en *Die neueren Sprachen,* junio, 1927, págs. 261-272. Gino L. Rizzo, "Il barocco del Góngora nella crítica de Menéndez y Pelayo e di Benedetto Croce", en *Italica,* Chicago, 1957. V. S. Hernández-Vista, "Menéndez Pelayo ante la poesía de Góngora", en *Revista de Literatura,* XIV, 1958, págs. 44-59. R. Foulché-Delbosc, "Bibliographie de Góngora", en *Revue Hispanique,* XVIII, 1908, págs. 73-162. Lucien-Paul Thomas, "À propos de la bibliographie de Góngora", en *Bulletin Hispanique,* II, 1909, págs. 324-327 Alfonso Reyes y Martín Luis Guzmán, "Contribuciones a la bibliografía de Góngora", en *Revista de Filología Española,* 3, 1916. E. Díez Canedo, Martín Luis Guzmán y Alfonso Reyes, "Contribuciones a la bibliografía de Góngora", en *Revista de Filología Española,* 4, 1917 (ambos trabajos reproducidos por Alfonso Reyes, en *Cuestiones gongorinas,* Madrid, 1927, págs. 90-132). Juan e Isabel Millé y Giménez, "Bibliografía gongorina", en *Revue Hispanique,* LXXXI, 2.ª parte, 1933, págs. 130-176.

Otro poeta francés, de particular importancia dentro del simbolismo, Stéphane Mallarmé, contribuyó también eficazmente a la restauración gongorina. Mallarmé no conocía a Góngora ni, por tanto, recibió de él influjo alguno, pero escritores y críticos del momento señalaron puntos de coincidencia entre el poeta francés, entonces en la plenitud de su fama, y el autor de las *Soledades*. Dámaso Alonso ha negado el pretendido paralelismo entre ambos escritores, afirmando que las posibles concomitancias son, a lo sumo, de carácter externo y adjetivo; pero, quienes entonces las defendieron, lograron plena eficacia en la reactualización del gran poeta barroco. Fue el primero de ellos Remy de Gourmont en sus *Promenades Littéraires*[2]; le siguió Francis de Miomandre con su artículo *Góngora et Mallarmé,* publicado en 1918[3]; pero el más importante de todos fue el trabajo del hispanista polaco Zdislas Milner, *Góngora et Mallarmé. La connaissance de l'absolu par les mots,* aparecido en 1920[4].

---

[2] IV Serie, París, 1912 (referencia de Dámaso Alonso, en "Góngora y la literatura contemporánea", cit., pág. 549, nota 6).

[3] En *Hispania,* París, 1918; recogido luego en el libro *Le pavillon du mandarin,* París, 1920 (referencia de Guillermo de Torre, estudio cit., pág. 85).

[4] En *L'Esprit Nouveau,* núm. 3, 1920 (referencia de Dámaso Alonso, en "Góngora...", cit., pág. 551). Imposible reproducir, ni aun extractar siquiera, las razones aducidas por Dámaso Alonso para rechazar el supuesto paralelismo entre Góngora y Mallarmé y, particularmente, las ideas de Milner; podemos, sin embargo, traer aquí sus conclusiones: "¿Cómo poder comparar la poesía de lo discontinuo y lo imprevisto con la de un desarrollo normado y constantemente predecible? Góngora, desenvolvimiento, continuidad, lógica metafórica a base de elementos tradicionales; Mallarmé, cambio, discontinuidad sensacional, a base de asociación y sin más lógica que la sucesión de las asociaciones mismas. Góngora, preciso, exacto; Mallarmé, impreciso, ambiguo. El primero da todos los elementos necesarios al lector; el lector del segundo tiene que suplir todos los nexos tácitos, que rehacer el proceso mental y sensacional del poeta, que recrear la obra. Góngora es un retórico, aunque un retórico admirable; Mallarmé, un impresionista (en el sentido original de la palabra). De otro modo: Góngora es una última evolución de lo clásico; Mallarmé, de lo romántico. Quedarán, pues, coincidencias de pormenor puramente circunstanciales, imágenes aisladas... Quedarán otras coincidencias más amplias, pero adjetivas y puramente externas: la dificultad de uno y otro (mucho más extremada para el francés que para el español); las poesías ocasionales al margen de la obra; ciertas coincidencias de lenguaje (cultismo de acepción, elipsis, hipérbaton); y, sobre todo, la estricta escrupulosidad, el insaciable prurito de perfecciones de uno y otro. No importa. Góngora y Mallarmé no son distintos: son opuestos" ("Góngora...", cit., págs. 556-557). Guillermo de Torre se sitúa en posición menos exclusivista. Aduce palabras de Milner, para el cual en Góngora y en Mallarmé es idéntica "la religión lírica que profesan"; y prosigue: "Agregaba que en Góngora 'la oscuridad es el resultado de un esfuerzo sabio, no un fin propuesto' y en Mallarmé, parejamente, 'el resultado de una evolución interior del artista, una consecuencia del esfuerzo continuo hacia formas de expresión más perfectas'. De ahí —agregaré por mi cuenta— la voluntad de estilo común a ambos. En Góngora, se manifiesta por el camino del latinismo a ultranza, llevado por un afán aparentemente antitético; de un lado, retrotraer el castellano hacia una sintaxis que había dejado atrás, y, de otro lado, crear un idioma poético aparte, radicalmente distinto del *sermo vulgaris,* cuajado de neologismos y vocablos rutilantes, preciosos. En Mallarmé

Cualquiera que fuese el valor real de estas aportaciones críticas, tuvieron también la virtud de despertar la atención de los eruditos, que emprendieron la revisión científica de la lírica gongorina. El gran escritor mejicano Alfonso Reyes publicó en diversas revistas, a partir de 1910, una serie de artículos de erudición, que reunió luego en 1927 en su libro *Cuestiones gongorinas*. Entretanto, el belga Lucien-Paul Thomas había dado a conocer varios estudios importantes sobre Góngora y su significación: *Le lyrisme et la préciosité cultistes en Espagne*, en 1909, y *Góngora et le gongorismo*, en 1911; libros todavía hoy fundamentales, aunque hayan sido superados en varios puntos, y que el mismo investigador completó en su *Don Luis de Góngora*, 1931; con todos ellos se proponía Thomas sacar a Góngora del infierno vitando de los "poetas malditos". Foulché-Delbosc editó en 1921 la primera edición moderna de las poesías de Góngora, indispensable instrumento para todos los trabajos posteriores; y en 1925 aparecía el libro de Miguel Artigas, *Don Luis de Góngora. Biografía y estudio crítico*, obra de rigurosa erudición, que sigue siendo básica a pesar de las investigaciones de estos años últimos. Recordemos también que en 1903 la revista *Helios*, una de las más destacadas del modernismo, dirigida por Juan Ramón Jiménez, Martínez Sierra y Ramón Pérez de Ayala, dedicó a Góngora un importante número-homenaje, al que fueron invitados los principales escritores del 98.

Cuando en 1927 llegó, pues, el tercer centenario de la muerte de Góngora, el terreno estaba preparado: se produjo un fervoroso movimiento de admiración por el poeta, y aparecieron —dentro y fuera de España— numerosos estudios de positivo interés, que luego iremos mencionando. Numerosas, e importantes, revistas, científicas o puramente poéticas, dedicaron números de homenaje o acogieron artículos sobre la obra de Góngora. "Por primera vez en la historia de nuestra literatura, una generación entera ha rendido al poeta de las *Soledades* el tributo que se le debía". Importa, sin embargo, dejar ya destacada la singular aportación de Dámaso Alonso, a quien se deben, sin gé-

---

hay parejamente un afán de repristinar el idioma, de —según sus palabras— 'donner un sens plus pur aux mots de la tribu'. Sin entrar en otras precisiones, dejando a un lado ejemplos concretos, el resultado es que si bien no deben sobrevalorarse (como algunos hicimos en el primer centenario) las *analogías* —tal la palabra exacta, rehuyendo cualquier otra que indique mayor proximidad— entre Góngora y Mallarmé, tampoco hay que descartarlas, máxime si advertimos a seguido que esas analogías gongorinas no son mayores ni menores que las que puedan mostrar con un Desportes, un Marino, un Chiabrera, o bien con Lily y Donne, puesto que movimientos como el gongorismo, el marinismo, el eufuismo y el de la 'poesía metafísica', de hecho son radicalmente independientes y su única semejanza son las circunstancias espirituales de la época barroca que les dio origen" ("Góngora entre dos centenarios...", cit., pág. 86). Cfr.: Alfonso Reyes, "De Góngora y de Mallarmé", en *Cuestiones gongorinas*, Madrid, 1927, págs. 253-261. G. Pradal-López, "La técnica poética y el caso Góngora-Mallarmé", en *Comparative Literature*, Eugene (Oregon), II, 1950, págs. 269-280.

nero de duda, los más rigurosos y profundos estudios sobre la lírica del gran poeta cordobés [5].

La generación de escritores, poetas en su mayoría, que surge precisamente en la fecha del centenario gongorino, fue atraída hacia el autor de las *Soledades* por causas muy diversas, pero que pueden sintetizarse en dos: el gusto por un arte deshumanizado y antirrealista, y un exigente anhelo de intensa perfección formal, de maestría técnica, de intenciones limpiamente estéticas, en todo lo cual la obra de Góngora podía ejercer el más alto magisterio. El influjo directo sobre todo el grupo de escritores que aportó en aquellas circunstancias su fervor gongorino, puede afirmarse, sin embargo, que apenas si existió; lo que de Góngora recibieron no les vino por vía de imitación, sino de estímulo y ejemplo, de donde fue posible la diversidad de rutas y personalidades que se acogió bajo el signo de aquella poesía resucitada. Bien pronto sobrevino incluso la reacción, traída por un deseo de temas más inmediatos y reales y una mayor sinceridad poética y humana. La exposición de tales movimientos literarios no es de este lugar y debe quedar diferida para su momento oportuno. Ahora nos interesaba solamente destacar de qué manera la poesía de Góngora, proscrita durante tanto tiempo, blanco de cerradas incomprensiones, se incorpora definitivamente a la literatura española como un alto valor indiscutible [6].

EL CAMINO HACIA GÓNGORA

Antes de acercarnos a la obra de Góngora y dentro de esa línea de cultismo, insistentemente aludida, que conduce desde el Renacimiento hasta el Barroco, hemos de detenernos todavía en otros dos jalones, puntualizados por Dámaso Alonso, que preludian en inmediata cercanía la producción del gran lírico cordobés: el grupo de los poetas antequerano-granadinos y Luis Carrillo de Sotomayor.

LA ESCUELA ANTEQUERANO-GRANADINA

En sus dos estudios sobre Luis Barahona de Soto y Pedro Espinosa, Rodríguez Marín [7] destaca la gran importancia artístico-literaria que en la segunda mitad del siglo XVI y primeros años del XVII alcanza la ciudad de Antequera,

[5] Cfr.: Alfonso Reyes, "Reseña de estudios gongorinos", en *Cuestiones gongorinas*, cit., págs. 133-182.

[6] Cfr.: Carlo Boselli, "Il ritorno di Góngora", en *Rivista Colombo*, Roma, II, 7, 1927. Elsa Dehennin, *La resurgence de Góngora et la génération poétique de 1927*, París, 1962.

[7] *Luis Barahona de Soto. Estudio biográfico, bibliográfico y crítico*, Madrid, 1903; *Pedro Espinosa. Estudio biográfico, bibliográfico y crítico*, Madrid, 1907.

hasta el punto de constituir un foco de cultura que, si no puede parangonarse con el de Sevilla, nada tiene que envidiar a otras ciudades andaluzas, como Córdoba y Granada; con ésta última, en particular, por razón de su proximidad geográfica, forma a modo de un par literario que irradia notable influjo sobre la lírica de la época.

A principios de siglo se había creado ya en Antequera una cátedra de Gramática, costeada por el cabildo, a la que fueron llamados a enseñar ilustres tratadistas, tales como Juan de Vilches, Francisco de Medina —el prologuista de las *Anotaciones a Garcilaso* de Herrera—, Juan de Mora, Juan de Aguilar, Bartolomé Martínez, etc. Consecuencia de este clima intelectual fue el nacimiento de una verdadera academia poética, a la que pertenecieron destacados ingenios. No llegaron a formar propiamente una escuela, a la manera de las llamadas *sevillana* o *salmantina,* pues carecieron de la suficiente personalidad y no tuvieron tampoco una figura de especial relieve que les diera sello y prestigio; pero, con todo, constituyen un grupo del mayor interés en nuestra historia literaria.

Dámaso Alonso ha destacado también, al recoger y editar una de sus colecciones, el bulto poético y humano del grupo de Antequera: "Aficionarse a la poesía —dice— bien fácil era entonces en España, pues la poesía tenía un poder de penetración social mayor que el de ahora; pero en ningún sitio era más probable el contagio entonces que en la ciudad de Antequera, en donde la densidad de poetas (¡y muy buenos poetas!) por unidad de superficie, o, si se quiere, la proporción de poetas en relación con el número de habitantes, era en el primer tercio del siglo XVII, superior, sin duda, a la de ninguna otra población de España. Antequera era evidentemente una de las mayores capitales literarias de España" [8]. Señala igualmente Dámaso Alonso ese carácter de grupo de transición que distingue al antequerano, con su consiguiente falta de plenitud: "A nuestro juicio (provisional), a la escuela antequerana le faltó un punto para producir alguna gran figura de las letras españolas. Un estudio estilístico probaría, creo, que los antequeranos de la generación entre Tejada y Espinosa hicieron muchos tanteos hacia el nuevo gusto que se presagiaba, y que a ellos se les deben algunos hallazgos (ya de temas de representaciones, ya de modos de decir) que se incorporan a la poesía española, pero les faltó temperamento genial para unir con fuerza cohesiva los muchos influjos exteriores que les llegaban. Sí, se les ve abiertos a los gustos que se van fraguando. Góngora, Lope, Quevedo, también imitan, y muy frecuentemente, pero resellan todo con su personalidad, y lo positivo de su temperamento e inclinación termina por sobreponerse a las exterioridades. Tejada y Luis Martín con Pedro Espinosa trajeron a la poesía española un intenso colorido y un nuevo gusto suntuario, con lujosas, prebarrocas descripciones de divinidades mari-

---

[8] *Cancionero Antequerano, 1627-1628, recogido por Ignacio de Toledo y Godoy,* publicado por Dámaso Alonso y Rafael Ferreres, C. S. I. C., Madrid, 1950, pág. XII.

nas o fluviales, etc.; no trajeron, en cambio, una intensa voz personal: y ahí se quedan, excelentes poetas de segundo orden" [9].

Estos juicios nos orientan suficientemente sobre la peculiar significación del grupo antequerano-granadino: en sus manos, el mundo poético de Herrera atenúa su magnificencia y suntuosidad, y adquiere un tono de refinamiento y delicadeza, un lujo de detalles suntuarios de tono menor, un gusto ornamental, que conducen al barroquismo por el camino de la exquisitez decorativa elegante y suave.

El primer momento de este paso del herrerismo al gongorismo lo representa el poeta PEDRO ESPINOSA (1578-1650), nacido muy probablemente en Antequera, y su famosa antología titulada *Flores de poetas ilustres* [10]. Espinosa hizo estudios superiores en alguna Universidad. Enamorado de la poetisa doña Cristobalina Fernández de Alarcón, llamada la "musa de Antequera", sufrió un gran desengaño amoroso cuando aquélla, viuda de su primer marido, contrajo nuevo matrimonio con un rival. Esto le movió a retirarse a la vida de religión; desde entonces adoptó el nombre de Pedro de Jesús, con el que firmó todos sus escritos. Más tarde entró como capellán al servicio del conde de Niebla.

Según cuenta Rodríguez Marín, Espinosa había pretendido en un principio escribir una colección poética original en honor de doña Cristobalina. Como el grupo de sus composiciones resultó escaso, pensó en utilizarlas como núcleo de una colección de diversos poetas; y así nació la idea de la antología. Ésta había de constar tan sólo de poetas de su tierra andaluza, pero algunos amigos le aconsejaron que se extendiera a otros poetas y regiones. Para procurarse el material de su libro, Espinosa realizó prolongados viajes y trabó amistad con numerosos escritores. Acogió en las páginas de sus *Flores* a los más importantes poetas de su tiempo (algunos ya muertos, como fray Luis de León, Camoens y Barahona de Soto); cabe señalar la ausencia de algún poeta importante y la inclusión de algunos que la posteridad ha rechazado. Pero, en conjunto, las *Flores de poetas ilustres* es un trabajo admirable para su tiempo, y aun para hoy; en opinión de Gallardo "constituye el mejor tesoro de poesía que tenemos", equivalente, para la Edad de Oro, a lo que fueron los *Cancioneros* en el siglo XV. Como, al cabo, Espinosa dio amplia acogida a los poetas de su tierra, las *Flores* representan, a la vez, el mejor índice de la poesía antequerano-granadina. La obra, publicada en Valladolid en 1605, constaba de doscientas veintiocho composiciones, de las cuales diecinueve eran del propio antólogo.

Como poeta Espinosa es un lírico exquisito y elegante, de gran sensibilidad para captar los más finos matices de lo amoroso y descriptivo, según los rasgos del grupo literario a que estaba vinculado. Se siente atraído por el color, por las imágenes brillantes, por la expresión lujosa de acento muy andaluz.

---

[9] Ídem, íd., págs. XXV-XXVI.

[10] Edición de J. Quirós de los Ríos y F. Rodríguez Marín, 2 vols., Sevilla, 1896.

Su sentido de la elegancia le apartaba de los excesos de los cultos, en lo que éstos tenían de más mimético y superficial, pero él lo fue en sus raíces más auténticas; con sus repetidos aciertos expresivos dio nuevo vigor a muchos gastados tópicos del cultismo italianizante, y así sirvió de puente entre aquél y la renovación de Góngora.

La obra poética más destacada de Espinosa es la *Fábula del Genil*. En ella vuelca con auténtico derroche las galas más luminosas de su poesía, que tachonan literalmente las abundantes descripciones de la naturaleza; una naturaleza rutilante, vista con ojos de imaginación y exuberancia oriental[11].

Aparte su obra como lírico —en la que, además de sus composiciones amorosas, es autor de emocionadas poesías religiosas— Espinosa escribió en prosa *El perro y la calentura* (1625), novela satírica de rasgos quevedescos[12]; *Espejo de cristal* (1625), conjunto de meditaciones de carácter ascético, sobre la brevedad de la vida; el *Panegírico a la ciudad de Antequera* (1626); *El bosque de Doña Ana* (1624), descripción de este lugar con ocasión de una cacería a la que asistió Felipe IV, etc.[13].

La tarea antológica de Espinosa fue continuada por el licenciado Agustín Calderón, poeta incluido por aquél en sus *Flores*, en cuya preparación es muy posible que hubiera también colaborado. Calderón tenía concluida su *Segunda*

---

11 *Obras* de Pedro Espinosa, ed. de F. Rodríguez Marín, segunda parte del *Estudio...* cit., Madrid, 1909. *Psalmo de penitencia...*, edición de F. Rodríguez Marín, Madrid, 1909. *Soledad de Pedro de Jesús*, edición de J. A. Muñoz Rojas y Alfonso Corrales, Málaga, 1950. Cfr.: *Pedro de Jesús*, Noticia, antología y bibliografía por José M.ª de Cossío, en *Cruz y Raya*, 1933, núm. 7, págs. 103-129.

12 Edición, en *Boletín de la Academia de la Historia*, LXXXII, 1923.

13 *El bosque de doña Ana...*, edición a costa del duque de T'Serclaes, Sevilla, 1887. Cfr.: Pedro Henríquez-Ureña, "Notas sobre Pedro Espinosa", en *Revista de Filología Española*, IV, 1917, págs. 289-292. J. P. Wickersham Crawford, "The notes adscribed to Gallardo on the sources of Espinosa's *Flores de poetas ilustres*", en *Modern Language Notes*, XLIV, 1929, págs. 101-103. Eunice J. Gates, "Góngora and Pedro Espinosa", en *Philological Quarterly*, XII, 1933, págs. 350-359. José M.ª de Cossío, "Un ejemplo de vitalidad poética. La *Fábula del Genil* de Pedro Espinosa", en *Cruz y Raya*, 1935, número 33, págs. 43-66. Emilio Orozco Díaz, "Una pluma pincel. Sobre la poesía de Pedro de Espinosa", en *Temas del Barroco*, Granada, 1947, págs. 111-117. E. Allison Peers, "The religious verse of Pedro Espinosa", en *Boletín del Instituto Caro y Cuervo*, Bogotá, V, 1949, págs. 293-300. F. Requena, *Pedro Espinosa, poeta antequerano*, Antequera, 1950. J. Sanz y Díaz, "Espinosa y el grupo de Loja", en *Quaderni Ibero-Americani*, Turín, II, 1951. Francisco López Estrada, "Nueva luz sobre la poesía antequerana", en *Archivo Hispalense*, 1953. Audrey Lumsden, "Transitional poetic style in Pedro de Espinosa", en *Bulletin of Hispanic Studies*, XXX, 1953, págs. 65-75. *Homenaje a Pedro Espinosa*, Universidad de Sevilla, con estudios de López Estrada, Muñoz Rojas, Lumsden y R. Molina, Sevilla, 1953. Fermín Requena y José M.ª de Cossío, "La *Fábula del Genil* de Pedro Espinosa", en *Iliberis*, Granada, III, 1954, págs. 62-74. A. F. Frías, "En el centenario de Góngora. Poetas cultistas: Pedro de Espinosa", en *Revista Nacional de Cultura*, Caracas, 1961, núm. 49, págs. 205-227. Arthur Terry, "Pedro de Espinosa and the *Praise of Creation*", en *Bulletin of Hispanic Studies*, XXXVIII, 1961, págs. 127-144.

parte en 1611, pero no encontró editor y la obra permaneció inédita hasta que Quirós y Rodríguez Marín la publicaron junto con las *Flores* de Espinosa. Calderón recoge también composiciones de muchos poetas famosos junto a las de otros hoy olvidados o apenas conocidos.

Una tercera colección fue preparada algunos años más tarde por otro antequerano, don Ignacio de Toledo y Godoy. También esta antología ha permanecido inédita hasta que en nuestros días Dámaso Alonso y Rafael Ferreres la han publicado con el título de *Cancionero Antequerano*[14].

En buena medida, las dos colecciones precedentes se completan con esta tercera, para dejar trazada la trayectoria de nuestra lírica en un período crucial. He aquí cómo Dámaso Alonso concreta la relación existente entre los tres momentos y las tres antologías que los reflejan: "Tiene nuestro *Cancionero* bastantes puntos de contacto con las *Flores* de Espinosa y con las *Flores* de Calderón. Todas son colecciones andaluzas, con una visión de la poesía española desde Andalucía, y con predominante participación de la escuela antequerana. Es interesante la consideración de los tiempos: *Flores* de Espinosa, 1605; *Flores* de Calderón, 1611; *Cancionero* de Toledo y Godoy, 1627-1628. En nuestro *Cancionero* están ya patentes los influjos del gongorismo, así como las *Flores* de Espinosa representan el gusto de hacia 1600 y las de Calderón las búsquedas expresivas de hacia 1610. El interés comparativo de estas tres antologías reside en que tienen perspectivas semejantes y representan tres escalones bien diferenciados en los avances del siglo XVII"[15].

LUIS CARRILLO DE SOTOMAYOR

Nació este poeta a fines de 1582 ó principios de 1583, de familia noble y principal, pues fue su padre presidente del Consejo de Hacienda en el reinado de Felipe III. Se dice comúnmente que Carrillo nació en Córdoba, y así consta en la portada de las dos primeras ediciones de sus obras; en cambio, Manuel Cardenal Iracheta, editor moderno del *Libro de la erudición poética,* asegura que en el expediente de ingreso de Don Luis en la orden de Santiago, visto por él en el Archivo Histórico Nacional, se afirma que el poeta nació en Baena, patria que fue también de su madre y de la mitad de sus abuelos, y que quizá —sugiere Cardenal— trocaron los editores por prurito de grandezas[16].

Estudió Carrillo en Salamanca, fue caballero de Santiago, comendador de la Fuente del Maestre y cuatralbo de las galeras de España, es decir, comandante de cuatro naves. Es muy posible que visitara Italia. Recorrió las costas del Levante y Sur español y fueron sus estancias más frecuentes en Cartagena

14 Citado en la nota 8.

15 *Cancionero Antequerano,* cit., pág. XXV.

16 *Libro de la erudición poética de Don Luis Carrillo y Sotomayor,* edición de Manuel Cardenal Iracheta, C. S. I. C., Madrid, 1946, págs. VII-VIII.

y Puerto de Santa María: las de aquélla debieron de facilitar su trato con los literatos murcianos del círculo de Cascales; y las del Puerto, con el conde de Niebla, capitán general de la costa de Andalucía y de las galeras del Océano, a quien dedicó varias de sus composiciones. Tuvo amistad con otros varios escritores famosos, según se colige de los elogios recogidos en la edición póstuma de sus obras, pero ninguno tan notable como Quevedo, que contribuyó con un epitafio latino y una hermosa canción. En el Puerto de Santa María conoció Carrillo a Suárez de Figueroa, que, muerto ya don Luis, le dedicó un caluroso elogio en *El Pasagero,* ponderando sus cualidades como poeta y las virtudes humanas que le adornaban, por las que era, dice, "amado de todos ternísimamente" [17]. Murió Carrillo en el Puerto de Santa María en enero de 1610, cuando sólo contaba veintisiete años de edad, y ya "dos años antes que muriese —según dice su hermano don Alonso en la presentación de sus obras—, todo ocupado en maziza virtud de santidad, ni aun se daba a estos exercicios de ingenio" [18].

Muerto en tan temprana edad, no pudo Carrillo dejar una obra lograda, y aun las mismas composiciones que se conservan hubieran exigido la última mano del autor, según ya advirtió Suárez de Figueroa. "Así y todo —dice Dámaso Alonso— hay en ella una pasión dulce, un anhelo, una vibración de voz, que revelan con signos infalibles eso tan raro: un poeta auténtico. Y si la muerte no hubiera arrebatado su delicada finísima mocedad, hubiera sido uno de los mayores de nuestra lengua" [19].

Don Alonso, que sentía por su hermano veneración profunda, recogió todos los escritos que pudo hallar de don Luis, y los dio a la imprenta; así salió a luz en Madrid, en agosto de 1611, la primera edición bajo el título de *Obras de Don Luis Carrillo y Sotomayor.* Mas don Alonso apenas hizo sino reunir los "borradores" y "no pudo, como persona ocupada, atender a la imprenta", por lo que la edición resultó tan descuidada y llena de errores que dos años más tarde la familia costeó una segunda impresión, con mejores originales y cuidados, que remediaba en buena parte, aunque tampoco demasiado, las deficiencias de la primera. En nuestros días Dámaso Alonso ha cuidado la bella edición, citada, de las poesías completas de Carrillo. Comprenden éstas una veintena de romances y composiciones en redondillas, cincuenta sonetos, dieciséis canciones, dos églogas, la *Fábula de Acis y Galatea,* y unas glosas o comentarios al *Remedio del Amor,* de Ovidio, que el propio Carrillo había traducido.

---

[17] Cristóbal Suárez de Figueroa, *El Pasagero,* ed. F. Rodríguez Marín, Madrid, 1913, pág. 281. Cfr.: Erasmo Buceta, "Carrillo de Sotomayor y Suárez de Figueroa", en *Revista de Filología Española,* VI, 1919, págs. 299-305.

[18] *Libro de la erudición...,* ed. cit., pág. 48.

[19] *Poesías completas,* ed. de Dámaso Alonso, Madrid, 1936. Nota preliminar, pág. 9. Esta "Nota preliminar" ha sido reproducida en su libro *Ensayos sobre poesía española.* Madrid, 1944, págs. 247-260 (citamos siempre por la edición de *Poesías completas...*).

La obra del cuatralbo, olvidada durante siglos casi por entero, ha cobrado el mayor interés al producirse en nuestros días la "vuelta a Góngora", y justamente por las posibles relaciones que pueden establecerse entre ambos escritores. Carrillo está inequívocamente en la línea del cultismo, aunque, en rigor, no tanto por los rasgos formales de su poesía como por "su espíritu de selección y su apartamiento de lo vulgar". De hecho, la obra poética de Carrillo se mueve entre la "mayor facilidad y la máxima complicación", entre las sueltas redondillas y la fácil exuberancia al modo de Lope, los graciosos romances y la desnuda sencillez tradicional de un lado, y las composiciones impregnadas de erudición grecolatina, brillantes, suntuosas y complicadas de otro.

Carrillo tenía, como pocos, plena conciencia de los problemas de su arte, y por eso no sólo los llevó al estudio teórico de su *Libro de erudición poética,* sino a sus propios versos; Dámaso Alonso nos invita a leer el bello romance que comienza "Coronaban bellas rosas" —primero de la colección—, y vamos a obedecerle. Venus se le aparece al autor y le da consejos sobre el tono poético que debe emplear con sus amadas:

....

¿Qué te aprovecha, mancebo,
nos dificulten tus llamas
penas, con disfraces tuyos,
para nuestro vulgo extrañas?
Más estima el reino mío
dos endechas, dos palabras
hechas tiernamente y dichas,
que tus estudios y alas;
más de un amante quejoso,
en su musa castellana,
cuatro agudezas desnudas
que diez grandezas toscanas.
Deja de esos graves libros
las más que severas canas.
Ciego amante, ¿por qué buscas,
estando en la fuente, el agua?
Más me agrada un verso tierno
—¡no lo dudes: más me agrada!—
que los rayos de un Homero,
que de un Virgilio las armas.
¡Cómo siente un Castillejo!
¿No ves qué tierna desata
su española voz sus quejas,
vestidas de sola el alma?

....

Deja esos libros, mancebo,
mira que tu pena agravian:
¿cómo, escondido en sus nieblas,
sabrá tu sol si te abrasa?... [20].

No era necesaria la mención de Castillejo —pero ahí está, de todos modos— para recordarnos la vieja cuestión poético-amorosa que se habían planteado los poetas tradicionales frente a los primeros italianistas. Sucede que la casi totalidad de los versos de Carrillo fueron inspirados por misteriosas damas que encendieron sus ardores de juventud, y al tener que dirigirles sus requiebros poéticos salta en su mente idéntica inquietud que le tenía atenazado en el orden de la creación: "grave dilema —dice con mucho gracejo Dámaso Alonso—: o escribir cultamente y no ser comprendido por la amada; o ser entendido por ésta y escribir requiebros al modo desnudo de la castellana musa" [21]. Y Carrillo resolvió la dificultad "escribiendo a veces de la una manera, a veces de la otra: así podía esperar por un lado gloria, por el otro correspondencia" [22]. Pero, "aun dentro de lo más fácil, siempre con garbo de gran señor en poesía" [23]; esto es lo más característico y definitorio de nuestro poeta. E idéntica variedad que en la lírica de metros cortos puede observarse en sus sonetos, aunque siempre, también, orientada hacia el refinado artificio; Dámaso Alonso califica de "sibilinos" algunos romances, como el llamado "Elegía al Remedio del Amor", y asegura de otras composiciones —romances o sonetos— que son más impenetrables que obra alguna de Góngora.

Pero existen —nos dice— notables diferencias entre la oscuridad y dificultad de uno y otro escritor: "el lenguaje en Góngora, aun enredado y retorcido como es, va dispuesto en una línea —lógica y sintáctica— irrompible: los lugares más dificultosos se resuelven en él con nitidez de problema geométrico: admirable ejemplo de la maestría de un hombre sobre el idioma, cuyo hilo nunca se quiebra y cuyo sentido resulta (salvo casos excepcionales) siempre único. En Carrillo no: la amfibología nos sale al paso con desesperante frecuencia —y que soportarla tendrá el lector si quiere gozar las indudables bellezas de la obra del cuatralbo—. Lo curioso es que se trata de una oscuridad menos escandalosa que la gongorina: el hipérbaton, las alusiones mitológicas o a la ciencia antigua, las imágenes, los cultismos de léxico, son elementos que existen en Carrillo como en Góngora, pero de un modo mucho más moderado, sin aquella maraña de entrecruzamientos de vocablos y de alusiones" [24].

---

[20] *Poesías completas...*, págs. 29-30.
[21] Ídem, íd., pág. 20.
[22] Ídem, íd.
[23] Ídem, íd., pág. 21.
[24] Ídem, íd., págs. 23-24.

La obra más notable de Carrillo, y la más discutida, es la *Fábula de Acis y Galatea,* que el poeta dedicó al conde de Niebla. Algunos años después Góngora compuso su *Polifemo* sobre el mismo asunto que la *Fábula* de Carrillo y lo dedicó también al conde. El hecho de haber elegido Góngora idéntico tema y habérselo dedicado al mismo personaje hace ya ver que no tenía propósito de plagio, sino de competencia. El erudito belga Lucien Paul Thomas en su libro, luego citado, *Góngora et le gongorisme considérés dans leurs rapports avec le marinisme,* estudió minuciosamente las relaciones existentes entre los poemas de Góngora y de Carrillo; luego, en 1926, al producirse la marea del gongorismo con ocasión del centenario, un erudito español, Justo García Soriano, publicó un trabajo con el título de *D. Luis Carrillo y Sotomayor y los orígenes del culteranismo*[25], en el que sostenía que Góngora había plagiado, sencillamente, el poema de Carrillo. El hispanista alemán Walther Pabst rechazó en 1930 la tesis de García Soriano, insistiendo particularmente en el valor de creación que encierra el *Polifemo* de Góngora[26]. Finalmente, Dámaso Alonso volvió dos años más tarde sobre el tema en un riguroso y definitivo estudio[27]. Además de destacar la "absoluta diferencia de temperatura poética" existente entre las dos obras en litigio y proclamar, por tanto, según la idea de Pabst, el valor creativo del *Polifemo,* Dámaso Alonso estudia las razones de las semejanzas existentes entre Carrillo y Góngora, que se fundan en el hecho de que ambos parten de una misma fuente, que es Ovidio, y tratan un tema de propiedad común en la época renacentista, que fue, en efecto, como luego veremos, desarrollado por numerosos poetas de aquel tiempo. Dámaso Alonso examina a la vez las fórmulas y giros idiomáticos corrientes en la poesía de entonces, superficiales coincidencias, pero que pueden hacer pensar erróneamente en una supuesta imitación. Se trata, pues, de dos voces enteramente diferentes, que cantan sobre un motivo común. En lo que respecta al mérito propio del poema de Carrillo, dice Dámaso Alonso: "Carrillo, genio no maduro, pero potentísimo, escribió una obra admirable: su verso, más sedoso (aunque complicado) que el de Góngora, más bajo de color —pero todavía rico— y de matices tal vez más delicados, tiene a veces ecos de la suavidad y la emoción de la voz de Garcilaso. Y no importan la imperfecta estructura del poema ni la dureza de algunos versos, que esperaban tal vez la lima,

---

[25] En *Boletín de la Real Academia Española,* 1926, XIII, cuaderno LXV, págs. 591-629.

[26] En su libro *Gongoras Schöpfung in seinen Gedichten Polifemo und Soledades,* tirada aparte de la *Revue Hispanique,* LXXX, New York-Paris, 1930. Acaba de aparecer la traducción española de este libro con el título de *La creación gongorina en los poemas Polifemo y Soledades,* anejo LXXX de la *Revista de Filología Española,* Madrid, 1966.

[27] "La supuesta imitación por Góngora de la 'Fábula de Acis y Galatea' ", en *Revista de Filología Española,* XIX, 1932, págs. 349-387; reproducido en *Estudios y ensayos gongorinos,* 2.ª ed., Madrid, 1960, págs. 324-370.

ni lo borroso de las figuras de Galatea, de Acis y Polifemo: su *Fábula* es una delicia, e indudablemente lo mejor que salió de su pluma" [28].

Gran importancia tiene en la obra de Carrillo su *Libro de la erudición poética,* que viene siendo estimado como una especie de manifiesto de la escuela culta. No se propuso el autor, sin duda, escribir un tratado doctrinal que sistematizara con rigor su pensamiento literario; quizá no poseía tampoco el don de la ordenada exposición, pues su breve tratado abunda en volutas de complicada prosa, cuajada de citas, no sin cierta pedantería a veces. Las páginas del *Libro* encierran la doctrina que define las intenciones literarias de Carrillo y, en general, de los poetas cultos de su tiempo, que podría sintetizarse de este modo: las Musas eligieron lugar *bien alto* y a ellas no se llega sino tras ardua labor; el poeta necesita de constante esfuerzo y lima para alcanzar el nivel de los antiguos y de los grandes maestros italianos; el estilo del historiador no es el mismo que el del poeta: el adorno exterior es en éste fundamental, y no se logra sino mediante el uso de expresiones nobles, difíciles y escondidas, porque no es posible expresar cosas elevadas con palabras humildes; la poesía no es para el vulgo, sino para espíritus elevados, y es justo que su lenguaje sea distinto del ordinario y vulgar; no hay que buscar de manera premeditada la oscuridad, pero tampoco hay que rehuirla cuando el asunto o la alusión poética conduzcan a ella; la belleza exige un punto de dificultad, y ésta, a su vez, estimula la agudeza, que es la que califica el juicio de los doctos [29].

GÓNGORA

SU VIDA [30]

Nació el poeta en Córdoba, en 1561. Su padre, don Francisco de Argote, licenciado por Salamanca, ejercía en aquella ciudad de Juez de bienes confiscados de la Inquisición, tenía aficiones eruditas y poseía una copiosa biblio-

---

[28] *Poesías completas...,* cit., pág. 18.

[29] Véase, en el comentario de Artigas, la opinión expresada por Góngora sobre este último punto: "Góngora —si es suya la carta en respuesta a la que le escribieron, publicada por Paz y Meliá en las *Sales Españolas*— nos da la razón. Ovidio —dice— es claro en *lo de Ponto* y en *lo de Tristibus* y oscuro en las *Transformaciones,* pero esta oscuridad aviva más el ingenio de los estudiantes que se ponen a interpretarle y la dificultad vencida deleita al entendimiento. Están escritas para los doctos, lo cual le honra y da autoridad si le entienden, y que no las entiendan los ignorantes le honra mucho más" (*Don Luis de Góngora...,* cit., págs. 279-280).

[30] Cfr.: Miguel Artigas, *Don Luis de Góngora y Argote. Biografía y estudio crítico,* Madrid, 1925. Del mismo, "Revisión de la biografía de Góngora ante los nuevos documentos", en *Revista de Filología Española,* XIV, 1927. L. de Torre, "Documentos relativos a Góngora", en *Revue Hispanique,* XXXIV, 1915, págs. 283-291. José de la Torre, "Documentos gongorinos", en *Boletín de la Real Academia de Ciencias, Bellas Letras y*

teca. Su madre se llamaba doña Leonor de Góngora y, como su esposo, pertenecía a ilustre familia cordobesa. El escritor prefirió anteponer el apellido de su madre, quizá por más sonoro, y así vino a llamarse Luis de Góngora y Argote. Muy poco se conoce de su niñez y primeros estudios. A los quince años fue enviado a estudiar a Salamanca. Un hermano de su madre, don Francisco de Góngora, racionero de la catedral de Córdoba, para ayudar en los estudios del muchacho le cedió los beneficios eclesiásticos que tenía en diversos pueblos, y Góngora recibió, para poderlos disfrutar, las órdenes menores. Se matriculó de Cánones en Salamanca en 1576 y siguió hasta el curso 79-80, pero no consta que obtuviese título alguno. Debió de estudiar muy poco, pero en aquellos años estudiantiles cuajó su vocación de poeta. De 1580 —tenía diecinueve años— son sus primeras composiciones conocidas, y a dicha fecha pertenecen también sus primeros versos impresos: una canción, toda en esdrújulos, que figura al frente de la traducción castellana de *Os Lusíadas,* hecha por Luis de Tapia. La fama de Góngora como poeta debió de cundir rápidamente: en 1584 Juan Rufo colocaba al frente de su *Austriàda* un soneto de Góngora, y al año siguiente Cervantes hacía de él un gran elogio en el *Canto de Calíope* incluido en *La Galatea.*

Prosiguiendo en su protección, su tío don Francisco renunció en el joven poeta su cargo de racionero, y Góngora recibió las órdenes mayores. No debía de ser muy celoso en el cumplimiento de sus deberes eclesiásticos, porque el nuevo obispo llegado a Córdoba en 1587 le amonesta por su falta de asistencia al coro, y cuando acude —añade— "anda de acá para allá saliendo con frecuencia de su silla" y habla mucho durante los oficios; en cambio, se le ve con frecuencia en espectáculos profanos —toros, comedias— y en tertulias de maldicientes, "vive como muy mozo", trata en cosas ligeras y escribe coplas profanas. Góngora se defendió con mezcla de gracia y desenfado, diciendo que en el coro no podía hablar mucho porque estaba entre un sordo y uno que no dejaba de cantar; y que no siendo viejo, no podía vivir sino como mozo; que a los toros no había ido sino unas pocas veces; y que si en sus coplas

Nobles Artes de Córdoba, VI, núm. 18, enero-junio 1927. José M.ª de Cossío, "Anecdotario incompleto de don Luis de Góngora", en *Notas y estudios de crítica literaria,* Madrid, 1929. D. Devoto, "Gracia y burla de don Luis de Góngora", en *Quaderni Ibero-Americani,* Turín, 1954. Joaquín de Entrambasaguas, *Góngora en Madrid,* Madrid, 1961. Dámaso Alonso y Eulalia Galvarriato de Alonso, *Para la biografía de Góngora: documentos desconocidos,* Madrid, 1962. Dámaso Alonso, "Algunas novedades para la biografía de Góngora", tirada aparte de las *Actas del Primer Congreso Internacional de Hispanistas,* Oxford, 1964. Del mismo, "En torno a Góngora: Quién era Doña Francisca Gelder", Sociedad de Estudios y Publicaciones, Madrid, 1963 (separata del *Homenaje a D. Ramón Carande).* J. A. Martínez Bara, "Algunos datos más sobre la familia de Góngora", en *Revista de Filología Española,* XLIV, 1961, págs. 351-383. R. Espinosa Maeso, "Nuevos datos biográficos de Góngora", en *Revista de Filología Española,* XLV, 1962, págs. 57-87. R. Aguilar Priego, "Nuevos documentos referentes a don Luis de Góngora y Argote", en *Revista de Filología Española,* XLVI, 1963, págs. 121-136.

había tenido alguna libertad, su poca teología lo disculpaba y, en todo caso, había tenido por mejor "ser condenado por liviano que por hereje". El obispo le impuso una pequeña multa y le prohibió que fuera a los toros[31].

Desde entonces, y a lo largo de varios años, alterna el cultivo de la poesía con viajes a distintos lugares de España comisionado por su cabildo. Una serie de composiciones, en especial sonetos, conservan el recuerdo de su paso por estas ciudades. En 1603 estuvo en Cuenca, de cuya visita nos ha quedado uno de sus más bellos romances:

> *En los pinares del Xúcar*
> *vi bailar unas serranas,*
> *al son del agua en las piedras,*
> *y al son del viento en las ramas...*[32]

y en Valladolid, donde residía entonces la Corte. A su regreso a Córdoba, que demoró cuanto pudo, dejó a Pedro Espinosa el texto de las poesías que éste había de incluir en su *Flores de poetas ilustres*, publicadas en 1605. Nuevos viajes por España, y nuevas composiciones que nos conservan su recuerdo. En 1610 tiene lugar la toma de Larache, y Góngora le dedica una canción, que suele tomarse como el arranque de la llamada "segunda época". En 1611 nombra a un sobrino suyo coadjutor de su cargo en la catedral cordobesa, con lo que queda libre de la asistencia a coro.

Poco después comienza a trabajar en la redacción de sus más ambiciosos poemas, la *Fábula de Polifemo y Galatea* y las *Soledades*, y en mayo de 1613 se leen en tertulias literarias de Madrid algunos fragmentos del primero. Góngora, que desde sus primeros viajes a la Corte había acariciado la ambición de establecerse en ella, lo consigue en 1617 gracias al favor del primer ministro, el duque de Lerma, a quien dedica su *Panegírico*, otra de sus obras de grandes proporciones; también por su mediación es nombrado capellán de su Majestad, para lo cual se ordena de sacerdote a los cincuenta y cinco años.

La caída de sus valedores políticos a la muerte de Felipe III y sus grandes gastos en la corte, agravados por su afición al juego, tuvieron a Góngora en constante dificultad, que trató de remediar ganándose el favor del nuevo ministro, el omnipotente conde-duque de Olivares; pero esta protección fue más aparente que efectiva. Una enfermedad que le aquejaba desde antiguo, acabó de amargar sus últimos años en Madrid; había perdido la memoria y sufría frecuentes desvanecimientos y fuertes dolores de cabeza. Aprovechando una ligera mejoría, regresó a Córdoba, donde acabó sus días, a los sesenta y seis años de edad, en mayo de 1627.

---

[31] Los cargos del obispo así como la respuesta escrita de Góngora pueden verse en las *Obras completas* de Góngora, edición Millé (luego citada), apéndice II, págs. 1.207-1.209.

[32] Edición Millé, pág. 148.

De Góngora se nos han conservado varios retratos, muy parecidos, de los cuales se considera el mejor el existente en el museo de Bellas Artes de Boston, pintado por Velázquez. "La cabeza de Góngora —dice Dámaso Alonso— era verdaderamente impresionante: calvo, con el pelo aún oscuro, frente despejada, nariz fina, aguileña, pero un poco colgandera, rostro alargado, fuerte entrecejo (dos intensos pliegues verticales y uno horizontal, ya muy bajo), la boca hundida, obstinada, fuertes pliegues en las comisuras y en la barbilla y sobre el bigote, un lunar sobre la sien derecha. Nos mira de lado. Todo en él indica inteligencia, agudeza, fuerza, precisión, desdén" [33].

Bellamente expresivas son también las palabras —mitad etopeya, mitad retrato— con que dibuja Jorge Guillén al autor de las *Soledades*: "...el satírico —Góngora lo fue a lo largo de toda su carrera— juzga la vida contemporánea. Pero todo, burlas y veras, atañe al mundo exterior, y nunca o casi nunca al íntimo, recatado en el silencio de este poeta de la realidad impersonal, es decir, de todo menos de su propia existencia afectiva... En general, se mantiene una considerable limitación: nada de júbilos, angustias, inquietudes. Sí el gozo sereno del espíritu: actitud señoril, que a ratos alteran o corroboran la ironía, el desdén. Y si pasamos de la poesía al poeta añádase una pasión: el orgullo, ese gran orgullo que se siente ofendido hasta por los elogios... Este don Luis, que tal distancia ha ahondado entre sus ojos y lo que ven sus ojos. Pero más aleja la boca. Es la boca misma del desdén, con el labio superior sumido, de ningún relieve, antítesis del carnoso labio inferior y la recia barbilla. Bajo esa tez amarillenta de bilioso, bilioso que no sonrió al pincel de Velázquez —la expresión es displicente, casi agria, casi melancólica—, en ese cráneo pequeño se alojó una extraordinaria fuerza espiritual" [34].

Como hemos visto, la biografía del poeta, descontadas las abundantes agudezas de un rico anecdotario, carece de hechos relevantes —al revés de tantos escritores de su tiempo— y toda su vida se concentra en su actividad de hombre de letras, en sus polémicas, en sus amistades y enemistades literarias. Tuvo admiradores apasionados, buenos amigos —entre los que contaron muchos grandes de la corte, como el conde de Lemos, el duque de Lerma, don Rodrigo Calderón, el conde-duque, el conde de Villamediana y el fraile trinitario, famosísimo predicador, fray Hortensio Paravicino— y los más encarnizados detractores. Entre estos enemigos merecen destacarse, por su especial

---

[33] Dámaso Alonso, *Góngora y el 'Polifemo'*, 3.ª ed., Madrid, 1960, pág. 48. A juicio de Camón Aznar, el retrato de Góngora que se conserva en el museo de Boston "no puede sostenerse que es obra de Velázquez" (*Góngora en la teoría de los estilos*, Madrid, 1962, pág. 21); pero el detalle, aun en el caso de ser cierto, nada importa para la interpretación humana del poeta, que hemos transcrito. Cfr.: E. Romero de Torres, "Los retratos de Góngora", en *Boletín de la Real Academia de Ciencias, Bellas Letras y Nobles Artes de Córdoba*, VI, 1927, págs. 17-32.

[34] Jorge Guillén, "Lenguaje prosaico. Góngora", en *Lenguaje y poesía*, Madrid, 1962, págs. 85-87.

importancia literaria, Lope de Vega y Quevedo. Con cada uno de ellos corrió suerte distinta. Lope admiraba a Góngora y dedicóle elogios en varias ocasiones; Góngora, en cambio, despreciaba profundamente a Lope y nunca perdió ocasión de zaherirle, aprovechando incluso todos los motivos personales: las torres de su escudo, los amores con Marta de Nevares, etc. Cuando Lope, picado al fin por la insistencia de su rival, se decidía a contestarle, no atacaba en realidad a Góngora, sino a sus malos imitadores, y cuando alguna vez apuntaba a él directamente, parecía tirar sin demasiada convicción, o escondiendo la mano, sin la desnuda agresividad de su enemigo [35]. En conjunto, puede decirse que en sus guerrillas contra Lope, Góngora dominó a su rival.

No fue lo mismo con Quevedo; la antipatía que éste y Góngora se tenían era profunda, personal, mucho más que nacida de causas literarias, aunque también pudiesen sumarse éstas. Ambos tenían un temperamento agresivo y retorcido, presto para toda mordacidad y hasta para el insulto, y ambos ejercitaron su portentosa disposición en este menester —sin perdonar obscenidades— para ofenderse implacablemente aún en los más personales aspectos, incluso cuando podían dar origen a peligrosas suspicacias; así, aquel soneto famoso en que Quevedo alude a la supuesta ascendencia judía de Góngora:

Yo te untaré mis versos con tocino
porque no me los muerdas, Gongorilla... [36].

---

[35] Miguel Artigas ha precisado exactamente cuál fue la verdadera actitud de Lope respecto a Góngora: "En la *Respuesta de Lope a un papel que escribió a un señor de estos reinos* —dice Artigas— expresó bien claramente su opinión. Reconoce las altas dotes del poeta, a quien alaba y pone entre los mejores de sus contemporáneos. 'Mas no contento con haber hallado en aquella blandura y suavidad el último grado de la fama', aspiró a más. Lope no cae en la vulgaridad de suponer arrogancia ni otros absurdos fines en los anhelos de Góngora, y cree en la buena fe y sana intención que le inducían a enriquecer la lengua y el arte. Para Lope todo el fundamento de este edificio es trasponer y separar los adjetivos de los sustantivos y amontonar metáforas y tropos. 'No hay poeta —dice— que no haya usado de estas licencias; pero el arte exige templanza'. Observa agudamente la deplorable conducta de los que se llaman secuaces y discípulos de Góngora, que creen serlo con sólo imitar estas trasposiciones. 'A éstos —añade— jamás les seré afecto, porque comienzan ellos por donde él acaba'. Ponemos, pues, como opinión de Lope, sin pararnos ahora en sátiras circunstanciales y ligeras, estas notas: acatamiento al genio poético de Góngora, aspiración del poeta a un más allá, a una superación de su arte como resultado de un constante desarrollo de su facultad poética, equivocación en el estilo latinizante y metafórico, y desprecio absoluto de los imitadores" (*Don Luis de Góngora y Argote. Biografía y estudio crítico,* cit., págs. 240-241). Cfr.: Joaquín de Entrambasaguas, "Al filo de dos cuatricentenarios (1961-1962). Góngora y Lope o examen de un desprecio y de una admiración", en *Punta Europa,* núm. 65, mayo 1961, págs. 40-59.

[36] *Obras Completas de don Francisco de Quevedo Villegas. Obras en verso,* edición Astrana Marín, Madrid, 1932, pág. 151.

Cuando fueron divulgados los grandes poemas de Góngora —las *Soledades* y el *Polifemo*— Quevedo aprovechó la oportunidad para redoblar sus ataques y satirizar los excesos del estilo culto, sobre todo en *La culta latiniparla.* Una curiosa anécdota puso remate casi cómico a esta rivalidad. Por extraña coincidencia, o premeditada mala voluntad de Quevedo, éste compró la casa en que vivía Góngora en Madrid, y don Luis se vio obligado a abandonarla; estaba entonces enfermo y sin dinero y tenía ya sesenta y cuatro años de edad. Pero la crueldad de su enemigo llegaba a tales extremos. Para añadirle a ella el sarcasmo, aludió al hecho dando fin a una extensa sátira con estos versos:

...Y págalo Quevedo
porque compró la casa en que vivías,
molde de hacer arpías;
y me ha certificado el pobre cojo
que de tu habitación quedó de modo
la casa y barrio todo,
hediendo a Polifemos estatíos,
coturnos tenebrosos y sombríos,
y con tufo tan vil de Soledades,
que para perfumarla
y desengongorarla
de vapores tan crasos,
quemó como pastillas Garcilasos:
pues era con tu vaho el aposento
sombra del sol y tósigo del viento[37].

El agudo ingenio de Góngora para la sátira y la maledicencia se estrellaba ante la ilimitada capacidad de Quevedo para la caricatura, y es innegable que con este rival el poeta de Córdoba llevó la parte peor. Aunque es muy probable que todavía no hubiera muerto su enemigo, Quevedo le dedicó un terrible *epitafio,* del que son estos versos:

Este que en negra tumba, rodeado
de luces, yace muerto y condenado,
vendió el alma y el cuerpo por dinero
y aun muerto es garitero...
La sotana traía
por sota, más que no por clerecía;
hombre en quien la limpieza fue tan poca
(no tocando a su cepa)
que nunca, que yo sepa,
se le cayó la mierda de la boca.

[37] Ídem, íd., pág. 156.

Este a la gerigonza quitó el nombre,
pues después que escribió ciclopemente,
la llama gerigóngora la gente...
Fuese con Satanás culto y pelado:
¡mirad si Satanás es desdichado![38].

LA OBRA LITERARIA

Góngora murió sin haber llevado a cabo la edición de sus poesías, proyecto que acariciaba en sus años últimos. Sus composiciones andaban manuscritas de mano en mano, con frecuencia en forma muy incorrecta y mezcladas con otras que se le atribuían indebidamente. Tan sólo unas pocas habían sido impresas en colecciones: doce romances en la *Flor de romances nuevos* de Pedro de Moncayo (Huesca, 1589), y varios sonetos y canciones —37 composiciones en total— en las *Flores de poetas ilustres* de Pedro Espinosa, aparecidas, como sabemos, en 1605. A la muerte de Góngora sus poesías fueron publicadas inmediatamente por López de Vicuña (1627), y luego por Pellicer (1630), Hoces (1633) y Salcedo Coronel (1644-1648), todos en Madrid. Pero la falta de buenas ediciones se dejó sentir, dificultando no poco los estudios sobre el poeta, hasta que en 1921 publicó la suya Foulché-Delbosc, basada en el llamado "manuscrito Chacón"[39]. Don Antonio Chacón, señor de Polvoranca, gran amigo de Góngora, había reunido todas las poesías de éste en un manuscrito, para regalárselo al conde-duque, precisando la fecha de cada composición, para lo cual —según declara el colector— consultó con el propio poeta. La afirmación debe de ser cierta, puesto que la cronología del manuscrito es, en general, exacta o muy aproximada. Foulché, que intentó rectificarla, sólo la pudo corregir en veintiocho composiciones, catorce de ellas —suma insignificante, dada la cantidad total— con error de menos de un año: La autoridad del "manuscrito Chacón" parece, pues, indiscutible, tanto en la datación como

---

[38] Ídem, íd.

[39] *Obras poéticas de D. Luis de Góngora*, 3 vols., Hispanic Society of America, Nueva York, 1921. Véase del mismo, "Poésies attribuées à Góngora", en *Revue Hispanique*, XIV, 1906. Cfr.: Alfonso Reyes, "Los textos de Góngora (corrupción y alteraciones)", en *Boletín de la Real Academia Española*, III, 1916, págs. 257-271 y 510-525. Homero Serís, "Las ediciones de Góngora de 1633", en *Revista de Filología Española*, XIV, 1927, págs. 438-442. I. Aguilera y Santiago, "Unas poesías inéditas en un códice gongorino", en *Boletín de la Biblioteca Menéndez y Pelayo*, X, 1929, págs. 132-149. J. Millé y Giménez, "Un importante manuscrito gongorino", en *Revista de Filología Española*, XX, 1933, págs. 363-389. José Manuel Blecua, "Un nuevo códice gongorino", en *Castilla*, Valladolid, 1941-1943, págs. 5-55. *Luis de Góngora. Obras en Verso. Edición de Vicuña de 1627*, edición facsímil con estudio preliminar de Dámaso Alonso, Madrid, 1963. Joaquín de Entrambasaguas, *Un misterio desvelado en la bibliografía de Góngora*, Madrid, 1962.

en la pureza del texto. Basándose en la edición Foulché, don Juan y doña Isabel Millé y Giménez han preparado una edición que pone las obras de Góngora al alcance del gran público[40]; figuran en ella, junto al texto Chacón, otras setenta y siete composiciones que Foulché-Delbosc consideró asimismo como auténticas, más otras veintidós añadidas por los Millé. Con estos dos últimos grupos han formado el de las que califican de *atribuibles.* En dicha forma, las obras completas de Góngora constan de: 94 romances auténticos y 18 atribuibles; 121 "letrillas y otras composiciones de arte menor" auténticas y 26 atribuibles; 167 sonetos auténticos y 53 atribuibles; 33 composiciones diversas de arte mayor, auténticas[41]; 3 largos poemas: la *Fábula de Polifemo y Galatea,* las *Soledades* y el *Panegírico al duque de Lerma*; dos obras dramáticas: *Las firmezas de Isabela* y *El doctor Carlino*; y 124 cartas[42]: tres de la época de Córdoba, y las restantes escritas desde Madrid.

LAS LLAMADAS "DOS ÉPOCAS" DE GÓNGORA

La opinión general sobre la obra poética de Góngora, hasta las décadas recientes en que se ha producido la total revisión antes aludida, insistía en la existencia de un doble Góngora: el "príncipe de la luz" y el "príncipe de las tinieblas", tal como lo había definido Cascales en sus *Cartas Filológicas.* El primero era el poeta fácil, sencillo y popular, que había compuesto deliciosos romances y letrillas; el segundo, era el autor de esos poemas "extravagantes", oscuros, ininteligibles, carentes de todo sentido, que se llaman el *Polifemo,* las *Soledades* y el *Panegírico al duque de Lerma.* El poeta sencillo había merecido alabanzas hasta de los críticos del Neoclásico, como Luzán, que habían condenado el resto de su obra; y Menéndez y Pelayo, a cuyos duros juicios hemos aludido, encareció igualmente la llamada "lírica popular" del poeta cordobés.

A semejante dualidad se le había atribuido además un corte cronológico: Góngora habría abandonado de repente su primer estilo para ponerse a escri-

---

40 *Obras Completas de don Luis de Góngora y Argote,* ed. de Juan e Isabel Millé y Giménez, 5.ª ed., Madrid, 1961.

41 Además de las composiciones dichas, Millé propone en su edición como "atribuible" el prólogo alegórico de *La gloria de Niquea* del conde de Villamediana, pero Dámaso Alonso niega categóricamente esta atribución y sostiene que dicho prólogo es del mismo conde (véase Dámaso Alonso, "Crédito atribuible al gongorista don Martín de Angulo y Pulgar", en *Estudios y ensayos gongorinos,* cit., págs. 421-461).

42 Dámaso Alonso niega la atribución de la que lleva el núm. 1 en la edición Millé, quien hace ascender el número de cartas a 125 (véase "Una carta mal atribuida a Góngora", en *Estudios y ensayos gongorinos,* cit., págs. 381-405). Cfr.: E. Linares y García, *Cartas y poesías inéditas de don Luis de Góngora,* Granada, 1892. Dámaso Alonso, "Una carta inédita de Góngora", en *Estudios y ensayos gongorinos,* cit., págs. 371-380.

bir en una lengua enrevesada, cuajada de cultismos, invadida de metáforas extravagantes, vacía de contenido, enredada por una sintaxis inextricable. Una vez admitido este brusco cambio, se trató de justificarlo atribuyéndolo a un influjo de Marino [43], o del poeta español Carrillo de Sotomayor [44], o incluso por una alteración de su salud mental, como —todavía en tiempos recientes— ha sugerido el propio L. P. Thomas [45]. Como fecha inicial de esta segunda época se aceptaba el año 1610 o comienzos de 1611, cuando compuso el poeta la oda *A la toma de Larache* (se había venido tomando anteriormente como pieza inicial del nuevo estilo el *Panegírico al duque de Lerma,* que se suponía escrito en 1609, pero esta fecha ha sido retrasada hasta 1617).

La publicación del "manuscrito Chacón" por Foulché-Delbosc ha pemitido disponer de un utilísimo instrumento de trabajo, con que seguir la cronología de las obras del poeta. Basándose en ella, Dámaso Alonso ha podido replantear el examen de la poesía de Góngora sobre bases enteramente distintas. A continuación damos un resumen de este nuevo planteamiento, siguiendo fundamentalmente las líneas de su estudio, *La lengua poética de Góngora* [46], y acudiendo, cuando sea necesario, a otros de sus trabajos.

Dámaso Alonso se propone probar "la falsedad de la separación tradicional en el arte de Góngora y cómo en el poeta de las obras más *claras* está en potencia el autor de las *Soledades* y del *Polifemo,* hasta tal punto, que entre las dos épocas en que tradicionalmente se divide su poesía no puede fijarse un límite cronológico definido..." [47]. Porque existen, innegablemente, "dos Góngoras", pero no cortados por barreras cronológicas, como venía sosteniéndose. Siguiendo exactamente la duplicidad de la visión del mundo que trae el Renacimiento —de un lado la huida de la realidad y el acercamiento a la belleza como principio absoluto; de otro, la aproximación a lo real humano, a lo particular y contingente— Góngora, desde el comienzo hasta el fin de su producción literaria —1580 a 1626— cultiva este paralelismo: "a un lado las producciones en las que todo es belleza en el mundo, todo virtud, riqueza y esplendor; al otro, las gracias más chocarreras, las burlas menos piadosas y la fustigación más inexorable de todas las miserias de la vida. Aparte aún, una serie de composiciones, de las cuales la más característica es la *Fábula de*

---

[43] Cfr.: Lucien Paul Thomas, *Góngora et le gongorisme considérés dans leurs rapports avec le marinisme,* París, 1911 (el autor rechaza la hipótesis del influjo de Marino).

[44] Cfr.: Justo García Soriano, "D. Luis Carrillo y Sotomayor y los orígenes del culteranismo", cit, y el libro de Thomas citado en la nota anterior.

[45] *Le lyrisme et la préciosité cultistes en Espagne,* París, 1909. La posición definitiva del gran hispanista belga, respecto de todos los problemas gongorinos, debe buscarse, sin embargo, en su libro *Don Luis de Góngora y Argote, introduction, traduction et notes,* París, 1931.

[46] Dámaso Alonso, *La lengua poética de Góngora (Parte primera),* anejo XX de la *Revista de Filología Española,* Madrid, 1935.

[47] *La lengua poética...,* cit., págs. 15-16.

Píramo y Tisbe, en las que se cortan los dos planos, el de lo absoluto y el de lo contingente, la mitología y lo picaresco, las esplendideces y el mal olor" [48].

En consecuencia, pues, la única división que puede establecerse en la obra de Góngora es la que separa lo que llama Dámaso Alonso el "plano escéptico" y el "plano entusiasta", división que no corresponde a distintos momentos de su vida, sino que corre a lo largo de toda ella, por lo que debe hablarse no de una división longitudinal, sino transversal. "Góngora escribe sus letrillas, sus romances burlescos, etc., desde sus años juveniles hasta la víspera de su muerte. Y lo mismo escribe desde 1580 hasta 1626 sonetos, canciones, etc., composiciones de tono levantado y serio... una separación que responde a dos maneras íntimas del temperamento de Góngora" [49].

Ahora bien: esto es exacto con respecto a su orientación intelectual, fondo o contenido; pero, ¿no existen en el terreno de lo "formal", en lo que se conoce por estilo "culto" de Góngora, divisiones o etapas que permitan hablar de una primera y una segunda época? Dámaso Alonso prueba primeramente que en ambos planos gongorinos —el "escéptico" y el "entusiasta"— se dan los mismos procedimientos técnicos de expresión y que "es engañoso creer que una dirección está llena de tinieblas y la otra de facilidad. En una y otra, Góngora sigue el mismo procedimiento de transformación irreal de la naturaleza. No Góngora sólo: todo el siglo XVII... No están las tinieblas de un lado y las facilidades del otro, como con ficticias barreras ha querido la erudición. En uno y en otro campo se da lo fácil y lo difícil: si hay recónditas alusiones en las obras de Góngora es precisamente en la parte jocosa de su poesía" [50].

Pero tampoco existen tales diferencias entre las obras calificadas como de una y otra época. Para llevar a cabo esta demostración, Dámaso Alonso examina uno de los más conocidos y estimados romances, el de *Angélica y Medoro,* unánimemente reputado como sencillo y natural y que puede estimarse como del "tono medio" de esta época, y va desmontando uno por uno los elementos de su complicado artificio; lo que le lleva a la conclusión de que "toda la poesía no es más que una sucesión de ingeniosidades, conceptos, antítesis, hipérboles, alusiones a adagios, alusiones mitológicas, cultismos, notas de humor, etc., y toda ella está expresada en un lenguaje casi exclusivamente metafórico. Es decir, que esta poesía es un producto legítimo de la misma fantasía, del mismo temperamento, de la misma cultura y la misma intención que iban a producir años más tarde el *Polifemo,* las *Soledades, Píramo y Tisbe,* etc." [51]

[48] Ídem, íd., págs. 17-18.

[49] Ídem, íd., pág. 214. "A la inspiración noblemente limitada de Garcilaso, fray Luis de León, San Juan de la Cruz, Herrera suceden —también en Lope y Quevedo— esta amplitud y esta integración de tantas variedades de poesía, altas y bajas, serias y ligeras... Lo gongorino es esta simultaneidad de lo grave y lo alegre en el asunto y en el tono, y de lo llano y lo abrupto en el idioma y en el estilo" (Jorge Guillén, "Lenguaje prosaico. Góngora", cit., págs. 47-48).

[50] *La lengua poética...,* cit., págs. 18-19.

[51] Ídem, íd., pág. 21.

Dámaso Alonso lleva todavía su indagación hacia un terreno más estricto. De su análisis riguroso se deduce que más de doscientos cultismos de la *Soledad* primera se encuentran ya en sus obras anteriores a 1611, mientras que, a su vez, buen número de ellos aparecidos en las obras de la "primera época" ya no reaparecen en la primera *Soledad*. El resultado a que nos conduce el estudio de Dámaso Alonso es que, al menos en lo que se refiere al empleo de artificios poéticos y elementos cultos de su vocabulario, "el Góngora *ángel de luz* y el *ángel de tinieblas* no están abismalmente separados como la crítica ha supuesto" [52]. Y lo mismo concluye respecto de los cultismos sintácticos, dejando "comprobada la imposibilidad de diferenciar radicalmente las *dos épocas* en que se considera dividida la poesía de Góngora... Góngora usa siempre fórmulas ya empleadas en sus años juveniles, y esto ocurre aun cuando se trata de giros tenidos por característicos de la *segunda época...*" [53].

En lo que al hipérbaton se refiere, admite Dámaso Alonso, sin embargo, que existe una notable diferencia, al menos de cantidad: "antes se podían señalar uno, dos, tres, en una composición; ahora los encontramos con frecuencia reunidos en una misma estrofa..." [54]. Y no sólo la cantidad misma: es preciso advertir que cada uno de estos elementos utilizados por Góngora en su "segunda época", en virtud de su misma acumulación, "multiplica sus propias dificultades por las de todos los otros, dando al producto un aspecto que no puede revelar el análisis pormenorizado de cada uno de los factores" [55].

Renunciemos de momento —puesto que seguimos estrictamente la línea expositiva de Dámaso Alonso— a preguntarnos en qué medida la acumulación cuantitativa no es ya por sí misma un factor característico, perfectamente diferenciador, y suficiente para justificar por sí solo la existencia de un mundo poético distinto y una distinta etapa. El propio crítico se plantea la pregunta de cómo lo que no había podido sorprender en la "primera época", ni aun siendo tan insistentemente usado, pudo provocar los posteriores ataques al manifestarse en las otras composiciones. La respuesta es en buena parte convincente: "No era —dice— el uso de un término culto lo que les indignaba, sino la repetición sistemática de los mismos vocablos. Y esta repetición donde primero pudo ser fácilmente notada fue en los largos poemas de empeño. Porque los sonetos y canciones de la llamada primera época, sueltos y volanderos por España, no ofrecían campo suficiente para la reiteración de voces relativamente nuevas para la conciencia idiomática, ni estaban, por tanto, en peligro de hastiar al lector. Son, por consiguiente, las condiciones materiales de extensión del poema las que producen buena parte de esa sensación de haberse intensificado o adensado el cultismo en una obra como las *Soledades*" [56]. Y añade lue-

[52] Ídem, íd., pág. 81.
[53] Ídem, íd., pág. 175.
[54] Ídem, íd., pág. 201.
[55] Ídem, íd., pág. 201.
[56] Ídem, íd., págs. 215-216.

go: "Sin que Góngora hubiera intensificado sus procedimientos estilísticos, la simple repetición procedente de la longitud de sus nuevas obras habría bastado, pues, para provocar escándalo. Pero es el caso que no sólo escribió al comienzo de lo que se llama su *segunda época* obras más largas, sino que en ellas intensificó sus fórmulas estilísticas normales. Pero esta intensificación, lejos de abrir un abismo con relación a las obras anteriores, es el resultado normal de la evolución que hemos ido siguiendo en cada caso particular. No separa, por tanto, sino une" [57].

Quizá sea preciso admitir que la rigurosa exposición de Dámaso Alonso apura, en cambio, las consecuencias, atenuando hábilmente la importancia de los últimos pasos que llevaron la poesía de Góngora a ese punto que él mismo ha calificado repetidas veces de "poesía límite". De todos modos, lo que más importa en este caso es haber precisado con toda exactitud la íntima unidad de la obra poética de Góngora, la normalidad de su evolución y, sobre todo, la coherencia del gongorismo con la naturaleza y el proceso de la poesía de su tiempo; coherencia que puede definir Dámaso Alonso como "la síntesis y la condensación intensificada de la lírica del Renacimiento, es decir, la síntesis española de la tradición poética grecolatina" [58].

EL ESTILO POÉTICO DE GÓNGORA

Cultismo y gongorismo. Es necesario distinguir con claridad entre "cultismo literario" y "gongorismo". Como llevamos visto en repetidas ocasiones, la corriente culta en literatura es una fuerza que se inicia con el mismo alumbrar del Renacimiento. Su meta es la imitación de los escritores de la antigüedad grecolatina: imitación en los géneros, en los temas, en el léxico (de donde procede la inundación de voces cultas), en la sintaxis, en las metáforas mitológicas, etc. Esta corriente arranca propiamente de Petrarca y produce la gran marea petrarquista con la que está implicado el desarrollo de todo el Renacimiento europeo. Por lo que a España concierne, después del importante —aunque frustrado— anticipo del siglo XV, el movimiento culto triunfa en la primera mitad del siglo XVI y se robustece con creciente intensidad en la segunda parte de la centuria; movimiento que, por lo demás, corre a la par por todas las naciones de Europa: "Quien quiera ver a qué grado de evolución había llegado el cultismo literario hacia 1575, no tiene sino asomarse a las octavas de la *Gerusalemme liberata* de Tasso" [59]. Este cultismo está en el aire de la época, y no sólo se dilata cada día más en la lengua de los poetas, sino que cristaliza en principio consciente y sistemático. Recuérdense, como ejemplo, estas palabras de Herrera: "No entienden que ninguno puede merecer la esti-

---

[57] Ídem, íd., págs. 217-218.
[58] Ídem, íd., pág. 220.
[59] Dámaso Alonso, *Góngora y el 'Polifemo'*, ed. cit., pág. 85.

mación de noble poeta, que fuese fácil a todos y no tuviese encubierta mucha erudición, y si es alabado en los poetas latinos el uso y artificio de las figuras, también será en los nuestros, y acertado declararlas en éstos como en aquéllos; y si la novedad de ellas causare extrañeza en el lenguaje español, el trato las hará domésticas y parecerán propias como son; y quien tuviere ingenio tan torpe que no conociere su belleza, tampoco sabrá conocer y estimar lo que vale Garcilaso" [60]; o los conceptos expuestos por Carrillo de Sotomayor en su *Libro de la erudición poética* [61].

Insistimos en estas ideas, ya anteriormente expuestas, para puntualizar el hecho de que Góngora nace a la literatura en plena atmósfera culta, cuando los gustos literarios avanzaban en el sentido de una intensificación creciente del cultismo, dentro del cual, y a lo largo de su vida, irá desarrollando los rasgos que acumula al fin en el *Polifemo* y las *Soledades*. "El gongorismo es, pues, una manifestación particular del cultismo literario prevalente y creciente en España (y en Italia y en gran parte de Europa) en el siglo XVI y en el XVII". Góngora, en consecuencia, no es en manera alguna un fenómeno extraño que se produzca en la literatura de su época como una excrecencia caprichosa, sin sólidas razones y profundas raíces, sino como coronación de todo un proceso. Por esto mismo, la "materia poética" digamos, con que Góngora forja sus propios versos, no difiere en absoluto de la utilizada por los otros poetas que forman la cadena hasta él; con ningún elemento sustancialmente nuevo vamos a encontrarnos. Su personalidad está hecha de sumas, de acumulación, de intensificación, llevadas hasta la última sutileza: "poesía límite", otra vez.

Los cultismos. La primera condición que destaca en el estilo de Góngora es el frecuentísimo uso de voces cultas; sus enemigos —contemporáneos y posteriores— le reprochan el haber tomado directamente del latín un torrente de palabras extravagantes, completamente desusadas en el español literario de la época. Dámaso Alonso sostiene, sin embargo, que "lo único que hizo Góngora fue popularizar, difundir, una serie de vocablos, de los cuales la mayor parte eran ya usados en literatura y habían conseguido entrada en los vocabularios de la época, y sólo los menos —en realidad una minoría reducidísima— podían ser considerados como raros, aunque aun éstos estaban implícitos en la conciencia gramatical de fines del siglo XVI. Aquí, como siempre (porque ésta es la fórmula general de su arte), Góngora no inventa; recoge, condensa, intensifica: ése es su papel" [62].

[60] Citado por Dámaso Alonso en ídem, íd., pág. 116.

[61] Cfr.: M. Artigas, "Góngora y el gongorismo", en *Boletín de la Real Academia de Ciencias, Bellas Letras y Nobles Artes de Córdoba,* VI, 1927, págs. 333-354. A. Marasso, "Góngora y el gongorismo", en *Boletín de la Academia Argentina de Letras,* XI, 1943, páginas 7-67.

[62] *La lengua poética...*, cit., pág. 45. Cfr.: Erasmo Buceta, "Algunos antecedentes del culteranismo", en *The Romanic Review,* 1920, XI, 4. Del mismo, "La crítica de la

Dámaso Alonso demuestra a continuación —y a este estudio remitimos al lector— que muchos de los cultismos gongorinos habían sido empleados ya en la Edad Media, algunos durante los primeros siglos literarios, muchos más en el siglo XIV y sobre todo a lo largo del XV; que abundantes cultismos gongorinos figuran ya en Nebrija (son los más antiguos y asimilados por la lengua); y que casi todos los restantes van entrando en los diccionarios —las Casas, Percival, Palet, Covarrubias— entre 1570 y 1611. Lo que produjo, en cambio, la irritación de los contemporáneos no fue el uso de voces empleadas ya o a punto de aclimatarse en castellano, sino el abuso de su repetición y su agrupamiento dentro de un poema. Y fue esto, a su vez, lo que facilitó las parodias de los enemigos.

Valor expresivo del cultismo. El cultismo para Góngora no es una mera cobertura externa, sino que forma parte de su intento de creación —dentro de las más genuinas teorías renacentistas— de un lenguaje poético, y es, por tanto, "algo que impregna toda la masa de su concepto poético del mundo" [63]. Desde los días de Nebrija se suceden las afirmaciones de la nobleza del español, de su calidad de idioma imperial y su posibilidad de parangonarse con el latín que, inevitablemente, se toma como modelo y se calca su léxico y sintaxis. En la creación de esa lengua imperial y universal, noble y sonora, el cultismo —al igual de todos los restantes elementos poéticos— tiene una función primordial: podemos decir "que es la elusión de la palabra desgastada en el comercio idiomático y su sustitución por otra que abre también una ventana sobre un mundo de fantástica coloración: el mundo de la tradición grecolatina" [64].

Porque el cultismo, ciertamente, tiene además un valor fonético y musical en el verso, dándole "con su frecuencia en esdrújulos frente a los graves del castellano, una musical alternancia de acentuación y cuando recibe el acento rítmico refuerza la expresión de todo el verso. Muchos de los versos de Góngora de mayor fuerza expresiva tienen, en efecto, colocado un cultismo esdrújulo en la cima de intensidad rítmica:

> *...pintadas aves,* cítaras *de pluma...*
> *...incierto mar, luz* gémina *dio al mundo...*
> *...dosel al día y* tálamo *a la noche...*

---

oscuridad sobre poetas anteriores a Góngora", en *Revista de Filología Española,* VIII, 1921. Juan Millé y Giménez, "Lope, Góngora y los orígenes del culteranismo", en *Revista de Archivos, Bibliotecas y Museos,* julio-septiembre 1923, núms. 7-9. Guillermo Díaz-Plaja, "El neologismo antes de Góngora", en su libro *Defensa de la crítica,* Barcelona, 1953, págs. 37-87.

[63] *La lengua poética...,* cit., pág. 115.

[64] Ídem, íd., pág. 116. "Había que devolver al castellano su nobleza —dice Jorge Guillén—. El castellano es un latín venido a menos. Hay que latinizar el romance corrupto sustituyendo la palabra de la conversación por la docta, y moviendo las frases y su curva según el hipérbaton latino" ("Lenguaje prosaico, Góngora", cit., pág. 49).

Frecuentemente se une el cultismo esdrújulo, sobre el que cae el acento rítmico, con una intensa sensación de color que ilumina todo el verso:

> *...de aljófares* purpúreos *coronado...*
> *...mientras cenando en* pórfidos *lucientes...*
> *...los anales* diáfanos *del cielo...*

El cultismo gongorino tiene, pues, un valor expresivo, desempeña una función idiomática. No es una pesada e indigesta carga de pedantería, como han querido generalmente los manuales de literatura. En Góngora, en el siglo XVII, está justificado por una larga tradición, pero sobre todo está justificado por ser una necesidad de expresión esencial a la concepción poética del gran cordobés. Suprímasela, y quedaría destruida toda la estructura arquitectónica, toda la regulación cósmica del sistema gongorino. No es un defecto, es un valor positivo de la poesía de Góngora"[65].

La sintaxis gongorina. Como vimos arriba, el propio Dámaso Alonso, al tratar de negar las diferencias entre las "épocas" de Góngora, admitía en la segunda la existencia de una mayor acumulación de dificultades sintácticas y de hipérbaton, que se traducía en una multiplicada dificultad. Procede ésta no "de los atrevimientos sintácticos aislados", sino de su frecuencia y entretejimiento. Éstos apenas son posibles en las composiciones breves o en los metros cortos, pero encuentran campo propicio en las largas estrofas; de aquí que tengan su más exacerbada manifestación en el *Polifemo* y más todavía en las *Soledades*.

Imposible sintetizar siquiera aquí los problemas sobre el hipérbaton en nuestro idioma. Apuntemos tan sólo que su evolución sigue en línea paralela a la del cultismo; la enorme libertad del español para el orden de las palabras —superior a la de todas las otras lenguas románicas— se acentuó tras el deseo de emular al latín y elevar la dignidad y posibilidades expresivas del lenguaje literario. El hipérbaton, repetimos, vino a ser una faceta más del estilo culto, y llega a Góngora tras el mismo proceso y avatares que los cultismos léxicos. Baste decir aquí que Góngora sigue un proceso intensificativo del hipérbaton a lo largo de su producción, hasta llegar en sus grandes poemas a producir las innegables dificultades que de siempre le han sido reprochadas. Esto no obstante, Góngora fue un maestro en el arte de servirse del hipérbaton para las más delicadas posibilidades expresivas: "En sus manos —dice Dámaso Alonso— fue un instrumento apto que, en muchas ocasiones, sirve para dar flexibilidad y soltura a la lengua, permite el aéreo encadenamiento de un período, aquí facilita un donaire o una momentánea alusión, allá un efecto imitativo, a veces hace resaltar el valor eufónico o colorista de una palabra, permitiendo su colocación en un punto donde el ritmo tiene su

---

[65] *La lengua poética...*, cit., pág. 119.

cima de intensidad, otras hace surgir nítido, de punta en blanco, un espléndido verso"[66]. Y aduce un ejemplo característico, para demostrar cómo con el hipérbaton consigue Góngora "efectos de potente sonoridad":

> *De este, pues,* formidable *de la tierra*
> bostezo, *el* melancólico *vacío,*
> *a Polifemo,* horror *de aquella* sierra,
> bárbara *choza es...*

Jorge Guillén ha definido también bella y profundamente el gran papel que desempeña el hipérbaton en la intención arquitectónica de Góngora ("Nunca poeta alguno ha sido más arquitecto. Nadie ha levantado con más implacable voluntad un edificio de palabras")[67]: "Los quiebros antinaturales del hipérbaton —dice— interponen una violencia, o lo que es igual, una tensión. Esa tensión adquiere valores expresivos. Cada palabra, en virtud de su *lugar* —puntos que descansan sobre ella y puntos sobre los que ella descansa— da un rendimiento a la vez constructivo y expresivo, cumple con su deber de simetría. De ahí el peso de la estrofa, su porte majestuoso y —como diría Góngora— *ponderoso*"[68]. Esta simetría —nos descubre Guillén— no solamente se produce en el campo de lo mental (o digamos, si se prefiere, sonoro), sino incluso en la mera disposición material del verso, perceptible con la vista: "Aunque la poesía —dice— sea un arte sucesivo como la música —'palabra en el tiempo', diría Antonio Machado—, el verso de Góngora suscita sin cesar una metáfora de espacio, y en él se inscribe una entidad, que permanece ante la vista mientras va deslizándose palabra tras palabra ante el oído"[69].

La sintaxis gongorina, aparte el hipérbaton, sigue la misma ruta de complicación creciente, que, en los grandes poemas, llega a concretarse en las siguientes peculiaridades: *a*) desmesurada longitud del período; *b*) abundante proliferación de casi todas las palabras, es decir: los sustantivos van acompañados de aposiciones, predicados, determinativos; las oraciones llevan largos complementos circunstanciales además de abundantes oraciones subordinadas; *c*) interposición de aposiciones y frases absolutas, y largos paréntesis que rompen la continuidad del discurso. Y añádase la intervención del hipérbaton, que se alía a todo lo demás.

Estas auténticas arborescencias sintácticas pueden llegar a producir tales dificultades, que han requerido el más riguroso análisis de los más agudos exégetas; y explican la irritación que han podido provocar, a lo largo del tiempo, en tantos lectores de Góngora. El mismo Dámaso Alonso no puede en este caso volcar su entusiasta panegírico, como ante otras excelencias del poe-

---

[66] Ídem, íd., págs. 190-191.
[67] "Lenguaje prosaico. Góngora", cit., pág. 51.
[68] Ídem, íd., págs. 51-52.
[69] Ídem, íd., pág. 52.

ta, y ha de puntualizar que se trata de condiciones de su estilo, que requieren la previa aceptación de la "poética" gongorina. El crítico, sin embargo, debe situarse ante ellas con la fría objetividad de quien enfrenta una realidad literaria dada: "El que quiera —dice Dámaso Alonso— estudiar con alguna eficacia la lengua de Góngora, tiene que prescindir de considerarlas como vicios y virtudes, y ponerse frente a ellas como un hecho literario y gramatical que tiene sus causas, una intención expresiva y una regulación especial" [70].

Esta dificultad sintáctica de Góngora en sus grandes poemas tiene, sin embargo, una contrapartida de importancia, que es la repetición de las fórmulas estilísticas; condición que, si por una parte representa "uno de los defectos principales", contribuye a su vez a aminorar las aludidas dificultades y a familiarizar al lector con ellas. Esta tendencia a la repetición no es privativa de lo sintáctico, sino característica general de la lengua de Góngora, en léxico, en metáforas, etc., hasta tal punto que éstas parecen perder su especial condición poética para convertirse en denominaciones normales de la realidad a que se refieren. Semejante insistencia en unos mismos elementos es lo que atrajo, precisamente, la atención del lector —tanto más cuanto más sorprendentes y nuevos— y facilitó las parodias de los antigongoristas. Jáuregui se lo reprochó a Góngora: "...usa Vmd. las figuras y metáforas y las nuevas formas de la locución tan a montones, y repite sin cansarse un término mismo tantas veces, y con tal porfía, que cuanto más fresco y galán, tanto más ofende y empalaga..." [71].

Léxico suntuario y colorista. De Petrarca también, como la casi totalidad de los cánones poéticos que tuvieron mayor fortuna durante el Renacimiento, arranca el empleo de tanta "materia suntuaria" para construir las metáforas con que se cantan las excelencias de las cosas; y esta costumbre, que inundó la poesía de todas las lenguas de Europa en creciente marea, tuvo en la mujer y en el amor la principal palestra en donde ejercitarse. Atribuir a la mujer hermosa no sólo la comparación sino la identidad con los más exquisitos materiales, se convirtió en inevitable recurso del que los propios poetas que lo usaban tuvieron que burlarse al fin.

Góngora recoge esta herencia y la conduce —como todas las otras corrientes que llevamos vistas— a su punto de frenesí: materiales preciosos, todo lo noble, bello y purísimo sirve al poeta para verificar lo que Dámaso Alonso —refiriéndose esta vez a las *Soledades*— ha calificado de "deformación estética" de la realidad: "la poesía de Góngora alude sin descanso a toda la hermosura de la naturaleza y esquiva todas sus fealdades. Si aparecen por estos

---

[70] *La lengua poética...*, cit., págs. 133-134. Cfr.: Gabriel Pradal-Rodríguez, "Implicaciones formales de la frase larga en la poesía gongorina", en *Revista Hispánica Moderna*, XIII, 1947, págs. 23-29.

[71] Citado por Dámaso Alonso, en ídem, íd., págs. 135-136 (nota al pie, núm. 1).

versos la miseria y la escasez, el poeta las eleva inmediatamente a temas de belleza" [72].

De toda esta poesía emana un constante halago de los sentidos sobre todo mediante el sonido y el color. En el culto por este último, Góngora intensifica igualmente la aportación de sus predecesores. "Es ya conocida la línea de intensificación del color que va de Garcilaso a Góngora pasando por Herrera. Nadie más colorista que el cordobés. Si se hiciera un recuento de los adjetivos de color que en su poesía ocurren, asombraría ver que no hay estrofa, y apenas verso, en que no se dé una sugestión colorista" [73]. Sus colores, en cambio, no son muy numerosos por la tendencia gongorista a simplificar las fórmulas de belleza; en las tonalidades del rojo utiliza *livor, púrpura, rubíes, grana, acanto, carmesí, escarlata, coral, clavel, rosa*; en las del blanco, *lino, lilios, espuma, perlas, nieve, cisnes*; en las del oro, *oro, dorado, rubio, topacio, miel*; en las del azul, *azul, zafiro, cerúleo*..

Pero si la paleta no es muy extensa, los colores destacan siempre por su nitidez: "nada de colores quebrados: todos puros, vívidos, frescos". Y al lado de esta brillantez colorista, todo un estallido de palabras magníficas y nítidas: *luciente, esplendor, brillante, nácar, plata, perla, diamante*... "Nada impresionista —dice Dámaso Alonso—, todo neto, todo nítido y exacto. La naturaleza adonde nos lleva el arte de Góngora no tiene muchas tonalidades, pero en ella se han vertido los colores más puros, envueltos por un aire tan diáfano, tan cristalino, que casi da una consistencia y un esplendor vítreo a las cosas" [74]. Esta *rutilante iluminación*, este *nutrido acopio de temas de belleza* son los que, en los días más vivos de pasión gongorina, movieron a Dámaso Alonso a lanzar, como un reto contra quienes pregonaban la oscuridad de los versos de Góngora, aquellas palabras: "No oscuridad: claridad radiante, claridad deslumbrante". En las que el entusiasmo reivindicador confundía de intento la diafanidad del vaso con la "difícil claridad" de su contenido, en un juego poético, más conceptista que gongorino esta vez.

Y junto al halago del color, el del sonido. Góngora compara frecuentemente todo lo que emite un sonido agradable con un instrumento musical: "cítaras de pluma...", "esquilas dulces de sonora pluma...", para designar a las aves, son metáforas conocidísimas. Pero su musicalidad más que en tales metáforas hay que buscarla en la sonoridad de los versos mismos. "Maravillas habían hecho ya a lo suave, ya a lo clamoroso, un Garcilaso, un Luis de León, un Herrera. Góngora, que no en vano viene detrás, acaba de arrancar sus últimos secretos al endecasílabo. Él ha adivinado como nadie, en poesía española, la

---

[72] "Claridad y belleza de las *Soledades*", introducción a la edición del poema, Madrid, 1936, pág. 27 (este trabajo está reproducido en *Estudios y ensayos gongorinos*, cit., págs. 66-91; la cita corresponde a la pág. 77. Citamos por esta edición).

[73] Ídem, íd., pág. 78. (Cfr. el libro de Thomas, *Góngora et le gongorisme*..., cit. en nuestra nota 43).

[74] Ídem, íd., pág. 79.

estrecha alianza que el verso establece entre musicalidad y representación, y sabe colocar las palabras más nítidas en la cima de sonoridad del verso, la palabra más intensa o más sugeridora en el punto donde el ritmo alcanza mayor intensidad... En fórmula breve podríamos decir que la palabra espléndida y coloreada, puesta en trance de intensidad rítmica, se intensifica, como si el ritmo fuera una caja de resonancia del color, y el ritmo se esculpe más garboso y claro al ceñirse a la palabra fastuosa y lúcida" [75].

Uso de figuras retóricas. En la lengua poética del Renacimiento y del Barroco el empleo de imágenes, de metáforas, de sinécdoques y metonimias había llegado a la más completa vulgarización; en infinitos casos acaban por cristalizar en elementos fijos de expresión y se convierten en modos de decir cotidiano, en los cuales es menester un riguroso estudio para descubrir su origen poético. Góngora, desde el comienzo, recoge toda esa tradición tanto de la poesía española como de la italiana. En el empleo, pues, de esta materia poética no existe respecto a Góngora diferencia esencial. Lo que distingue su arte y constituye su inconfundible estilo es "la constancia, la incesante repetición del procedimiento", la intensificación y combinación de todas las figuras retóricas, y sobre todo "la frecuencia con que se da el elemento irreal o metafórico sin que aparezca explícito por ninguna parte el término real de la comparación" [76]. En Góngora sólo aparecen los términos irreales; es ésta, dice Dámaso Alonso, "una lengua poética en la que los designativos metafóricos están poniendo constantemente una barrera irreal entre la mente y el objeto mismo. Cierto que estas metáforas carecen casi siempre de novedad, pero permiten huir el nombre grosero y el horrendo pormenor: son como un bello eufemismo. Abstraen del objeto sus propiedades físicas y sus accidentes, para presentarle sólo por aquella cualidad, o cualidades, que para el poeta, en un momento dado, son las únicas que tienen estético interés" [77]. "En la poesía de Góngora —dice en otra parte— hay una especie de simplificación ennoblecedora del mundo. De la naturaleza no sólo ha desaparecido lo feo, lo incómodo, lo desagradable, sino que aun su misma belleza se ha estilizado o simplificado para reducirse a escorzos ágiles, a armoniosas sonoridades, a espléndidos colores. Es una estilización del mundo, que sólo con el continuo y complicado juego de las metáforas de que usa Góngora hubiera sido posible. Con ese juego, no sólo se borra la individualidad del objeto, sino que éste entra dentro de una categoría a la cual cubre y representa una metáfora" [78].

Todo el arte de Góngora puede decirse, pues, que se reduce a un intento exacerbado de eludir la representación directa de la realidad, sustituyéndola

---

[75] Ídem, íd., pág. 81. Cfr.: C. Marcilly, "Góngora, poète de l'espace et du temps", en *Bulletin de la Faculté de Lettres de Strasbourg*, XXIX, 1951, págs. 236-247.

[76] Ídem, íd., pág. 73.

[77] Ídem, íd., págs. 73-74.

[78] *Góngora y el 'Polifemo'*, ed. cit., págs. 152-153.

por otras palabras que la sugieran, pero palabras convertidas ya en puro elemento poético, dotado de especiales calidades estéticas; y adviértase bien que decimos *sustituir,* puesto que no se trata de sólo adornar las formas reales con mera hojarasca decorativa. Jorge Guillén ha precisado cuál es el verdadero papel que esta sustancia poética desempeña en la creación gongorina: "Imágenes y metáforas, como si fuesen el propio lenguaje de la poesía, no son ornatos sino la materia poemática, su *mármol.* No creamos decorativos los elementos en realidad constructivos" [79]. Semejante sustitución se verifica de manera completa en la metáfora especialmente y en todas las otras figuras retóricas a que acabamos de aludir. Pero Góngora se sirve además de sustituciones *incompletas,* que conservan en cierta medida la noción real, pero eluden de todos modos la palabra correspondiente. Este procedimiento es la perífrasis, que en Góngora conoce dos formas principales: una, que puede calificarse de "eufemismo", trata simplemente de esquivar una palabra —o el objeto por ella significado—, que considera vulgar. Otras veces, la palabra, o el objeto, podía ser poético de por sí, pero el escritor desea comunicarle una especial plasticidad, un relieve o color que la palabra no posee en sí misma; el rodeo tiene entonces el valor de un *procedimiento intensificativo,* en el cual a su vez, la imaginación puede colmar uno de los más genuinos goces estéticos, que es el deleitarse en las bellas incidencias del circunloquio o en la misma identificación del objeto propuesto.

Dicho se está —y ya quedó puntualizado— que todos estos recursos son del dominio común de la poesía renacentista. Lo que representa el arte de Góngora puede resumirse en dos puntos: 1.°, la potencia creadora personal, capaz de encontrar nuevos matices, inéditas irisaciones a las fórmulas poéticas más gastadas; 2.°, aunque Góngora sigue la general corriente renacentista de mostrar una naturaleza *estéticamente deformada,* condensada en las más extremas *estilizaciones,* lo notable de lo llevado a cabo por Góngora consiste "en lo radical y egregio de la deformación misma", en el esfuerzo "rabiosamente anhelante de superar perfecciones". Por esto, según ha puntualizado insistentemente Dámaso Alonso, "Góngora es el último término de una poética: resume y acaba; no principia" [80]. *Góngora está al cabo, como intensificación, como condensación hiperbólicamente recargada de todos los elementos resucitados por la tradición clásica* [81].

---

[79] "Lenguaje prosaico. Góngora", cit., pág. 69. Cfr.: Eunice Joiner Gates, *The Metaphors of Luis de Góngora,* Philadelphia, 1933. Carlos Alberto Pérez, "Juegos de palabras y formas de engaño en la poesía de don Luis de Góngora", en *Hispanófila,* núm. 20, enero, 1964, págs. 5-47 y núm. 21, mayo, 1964, págs. 41-72.

[80] "Claridad y belleza...", cit., pág. 72.

[81] "Los gongoristas —dice Guillén— han dilucidado muy bien la situación de Góngora. El poeta debe someterse a un canon y continuar un estilo. Góngora hace suyo ese estilo agravando su magia y acumulando sus primores. Pero ninguna malicia de composición despunta como un estreno en el poema gongorino. Todo tiene sus lejanos o próximos antecedentes griegos, latinos, italianos, españoles. Góngora no es alba sino ocaso,

Culto a la belleza. Cabría ahora tratar de definir qué género de lírica es la de este escritor que supo llevar a sus versos tantos prodigios de belleza. Su perfil humano nos ha mostrado una personalidad hermética, dura en sus reacciones, poco propicia a la intimidad y al sentimiento; la índole de su obra poética, que hemos intentado definir, nos permite comprobar que es un producto de trabajada reflexión, de tenaz esfuerzo y, consecuentemente, alejada de toda inspiración gozosa y espontánea; de Góngora dice un contemporáneo "que se estaba en remirar un verso muchos días" [82]. Creación, pues, la suya —podemos ya afirmarlo—, cerebral, una poesía que apenas tendríamos el derecho de llamar lírica, si esperamos de ella ese fondo de intimidad que estimamos consustancial a su naturaleza. "Góngora es distinto de todos los demás líricos— dice Pabst—, pues el tema de sus poesías no es su propio yo, sino la belleza, la idea, el ideal de la belleza" [83]; o como dice Guillén, "Góngora se apasiona por la hermosura del mundo, o lo describe convertido en hermosura' [84]. Y añade enseguida: "Tan absorbente es el culto de la belleza, que no se ve al adorador: ella sola triunfa. Todo glorifica al objeto. Del sujeto mismo no conocemos sino lo que nos cuenta el objeto glorificado. Ninguna introspección; ningún eco de las pasiones propias. Góngora no exclama patéticamente: ¡Yo!..." [85]. Tan sólo, dice, en las poesías amorosas o burlescas, como en "Hermana Marica" o "Hanme dicho, hermanas", puede verse, a modo de juego, que el autor habla de sí mismo. Pero cuando se atiene al tono mayor, Góngora nunca sigue a los petrarquizantes españoles, que se detienen a auscultar su personal intimidad. La poesía gongorina se aleja por entero de semejante mundo. Pero esta limitación es, a su vez, la que establece sus más positivas e inconfundibles cualidades. "No busquemos —dice Guillén— en los grandes poemas de Góngora algo sobre Dios, el alma, nuestro

---

el más opulento ocaso. En él se apura y depura, se riza y tornea hasta su maraña máxima la poesía humanística del Siglo de Oro, porque Góngora es acabamiento, o sea, perfección, madura, madurísima perfección en este general sentido histórico. Y con ella debe ser relacionada su perfección individual". Y añade poco después: "Nuestro gran andaluz debió de encarnar el tipo de hombre que principia por revisar en una etapa problemática los fundamentos de su empresa. De suerte que el arte de los predecesores le parecerá un resultado preparatorio donde los elementos poéticos se combinan con otros pertenecientes a las maneras del orador y del historiador. Habrá, pues, que eliminar lo común y reforzar lo genuino y distintivo. En este punto Góngora se aproxima al remoto, muy remoto, Mallarmé: 'Je n'ai créé mon oeuvre —decía en una carta de 1867— que par *élimination*'. La suma lograda será nueva, novísima, escandalosamente novedosa. En ella entraba, factor primordial, el quid divino, el genio de aquel hombre, quien encarna un tipo muy hispánico: el extremista de la tradición" (*Lenguaje...*, cit., págs. 88 y 89). Bella frase y atinadísima esta última.

[82] Citado por Jorge Guillén, en "Lenguaje prosaico...", cit., pág. 87.

[83] Walther Pabst, *La creación gongorina...*, cit., pág. 1.

[84] "Lenguaje prosaico...", cit., pág. 72.

[85] Ídem, íd.

destino, porque esos poemas no se desenvuelven en dirección religiosa, metafísica, psicológica, moral. Don Luis nos ofrece —nada más, nada menos— una visión hermosa de la naturaleza. Naturaleza —con la N mayúscula del humanismo— que alcanza proporciones de cosmos" [86]. Poesía, pues, inequívocamente *objetiva,* dice el propio Guillén, objetiva "por esa afición al orbe físico, y también por esta exclusión del sujeto como asunto. El poeta se para a contemplar... su lenguaje, magnífico, resistente, objeto entre los objetos, el más amado. Hay en él, además, otra gracia: lo que tiene de enigma. El poema nacerá de esa contradicción: a la vez objetivo y enigmático" [87].

Pabst nos advierte que el *Polifemo* y las *Soledades* pueden ser estudiados y comprendidos sin recurrir a las circunstancias históricas ni a la personalidad de su autor (entiéndase en cuanto que no dependen de la circunstancia personal del poeta, pues ya conocemos el enraizamiento de ambos poemas en el proceso artístico de su tiempo) porque su yo queda completamente aparte —salvo en contados casos— de ambas obras. "No será fácil —dice Pabst— encontrar en la literatura universal un poeta que, pese a toda su subjetividad formal, sea tan objetivo como el autor del *Polifemo* y de las *Soledades*" [88]. *Deshumanización* es la palabra que ha inventado nuestro siglo para definir tal actitud estética, y es ella la que explica en gran parte que la restauración de Góngora en los días del centenario encontrara clima tan favorable en la generación poética tocada por aquella *deshumanización* que constituía el evangelio del momento.

Pabst recoge unas palabras de Miguel Artigas, en las que éste, después de ponderar las excelencias del arte gongorino, deplora que no acertara en idéntica medida a comunicar los sentimientos. "Pero habría que ver —comenta Pabst— si es que Góngora quiso fundamentalmente comunicar sentimientos. Suponemos que evitó comunicar los suyos, puesto que, como se deduce de su vida, fueron infinitamente amargos". Y sigue luego con palabras que son una certera definición de la poética del cordobés: "La poesía significó para él un refugio frente a sus sentimientos; cuando escribía se encontraba en el más allá, le traía sin cuidado este mundo, sólo era un esteta, un superhombre. Hubiera tenido a menos descargar su ira en las *Soledades*; esta tarea correspondía a las letrillas y epigramas. De toda la realidad de Góngora sólo la ironía aparece en las *Soledades.* Lo curioso es que ha seguido siendo un poeta pese a que eliminó de su poesía todo sentimiento. Esto es lo más difícil: crear algo que cautive la vista, el oído o la mente lo mismo que entusiasma inmediatamente contemplar la pura belleza, oír la pura música, conocer el resultado del raciocinio. Y es más fácil un arte que se dirige con afectos a nuestro corazón, que evoca por medio de la palabra recuerdos de nuestra propia

---

[86] Ídem, íd., pág. 91.

[87] Ídem, íd., pág. 73.

[88] *La creación gongorina...,* cit., pág. 1.

experiencia, que utiliza por consiguiente lo que la vida ha creado en nosotros o que va dirigido al órgano con que reaccionan más rápidamente los hombres: el ánimo. Pero son los menos los que tienen sentidos. Y Góngora resulta tan difícil porque apela a los sentidos. Miles de lectores que pueden entenderle con su inteligencia carecen de sentidos para seguirle a todas partes. A las naturalezas artísticas les será más fácil comprenderle, pues son los descendientes de aquellos hombres que tenían ojos y oídos. Góngora es duro; incluso en contra de su propio interés no provoca, no busca nuestra emoción. Su arte no necesita para ser eficaz la colaboración de la vida, actúa por sí solo, y por amor a sí mismo. *L'art pour l'art*"[89].

Esta deshumanización, este cerebralismo que no compromete la intimidad del escritor, parécenos que han sido reconocidos sin discrepancia alguna. Advirtamos, con todo, que Pabst desliza una leve atenuación: "salvo en contados casos"; aunque no desciende a concretar cuáles son estos casos. Por esto mismo nos parece de especial interés traer aquí un reciente comentario de Gerardo Diego, en el que este poeta —cantor de Góngora en los días combativos del centenario— ha tratado de llegar, creemos que en solitaria empresa, a la vena humana de Góngora, escondida, o disimulada, bajo el cristal helado de sus versos: un punto extremo, pues, en la tarea interpretativa del autor de las *Soledades*, y, como tal, digno de atención.

Gerardo Diego deja constancia primeramente de esa línea lógica y geométrica —como diría Dámaso Alonso—, innegable, de la lírica del cordobés: "Góngora es ante todo el poeta perfecto. Su técnica es implacable y no deja cabo suelto por atar. Su ambición de calidad y su capacidad de esfuerzo para conseguirla es incalculable... Don Luis es el primero que osó arriesgarse a la sintaxis irrespirable y a las metafóricas elipsis de unas *Soledades* verdaderamente solas, inexploradas y heroicas. Para no ahogarse en tal navegación allende el aire terráqueo, le fue preciso precaverse con todas las astucias y amuletos de la más precisa y la más honda música de la palabra. Un desliz de mal gusto, un error de cálculo en la resistencia de materiales, y el más ridículo fracaso hubiese cubierto de oprobio al temerario Ícaro. No nos damos cuenta fácilmente de la hazaña del poeta cordobés puesto que la vemos realizada y nos parece ya inevitable y hasta consecuente con las premisas que se venían sucediendo"[90].

Gerardo Diego señala a continuación que Góngora, el menos sentimental de los grandes poetas españoles, queda muy lejos de la blanda ternura lopista, pero añade enseguida —y la aclaración siempre es oportuna en el país del realismo— que "ser sentimental, incluso sin el matiz un tanto peyorativo y exagerado que este adjetivo tiene hoy en buena estética, ser poeta de sentimiento apasionado y justo en su expresión, es sólo una de las diferentes maneras de

[89] Ídem, íd., págs. 141-142.

[90] Gerardo Diego, *Nuevo escorzo de Góngora*, Santander, 1961, págs. 22-24.

ser poeta humano. Tan humano es el poeta intelectual o metafísico. O el poeta arengador, civil o satírico. O el poeta sensual con sensualidad de sentidos y de sexo" [91]. Luego —y es ésta la porción central de su comentario— Gerardo Diego trata de comprobar que el impasible Góngora es perfectamente sensible, en realidad, a los más variados estímulos llanamente humanos: burla y sátira, patria, religión, amor, sensualidad...; y resume al cabo: "Don Luis de Góngora no es sólo el trasmutador de la realidad en metafórica belleza, no es sólo el lumínico exaltador de las glorias y faustos de la natural historia de hombres y dioses, plantas y animalias, cristales y minerales, no es sólo el suscitador de la belleza en la fealdad y de la creación en la burla ni el andaluz rezumante de sales y sones de su pueblo. Es también el poeta y hombre capaz de vibrar y cantar a cualquier estímulo, aun a los que parecían más alejados o contrarios a su poética preferente. Si tantas veces se encerró en sus egoístas límites, fue obedeciendo a razones de época y a sus naturales inclinaciones. Pero su grandeza consiste en que cualquiera que sea el tema que elija, detrás del artista está todo el hombre Luis de Góngora. Un hombre cabal. Un artista único" [92].

En radical oposición con estos juicios de Gerardo Diego, cumple también traer aquí unas palabras de Camón Aznar. Aparentemente confirman, sin más, las opiniones, expuestas más arriba, sobre el esteticismo cerebral del gran poeta, pero les separa una gran distancia; a diferencia de aquellos comentaristas, para los cuales las referidas cualidades del cordobés son cantidades positivas, Camón Aznar denuncia donde parece que define, y de hecho resucita, en nombre de una poesía vinculada a la inmediata realidad, la vieja polémica antigongorina. He aquí algunos de sus sentenciosos conceptos: "Nada más brillante y mineralizado que estos versos, donde todas las preciosidades se engastan como piedras. Cada palabra de las aquí colocadas lo ha sido después de lavada de todo ímpetu, después de convertida en esmalte puro, en joya inerte. Ésa es una de las magias gongorinas. Su capacidad de cristalizar en vocablos, con aristas y con colores enteros, unas imágenes que quedan ahí sustantivas, desprendidas de toda fluencia orgánica, de todo vital sentido unitivo" [93]. "Es el de Góngora un mundo sin atmósfera, de polar belleza..." [94]. "Hay, sí, saetas voladoras, 'cierzo expirante por cien bocas', tropeles de faunos, pero todo ello planetario y sin pulsos. Ninguna de estas imágenes tan tersas irradia ondas que lastimen nuestra sensibilidad. Puras, totales, sin sombras ni regazos, tan desinteresadas y quietas como estrellas. Como ocurre en todas las formas móviles, su detención produce efectos alucinantes. Su quietud potencia en ellas colores y luces que no se atenúan en tránsitos, sino que quedan incisivos y

[91] Ídem, íd., pág. 27.

[92] Ídem, íd., pág. 48.

[93] José Camón Aznar, *Góngora en la teoría de los estilos,* cit., pág. 6.

[94] Ídem, íd.

concentrados. Todo se inmoviliza en los versos de Góngora, produciendo su poema el efecto de un gran cementerio, con las imágenes más deslumbradoras erguidas en un campo lunar" [95]. "Cada cosa [del universo gongorino] se halla situada no en el plano de la realidad, sino de la metáfora. Todas se ocultan detrás de una imagen que las sugiere o alude... Ello presupone la existencia de un mundo mental, de referencias eruditas, tan enlazadas a las cosas vivas que basta la elocución literaria para que acudan a su llamada las criaturas mortales. No hay en toda la historia del pensamiento una tal confianza en la virtualidad de la pura creación poética Ni una tan desdeñosa versión de la naturaleza" [96]. "Juzgamos al poeta desde nuestro mundo solar y cálido, y surge el monstruo" [97].

LA OBRA DE GÓNGORA: LOS POEMAS MENORES

Letrillas y romances. Conservamos de Góngora más de doscientas composiciones de esta especie. El poeta, como tenemos visto, cultivó estos géneros a lo largo de toda su vida (no son, pues, insistimos, privativos de una supuesta "primera época"). En general representan la parte más popular y conocida de su producción, y la única que ha quedado indemne de los ataques de sus enemigos. Hasta los mismos neoclásicos del siglo XVIII que, con Luzán al frente, renegaron sin atenuantes de los poemas extensos, prodigaron sus alabanzas a los romances y letrillas; lo mismo hizo Quintana; y en términos aún más rotundos se expresó, como vimos, Menéndez y Pelayo. Estos romances y letrillas no están, en absoluto, exentos de artificio; recuérdense los comentarios de Dámaso Alonso sobre la supuesta *facilidad* de dichas composiciones, y la razón del diferente trato que ellas y los largos poemas han venido recibiendo. Góngora, en efecto, no se sumerge como Lope en los veneros del alma popular, sino que, como dice atinadamente Valbuena, "escoge de estos fondos anónimos los motivos más a propósito para su temperamento culto y los comenta ya con finura exquisita, ya con retorcidas alusiones de sátira" [98]. En el manejo de esta última, precisamente, que es parte principal en las letrillas, los juegos de palabras, los chistes, el empleo de voces infrecuentes, las alusiones a cosas contemporáneas, desconocidas hoy, crea problemas de gran dificultad a los comentaristas más expertos. La musicalidad del ritmo y brevedad del metro disfrazan, en cambio, los escollos interiores, mucho mayores, con frecuencia, de lo que el lector poco atento suele creer. Estas letrillas son muchas veces desvergonzadas y hasta obscenas, o se regodean en gracias escatológicas; sus temas más normales son las flaquezas de las mujeres, la hipo-

---

[95] Ídem, íd., pág. 7.
[96] Ídem, íd., págs. 11-12.
[97] Ídem, íd., pág. 13.
[98] *Historia de la literatura española,* vol. II, 7.ª ed., Barcelona, 1964, pág. 211.

cresía, las presunciones y falsedad de los galanes, la ostentación de los advenedizos, burlas a los médicos o lecciones de avisada y escarmentada experiencia.

En general, el mundo que emerge de estas composiciones, a vueltas de tantos y tan felices rasgos de ingenio y de humor, es de lo más amargo y pesimista, sin sombra de nobleza y desinterés, y contrasta asombrosamente con el mundo idealista y brillante de los grandes poemas. Frecuentemente adoptan la forma de varias estrofas, en asonante o consonante, y al final de cada una se repite el estribillo o estrofilla inicial; otras veces consisten más bien en auténticos romances o romancillos en los que periódicamente se intercala un estribillo. Las más conocidas letrillas son: "Que pida un galán Minguilla — cinco puntos de jervilla — bien puede ser...", "Ándeme yo caliente — y ríase la gente...", "Da bienes fortuna — que no están escritos. — Cuando pitos, flautas, — cuando flautas, pitos". "Buena orina y buen color — y tres higas al doctor", "Y digan que yo lo digo", "Dineros son calidad, — ¡verdad! — Más ama quien más suspira, — ¡mentira!". Al lado de estas letrillas humorísticas o burlescas, cultivó también Góngora otras de diverso tema, en las que glosa generalmente un cantar popular; en ellas alcanza a veces —eterno Góngora de los contrastes— cimas de finura y delicadeza difícilmente superables, como la que tiene por copla o villancico:

No son todos ruiseñores
los que cantan entre las flores,
sino campanitas de plata
que tocan a la Alba;
sino trompeticas de oro
que hacen la salva
a los soles que adoro [99].

Bellísima es igualmente la dedicada "Al Nacimiento de Cristo Nuestro Señor":

Caído se le ha un clavel
hoy a la Aurora del seno:
¡qué glorioso que está el heno,
porque ha caído sobre él! [100].

Ninguna quizá tan popular como la "Alegoría de la brevedad de las cosas humanas":

Aprended, flores, en mí
lo que va de ayer a hoy,
que ayer maravilla fui,
y sombra mía aun no soy [101].

---

[99] Edición Millé, cit., pág. 350.
[100] Ídem, íd., pág. 393.
[101] Ídem, íd., pág. 394.

Merece recordarse que, con su innegable claridad y sencillez, pertenece esta composición a los últimos años de vida del poeta (1621), mucho después de compuestos el *Polifemo* y las *Soledades.*

Los romances representan una parte muy importante en la obra de Góngora y muestran, en su variedad, aspectos muy diversos de su creación y carácter. Con Lope y Quevedo, Góngora representa la cumbre del romance artístico, y aventaja a los dos primeros en el mayor cuidado de la forma, la poética finura de los detalles, la tersura y sonoridad de la versificación. Entre el centenar de romances de Góngora que conservamos los hay de las más variadas especies: satíricos y burlescos, moriscos, de cautivos, caballerescos, pastoriles, alegóricos, amorosos, descriptivos, de circunstancias...

Los satíricos y burlescos siguen en general la tónica de las letrillas de igual carácter, aunque sin su aguda y mordaz agilidad, por lo que no representan, en conjunto, el grupo más notable. Algunos, sin embargo, ofrecen especial interés. La *Fábula de Píramo y Tisbe* —el más largo de los romances de Góngora, 508 versos— cuenta la trágica historia de estos amantes; pero —oigamos el comentario de Dámaso Alonso— "Góngora la narra humorísticamente: es la narrativa grotesca de un tema triste y bello. El poema está como oscilando constantemente entre un tono se diría serio, que parece prolongarse a veces varias cuartetas de romance, pero que interrumpe, de pronto, una súbita chuscada. El estilo al mismo tiempo es superculto: Góngora parece aquí burlarse de sus propios procedimientos estilísticos. La *Fábula de Píramo y Tisbe* es, dentro de la obra de Góngora, una extraña e importante pieza: el barroquismo se burla aquí de sus propios mitos" [102].

Sin que pueda llamarse exactamente satírico o burlesco es afín a este grupo el romance —"Hanme dicho, hermanas..."— en que el poeta se describe a sí mismo con abundantes pinceladas de humor, a trechos caricaturesco, humanísimo siempre y rebosante todo él de gracia y donosura; era imposible dar del poeta una etopeya más cabal.

---

[102] *Góngora y el 'Polifemo'*, ed. cit., pág. 97. Cfr.: E. M. Wilson, "El texto de la *Fábula de Píramo y Tisbe* de Góngora", en *Revista de Filología Española,* XXII, 1935, págs. 291-298. A. Terry, "An Interpretation of Góngora's *Fábula de Píramo*", en *Bulletin of Hispanic Studies,* IV, 1956, págs. 202-217. A. Galaz Vivar, "Análisis estilístico de la *Fábula de Píramo y Tisbe* de don Luis de Góngora y Argote", en *Memoria de los Egresados,* Santiago de Chile, II, 1958, vol. I, págs. 241-332. R. Jammes, "Notes sur la *Fábula de Píramo y Tisbe* de Góngora", en *Les Langues Néo-Latines,* París, LV, 1961, páginas 1-47. A. Rumeau, *Píramo y Tisbe, con los comentarios de Salazar Mardones y Pellicer,* extractados y presentados por..., París, 1961. F. Lázaro Carreter, "Situación de la *Fábula de Píramo y Tisbe*", en *Nueva Revista de Filología Hispánica,* XV, 1961, páginas 463-482. P. Waley, "Enfoque y medios humorísticos de la *Fábula de Píramo y Tisbe*", en *Revista de Filología Española,* XLIV, 1961, págs. 385-398. D. Testa, "Kinds of Obscurity in Góngora's *Fábula de Pyramo y Tisbe*", en *Modern Language Notes,* LXXIX, 1964, págs. 153-168.

Con especialísimo acierto cultivó Góngora un género de romances que gozó en su tiempo de singular fortuna, hasta convertirse en uno de los más socorridos tópicos poéticos, pero en el que Góngora dejó joyas muy bellas de refinada perfección: los romances moriscos. "Son romances cultos —dice Dámaso Alonso— y aun, en momentos, muy cultos; la tradición del género ha pesado, sin embargo, en Góngora; son sus obras más diáfanas: romances que tienen mucho del encanto del género y mucho del arte, tan pictórico, del poeta" [103]. Son famosísimos entre los de este grupo "Entre los sueltos caballos...", "Servía en Orán al rey...", "Amarrado al duro banco..."; en plano inferior, aunque son también muy bellos, deben mencionarse "Aquel rayo de la guerra...", "Famosos son en las armas — los moros de Canastel...", "Según vuelan por las aguas — tres galeotas de Argel..." y "Por las faldas del Atlante...", acabado en delicadas coplas cantadas, a las que el romance descriptivo parece servir de mero pretexto introductor.

En el tema caballeresco produjo Góngora una de las más hermosas muestras del género, el romance llamado de *Angélica y Medoro,* inspirado en un pasaje del *Orlando* de Ariosto, que comienza:

En un pastoral albergue
que la guerra entre unos robres
lo dejó por escondido
o lo perdonó por pobre... [104]

y que con sus 136 versos es un poema en miniatura. En él funde Góngora, con perfección no igualada en composiciones semejantes, elementos populares, pero muy finamente estilizados, con toda la gama de los elementos cultos que luego tenía que transportar, ampliándolos, a sus poemas mayores. Recuérdese que es este romance el que Dámaso Alonso utiliza para demostrar la inexistencia de las supuestas "épocas" de Góngora. Todo el poema es, efectivamente, un tejido de los más variados recursos de la poesía culta, una sucesión de tan brillantes como delicadas metáforas, de conceptos, de antítesis, de contraposiciones y paralelismos:

...Las venas con poca sangre,
los ojos con mucha noche
le halló en el campo aquella
vida y muerte de los hombres...
...Enfrénanle de la bella
las tristes piadosas voces,
que los firmes troncos mueven
y las sordas piedras oyen...

---

[103] *Góngora y el 'Polifemo',* cit., pág. 93. Cfr.: Juan Millé y Giménez, *Sobre la génesis del Quijote,* Barcelona, 1930, caps. VI a XII, págs. 37-64.

[104] Edición Millé, cit., pág. 142.

...Todo sirve a los amantes;
plumas les baten, veloces,
airecillos lisonjeros,
si no son murmuradores.
Los campos les dan alfombras,
los árboles pabellones,
la apacible fuente sueño,
música los ruiseñores.
Los troncos les dan cortezas
en que se guarden sus nombres,
mejor que en tablas de mármol
o que en láminas de bronce.
No hay verde fresno sin letra,
ni blanco chopo sin mote;
si un valle Angélica *suena,*
otro Angélica *responde...* [104 bis].

No siempre es fácil precisar la índole propia de cada romance, pues se entrecruzan en ocasiones temas y procedimientos. A semejanza del morisco citado "Por las faldas del Atlante...", también el romance parece servir de relato introductor a la copla final cantada, en el bellísimo "En los pinares del Xúcar...":

Serranas de Cuenca
iban al pinar,
unas por piñones,
otras por bailar [105].

De forma parecida, otra de las joyas de Góngora, el romance que comienza:

A la fuente va del Olmo
la rosa de Leganés...

alterna sus estrofas con diversos comentarios musicales:

Si viniese ahora,
ahora que estoy sola,
ola, que no llega la ola,
ola, que no quiere llegar.

Turbias van las aguas, madre
turbias van;
mas ellas se aclararán [106].

[104 bis] Edición Millé, cit., págs. 144-145. Cfr.: E. M. Wilson, "On Góngora's *Angélica y Medoro*", en *Bulletin of Hispanic Studies*, XXX, 1953, págs. 85-94.

[105] Edición Millé, cit., pág. 149.

[106] Ídem, íd., págs. 244-245.

Entre los romances descriptivos en elogio de ciudades merece citarse el dedicado a Granada:

> *Ilustre ciudad famosa,*
> *infiel un tiempo, madre*
> *de Zegríes y Gomeles,*
> *de Muzas y Reduanes,*
> *a quien dos famosos ríos*
> *con sus húmidos caudales*
> *el uno baña los muros*
> *y el otro purga las calles...*[107].

Los sonetos. Al igual que en el cultivo del romance, Góngora comparte con Lope y Quevedo la cima en el manejo de esta forma métrica. Difiere de Lope en el grado de la emoción humana, que si no falta a Góngora en ocasiones, no es su rasgo característico: en Góngora predomina el artificio cerebral sobre el cálido sentimiento; Quevedo, por su parte, le aventaja generalmente en el contenido doctrinal y en lo afilado de sus agudezas. Pero Góngora excede a ambos en el sentido de la construcción, en la perfecta arquitectura, en el torneado acabadísimo de cada una de sus partes; bajo el aspecto de su perfección formal, de su turgencia marmórea, los mejores sonetos de Góngora pueden considerarse como los más perfectos que se han escrito en castellano.

Góngora cultivó el soneto toda su vida. Los más antiguos según el manuscrito Chacón —trece de ellos— pertenecen a 1582: sólo dos años posteriores a la más antigua composición poética de él conocida. Estos primeros sonetos conservan todavía patente la imitación de los italianos —ambos Tasso, Ariosto, Sannazaro— aunque el poeta añade imágenes propias y sobre todo refuerza las sensaciones de color de sus modelos. En estos primeros sonetos predomina el tema amoroso, y la etapa de imitación puede considerarse terminada en 1586. En este período encontramos ya, sin embargo, algunos de sus sonetos más notables. A ellos pertenece la glosa del horaciano "carpe diem" —"Mientras por competir con tu cabello..."—, acabada con dos maravillosos tercetos de desolado pesimismo, justamente famosos, nota ajena a los modelos italianos:

> *goza cuello, cabello, labio y frente,*
> *antes que lo que fue en tu edad dorada*
> *oro, lilio, clavel, cristal luciente,*
>
> *no sólo en plata o vïola troncada*
> *se vuelva, mas tú y ello juntamente*
> *en tierra, en humo, en polvo, en sombra, en nada*[108].

---

[107] Ídem, íd., pág. 80. Además de las ediciones mencionadas para las poesías de Góngora, cfr. los *Romances* editados por José M.ª de Cossío, Madrid, 1927.

[108] Ídem, íd., pág. 447.

De gran belleza es asimismo el compuesto "En la muerte de una señora que murió moza en Córdoba", y el muy conocido que comienza:

La dulce boca que a gustar convida...

Ajeno a estos temas, en este primer período, tenemos una verdadera obra maestra en el soneto "A Córdoba", la amada patria del poeta:

¡Oh excelso muro, oh torres coronadas
de honor, de majestad, de gallardía!
¡Oh gran río, gran rey de Andalucía,
de arenas nobles, ya que no doradas!

¡Oh fértil llano, oh sierras levantadas,
que privilegia el cielo y dora el día!
¡Oh siempre gloriosa patria mía,
tanto por plumas cuanto por espadas!

¡Si entre aquellas rüinas y despojos
que enriquece Genil y Dauro baña,
tu memoria no fue alimento mío,

nunca merezcan mis ausentes ojos
ver tu muro, tus torres y tu río,
tu llano y sierra, oh patria, oh flor de España! [109].

A partir de la fecha mencionada penetran nuevos temas en los sonetos gongorinos; sus viajes por la corte, sus relaciones cada vez más amplias con escritores, gentes de la nobleza, hombres públicos, cristalizan en larga serie de sonetos, consistentes en elogios a grandes personajes con ocasión de su muerte o de sucesos políticos en que intervienen; también elogios a ciudades, dirigidos otros a personas influyentes, a escritores amigos, a veces al frente de sus libros... Destacan entre ellos el dedicado a la muerte del marqués de Santa Cruz: "No en bronces que caducan mortal mano..."; en el sepulcro de la duquesa de Lerma: "¡Ayer deidad humana, hoy poca tierra; — aras ayer, hoy túmulo, oh mortales..."; los dos a la muerte de don Rodrigo Calderón: "Sella el tronco sangriento, no le oprime..." y "Ser pudiera tu pira levantada..."; el dedicado a don Cristóbal de Mora: "Árbol de cuyos ramos fortunados..."; a don Luis de Vargas: "Tú, cuyo ilustre, entre una y otra almena..."; al conde de Salinas: "Del León, que en la Silva apenas cabe..."; los numerosos al marqués de Ayamonte, entre los que cabe destacar: "Clarísimo marqués, dos veces claro...", con ocasión de mostrarle, a su paso por Córdoba, un retrato de su esposa; al cardenal Niño de Guevara: "Oh tú, cualquiera que

---

109 Ídem, íd., pág. 455.

entras, peregrino...»; al duque de Feria: "Oh marinero, tú que, cortesano..."; y otros muchos. Entre los dirigidos a amigos escritores, o a sus libros, destacan: a Juan Rufo por *La Austríada*: "Cantaste, Rufo, tan heroicamente..."; al doctor Babia por su *Historia Pontifical*: "Este que Babia al mundo hoy ha ofrecido..."; al poeta granadino Soto de Rojas: "Poco después que su cristal dilata..."; al conde de Villamediana por su *Faetón*: "En vez de las Helíades ahora...". De especial valor, por su prieta suntuosidad, es el soneto al sepulcro del Greco, alma gemela, también con "doble estilo": "Esta en forma elegante, oh peregrino...", cuyo terceto final ha sido justamente ponderado:

> *Tanta urna, a pesar de su dureza,*
> *lágrimas beba, y cuantos suda olores*
> *corteza funeral de árbol sabeo*[110].

Dámaso Alonso ha propuesto este terceto como modelo de perífrasis en la obra del poeta.

Entre los "elogios de personas" es de los más notables el dedicado a don Sancho Dávila, obispo de Jaén: "Sacro pastor de pueblos, que en florido..."; y entre los "de edificios" es de gran belleza el dedicado a El Escorial: "Sacros, altos, dorados capiteles...".

En muchas ocasiones el pretexto para que construya Góngora un soneto es asombrosamente inane o muy circunstancial; la mayoría de los citados son de esta manera y del mismo orden podrían mencionarse otros muchos: así, el que dedica a Felipe III y a su esposa con ocasión de una montería, o al caminante enfermo "que se enamoró donde fue hospedado" (¿el mismo Góngora?), o el que desea a su obispo la curación en una enfermedad. Enfrentados estos sonetos con nuestro actual concepto de la poesía, pensamos que apenas hay en ellos lugar para un auténtico lirismo, pues que consisten en los más resobados tópicos de la poesía cortesana y ocasional. Y en abundantes casos es así, en efecto. Pero aquí, precisamente, es donde interviene la fuerza creadora del poeta, que sabe vestir las ocasiones más vulgares con todas las galas de su estilo "culto" y elevar el detalle trivial con el vuelo exquisito de sus potentes y originales metáforas; el esplendor marmóreo y rotundo de la forma transfigura en arte la levedad del contenido. Esto explica, sin embargo, lo que arriba dijimos respecto al predominio de lo pensado y cerebral sobre la cálida expresión del sentimiento más entrañable.

En algunos sonetos amorosos vibra, no obstante, una chispa de pasión que nos acerca más a la intimidad del poeta; alguno de éstos cuenta también entre los más bellos y delicados: "Ilustre y hermosísima María..." en que aparece una vez más la epicúrea invitación del "collige, virgo, rosas"; "Al sol peinaba Clori sus cabellos...", dirigido a doña Brianda de la Cerda; y "En el cristal de tu divina mano...", impregnado de nostalgia amorosa finamente lírica. Y quizá

---

[110] Ídem, íd., pág. 502.

por encima de todos, si es suyo, el dirigido "A una dama muy blanca vestida de verde", que da Millé como atribuible; merece ser reproducido entero:

Cisne gentil, después que crespo el vado
dejó y de espuma a la agua encanecida,
que al rubio sol la pluma humedecida
sacude de las juncias abrigado;

copos de blanca nieve en verde prado,
azucena entre murtas escondida,
cuajada leche en juncos exprimida,
diamante entre esmeraldas engastado,

no tiene que preciarse de blancura
después que nos mostró su airoso brío
la blanca Leda en verde vestidura.

Fue tal, que templó su aire el fuego mío,
y dio, con su vestido y su hermosura,
verdor al campo, claridad al río [111].

Los sonetos de los últimos tres años revelan ya el ensombrecimiento de la vida del poeta, el desengaño de sus pretensiones cortesanas, su cansancio, el presentimiento de la muerte. El gusto por los colores brillantes, por la pompa y sonoridad, ha desaparecido o, por lo menos, se ha difuminado considerablemente. Deben citarse de este tiempo el soneto al conde-duque en que se queja de la falta de los socorros prometidos: "En la capilla estoy y condenado...", o aquel en que anuncia su deseo de abandonar la corte y regresar a Córdoba: "De la merced, señores, despedido...".

Mención especial merecen los sonetos burlescos y satíricos que también comenzó Góngora a cultivar desde muy pronto. Por la desvergüenza de muchos de ellos o por atacar a personas conocidas, y a veces vivas, no fueron incluidos muchos de ellos en el "manuscristo Chacón" y de aquí que su atribución resulte en bastantes casos problemática. En sus líneas generales son hermanos gemelos de los romances y letrillas de igual especie. Hay un nutrido grupo que contiene sátiras contra ciudades y contra ríos. Su primer viaje a Madrid en 1589 le inspiró un soneto al Manzanares: "Duélete de esa puente, Manzanares...", y su nueva visita en 1609 otro de certeras imágenes: "Señora doña puente segoviana...". La serie más nutrida va dirigida contra el río Esgueva y contra Valladolid, donde estaba entonces la corte con harto disgusto de muchos. Al Esgueva, al que había dedicado una de sus más sucias letrillas, le dedicó también un par de sonetos burlescos: "Jura Pisuerga a fe de caballero..." y "¡Oh qué malquisto con Esgueva quedo...". Con Valladolid se

[111] Ídem, íd., págs. 556-557.

ensañó realmente en varios sonetos: "Llegué a Valladolid, registré luego...", "¿Vos sois Valladolid? ¿Vos sois el valle...?", "Valladolid, de lágrimas sois valle...".

Pero los de mayor interés pertenecen al grupo de las sátiras literarias, especialmente contra Lope, contra los que censuraron las *Soledades*, contra Quevedo. Algunos de los dirigidos al primero nos son ya conocidos: "Por tu vida, Lopillo, que me borres...", con motivo de la publicación de *La Arcadia*; "A cierto señor que le envió *La Dragontea* de Lope de Vega", en el que figuran los conocidos versos:

Para ruïdo de tan grande trueno
es relámpago chico: no me ciega.
Soberbias velas alza: mal navega.
Potro es gallardo, pero va sin freno... [112];

"A los apasionados por Lope de Vega" —"Patos del aguachirle castellana..."—. También le dedicó uno en lenguaje de "negra": "Vimo, señora Lopa, su Epopeya...". Entre los dirigidos contra Quevedo es famoso "Anacreonte español, no hay quien os tope...". También escribió uno contra Jáuregui, al publicar éste su *Orfeo* —"Es el *Orfeo* del señor don Juan..."—; y otro contra Montalbán por su poema del mismo nombre: "Orfeo el que bajó de Andalucía...".

Canciones y poemas breves de arte mayor. La "Oda a la toma de Larache". Se agrupan bajo este epígrafe composiciones de distintos temas, aunque con predominio del patriótico y amoroso. Estas obras permiten comprobar, mejor aún quizá que las ya estudiadas, la tesis de Dámaso Alonso sobre la existencia del cultismo gongorino desde su más temprana lírica. En estas composiciones es destacable, junto a la inevitable herencia italianista, el gran influjo de Herrera, igualmente inevitable entonces sobre todo en los poemas de tema nacional. Su más antigua canción, de 1581, fue publicada al frente de una traducción de *Os Lusíadas* hecha por Luis de Tapia. Todos los artificios estilísticos que habían de desbordarse en sus grandes poemas están ya de manifiesto en esta canción, que une además la particularidad de estar escrita toda ella en esdrújulos: "Suene la trompa bélica...". El influjo herreriano es manifiesto sobre todo en la oda "A la Armada que fue a Inglaterra" (La "Invenci-

112 Ídem, íd., pág. 534. Cfr.: A. García Boiza, "Salamanca y el poeta don Luis de Góngora. El soneto 'Muerto me lloró el Tormes en su orilla' ", en *La Basílica Teresiana*, Salamanca, IV, 1918, págs. 129-135. J. Millé y Giménez, "Comentarios a dos sonetos de Góngora", en *Humanidades*, La Plata, XVIII, 1928, págs. 93-102. O. Frattoni, *Ensayo para una historia del soneto en Góngora*, Facultad de Filosofía y Letras, Buenos Aires, 1948. A. A. Parker, "Ambiguity in a Góngora's sonnet", en *Homenaje a J. A. Van Praag*, Amsterdam, 1956, págs. 89-96. H. E. Ciocchini, "Un aspecto de los sonetos gongorinos", en Revista de Educación, III, 1958, págs. 359-361.

ble"), y en la dedicada a San Hermenegildo con ocasión de "una fiesta que se hizo en Sevilla", composición más patriótica que religiosa; ambas están escritas en largas estrofas de 17 versos. El italianismo está también patente en las canciones amorosas, más ligeras y de estrofa más breve, escritas en torno a 1600, entre las que destacan "Donde las altas ruedas — con silencio se mueven..." y "Qué de invidiosos montes levantados...". Particularmente bella es la breve canción que comienza:

Sobre trastes de guijas
cuerdas mueve de plata
Pisuerga, hecho cítara doliente;
y en robustas clavijas
de álamos, las ata
hasta Simancas, que le da su puente... [113].

A partir de 1605 predominan las canciones cortesanas, dedicadas a los reyes o grandes señores. Es de gran interés la larga composición en tercetos, en la que el poeta, con aguda ironía, declara su desengaño de la corte y su horaciano deseo de tornar al provinciano rincón:

¡Mal haya el que en señores idolatra
y en Madrid desperdicia sus dineros... [114].

El interés principal de este grupo lo atrae la oda "A la toma de Larache", compuesta probablemente a principios de 1611, porque ella representa el punto límite de que suele partirse para caracterizar el "segundo estilo". Dámaso Alonso admite, en efecto, en esta composición la existencia innegable de una mayor dificultad, que explica, según vimos, no porque se haya producido ningún salto en el estilo del poeta, sino por la mayor acumulación de artificios cultos —los mismos usados por Góngora desde siempre— y la mayor longitud de la composición (los grandes poemas iban a producirse a renglón seguido). Lo insignificante del hecho político, que sirve de pretexto —pues no hubo en la supuesta *toma* ninguna gloria militar—, fuerza el tono insincero, de adulación cortesana y patriotismo convencional, que contribuye a la hinchazón retórica del conjunto. Góngora es aquí heredero de sí mismo, pero todavía acoge, a su vez, elementos tradicionales: la estrofa, como en la "Oda a la Armada", consta de 17 versos, y la huella herreriana sigue siendo evidente.

LOS GRANDES POEMAS

La "Fábula de Polifemo y Galatea". El mito de Polifemo, que sirve de tema al poema de Góngora, es de los más antiguos en la historia de la litera-

[113] Ídem, íd., pág. 576.
[114] Ídem, íd., pág. 581.

tura; aparece ya en la *Odisea,* y a través de otros varios poetas griegos —Filoxeno de Citera, Hermesianax de Colofón, Teócrito— llega hasta los latinos Virgilio y Ovidio. Este último, en el libro XIII de sus *Metamorfosis,* recoge y funde los diversos aspectos de la fábula del gigante y da ya la versión del Polifemo enamorado, tal como había de recogerla Góngora: Galatea está enamorada de Acis; Polifemo, que lo está a su vez de Galatea, despechado y celoso, mata a Acis arrojándole una gran piedra; Galatea hace que su amado se convierta en río. La figura de Polifemo —horrible en su tamaño y deformidad, con un solo ojo en la frente— era una gran creación literaria, elaborada a lo largo de los siglos; enamorado de Galatea, temblando de emoción ante su amada, fúndese en él, en trágico contraste, la más grotesca fealdad con la más delicada ternura. El Renacimiento había vuelto sobre el tema, al que tomó y retomó con más o menos modificaciones. En Italia son las más famosas versiones las de Marino y de Tommaso Stigliani; y en España, sin contar las traducciones, más o menos fieles, de las *Metamorfosis* y las adaptaciones de elementos de la fábula ovidiana a historias de otros personajes, trataron expresamente el tema de Polifemo Castillejo, Pérez Sigler, Sánchez de Viana, Gálvez de Montalvo, Barahona de Soto, Carrillo de Sotomayor, y —después de Góngora— Lope y otros varios poetas. Sobre el posible y discutido influjo del poema de Carrillo sobre Góngora tratamos ya más arriba.

El Barroco sentía por el tema de Polifemo una predilección particular; "ese contraste —dice Dámaso Alonso—, esa contradicción interna en el alma del cíclope tenía que ser especialmente grata a la época que busca por todas partes en arte (el claroscuro, etc.) y en literatura los contrastes y las contradicciones invencibles. Polifemo era un tema interesante para ese siglo, porque era desmesurado; y luego, porque encerraba esa tierna y terrible contradicción temperamental. Y así, el Polifemo de Góngora es desmesurado en la descripción inicial; tiernamente gigantesco, o gigantescamente tierno, en su canto" [115]. Este enfrentamiento de contrarios es lo que permite al citado crítico calificar al *Polifemo* de Góngora de ejemplo característico de poema barroco; y no sólo esto, sino que por haberse condensado tan íntima y perfectamente en él la complejidad de elementos que en el barroco fermentaba —"luz y sombra, norma e ímpetu, gracia y malaugurio", lo bello y lo monstruoso— no duda en calificarlo de "la obra más representativa del barroco europeo" [116].

Consta el *Polifemo* gongorino de 504 endecasílabos agrupados en 63 octavas reales. Todos los componentes de la lengua poética de Góngora quedan de manifiesto en toda su pujanza a lo largo del poema y en cada fragmento de él: profusión de cultismos, complicados hipérbatos, hipérboles desmesuradas y metáforas atrevidísimas en lujuriante proliferación. En esto último, sobre

---

[115] *Góngora y el 'Polifemo'*, ed. cit., pág. 194.

[116] "Monstruosidad y belleza en el Polifemo de Góngora", en *Poesía española. Ensayo de métodos y límites estilísticos,* 4.ª ed., Madrid, 1962, pág. 392.

todo, es dable comprobar alguna de las más peculiares características de la lengua de Góngora, y su raíz. Góngora se sirve de todo un cúmulo de metáforas de tradición renacentista, pero sabe que todos estos elementos han invadido ya la lengua poética común; de aquí su lucha por intensificar y potenciar aquella materia poética ya desgastada, para diferenciarla y hacérsela suya. Más claramente aún se advierte esto con la hipérbole. El *Polifemo*, por su mismo tema, es ya un poema hiperbólico; mas sobre esta esencial exageración que se propaga por todo él como una savia, pesa la consabida tradición renacentista, dentro de cuya poética la hipérbole era un componente de importancia capital. Góngora tiene, pues, que recrear, en un alarde de originalidad, lo que de otro modo serían recursos poéticos enteramente envejecidos. Al tratar de la originalidád del poema gongorino frente a cuantos trataron el mismo tema, y en particular respecto a la obra de Carrillo, Dámaso Alonso encarece el esfuerzo intensificador del poeta cordobés. "Góngora —dice— apura e intensifica los colores hasta el frenesí, sube a los cielos la hipérbole, agarra con zarpazo de genio las más hirientes, las más excitantes metáforas y, en fin, imprime en cada estrofa y en cada verso la poderosa huella de su genial intuición, de tal modo que de allí en adelante aquel tema, de todos manoseado, pasa a ser esencialmente suyo, y el poema, su indiscutible obra maestra, la cima de las imitaciones de la antigüedad que en nuestra literatura se han hecho en los siglos XVI y XVII, y una de las joyas máximas de la poesía europea de tradición renacentista" [117].

---

[117] Ídem, íd., pág. 316. Comparando también la enérgica desmesura que imprime Góngora a su héroe, con la blanda ternura que comunica Carrillo al suyo, escribe Pabst: "No tenemos más remedio que admirar la energía de Góngora cuando comparamos su canto con el de Carrillo. Por el Polifemo de Carrillo sentimos cierta compasión; ninguna por el de Góngora, a pesar de que se presenta precisamente para sugerirnos ese tipo de hombre que la mujer rechaza por su fealdad física, tragedia que acaso sólo un sacerdote sediento de vida como Góngora podía expresar con precisión. 'Góngora era duro'. En ninguna otra ocasión es más evidente que aquí. La lamentación del gigante no provoca ni una lágrima en nadie. El cíclope de Góngora sigue siendo en su dolor titánico un titán, mientras que el Polifemo de Carrillo se transforma al sufrir en un hombre lloroso que se hunde en el polvo tras su declaración. El titán de Góngora desde un alto escollo escribe en el cielo sus desdichas con el dedo:

> *y en los cielos, desde esta roca, puedo*
> *escribir mis desdichas con el dedo.*

¿Hay una representación más impresionante de lo tremendamente trágico? Pero nuestro corazón no percibe esa impresión y únicamente la vista y el espíritu se conmueven ante la poderosa imagen. Nuestra compasión resultaría demasiado pequeña —puesto que somos seres humanos— para aquél en cuya mano el hombre es una mosca. El poema de Góngora no va dirigido al corazón porque su objetivo es lo suprahumano. No exige ningún sentimiento, busca la educación, el refinamiento de los sentidos, el estremecimiento y el entusiasmo de la mente" (*La creación gongorina...*, cit., págs. 71-72).

En cambio, en el *Polifemo* las complicaciones sintácticas no alcanzan la enmarañada ramificación que había luego de producirse en las *Soledades.* En éstas, los prolongables períodos de las silvas "permitían todas las aventuras sintácticas, el enzarzarse de las voces, los esguinces, lazadas y arabescos que la estrofa —breve, exacta y siempre igual— en que está escrito el *Polifemo* no tolera: el límite de los ocho versos suele ser también dique último del período. La estrofa del *Polifemo,* en cierto modo, contradice las características del poeta, limitando su idiosincrasia sintáctica" [118]. Tan sólo en unos pocos casos el sentido rebasa el límite de la estrofa.

Las "Soledades". De toda la producción poética de Góngora la obra central y más típicamente gongorina son las *Soledades.* En sus otros poemas extensos —el *Polifemo* y el *Panegírico al duque de Lerma*— el tema venía dado por la fábula o por la historia y, en ambos también, la octava real ponía límites a los períodos poéticos y sintácticos. Pero en las *Soledades* Góngora tomó un asunto sin antecedentes directos, eligió una forma métrica, la silva, cuyas estrofas, ampliables o reducibles a voluntad, permitían todo género de complejidades, incisos y proliferaciones sintácticas; "arreó sus versos con lujosa selección de vocablos; y aguzó como nunca su animosa intuición poética para salvar el abismo que separa la materia real, perecedera y contingente, de la criatura de arte, eterna y absoluta. Así resultaron estas *Soledades* suntuosas y recargadas como ninguna obra del cordobés; difíciles de lectura, sobre todo desde un punto de vista sintáctico, como ninguna obra de la literatura castellana; puramente poética, estrictamente aristocrática, como muy pocas de las obras artísticas de los hombres" [119].

Las *Soledades* iban a ser cuatro, pero no pasaron de dos, y la segunda, además, quedó sin terminar. La *Primera* tiene 1.091 versos, y la *Segunda* quedó detenida en el verso 979. Según Pellicer, Góngora deseaba simbolizar en las cuatro *Soledades* las cuatro edades del hombre: "en la primera, la juventud, con amores, prados, juegos, bodas y alegrías; en la segunda la adolescencia,

---

[118] "Monstruosidad y belleza..."; cit., pág. 317. Cfr.: Antonio Vilanova, *Las fuentes del 'Polifemo' de Góngora,* 2 vols., Madrid, 1957. Alfonso Reyes, "La estrofa reacia del *Polifemo*", en *Nueva Revista de Filología Hispánica,* VIII, 1954, págs. 295-306. F. González Ollé, " 'Tantos jazmines cuanta yerba esconde / la nieve de sus miembros da a una fuente'. Interpretación de los versos 179-180 del *Polifemo*", en *Revista de Literatura,* XVI, 1959, págs. 134-146. O. Frattoni, "La forma en Góngora. Estudio sobre la dedicatoria del *Polifemo*", en *La forma en Góngora y otros ensayos,* Rosario, 1961, págs. 5-16. E. L. Rivers, "El conceptismo del *Polifemo*", en *Atenea,* Concepción, 1961, núm. 393, págs. 102-109. C. C. Smith, "La musicalidad del *Polifemo*", en *Revista de Filología Española,* XLIV, 1961, págs. 139-166. Además de las ediciones del *Polifemo* mencionadas, cfr. la de Alfonso Reyes, en Biblioteca Índice, Madrid, 1923.

[119] "Claridad y belleza...", cit., págs. 66-67. La edición fundamental de las *Soledades* es la de Dámaso Alonso: 1.ª ed., Revista de Occidente, Madrid, 1927; 2.ª ed., Cruz y Raya, Madrid, 1936; 3.ª ed., Sociedad de Estudios y Publicaciones, Madrid, 1956.

con pescas, cetrería, navegaciones; en la tercera, la virilidad, con monterías, cazas, prudencia y económica; y en la cuarta, la senectud, y allí política y gobierno". Díaz de Rivas, por su parte, en sus comentarios inéditos asegura que el argumento de la obra "son los pasos de un peregrino en la soledad... La primera *Soledad* se intitula *Soledad de los campos,* y las personas que se introducen son pastores; la segunda, la *Soledad de las riberas*; la tercera, la *Soledad de las selvas,* y la cuarta, la *Soledad del yermo*" [120].

Tal como han quedado, el contenido de las *Soledades* es como sigue. Al comienzo de la *Primera* se nos presenta a un joven que, desdeñado por su amada, llega náufrago, salvado sobre una tabla, a la costa y es acogido por unos cabreros. Pasa con ellos la noche, y a la mañana siguiente emprende camino y encuentra a un grupo de serranos y serranas que se dirigen a unas bodas. Al frente del grupo va un viejo que ha perdido un hijo en el mar y mira por ello al náufrago con particular simpatía. Después de condenar en un largo discurso a la ambición, causa de todos los desastres marítimos, invita al joven a que les acompañe y asista a las bodas. Mientras caminan por el bosque, tejen guirnaldas y entonan canciones hasta llegar al lugar donde las bodas han de celebrarse. Entre danzas y fuegos de artificio concluye el día. A la mañana siguiente, los novios, adornados con flores y acompañados por todo el grupo, se encaminan a la iglesia donde se efectúa la ceremonia nupcial. Después de ésta, tiene lugar el banquete de bodas. Por la tarde los mozos compiten en juegos atléticos, y al anochecer acompañan todos a los novios hasta su morada.

Con el nuevo día comienza la *Soledad Segunda.* El joven peregrino está ahora en la orilla de una ría, con un grupo de gentes de mar que, al volver de las bodas, pasan a la margen opuesta en una embarcación que llega a recogerlos. El joven prefiere la pequeña barca de dos pescadores, con los que asiste a los trabajos de la pesca, y luego se dirige con ellos a una cercana isla, donde habitan. Durante el trayecto refiere el joven sus cuitas amorosas. Es recibido por el anciano padre y las hermanas de los pescadores, recorren la isla y le muestran sus pequeñas propiedades. Comen sobre la hierba, y después de la comida cuenta el anciano algunas proezas piscatorias de sus dos hijas. A la caída de la tarde, llegan dos pescadores enamorados de otras dos de las hermanas, y cantan su pasión. El joven pide al anciano que admita como yernos a los dos pretendientes, a lo que el padre accede. A la mañana siguiente, el peregrino es conducido por los mismos que le habían llevado, hasta cerca de la tierra firme, y desde allí contempla una partida de caza con halcones, que tiene lugar en la ribera. Y aquí queda interrumpido el poema.

Se ha reprochado a las *Soledades* la levedad del asunto. Pero Góngora no deseaba sino un pretexto argumental de donde tomar los elementos indispensables para su propósito; el poeta no pretendía en manera alguna tejer un

---

[120] Citados por Dámaso Alonso, en *Góngora y el 'Polifemo'*, cit., pág. 111.

relato épico, y son tan sólo valores líricos los que hay que buscar en el poema. Tal como están, las *Soledades* son tan sólo una sucesión de escenas pastoriles, de pesca y caza, unas bodas rurales, cantos y bailes campesinos, unido apenas todo ello por la presencia del peregrino a quien aflige una desventura amorosa. Lo que el poeta retiene de todo ello es la naturaleza en su forma más elemental: cabreros, aldeanos y pescadores; animales y plantas; flores y frutas. De todo el poema brota una exaltación de las fuerzas naturales, un menosprecio de la vida de corte y alabanza de la vida campesina y sencilla. Y, sin embargo, nada más distante de la visión emocionada ante la naturaleza, a la manera romántica, o —dado que tales sentimientos no podían entonces siquiera imaginarse— semejante al menos a lo que habían sentido ante el paisaje Garcilaso o fray Luis de León. La naturaleza de Góngora está rabiosamente trocada en literatura, radicalmente estilizada, convertida en metáforas espléndidas tomadas siempre de la más genuina tradición literaria grecolatina, actualizada por el Renacimiento a través de la corriente petrarquista. La novedad de Góngora —ya quedó dicho— está en "lo radical y egregio de la deformación misma" a la que llega en virtud de su peculiar lengua poética.

Pedro Salinas en su luminoso comentario a Góngora, que ha subtitulado muy significativamente "La exaltación de la realidad", afirma que "el tema de las *Soledades* no es otro que el mundo, sus formas externas, su realidad" [121]; y después de aclarar que en ningún otro poema español ocupan los seres materiales, los animales, las cosas, papel tan esencial y predominante, insiste: "Las *Soledades* son el gran poema de la realidad, de la realidad exterior, de la realidad sensual. Góngora era un andaluz sensual y el mundo no se le presenta en ideas, valores morales, sino en volúmenes y formas, en apariencias seductoras" [122]. El comentarista se pregunta cómo, si la realidad es el principio y fin de su poesía, ha podido parecer ésta oscura e ininteligible; y es que, aunque la realidad es el tema de Góngora, su poesía nada tiene de realista; las cosas, para él, en su ser normal, en sus dimensiones y líneas normales, no son suficientemente poéticas, y la tarea del poeta consiste en magnificarlas y exaltarlas, resultado que obtiene mediante los procedimientos estéticos que hemos visto y que aplica con un rigor nunca superado. "La operación de la fantasía —dice Salinas— se aplica a lo real, y exprime, saca de ello, toda una serie de sugestiones, de evocaciones, que lo rodean de riqueza y de esplendor, que lo exaltan en suma a realidad estética, a la realidad poética, desde su simple nivel de realidad material. Ése es el constante procedimiento gongorino aplicado a todo lo que el mundo ofrece de visible" [123]. Y luego: "Los objetos reales quedan completamente sumergidos en el mar de metáforas e imágenes que provocan en el poeta. En ese juego de sustituciones Góngora va

---

[121] Pedro Salinas, "Góngora. La exaltación de la realidad", en *Ensayos de Literatura Hispánica (Del Cantar de Mío Cid a García Lorca)*, Madrid, 2.ª ed., 1961, págs. 188-189.

[122] Ídem, íd., pág. 189.

[123] Ídem, íd., pág. 190.

poco a poco alejándose de su base material, del tema real, y tanto se eleva que ya lo real queda como olvidado, desconocido, se pierde de vista... La realidad, a fuerza de ser exaltada, ascendida a valor estético, desaparece, se pulveriza, se pierde. Góngora, de tanto amar la realidad, de tanto ver en ella cosas hermosas, la suprime, la aniquila. ¿Para qué? Para entregarnos otra realidad, creada poéticamente con la verdadera" [124].

También Jorge Guillén ha penetrado sutilmente en ese entusiasmo gongorino por todo el orbe material, por todo lo que ofrece una resistencia corpórea que debe ser gozosamente conquistada; incluso lo que no es objeto corpóreo será tan sólo recogido en sus aspectos —o posibles alusiones— materiales. Así, señala Guillén, en las composiciones fúnebres apenas se habla de la muerte y del muerto; sí, en cambio, de la envoltura monumental, bronces y mármoles: hay más túmulo o sepultura que finado. El reposo predomina siempre en Góngora sobre las imágenes de movimiento, y esto porque la quietud permite concretarse en la robusta estabilidad de las cosas físicas. El objeto, con su "resplandeciente materialidad suntuosa", domina en toda la poesía del cordobés. Guillén ha destacado con poética sensibilidad diversos pasajes en que Góngora emplea la palabra *pisar* aplicándola a términos luminosos:

los bueyes a su albergue reducía,
pisando la dudosa luz del día.

"Esa luz pisada parece así más dura", dice el comentarista. Y sigue glosando luego:

entre espinas crepúsculos pisando...

"Es un placer hollar crepúsculos como suelos. Una barca se desliza:

cristal pisando azul con pies veloces.

Hay un pisar celeste:

en campo azul estrellas pisan de oro.

Lo abstracto se pisa en concreción consumada:

De la tranquilidad pisas contento
la arena enjuta...

Lo abstracto, a su vez, pisa:

El noble pensamiento pisa el viento.

---

[124] Ídem, íd., pág. 192.

Luminosidad tan corpórea se pone de relieve en el salón de un palacio construido por *luces duras*... ¡Luces duras! No puede llegar a más esta energía objetivadora. Energía que tiende a *cuantificar* y no sólo a calificar. Góngora se complace en la visión de la cantidad, excelencia de objeto"[125]. Luego recuerda Guillén el pasaje en que el cíclope se ofrece a Galatea, y le dice:

Polifemo te llama, no te escondas,
que tanto esposo admira la ribera
cual otro no vio Febo más robusto...

"*Tanto esposo.* Polifemo es, en verdad, un héroe cuantitativo, y su poesía es poesía de magnitudes. No *tal esposo,* que sería un tipo insigne de esposo. *Tanto esposo.* Se hinche el volumen con la miga de su realidad bien apretada. Febo no le ve *más robusto.* Al cíclope se le aplaude como a un atleta de estadio sobrehumano, como a un número de feria estelar"[126].

Las dificultades que ofrece la lectura de las *Soledades* han sido siempre denunciadas; el mismo Dámaso Alonso, apasionado —y luminoso— editor y exégeta del poema, a la cabeza de todos sus comentaristas, admite que "la lectura de las *Soledades* es ciertamente muy difícil": dificultad a la que contribuye, sobre las peculiaridades de la lengua de Góngora, el hecho de que su tema, inventado, no ofrece al lector guía posible, como podía hallarla en la fábula, conocida, del *Polifemo.* Aun en los días del poeta, exégetas apasionados de su obra dedicaron largos escolios a aclarar pasajes oscuros, y la interpretación de muchos de ellos fue largamente discutida; Dámaso Alonso, en su edición, acompaña cada estrofa de su versión en prosa y largos comentarios. Pero, como él mismo afirma, la mayoría de las dificultades son vencibles para quien penetre en su lectura con la debida preparación. En todo caso, nos pone en guardia frente a tópicos harto repetidos: "una cosa —dice— es la dificultad y otra la incomprensibilidad o la carencia de sentido. Es verdaderamente vergonzoso que haya todavía en España personas que escriben y discuten de cosas de literatura y siguen creyendo que las *Soledades* son un simple galimatías, un engendro sin pies ni cabeza"[127].

---

[125] "Lenguaje prosaico...", cit., págs. 58-59.

[126] Ídem, íd., pág. 60.

[127] "Claridad y belleza...", cit., pág. 88. Cfr.: Leo Spitzer, "Zu Góngora Soledades", en *Volkstum und Kultur der Romanen,* II, cuad. 2-3. B. Sanvisenti, "Las 'Soledades' de Góngora", en *Convivium,* XV, 1943. W. Entwistle, "A meditation on the 'Primera Soledad' ", en *Estudios Hispánicos,* Wellesley, 1952. Royston O. Jones, "The poetic unity of the 'Soledades' of Góngora", en *Bulletin of Hispanic Studies,* XXXI, 1954. Helmut Hatzfeld, "El *manierismo* de Góngora en su *Soledad Primera*", en *Estudios sobre el barroco,* Madrid, 1964, págs. 264-271. J. P. W. Crawford, "The Setting of Góngora's *Las Soledades*", en *Hispanic Review,* VII, 1939, págs. 347-349. A. Vilanova, "El peregrino de amor en las *Soledades* de Góngora", en *Estudios dedicados a Menéndez Pidal,* III, 1952, págs. 421-460. P. Waley, "Some Uses of Classical Mythology in the *Soledades,* of Gón-

El "Panegírico al duque de Lerma". Debió de ser escrito en 1617, año en que Góngora se trasladó a Madrid. Para atraerse entonces el favor del valido omnipotente emprendió la redacción de este poema, pero la caída del ministro lo dejó inconcluso. Consta de 632 versos, agrupados en 79 octavas reales. Después de una introducción en tres estrofas, en que invoca a la Musa, sigue la biografía del duque: primero en su parte personal o privada (nacimiento, juventud, matrimonio...) y luego en la pública (ascensión a la privanza, bodas de Felipe III y Margarita en Valencia, traslado de la corte a Valladolid, nacimiento del príncipe heredero, conquista de las Molucas, política europea...). El poema queda interrumpido en la Tregua de La Haya, ocurrida en 1609, por lo que al poeta quedábanle todavía por cantar bastantes años de la vida del duque.

El *Panegírico* es una obra cortesana, aduladora, escrita sin sombra de emoción, que ni los hechos coetáneos ni la personalidad del protagonista podían provocar; y así, poéticamente constituye un fracaso. En muchos pasajes se advierte el esfuerzo del poeta, aunque lo redima casi siempre la turgente belleza del verso. Los fragmentos mejores son los que narran los años de juventud que pasó Lerma en Córdoba, y las bodas reales de Valencia: aquéllos los caldea el amor de su ciudad, éstos se encienden con el esplendor de los festejos, cuya suntuosidad encajaba perfectamente con las tendencias poéticas de Góngora. Con todas sus lagunas, el *Panegírico* es pieza esencial en la producción de nuestro poeta: "Estas tres obras —dice Dámaso Alonso— el *Polifemo,* las *Soledades* y el *Panegírico,* los tres poemas serios centrales del gongorismo, donde las características del estilo (hipérbaton, cultismo, metáforas, etc.) se dan plenamente, forman, diríamos, como un triángulo, en el que se representan tendencias de la poesía de Góngora: el vértice correspondiente al *Polifemo* mira hacia la antigüedad grecolatina; el de las *Soledades,* hacia la belleza natural y la expresión del sentimiento amoroso; el del *Panegírico* corresponde a la poesía cortesana y suntuaria" [128].

---

gora", en *Bulletin of Hispanic Studies,* XXXVI, 1959, págs. 193-209. María Rosa Lida, "El hilo narrativo de las *Soledades*", en *Boletín de la Academia Argentina de Letras,* XXVI, 1961, págs. 349-360. G. L. Muñoz, "Estructura de las *Soledades*", en *Atenea,* Concepción, 1961, núm. 393, págs. 179-201. Royston O. Jones, "Neoplatonism and the *Soledades*", en *Bulletin of Hispanic Studies,* XL, 1962, págs. 1-16. Emilio Orozco, "Espíritu y vida en la creación de las *Soledades* gongorinas", en *Papeles de Son Armadans,* XXIX, 1963, núm. 87, págs. 227-252.

[128] *Góngora y el 'Polifemo',* cit., pág. 513.

Además de las obras anteriormente citadas, cfr. sobre aspectos diversos de la obra y personalidad de Góngora: Bernardo Alemany y Selfa, *Vocabulario de las obras de don Luis de Góngora y Argote,* Madrid, 1930. Helmut Hatzfeld, "The baroque of Cervantes and the baroque of Góngora", en *Anales Cervantinos,* III, 1953. Del mismo, "El Barroco de Cervantes y el Manierismo de Góngora", en *Estudios sobre el Barroco,* Madrid, 1964, págs. 271-306. Emilio Orozco Díaz, "Elogio y censura del gongorismo. Un 'parecer' inédito del Abad de Rute sobre las 'Soledades' ", en *Clavileño,* 1951. Del mismo, *Góngora,*

LA HUELLA DE GÓNGORA. SEGUIDORES Y ADVERSARIOS

LOS COMENTARISTAS DE GÓNGORA EN EL SIGLO XVII. EL INFLUJO DE GÓNGORA

A mediados de mayo de 1613 fueron ya conocidos en Madrid la *Soledad Primera* y el *Polifemo*, llevados a la corte por el amigo del poeta don Pedro de Cárdenas; y el contador Morales leyó fragmentos de los poemas en reuniones literarias. Inmediatamente se encendió lo que se ha venido denominando "polémica culterana", y el mundillo literario se escindió en dos grupos igualmente apasionados, el de los defensores y el de los detractores de Góngora.

Muy poco tiempo después de la llegada a Madrid de los poemas gongorinos, el sevillano Juan de Jáuregui escribió el *Antídoto contra las 'Soledades'*, extenso comentario en prosa, en el que ataca diversos pasajes de la *Soledad Primera* con ironía no exenta de gracia: pero no elabora ninguna doctrina estética de carácter general. Años más tarde —1623— escribió su *Discurso poético*; aquí, por el contrario, no menciona expresamente a Góngora, pero hace una crítica más sistemática y doctrinal del cultismo literario y aboga por la sencillez y naturalidad en el estilo. Al *Antídoto* respondieron varios defensores de Góngora, entre los cuales destaca el Abad de Rute, don Francisco Fernández de Córdoba, que escribió un *Examen del 'Antídoto'* [129].

Barcelona, 1953. Manuel de Montoliu, "El sentido arquitectónico, decorativo y musical en la obra de Góngora", en *Boletín de la Real Academia Española,* XXVIII, 1948. F. A. de Icaza, "Góngora, músico", en *Summa,* Madrid, 1916. Eunice Joiner Gates, "An Unpublished Letter from Pedro de Valencia to Góngora", en *Modern Language Notes,* 1951. Giuseppe Ungaretti, "Góngora sous nos yeux", en *Monde nouveau,* XCII, París, 1955. J. P. W. Crawford, "Italian sources of Góngora's Poetry", en *Romanic Review,* XX, 1929, págs. 122-130. Irving A. Leonard, "Some Góngora 'centones' in México", en *Hispania,* 1929, XII, págs. 563-573. Edward M. Wilson, *The Solitudes of don Luis de Góngora,* Cambridge, 1931 (traducción completa al inglés del poema gongorino). Gerardo Diego, *Antología poética en honor de Góngora,* Madrid, 1927. Renée Winegarten, "Malherbe and Góngora", en *Modern Language Review,* LIII, 1958, págs. 17-25. Pueden consultarse además los números-homenaje publicados por algunas revistas con ocasión del tercer centenario de la muerte del poeta: *Revista de Filología Española,* tomo XIV, cuaderno 4, octubre a diciembre de 1927; *La Gaceta Literaria,* núm. 11, 1 de junio de 1927; *Boletín de la Real Academia de Ciencias, Bellas Letras y Nobles Artes de Córdoba,* año VI, núm. 18, enero-junio de 1927; *Verso y Prosa,* de Murcia, núm. 6; *Litoral,* de Málaga, núms. 5, 6 y 7.

[129] El *Antídoto* ha sido publicado por José Jordán de Urríes en su *Biografía y estudio crítico de Jáuregui,* Madrid, 1899; el *Discurso poético,* por A. Pérez Gómez, Madrid, 1957. Cfr.: Miguel Artigas, *Don Luis de Góngora...,* cit. M. Menéndez y Pelayo, *Historia de las ideas estéticas,* edición nacional, vol. II, Santander, 1940, cap. X, págs. 333 y ss. Hewson A. Ryan, "Una bibliografía gongorina del siglo XVII", en *Boletín de la Real Aca-*

El famoso tratadista literario Francisco de Cascales se ocupó en sus *Cartas Filológicas* del nuevo fenómeno literario; y aunque dedica a Góngora los mayores elogios como poeta, rechaza los excesos del lenguaje culto, en los que habían caído, dice, las composiciones extensas del poeta cordobés.

Un buen número de escritores tomó sobre sí la tarea de comentar minuciosamente las obras de Góngora con verdadera pasión de exégetas. El primero en el tiempo fue sin duda Pedro Díaz de Rivas, cuyas *Anotaciones* fueron ya mencionadas en la primera edición de las obras de Góngora (la de Vicuña de 1627), pero que quedaron inéditas. Con inteligentes razones comenta el *Polifemo,* las *Soledades* y la canción *A la toma de Larache.*

En 1629 publicó García de Salcedo Coronel su *Polifemo comentado,* al que sumó después sus comentarios a las *Soledades* (1636), a los *Sonetos* (1645) y a las canciones y al *Panegírico* (en un solo volumen, 1648). Con el pomposo título de *Lecciones Solemnes a las obras de don Luis de Góngora* publicó en 1630 José de Pellicer de Ossau y Tovar sus comentarios al *Polifemo,* las *Soledades,* el *Panegírico* y la *Fábula de Píramo y Tisbe.* La pasión gongorina podía llegar a tanto que otro comentarista, Cristóbal de Salazar Mardones, dedicaba un libro de 400 páginas, *Ilustración y defensa de la Fábula de Píramo y Tisbe* (1636), a explicar este solo romance de poco más de quinientos versos.

Aunque sin el carácter de minuciosa exégesis, son importantes otros libros escritos en defensa de Góngora. Así las *Epístolas Satisfactorias* (1635) de Martín de Angulo y Pulgar, en las que contesta a las objeciones de Cascales y a otro desconocido escritor que había expuesto parecidas ideas. Mayor importancia ofrece el *Apologético en favor de don Luis de Góngora* del peruano Juan de Espinosa Medrano, publicado en Lima en 1662. El autor contesta sobre todo a los ataques antigongorinos del portugués Faría y Sousa, y se lamenta de aparecer tan tarde, justificándose en lo lejos que viven los criollos.

---

demia Española, XXXIII, 1953. Miguel Herrero García, "Góngora", en *Estimaciones literarias del siglo XVII,* Madrid, 1930, cap. IV, págs. 139-352. Eunice Joiner Gates, "New light on the *Antidoto*", en *PMLA,* XLVI, 1951, págs. 746-764. De la misma, *Documentos gongorinos. Los discursos apologéticos de Pedro Díaz de Rivas. El 'Antídoto' de Juan de Jáuregui,* El Colegio de México, 1960. De la misma, "Los *Comentarios* de Salcedo Coronel a la luz de una crítica de Ustarroz", en *Nueva Revista de Filología Hispánica,* XV, 1961, págs. 217-228. Emilio Orozco, "La polémica de las *Soledades* a la luz de nuevos textos. Las *Advertencias* de Almansa y Mendoza", en *Revista de Filología Española,* XLIV, 1961, págs. 29-62. Del mismo, "Aspectos desconocidos de la polémica de las *Soledades.* Una carta inédita de don Antonio de los Lujantes, amigo de Góngora", en *Miscellanea di studi ispanici,* Pisa, 1962, págs. 105-135. Del mismo, "Las *Soledades* y Lope de Vega. Aspectos desconocidos de una polémica y nuevo índice de textos inéditos", en *Ínsula,* núm. 190, 1962, pág. 1. Del mismo. "Los comienzos de la polémica de las *Soledades* de Góngora. Comentarios y conclusiones ante textos desconocidos", en *Romanisches Jahrbuch,* XIII, 1962, págs. 277-291. Robert James, "L'*Antídoto* de Jáuregui annoté par les amis de Góngora", en *Bulletin Hispanique,* LXIV, 1962, págs. 193-215. C. C. Smith, "Pedro de Valencia's letter to Góngora (1613)", en *Bulletin of Hispanic Studies,* XXXIX, 1962, págs. 90-91.

Menéndez y Pelayo dijo de este libro que era "la mejor y más ingeniosa poética culterana", y Dámaso Alonso afirma que su libro, "aunque tardío", es de los mejores [130].

Aparte estos libros, otros varios comentarios quedaron inéditos, como el arriba mencionado de Pedro Díaz de Rivas. Deben citarse entre ellos los dedicados al *Polifemo* y la censura a las *Lecciones Solemnes* de Pellicer, de Andrés Cuesta, profesor de griego en Salamanca, y los de Manuel Serrano de Paz, que los comenzó en Salamanca siendo estudiante, entre 1618 y 1625, y continuaba trabajando en ellos, cuando, ya viejo, era catedrático de la Universidad de Oviedo.

En la literatura española de su época, a lo largo de todo el siglo XVII y en parte del XVIII, Góngora ejerció un influjo tan decisivo que llegó a crear todo un ambiente literario (en términos ya un tanto inactuales podría decirse que creó una *escuela*, aunque él rechazaba ese tipo de magisterio). A propósito de Lope vimos como éste, en su rivalidad con Góngora, distinguía entre él y la caterva de sus seguidores, que exageraban y corrompían las brillantes audacias del maestro.

La influencia de Góngora se dejó sentir hasta en sus mismos enemigos. Dámaso Alonso asegura que no sería difícil probarlo incluso en Quevedo; y en la obra de Lope se acusó visiblemente el desconcierto que produjo la aparición de los grandes poemas de su rival, de los que recibió no escaso contagio y a los que trató tímidamente de emular. El propio Jáuregui, el más diligente impugnador del nuevo estilo, acogió después en su poema *Orfeo* muchos de los cultismos y complicaciones sintácticas que censuraba en Góngora; inconsecuencia que éste mismo pudo reprocharle.

Como fenómeno general cabe decir que el gongorismo (o, si se quiere, el *culteranismo*, palabra que se usaba con intención peyorativa) produjo en la literatura inmediatamente posterior consecuencias inequívocamente desastrosas. Después de Góngora no cabía sino retroceder, o hundirse en el más estéril de los manierismos; esa condición de "poesía límite" (denominación afortunadísima, que varias veces hemos necesitado repetir) a que había llegado Góngora, no admitía continuadores, como no los admiten las audacias que se arriesgan al borde mismo del exceso. Los que vinieron detrás de Góngora, con excepciones contadísimas, no hicieron, pues, sino despeñar el gusto literario (pues el *culteranismo* invadió, sin excepción, todos los géneros, sin perdonar el teatro ni la oratoria) en la más vacía afectación.

La huella de Góngora fue, en cambio, muy distinta en el campo del lenguaje. Asombra, cuando se leen, por ejemplo, las burlas de Quevedo, en las que recoge listas de palabras usadas por Góngora y que Quevedo aduce como ridículas novedades, comprobar cómo la casi totalidad de esos vocablos for-

---

130 Ha sido publicado por V. García Calderón, en *Revue Hispanique,* tomo LXV, núm. 148.

man hoy parte del léxico más común. Gracias a Góngora nuestro idioma experimentó uno de los más densos enriquecimientos que ha conocido a lo largo de su historia. Dámaso Alonso ha definido exactamente la existencia y las consecuencias de ese fenómeno: "Si Góngora —dice— hubiera sido un escritor normal, si no hubiera desencadenado a su alrededor las más vehementes admiraciones, y, sobre todo, si no hubieran dado sus contemporáneos en imitarle hasta la copia más servil, probablemente esta influencia habría sido nula. Pero el léxico de Góngora llena el vacío de originalidad de la mayor parte de los escritores del siglo XVII... de este modo, la lengua literaria del siglo XVII se sobresatura de cultismos, y cuando se retiran las aguas, cuando en el siglo XVIII cambia el gusto, el milagro está ya hecho: la lengua vulgar ha sufrido las infiltraciones del torrente erudito, y las palabras que escandalizaban a Quevedo han adquirido ya carta innegable de ciudadanía castellana. Así, Góngora actúa como un intermediario que colabora en la salvación del olvido de una buena parte del caudal culto del léxico del Renacimiento; él lo entrega a sus discípulos y admiradores, éstos lo popularizan, el vulgo lo acepta. Y por este procedimiento indirecto el Diccionario de la Lengua Española, aun el más académico, debe no pequeña parte de su esplendor, no pequeño número de sus páginas, al antes proscrito poeta de las *Soledades*" [131].

Sería un error, no obstante, suponer que los efectos positivos de la obra de Góngora son solamente incuestionables en el campo de la lingüística; es igualmente manifiesta la cosecha estética, aunque el efecto pernicioso del aludido amaneramiento acarreado por los malos imitadores ha tenido la fatal virtud de ocultárnosla por mucho tiempo. Gerardo Diego hace notar que el ejemplo de Góngora vino a atenuar la descomposición y enriquecer la lírica al sustituir la ya exhausta armonía clásica del primer Renacimiento por otro sistema de equilibrio que concentraba en la expresión el esfuerzo que antes se ejercía en el llamado fondo o contenido. Y juzgando, en valoración global, la riqueza dejada en herencia a la posteridad por la lírica de Góngora, escribe: "Si suprimimos mentalmente a Góngora de nuestra historia, e intentamos reconstruir hipotéticamente la evolución sin él de nuestra poesía, nos será permitido conjeturar que el hastío de los tópicos renacentistas y el desgaste resobado del lenguaje poético habrían precipitado a la poesía por un plano inclinado de irremediable decadencia. Los escasos ensayos de purismo y tradicionalismo que de la época conocemos no dejan lugar a dudas sobre la limitación de los resultados posibles. El ingenioso y frío conceptismo, el prosaísmo holgazán, y un cierto género de exceso verbal, de fallida retórica figurada —sin la brújula de Góngora— se hubiera sobrado para ahogar y dificultar la auténtica melodía poética. Esto sucedió en otros países donde faltó un ángel, un lucifer como nuestro escarnecido Príncipe; y España no habría de ser más afortunada. Pero el hecho es que Góngora existió y que esos excesos —y defec-

[131] *La lengua poética...*, págs. 119-120.

tos— del consabido mal gusto se le achacan a él, por el delito de ser modelo no comprendido de malos poetas" [132].

OTROS POETAS CULTERANOS

Al hablar de los amigos de don Luis de Góngora mencionamos al conde de Villamediana. Llamábase éste Juan de Tassis Peralta (1582-1622). Fue un caballero famosísimo por su lujo, sus galanteos, su afición al juego y a los caballos y sus punzantes epigramas, con los que zahirió a incontables personajes de la corte. Su real o supuesto enamoramiento de la reina Isabel de Borbón, esposa de Felipe IV, le ha convertido en un personaje legendario, tema de abundantes estudios y protagonista de relatos novelescos y obras teatrales. Conocidísimas son las anécdotas, muy discutidas en su autenticidad, del incendio del teatro de Aranjuez durante la representación de su propia obra, *La gloria de Niquea,* en que Villamediana salvó a la reina llevándosela en brazos, y de la audaz exhibición de sus pretensiones —"son mis amores reales"— en las justas de la Plaza Mayor de Madrid. Villamediana, que había sido desterrado de la corte en dos ocasiones por sus excesos en el juego y sus epigramas contra los ministros, murió asesinado por un desconocido a la puerta de su casa, cuando regresaba de palacio una noche en compañía de don Luis de Haro.

Escribió Villamediana varios poemas extensos: *Fábula de Faetón, de la Fénix, de Europa, de Venus y Adonis,* en los que es patente la huella gongorina. Pero el mejor Villamediana hay que buscarlo en sus sonetos —sus *Obras* publicadas en Zaragoza en 1629 contienen unos doscientos—, en los que emula frecuentemente al propio Góngora y excede al resto de sus discípulos. En estas composiciones, aunque las líneas de su arquitectura recuerdan las del maestro, hay un acento muy personal, una íntima y delicada emoción de honda poesía, que trae más a la memoria la trémula voz de Garcilaso que las marmóreas perfecciones del poeta cordobés. Algunos sonetos conservan, sin embargo, la barroca suntuosidad gongorina, pero en los temas amorosos, especialmente, los versos de Villamediana adquieren una sencilla transparencia, y el forzado artificio cede el puesto a una emocionada intimidad [133].

---

[132] Gerardo Diego, *Antología poética en honor de Góngora,* Madrid, 1927, págs. 55-56 (citado por Walther Pabst, *La creación gongorina...,* cit., pág. 137).

[133] Ediciones: *Poesías,* en *Poetas líricos de los siglos XVI y XVII,* II, BAE, XLII, nueva ed., Madrid, 1950; *Antología poética,* edición de Luis Rosales, Madrid, 1944. Cfr.: Emilio Cotarelo y Mori, *El conde de Villamediana,* Madrid, 1886. Narciso Alonso Cortés, *La muerte del Conde de Villamediana,* Valladolid, 1928. Juan Chabás, "Juan de Tassis", en *Revista de Occidente,* 1928. Gregorio Marañón, "Gloria y miseria del Conde de Villamediana", en *Don Juan,* 4.ª ed., Buenos Aires, 1946, págs. 65-110. Joseph G. Fucilla, "G. B. Marino and the Conde de Villamediana", en *The Romanic Review,* abril de 1941. Luis Rosales, "Notas a las Cartas de Juan de Tassis", en *Escorial,* abril de 1949. Del mismo, "La poesía cortesana", en *Studia Philologica. Homenaje ofrecido a Dámaso*

Pedro Soto de Rojas (1584-1658), granadino, canónigo de San Salvador de dicha ciudad, alternó su cargo eclesiástico con frecuentes estancias en la corte, donde intimó con Góngora, de quien fue ferviente admirador. Su *Desengaño de amor en rimas* (1623) y sobre todo su poema en octavas *Los rayos de Faetón* (1639) acusan en multitud de rasgos la influencia gongorina, recibida en particular de las *Soledades*. El gongorismo de Soto ofrece, en cambio, caracteres muy peculiares, que pueden explicarse por su condición de granadino, y que se advierten sobre todo en su obra más personal, *Paraíso cerrado para muchos, jardines abiertos para pocos*, publicada en 1652. Su poesía es, en efecto, de fuentes y jardines, sensual y delicada, de versos sonoros y esmaltados, enamorada de preciosismos. Si hasta en el empleo de la silva nos trae el recuerdo de las *Soledades*, "y casi no hay metáfora o artificio estilístico que no tenga su paralelo en Góngora", es también cierto que la espléndida dureza gongorina se trueca en las manos de Soto en delicada minuciosidad de orfebre [134].

Gabriel Bocángel y Unzueta (1603-1658) fue, al tiempo que seguidor de Góngora, gran amigo de Jáuregui y de Lope. De éste, a quien dedicó su *Fábula de Leandro y Ero*, inserta en *Rimas y Prosas* (1627), recibió también notable influjo, según afirma su moderno editor Benítez Claros. Pero es innegable en su poesía la huella de Góngora, a quien sigue no sólo en el empleo de cultismos y en sus construcciones sintácticas, sino hasta en fórmulas estilísticas que Jáuregui reprochaba a Góngora por su pertinaz repetición. El magisterio gongorino es igualmente visible en su maestría para la creación de audaces metáforas [135].

También la amistad con Lope y Cascales y sus críticas contra el cultismo en las *Academias del Jardín* (1630) parecen disimular el gongorismo del murciano Salvador Jacinto Polo de Medina (1603-1676). Con todo, este poeta se

---

Alonso, vol. III, Madrid, 1963, págs. 287-335. *El conde de Villamediana. Bibliografía* por Juan Manuel Rozas, Cuadernos Bibliográficos, núm. 11, C. S. I. C., Madrid.

[134] *Obras*, edición de A. Gallego Morell, Madrid, 1950. Cfr.: F. Rodríguez Marín, "Documentos sobre Pedro Soto de Rojas", en *Boletín de la Real Academia Española*, V, 1918, pág. 199. A. Gallego Burín, *Un poeta gongorino. Don Pedro Soto de Rojas*, Granada, 1927. Rafael de Balbín Lucas, "Pa Poética de Soto de Rojas", en *Revista de Ideas Estéticas*, 1944, págs. 91-100. A. Gallego Morell, "Pedro Soto de Rojas", en *Boletín de la Universidad de Granada*, XX, 1948. Del mismo, "Nuevos documentos para la biografía de Soto de Rojas", en *Boletín de la Real Academia Española*, XXIX, 1949, páginas 511-516.

[135] *Obras de Gabriel de Bocángel y Unzueta*, edición de Rafael Benítez Claros, Madrid, 1946. *Textos dispersos de Bocángel*, edición de J. Simón Díaz, en *Revista de Literatura*, XV, 1959, págs. 112-121. Cfr.: J. M. Alda Tesán, "Bocángel y la *Fábula de Hero y Leandro*", en *Escorial*, XVIII, 1945, págs. 89-133. Del mismo, "Bocángel y su obra poética", en *Boletín de la Biblioteca Menéndez y Pelayo*, XXIII, 1947, págs. 5-28. Rafael Benítez Claros, "*El cortesano discreto* de don Gabriel Bocángel", en *Revista de Bibliografía Nacional*, VI, 1945, págs. 211-226. Del mismo, *Vida y poesía de Bocángel*, anejo núm. 3 de *Cuadernos de Literatura*, Madrid, 1950.

asimiló perfectamente los procedimientos que decía combatir, y en sus obras serias —*Ocios del Jardín,* además de la colección citada— se revela como un innegable discípulo de Góngora. Cultivó asimismo la poesía satírica y burlesca, en la que fue muy celebrado; sus epigramas y romances burlescos apenas admiten competencia. Escribió también con la misma fortuna parodias de temas mitológicos. La prosa satírica es otra de las variadas facetas de este escritor: *El hospital de incurables, viaje de este mundo al otro* (1667), con claro influjo de los *Sueños* de Quevedo, es en este campo su exponente principal [136].

Francisco de Trillo y Figueroa (nacido en La Coruña hacia 1620 y muerto en Granada en 1680) puede considerarse como un rebrote tardío del gongorismo. Al igual que Polo de Medina, Trillo y Figueroa cultivó indistintamente la poesía seria y la festiva, y en ambas siguió tan de cerca los pasos del maestro, que algunas de sus composiciones —en epecial romances y letrillas de tono satírico— se confundieron con las de aquél y hasta fueron recogidas como de Góngora en ciertas ediciones. De Góngora toma, en efecto, constantemente giros, léxico, fórmulas estilísticas, hipérbaton, temas e ideas; e incluso versos completos que mezcla con los suyos. Sus obras fueron recogidas en un volumen titulado *Poesías varias, heroicas, satíricas y amorosas* (Granada, 1652). Trillo fue también autor de un poema épico, la *Neapolisea,* en honor del Gran Capitán, donde todavía acentúa más su herencia culterana [137].

Entre los impugnadores de don Luis de Góngora hemos mencionado arriba al sevillano Juan de Jáuregui (su nombre completo era Juan Martínez de Jáuregui y Hurtado de la Sal: 1583-1641), pintor y crítico además de poeta; pero su obra puede demostrar en qué medida entraban en la corriente culterana muchos escritores que la combatían teóricamente. En Jáuregui hay un primer período caracterizado por el influjo italiano recibido durante su larga estancia en Roma. En esta época es un poeta de gusto clásico, modelado en la imitación de los grandes renacentistas de aquel país. Tradujo entonces la *Aminta* del Tasso y escribió numerosas poesías, sagradas y profanas, que reunió en un volumen titulado *Rimas* (Sevilla, 1618); le antepuso un prólogo doctrinal, en que resumía lo que constituía por entonces su ideología literaria. Entre las

136 *Poesías,* en *Poetas líricos de los siglos XVI y XVII,* II, BAE, XLII, nueva ed., Madrid, 1950. *Obras,* edición de A. González Palencia, Madrid, 1944. *Obras escogidas de Salvador Jacinto Polo de Medina,* edición de José M.ª de Cossío, en Los Clásicos Olvidados, Madrid, 1931. Cfr.: Mariano Baquero Goyanes, *Salvador Jacinto Polo de Medina,* Murcia, 1953.

137 *Poesías,* en *Poetas líricos de los siglos XVI y XVII,* II, BAE, XLII, nueva ed., Madrid, 1950. *Obras,* edición de A. Gallego Morell, Madrid, 1951. Cfr.: Emilio Orozco Díaz, "Un poema de Trillo Figueroa desconocido", en *Boletín de la Universidad de Granada,* XII, 1940. A. Gallego Morell, *Francisco y Juan de Trillo y Figueroa,* Publicaciones de la Universidad de Granada, 1950. Del mismo, "Un romance de Trillo Figueroa y otro romance contra Trillo Figueroa", en *Boletín de la Real Academia Española,* XXXII, 1952. Robert James, "L'imitation poétique chez Francisco de Trillo y Figueroa", en *Bulletin Hispanique,* LVIII, 1956.

poesías sagradas merecen citarse algunas paráfrasis de salmos; y entre las profanas la canción "El Silencio" y "Acaecimiento amoroso". Hizo también algunas traducciones de Horacio y de Marcial. Jáuregui trajo asimismo de Italia el gusto por el verso suelto, cultivado antes con escasa fortuna por algunos poetas españoles: amante de la forma purísima —dice Menéndez y Pelayo— y sin velo de la poesía antigua, se indignaba contra las rudas orejas "que pierden la paciencia si no sienten a ciertas distancias el porrazo del consonante".

En su aproximación al gongorismo influyó muy probablemente la lectura de Lucano, cuya *Farsalia* tradujo magistralmente en brillantes y vigorosas estrofas, pletóricas de color y movimiento. Jáuregui caló a la perfección el carácter del estilo de Lucano, que sólo podía transportarse con fidelidad al español a través de la suntuosidad barroca que antes había despreciado y que ahora empleaba. El poema *Orfeo* (Madrid, 1624), según dejamos dicho, responde plenamente a su nueva estética. Otra muestra de su evolución fue la *Apología por la verdad,* escrita en defensa de Paravicino, el gran amigo de Góngora y principal representante de la oratoria barroca [138].

No pertenece a este lugar el tratar del gran influjo que la poesía gongorina ejerció en la vecina Portugal [139], aunque la inmensa mayoría de estos seguidores escribieron en lengua castellana, ni podemos tampoco detenernos en la difusión del influjo de Góngora por tierras de América. Por su especial importancia vamos tan sólo a mencionar a una extraordinaria escritora, Sor Juana Inés de la Cruz, nacida en 1651 en una alquería próxima a la ciudad de Méjico. Fue esta mujer un asombroso caso de precocidad, de afán de saber y de autodidactismo. A los catorce años era ya tan famosa por su saber y por sus poesías así como por su belleza, que la marquesa de Mancera, esposa del virrey, la invitó a vivir en palacio como dama de corte. A los dieciséis ingresó de novicia en la orden carmelitana, pero la severidad de la regla la hizo regresar al palacio de los virreyes. Un año más tarde entró en la orden jerónima, cuya vida conventual no suponía una reclusión excesiva. Gozó de extraordinaria consideración y la visitaban y consultaban hasta los personajes más importantes. Al cumplir los cuarenta años Sor Juana abandonó los estu-

---

[138] *Poesías,* en *Poetas líricos de los siglos XVI y XVII,* II, BAE, XLII, nueva ed., Madrid, 1950. *Orfeo,* edición de Pablo Cabañas, Madrid, 1948. *Textos dispersos de Jáuregui,* edición de J. Simón Díaz, en *Revista de Literatura,* XVII, 1960, págs. 133-142. Cfr.: A. Lasso de la Vega, "*Aminta,* fábula pastoril (Tasso y Jáuregui)", en *Revista Contemporánea,* XCVIII, 1895. Francisco López Estrada, "Un inmediato comentario de las *Rimas* de Jáuregui", en *Archivo Hispalense,* XXII, 1955. Del mismo, "Las *Rimas* de Jáuregui comentadas en Madrid el año de su aparición", en *Archivum,* IV, 1954. Juan Millé y Giménez, "Jáuregui y Lope", en *Boletín de la Biblioteca Menéndez y Pelayo,* 1926, núm. 2. Pablo Cabañas, *El mito de Orfeo en la literatura española,* anejo núm. 1 de *Cuadernos de Literatura,* Madrid, 1950.

[139] Cfr.: José Ares Montes, *Góngora y la poesía portuguesa del siglo XVII,* Madrid, 1956.

dios que tanto le apasionaban (se le había llegado a prohibir la lectura de sus libros por considerar aquella dedicación excesiva para una mujer; aunque sólo fue por breve tiempo) y se entregó de lleno a la oración y a la caridad. Vendió su biblioteca de 4.000 volúmenes y sus instrumentos científicos y musicales para ayudar a los pobres. Se declaró una peste en su ciudad, y cuidando a sus hermanas de religión contrajo el mal, del que murió en 1694.

Escribió Sor Juana dos comedias al estilo de Calderón: *Amar es más laberinto,* en colaboración con un primo suyo, y *Los empeños de una casa,* y autos sacramentales, como *Divino Narciso.* Pero su producción de mayor interés pertenece a la lírica. Su obra de más empeño es un largo poema —casi un millar de versos— titulado *Primero sueño,* a la manera de las *Soledades* de Góngora, ponderado con entusiasmo por Vossler. Es obra ésta de enrevesado, y a veces oscuro, pensamiento; describe la noche y el sueño durante el cual el espíritu se purifica y eleva hasta la contemplación del Universo y trata de penetrar sus leyes; pero llega al alba sin conseguirlo en este "primer" sueño, cuya solución quedaba probablemente confiada a otro "segundo", que no fue escrito. Otras poesías compuso también inspiradas en motivos intelectuales o en temas mitológicos, pero su voz más personal se encuentra en los poemas amorosos de su juventud, o en los que analiza su vocación religiosa o sus sentimientos desilusionados ante la vanidad de la vida. Su preocupación intelectual y su cuidada elaboración formal, en cuyos artificios se encuentran tantas reminiscencias de la lírica gongorina, no ahogan su humano y hondo sentimiento delicadamente femenino, su sincera ternura. En sus composiciones religiosas hay ecos de nuestros grandes místicos, en especial de San Juan de la Cruz, con su mezcla sutil de misticismo y sensualidad. Cultivó Sor Juana gran variedad de combinaciones métricas, pero destacó en la canción y sobre todo en el soneto. Escribió asimismo deliciosos villancicos, para los cuales se supone que también compuso la música [140].

---

[140] *Obras Completas,* en Clásicos de México, Madrid, 1940. *Obras,* edición de Méndez Plancarte, en Fondo de Cultura, 2 vols., México, 1953-1954. *Poesía y teatro,* selección y prólogo de Matilde Muñoz, Madrid, 1946. Cfr.: Pedro Henríquez-Ureña, "Bibliografía de Sor Juana Inés de la Cruz", en *Revue Hispanique,* 1917. Dorotea Schons, *Bibliografía de sor Juana Inés de la Cruz,* México, 1927. Emilio Carilla, "Sor Juana. Ciencia y poesía. Sobre el *Primero sueño*", en *Revista de Filología Española,* XXXVI, 1952. Del mismo, *El gongorismo en América,* Buenos Aires, 1946. José M.ª de Cossío, "Observaciones sobre la vida y obra de Sor Juana Inés de la Cruz", *Boletín de la Real Academia Española,* XXXII, 1952. Jesús Juan Garcés, *Vida y poesía de sor Juana Inés de la Cruz,* Madrid, 1953. Julio Jiménez Rueda, *Sor Juana Inés de la Cruz en su época,* México, 1951. Alfonso Junco, *El amor de Sor Juana,* México, 1951. José M.ª Pemán, "Sinceridad y artificio en la poesía de Sor Juana Inés de la Cruz", en *Boletín de la Real Academia Española,* XXXII, 1952 C[illegible] los [illegible]ler, *La décima musa de Méjico* (trad. española), Buenos Aires, 1938.

LA LÍRICA NO GONGORINA

LA REACCIÓN CLÁSICA Y LA LÍRICA POPULAR

A pesar del enorme influjo que ejerce la personalidad de Góngora, no toda la lírica del siglo XVII camina tras sus huellas ni se entrega al cultivo del preciosismo culto, aunque —inequívocamente— sea ésta la actitud más característica y la que define el perfil de la centuria. Ya hemos visto la existencia de una fuerte corriente de oposición, particularmente teórica, y bastaría recordar el flujo torrencial de la lírica lopista, que basta por sí sola para probar la vigencia de todas las formas líricas populares y tradicionales, en su más amplia variedad. A la par de Lope, y por caminos personales o bajo el signo de otras influencias, se producen otras corrientes líricas que prolongan la dirección clasicista del siglo anterior. Suelen calificarse habitualmente de "reacción" antigongorina; pero creemos que más que de reacción debe hablarse de pervivencia, puesto que caminan paralelas a la corriente culterana, sin aceptar —o muy ligeramente en ciertos casos— su contagio. Estos poetas "clásicos" aparecen especialmente en torno a dos centros geográficos: Sevilla y Aragón, formando como dos grupos, llamados con más o menos propiedad "escuelas". Y sigue cultivándose también la lírica tradicional, en particular la religiosa, en su forma más llana y popular.

EL GRUPO SEVILLANO

Poseen todos los poetas de este grupo ciertas notas comunes. En cuanto a los temas se echa de ver a modo de un cansancio vital, un sostenido sentimiento de desengaño ante la vida, que enraíza con la vieja herencia de Séneca y la insistente nota ascética de los escritores religiosos del quinientos, pero que se presenta a la vez con rasgos nuevos. El pesimismo y el desaliento son barrocos también, y por esta vertiente son hombres de sus días; mas diríase que su pesimismo lo es de elaboración literaria, o al menos se basa en motivos de esta índole. Resulta curioso que casi todos estos poetas muestran una especial sensibilidad ante las ruinas, que cantan con nostalgia de poetas, pero que examinan con curiosidad de arqueólogos; y de esta visión, propia de eruditos, extraen el germen de lo que no sería muy inexacto calificar de melancolía romántica. Asimismo el paisaje y las bellezas de la naturaleza les brindan otros motivos de contraste para cantar la caducidad de lo terreno.

Por lo que respecta al estilo, domina en todos ellos una equilibrada serenidad del mejor corte clásico, pero pulida y abrillantada por mesurados esplendores de tradición sevillana, en los que fácilmente se rastrea la huella de Herrera, aunque sin la altivez de su pompa, que no podía avenirse con su temática. Carácter común es la exigente lima a que someten sus versos, rigurosamente trabajados, sin sombra de improvisación[141].

Francisco de Rioja (1583-1659). Nacido en Sevilla, fue un erudito de largos estudios y profundos conocimientos. Era canónigo de su ciudad natal, pero vivió mucho tiempo en la corte como bibliotecario del rey, cronista de Castilla y consejero de la Inquisición. Gran amigo del conde-duque de Olivares, le acompañó al destierro; volvió luego a Sevilla y más tarde a Madrid, donde murió[142].

Escribió algunas obras en prosa, entre ellas una defensa de Olivares, pero toda su importancia está en sus poesías. Durante mucho tiempo se le atribuyeron la *Canción a las ruinas de Itálica* y la *Epístola moral a Fabio,* paternidad de la que la crítica moderna le ha desposeído. Con ello, su prestigio tradicional ha sufrido grave disminución, pero, con todo, su obra sigue siendo importante, aunque no demasiado extensa. Escribió Rioja unos treinta sonetos amorosos y algunos menos de carácter filosófico, cuyo tema capital es la brevedad de la vida e inestabilidad de la fortuna. Varios de ellos se dirigen a árboles o plantas —"A la vid", "A unos álamos blancos", "A un fresno"—; algunos al Guadalquivir; dos, muy notables, "A las ruinas de la Atlántida" y "A Itálica", que testimonian la aludida afición por las ruinas, aun no siendo suya la *Canción* famosa. El gusto por los motivos arqueológicos y el recuerdo de viejas ciudades destruidas se evidencia en muchos pasajes de su obra; así, el soneto que comienza:

Date en qué ejercitar el sufrimiento
Y la grandeza de ánimo fortuna...

acabado con este terceto:

Pues la ínclita Sagunto, por sufrida,
Más que a sus fuertes muros y a su gente,
Debe a la adversidad su alta memoria[143].

---

141 Cfr.: Francisco López Estrada, "Datos para la poesía sevillana", en *Archivo Hispalense,* XXII, 1955.

142 *Poesías,* en *Poetas líricos de los siglos XVI y XVII,* I, BAE, XXXII, nueva ed., Madrid, 1950. Cfr.: S. Montoto, "Las capellanías del poeta Francisco de Rioja", en *Boletín de la Real Academia Española,* XXXI, 1951. P. Rubio Lemus, "Una obra inédita de Francisco de Rioja", en *Boletín de la Real Academia Española,* XXV, 1946. José M.ª de Cossío, "Cuatro poetas ante las flores (Rioja, Polo de Medina, C. Coronado y Amós de Escalante)", en *Finisterre,* núm. 42, 1948. Blanca González de Escandón, *Los temas del 'carpe diem' y la brevedad de la vida en la poesía española,* Barcelona, 1938. Pedro Henríquez-Ureña, "Rioja y el sentimiento de las flores", en *Plenitud de España,* Buenos Aires, 1940. Alberto Sánchez, *Poesía sevillana en la Edad de Oro,* Madrid, 1948.

143 Ed. *Poetas líricos...,* cit., pág. 379.

Con mayor maestría que el soneto maneja Rioja, sin embargo, la silva. Son notables la dirigida *Al verano*, en que invita a aprovechar el tiempo en el trabajo, y le ruega que se detenga para demorar la llegada de otras estaciones, unidas a la destrucción y el dolor; *Al fuego, A la riqueza*. Pero ninguna tan justamente famosa como las silvas *A la rosa, Al clavel, A la rosa amarilla, Al jazmín, A la arrebolera*, por las cuales ha merecido Rioja ser llamado el "poeta de las flores". De acuerdo con su propósito moral, el poeta aprovecha la fugacidad de su hermosura para elevarla a símbolo de lo caduco de la vida y de la gloria humanas. Quizá ninguna de estas composiciones tan conocida, ni tan bella, como la de "la rosa":

Pura, encendida rosa,
Émula de la llama,
Que sale con el día,
¿Cómo naces tan llena de alegría,
Si sabes que la edad que te da el cielo
Es apenas un breve y veloz vuelo?
Y ni valdrán las puntas de tu rama
Ni tu púrpura hermosa
A detener un punto
La ejecución del hado presurosa.
....

Para las hojas de tu crespo seno
Te dio Amor de sus alas blandas plumas,
Y oro de su cabello dio a tu frente.
¡Oh fiel imagen suya peregrina!
Bañóte en su color sangre divina
De la deidad que dieron las espumas;
Y esto, purpúrea flor, y esto ¿no pudo
Hacer menos violento el rayo agudo?
....

Tan cerca, tan unida
Está al morir tu vida,
Que dudo si en sus lágrimas la aurora
Mustia, tu nacimiento o muerte llora[144].

La obra de Rioja es un modelo de sobriedad, de justa y estudiada adjetivación. Pero bajo esta serenidad, un tanto cerebral, late una fibra apasionada, que estalla en bellas imágenes.

Rodrigo Caro (1573-1647) nació en Utrera y estudió en Osuna y en Sevilla, donde ejerció de abogado y vivió la mayor parte de su vida. Fue también

---

[144] Ídem, íd., pág. 381.

sacerdote y desempeñó cargos importantes en su Arzobispado. Caro era principalmente un erudito y un arqueólogo; apasionado de los libros y las antigüedades, reunió una selecta biblioteca y un museo. Escribió varias obras de su especialidad, que le granjearon gran estima entre los doctos: sus *Antigüedades de Sevilla y Chorographya de su convento jurídico* revelan grandes conocimientos de historia y epigrafía; los *Días geniales o lúdricos* es obra capital del folklore español y especialmente de Sevilla; los *Varones insignes en letras de Sevilla* constituyen una serie de apuntes biográficos de famosos escritores sevillanos, desde San Isidoro a sus contemporáneos: Pedro Mexía, Mal-Lara, Herrera, etc.; a su Utrera natal dedicó también obras de gran interés: *Relación de las inscripciones y antigüedades* y *Memorial de Utrera.*

Como poeta, Caro es autor de unos pocos sonetos y de una silva *A la villa de Carmona,* de escaso mérito, que nunca le hubieran dado la celebridad. Pero la atribución, incontrovertible, de la *Canción a las ruinas de Itálica* le colocó de una vez entre los líricos más estimados. Esta composición fue primeramente atribuida a Rioja por Juan José López de Sedano que la descubrió, y publicó en su *Parnaso Español.* Más tarde se supuso que había sido escrita por Caro, pero corregida y mejorada por Rioja. Finalmente, don Aureliano Fernández Guerra en un informe leído ante la Academia demostró que Caro era el autor único [145].

Se conocen de la *Canción* cinco redacciones [146], todas ellas distintas, y correspondientes a diversas fechas bastante distanciadas (la publicada por Se-

---

[145] *La "Canción a las ruinas de Itálica", ya original, ya refundida, no es de Francisco de Rioja,* informe publicado en las Memorias de la Real Academia Española, año I, tomo I, Madrid, 1870. págs. 175-200. Véase el desarrollo del problema en *Poetas de los siglos XVI y XVII,* selección de P. Blanco Suárez, Biblioteca Literaria del Estudiante, Madrid, 1933, págs. 280-283.

[146] Se encuentran todas ellas en la citada selección de Blanco Suárez, págs. 284-306. Otras ediciones de Rodrigo Caro: *"Canción a las Ruinas de Itálica", del licenciado Rodrigo Caro,* con introducción, versión latina y notas por Miguel Antonio Caro, publicadas por José Manuel Rivas Sacconi, Bogotá, 1947, Publicaciones del Instituto Caro y Cuervo, II. *Obras en prosa* (sólo comprende *Adiciones al Convento Jurídico de Sevilla, Carta sobre los Dioses antiguos de España* y *De los nombres y sitios de los vientos*), en Memorial Histórico Español, I, 1851. *Obras Inéditas de Rodrigo Caro,* edición de la Sociedad de Bibliófilos de Sevilla, 1883. *Varones insignes en letras de Sevilla* y *Epistolario,* edición de S. Montoto, Sevilla, 1915. Cfr.: M. Menéndez y Pelayo, *Vida y escritos de Rodrigo Caro,* introducción a la edición de las *Obras Inéditas,* cit.; reproducida en *Estudios y discursos de crítica histórica y literaria,* edición nacional, vol. II, págs. 161-196. S. Montoto, *Rodrigo Caro. Estudio biográfico y crítico,* Sevilla, 1915. A Sánchez y Sánchez-Castañer, *Rodrigo Caro. Estudio biográfico y crítico,* Sevilla, 1914. M. Morales, *Rodrigo Caro. Bosquejo de una biografía íntima,* Sevilla, 1947. Antonio García Bellido, "Rodrigo Caro. Semblanza de un arqueólogo renacentista", en *Archivo Español de Arqueología,* XXIV, 1951. E. M. Wilson, "Sobre la *Canción a las ruinas de Itálica* de Rodrigo Caro", en *Revista de Filología Española,* XXIII, 1936, págs. 379-396. J. Álvarez y Sáenz de Buruaga, "Las ruinas de Emérita y de Itálica a través de Nebrija y de Rodrigo Caro", en *Revista de Estudios Extremeños,* 1949, págs. 564-579. Agustín del Campo,

dano, reproducida en casi todas las colecciones, se supone que es la quinta; en todo caso se considera la más acabada y perfecta). Esto demuestra que Caro, enamorado de su tema, pero descontento de su logro poético, volvió sobre él una y otra vez, con paciente insistencia, no sólo limando detalles, sino sustituyendo estancias completas, hasta lograr la versión que dejó como definitiva. Evidentemente Caro no era un poeta que actuaba bajo inspirados soplos de las musas; pero constituye una prueba óptima de cómo la lima y el esfuerzo pueden lograr una obra de arte. El tema carecía de toda novedad; la elegía ante una ruinas se había repetido en todo tiempo, y entre los mismos contemporáneos casi no había poeta que no hubiese dedicado la suya, fuese a Cartago, a Roma, o a Sagunto, y hasta la misma Itálica conocía dos sonetos: uno de Medrano, de arranque muy similar a la *Canción*:

Estos de rubia mies campos ahora
fueron un tiempo Itálica; este llano
fue templo...

y el ya citado de Rioja. Pero el acierto de Caro consiste —como en tantos casos parecidos— en expresar una idea común, puesta al alcance de cualquiera, con las palabras más apropiadas y rotundas; el sentimiento de nostalgia ante una grandeza destruida encontraba expresión feliz en la pluma de aquel arqueólogo erudito, capaz de extasiarse con amor ante las ruinas:

De su invencible gente
sólo quedan memorias funerales,
donde erraron ya sombras de alto ejemplo.
Este llano fue plaza, allí fue templo;
de todo apenas quedan las señales.
Del gimnasio y las termas regaladas
leves vuelan cenizas desdichadas.
Las torres que desprecio al aire fueron
a su gran pesadumbre se rindieron [147].

Andrés Fernández de Andrada y la "Epístola Moral a Fabio". También Sedano en su *Parnaso Español* publicó por vez primera la composición llamada *Epístola Moral a Fabio,* que atribuyó a Bartolomé Leonardo de Argensola. Uno de los manuscritos en que se conserva la *Epístola,* y que la atribuía también al citado escritor, lleva una nota marginal en la que se afirma, con el testimonio del propio Bartolomé, que la composición no es de éste, y el anónimo informante asegura entonces por su cuenta que su autor fue don Fran-

"Problemas de la *Canción a Itálica*", en *Revista de Filología Española,* XLI, 1957, páginas 47-139. Del mismo, "Ocios literarios y vida retirada de Rodrigo Caro", en *Studia Philologica. Homenaje ofrecido a Dámaso Alonso,* I, 1960, págs. 269-275.

[147] Edición Blanco Suárez, cit., pág. 298.

cisco de Medrano. El padre Estala, que siguió primeramente la opinión de Sedano, atribuyó después la *Epístola* a Francisco de Rioja (*Poesías inéditas de Francisco de Rioja y otros poetas andaluces,* 1797), atribución que hizo fortuna y que todavía hay quien repite. Finalmente, el erudito andaluz don Adolfo de Castro, en un trabajo publicado en Cádiz en 1875 —*La Epístola Moral a Fabio no es de Rioja. Descubrimiento del autor verdadero*— demostró que ésta era del capitán Andrés Fernández de Andrada, afirmación que Menéndez y Pelayo en *Las cien mejores poesías líricas de la lengua castellana* acogió con reservas. En nuestros días Dámaso Alonso ha demostrado con irrebatibles razones que fue, en efecto, Fernández de Andrada el autor de la *Epístola Moral* [148]. Nada apenas se sabe de este escritor. Solamente se conserva de él un fragmento de silva compuesta con ocasión de la toma de Larache (1610), conservado entre los versos de Rioja. Éste debía estimarle lo bastante como para dedicarle la silva *Al verano,* aunque más tarde, misteriosamente, le retiró la dedicatoria. Dámaso Alonso ha descubierto la existencia en Méjico de un contador de bienes de difuntos, homónimo del autor de la *Epístola*; pero le ha sido imposible hasta el momento averiguar si se trata o no del mismo personaje. Y en este punto se encuentra la cuestión.

Como en el caso de Rodrigo Caro, pero con mucho mayores méritos todavía, una sola composición ha bastado para situar a su autor entre las cumbres de nuestra lírica. Y de nuevo, como sucede en la *Canción,* la *Epístola* no hace sino barajar lugares comunes, que siglos y siglos de tradición senequista, de ascetismo cristiano, de humanas experiencias tan viejas como el mundo, habían decantado en centenares de versos y en prosas de todos los matices. Es innecesario, pues, buscarle precedentes a la *Epístola,* porque se hallaban por doquier, ni ponderar la excelencia y profundidad de sus conceptos, porque estaban ya bien probados. Lo que hizo Andrada, con toda esa herencia de ideas y de sabiduría moral que proclamaban la vanidad de todo, fue encerrarla en unas docenas de tercetos maravillosamente impecables, en que las cosas se dicen con la palabra insustituible, con la imagen más sugeridora pero a la vez más sencilla y natural, como si brotaran de un misterioso venero, sin esfuerzo. Porque quizá esto es lo más notable de la composición: la naturalidad y sencillez con que el autor desliza las más felices expresiones como a media voz, sin darle importancia, sin pompa ni suficiencia alguna. La *Epístola* entera, del primero al último verso, fluye como una melodía de notas suaves,

---

[148] Dámaso Alonso, *Dos españoles del siglo de oro... El Fabio de la 'Epístola Moral',* Madrid, 1960. Un excelente resumen del problema, hasta las investigaciones de Dámaso Alonso, puede verse en la citada "selección" de Blanco Suárez, págs. 307-315. Cfr. además: Luis Cernuda, "Tres poetas metafísicos (Manrique, Aldana y el autor de la 'Epístola Moral')", en *Insula,* núm. 38, 1948. Arnold H. Weis, "Metáfora e imagen en la 'Epístola Moral a Fabio' ", en *Clavileño,* núm. 13, 1952. Dámaso Alonso y Stephen Reckert, "La *Epístola Moral* (de Andrés Fernández de Andrada) y Medrano", en *Vida y obra de Medrano,* II, Madrid, 1958, págs. 372-384.

sin una sola estridencia; no la hay ni en su tono ni en sus conceptos, pero tampoco en la "materia" de sus versos, que se deslizan con portentosa suavidad, sin hiatos ni forzadas diéresis. Evidentemente el poeta ha tenido que perseguir con esfuerzo tenaz tan exquisita perfección, pero de ésta forma parte el que el esfuerzo no se advierta.

Difícil es destacar pasajes de la *Epístola*; he aquí su comienzo:

> *Fabio, las esperanzas cortesanas*
> *prisiones son do el ambicioso muere*
> *y donde al más activo nacen canas.*
> *El que no las limare o las rompiere,*
> *ni el nombre de varón ha merecido,*
> *ni subir al honor que pretendiere.*

La invitación a la "dorada medianía" cantada por Horacio y fray Luis, se repité una y otra vez en la *Epístola*:

> *Busca, pues, el sosiego dulce y caro,*
> *como en la oscura noche del Egeo*
> *busca el piloto el eminente faro;*
> *que si acortas y ciñes tu deseo*
> *dirás: "Lo que desprecio he conseguido";*
> *que la opinión vulgar es devaneo.*
> *Más quiere el ruiseñor su pobre nido*
> *de pluma y leves pajas, más sus quejas,*
> *en el monte repuesto y escondido,*
> *que agradar lisonjero las orejas*
> *de algún príncipe insigne, aprisionado*
> *en el metal de las doradas rejas.*
> ....
> *Un ángulo me basta entre mis lares,*
> *un libro y un amigo, un sueño breve,*
> *que no perturben deudas ni pesares.*
> ....
> *¡Cuán callada que pasa las montañas*
> *el aura, respirando mansamente!*
> *¡Qué gárrula y sonora por las cañas!...*
> *Quiero imitar al pueblo en el vestido,*
> *en las costumbres sólo a los mejores,*
> *sin presumir de roto y mal ceñido...*
> *Una mediana vida yo posea,*
> *un estilo común y moderado,*
> *que no le note nadie que le vea...*

La eterna ciencia de la brevedad de todo adquiere en los versos de Andrada definitiva expresión:

> *¿Qué es nuestra vida más que un breve día,*
> *do apenas sale el sol, cuando se pierde*
> *en las tinieblas de la noche fría?*
> *¿Qué más que el heno, a la mañana verde,*
> *seco a la tarde?...*

Aludimos arriba a la felicidad de muchas imágenes: véase ésta, insuperable:

> *Sin la templanza ¿viste tú perfeta*
> *alguna cosa? ¡Oh muerte!, ven callada,*
> *como sueles venir en la saeta...* [149].

Dos poetas de tono menor completan el "grupo sevillano". Juan de Arguijo (1567-1623), nacido en Sevilla, hombre de gran fortuna y protector de escritores, es poeta de inequívoco gusto clásico, a quien las nuevas corrientes literarias ya no llegaron a afectarle. No puede decirse exactamente que sea una supervivencia de la vieja generación, puesto que Arguijo, el más viejo de este grupo, pertenece cronológicamente a ella; la renovación gongorina, en su momento culminante, le alcanza ya en el declive de su edad y con su obra prácticamente cumplida. Arguijo es, sobre todo, constructor de sonetos, que lima con gran cuidado, pero que llena con exceso de retórica clásica. La mayoría de sus temas pertenecen a la mitología grecorromana, o a su historia —"A Baco", "Júpiter a Ganímedes", "Psiquis a Cupido", "Apolo a Dafne", "A Sísifo", "Narciso", "Ulises", "A Rómulo", "A Lucrecia", "A Julio César mirando la cabeza de Pompeyo"— o son de intención filosoficomoral —"Al tiempo", "Las estaciones", "La avaricia", "La tempestad y la calma"—. Perfecto en su forma, su exquisita y elaborada plasticidad resulta con frecuencia demasiado fría y estudiada; no obstante, consigue muchos aciertos de expresión. Recuérdese el último terceto del soneto "La avaricia":

> *¿cómo de muchos Tántalos no miras*
> *ejemplo igual? Y si codicias uno,*
> *mira el avaro en sus riquezas pobre.*

O los dos últimos de "Al Guadalquivir en una avenida":

> *claro Guadalquivir, si impetuoso*
> *con crespas ondas y mayor corriente*
> *cubrieres nuestros campos mal seguros,*

---

149 Edición Blanco Suárez, cit.

de la mejor ciudad, por quien famoso
alzas igual al mar la altiva frente,
respeta humilde los antiguos muros.

Arguijo, que era excelente músico, dedicó una bella y sentida canción "A la vihuela" [150].

Pedro de Quirós, nacido a fines del siglo XVI y fallecido en Madrid en 1667, pertenece, en cambio, al momento más joven de su grupo. Fue poeta bastante fecundo y cultivó las formas más variadas, pero destaca como sonetista. También le tentaron las ruinas y dedicó el ya inevitable soneto "A Itálica" —"Itálica ¿do estás? ¡Tu lozanía / rendida yace al golpe de los años..."—. Tiene algunas bellas composiciones religiosas y traducciones de himnos eclesiásticos [151].

LA ESCUELA ARAGONESA

La "escuela aragonesa" cuenta con dos notables representantes: los hermanos Argensola —Lupercio y Bartolomé—, unidos no sólo por la sangre, sino por estrecha comunidad de aficiones y tendencias literarias. Lope dijo de ellos que "parece que vinieron de Aragón a reformar en nuestros poetas la lengua castellana" [152], y la frase, que ha hecho fortuna, es cita inevitable. Lope, herido por la marea culterana, al ponderar la poesía de los hermanos aragoneses arrimaba el ascua a su sardina, pues no tanto elogiaba la lírica clasicista de aquéllos como dirigía un ataque a su rival. Las palabras de Lope fueron particularmente aireadas por la crítica del pasado siglo, mientras persistía la incomprensión hacia la poesía de Góngora. Hoy es imprescindible señalar lo que había de interesado en el elogio de Lope y —cualquiera que sea el mérito real de los Argensola— hay que residenciarlo en el apartado de la mera anécdota literaria. De parecida condición fue la alabanza que dedicó Cervantes a las tragedias clásicas de Lupercio, en las que veía equivocadamente un antídoto del teatro lopista.

Lupercio Leonardo de Argensola, el mayor de los dos hermanos, nació en Barbastro en 1559. Fue secretario del duque de Villahermosa y luego de la

---

[150] *Poesías,* en *Poetas líricos de los siglos XVI y XVII,* II, BAE, XLII, nueva ed., Madrid, 1950. Cfr.: José M.ª Asensio, "Don Juan de Arguijo. Estudio biográfico", en *Revista de España,* I, 1883. Cayetano A. de la Barrera, "Noticias biográficas de don Juan de Arguijo", en *Revista de España,* III y IV.

[151] *Poesías divinas y humanas,* edición de la Sociedad del Archivo Hispalense, Sevilla, 1887. *Poesías,* en *Poetas líricos de los siglos XVI y XVII,* I, BAE, XXXII, nueva edición, Madrid, 1950. Cfr.: M. Menéndez y Pelayo, estudio preliminar a la edición citada de *Poesías divinas y humanas*; reproducido en *Estudios y discursos de crítica histórica y literaria,* edición nacional, vol. II, págs. 197-224.

[152] Son palabras de la "aprobación" de Lope de Vega a la edición de las *Rimas* de ambos Argensola; pueden verse en la edición Blecua (luego citada), vol. I, pág. 7.

emperatriz María de Austria. Fue nombrado cronista de Aragón, y en calidad de secretario de Estado y Guerra del conde de Lemos, virrey de Nápoles, residió por algún tiempo en dicha ciudad, donde murió en 1613 [153].

Lupercio, al igual que su hermano, se había educado en la tradición de los poetas clásicos, sobre todo en Horacio y Juvenal. De su frecuentación adquirió el gusto por la sobriedad y la medida, y también su propensión al didactismo filosófico, moral y religioso, siempre estimado como la nota más característica de su poesía. Otis Howard Green llega a decir de él que "es un poeta que tiene un mensaje: quisiera elevar a sus contemporáneos hasta sus propios elevados ideales de honradez y fervor religioso" [154]. Y, sin embargo, este poeta doctrinal parece que nunca cultivó la poesía como una fundamental ocupación: "era antes que nada un secretario, un historiador". Jamás consintió en imprimir ninguno de sus versos, con excepción de alguna composición elogiosa al frente de libros de sus amigos, o vieron la luz sin su consentimiento en diversas colecciones de la época. En los últimos días de su vida quemó cuantos manuscritos de sus poesías tuvo a mano; de ello nos certifica su hermano Bartolomé [155] y también el cronista Andrés de Ustarroz [156], y el propio hijo y editor del poeta en carta al rey que encabeza la edición de las *Rimas* de su padre y de su tío declara que "...el Secretario Lupercio Leonardo, mi padre, i el Dotor Bartolomé Leonardo, su hermano, evitaron siempre la impressión de sus versos, no afectando humildad... sino porque nunca se dieron a este género de letras con otro fin más que de exercitar el ingenio..." [157]. Parece seguro que Lupercio no creía haber alcanzado el ideal poético que había pretendido, y así no dudó en destruir sus versos. Con los que quedaron en España lejos de su alcance y los que se habían difundido en copias manuscritas, preparó la edición de las *Rimas* el hijo Gabriel, y a ellas han aña-

---

153 Cfr.: Otis Howard Green, *Vida y Obras de Lupercio Leonardo de Argensola,* Zaragoza, 1945. José Manuel Blecua, *Rimas de Lupercio y Bartolomé L. de Argensola,* edición, prólogo y notas, 2 vols., Zaragoza, 1950-1951. Duque de Villahermosa, *Vida y estudio de los dos hermanos Argensola,* discurso de recepción en la Real Academia Española, Madrid, 1884. Conde de la Viñaza, *Obras sueltas de Lupercio y Bartolomé Leonardo de Argensola,* Madrid, 1889. Del mismo, *Los cronistas de Aragón,* Madrid, 1904.

154 *Vida y Obras...,* cit., 191.

155

> *...abrasó sus poéticos escritos*
> *nuestro Lupercio, i defraudó el desseo*
> *universal de ingenios exquisitos...*

De la epístola en tercetos *Respuesta de Bartolomé Leonardo* a la también epístola en tercetos de D. Fernando de Ávila y Sotomayor, que trataba de persuadirle que consintiera en la impresión de sus versos (ed. Blecua, cit., v. 130-132, vol. II, pág. 394).

156 "Vivió muy lejos del ánimo del Canónigo Leonardo —dice el cronista— imprimir sus obras, porque le parecía que andando retiradas sería mayor su aprecio y que por la imprenta se harían comunes. Con todo eso no fue tan severo como su hermano Lupercio, que entregó muchos de sus números a las llamas, sólo por persuadirse que no quedaban en la perfección que él quisiera" (citado por Blecua, vol. I, pág. XXIX).

157 *Rimas,* ed., Blecua, cit., vol. I, pág. 25.

dido nuevos hallazgos los posteriores editores. Debe tenerse, pues, en cuenta, para juzgar su personalidad, esta pérdida de muchos de los escritos de Lupercio, aunque es dudoso que los desconocidos fuesen muy distintos de los conservados.

Lupercio Leonardo de Argensola, al igual que su hermano, es un representante genuino de la poesía académica y clasicista del Renacimiento, y aunque en algunas ocasiones se permite pequeñas libertades de tema o de expresión, "la impresión final —como afirma Blecua— es siempre la de haber leído una obra llena de gravedad y resonancias clásicas" [158]. Valores morales y modelos clásicos constituyen el objetivo del poeta, que lima sus versos con el mismo especial cuidado con que evita que se desborden en el lujo metafórico de la lírica de su tiempo. Consigue así una poesía de severa corrección, digna y elegante, aunque carente casi siempre de valor emocional: "Nada hay en sus versos amatorios —dice Otis H. Green— que pueda compararse con el lamento de Garcilaso por Elisa" [159]. A falta de este calor cordial, es extraordinaria la perfección del verso: "Al revés que un Lope —dice Blecua—, los dos Argensola saben atirantar la rienda y no decir más de lo que se han propuesto. En ellos los consonantes no obligan a lo que el hombre no piensa. Nadie les gana en el arte de encajar el pensamiento en el verso" [160].

Menéndez y Pelayo había estimado que el severo clasicismo de los Argensola no se avenía con el metafisiqueo y las sutilezas petrarquistas; opinión que sigue Blecua cuando afirma que, si en los versos de Lupercio aparecen algunos tópicos retóricos del petrarquismo, tendencia a la que el poeta se opuso obstinadamente, son las adherencias inevitables en una época impregnada de italianismo. Green sostiene, por el contrario, que "la inspiración de los Argensola es clásica y petrarquista, juntamente", y no duda en calificar a Lupercio de "petrarquista tardío" [161]; parecer que defiende también Fucilla [162]. Lo que sí parece incuestionable es su completo alejamiento de la poesía de tipo tradicional, tan revalorizada por los poetas de su tiempo; y así, no conservamos de él ni un solo romance que sea suyo con seguridad.

Lupercio Leonardo destacó sobre todo en el cultivo del soneto (113 de las 153 composiciones poéticas conservadas —incluidas las tragedias— lo son), aunque lo maneja con alguna desigualdad. La mayor parte de estos sonetos

---

[158] Ídem, íd., vol. I, pág. CXVII.

[159] *Vida y Obras...*, cit., pág. 191.

[160] *Rimas,* ed. cit., pág. CXVII.

[161] *Vida y Obras...*, cit., pág. 190.

[162] Cfr.: Joseph G. Fucilla, "Los Argensola", en *Ensayos sobre el petrarquismo en España,* anejo LXXII de la *Revista de Filología Española,* Madrid, 1960, págs. 184-194. Del mismo, "Petrarchism in the poetry of the Argensola", en *Hispanic Review,* XX, 1952. Véase también, R. Foulché-Delbosc, "Notes sur le Sonnet 'Superbi Colli' ", en *Revue Hispanique,* XI, 1904, págs. 225-243, y el comentario de Fucilla, "Notes sur le Sonnet 'Superbi Colli'. Rectificaciones y suplemento", en *Boletín de la Biblioteca Menéndez y Pelayo,* XXXI, 1955, págs. 51-93.

son de tema amoroso, pero ninguno parece responder a sentimientos íntimos del poeta. Es frecuente que se inicien "con una parte moralista o filosófica, clásica y horaciana", difícil de hallar en otros poetas de su tiempo; como los que comienzan:

Dentro quiero vivir de mi fortuna
i huir los grandes nombres que derrama... [163].

Si quiere Amor que siga sus antojos
i a sus hierros de nuevo rinda el cuello... [164]

o aquel otro tan conocido,

Imagen espantosa de la muerte,
sueño cruel, no turbes más mi pecho... [165].

Otras veces comienza con una parte mitológica:

Las tristes de Faetón bellas hermanas,
sentadas a la orilla del gran río... [166].

Otis H. Green ha señalado el platonismo de algunas de estas composiciones amorosas, que llega a un verdadero antisensualismo, como en el soneto que comienza:

No fueron tus divinos ojos, Ana,
los que al yugo amoroso me han rendido,
ni los rosados labios, dulce nido
del ciego niño, donde néctar mana... [167]

actitud que también se aprecia, añade Blecua, en el desdén por los afeites:

Hermosura perfecta no consiste
en dar diversas formas al cabello... [168].

Pero los sonetos más famosos, y mejores, son los de total inspiración clásica y horaciana; así los que comienzan:

Quien voluntariamente se destierra
i dexa por el oro el patrio techo... [169].

---

163 *Rimas*, ed. Blecua, cit., vol. I, pág. 52.
164 Ídem, íd., pág. 79.
165 Ídem, íd., pág. 54.
166 Ídem, íd., pág. 61.
167 Ídem, íd., pág. 66.
168 Ídem, íd., pág. 77.
169 Ídem, íd., pág. 57.

¿Cuándo podré besar la seca arena
que agora desde el fiero mar contemplo... [170]

y sobre todo:

Llevó tras sí los pámpanos otubre,
i con las grandes lluvias insolente,
no sufre Ibero márgenes ni puente,
mas antes los vecinos campos cubre... [171]

—que algunos han atribuido el canónigo valenciano Francisco Tárrega—, y

Tras importunas llubias amaneze,
coronando los montes, el sol claro;
salta del lecho el labrador avaro,
que las horas ociosas aborreze... [172].

En todas estas composiciones, junto a la huella horaciana hay siempre la nota grave y realista, que el poeta recibe del espíritu de su región. La intención moral, siempre presente, se funde a veces con el tema amoroso, haciendo problemática la clasificación; pero son más abundantes las composiciones que pueden designarse exclusivamente con aquel nombre, así los sonetos:

Buelve del campo el labrador cansado,
i mientras se restaura en fácil cena... [173]

Los que ignoran las causas de las cosas
i el bien juzgan o el mal por los efetos... [174]

Descuidado de el lauro que ennobleze,
en una choza pobre se aposenta... [175]

o la bella "Canción a la esperanza",

Aplácase muy presto
el temor importuno... [176].

---

[170] Ídem, íd., pág. 145.

[171] Ídem, íd., pág. 133. Cfr.: L. Medina, "Dos sonetos atribuidos a Lupercio Leonardo de Argensola ('Llevó tras sí los pámpanos otubre...' y 'Yo os quiero confesar, don Juan, primero...')", en *Revue Hispanique,* V, 1898, págs. 314-329. José Manuel Blecua, "El soneto 'Llevó tras sí los pámpanos otubre' ", en *Revista de Filología Española,* XXXVIII, 1954, págs. 272-278. Eduardo Juliá Martínez, "Sobre el soneto 'Llevó tras sí los pámpanos otubre' ", en *Revista de Literatura,* XIV, 1958, págs. 236-237.

[172] *Rimas,* ed. Blecua, cit., pág. 148.

[173] Ídem, íd., pág. 150.

[174] Ídem, íd., pág. 151.

[175] Ídem, íd., pág. 259.

[176] Ídem, íd., pág. 36.

Es importante en la obra de Lupercio Leonardo la poesía satírica, aunque sea defecto habitual en ella, según Green, la prolijidad. Con todo, hay que situar en este grupo uno de sus mayores aciertos: la sátira en tercetos contra la buscona Marquesilla [177].

De mucho menos interés son las composiciones religiosas, en general frías y prosaicas. Deben ser, en cambio, destacadas las traducciones de Horacio, que constituyen a veces —como en la oda *Quis multa gracilis,* o en el famoso épodo *Beatus ille*— auténticas recreaciones del poeta aragonés.

Bartolomé Leonardo de Argensola (1562-1631), también de Barbastro, se ordenó de sacerdote a los 22 años, después de haber estudiado en las Universidades de Huesca, Zaragoza y Salamanca. Fue nombrado rector de Villahermosa, cabeza del ducado de su nombre (y así, se le designa a veces por este título), vivió algún tiempo en Madrid como capellán de la emperatriz María de Austria, y pasó también a Nápoles en la comitiva del conde de Lemos, acompañando a su hermano Lupercio. Fue nombrado cronista de Aragón en sustitución de Llorente, que había sucedido a Lupercio, y canónigo de la Seo de Zaragoza. Sus obras poéticas, con el nombre de *Rimas,* fueron publicadas, como vimos, en unión de las de su hermano en 1634 [178].

Su producción aventaja en extensión y calidad a la de aquél; aunque no debe omitirse que su vida fue mucho más larga y que su obra no hubo de sufrir las pérdidas de que dimos cuenta en la de Lupercio. Como éste, fue Bartolomé enamorado seguidor de los clásicos grecolatinos. Recomendaba su

177 Ídem, íd., págs. 103-126.

178 Sobre Bartolomé véanse las obras citadas en la nota 153, que se refieren a los dos hermanos; también trae detalles de interés sobre Bartolomé la obra citada de Green sobre Lupercio. Cfr., además: Narciso Alonso Cortés, "Documentos curiosos de Bartolomé Leonardo de Argensola", en *Hispania,* XI, 1928. Otis Howard Green, "The literary court of the Lemos at Naples", en *Hispanic Review,* 1933, vol. I, págs. 290-308. Del mismo, "Some inedited verses of Bartolomé Leonardo de Argensola", en *Revue Hispanique,* LXXII, 1928, págs. 475-492. Del mismo, "Sources of two sonnets of Bartolomé Leonardo de Argensola", en *Modern Language Notes,* XLIII, 1928, págs. 163-165. Del mismo, "Notes on the lucianesque dialogues of Bartolomé Leonardo de Argensola", en *Hispanic Review,* III, 1935, págs. 275-294. Del mismo, "Bartolomé Leonardo de Argensola, Secretario del Conde de Lemos", en *Bulletin Hispanique,* LIII, 1951, págs. 375-392. E. Mele, "Galileo Galilei, il conde de Lemos e Bartolomé Leonardo de Argensola", en *Bulletin Hispanique,* XXXI, 1929, págs. 256-260. G. Cirot, "L'Epitre de Bartolomé Leonardo de Argensola 'Dícesme Nuño' ", en *Bulletin Hispanique,* XL, 1938, págs. 48-60. M. Almagro, "Dos manuscritos de la obra inédita de Bartolomé de Argensola: 'Alteraciones populares de Zaragoza de 1591' ", en *Correo Erudito,* I, 1940, págs. 175-177. Del mismo, "Una obra inédita de Bartolomé Leonardo de Argensola sobre alteraciones de Teruel y Albarracín en el siglo XVI", en *Teruel,* 1950, núm. 3, págs. 27-34. M. Fernández Galiano, "Notas sobre la versión pindárica de Argensola", en *Revista de Filología Española,* XXXI, 1947, págs. 177-194. K. L. Selig, "Lastanosa and the brothers Argensola", en *Modern Language Notes,* LXX, 1955, págs. 429-430. En la citada edición de Blecua, el volumen II contiene la obra y el estudio de Bartolomé.

estudio e imitación, pero pedía a su vez que, luego de asimilados, se levantara sobre ellos la propia personalidad. Así lo hizo, efectivamente, Bartolomé, por lo que su obra, en conjunto, resulta mucho más vigorosa y original que la de su hermano. A diferencia de éste, dejó diversos testimonios de sus opiniones literarias, particularmente en las epístolas dirigidas a Fernando de Soria y "a un joven estudiante de Derecho". En carta al conde de Lemos afirmaba su cuidado por que el amor a los clásicos no llegara a superstición; aconsejaba respeto a los preceptos, pero guardando siempre la propia libertad, pues aquéllos prescriben con el uso; en nada se ofende más al arte —dice— que en seguirlo con demasía; por ello pide que "la naturaleza se ayude del arte, pero no se sujete a ella".

Dentro de su personal interpretación, las huellas de los grandes escritores latinos son numerosísimas: la precisión horaciana y su amor a la dorada medianía; el culto virgiliano por la naturaleza; la energía de Juvenal para la sátira contemporánea; la gracia y picardía de su coterráneo Marcial para los versos burlescos; la entonación de Píndaro para ciertas canciones patrióticas. Blecua, que enumera los mencionados magisterios, resume luego las cualidades del estilo de Bartolomé: difícil arte de decir las cosas con elegancia y exactitud, tino exquisito para escoger la palabra precisa, exquisitez para articular las frases, serenidad nunca turbada por apasionamientos, busca de la eficacia estética más en la propiedad y ternura de los vocablos que en las violencias sintácticas o en las figuras desusadas.

El poeta alcanzaba estos resultados después de una tenaz labor de lima, sostenida por un anhelo de perfección, como lo prueba la existencia de diversas versiones en muchas de sus poesías. Bartolomé no llegó, como su hermano, a destruir originales de que no se sentía satisfecho, pero se negó siempre, como sabemos, a imprimirlos, haciendo suya la advertencia horaciana de no dar a conocer los escritos antes de nueve años.

Como dijimos al comienzo de este apartado, más que de reacción clásica —en el caso de estos poetas— contra la poesía culterana, se trata de pervivencia de una corriente anterior. Esto es más evidente en el caso de Lupercio, pues parece que su producción poética es toda ella anterior a la eclosión del culteranismo, habida cuenta además de su alejamiento de España, a la que ya no regresó. El caso de Bartolomé es distinto; éste, como su hermano, comenzó a escribir al mismo tiempo que Góngora y que Lope, pero su larga vida le permitió conocer en toda su pujanza la pleamar gongorina; sólo que él prosiguió su tarea sin dejarse influir en lo más mínimo, y ni siquiera participó —manteniéndose displicentemente al margen— en las polémicas provocadas en torno a los grandes poemas de Góngora, a pesar de las incitaciones que le hicieron Lope de Vega y Villegas. También como su hermano, Bartolomé se sintió muy escasamente atraído por la poesía tradicional; tan sólo se conservan de su pluma dos o tres romances, poco afortunados, aunque es cierto que escribió algunas bellísimas redondillas.

Dentro de su arraigado gusto clásico, Bartolomé —puesto en comparación con Lupercio— se distingue por un acento mucho más brioso y personal; evitando igualmente la pompa gongorina, no está exento de cierto brillo exterior, entonado unas veces, cálido y delicado otras. A pesar de su condición eclesiástica, Bartolomé fue mucho más sensible a la belleza femenina que su hermano Lupercio, y aunque sus versos amorosos también parecen ajenos a pasiones personales, se recrean en descripciones físicas de goloso sabor sensual, aunque delicadamente contenido, y sin mezcla por lo común de consideraciones filosóficas ni morales. De gran hermosura es el siguiente soneto:

Ya el oro natural crespes o estiendas,
o a componerlo con industria aspires,
luzir sus lazos o sus ondas mires,
cuando libre a tus damas lo encomiendas;
o ya, por nueva ley de Amor, lo prendas
entre ricos diamantes o zafires,
o baxo hermosas plumas lo retires,
i el traje varonil fingir pretendas,
búscate Adonis por su Venus antes,
por su Adonis te tiene ya la diosa,
i a entrambos los engañan tus cabellos;
mas yo, en la misma duda milagrosa,
mientras se hallan en ti los dos amantes,
muero por ambos i de celos de ellos [179].

También el que sigue puede aducirse como ejemplo del sabroso sensualismo de Bartolomé:

Su cabello en holanda generosa
Fili enxugó, imitando al real decoro
con que orna su tocado, persa o moro,
bárbara infanta o preferida esposa.
Notando mi atención la inculta hermosa,
libró de lino el húmedo tesoro,
i suelto en crespas ondas cubrió el oro
la cerviz tersa que estendió la rosa,
i el pecho, en que de pura leche iguales
forman sus dos relieves parayso,
donde benigna honestidad se anida.
Yo no sé si premiar o matar quiso:
que ambos objetos dan veneno i vida,
avaros de su gloria y liberales [180].

---

179 *Rimas*, ed. Blecua, cit., vol. II, pág. 46.

180 Ídem, íd., pág. 58.

Igualmente abundantes en bellezas son los sonetos que comienzan:

¿Quién me dará jazmines i violetas
para ceñir a un vencedor las sienes... [181].

Cuando me miras, Clori, de luz lleno,
orizonte a tus ojos me figuro... [182].

Bien sé yo, Cintia, el culto que se deve
al que de dos sustancias desiguales... [183].

Particularmente delicado es el que comienza:

Suelta el cabello al zéfiro travieso...

cuyos son los tercetos:

A cabellos de mal seguros reyes
ofrezcan ambiciosos resplandores
las ondas i las minas del oriente;
los tuyos, ni los crespes ni los dores;
i pues crezieron en tan libre frente,
imiten su altivez, no guarden leyes [184].

Numerosos son igualmente los sonetos que encierran una intención moral, aspecto también característico de Bartolomé, aunque lo ejerce con mayor variedad y vivacidad que su hermano. Algunas de estas composiciones deben considerarse como de las más perfectas del poeta, y son sin duda las más conocidas. Sobresalen entre ellas:

Dime, Padre común, pues eres justo... [185]

Carlos, ni pretensión ni gloria fundo... [186]

Si quieres conservarte, Lauso, evita... [187]

y el popularísimo

Yo os quiero confesar, don Juan, primero... [188]

atribuido un tiempo a Lupercio.

181 Ídem, íd., pág. 47.
182 Ídem, íd., pág. 50.
183 Ídem, íd., pág. 56.
184 Ídem, íd., pág. 49.
185 Ídem, íd., pág. 219.
186 Ídem, íd., pág. 222.
187 Ídem, íd., pág. 237.
188 Ídem, íd., pág. 669.

Debe finalmente mencionarse el que para Blecua "es sin disputa el soneto más fino y encantador de toda nuestra literatura, rebosante de gracia poética y lleno de delicadeza"[189]:

Firmio, en tu edad, ningún peligro es leve;
porque nos hablas ya con voz escura,
i, aunque dudoso, el bozo a tu blancura
sobre ese labio superior se atreve.
I en ti, o Drusila, de sutil relieve
el pecho sus dos vultos apresura,
i en cada cual, sobre la cumbre pura,
vivo forma un rubí su centro breve.
Sienta nuestra amistad leyes mayores;
que siempre Amor para el primer veneno
busca la inadvertencia más sencilla.
Si astuto el áspid se escondió en lo ameno
de un campo fértil, ¿quién se maravilla
de que pierdan el crédito sus flores? [190].

Bartolomé Leonardo gozó fama entre sus contemporáneos de hombre mordaz y dado a la sátira, y, efectivamente, cultivó este género con fortuna. El propio poeta reconoció el influjo que sobre él habían ejercido cuatro grandes satíricos: Horacio, Juvenal, Persio y Marcial. Esto ha dado ocasión para sostener que las sátiras del segundo de los Argensola eran reminiscencias de sus modelos, vaguedades o lugares comunes. Nada menos cierto, según ha demostrado Blecua en su estudio, puesto que Bartolomé apuntó insistentemente a temas, tipos y corruptelas muy concretos, en particular de la vida cortesana española, que nada podían deber a sus modelos clásicos. Su sátira no tiene nunca, sin embargo, la agresividad de un Quevedo ni conoce el ataque personal: "en el cuadro de la sátira española del siglo XVII —dice Blecua—, la figura de Bartolomé Leonardo destaca por su gravedad y delicadeza. Censor severo de las costumbres de su época, rara vez se deja llevar por sus antipatías personales"[191]. Las más notables composiciones de esta especie son las epístolas —en perfectos tercetos— "A don Fernando de Borja, virrey de Aragón", "A Nuño de Mendoza" y "A don Francisco de Eraso", a las que sólo cabe reprocharles las innecesarias digresiones que embotan —al diluirla— la deseable agudeza de la sátira.

Destaca también Bartolomé en la poesía religiosa; a algunos bellos sonetos que tienen este carácter deben añadirse sus canciones sacras —"A San Lorenzo", "A Santa María Magdalena", "A San Miguel"—, movidas por el mismo

189 Ídem, íd., pág. LII.
190 Ídem, íd., pág. 223.
191 Ídem, íd., pág. XXX.

entusiasmo que sus composiciones patrióticas, en que acoge los principales sucesos políticos del momento, que afectaban a la católica monarquía de España.

Como historiador, Bartolomé continuó los *Anales* de Jerónimo de Zurita, compuso las *Alteraciones populares de Zaragoza en 1591*, las *Advertencias a la historia de Felipe II* por Cabrera de Córdoba, y la *Conquista de las islas Molucas*, escrita a instancias del conde de Lemos, presidente del Consejo de Indias en la época de su descubrimiento; para lo cual reunió las "relaciones" enviadas por los conquistadores.

La poesía "clásica" en tono menor: Villegas. La imitación clásica, pero no de los poetas latinos, tan frecuente, sino de los griegos, ofrece un caso de particular importancia en Esteban Manuel de Villegas (1589-1669), delicado cultivador de la poesía bucólica calcada sobre todo en la lírica de Teócrito y Anacreonte. Tan selecto humanista, refractario a cualesquiera innovaciones poéticas de su tiempo, fue un personaje de retorcida condición, extrañas costumbres e ilimitada petulancia. Cuando en 1618 publicó sus *Eróticas* en ocho libros, imprimió en la portada un grabado con un sol naciente rodeado de estrellas y esta inscripción: "Me surgente, quid istae?". Tan genial menosprecio molestó de tal manera a sus colegas de la poesía, al sentirse aludidos, que Villegas hubo de retirar el grabado de los ejemplares no vendidos aún.

Villegas era natural de Matute, cerca de Nájera, pero se trasladó muy joven a Madrid y estudió luego en Salamanca. A los 36 años casó con una muchacha de 15, de la que tuvo siete hijos. A los 71 años fue procesado por la Inquisición, acusado de sostener ideas peligrosas sobre el libre albedrío, hablar con demasiada libertad sobre cuestiones religiosas y tener manuscrito un cuaderno de sátiras, una de ellas contra las comunidades religiosas. Fue obligado a abjurar "de levi" y castigado a destierro, por cuatro años, de Logroño, Nájera y Madrid; sus papeles fueron recogidos, y se perdieron sus sátiras. A los 80 años andaba todavía Villegas pleiteando sobre unas tierras.

Villegas, que tenía el don de la poesía delicada y graciosa, es sobre todo un afortunado traductor y adaptador; la lírica bucólica y amorosa de Tibulo, Propercio, Ausonio y Catulo, y de Teócrito y Anacreonte entre los griegos, se avenía a la perfección con sus gustos y cualidades y supo interpretarlos con fortuna; al último, sobre todo, lo siguió hábilmente en temas y ritmos, para cantar en deliciosas composiciones de metro corto —heptasílabos, en particular— los amores traviesos, los placeres del campo y del vino o las delicias de la mesa. En este género, refinado y lindo, delicado y sutil, Villegas no conoce rival en nuestra lírica [192]. Conocidísima es su delicada cantilena:

---

[192] Ediciones: *Poesías*, en *Poetas líricos de los siglos XVI y XVII*, II, BAE, XLII, nueva ed., Madrid, 1950. *Eróticas*, edición de Narciso Alonso Cortés, Clásicos Castellanos, Madrid, 1913; nueva ed. 1941 (citamos por la primera).

Yo vi sobre un tomillo
quejarse un pajarillo,
viendo su nido amado,
de quien era caudillo,
de un labrador robado... [193]

o la dedicada "A una fuente":

Tú por arenas de oro
corres con pies de plata
¡oh dulce fuente fría!... [194]

o "A Lidia", suplicándole un beso:

Divide esos claveles
más dulces que las mieles,
y más que los panales
divide esos corales... [195]

o las dirigidas "A un ruiseñor", "A las estrellas", "A sus amigos", "A un arroyuelo".

Oscila Villegas entre la traducción más o menos literal, la adaptación libre, la aproximación de los modelos a motivos personales, o la libre invención. Entre sus traducciones más directas, son particularmente notables algunas de Anacreonte, de Catulo y de Horacio.

Enamorado de las formas clásicas, trató Villegas de adaptar sus metros al castellano, conversión de gran dificultad, puesto que al no tener los metros griegos y latinos un número de sílabas ni acentos fijos, no podían tener perfecta transposición en nuestro idioma. Acertó, sin embargo, plenamente con la estrofa sáfico-adónica por su exacta adecuación a nuestros endecasílabos y pentasílabos. De éste es ejemplo su famosísima composición "Al céfiro":

Dulce vecino de la verde selva,
huésped eterno del Abril florido,
vital aliento de la madre Venus,
Céfiro blando... [196].

---

[193] Ed. N. Alonso Cortés, cit., págs. 200-201.
[194] Ídem, íd., pág. 197.
[195] Ídem, íd., pág. 198.
[196] Ídem, íd., pág. 349.

Fracasó, con todo, en la adaptación del metro elegíaco —en que alternan hexámetros y pentámetros—; el hexámetro en particular lo intentó en una "Égloga" imitada de Virgilio [197].

Las poesías de Villegas, que preludiaban el espíritu del siglo XVIII, fueron muy admiradas e imitadas en dicha centuria.

---

[197] Cfr.: E. Díez Echarri, *Teorías métricas del Siglo de Oro,* Madrid, 1949. A. García Calvo, "Unas notas sobre adaptación de metros clásicos por don Esteban de Villegas", en *Boletín de la Biblioteca Menéndez y Pelayo,* 1950.

CAPÍTULO XI

QUEVEDO

DATOS BIOGRÁFICOS Y PERFIL HUMANO

Pocas figuras tan inequívocamente grandes, tan variadas y complejas, tan ricas de matices y contradicciones, como la de Quevedo. La fama literaria de que gozó en su tiempo no ha hecho sino robustecerse con los años, sin conocer —como tantas otras cumbres de las artes o de las letras— períodos de eclipse o disvafor. Y, sin embargo, pocos hombres tan discutidos como él; no en su valor global, nunca en entredicho, sino en sus múltiples facetas como escritor y como hombre público. Todavía hoy, después de estudios numerosos sobre su obra literaria y su actividad, quedan puntos oscuros de sus escritos y de su vida, sujetos a las más opuestas interpretaciones.

Don Francisco de Quevedo y Villegas nació en Madrid en septiembre de 1580[1]. Su padre, Pedro Gómez de Quevedo, fue secretario de la princesa

[1] Cfr.: Aureliano Fernández-Guerra, *Vida de don Francisco de Quevedo,* introducción al volumen I de sus *Obras* en BAE, XXIII, nueva edición, Madrid, 1946. E. Mérimée, *Essai sur la vie et les oeuvres de Francisco de Quevedo,* París, 1886. L. Astrana Marín, *La vida turbulenta de Quevedo,* 2.ª ed., Madrid, 1945. Del mismo, *Ideario de don Francisco de Quevedo,* Madrid, 1940. Julián Juderías, *Don Francisco de Quevedo y Villegas. La época, el hombre, las doctrinas,* Madrid, 1923. J. L. Borges, "Menoscabo y grandeza de Quevedo", en *Revista de Occidente,* 1924. Clara Campoamor, *Vida y obra de Quevedo,* Buenos Aires, 1945. A. de Cossío y Corral, "Genio y figura de don Francisco de Quevedo", en *Anales de la Universidad de Sevilla,* núm. 2, 1946. M. Lasso de la Vega, "Quevedo vecino de Madrid", en *Boletín de la Real Academia de la Historia,* CXXVIII, 1951. James O. Crosby, "Quevedo's alleged participation in the conspiracy of Venice", en *Hispanic Review,* XXIII, 1955. Segundo Serrano Poncela, "Quevedo, hombre político (Análisis de un resentimiento)", en *Formas de vida hispánica,* Madrid, 1963, págs. 64-123. Duque de Maura, *Conferencias sobre Quevedo,* Madrid, 1946. Agustín G. de Amezúa, "Las almas de Quevedo", en *Opúsculos histórico-literarios,* tomo I, Madrid, 1951, págs. 374-416. Emilio Carilla, *Quevedo (entre dos centenarios),* Tucumán, 1949. René Bouvier, *Quevedo homme du diable, homme de Dieu* (trad. esp.), Buenos Aires, 1951. J. Reglá, "Un dato para la biografía de Quevedo", en *Revista de Filología*

María —hija de Carlos V y esposa del emperador Maximiliano II— y luego de la reina doña Ana de Austria, cuarta esposa de Felipe II; su madre, María de Santibáñez, fue dama de la reina. Ambos eran oriundos de la Montaña. Quevedo perdió pronto a su padre (1586), y su madre entró entonces al servicio de la Infanta Isabel Clara Eugenia; con todo ello, el futuro escritor anduvo desde niño por palacio y pudo adquirir muy temprana experiencia de la turbia vida cortesana.

Cursó sus primeras letras en el Colegio de los Jesuitas de Madrid. En la Universidad de Alcalá estudió lenguas clásicas, francés, italiano y filosofía, desde 1596 a 1600. Licenciado en Artes, se matriculó en Teología, pero un incidente no bien conocido le forzó a dejar Alcalá y trasladarse a Valladolid, donde siguió sus estudios teológicos y de los Santos Padres. La corte residía en esta última capital desde el año anterior, y Quevedo por mediación de la duquesa de Lerma encontró un empleo en palacio. Muy pronto comenzó a ser conocido como poeta en aquel ambiente de fiestas y actividad literaria; aparecieron varias composiciones suyas en libros ajenos, y al publicarse en 1605 las *Flores de poetas ilustres* de Pedro Espinosa, figuraba Quevedo con 18 composiciones, entre ellas su famosa letrilla "Poderoso caballero — es Don Dinero". Durante estos años mantuvo correspondencia con el famoso humanista Justo Lipsio, trabó amistad con numerosos escritores, Cervantes entre ellos, y comenzó su enemistad con Góngora.

Quevedo había recibido órdenes menores con intención de dedicarse al sacerdocio, pero renunció a este propósito y regresó con la corte a Madrid en 1606. Comienza entonces un período de gran actividad literaria: aquel mismo año compuso el primero de sus *Sueños*, el del *Juicio final*, que dedicó al conde de Lemos; en 1607 escribió el de *El alguacil endemoniado; El sueño del infierno* en 1608; *El mundo por de dentro* en 1612. Los *Sueños* no fueron impresos, sin embargo, hasta 1627. En 1610 solicitó permiso para publicar el primero de ellos, pero la censura del dominico fray Antolín Montojo fue tan dura, que se negó la autorización. Dos años más tarde Quevedo solicitó nuevo permiso, y el franciscano fray Antonio de Santo Domingo lo concedió, aunque exigiendo supresiones y retoques. No obstante, por razones que se desconocen, la obra no fue publicada hasta 1627, como queda dicho, en que apareció con todos los *Sueños* restantes. Entretanto, lo mismo estas obras que otros diversos

---

Española, XL, 1956, págs. 234-235. James O. Crosby, "Noticias y documentos de Quevedo, 1616-1621", en *Hispanófila*, 1958, núm. 4, págs. 3-22. Del mismo, "Nuevos documentos para la biografía de Quevedo, 1617-1621", en *Boletín de la Biblioteca Menéndez y Pelayo*, XXXIV, 1958, págs. 229-261. Del mismo, "Quevedo and the Court of Philip III: neglected satirical letters and new biographical data", en *PMLA*, LXXI, 1956, págs. 1117-1126. Manuel Cardenal, "Algunos rasgos estéticos y morales de Quevedo", en *Revista de Ideas Estéticas*, V, 1947, págs. 31-52. Francisco Ynduráin, *El pensamiento de Quevedo*, Zaragoza, 1954. Amédée Mas, *La caricature de la femme, du mariage et de l'amour dans l'oeuvre de Quevedo*, París, 1957. *Aportaciones a la bibliografía de Quevedo. Homenaje del Instituto Nacional del Libro Español en el III Centenario de su muerte*, Madrid, 1945

escritos de Quevedo se difundieron en innumerables copias manuscritas, lo que explica que "de ningún autor español se conserven tantas en nuestras bibliotecas". Aunque por entonces no aparecía colección que no incluyese obra de Quevedo, casi siempre sin arte ni parte del autor, es preciso llegar a 1620 para encontrar la primera obra publicada, completa y autorizada por él: el *Epítome a la historia de la vida ejemplar y gloriosa muerte del bienaventurado F. Thomás de Villanueva.*

Por aquellos años de su estancia en Madrid tuvo lugar el famoso incidente con el maestro de armas Luis Pacheco de Narváez. Quevedo, que era consumado esgrimador, discutió con el "maestro" —estando ambos en casa del conde de Miranda— sobre un género de acometimiento explicado por aquél en uno de sus libros, y Quevedo le demostró su error quitándole el sombrero de un botonazo. Desde entonces fueron enemigos irreconciliables; Quevedo ridiculizó a Pacheco en varios de sus libros, y éste le atacó violentamente en el *Tribunal de la justa venganza* y denunció a la Inquisición varios de sus escritos. Bastantes años más tarde Pacheco fue encarcelado por haber agraviado a Quevedo en una "comedia en prosa"; todo lo cual arroja suficiente luz sobre lo enconado de su enemistad.

Se ha venido repitiendo hasta fechas recientes que la vida de Quevedo varió repentinamente debido a un lance caballeresco. El día de Jueves Santo de 1611, mientras asistía a los oficios de la iglesia madrileña de San Martín, vio cómo un caballero abofeteaba a una dama. El escritor, aunque no conocía a ninguno de los dos, sacó al caballero del templo, lo desafió y lo mató de una estocada. Tuvo entonces que esconderse por algún tiempo y huir luego a Sicilia, donde el duque de Osuna, virrey de la isla a la sazón, lo acogió y retuvo a su lado. Pero el supuesto lance, que prueba la aureola legendaria que ha dejado Quevedo tras de sí, ha sido desmentido documentalmente por González Palencia [2].

La madre de Quevedo había invertido la casi totalidad de sus bienes en un censo de la Torre de Juan Abad, pequeña villa de Ciudad Real, pero ésta no pagaba sus réditos. Para cobrarlos se trasladó Quevedo a la Torre y comenzó una larga carrera de pleitos que arrastró toda su vida y aún legó a su sobrino y heredero Pedro Carrillo y Alderete [3].

En 1610, poco después de regresar de Flandes, don Pedro Téllez Girón, duque de Osuna, fue nombrado virrey de Sicilia. Osuna y Quevedo, tempera-

---

[2] Según consta en documentos publicados por el mencionado investigador, Quevedo se encontraba en Toledo y en Madrid precisamente en los días en que se supone sucedido el lance; no sólo no marchó entonces a Italia, sino que se quedó a vivir en la Torre de Juan Abad durante los años 1612 y 1613. Véase A. González Palencia, "Quevedo, pleitista y enamorado", en *Del 'Lazarillo' a Quevedo,* Madrid, 1946, págs. 257-271.

[3] Véase del propio González Palencia y en el mismo libro citado en la nota precedente, "Quevedo por de dentro" (págs. 273-304), y "Quevedo pleitista" (págs. 305-418), además del otro trabajo arriba mencionado.

mentos de excepción, se atrajeron mutuamente, y el duque invitó a Quevedo a acompañarle, cosa que éste no hizo hasta 1613, después de pasar algún tiempo en la Torre con sus pleitos. Así comienza lo que puede calificarse de "etapa política" de nuestro escritor. Es posible que una de las grandes vetas, al cabo truncadas, de Quevedo fuese la política; lo cierto es que al lado de Osuna no fue un mero poeta cortesano, al modo de los innumerables que poblaban la corte de los magnates y los cantaban, aduladores. Muy al contrario, fue el brazo derecho del duque, manejó los hilos de la administración, intervino en su nombre en los complicados manejos de la política italiana, fue enviado a diversas comisiones, y al cabo logró en Madrid —con hábil diplomacia y cuantiosos sobornos bien distribuidos en la podrida corte— que Osuna fuese nombrado virrey de Nápoles. Quevedo fue entonces el alma —si no el instigador— de los audaces planes del duque para hundir a Venecia, la gran tramoyista de toda la política contra España, y levantar en el Mediterráneo central el prestigio español, gravemente debilitado. No es lugar éste para tratar tan debatidas cuestiones históricas; basta decir que Quevedo fue enviado a Venecia por su señor como agente secreto, y al producirse la famosa "Conjuración", fingida o real, Quevedo pudo escapar de la ciudad disfrazado de mendigo, gracias a lo perfecto de su acento italiano, mientras la policía veneciana asesinaba en la noche del 19 de mayo de 1618 a todos los enemigos de la Señoría.

El fracaso de la empresa comprometió la posición del virrey en la corte, mientras los venecianos difundían arteramente la especie de que Osuna tramaba el plan de independizarse de España al frente de un poderoso estado italiano. Quevedo, en nuevo viaje a la corte, no consiguió rehabilitar al duque, las relaciones entre ambos se enfriaron, y hubo de regresar definitivamente a Madrid. La persecución contra Osuna, depuesto del virreinato, arreció al advenimiento de Felipe IV y ascenso al poder del conde-duque de Olivares. Osuna fue encarcelado y Quevedo desterrado a la Torre, cuyo señorío había comprado. Al morir Osuna en la prisión, Quevedo lo defendió gallardamente y dedicó cinco magníficos sonetos —entre los que destaca "Faltar pudo su patria al grande Osuna"— al gran político, cuyas ideas y gestión había compartido.

Dueño absoluto del poder el conde-duque, comienza uno de los períodos en la vida de Quevedo más discutido y propicio a encontradas apreciaciones; se desconocen además, por falta de documentación suficiente, los móviles y hasta la realidad de muchos sucesos. Evidentemente Quevedo trató enseguida de ganarse la amistad del nuevo favorito; en 1621, desde su destierro de la Torre, le envió una elogiosa carta privada, solicitando la libertad —que no se hizo esperar— y remitiéndole su *Política de Dios y gobierno de Cristo*; siguieron otras cartas, una —de 1624— de particular interés, vuelto ya Quevedo a Madrid desde mucho tiempo antes. Este mismo año le dedicó su famosa *Epístola satírica* —"No he de callar, por más que con el dedo..."—; en 1627 compuso la comedia *Cómo ha de ser el privado*, "estupenda pieza adulatoria —dice Marañón— que más valiera a su fama no haber escrito jamás"[4]. Llegó Quevedo a gozar de gran amistad con el valido, y así ya en 1623 intervino, con otros poetas, en los festejos oficiales para solemnizar la estancia en Madrid del príncipe de Gales (futuro Carlos II Estuardo); en 1624 acompañó al cortejo real a las costas de Andalucía, llegando a hospedar al monarca una noche en su casa de la Torre; y en 1626 acompañó nuevamente al rey en su viaje a Aragón. Para complacer al conde-duque (no es muy injusto decir que a sueldo suyo) y defender su política económica, muy atacada ya por entonces, escribió Quevedo un libelo, *El chitón de las Taravillas*, publicado en 1630. En 1632 fue nombrado el poeta secretario del rey, título más honorífico que activo, pues se negó a aceptar más directas responsabilidades. Todavía de 1636 hay indicios de la buena amistad con el valido y del favor real; por otra parte, entre 1635 y 1639 vivió Quevedo casi seguido en la Torre, entregado a su tarea literaria y a sus pleitos.

Resulta, pues, difícil de enlazar lo precedente con el repentino cambio de situación. Estando Quevedo ocasionalmente en Madrid, hospedado en la casa del duque de Medinaceli, en la noche del 7 de diciembre de 1639 fue detenido —tan de repente, que ni siquiera le dieron tiempo de vestirse del todo— y, conducido a León, encerrado en el convento de San Marcos, en oscuro y húmedo calabozo, donde sufrió graves penalidades y se destruyó su salud en los casi cinco años que estuvo preso. Y aquí corresponden los discutidos hechos. Se ha venido diciendo desde los mismos días de Quevedo, y es versión tradicionalmente aceptada, que el rey encontró debajo de su servilleta el famoso memorial que comienza "Católica, sacra, real Majestad..." (otros, en cambio, sostienen que fue *El Padre Nuestro glosado,* "Filipo, que el mundo aclama..."), y que el enfado regio decidió la persecución. Quevedo había escrito otras varias composiciones satíricas, que circulaban manuscritas, y en muchas de sus obras de los años últimos podían espigarse ataques más o menos disimulados contra la política del valido.

Según aquella aludida interpretación, que encaja perfectamente con las más nobles vertientes del gran satírico, Quevedo, ante el creciente desgobierno y la senda de ineptitudes por que se conducía al país, se había apartado heroicamente de su trabajada amistad con Olivares y entregado a la arriesgada tarea de la oposición; Quevedo se había convertido en una voz demasiado incómoda y los versos de la servilleta colmaban la medida. No obstante, la contradictoria personalidad del poeta —hombre de enconados rencores, de sañudos resentimientos, de grandes pasiones alimentadas precisamente por su propia genialidad, no exento de lunares, por tanto— ha conducido en nuestros días a poner en entredicho la silueta tradicional del mártir, vejado por la arbitrariedad del

---

[4] Gregorio Marañón, *El conde-duque de Olivares (La pasión de mandar),* Madrid, 1936, pág. 123. Cfr.: Raimundo Lida, *Letras hispánicas,* México, 1958 (contiene un estudio de la comedia de Quevedo).

conde-duque. Marañón inició este criterio [5], compartido luego por otros comentaristas; concretamente se ha puesto en duda la anécdota del "memorial", que Marañón califica de "chiquillada" y de "travesura" —impropia de Quevedo, dice, e innecesaria además—, así como también considera inverosímiles tan "terribles represalias de la autoridad"; supone, en cambio, otras razones de alta política, que, de ser ciertas, no redundarían, al menos por su intención, en desdoro de Quevedo. Creemos que es en este campo, y con documentos fehacientes, donde debe combatirse la existencia y efectos del "memorial"; entretanto, las razones que aduce Marañón para negarlo nos parecen débiles. La "travesura" en sí mismo no nos suena como del todo impropia del peregrino espíritu de Quevedo; si se dio, no estimamos inverosímil el que una testa coronada, que gobernaba —o desgobernaba— por la gracia de Dios, castigase inclemente unos versos insultantes, y más si llovía sobre mojado; que Quevedo en sus cartas, desde la prisión, al rey y a su valido, no mencionase la causa de su encierro, nos parece lógico, pues sus carceleros no precisaban que se les explicara: lo necio hubiera sido recordarla, sobre todo por tratarse de cosa que lindaba con lo grotesco.

Es bien posible, en cambio, que el discutido "memorial" no fuese de Quevedo; pero merecía serlo, y al cabo, después de escribir muchos versos de aquel jaez, quizá vino a pagar por los únicos que no había compuesto. Quevedo repite en sus cartas —sin aludir al asunto, ¿para qué?— que había sido acusado falsamente; pero su propia historia hacía verosímil la calumnia. Así lo dice claramente en carta al conde-duque: "Yo protesto en Dios nuestro Señor, que en todo lo que de mí se ha dicho no tengo otra culpa sino es haber vivido con tan poco ejemplo, que pudiesen achacar a mis locuras tantas abominaciones" [6]. Al dedicarle a Don Juan Chumacero, presidente de Castilla, la *Vida de San Pablo* que había compuesto en la prisión, afirma: "Escribíla el cuarto año de mi prisión, para consolar mi cárcel, *en que cobré el estipendio de otros pecados*" [7].

Lo único cierto es que Quevedo no fue sacado de la prisión hasta junio de 1643, cinco meses después de la caída de Olivares; Chumacero pidió la libertad del poeta, pero el monarca la negó, y el presidente hubo de insistir hasta vencer la resistencia regia. La irritación contra el poeta parecía, pues, cosa más del monarca que del valido. Quevedo fue libertado sin que nunca se le hubiese abierto proceso ni tomado declaración alguna; así lo proclama él mismo en la mencionada dedicatoria de la *Vida de San Pablo*: "nunca se me hizo cargo ni tomó confesión, ni después, al tiempo de mi soltura, se halló al-

[5] En la obra mencionada en la nota anterior.

[6] Carta CLXXI, "De Quevedo al Conde-Duque de Olivares", fechada en San Marcos de León el 7 de octubre de 1641; en *Obras Completas de Quevedo,* edición Astrana Marín (luego citada), *Prosa,* pág. 1581.

[7] En ídem, íd., pág. 1.083.

guna cosa escrita jurídicamente" [8]. Muy quebrantada su salud, Quevedo, después de pasar unos meses en Madrid, se retiró a la Torre, y luego, buscando un médico mejor, a Villanueva de los Infantes, a casa del gran humanista Bartolomé Jiménez Patón, donde murió el 8 de septiembre de 1645, tres años antes de Westfalia.

Quevedo, el sempiterno antifeminista, permaneció soltero casi hasta su vejez. Vivió bastante tiempo amancebado con una mujer llamada la Ledesma, de la que tuvo varios hijos de quienes no se tiene noticia [9]. Quevedo adoraba a la Mujer, pero le fastidiaban las mujeres; en lo cual no hay contradicción. Durante la época de amistad con Olivares, la esposa del valido trató de casar al poeta, pero éste rehusó el compromiso con una carta muy sabrosa, que confirmaba sus opiniones sobre el casorio:

> *...Antes para mi entierro venga el cura*
> *que para desposarme; antes me velen*
> *por vecino a la muerte y sepoltura;*
> *antes con mil esposas me encarcelen*
> *que aquesa tome, y antes que sí diga*
> *la lengua, las palabras se me hielen...* [10].

Sin embargo, en 1634 —tenía ya, pues, 54 años— cedió a las propuestas de otro casamentero, el duque de Medinaceli, y contrajo matrimonio con doña Esperanza de Aragón, señora de Cetina, viuda, entrada en años y con tres hijos. La inconsecuencia de Quevedo fue muy breve, porque a los pocos meses, después de muchos disgustos, se separó de ella, y definitivamente en 1636 [11].

La biografía que acabamos de abocetar permite advertir la complejidad de este hombre, cima y compendio de su tiempo; y tan complejos como su vida fueron su obra y su carácter. Poseyó Quevedo una vastísima cultura, superada por pocos españoles de su época; dominó con pareja profundidad las ciencias más dispares, lo mismo religiosas que profanas; hablaba el francés, el italiano y el portugués como su propio idioma, y dominaba el latín, el griego y el hebreo. Estudiaba y leía con tenaz constancia; su biógrafo Tarsia escribe sobre sus afanes de lector: "Sazonaba su comida, de ordinario muy parca, con aplicación larga y costosa; para cuyo efecto tenía un estante con dos tornos, a modo de atril, y en cada uno cabían cuatro libros, que ponía abiertos, y sin más dificultad que menear el torno se acercaba el libro que quería, alimentando a un tiempo el entendimiento y el cuerpo..." [12]. Y luego: "Saliendo

---

8 Ídem, íd., pág. 1.084.

9 Cfr.: González Palencia, "Quevedo por de dentro", cit., págs. 290-291.

10 *Riesgos del matrimonio en los ruines casados,* edición Astrana, *Verso,* pág. 104.

11 Cfr.: González Palencia, "Quevedo por de dentro", cit., págs. 294-296.

12 Pablo Antonio de Tarsia, *Vida de don Francisco de Quevedo y Villegas...*, ed. Astrana, *Verso,* pág. 774.

de la corte para ir a la Torre de Juan Abad, o a otra parte, y en todos los viajes que se le ofrecieron, llevaba un museo portátil de más de cien tomos de libros de letra menuda, que cabían todos en unas bisazas, procurando en el camino y en las paradas lograr el tiempo con la lectura de los más curiosos y apacibles. Fue tan aficionado a los libros, que apenas salía alguno cuando luego le compraba..." [13]. Tan sólo esta avaricia del minuto puede explicar, en medio de tantos afanes y andanzas, los conocimientos que llegó a poseer y que pudiese lograr tan vasta y diversa obra literaria. Porque Quevedo, a tono con su saber, escribió de todo, aunque más que la pluralidad de temas sorprende la variedad de sus actitudes: junto a la prosa o la poesía más desvergonzada, al chiste más soez, a la más envenenada alusión, la obra seria y elevada del moralista, del historiador o del político. Todo ese hervidero de contrarios se aglutina —aparte la inconfundible personalidad literaria del escritor, que luego veremos— por la fuerza de su brillante ingenio, siempre vivo y zigzagueante, y su intención satírica, que no es sino la forma agresiva de un propósito moral: Quevedo fue el gran satírico de aquel sombrío momento de la decadencia española; de aquí su gran inclinación a los satíricos de la latinidad, con los que tiene una larga deuda.

Persuadido de la ruina de su país, zarandeado por todos los vaivenes de la fortuna, curtido desde niño en todos los enredos y liviandades de la corte, los días fueron acrecentando sus amarguras y desilusión y aguzando su pesimismo natural, perfil dominante en todos sus escritos; el sarcasmo, la burla desgarrada con que tantas veces los viste, no es sino la máscara de su cansancio y desengaño. En la exacta y apretada silueta que Serrano Poncela traza del gran escritor, alude al profundo influjo de aquella temprana lección en el mundo palatino: "Despertáronse en él desde muy pronto, al contacto con tales realidades, ciertas dotes defensivas de sagacidad y malicia. Si algo se percibe, de inmediato, en la obra quevedina es su absoluta falta de ingenuidad... Sus obras de mocedad son ya las de un avisado..." [14]. Y luego, aludiendo al "humor negro", existente ya en sus escritos más tempranos, añade: "especie de zumba que viene de lejos, desde la infancia desprovista de afectos y generadora de cierta insensibilidad ante lo tierno y lo sentimental, con su correspondiente gusto por el impudor y la obscenidad" [15]. La clara conciencia de su valer y el choque humano con la turbia grey cortesana tenían que provocarle —y él los tuvo— "profundos resentimientos vitales". "De aquí una obra y una conducta personal en Quevedo cargadas de agresividad, ironía, audacia, resentimiento, conciencia singular de la persona, escepticismo y, al final, esa actitud desen-

---

[13] Ídem, íd., pág. 775.

[14] "Estratos afectivos en Quevedo", en *El secreto de Melibea y otros ensayos*, Madrid, 1959, págs. 42-43.

[15] Ídem, íd., pág. 46.

gañada y estoica de quien está de vuelta de tantas cosas deseadas y no conseguidas"[16].

Humano, muy humano sin duda, en su íntimo cogollo, Quevedo no lo es ni en su ademán moral ni en el común tono de su obra; en lo que viene a encarnar el polo opuesto de Cervantes. Quevedo retuerce y estiliza, amontona macabras o grotescas ingeniosidades, deforma los rasgos, se estira y contorsiona en caricaturas, se mueve en cimas o profundidades de hipérbole; sus figuras —pues que no puede hablarse de personajes en sus libros— son muñecos desarticulados, fantoches guiñolescos, puras alegorías, abstracciones, caprichosas siluetas, agitadas por un huracán de ingenio, siempre a presión. Todo ello compone un mundo cerebral, rabiosamente literario, deshumanizado, cuya enésima raíz hay que extraer para llegar a la vulgar realidad, creado con una voluntad de estilo, que se impone a cada frase con huella inconfundible.

Tocado con su habitual idealización, Tarsia nos ha dejado un retrato de su biografiado, en el que no pueden faltar los dos conocidos defectos físicos de Quevedo: "Fue don Francisco de mediana estatura, pelo negro y algo encrespado: la frente grande; sus ojos muy vivos; pero tan corto de vista, que llevaba continuamente antojos; la nariz y demás miembros, proporcionados; y de medio cuerpo arriba fue bien hecho, aunque cojo y lisiado de entrambos pies, que los tenía torcidos hacia dentro..."[17]. Sus numerosos enemigos, según era costumbre de la época, hicieron burla despiadada de sus defectos corporales: Góngora le llamaba "pies de cuerno"; Ruiz de Alarcón, "pata coja", palabras que tomó como estribillo de una letrilla de lo más grosero; Suárez de Figueroa, con pintoresco neologismo, "antojicoxo", agrupó, en solo un vocablo, doble vejamen. Quevedo, lejos de ocultar sus menguas físicas —aunque no dejarían de atormentarle— convirtió su cojera y su miopía "en instrumentos agresivos, y con ello desarrolló en su carácter ciertas modalidades, diríamos desvergonzadas, si no supiéramos que tras ellas se esconde, muchas veces, un temperamento sensible y tímido. Fue por tal razón sujeto dado a las querellas personales y a la exageración del arrojo físico; violento de carácter sin necesidad, mano pronta y lengua larga, buen espadachín. He aquí al cojo dirigiendo y administrando compensatoriamente su cojera... Quevedo se apretó el cinturón del sentimiento e hizo la higa a sus propios defectos, burlándose de ellos el primero"[18].

CLASIFICACIÓN DE LA OBRA DE QUEVEDO

La vasta y polifacética obra de Quevedo necesita de minuciosa división. Astrana Marín, que ha reunido y editado por vez primera la producción com-

---

[16] Ídem, íd., pág. 38.

[17] *Vida de don Francisco...*, cit., pág. 801.

[18] Serrano Poncela, *Estratos afectivos...*, cit., pág. 52.

pleta del gran polígrafo, ha establecido la clasificación que vamos a reproducir, aunque suprimiendo en cada sección algunos títulos de menor importancia, pues la lista completa es interminable:

A) OBRAS EN PROSA:

1) Obras festivas: *Genealogía de los modorros; Origen y definiciones de la necedad; Vida de la corte y oficios entretenidos de ella; Capitulaciones matrimoniales; Premáticas y aranceles generales; El caballero de la Tenaza; El siglo del cuerno. Carta de un cornudo jubilado a otro cornicantano; Premática de las cotorreras; Premática y reformación de este año de 1620.*

2) Novela picaresca: *Historia de la vida del Buscón, llamado don Pablos.*

3) Obras satíricas: *El sueño del juicio final; El alguacil endemoniado; El sueño del infierno; El mundo por de dentro; El sueño de la muerte.*

4) Fantasías morales: *Discurso de todos los diablos o infierno emendado; La hora de todos y la fortuna con seso.*

5) Obras políticas: *España defendida, y los tiempos de ahora, de las calumnias de los noveleros y sediciosos; Política de Dios, gobierno de Cristo y tiranía de Satanás; Mundo caduco y desvaríos de la edad; Grandes anales de quince días; Memorial por el patronato de Santiago; Lince de Italia u zahorí español; El chitón de las tarabillas; Vida de Marco Bruto.*

6) Obras crítico-literarias: *Aguja de navegar cultos. Con la receta para hacer 'Soledades' en un día; La culta latiniparla; Cuento de cuentos; Respuesta de don Francisco de Quevedo Villegas al padre Juan de Pineda de la Compañía de Jesús; Su espada por Santiago, solo y único Patrón de las Españas; Perinola al dotor Juan Pérez de Montalbán.*

7) Obras filosóficas: *De los remedios de cualquier fortuna; Nombre, origen, intento, recomendación y descendencia de la doctrina estoica; Sentencias.*

8) Obras ascéticas: *Epítome a la historia de la vida ejemplar y gloriosa muerte del bienaventurado fray Tomás de Villanueva; La cuna y la sepultura; Virtud militante contra las cuatro pestes del mundo: invidia, ingratitud, soberbia, avaricia; La constancia y paciencia del santo Job; Providencia de Dios; Vida de San Pablo Apóstol.*

9) Traducciones en prosa, entre las que destacan la *Introducción a la vida devota* de San Francisco de Sales, y las *Epístolas* de Séneca.

El editor añade otros dos apartados con diversos *Epitafios*, y *Escritos varios*. A lo que todavía hay que agregar un rico *Epistolario* de doscientas cuarenta y dos cartas.

B) OBRAS EN VERSO:

El editor las divide en poesías "amorosas", "satíricas", "burlescas", "jácaras", "romances", "poesías encomiásticas", "morales", "sagradas", "fúnebres" y "traducciones en verso".

c) Aparte hay que considerar el TEATRO de Quevedo, compuesto de buen número de loas, diálogos y bailes, y varios entremeses [19].

OBRAS EN PROSA

Obras festivas. Estas obras, de las que Astrana ha reunido 22 títulos, representan uno de los aspectos más característicos (pero, ¿cuál en Quevedo no lo es?) y por descontado el más popular. Quevedo ha quedado en la apreciación del bajo vulgo como autor de chistes procaces y desenvolturas de toda laya. Si se examina la extensión que ocupan estos escritos en el conjunto de su producción, advertiremos que es bien exigua: sesenta páginas escasas en las citadas *Obras completas* de la edición de Astrana. Aun sumándoles —pues son afines en muchos puntos— las obras satíricas y el *Buscón* y hasta las mismas fantasías morales, nos quedaríamos apenas con la sexta parte de su producción en prosa; y todavía es menor la proporción en sus obras en verso. Cabe, pues, preguntarse en qué medida es justo el renombre del Quevedo chistoso y procaz. Evidentemente es ésta la faceta más adecuada para popularizarse; pero advirtamos también que, si no la extensión, la cualidad de muchas de estas páginas es adecuada para dar razón a la fama. Por otra parte, la portentosa fuerza expresiva de Quevedo, su dominio del lenguaje, parece reforzar y multiplicar lo que dicho por otro parecería mucho más leve; sus palabras quedan como atornilladas, remachadas. Una frase cualquiera es buen ejemplo. En las *Capitulaciones matrimoniales* expone las condiciones que el firmante desea en la novia: "...y apetece más una cara sin sainetes, que no los lunares de tinta, con que tal vez saldrá esclavo entrando libre; y más unas manos morenas que una sobrevaina de sebillo; y unas cejas blancas, que negras a fuerza de betunes; y más quiere una pantorrilla menos, que topar con un patrón de calcetero" [20].

Es bien posible que buena parte de los escritos de esta índole no fuera nunca impresa y se haya perdido. En 1631 publicó Quevedo una colección de

---

[19] Ediciones de las obras de Quevedo: *Obras* (en prosa), ed. de Aureliano Fernández-Guerra, volúmenes XXIII y XLVIII de la BAE, nueva ed., Madrid, 1946 y 1951. *Poesías,* ed. de Florencio Janer, en ídem, íd., vol. LXIX, nueva ed., Madrid, 1953. Ed. Menéndez y Pelayo en Bibliófilos Andaluces; 3 vols. publicados, 1897-1907. Ed. Astrana Marín, 2 vols., uno de *Prosa* y otro de *Verso,* Madrid, 1932. *Obras satíricas y festivas,* edición de José M.ª Salaverría, en Clásicos Castellanos, LVI. *Los Sueños,* ed. de Julio Cejador, en Clásicos Castellanos, XXXI y XXXIV. José Manuel Blecua, *Poesías de Quevedo,* Barcelona, 1963. Benito Sánchez Alonso, "Las poesías inéditas e inciertas de Quevedo", en *Revista del Ayuntamiento de Madrid,* IV, 1927. Emilio Orozco, "Sonetos inéditos de Quevedo", en *Boletín de la Universidad de Granada,* XIV, 1942. *Lágrimas de Hieremías castellanas,* ed. de Edward M. Wilson y José Manuel Blecua, Madrid, 1953, anejo LV de la *Revista de Filología Española. Epistolario completo,* edición de L. Astrana Marín, Madrid, 1946. Para las ediciones del *Buscón* véase luego.

[20] Ed. Astrana, cit., *Prosa,* pág. 21.

sus obras festivas y satíricas bajo el nombre de *Juguetes de la niñez y travesuras del ingenio,* en la que no incluyó muchas cosas anteriormente publicadas y retocó y suavizó las escogidas. La Inquisición había amenazado a Quevedo con prohibir sus obras satíricas si no las corregía; sus numerosos enemigos aprovechaban, para comprometerle, los desenfados de su juventud, y Quevedo tenía que olvidarse de muchos de aquellos hijos menores, tanto como rechazar los muchos que le atribuían.

En estas obras festivas, casi todas de su primera época, su personalidad como satírico, su dominio del instrumento verbal —y nada digamos de su avisada experiencia— están ya hechos. Todavía el período, en su prosa, es algo extenso a veces y no posee la concisa troquelación posterior; pero éste es el único indicio de su juventud literaria.

Puede decirse que el conjunto de estos escritos despliega como un panorama de costumbres de la gente del bajo mundo de comienzos del XVII; esto vale especialmente para la *Vida de la corte y oficios entretenidos de ella.* Pero nada más lejos de los cuadros descriptivos a la manera del costumbrismo habitual: las pinceladas van a la par de la estocada satírica, y el comentario del escritor prevalece sobre el dato objetivo. En *El siglo del cuerno. Carta de un cornudo jubilado a otro cornicantano,* la emprende con uno de sus temas predilectos. *El caballero de la Tenaza* es una colección de 25 cartas graciosísimas, en las que un amador tacaño se defiende de una amante pedigüeña; es una exhibición de virtuoso, en que el tema de la tacañería se apura hasta la más inverosímil quintaesencia.

Los "Sueños". Como arriba dijimos, los *Sueños,* compuestos mucho antes, no fueron publicados hasta 1627. Al reimprimirse en los *Juguetes de la niñez* no solamente fue retocado el texto y suprimidas las alusiones a la Sagrada Escritura, que se estimaron irreverentes, sustituyéndolas por alegorías mitológicas, sino que se cambiaron hasta algunos títulos. Quevedo en el prólogo de dicha edición cantó la palinodia, en forma que permite dudar de su sinceridad: "Yo escribí con ingenio facinoroso en los hervores de la niñez, más ha de veinte y cuatro años, los que llamaron *Sueños* míos, y precipitado, les puse nombres más escandalosos que propios. Admítaseme por disculpa que la sazón de mi vida era por entonces más propia del ímpetu que de la consideración" [21]; echa luego a los impresores la culpa de muchos atrevimientos con que los libros fueron publicados, y afirma que al imprimirlos nuevamente "he desagraviado mi opinión, y sacado estas manchas a mis escritos, para darlos bien corregidos, no con menos gracia, sino con gracia más decente, pues quitar lo que ofende, no es disminuir, sino desembarazar lo que agrada" [22]. El

---

[21] Idem, íd., pág. 131.

[22] Idem, íd., Cfr.: J. A. Tamayo, "El texto de los *Sueños* de Quevedo", en *Boletín de la Biblioteca Menéndez y Pelayo,* XXI, 1945, págs. 456-493. James O. Crosby, "Un

celo de los censores debió de servir de poco, porque las enmiendas eran transparentes, y casi siempre desdichadas; adviértase, para descargo del autor, que éste no las hizo por sí, sino que encargó la tarea a un amigo. (La moderna edición de Astrana parece que ha restituido en su integridad el texto primitivo).

En el *Sueño del juicio final* (llamado *Sueño de las calaveras* en los *Juguetes de la niñez*) todos los muertos se levantan para acudir al último juicio. La revuelta asamblea se inicia con una pincelada muy de época: un angelote de altar barroco da la señal: "Parecióme, pues, que vía un mancebo que, discurriendo por el aire, daba voz de su aliento a una trompeta, afeando en parte con la fuerza su hermosura" [23]. Quevedo hace desfilar un buen puñado, más que de tipos, de categorías o clases sociales. Este *sueño*, pese a lo prometedor del título, es el más corto; diríase que es el preludio de la sinfonía, donde se sugieren los motivos que luego, en los distintos movimientos, se van a desarrollar.

En *El alguacil endemoniado* (*El alguacil alguacilado* en los *Juguetes*), un diablo, metido en el cuerpo de un alguacil, concede una breve tregua a su víctima y le cuenta al autor y al licenciado Calabrés cómo les va por el infierno a sus clientes. Reaparecen casi las mismas gentes que en el *sueño* anterior: avaros, médicos, poetas, enamorados, damas honestas o no, comerciantes, pasteleros y vinateros, administradores de la justicia, cornudos...; clases todas por las que Quevedo siente especial predilección como blancos de su sátira. El ingenio de Quevedo se retuerce y afila para pinchar una y otra vez en el cuerpo de sus grotescos muñecos, que vuelcan el serrín de sus hipocresías. Los cuadros crecen en audacia, en intención. El licenciado Calabrés, confesor del autor del *sueño*, era "clérigo de bonete de tres altos hecho a modo de medio celemín; orillo por ceñidor, y no muy apretado; ojos de espulgo, vivos y bulliciosos; puños de Corinto, asomo de camisa por cuello, rosario en mano, disciplina en cinto, zapato grande y de ramplón, y oreja sorda, mangas en escaramuza y calados de rasgones, los brazos en jarra y las manos en garfio; habla entre penitente y disciplinante, derribado el cuello al hombro, como el buen tirador que apunta al blanco..." [24]. "Yo —añade luego—, que había comenzado a gustar de las sutilezas del diablo, le pedí que, pues estábamos solos, y él, como mi confesor, sabía mis cosas secretas, y yo, como amigo, las suyas, que le dejase hablar, apremiándole sólo a que no maltratase el cuerpo del alguacil..." [25]. Al ocuparse de los enamorados trata de un género muy particular, que le atrae otras muchas veces: "Son de ver los amantes de monjas, con las bocas abiertas y las manos extendidas, condenados por hablar sin tocar pieza, hechos bu-

---

Sueño desconocido", en *Nueva Revista de Filología Hispánica,* XIV, 1960, págs. 295-306. Del mismo, "A new *Sueño* wrongly attributed to Quevedo?", en *Hispanic Review,* XXXI, 1963, págs. 118-133.

[23] Ídem, íd., pág. 136.

[24] Ídem, íd., pág. 142.

[25] Ídem, íd., pág. 143.

fones de los otros, metiendo y sacando los dedos por unas rejas, siempre en vísperas del contento, sin ver jamás el día, y con sólo el título de pretendientes de Anticristo. Están luego a su lado los que han querido doncellas y se han condenado por el beso como Judas, brujuleando siempre los gustos sin poderlos descubrir. Detrás destos en una mazmorra están los adúlteros: éstos son los que mejor viven y peor lo pasan, pues otros les sustentan la cabalgadura y ellos la gozan" [26]. Una vez más torna sobre los mercaderes: "Hombres destos ha habido en el infierno, que viendo la leña y fuego que se gasta, han querido hacer estanco de la lumbre; y otro quiso arrendar los tormentos, pareciéndole que ganaría con ellos mucho. Estos tenemos allá junto a los jueces que acá los permitieron" [27]. Hay un pasaje de especial interés, que podría ser útil para medir los puntos que en ciertas materias calzaba el escepticismo de Quevedo: "Mas dejando esto —habla el diablo—, os quiero decir que estamos muy sentidos de los potajes que hacéis de nosotros, pintándonos con garras sin ser avechuchos; con colas, habiendo diablos rabones; con cuernos, no siendo casados; y mal barbados siempre, habiendo diablos de nosotros que podemos ser ermitaños y corregidores. Remediad esto, que poco ha que fue Jerónimo Bosco allá, y preguntándole por qué había hecho tantos guisados de nosotros en sus sueños, dijo que porque no había creído nunca que había demonios de veras" [28].

El sueño del infierno (*Las zahúrdas de Plutón* en los *Juguetes*) prosigue el itinerario. El escritor, no contento con el *Sueño* primero ni con las descripciones del diablo en el segundo, quiere conocer por sí mismo las mansiones infernales. El panorama crece ahora en extensión, pero apenas varían los motivos. Quevedo puede, sin embargo, zamarrear a los mismos títeres de las más originales maneras, exprimirle a cada tema su última gota, sacar de él los más insospechados registros. Con todo, el escepticismo de Quevedo se acrecienta y extiende a nuevos aspectos: "Toda la sangre, hidalguillo, es colorada; señalaos en las costumbres, y entonces creeré que descendéis del docto cuando lo fuéredes o procuráredes serlo; y si no, vuestra nobleza será mentira breve en cuanto durare la vida; que en la chancillería del infierno arrúgase el pergamino y consúmense las letras" [29]. Y siguen luego las consideraciones sobre la honra: ¡cuán lejos su descarnada interpretación de este problema de las convencionales idealizaciones de poetas y dramaturgos coetáneos!: "—¿Pues qué diré de la honra? Que más tiranías hace en el mundo y más daños, y la que más gustos estorba. Muere de hambre un caballero pobre, no tiene con qué vestirse, ándase roto y remendado, y da en ladrón; y no lo pide, porque dice que tiene honra, ni quiere servir porque dice que es deshonra. Todo cuan-

---

[26] Ídem, íd., págs. 143-144.

[27] Ídem, íd., pág. 145.

[28] Ídem, íd., pág. 144.

[29] Ídem, íd., pág. 153.

to se busca y afana dicen los hombres que es por sustentar honra. ¡Oh lo que gasta la honra! Y llegado a ver lo que es la honra, no es nada. Por la honra no come el que tiene gana donde le sabría bien. Por la honra se muere la viuda entre dos paredes. Por la honra, sin saber qué es hombre ni qué es gusto, se pasa la doncella treinta años casada consigo misma. Por la honra la casada se quita a su deseo cuanto pide. Por la honra pasan los hombres el mar. Por la honra mata un hombre a otro. Por la honra gastan todos más de lo que tienen. Y es la honra, según esto, una necedad del cuerpo y alma, pues al uno quita los gustos y al otro el descanso. Y porque veáis cuáles sois los hombres de desgraciados y cuán a peligro tenéis lo que más estimáis, hase de advertir que las cosas de más valor en vosotros son la honra, la vida y la hacienda; y la honra está junto al culo de las mujeres, la vida en las manos de los dotores y la hacienda en las plumas de los escribanos"[30].

En *El mundo por de dentro* Quevedo se sale al fin del infierno, para darse un paseo por la tierra, que tiene poco que envidiarle. Conducido por un viejo que es el Desengaño, encuentra de nuevo sus tipos preferidos por la calle de la Hipocresía. En *El sueño de la muerte* (*La visita de los chistes* en los *Juguetes*) prosigue la excursión terrestre guiado ahora por la Muerte. La técnica alegórica, dominante en todos los *Sueños*, todavía se acrecienta más en éste; Quevedo hace dialogar a figuras simbólicas que encarnan frases o refranes: el Rey que rabió, Mateo Pico, Pero Grullo, la Dueña Quintañona, con cuya intervención trata el autor de dar variedad a sus fantasías satíricas.

Sería interesante tratar de medir la hondura y significación de estos retablos quevedescos, tumultuosos, efervescentes, tremendamente incisivos, llenos de gracia y variedad, inconfundiblemente personales. Creemos que lo que más en ellos queda de relieve es el desolado pesimismo del escritor, cuya negrura sólo se compensa con lo divertido de sus propios excesos caricaturescos. Quevedo no alimenta ilusiones de ninguna índole ni cree en cosa alguna que huela a ser humano: su escepticismo en este campo no conoce orillas. Pero la medida de su sátira es otra cuestión. Azorín, en un bello ensayo sobre Quevedo, aludía a ella: "en estos infiernos —dice— que el poeta ha imaginado, quisiéramos ver —como en 1820 quería ver Marchena— otros personajes, otros tipos, otros condenados que no fueran sastres, taberneros, escribanos. Concebimos ahora la sátira social de distinto modo que en 1600. Nuestra execración va hacia hombres y cosas que tienen más trascendencia que los hombres y las cosas pintados por Quevedo"[31]. Es preciso, sin duda, tener en cuenta las diferencias de criterio y de sensibilidad que separan su tiempo de los nuestros, y sobre todo los obstáculos —nada leves— que había de saltar en su carrera de

---

[30] Ídem, íd.

[31] Azorín, *Al margen de los clásicos*, Publicaciones de la Residencia de Estudiantes, Madrid, 1915, págs. 152-153.

satírico; el hecho, sin embargo, es que la sátira de los *Sueños* pesa menos por la densidad de su contenido que por la sugestión de intensidad, de fuerza, de dureza en que la envuelve la portentosa palabra de Quevedo. Muchas de las cosas que él dice serían trivialidades sin la fiebre y la vibración que reciben de su envoltura verbal. Por esto creemos que los *Sueños* valen sobre todo como ejercicio literario, como índice de la potencia que atesora Quevedo como escritor. Pese a todo, su humana actitud global de agresiva inconformidad tiene un valor incuestionable; el propio Azorín lo admite: "Quevedo, por encima de todo, en virtud de estas síntesis que el tiempo forma, representa un gesto de protesta, de rebelión. Ese solo gesto nos basta" [32].

Las "fantasías morales". De técnica muy semejante a los *Sueños* son las dos llamadas fantasías morales: *Discurso de todos los diablos o infierno enmendado* y *La hora de todos y la fortuna con seso.*

El *Discurso* fue escrito en 1627 y publicado por vez primera en Gerona (1628) junto con el *Cuento de cuentos.* Quiso Quevedo reeditarlo en Madrid al año siguiente, pero la censura del padre Diego Niseno, provincial de los Basilios, extensa y pormenorizada, fue absolutamente condenatoria: al padre Niseno no le hacían ninguna gracia las chanzas de Quevedo con las mansiones infernales. Véanse algunos puntos de su informe, que permiten conocer el tono general: "Resma de infiernos, impropiedad burladora"; "Algunos trataron de huirse del infierno. Es dar a entender a los ignorantes que puede ser. Es contra la fe"; "Dice que van contentas al infierno las mujeres. Si lo dice de veras es error; si por donaire, irrisión de las penas, engaño de los ignorantes" [33] (cierto que al diablo no parecía Quevedo tenerle en el *Discurso* mucho respeto: "...Decía que mirase por sí Satanás: que había conjura para quitarle el diablazgo..."; "...Óigame vuestra diablencia..."; "...Éste es tonto y no sabe lo que se diabla...").

Entonces fue cuando Quevedo preparó la edición de sus *Juguetes,* donde el *Discurso* apareció bajo el título de *El Entremetido, la Dueña y el Soplón,* tres

[32] Ídem, íd., pág. 155. Cfr.: J. A. Tamayo, "Cinco notas a 'Los Sueños'", en *Homenaje a Quevedo en su centenario (1645-1945),* Valencia, Mediterráneo, 1946, págs. 143-160. Leo Spitzer, "Un passage de Quevedo", en *Revista de Filología Española,* XXIV, 1937, págs. 223-225. Sergio E. Fernández, *Ideas sociales y políticas en el 'Infierno' de Dante y en los 'Sueños' de Quevedo,* Méjico, 1950. Margarita Morreale, "Quevedo y el Bosco. Una apostilla a los *Sueños*", en *Clavileño,* núm. 40, 1956, pág. 40. De la misma, "La censura de la geomancia y de la herejía en *Las zahúrdas de Plutón* de Quevedo", en *Boletín de la Real Academia Española,* XXXVIII, 1958, págs. 409-419. R. M. Price, "Quevedo's Satire on the Use of Words in the *Sueños*", en *Modern Language Notes,* LXXIX, 1964, págs. 169-180. James O. Crosby, "The poet Claudian in Francisco de Quevedo's *Sueño del juicio final*", en *Papers of the Bibliographical Society of America,* Nueva York, LV, 1961, págs. 183-191.

[33] Ed. Astrana, cit., *Prosa,* págs. 199-200.

personajes que, al ser soltados en el infierno, abren la función y van luego tejiendo hilos con que anudar las distintas partes.

El *Discurso* tiene menor unidad y es menos compacto que los *Sueños*. La mayoría de los episodios podían pertenecer en todo a cualquiera de aquéllos; pero el autor va intercalando discursos más graves, que pone en boca de personajes históricos: políticos o escritores —César, Alejandro—, alguno de los cuales es algo extraño verlo metido en el infierno, como es el caso de Séneca. La sátira se hace en estos parlamentos más profunda y el autor parece alzarse a mayores atrevimientos; pero su tono y color diverge del resto, como en dos barajas mezcladas. Habla Clito, privado y víctima de Alejandro: "Para ver cuán poco caso hacen los dioses de las monarquías de la tierra, basta ver a quien se las dan"; y luego: "De suerte ¡oh Lucifer!, que el delito es ser privado, no ser malo ni bueno... —¿Ahora sabes —dijo Satanás— que la privanza es tropezón y todo príncipe zancadilla?...". Se disculpa Juliano el Apóstata (y adviértase la sorna del autor): "¿...podrá uno ser monarca y tenerlo todo sin quitárselo a muchos? ¿Podrá ser superior y soberano, y subordinarse a consejo? ¿Podrá ser todopoderoso, y no vengar su enojo, no llenar su codicia, ni satisfacer su lujuria?... ¿Podrá premiar los méritos quien en ellos tiene su acusación y su temor?..." [34]. A veces la irritación del padre Niseno parece justificarse: asen a un diablo, y al preguntarle "cómo dormía sueño de cornudo", responde: "Tres días ha que me acosté. Yo soy el diablo de las *Monjas*, y quedan eligiendo abadesa. Y, en tratándose deso, no hay sino descuidar, que todas son diablos; y en el torno se hilan, y en las redes se ciernen: y antes estorbara yo, porque las ambiciosas tienen por punto de honra que el diablo presuma en este tiempo de hábil. Cuando acá falte desorden y alboroto y parcialidades y bando, y si la paz se aventurare alguna vez a asomarse acá, no hay sino arrimar al infierno una elección de superiora, y no nos conoceremos todos" [35].

Merecerían detenido estudio las opiniones de Quevedo sobre la paz y la guerra, expuestas ya en el *Sueño de la muerte,* y que aquí se amplían con el llamamiento del diablo a la "diabla Prosperidad", pasaje interesantísimo de aguda sátira y larga intención.

Hay en el *Discurso* un episodio de inigualable fuerza, que quizá no tenga semejante en toda nuestra literatura como expresión de un pesimismo sin límites, casi nihilista. Un grupo de condenados se lamenta de su imprevisión: "Si yo volviera a nacer...". Hartos de oírlos, los diablos les conceden que vuelvan a la vida. Pero uno de aquéllos se opone a la propuesta y les dirige el parlamento a que aludimos, que por su extensión y el tono de algunas frases no es posible reproducir aquí; basten unas pocas como botón de muestra: "Si me han de engendrar bastardo, hay pecado y concierto y paga y alcagüeta y

---

[34] Ídem, íd., págs. 208, 209, 217.
[35] Ídem, íd., pág. 224.

tercera parte como casa. Si he de ser de legítimo matrimonio, ha de haber casamentero y mentiras y dote, que son epítetos, y no dos cosas. Yo he de estar aposentado en unos riñones... para nacer traeré más dolores que el mal francés; saldré revuelto en la sábana de la posada, como quien da madrugón; lloraré porque nací; viviré sin saber qué es vida; empezaré a morir sin saber qué es muerte... ¡Pues la gentecilla que hay en la vida y las costumbres! Para ser rico habéis de ser ladrón, y no como quiera, sino que hurtéis para el que os ha de invidiar el hurto, para el que os ha de prender, para el que os ha de sentenciar y para que os quede a vos. Si queréis ser honrado, habéis de ser adulador y mentiroso y entremetido. Si queréis medrar, habéis de sufrir y ser infame. Si os queréis casar, habéis de ser cornudo... Para ser valiente, habéis de ser traidor y borracho y blasfemo. Si sois pobre, nadie os conocerá; si sois rico, no conoceréis a nadie. Si uno vive poco, dicen que se malogra; si vive mucho, que no siente. Para ser bienquisto, habéis de ser malhablado y pródigo. Si se confiesa cada día, es hipócrita; si no se confiesa, es hereje; si es alegre, dicen que es bufón; si triste, que es enfadoso. Si es cortés, le llaman zalamero y figura; si descortés, desvergonzado. ¡Válate el diablo por vida y por vivo!..."[36].

El *Discurso,* en resumen, quizá sea de menos valor que los *Sueños* como creación literaria, pero les aventaja en peso doctrinal.

La hora de todos y la fortuna con seso fue escrita por Quevedo en 1635, cuando aumentaban y se crecían sus enemigos y daban a las prensas *El tribunal de la justa venganza.* El escritor firmó su "fantasía" con un enrevesado seudónimo y la dejó correr manuscrita. En 1639, meses antes de ser encarcelado en San Marcos, delineó *La isla de los monopantos,* que le fue secuestrada con sus papeles. Al ser libertado, la recuperó y la incluyó como uno más de los episodios de *La hora* para la edición de sus obras completas, que preparaba; pero murió sin verla impresa.

Quevedo monta su ficción sobre un curioso artificio de profunda ironía. Comienza con una asamblea de los dioses en el Olimpo, que el escritor convierte en una bufonada. Cansado Júpiter de oir a los mortales lamentarse de la arbitrariedad de la Fortuna, la llama a su presencia y le ordena que actúe con justicia; para hacer la prueba de la "nueva política", se decide que durante una hora se dará a cada mortal lo que en justicia se merece. Bajo la pluma de Quevedo vuelve a levantarse todo el tabladillo de gentes a que nos tiene acostumbrado; pero ocupa además muy amplio espacio la sátira política: no de España, sino de casi todos los estados europeos, cuyas actividades, carácter y condición examina implacable el escritor, bien enterado de la materia. Una sola hora basta para acreditar el fracaso de la experiencia, cuyo resultado es desconsolador: de nada sirve poner al juez en lugar del reo, porque éste al punto le usurpa los papeles: "los que por verse despreciados y pobres eran humil-

[36] Ídem, íd., págs. 205-206.

des, se han desvanecido y endemoniado; y los que eran reverenciados y ricos, que por serlo eran viciosos, tiranos, arrogantes y delincuentes, viéndose pobres y abatidos, están con arrepentimiento y retiro y piedad; de lo que se ha seguido que los que eran hombres de bien se han hecho pícaros, y los que eran pícaros, hombres de bien... su flaqueza es tal, que el que hace mal cuando puede, lo deja de hacer cuando no puede; y esto no es arrepentimiento, sino dejar de ser malos a más no poder. El abatimiento y la miseria los encoge, no los enmienda; la honra y la prosperidad les hace hacer lo que, si las hubieran alcanzado, siempre hubieran hecho..." [37].

La hora de todos siempre ha gozado de general estimación; la sátira es aquí más penetrante, y dejando de lado a los eternos cornudos, alguaciles, poetas, taberneros y demás parentela, se eleva a cuestiones de mayor importancia. Los años han labrado un surco en la obra quevedesca; el escritor ha perdido buena parte de su afición por las grotescas travesuras y escribe y piensa con más amarga gravedad. La prosa se adensa bajo el peso de su contenido. Astrana afirma que "el *Sueño del infierno* forma, con *La hora de todos* y la *Vida del Buscón*, la trinidad de obras por excelencia de Quevedo" [38]; y de la prosa de *La hora* escribe que es "la obra suprema del idioma castellano en lo que toca a lenguaje y estilo" [39]. Esto último parécenos excesivo; de Quevedo, escritor, en su conjunto, puede proclamarse esta supremacía; pero *La hora*, si no cansancio, diríase que denuncia al menos como un esfuerzo del escritor por mantener en tensión —y aun lo logra casi siempre— la ya forzada máquina de su ingenio. No obstante, el Quevedo dueño, forjador, inventor del lenguaje, aparece constantemente; dice un español a tres franceses con quienes discute: "Los demonios me están retentando de mataros a puñaladas, y abernardarme y hacer Roncesvalles estos montes". Habla de mujeres: "...y aunque algunas de ellas se tomaban ya de los años, iban gorjeándose la andadura..." [40].

La isla de los monopantos se viene considerando como una embozada sátira contra Olivares y su camarilla; no lo vemos claro, y tememos que se quiebran, de tan sutiles, las interpretaciones. El apartado XXXVII sobre "Los negros" encierra una aguda y amarga defensa de esta raza, que merecería divulgarse. A propósito de los holandeses —apartado XXVIII— desliza Quevedo breves, pero penetrantes, sugerencias, cargadas de cautela sobre los efectos de nuestra derramada expansión en tierras americanas.

La "Vida del Buscón". Ninguna otra obra ha contribuido tanto como el *Buscón* a dilatar la fama de Quevedo, y quizá ella sola, de no haber escrito

---

37 Ídem, íd., págs. 269-270.

38 Ídem, íd., *Verso*, págs. XXX-XXXI.

39 Ídem, íd., pág. XXXIV.

40 Ídem, íd., *Prosa*, págs. 247, 233.

más, hubiera bastado para situarle destacadamente en la historia de nuestra literatura.

La novela se publicó por vez primera en Zaragoza en 1626, pero había sido escrita con mucha anterioridad; los críticos discuten sobre la fecha de su redacción, que quizá puede situarse entre 1603 y 1608. En cualquier caso, la novela pertenece a la juventud del autor, ya que debió de escribirla más o menos hacia sus veinticinco años. El dato importa en primer lugar porque permite ver en qué asombrosa medida Quevedo se encontraba ya entonces dueño de todos sus recursos como escritor, y estaba cuajada su personalidad y directrices literarias. La edición de Zaragoza, muchas veces reproducida, no contiene la primera redacción de la novela. Como en los *Sueños,* Quevedo hubo de retocar la versión original y modificar algunos pasajes que aludían a cosas religiosas y parecieron irreverentes; pero se ignora por qué fechas llevó a cabo la corrección [41].

---

[41] Ediciones modernas del *Buscón*: Aureliano Fernández-Guerra, en BAE, XXIII, cit. (la edición es de 1852); Américo Castro, Madrid, 1911, y Madrid, 1927, en Clásicos Castellanos (en esta última anulaba explícitamente la suya anterior por estimar deficiente su texto); R. Foulché-Delbosc, Nueva York, 1917. Roberto Selden Rose, Madrid, 1927. Astrana Marín, en *Obras,* cit., 1932. Fernando Lázaro Carreter, edición crítica, Clásicos Hispánicos, C. S. I. C., Salamanca, 1965.

Del *Buscón* se conocen por el momento tres manuscritos, ninguno de la mano de Quevedo, con numerosas variantes y grandes imperfecciones; probablemente se trata de copias diversas, de entre las muchas que difundieron manuscrita la novela antes de su impresión. Esta circunstancia y el hecho de que los editores modernos no hayan tenido oportunidad de manejar y comparar los dichos tres manuscritos, explica que las ediciones del *Buscón* ofrezcan escasas garantías. Lázaro Carreter, que por primera vez ha podido realizar el cotejo de las tres copias conservadas, ha llevado a cabo la mencionada "edición crítica", en la que cree haber logrado un texto todo lo perfecto que permiten los materiales existentes. Véase su "Estudio preliminar", en el que hace historia de los problemas bibliográficos y examina las anteriores ediciones de la novela.

En opinión de Lázaro Carreter, la edición princeps de Zaragoza debió de hacerse sin intervención del autor y sobre uno de los deficientes manuscritos que circulaban; una segunda edición de Zaragoza de 1628, que ha solido estimarse como superior, pero que apenas aventaja a la primera, debió de ser hecha sobre otro manuscrito de parecida calidad, ajeno también a la mano de Quevedo. Sobre el carácter de la corrección llevada a cabo por éste sobre su redacción primera, dice Lázaro Carreter: estamos "ante la evidencia de que existen dos redacciones del *Buscón*... aunque quizá no deba hablarse de dos redacciones, sino de una versión primitiva y de otra retocada. El número de pasajes de cierta extensión que han sido afectados por rectificaciones importantes, excede poco del centenar... La mano del autor debió de ir, en el curso de una nueva lectura, tachando, ampliando o dando redacción distinta a determinados puntos. Esta tarea iniciada con cierta intensidad, le fatigó quizá, pues los retoques son más abundantes en los primeros capítulos que en los restantes. Es imposible probar con hechos objetivos que esas rectificaciones son obra de Quevedo; sin embargo, cualquier lector habituado a su estilo, advertirá en ellas rasgos inequívocamente suyos" ("Estudio preliminar", páginas XLVII, XLVIII). Cfr.: A. Rodríguez Moñino, "Los manuscritos del 'Buscón' ", en *Nueva Revista de Filología Hispánica,* VII, 1953, págs. 657-672.

Comparada con las demás novelas picarescas, podría decirse que el *Buscón* encierra un mundo aparte; tan aparte, como la obra quevedesca, en conjunto, lo está de la de otro escritor cualquiera. Esta singularidad no se la da al *Buscón* ni el tema, ni la materia del relato, ni ninguna experiencia peculiar allí recogida, ni siquiera su particular sentido o propósito; es, simplemente, una cuestión de estilo, es decir, de estricta creación literaria.

Los precedentes del *Lazarillo* y del *Guzmán* dejaban ya fijado aquel mundo novelesco; con ambas novelas, a su vez, quedaban abiertas también las dos rutas capitales del género: la de la picaresca pura y la de la picaresca moralizante. Ni el tema ni el propósito suponen, pues, nada nuevo en la novela de Quevedo. Su radical originalidad consiste, en cambio, en que en ella vuelca el escritor —a raudales, sin contención, en medida no igualada ni en los *Sueños,* ni en las "fantasías morales", ni en sus obras satíricas o festivas— su capacidad de caricaturizar, de retorcer hasta el frenesí, de amontonar rasgos grotescos, de estirar y contorsionar a sus peleles humanos, con un desborde de ingenio en el que el autor encuentra su complacencia, diríase que sin fines ulteriores. En un agudo estudio sobre el *Buscón,* Fernando Lázaro Carreter subraya este último aspecto con palabras que habremos de glosar luego: "Es el suyo —dice— un deseo casi demoníaco de ostentar ingenio, y lo proclama constantemente. Ni moralidad ni pesimismo parecen rondar por esta cabeza todavía..." [42].

Ninguna medida humana sirve para la fauna quevedesca que puebla el *Buscón.* Aun siendo tan conocida, es forzoso reproducir la estampa del dómine Cabra como paradigma: "El era un clérigo cerbatana, largo sólo en el talle, una cabeza pequeña, pelo bermejo (no hay más que decir para quien sabe el refrán), los ojos avecinados en el cogote, que parecía que miraba por cuévanos; tan hundidos y escuros, que era buen sitio el suyo para tiendas de mercaderes; la nariz, entre Roma y Francia, porque se le había comido de unas búas de resfriado, que aun no fueron de vicio porque cuestan dinero; las barbas descoloridas de miedo de la boca vecina, que, de pura hambre parecía que amenazaba a comérselas; los dientes, le faltaban no sé cuántos, y pienso que por holgazanes y vagamundos se los habían desterrado; el gaznate, largo como de avestruz, con una nuez tan salida, que parecía se iba a buscar de comer, forzada de la necesidad; los brazos secos, las manos como un manojo de sarmientos cada una. Mirado de medio abajo, parecía tenedor o compás, con dos piernas largas y flacas; su andar muy espacioso; si se descomponía algo, le sonaban los güesos como tablillas de San Lázaro; la habla hética; la barba grande, que nunca se la cortaba por no gastar, y él decía que era tanto el asco que le daba ver las manos del barbero por su cara, que antes se dejaría matar que tal permitiese; cortábale los cabellos un muchacho de nosotros.

[42] "Originalidad del *Buscón*", en *Studia Philologica. Homenaje ofrecido a Dámaso Alonso,* II, Madrid, 1961, pág. 322.

Traía un bonete los días de sol, ratonado con mil gateras y guarniciones de grasa; era de cosa que fue paño, con los fondos en caspa. La sotana, según decían algunos, era milagrosa, porque no se sabía de qué color era. Unos, viéndola tan sin pelo, la tenían por de cuero de rana; otros decían que era ilusión; desde cerca parecía negra, y desde lejos entre azul. Llevábala sin ceñidor; no traía cuello ni puños. Parecía, con los cabellos largos y la sotana mísera y corta, lacayuelo de la muerte. Cada zapato podía ser tumba de un filisteo. Pues su aposento, aun arañas no había en él. Conjuraba los ratones, de miedo que no le royesen algunos mendrugos que guardaba. La cama tenía en el suelo, y dormía siempre de un lado por no gastar las sábanas. Al fin, él era archipobre y protomiseria"[43]. Pablos y don Diego vuelven a casa de su señor, después de salir de las garras del licenciado: "Entramos en casa de don Alonso, y echáronnos en dos camas con mucho tiento, porque no se nos desparramasen los güesos de puro roídos de la hambre. Trujeron esploradores que nos buscasen los ojos por toda la cara, y a mí, como había sido mi trabajo mayor y la hambre imperial, que al fin me trataban como a criado, en buen rato no me los hallaron. Trajeron médicos y mandaron que nos limpiasen con zorras el polvo de las bocas, como a retablos, y bien lo éramos de duelos... Mandaron los doctores que, por nueve días, no hablase nadie recio en nuestro aposento porque, como estaban güecos los estómagos, sonaba en ellos el eco de cualquier palabra"[44]. Véase la estampa del soldado, que encuentra Pablos en el camino de Madrid a Segovia: "Enseñóme una cuchillada de a palmo en las ingles, que así era de incordio como el sol es claro. Luego en los calcañares, me enseñó otras dos señales, y dijo que eran balas; y yo saqué, por otras dos mías que tengo, que habían sido sabañones. Quitóse el sombrero y mostróme el rostro; calzaba diez y seis puntos de cara, que tantos tenía en una cuchillada que le partía las narices. Tenía otros tres chirlos, que se la volvían mapa a puras líneas..."[45]. Hacia el final del libro, Pablos cena en Sevilla con cuatro valentones, y he aquí la estampa: "Estando en esto, y yo con lo bebido atolondrado, entraron cuatro dellos, con cuatro zapatos de gotoso por caras, andando a lo columpio, no cubiertos con las capas sino fajados por los lomos; los sombreros empinados sobre la frente, altas las faldillas de delante, que parecían diademas; un par de herrerías enteras por guarniciones de dagas y espadas; las conteras, en conversación con el calcañar derecho; los ojos derribados, la vista fuerte; bigotes buidos a lo cuerno, y barbas turcas, como caballos... Sentáronse; y para preguntar quién era yo, no hablaron palabra, sino el uno miró a Matorrales, y, abriendo la boca y empujando hacia mí el labio de abajo, me señaló. A lo cual mi maestro de novicios satisfizo empuñando la barba y mirando hacia abajo. Y con esto, se levantaron todos y me

[43] Ed. Lázaro Carreter, cit., págs. 32-34.

[44] Ídem, íd., págs. 48-49.

[45] Ídem, íd., pág. 124.

abrazaron, y yo a ellos, que fue lo mismo que si catara cuatro diferentes vinos"[46].

Lo primero que cabe plantearse ante este mundo novelesco —único, inconfundible— es la cuestión del realismo. Y claro que estas páginas no son una pintura real, sino arriscadamente deformada, visión esperpéntica, fantasía goyesca, es decir: algo que no procede de una normal captura, sino de caprichosa elaboración, forja cerebral, sustitución del dato por la invención ingeniosa, con una clara voluntad de creación artística. Evidentemente, extraída la correspondiente raíz —una raíz de alto exponente—, nos hallamos con una realidad aproximada, o incluso exacta. En tal caso, la caricatura cumple su oficio de potenciar la realidad, y no cabe afirmar que se la falsee. Así sucede, efectivamente, en muchos pasajes; pero lo desmedido del procedimiento y la insistencia en él hacen sospechar que lo que atrae al escritor es el placer de la caricatura por sí misma: no la verdad que se refleja en el espejo deformador, sino la misma imagen deformada. Las cosas no parecen interesar sino como materia u ocasión para la burla del novelista, para la farsa guiñolesca que divierte y asombra con su bracear gesticulante. La sospecha se nos agudiza porque esta deshumanización del escritor no es sólo literaria sino moral. Pablos —entiéndase Quevedo, naturalmente— cuenta las cosas más tremendas con una impavidez glacial (como que forma parte del efecto truculento que se pretende), lo mismo si alude a la muerte de su padre ajusticiado, a quien encuentra hecho cuartos en el camino a las puertas de Segovia, que a los emparedados de carne humana que se comen en casa de su tío el verdugo. El novelista no se siente unido por lazo alguno de emoción hacia las figuras que maneja; todo ese mundo repugnante, que parece satirizar, toda esa rueda alucinante de hampones, hambrientos, matones, busconas, verdugos, alcahuetas, toda esa

---

[46] Ídem, íd., pág. 276. Cfr.: R. Foulché-Delbosc, "Notes sur le *Buscón*", en *Revue Hispanique,* XLI, 1916, págs. 265-291. N. Alonso Cortés, "Sobre el *Buscón*", en *Revue Hispanique,* XLIII, 1918, págs. 26-37. Leo Spitzer, "Zur Kunst Quevedos in seinem *Buscón*", en *Archivum Romanicum,* XI, 1927, págs. 511-580. Miguel Herrero, "Imitación de Quevedo", en *Revista de la Biblioteca, Archivo y Museo de Madrid,* V, 1928. Raimundo Lida, "Estilística. Un estudio sobre Quevedo", en *Sur,* Buenos Aires, núm. 4, 1931, páginas 163-172. G. LaGrone, "Quevedo and Salas Barbadillo", en *Hispanic Review,* X, 1942, págs. 223-243. Emilio Alarcos, *El dinero en la obra de Quevedo,* Valladolid, 1942. Del mismo, "Quevedo y la parodia idiomática", en *Archivum,* V, 1955, págs. 3-38. José Vila Selma, "Humanismo en el *Buscón* (notas para su estudio)", en *Homenaje a Quevedo...,* cit., págs. 161-171. Alexander A. Parker, "The Psychology of the Pícaro in *El Buscón*", en *Modern Language Review,* XLII, 1947, págs. 58-69. P. N. Dunn, "El individuo y la sociedad en la *Vida del Buscón*", en *Bulletin Hispanique,* LII, 1950, págs. 375-396. F. Lázaro Carreter, *Tres historias de España (Lázaro de Tormes, Guzmán de Alfarache y Pablos de Segovia),* Salamanca, 1960. Herman Iventosch, "Onomastic invention in the *Buscón*", en *Hispanic Review,* XXIX, 1961, págs. 15-32. Del mismo, "Quevedo and the Defense of the Slandered", en *Hispanic Review,* XXX, 1962, págs. 94-115 y 173-193. D. B. Randall, "The Classical Ending of Quevedo's *Buscón*", en *Hispanic Review,* XXXII, 1964, págs. 101-108.

sucesión de golpes, violencias y suciedades, constituyen para él un espectáculo divertido, materia prima de su obra, que Quevedo manipula con frialdad cruel y convierte en sustancia literaria después de elaborarla en las oficinas de su cerebro. "Quevedo —dice Lázaro Carreter— contempla a través de un prisma que deforma y aísla; su campo de observación aparece bañado por una fría luz de laboratorio. De los pobres no importa su hambre, sino sus tretas y sus trapos; ni interesa el dolor de una potra, sino su tamaño y su eficacia como cebo. Miseria, sufrimientos, ruindad, todas las lacras, son sólo objetos para ser contemplados y mutados en sustancia cómica. Y, claro es, cuando un objeto *normal*, un caballo por ejemplo, debe penetrar en aquel recinto, inmediatamente se deforma: su cuello se alarga, sus ancas se apuntan, y todo él se hace negación del canon. No hay, en la novela, vieja que no sea boquisumida y tercera, moza que no pique en meretriz, mesonero que no robe, escribano que no delinca" [47].

Lázaro Carreter niega al *Buscón* dos caracteres que de siempre le han sido atribuidos: la protesta social y el didactismo (entiéndase, intención crítica y propósito de lección moral), y precisamente en la ausencia de estos dos rasgos, consustanciales a toda novela picaresca, hace consistir lo peculiar de esta novela. "No hay intención moral —escribe— que no se dispare a un objetivo concreto, que no piense en alcanzar un centro para actuar. Y ¿puede pensar alguien con seriedad que D. Francisco aspiraba a reformar el abigarrado censo de su *Buscón,* constituido por barberos, brujas, hidalgüelos, ladrones, mendigos, escribanos, verdugos, izas, jaques, valentones, arbitristas y dementes? En el prólogo —y eso que parece escrito más tarde— lo dice claro: compone *libro de burlas,* y envía al templo a quien desee reformar sus costumbres". Y añade luego: "El *Buscón* se muestra, así, charla sin objeto, dardo sin meta, fantasmagoría" [48]. Sobre la ausencia de intención crítica se expresa con idéntica claridad. Al ocuparse del episodio de los galanes de monjas, realidad de todos conocida y denunciada por otros varios escritores, se pregunta por qué este pasaje de Quevedo produjo tanta irritación. Y contesta: "Simplemente, por la ausencia de crítica, por la conversión de una plaga eclesiástica en pretexto para la risa" [49].

Declaramos que estos aspectos nos parecen más problemáticos, y dentro de la difícil y escurridiza personalidad de Quevedo se quiebran en cien posibles interpretaciones. El hecho de que Quevedo no imaginara siquiera que fuese posible corregir a los galanes de monjas y al "abigarrado censo de barberos, brujas" y demás, no arguye necesariamente la ausencia de intención satírica; está más bien relacionado con su radical y absoluto escepticismo. Quevedo tenía fe en muy pocas cosas, y por descontado en ninguna en la que el ser

[47] "Originalidad del *Buscón*", cit., pág. 336.
[48] Ídem, íd., págs. 334-335.
[49] Ídem, íd., pág. 333.

humano tuviese algo que ver. "Todo el hombre es mentira por cualquier parte que lo examines —dice en *El mundo por de dentro*—, si no es que, ignorante como tú, crea las apariencias" [50]. Precisamente este escepticismo es el que hacía posible la glacial deshumanización —literaria y moral— que en el *Buscón* hemos constatado, y que tomara a risa, transformándolo en literatura, lo que a otras mentes, que tenían más fe en el hombre, les provocaba dolorosa irritación y prurito de moralizar. Quevedo, en cambio, pensaba que no valía la pena. En este sentido sí que parece cierta la afirmación de Lázaro Carreter de que el *Buscón* carece de propósito: "dardo sin meta". Pero la denuncia satírica está allí, con todo el peso enorme y acusador de los propios hechos, que no necesitan comentario. Lo malo de Quevedo es que, como dijimos a propósito de los *Sueños*, la emprende muchas veces con gentes y cosas que carecen de toda importancia (esos pasteleros, sastres, barberos, vinateros, poetas, tan insistentemente aporreados). Pero en el *Buscón* da plaza a otras cuestiones: todas esas farsas de devoción, que cubrían el país de una apestosa capa de hipocresía; la venalidad de la justicia, pormenorizada en hechos muy concretos; la miseria y vergüenza del hampa organizada, que explota además la credulidad —una credulidad tristemente pueril— de gentes bien necias; la proliferación de valentones; el mismo episodio de los galanes de monjas... ¿qué mayor protesta que el simple hecho de echárselos a los ojos del lector, destripando aquel tinglado social donde resultaban posibles semejantes seres? La mera denuncia de la maldad o de la farsa moraliza por la sola virtud de poner al descubierto el daño o la mentira; y Quevedo no lo hace comoquiera, sino con plena conciencia de su actitud. Aunque lo afirma de su poesía, son irrecusables también sobre su prosa las palabras de Dámaso Alonso: hasta "en el Quevedo más chocarrero hay algo del moralista..., por lo menos el ceño" [51].

Lázaro Carreter enfrenta varias situaciones semejantes en el *Guzmán* y en el *Buscón* para subrayar sus diferencias, y se detiene en el tipo del soldado, que Mateo Alemán trata dramáticamente y que Quevedo, dice, "transforma en espantajo". Su silueta, en efecto, es una de las más desconyuntadas caricaturas de la novela. Pero aquí de la cuestión: Alemán creía en el heroísmo del soldado, al que podía traicionar vilmente la burocracia cortesana; Quevedo ni siquiera llega a creer que aquel soldado fuese o valiese como tal, porque el heroísmo de que gallea es una farsa, y las heridas que muestra en los zancajos no son de balas sino de sabañones, y los diez y seis puntos de la cara no se los hicieron sirviendo al rey sino en pendencias de taberna. En el soldado de Quevedo es la milicia entera la que se pone en solfa, porque sus supuestas ha-

[50] Ed. Astrana, cit., *Prosa*, pág. 168.

[51] Dámaso Alonso, "El desgarrón afectivo en la poesía de Quevedo", en *Poesía española. Ensayo de métodos y límites estilísticos*, 4.ª ed., Madrid, 1962, pág. 502.

zañas, y sus heridas y su gloria, personificadas en aquel truhán, vienen a parar en pura baladronada sin realidad.

La novela de Quevedo es, ciertamente, como recuerda el citado crítico, "libro de burlas", pero de burlas que, entre muchas de escasa transcendencia, disparan sobre blancos muy respetados y prestigiosos, petrificados en montañas de convencionalismos; y los dardos silban acá y allá desde los ángulos más inesperados. De cómo Quevedo se reía de tantas cosas, véase este último ejemplo; el verdugo de Segovia escribe a Pablos, su sobrino, y se disculpa de no haber sido más diligente: "Las ocupaciones grandes desta plaza en que me tiene ocupado Su Majestad, no me han dado lugar a hacer esto; que si algo tiene malo el servir al Rey, es el trabajo, *aunque se desquita con esta negra honrilla de ser sus criados*" [52]. La ironía del verdugo es sangrienta; casi como su profesión.

Más arriba dejamos ya aludida, y no parece necesario insistir, la diferencia que media entre este mundo desconyuntado del *Buscón* y la visión serena, cálidamente humana y limpiamente realista, de las creaciones novelescas de Cervantes, del *Lazarillo* o del *Guzmán*. Con todo, si comparamos el *Buscón* con los *Sueños* o las fantasías morales, advertimos que la estilizada deshumanización quevedesca jamás llega tan alto en el primero como en estos últimos. En los *Sueños* y las fantasías Quevedo maneja seres abstractos, categorías, clases sociales, nunca individuos, sin que apenas pretenda disfrazarlas bajo esta condición; en el *Buscón* en cambio, aun deformados por la desmesurada caricatura, los personajes —al menos buena parte de ellos— quedan bastante más individualizados, y bajo la silueta contorsionada se palpa el bulto del hombre real.

No sabemos si ha sido convenientemente destacada en la novela de Quevedo la ausencia total de notas concretas que ambienten y caractericen sus diversos escenarios geográficos. Pablos vive en Segovia, en Alcalá, en Madrid, pero no hallaremos una sola palabra que aluda a la fisonomía de estas ciudades, a su carácter, paisaje urbano, naturaleza circundante; sabemos donde estamos porque Quevedo nos ha revelado el nombre de la ciudad en que se encuentra el protagonista. Las pintorescas descripciones de los días de Alcalá pintan con vigorosos trazos la vida estudiantil, pero suceden, como todas las aventuras del libro, en un marco abstracto. Ya conocemos que la literatura no descubre la naturaleza hasta advenir el Romanticismo, pero la atención a la escena ciudadana no es ajena a los novelistas, y en muchos de ellos —Cervantes, el mismo *Lazarillo* (recuérdense las escenas en Escalona con el ciego)— es constante el cuidado de caracterizarla para lograr la verdad del cuadro. Pero en los de Quevedo no hallaremos sino humanas siluetas, poderosamente recortadas, desgajadas del medio; y nada, fuera de ellas, le interesa.

---

[52] Ed. Lázaro Carreter, cit., pág. 91.

El *Buscón* es exponente genuino del más peculiar estilo quevedesco, de su prosa precisa, gráfica, agresiva, dueña siempre de los matices más sugerentes, del giro más audaz, de la más atrevida metáfora. Todas las formas del conceptismo se dan aquí fundidas, sin rehuir siquiera el exceso. Sin embargo, la prosa del *Buscón* jamás resulta difícil ni enfadosa, y en punto a interés y amenidad pocas novelas picarescas —quizá ninguna— le superan.

Obras políticas. La producción política de Quevedo ocupa una parte de las más extensas en su obra literaria. Cultivó Quevedo aspectos muy diversos, desde el libro teórico-doctrinal hasta el panfleto de circunstancias, el informe político y el testimonio de hechos presenciados. Cronológicamente, esta producción cubre casi toda la vida del escritor, descontados los años primeros en que cultivó casi exclusivamente la literatura satírica y festiva (época de los *Sueños*, de las fantasías y del *Buscón*).

La primera obra de esta especie quedó sin acabar, quizá porque Quevedo deseaba ampliarla y rehacerla con mayor madurez y asiento: titúlase *España defendida, y los tiempos de ahora, de las calumnias de los noveleros y sediciosos*, y fue compuesta probablemente en 1609. En la dedicatoria a Felipe III declara su autor el propósito de aquellas páginas: "Cansado de ver el sufrimiento de España, con que ha dejado pasar sin castigo tantas calumnias de extranjeros, quizá despreciándolas generosamente, y viendo que desvergonzados nuestros enemigos, lo que perdonamos modestos juzgan que lo concedemos convencidos y mudos, me he atrevido a responder por mi patria y por mis tiempos..." [53]. Quevedo, que venía atacando con tanta dureza las costumbres de sus compatriotas —censuras que aquí no recata tampoco—, sale en defensa de las muchas preeminencias que podía exhibir, contestando en particular a Scalígero y a Mercator: "hijo de España, escribo sus glorias". Y barajando su militante patriotismo —agresivo en más de un pasaje— con una arrogancia muy propia de él y de su pueblo, añade: "Bien sé a cuántos contradigo, y reconozco los que se han de armar contra mí; mas no fuera yo español si no buscara peligros, despreciándolos antes para vencerlos después" [54]. La *España defendida* pertenece, pues, a la corriente del "laus Hispaniae", pero el autor se extiende también en descripciones geográficas, historia primitiva, nombre de España "y su origen y etimología", lengua de los primeros habitantes y su evolución, costumbres, etc. En el aspecto literario, reivindica con pasión exaltada supremacías discutibles; después de mencionar a varios escritores religiosos, fray Luis entre ellos, escribe dirigiéndose a Mercator: "...dejando las cosas grandes, ¿quién tienes tú en ninguna lengua, entre griega, hebrea y latina y las vuestras todas, ocupadas en servir a la blasfemia, qué tenéis que comparar con la tra-

---

[53] Ed. Astrana, cit., *Prosa*, pág. 273. Cfr.: R. S. Rose, "The Patriotism of Quevedo", en *The Modern Language Journal*, IX, 1925, págs. 227-236. R. Lida, "La *España defendida* y la síntesis pagano-cristiana", en *Letras hispánicas*, Méjico, 1958, págs. 142-148.

[54] Ídem, íd.

gedia ejemplar de *Celestina* y con *Lazarillo*? ¿Dónde hay aquella propiedad, gracia y dulzura? ¿Qué nación no los ha hecho tratables a su idioma, como han podido, hasta los turcos y moros? ¿Qué Horacio, ni Propercio, ni Tíbulo, ni Cornelio Galo, excedió a Garcilaso y Boscán? ¿Qué Terencio a Torres Naharro? ¿Qué Anacreonte iguala a Garci Sánchez de Badajoz? ¿Qué Pitágoras y Focílides y Teógnides y Catón latino no se dejan vencer de las *Coplas* de don Jorge Manrique, nunca bastantemente admiradas de las gentes? ¿Qué tenéis que poner en comparación con el divino Castillejo? ¿Qué oponéis al doctísimo Juan de Mena, donde es gran negocio entenderle, y difícil imitarle, y excederle imposible?..." [55]. Escritas con entusiasmo fervoroso aunque insuficiente meditación, estas páginas distan mucho del mejor Quevedo, pero no carecen de interés para el estudio de su personalidad.

El principal y más extenso tratado de Quevedo es la *Política de Dios, gobierno de Cristo...*, que consta de dos partes: la primera, dedicada a Felipe IV, fue compuesta probablemente entre 1617 y 1621, y después de correr en muchas copias manuscritas, fue editada en Zaragoza en 1626, pero en forma muy incorrecta; se sucedieron enseguida otras cuatro ediciones, en Barcelona (dos), en Milán y en Pamplona, con los mismos defectos, que remedió Quevedo para la edición de Madrid del mismo año. La segunda parte, fue dedicada al Papa Urbano VIII, escrita entre 1634 y 1635 y publicada muchos años después de la muerte del autor, aunque también se había difundido en copias manuscritas.

En la *Política de Dios* traza Quevedo el ideal del príncipe cristiano, tal como puede deducirse de las enseñanzas del Evangelio. Al frente de cada capítulo coloca un pasaje del texto sagrado y lo glosa luego minuciosamente —al modo como los Padres hacen su exégesis de las Escrituras— aplicándolo a las realidades de la política, pero, por lo común, en forma abstracta y general, en puros principios, diríamos: "Rey que pelea y trabaja delante de los suyos, oblígalos a ser valientes; el que los ve pelear, los multiplica, y de uno hace dos. Quien los manda pelear y no los ve, ése les disculpa de lo que dejaren de hacer; fía toda su honra a la fortuna: no se puede quejar sino de sí solo. Diferentes ejércitos son los que pagan los príncipes, que los que acompañan. Los unos traen grandes gastos, los otros grandes victorias. Los unos sustenta el enemigo, los otros el rey perezoso y entretenido en el ocio de la vanidad acomodada. Una cosa es en los soldados obedecer órdenes, otra seguir el ejemplo. Los unos tienen por paga el sueldo, los otros la gloria" [56]. Quevedo hace gala de profundos conocimientos de la doctrina evangélica, pero es mayor su capacidad para sutilizar sobre cada pasaje, apurando registros y exprimiendo a cada palabra sus últimas posibilidades de expresión; más que el teólogo —y a Quevedo no le faltaban títulos para ser estimado como tal— brilla aquí el

[55] Idem, íd., pág. 294.

[56] Idem, íd., pág. 318.

escritor, y sobre todo el conceptista sutil, dueño de los más rebuscados matices. En su aprobación de la primera edición de Madrid, el padre Gabriel de Castilla decía muy exactamente: "...lo menor, con ser escogido..., es el lenguaje...: lo más es un cierto modo raro y delgado de levantar sutiles y nuevos pensamientos... Y hay muy pocos en el oficio y arte de predicar que lo puedan alcanzar; porque no consiste en continuo estudio de Escritura, ni perpetua lección de santos y dotores, sino en viveza de ingenio..." [57].

No es posible dudar que al tomar el Evangelio como guía del príncipe, pensaba Quevedo en erigir el arquetipo del gobernante cristiano con toda su posible perfección, pero de la cautela de Quevedo puede esperarse todo género de sutiles precauciones; al escritor le interesaba sobre todo la política de su país, su rey y sus ministros y los validos omnipotentes y la rueda de logreros de la administración pública, pero no cabía pensar en enfrentarlos abiertamente, y ni siquiera en el terreno de la pura abstracción teórica hubiera podido aludirles con doctrina de su minerva. Por eso toma posiciones tras de trincheras bien acreditadas como el Evangelio, que no podían ser rehusadas por la "Sacra, católica, real Majestad" ni por los hombres que la suplantaban. Tras la ideal abstracción, Quevedo apuntaba a la realidad de su momento, y los lectores debían de andar muy solícitos en descubrir la clave bajo la malla de las palabras; y no debía de ser ésta la causa menor del éxito del libro: "Sólo es buen ministro quien derechamente mira a los necesitados. Quien da al poderoso, compra y no da; mercader es, no dadivoso; logro es el suyo, no servicio; más pide dando que pidiendo, porque pide obligando a que le den. Quien pide para el que manda, toma para sí: cautela es, no caridad" [58]. "Al ministro que tiene a cargo el suplir la falta de su príncipe, sola le puede conservar la arte con que hiciere que se entienda siempre que obra su señor sin dependencia; porque el día que se descubriere el defecto... ese día sigue al uno el desprecio, y al otro el peligro manifiesto y merecido; y cada uno presume de apoderarse de aquella voluntad, y nadie echa al otro sino por acomodarse; y por esto unos serán persecución de otros, y nunca se tratará del remedio; y será la variedad, si no peor en los efectos, más escandalosa y aventurada" [59]. Fray Gabriel de Castilla, en la aludida aprobación, escribe muy significativamente: "Abstrayendo de que pase o no en este tiempo lo que dice..." [60]. En las palabras preliminares al lector, en la segunda parte, dirigidas "A quien lee serenamente", desliza Quevedo una advertencia, que en su pluma más bien que excusa es llamada de atención: "Imprimiéronse algunos capítulos desta obra, atendiendo yo en ellos a la vida de Cristo, y no de alguno. *Aconteció que la leyó cada mal intencionado contra las personas que aborrecía.* Estos preceptos generales hablan en lenguaje de los mandamientos, con

[57] Ídem, íd., pág. 304.
[58] Ídem, íd., pág. 335.
[59] Ídem, íd., pág. 344.
[60] Ídem, íd., pág. 303.

todos los que los quebrantaren y no cumplieren; y miran con igual entereza a todos tiempos, y señalan las vidas, no los hombres"[61].

Se habla a veces del sentido católico de la política que propone Quevedo en su *Política de Dios*, y no lo negamos. Creemos, sin embargo, que en las páginas del Evangelio, y por aquellas razones dichas, el escritor buscaba sobre todo medicina para el desgobierno de su país, y no principios doctrinales que oponer al maquiavelismo de la política europea, ya entronizado como directriz general. El avisadísimo Quevedo no podía suponer inocentemente que la dura realidad del mundo pudiera manejarse con normas tan bellas e ideales. Luego veremos un pasaje muy significativo.

El serio cuidado que siempre inspiró a Quevedo la política de Venecia, que conocía muy directamente, y sobre la que había aconsejado en sus días de Nápoles junto al duque de Osuna, le inspiró a Quevedo dos interesantes escritos, a modo de informes: *Mundo caduco y desvaríos de la edad*, del que sólo se poseen fragmentos, destinados posiblemente a otra obra mayor, y *Lince de España u zahorí español*, dedicado a Felipe IV; en este último realiza un sagaz estudio de toda la política italiana. Es curioso cómo Quevedo, que había satirizado tantas veces la rapiña de los genoveses —lugar común de la época—, aconseja la alianza con esta república, por la razón bien natural de que era enemiga de los venecianos, pero disculpándola además de lo que podía provocar en España la natural prevención: "Mal consideran el estado de esta liga, los que tienen por ruin y perniciosa su comunicación para España, por el oro y la plata que sacan della: ésta es una calumnia muy grosera, Señor. Génova a vuestra majestad, a sus reinos y ministros es de más útil que las Indias. Es Génova el cajón secreto en donde salvamos el caudal de los franceses y ingleses, que lo que llevan es desparecido, y con su comercio nos dejan pobres y sucios y necios. Y de las Indias sólo se salvan aquellas barras que cobra Génova, porque aunque el oro y plata que ellas os dan, se le llevan ellos, es con bien regateada ganancia de tutor que esconde las joyas que ve en peligro de ser hurtadas. El oro y la plata llevan a Génova, es verdad; más de allí lo pasan a emplear en posesiones, juros, rentas y estados y títulos en vuestros reinos de España, Nápoles, Milán y Sicilia"[62].

Especial importancia en la obra política de Quevedo tienen los *Grandes anales de quince días. Historia de muchos siglos que pasaron en un mes*. Re-

[61] Ídem, íd., pág. 354. Cfr.: P. Pérez Clotet, *La "Política de Dios" de Quevedo. Su contenido ético-jurídico*, Madrid, 1928. D. W. Bleznick "La *Política de Dios* de Quevedo y el pensamiento político del Siglo de Oro", en *Nueva Revista de Filología Hispánica*, IX, 1955, págs. 385-394. James O. Crosby, *The sources of the text of Quevedo's "Política de Dios"*, Modern Language Association, Nueva York, 1959. M. Z. Hafter, "Sobre la singularidad de la *Política de Dios*", en *Nueva Revista de Filología Hispánica*, XIII, 1959, págs. 101-104. O. Lira, "La Monarquía de Quevedo", en *Revista de Estudios Políticos*, XV, 1946, págs. 1-46.

[62] Ídem, íd., págs. 529-530.

coge aquí el escritor, junto a semblanzas de muchos personajes de su tiempo, los sucesos que tuvieron lugar a la muerte de Felipe III y al cambio de validos y de política que siguió. Quevedo parece tener en estas páginas, como en ninguna otra ocasión, conciencia de la importancia de su testimonio, y con palabras que suenan con gravedad de aviso y profecía, se dispone a juzgar sucesos y personas: "Yo escribo lo que vi, y doy a leer mis ojos, no mis oídos. Con intención desinteresada y con ánimo libre me hallo presente a lo que escribo con más recato que ambición. Ni algún odio me hace sospechoso este discurso para creerle, ni lástima popular para disculparle. No esfuerzo la pureza de mi verdad por mi reputación; sólo porque, cuando más allá de mi sepoltura, y apartada de los sucesos, hablare con vuestros disinios mi pluma, por creída pueda ser provechosa, y me debáis, muerto y olvidado, el desengaño y la advertencia" [63].

Refiere Quevedo hechos de gran importancia, entre los que destacan la prisión de Osuna, el ajusticiamiento de don Rodrigo Calderón, de quien traza tremenda semblanza, y el asesinato del conde de Villamediana. Quevedo, evidentemente, sentía afectuosa devoción por Felipe III, de quien encarece en muchas ocasiones su natural bondad y costumbres piadosas. Insiste aquí sobre ello, pero llama con energía la atención sobre la demasiada entrada que tuvieron los religiosos en su vida y en su política: "Admitió su majestad, que está en el cielo, a su gobierno tantos religiosos como consejeros; y no sin alguna relajación de sus observancias, hicieron togas de sus hábitos; y así algunos desconocidos de sus fundadores, en sus casas pasaban por legos, hasta que la divina Providencia los advirtió con algún desengaño" [64]. Y comenta a poco: "No se duda que en los religiosos pueda hallarse y se halle el buen celo, el consejo y la verdad; mas estas virtudes, encaminarlas a cuidados seglares y forasteros, extrañándolas sus votos y profesiones, es distraimiento y desperdicio de aquella ley que se juró a Dios... En el tiempo que su majestad, que está en el cielo, no sacaba los pasos de los conventos de monjas, ni los oídos de las consultas de los frailes, se ocasionaron osadías en el discurrir no menos malsonantes que descomedidas, apropiando a la piedad y celo nombre de cudicia y entremetimiento" [65]. Quevedo tenía un concepto poco favorable de los clérigos que merodeaban por las alturas de palacio: "Todo esto ha cesado; y su majestad, con milagrosa providencia, sin pluma, sin palabras, sin desdén, ha restituido a sus fundadores muchos hijos, que, sonsacados de la negociación, iban peregrinando con hipo vanaglorioso por la privanza a las dignidades" [66].

Su concepto laico de la política, y sobre todo la imposibilidad de armonizar las puras y limpias teorías con las impurezas de la realidad, quedan bien claras

---

[63] Ídem, íd., pág. 471. Cfr.: A. Huarte, "Observaciones a los *Grandes anales de quince días.* Notas sobre un libro", en *Revista de Bibliografía Nacional,* VI, 1945, págs. 179-194.

[64] Ídem, íd., pág. 478.

[65] Ídem, íd., pág. 478.

[66] Ídem, íd., pág. 478.

en las palabras que siguen; y éste es el pasaje que arriba prometimos: Quevedo —nadie iba a dudarlo— no podía pensar en que se rigiera un estado con utópicos idealismos, sino con ciencia de la realidad y bien avisada cautela: "Decir que tiene dependencia la confesión y el Consejo de Estado, no es cosa platicable, pues lo uno se gobierna por sumas, y lo otro por aforismos y leyes y conveniencias: lo uno quiere dotores, lo otro experimentados; aquella profesión es de teólogos, ésta de prevenidos y astutos. Y cuando fuera así que la lección y los estudios arribaran a esta cumbre, ¿qué noticia que no sea pobre, qué experiencia que no sea mendigada de la relación, podrá tener un religioso, si ya no presumiesen de monarcas los superiores, y nos quisiesen contar los conventos por provincias?... Y no acierta la virtud ni la humildad a concertarse con la mentira acreditada que tienen por alma las razones de estado, que mañosamente se visten de la hipocresía que el interés las ordena o la necesidad persuade. Y estos padres, cuyo cuidado es poner en nuestras almas asco de las ofensas de Dios, poseídos de piedad embarazan y no resuelven; y por ostentar suficiencia, hacen cuestión las cosas que piden más remedio que disputa" [67].

Imposible detenernos en otros escritos menores sobre sucesos varios, aunque debemos mencionar los compuestos sobre el levantamiento de Portugal y la rebelión de Cataluña; citaremos sólo una frase de este último, que revela a la vez el patriotismo y el sentido integrador de Quevedo: trata de cómo Francia se ha servido en su provecho de los dos alzamientos referidos, y escribe: "Levantando a Barcelona y a Portugal y asistiéndolos a la traición, confiesa en gloria nuestra que todas las naciones apestadas de herejía, incorporadas en Francia, *no pueden dar cuidado a España sin españoles*" [68].

La *Vida de Marco Bruto* cierra la serie de los escritos políticos de Quevedo. En sus palabras preliminares al lector, refiere que la tenía escrita ocho años antes de su prisión en San Marcos, y que le fue embargada con todos sus papeles; al ser puesto en libertad, recuperó el manuscrito, lo corrigió y completó, y lo dio a la estampa en 1644. Como dato curioso recordamos que otros varios de sus escritos inéditos se perdieron entonces; Quevedo da cuenta de ellos, y con duro sarcasmo se pone a cubierto de posibles depredaciones: "Nada de lo que es mío tiene algún precio: en todo mi propia ignorancia me sirve de penitencia. Y aunque es verdad que debo antes sentir lo que imprimo, que lo que de mis obras se pierde, he querido advertir las que me faltaron de las que tenía con ésta, para que si algún tiempo salieren, sean acusación mía y no de otro" [69].

[67] Ídem, íd., pág. 479.
[68] Ídem, íd., pág. 571.
[69] Ídem, íd., pág. 587.

Quevedo se sentía orgulloso de su obra; en la dedicatoria al duque del Infantado escribe: "Si todo lo que he escrito ha sido defectuoso, esto es lo menos malo. Si algo ha sido razonable, esto es mejor" [70]. En la aprobación del libro, el doctor don Antonio Calderón, que fue luego arzobispo de Granada, encomia el libro en tono ditirámbico: "Traduce D. Francisco a Plutarco y lo comenta; y aunque aquel autor dejó mucho y bien dicho, muestra D. Francisco en la traducción que lo bien dicho se pudo decir mejor, y en el comento que lo mucho pudo ser más... La *Suasoria séptima* de Marco Séneca, traducida, muestra que Séneca, como español, habla mejor en español que en latín... Ceso porque no se me manda panegírico, sino censura; y sólo digo que en esta obra no sólo ha excedido D. Francisco a todos, sino a sí mismo; y que es digna de la estampa por el más ilustre blasón del lenguaje español, y la más ardiente envidia de los extranjeros" [71].

El *Marco Bruto* consiste en una glosa del texto de Plutarco; Quevedo toma un pasaje de la *Vida* de aquel personaje y lo interpreta, extrayendo deducciones políticas de alcance universal, pero orientadas hábilmente hacia la realidad contemporánea de su país. En esto sigue el camino de la *Política de Dios* aunque, a nuestro entender, con bastante menor amplitud; al escritor parecen interesarle esta vez los personajes y la situación histórica en sí mismos, y se detiene en el comentario de sucesos muy concretos o de aspectos de la vida romana difícilmente asimilables a la realidad de su nación. Quevedo actúa ahora más en la línea de un escritor *dramático*, con intención política, evidentemente, puesto que es ésta la faceta que le interesa, pero muy atento al drama concreto y personal que tiene entre las manos. A la par de ello, el influjo de los escritores latinos sobre su prosa y la disposición —hasta en los detalles— del cuadro que construye, es muy acusado; y aquí y allá es visible la huella de los historiadores —Salustio, Livio, César, Tácito— que Quevedo tiene bien estudiados y digeridos. En este sentido puede hablarse del *humanismo* de Quevedo, para contraponerlo al lado religioso de su *Política de Dios*, pero se trata más de aderezo que de fondo; así como en la *Política* nos resistíamos a encontrar en estricta formulación ninguna teoría antimaquiavélica, tampoco en el *Marco Bruto* descubrimos ningún *humanismo político*; en ambos hay una meta común, mucho más inmediata que doctrinal: sólo que en aquélla el escritor extrae su casuismo argumental del Evangelio y en éste de la historia romana. Y en ambos, es el conceptismo sutil quien teje sentencias y comprime aforismos.

Obras filosóficas y ascéticas. En el corto número de títulos que componen el primero de dichos apartados, el nombre y la obra de Séneca ocupan la plena atención del escritor. Por lo demás, el senequismo impregna de tal modo

[70] Ídem, íd., págs. 582-583.

[71] Ídem, íd., pág. 583.

todos los escritos doctrinales de Quevedo, cualquiera que sea su género, que apenas se justifica la consideración aparte de este grupo.

En *De los remedios de cualquier fortuna* traduce Quevedo la obra de Séneca de dicho título, y a los comentarios del escritor latino que siguen a cada una de las "desdichas" que consuela, añade los propios, y como queriendo entrar en porfía con aquél, condensa y apura los conceptos hasta las últimas posibilidades. En su opúsculo *Nombre, origen, intento, recomendación y descendencia de la doctrina estoica* estudia Quevedo los diversos aspectos que el título indica, pero tratando de extenderse no sólo a los estoicos propiamente dichos, sino a todos aquellos filósofos o escritores que, aun sin llamarse, participaron de dicha doctrina: "Por esto —dice—, con Séneca, que fue estoico, nombro a Sócrates, que lo fue antes que tuviesen el nombre" [72]. Y atrae además a esta común denominación a los cínicos —a los "limpios y aliñados", aclara— y a los epicúreos, con la defensa de cuyo jefe cierra su trabajo: "Epicuro puso la felicidad en el deleite, y el deleite en la virtud; doctrina tan estoica, que el carecer deste nombre no la desconoce" [73].

El editor de Quevedo, Astrana Marín, publica por primera vez una colección de *Sentencias*, en número de más de mil doscientas.

En el grupo de las obras ascéticas, junto a varios opúsculos religiosos de menos interés, varios títulos merecen destacarse. *La cuna y la sepultura* es un bello tratado donde el autor condensa, en su habitual prosa apretada y sentenciosa, toda la ciencia del desengaño aprendida en sus autores favoritos y cosechada en su propia experiencia. Como conjunto de doctrina quizá no quepa hallar ninguna exposición original; el saber que aquí maneja Quevedo es tan antiguo como el hombre, y lo mismo los libros sapienciales de la Biblia que los filósofos estoicos lo habían desarrollado en todos los tonos imaginables; sin contar con la tradición del pensamiento cristiano, que la inabarcable literatura ascética de la época había glosado hasta la saturación. Quevedo, pues, aporta aquí tan sólo los recursos —inagotables— de su prosa, con los que siempre puede arrancar destellos inéditos de los más exhaustos filones. Para la comprensión de su personalidad quizás encierren mayor interés algunos pasajes, que subrayan su escepticismo en toda materia que no comprometa el dogma religioso; así, por ejemplo, su actitud ante la filosofía de índole no estrictamente moral anticipa inequívocamente la posición negativa de los filósofos de los siglos siguientes, aunque Quevedo no la formule con sistemático rigor, sino con sugerencias aisladas: "Quién te ve fatigar en silogismos y demostraciones, *no pudiendo, si no eres matemático, hacer alguna*..." [74]. En estas palabras, que sólo en las ciencias matemáticas admiten la certeza, ¿no está

---

[72] Ídem, íd., pág. 749.

[73] Ídem, íd., pág. 753. C. Lascaris Comneno, "Senequismo y agustinismo en Quevedo", en *Revista de Filosofía*, Madrid, IX, 1950, págs. 461-485. P. Delacroix, "Quevedo et Sénèque", en *Bulletin Hispanique*, LVI, 1954, págs. 305-307.

[74] Ídem, íd., pág. 913.

encerrado, en síntesis, todo el criticismo kantiano? Un poco más abajo, amplía: "Sócrates (el primero a quien canonizó el oráculo), si crees a Aristófanes, era mentecato. A Platón llamaron el divino, y Aristóteles reprobó toda su doctrina; y la de Aristóteles Platón, y en nuestros tiempos Pedro de Ramos y Bernardino Tilesio. A Homero llaman Platón y Aristóteles padre de la sabiduría y fuente de la doctrina; y Escalígero y otros muchos le llaman caduco y borracho; y a ellos los tratan otros peor" [75]. ¿De qué, pues, estamos al cabo seguros? Es un pasaje interesantísimo aquél en que Quevedo compadece a la niñez, cuando ha de gastar en estudios el tiempo que podía gozar en juegos, pues éstos son ciertos, y aquéllos tarde o temprano vendrá quien los refute.

Parecidos aspectos podrían destacarse en el tratado *Virtud militante contra las cuatro pestes del mundo, invidia, ingratitud, soberbia, avaricia,* en el que Quevedo encauza sus consideraciones, con mayor frecuencia, hacia motivos y realidades coetáneas. Una mezcla de este propósito con pensamientos más específicamente religiosos realiza en su opúsculo *Providencia de Dios,* escrito en los últimos años de su vida; mientras que *La constancia y paciencia del santo Job,* compuesta por los mismos días y no publicada en vida de Quevedo, se limita a motivos de puro carácter ascético.

Escribió también Quevedo dos vidas de santos: San Pablo y Santo Tomás de Villanueva. Compuso la primera durante el cuarto año de su prisión, y al igual que en las últimas obras citadas el escritor busca consuelo para sus íntimas aflicciones en los temas religiosos. La *Vida de San Pablo* que Quevedo subtitula muy significativamente "obra teológica, ética y política" revela conocimientos muy extensos de los textos sagrados y de sus comentaristas y exégetas, pero las resonancias políticas de su libro son muy reducidas, pese a su promesa. La *Vida* es un estudio riguroso del Apóstol, no sólo bajo el aspecto religioso sino también histórico, y muchos episodios de su actividad son examinados cuidadosamente en conexión con otros sucesos de su época. Quevedo rechaza la tradición de la venida de San Pablo a España, por estimar poco convincentes los testimonios que la afirman y que él examina críticamente.

La *Vida de Santo Tomás de Villanueva* fue, como dijimos, la primera obra de Quevedo publicada con su autorización. Trabajaba Quevedo desde hacía tiempo en una extensa biografía de dicho santo; pero viendo fray Juan de Herrera que no iba a quedar terminada para el día de la beatificación del Santo, que se esperaba, encargó al escritor —según refiere en nota preliminar del mismo libro— que preparara rápidamente un resumen; y así, con el nombre de *Epítome,* lo escribió Quevedo en doce días. La vinculación de Quevedo a las tierras donde nació Santo Tomás, natural de Villanueva de los Infantes —en las proximidades de la Torre de Juan Abad—, donde el satírico hubo de morir, pudo provocar la atención del escritor por el Santo y su acreditada devoción. La biografía extensa, en la que Quevedo debió de seguir trabajando,

---

[75] Ídem, íd., pág. 914.

se perdió seguramente entre los papeles que se le incautaron cuando su prisión. En el *Epítome* escribe con agradable sencillez una biografía "familiar", sin pretensiones doctrinales, ocupándose sobre todo del Santo como limosnero, y sirviéndose en particular de aquellas noticias que el recuerdo de sus coterráneos podía proporcionarle.

Obras crítico-literarias. Quevedo participó más en verso que en prosa en las luchas literarias de su tiempo, que más que por razones de doctrina lo fueron por mera rivalidad personal. En prosa ofrecen interés dos o tres escritos. La *Aguja de navegar cultos. Con la receta para hacer 'Soledades' en un día* es un ataque más a Góngora, breve, como su mismo nombre de "receta" indica. Comienza con un soneto divulgadísimo:

Quien quisiere ser Góngora en un día
la jeri aprenderá gonza siguiente...

Y sigue, hasta el final de la composición, una lista de vocablos, tenidos entonces por cultos, y que en su mayoría pertenecen ahora al léxico vulgar; lo que confirma la eficacia que en la renovación y enriquecimiento del idioma vino a tener al cabo la poesía del gran cordobés. El soneto lleva un graciosísimo estrambote:

que ya toda Castilla,
con sola esta cartilla,
se abrasa de poetas babilones,
escribiendo sonetos confusiones;
y en la Mancha pastores y gañanes,
atestadas de ajos las barrigas,
hacen ya Soledades *como migas*[76].

La culta latiniparla. Catecisma de vocablos para instruir a las mujeres cultas y hembrilatinas es otra flecha contra el culteranismo, pero a propósito de la moda de hablar afectadamente, que iba extendiéndose entre las damas con "más nominativos que galanes". La *catecisma* tiene algunos artículos de verdadera gracia, y bastantes groserías escatológicas, de las que tantas veces hicieron las delicias de Quevedo. Véase como ejemplo de los primeros: "Si hubiese de mandar que le compren un capón, o que se le asen, o que se le invíen (que es lo más posible), no le nombre, por excusar la compasión de lo que le acuerda; llámele *desgallo* o *tiple de pluma*"; "Por no decir: *Estoy al cabo,* dirá: *Ya agonizo*; y Dios la oiga": "Para decir: *Tráeme dos güevos, quita las claras y trae las yemas,* dirá: *Tráeme dos globos de la mujer del gallo, quita las*

---

[76] Ídem, íd., pág. 651.

no cultas y adereza el remanente pajizo"[77]. Para las segundas no cabe sino remitir al lector al propio texto.

En el *Cuento de cuentos* trata Quevedo, por el contrario, de barrer del lenguaje muletillas y frases hechas, de índole más bien plebeya que popular, que apelmazaban y emperezaban el habla cotidiana. Para ello, traza el autor una breve, pero bien retorcida, historia, en la que enjareta las frases apetecidas. La anécdota, que carece, en realidad, de trabazón, se enreda con cosas y gentes de la Iglesia; por ello, fray Juan Ponce de León tronó contra la obrita en una censura que decidió a la Inquisición a retirarla.

La *Perinola* es un ataque contra Montalbán con ocasión de su libro *Para todos*. Quevedo zahiere también a otros muchos escritores, rivales y censores de sus libros. Muchos pasajes son oscuros por las alusiones a hombres y libros, cuya clave sería fácil de descifrar entonces, mas no para el lector de hoy.

Astrana incluye también en este grupo de escritos la respuesta polémica de Quevedo al padre Pineda, contestando a su censura de la *Política de Dios*; y *Su espada por Santiago*. Este último "memorial" fue dirigido a Felipe IV cuando se propuso que Santa Teresa compartiese con Santiago el patronato de España, a lo que Quevedo se opuso en tono tal, que le atrajo no pocos enemigos, y hasta un destierro de la corte.

Caracteres de la prosa de Quevedo. Algunas alusiones de pasada hemos venido haciendo sobre los rasgos de la prosa quevedesca, pero es preciso intentar ahora alguna mayor sistematización. Pocos escritores en nuestras letras —quizá ninguno— han poseído el dominio del lenguaje que Quevedo mostraba ya en sus más tempranos escritos; dispone de un ilimitado caudal de vocabulario, pero su riqueza más que en el número de las palabras reside en su capacidad para manejarlas, extrayendo de ellas matices infinitos, jugando con su significado, volviéndolas del derecho y del revés, violentando su naturaleza, intentando atrevidas cópulas, sustantivando verbos y adjetivando sustantivos, haciendo posibles los más ingeniosos equívocos; y todo ello en medio de una agitada danza de sentidos y de intenciones, en que las palabras parecen perder su peso y valor tasados y tomar actitudes fantásticas y caprichosas. Se ha repetido muchas veces, pero es inevitable traer de nuevo, por su exactitud, la definición del estilo de Quevedo dada por Eugenio d'Ors: "Para mi gusto, Quevedo es el primer escritor castellano. He dicho *escritor*. Hay clásicos y clásicos. Quevedo, como Fernando de Rojas, como Santa Teresa, como Góngora, da la impresión de estar creando en cada momento el lenguaje en que se expresa... Alguna vez he explicado el primer precepto de mi Retórica ideal. Es aquel que ordena que, bajo la pluma del verdadero escritor, toda palabra sea un neologismo... Así se cumple en Quevedo"[78].

---

[77] Idem, íd., págs. 654-655.

[78] Eugenio d'Ors, *El valle de Josafat*, Buenos Aires, 1944, págs. 35-36.

Leer la prosa de Quevedo es andar a salto de sorpresas ante lo insólito de sus epítetos y la inédita gracia de sus comparaciones: "damas de alquiler, sufridoras del trabajo, mujeres al trote, recatonas del sexo, mullidoras del deleite, jornaleras de cópulas, hembras mortales, ninfas del toma y daca" [79] llama a las busconas al comienzo de la "premática" que les dedica; "sospechas de pernil" [80], dice de una olla a la que sólo asomaban el tocino; "era conqueridora de voluntades y corchete de gustos, que es lo mismo que alcagüeta" [81]; "loco repúblico y de gobierno" [82]; "pienso que conciencia en mercader es como virgo en cotorrera, que se vende sin haberle" [83]; se quedaba en la cama "de mal de zaragüelles" [84], que es decir que no los tenía; "comía a tercianas, de tres a tres días" [85]; "ganaba que era un juicio" [86]; "con esto salimos de casa a montería de corchetes" [87]; "discursos malhechores" [88]; "los cañones de sus plumas son de batería contra las bolsas" [89], dice de los mercaderes extranjeros; "doncellas son que se vinieron al infierno con los virgos fiambres, y por cosa rara se guardan acá" [90]; "estos me dijeron que eran habladores de diluvios, sin escampar de día ni de noche; gente que habla entre sueños y que madruga a hablar" [91]; "ando por estos rincones introducido en telaraña" [92]; "resma de infiernos" [93]; "haciendo el noviciado para viejo" [94]; "hipócrita de miembros" [95]; "condenaré a los diablos a dueñas como a galeras" [96]; "polillas graduadas" [97]; "tratantes en lisonjas" [98]; "mujeres cultas y hembrilatinas" [99]; "damas jerigonzas" [100]; "con más nominativos que galanes" [101]; "ponzoñas graduadas"...

---

79 *Premática de las cotorreras,* ed. cit., *Prosa,* pág. 41.
80 *La vida del Buscón,* ídem, íd., pág. 75.
81 Ídem, íd., pág. 83.
82 Ídem, íd., pág. 87.
83 Ídem, íd., pág. 94.
84 Ídem, íd., pág. 101.
85 Ídem, íd., pág. 111.
86 Ídem, íd., pág. 119.
87 Ídem, íd., pág. 125.
88 Palabras preliminares a la edición de los *Juguetes de la niñez,* ídem, íd., pág. 132.
89 *El alguacil endemoniado,* ídem, íd., pág. 145.
90 *El sueño del infierno,* ídem, íd., pág. 165.
91 *El sueño de la muerte,* ídem, íd., pág. 177.
92 Ídem, íd., pág. 190.
93 *Discurso de todos los diablos, o infierno emendado,* ídem, íd., pág. 203.
94 Ídem, íd., pág. 206.
95 Ídem, íd.
96 Ídem, íd., pág. 225.
97 Palabras preliminares a la *Política de Dios, gobierno de Cristo,* ídem, íd., página 306.
98 Ídem, íd.
99 *La culta latiniparla,* ídem, íd., pág. 652.
100 Ídem, íd.
101 Ídem, íd.

Todo Quevedo —su personalidad, y su obra por lo tanto— está amasado de contrastes; por lo que respecta a su temática ha quedado ya expuesta su irreductible diversidad entre el escritor ascético-religioso, político avisado, grave moralista, y su vertiente no menos honda y personal que se goza en la bufonada y en la gracia soez. Semejante contradicción no sólo hay que buscarla de obra a obra, sino que estalla en cada página, cualquiera que sea su carácter, aunque más, evidentemente, en los escritos festivos y satíricos, como los *Sueños*; en estos últimos la intención transcendente se reviste de una desgarrada actitud burlesca, que parece tomar a chacota tierra y cielo, y precisamente en el contraste entre la seriedad del tema y lo grotesco del tratamiento reside la eficacia de la sátira.

Pero este trenzado de contrarios no sólo afecta a lo interior sino que informa de igual modo lo literario, es decir, las cualidades más externas del estilo. La afiliación de Quevedo al movimiento que denominamos conceptismo se explica en gran parte, claro está, por las corrientes naturales de la época, a las que muy difícilmente podía sustraerse un escritor; pero no fue casual ni caprichoso que fuera Quevedo su paladín más esforzado. Su retorcida complejidad no podía sino vaciarse en un molde literario que respondiera a su ser íntimo. De este modo, su prosa es el resultado de una presión interior y no mero cultivo artificioso. Américo Castro ha visto bien, a nuestro entender, esta característica de Quevedo. Después de referirse a su actitud espiritual, escribe: "Todo ese tremendo *pathos* se resolverá a la postre en estilo barroco, una de cuyas formas más típicas representa Quevedo. Pero nótese bien que ese estilo no será envoltura, sino estructuración ligada, por esencia, a toda la complicada actitud del autor. Se traduce una vez más en arte lo que en otros países da lugar a consecuencias científicas o filosóficas. Tenemos aquí un estilo a base de ímpetu y violencia, en que lo verbal va glosando la sinuosa y quebrada representación de lo real" [102].

Esta *necesidad* íntima del estilo quevedesco, no solamente no está en contradicción con el deleite que pone en forjarlo el autor, sino que explica su complacencia en él, porque en lo peculiar de su palabra afirmaba lo más hondo de su ser interior. Así lo afirma Castro a continuación de las palabras transcritas: "El único grande e inconfesado amor de Quevedo ha sido su estilo". Lázaro Carreter recuerda la frecuencia con que Quevedo hace alarde del *ingenio* y *agudeza* de sus escritos [103]; y el afán de ostentar aquella agudeza explica a la perfección todos los rasgos de su estilo: la constante torsión a que somete sus palabras, las antítesis, los retruécanos, las desmesuradas hipérboles, los innumerables paralelismos en que enfrenta —como lanzándolas a la pelea— todas las vertientes imaginables de un pensamiento.

---

[102] "Escepticismo y contradicción en Quevedo", en *Semblanzas y estudios españoles*, Princeton, N. J. 1956, pág. 393.

[103] "Originalidad del *Buscón*", cit., pág. 322.

El conceptismo de Quevedo no se limita tan sólo al empleo, en proporciones masivas, de estos recursos retóricos, sino que afecta de forma muy profunda a la construcción sintáctica de la frase. En general es cierta la afirmación, apuntada por Dámaso Alonso, de que el conceptismo tiende a eliminar todos los elementos posibles, con lo que da a cada pensamiento el aspecto profundo y sentencioso de un aforismo [104]; así sucede en infinitas ocasiones. Pero no todo consiste en la sola eliminación de palabras en una frase, con ser esto lo básico; el escritor comprime varias frases en una sola, embutiendo unas dentro de otras, para lo cual reduce a un solo elemento —sustantivo, participio, gerundio, quizá un mero posesivo— lo que debió ser una oración entera; a veces ni aun esto: un sustantivo, por ejemplo, alude con su solo significado a lo que habría de ser objeto de una completa explicación. Así se producen períodos, no cortados, sino extraordinariamente complejos, de laberíntica andadura, difíciles de descifrar aun en su mera condición sintáctica, porque se producen anfibologías no premeditadas como recurso literario sino inevitables por la forzada construcción. Hay muchos párrafos de Quevedo en sus obras doctrinales que no pueden ser entendidos si el lector no conoce previamente lo que se le trata de explicar; y como muchos de estos pasajes, por su esquinada y rechinante andadura, carecen a la vez de belleza formal, el lector tiene derecho a pensar que lo que allí dice el escritor está de sobra. Véanse estos párrafos del *Marco Bruto*: "Debía Ptolomeo a Pompeyo su reino en su padre; y cuando se vino perdido a cobrar agradecimiento tan justo, trujo a propósito del tirano los beneficios que le había hecho, para que, violándolos, diese más precio a su traición en los ojos de su enemigo, a quien granjeó con su cabeza. Peor fue César que Ptolomeo, pues matándole no castigó la infame confianza que tuvo de su fiereza, persuadiéndose que le sería agradable tan fea abominación. Prodigioso fue este suceso, pues osó afirmar que el malo pudo ser bueno imitando al malo" [105].

A nuestro entender existe en Quevedo un proceso de complicación en el sentido que muestran las palabras citadas; el escritor se siente cada vez más dueño de su ingenio y trata de exhibirlo: cada cláusula, brillante y maciza como una piedra preciosa, debe asombrarnos con su apretado haz de irisaciones. Por otra parte, el Quevedo maduro va quedando de día en día más distante de las chocarrerías juveniles, toma creciente conciencia de su responsabili-

---

[104] Dámaso Alonso, *Góngora y el "Polifemo"*, 3.ª ed., Madrid, 1960, pág. 78.

[105] Ed. Astrana, cit., *Prosa*, pág. 594. Cfr.: P. Penzol, "Comentario al estilo de don Francisco de Quevedo", en *Bulletin of Spanish Studies*, VIII, 1931, págs. 76-88. Del mismo, "El estilo de don Francisco de Quevedo", en *Erudición Ibero-Ultramarina*, Madrid, II, 1931, págs. 76-86. Eduardo Juliá, "Una nota sobre cuestiones estilísticas en las obras de Quevedo", en *Mediterráneo*, Valencia, núm. 13-15, 1946, págs. 100-107. Manuel Durán, "Algunos neologismos en Quevedo", en *Modern Language Notes*, LXX, 1955, págs. 117-119. Z. Milner, "Le cultisme et le conceptisme dans l'oeuvre de Quevedo", en *Les Langues Néo-Latines*, París, LIV, 1960, págs. 19-35.

dad, y el estilo de sus escritos políticos, morales, doctrinales, debe reflejarla. Entonces el escritor troquela cada frase, concentrando en ella toda su atención, como quien trabaja un objeto sagrado. Media un abismo —siendo siempre el mismo Quevedo— entre la prosa aguda, cortante, sugerente, vivaz y juguetona de los *Sueños* y del *Buscón*, y el tono apelmazado, retorcidamente grave, de muchos de sus últimos escritos. No es justo pensar que aquellas obras han monopolizado, en la atención común, el nombre de su autor, por sólo sus gracias y su tema. Creemos que la fama no se equivoca esta vez y que la fortuna, que les permite desafiar el tiempo, no cambiaría con ellas de actitud aunque sonara nuevamente "la hora de todos".

LA POESÍA DE QUEVEDO

Los textos. Carácter de su poesía. La producción poética de Quevedo iguala casi en extensión a su obra en prosa y está a par de ella en importancia y calidad: Quevedo es uno de los grandes poetas de nuestra literatura y superior a todos en no pocos aspectos. También, como su prosa, la poesía de Quevedo se extiende a lo largo de toda su vida de escritor; y, como corresponde a su propio genio, encontramos en ella idénticos contrastes: el Quevedo grave, doctrinal, poeta religioso, apocalíptico moralista, censor sañudo, incluso —lo que parece ya más extraño— profundo enamorado, junto al desgarro más popular, la chocarrería desvergonzada, el procaz insulto, la sátira despiadada, el chiste escatológico. Según luego veremos, la cronología de la obra poética de Quevedo es bastante incierta; no obstante, parece que podemos señalar una diversidad entre su prosa y su poesía. Mientras las "obras de burlas" en aquélla se localizan casi exclusivamente en sus años de juventud, la poesía "desgarrada" alterna constantemente con la grave sin conocer límites de tiempo. El Quevedo que ya no escribía prosa burlesca o descoyuntada, desahogaba su malhumor, su escéptico desencanto, o hasta sus fobias y rencores, si pensamos en el Quevedo menos noble, en poemas cortos como en breves descargas: indispensables, según afirma Dámaso Alonso, para vaciar en poesía aplebeyada su enorme carga de afectividad; poesías que corrían luego en copias manuscritas, propicias a todas las alteraciones, que huían de la mano del poeta como pájaros, y que luego han creado tan enormes problemas para ser recogidas y depuradas.

Quevedo no llegó a publicar ninguna edición completa de sus versos, aunque parece que en sus años postreros se disponía a prepararla; composiciones sueltas habían aparecido innumerables en colecciones y en libros de otros escritores, aunque casi siempre sin la asistencia del autor. Un gran amigo del poeta, Jusepe Antonio González de Salas, se propuso coleccionar las poesías de Quevedo, después de muerto éste, utilizando los papeles del propio Quevedo y copias sueltas que pudo reunir. Su plan consistía en agrupar las composiciones por "Musas", según los temas a éstas atribuidos; pero dado el volumen de lo obtenido, publicó por separado las seis primeras "Musas" con el nombre de *El Parnaso Español,* que vio la luz en 1648. González de Salas no sólo excluyó las poesías que, por su tono, no le parecían dignas del autor, sino que corrigió, pulió y atildó de su minerva frases y palabras que, a su juicio, estaban necesitadas "de refingirse a forma nueva". Así, ofreció una edición en la que resultaba imposible determinar lo que era de mano de Quevedo y lo que fue arreglo de Salas. Éste murió sin publicar las "Musas" restantes, tarea que realizó en 1670 el sobrino y heredero de Quevedo, don Pedro Alderete, bajo el título de *Las tres musas últimas castellanas.* Alderete, que carecía por completo de formación y criterio literario, mezcló con las de su tío composiciones de otros autores y alteró las originales.

El poeta no tuvo mejor edición de sus versos (Janer se había limitado a reproducir los textos de González de Salas y de Alderete) hasta fines del pasado siglo, cuando Menéndez y Pelayo publicó en la Sociedad de Bibliófilos Andaluces parte de aquéllos, aunque con grandes imperfecciones todavía. Astrana Marín ha editado la primera colección de las "poesías completas" de Quevedo tras ingente esfuerzo para lograr los textos más legítimos; pero dejaba todavía pendientes problemas cronológicos y atribuciones discutidas, que la reciente edición de Blecua [106] ha contribuido a esclarecer.

La división de las poesías seguida por Salas, y que quizá había ideado el mismo Quevedo, es muy imprecisa, no tanto por la diversidad de atribuciones de cada musa como por el cruce de géneros y la combinación o lucha de contrarios que innumerables composiciones, como propias de Quevedo, ofrecen. Astrana adopta la división que dimos en páginas precedentes, pero que ofrece, a su vez, idénticas dificultades. Así, por ejemplo, en el grupo de los romances, que el editor reúne aparte por haber sido Quevedo inimitable y fecundo cultivador, los hay de todas las especies, y por su carácter y contenido podrían incluirse en cualquiera de los otros apartados. Con la misma razón podría hacerse uno de sonetos, ya que Quevedo fue un sonetista impar, y en ellos en-

---

[106] José Manuel Blecua, *Poesías de Quevedo,* Barcelona, 1963, cit. Emilio Carilla, gran conocedor de Quevedo, no cree que las injerencias de González de Salas en las poesías del gran satírico fuesen tantas ni tan importantes como pretende Astrana. Concretamente, en lo que concierne a las "peculiaridades cultistas" que se observan en bastantes composiciones de Quevedo, sobre todo de sus últimos años, supone Carilla que no deben atribuirse siempre, necesariamente, a la mano de su editor; Quevedo —según advierte el propio Salas— gustaba de volver sobre sus obras para rehacerlas y limarlas, y en sus años postreros fue permeable a formas gongoristas que antes había combatido; diversas variantes de una misma poesía pueden, pues —concluye Carilla—, mostrar rasgos cultistas que sean de mano del propio Quevedo ("Quevedo y *El Parnaso Español*", en *Estudios de Literatura Española,* Rosario, República Argentina, 1958, pág. 147 y ss.). Cfr.: Benito Sánchez Alonso, "Las poesías inéditas e inciertas de Quevedo", en *Revista de la Biblioteca, Archivo y Museo del Ayuntamiento de Madrid,* IV, 1927, págs. 387-431. Emilio Orozco Díaz, "Sonetos inéditos de Quevedo", en *Boletín de la Universidad de Granada,* XIV, 1942, págs. 3-7. Joseph G. Fucilla, "Intorno ad alcune poesie attribuite a Quevedo", en *Quaderni Ibero-Americani,* Turín, III, 1957, págs. 364-365.

contraríamos desde la sátira más grosera hasta la sutileza amorosa y los altos consejos morales. Puesto que alguna clasificación es imprescindible adoptar, puede seguirse la de Astrana, aunque sólo para poner algún orden en la exposición o, casi mejor, por mera comodidad.

Porque el carácter más notable que la poesía de Quevedo ofrece es el estrecho abrazo de las vertientes más contrarias: la invasión del mundo real en las ficciones ideales, el asalto de la palabra extrapoética a las delicadezas del petrarquismo, la fusión del plano noble con el plebeyo, la degradación de lo bello hasta la vulgaridad o, por el contrario, la conversión en poesía de la realidad más baja. En su penetrante estudio sobre el poeta, Dámaso Alonso ha definido espléndidamente este carácter: "El alma de Quevedo —dice— era violenta y apasionada. Transplantada la violencia a su arte, en él se quiebran los tabiques de separación de los dos grandes mundos estéticos del Siglo de Oro, esa polarización a la que caprichosamente he llamado una vez *Escila y Caribdis de la literatura española.* Quevedo, para la mirada más exterior, aparece aún fuertemente dividido por esa doble atracción: mundo suprahumano, mundo infrahumano. Pero, cuando nos acercamos, vemos que en las sacudidas de su apasionada alma se quiebran las barreras. Hemos llamado 'desgarrón afectivo' a esa penetración de temas, de giros sintácticos, de léxico, que desde el plano plebeyo, conversacional y diario, se deslizan o trasvasan al plano elevado, de la poesía burlesca a la más alta lírica, del mundo de la realidad al depurado recinto estético de la tradición renacentista. Sí, ese mundo apasionado y vulgar es como una inmensa reserva afectiva que lanza emanaciones penetrantes hasta la poesía más alta. Lo plebeyo y lo hombre se funden en Quevedo en una explosión de afectividad, en una llamarada de pasión que todo lo vivifica, mientras mucho destruye o abrasa (valores sintácticos, léxicos, etc.). Y ese mundo apasionado —que trae la vida— irrumpe ahora victorioso en el recinto convencional de *perlas = dientes* y *oro = cabello.* Expresémoslo de otro modo: en la amargura, en la pasión, en la ira, en el odio, en el amor, en la ternura, Quevedo es un poeta indivisible que sólo unitariamente puede ser entendido"[107]. Casi lo más que puede, pues, intentarse, es agrupar sus poesías por el predominio de una u otra condición.

Poeta de amor. Aunque el concepto más arraigado sobre Quevedo —y en modo alguno injusto— puede sentir asombro ante este hecho, la poesía amorosa representa entre las suyas la porción más nutrida; Quevedo, con su insistente antifeminismo, con sus burlas crueles vertidas en todos los tonos contra la mujer, es uno de nuestros máximos poetas amorosos; el mayor lo proclama Dámaso Alonso: "Estos hombres enteros pueden pensar y sentir el amor, cargarse de la idea de esta pasión como de un fluido de una intensidad tal,

---

[107] Dámaso Alonso, "El desgarrón afectivo en la poesía de Quevedo", cit., págs. 573-574. Cfr.: Pedro Laín Entralgo, "La vida del hombre en la poesía de Quevedo", en *Cuadernos Hispanoamericanos*, 1948.

que sus chispazos llegan a ser deslumbradores. Esos chispazos, en Quevedo, son sonetos. Y esto nos explica la paradoja de que no sea Lope, sino Quevedo, el más alto poeta de amor de la literatura española. Digo *el más alto* y no el más fértil, o el más vario o el más brillantemente vital. Sí, ya sé que esto no se suele decir. Para mí, es evidente. Bastaría el famosísimo soneto del estremecedor final *polvo serán, mas polvo enamorado,* para probarlo" [108].

En las composiciones primerizas —dejando siempre a salvo la inseguridad de la cronología—, escritas ya a partir de sus años más mozos, hay, inevitablemente, en Quevedo un poeta amoroso, caminante por los más trillados senderos de la tradición petrarquista; esta veta se manifiesta en la constante utilización de contrarios, en las dualidades conceptuales "que frecuentemente fraguan en versos bimembres, sobre todo en los finales de estrofa" [109], y de modo especial en el convencionalismo de los temas, utilizados hasta el tedio desde los días del *Canzoniere*; rebuscamientos conceptuosos que difícilmente pueden hacernos creer en la sinceridad pasional del escritor [110]. El poeta increpa al río Henares, a cuya orilla está vertiendo lágrimas por su amada:

> *No cantes más, pues ves que nunca aflojo*
> *la rienda al llanto en míseras porfías,*
> *sin menguárseme parte del enojo.*
> *Que mal parece, si tus aguas frías*
> *son lágrimas las más, que triste arrojo,*
> *que canten, cuando lloro, siendo mías* [111].

O dice a propósito de la ceniza, puesta en la frente de Aminta, el miércoles de ella:

> *Puesta en mis ojos dice eficazmente*
> *que soy mortal, y vanos mis despojos,*
> *sombra oscura y delgada, polvo ciego.*

---

108 Ídem, íd., pág. 519.

109 Ídem, íd., pág. 503.

110 Consúltese especialmente, del trabajo de Dámaso Alonso, el apartado titulado "Quevedo, poeta petrarquista", págs. 502-509, y el apéndice "Dos calas en el estilo de Quevedo", págs. 622-629. Véase además: Joseph G. Fucilla, "Some Imitations of Quevedo and Some Poems Wrongly Attributed to Him", en *Romanic Review,* XXI, 1930, págs. 228-235. Del mismo, el capítulo "Quevedo", en *Estudios sobre el petrarquismo en España,* anejo LXXII de la *Revista de Filología Española,* Madrid, 1960, págs. 195-209. Carlo Consiglio, "El *Poema a Lisi* y su petrarquismo", en *Homenaje a Quevedo en su Centenario (1645-1945),* Valencia, Mediterráneo, 1946, págs. 76-94. Otis Howard Green, *Courtly Love in Quevedo,* University of Colorado Studies. Series in Language and Literature, núm. 3, Boulder, 1952. María Rosa Lida, "Para las fuentes de Quevedo", en *Revista de Filología Hispánica,* I, 1939, págs. 369-375. A. Parker, "La 'agudeza' en algunos sonetos de Quevedo", en *Estudios dedicados a Menéndez Pidal,* III, 1952.

111 Ed. cit., *Verso,* pág. 3.

Mas la que miro en tu espaciosa frente
advierte las hazañas de tus ojos:
pues quien los ve es ceniza y ellos fuego [112].

O pide a Aminta "que imite al sol en dejarle consuelo, cuando se ausenta":

Concédele a mi noche y a mi ruego,
del fuego de tu sol, en que me abraso,
estrellas, desperdicios de tu fuego [113].

O se dirige a la misma, con ocasión de haberse mordido un labio al querer morder un clavel que tenía en la boca:

Sangre vertió tu boca soberana,
porque roja victoria amaneciese
llanto al clavel, y risa a la mañana [114].

Este petrarquismo nunca abandonó la lírica amorosa de Quevedo, ni cabe imaginar que en poeta alguno de su tiempo pudiera esto suceder. Pero lo característico de su poesía amorosa, según Dámaso Alonso rastrea concienzudamente, es la temprana aparición de vetas de sombría y ardiente expresión afectiva, que van intensificándose con los años hasta llegar a traspasar su poesía por entero. Cantó Quevedo a diversas amadas, supuestas o reales, bajo distintos nombres —Amarilis, Aminta, Doris, Filis, Flora, Jacinta— que, por lo convencionales, pueden hacernos sospechar que se trata de meros juegos poéticos. Pero dedicó a Lisi —llamada también Lisis o Lísida— una serie de sesenta y cinco sonetos, acompañados de un "madrigal" y cuatro "idilios", compuestos a lo largo de veintiún años, que forman como un completo "cancionero de amor"; al decir de los comentaristas, se trataba de una dama real, doña Luisa de la Cerda, de la casa de Medinaceli, por quien en vano suspiró Quevedo, en ideal pasión, durante más de cuatro lustros. En este "cancionero" se concentra y caldea de humanidad la poesía amorosa de Quevedo y para él escribió sus mejores y más entrañables sonetos. A veces el amante ni siquiera necesita hablar:

Voz tiene en el silencio el sentimiento:
mucho dicen las lágrimas que vierte.
Bien entiende la llama quien la enciende;
y quien los causa, entiende los enojos:
y quien manda silencios, los entiende.

---

[112] Ídem, íd., pág. 9.
[113] Ídem, íd., pág. 10.
[114] Ídem, íd., pág. 10.

Suspiros, del dolor mudos despojos,
también la boca a razonar aprende,
como con llanto y sin hablar los ojos[115].

Otro día canta en el más delicioso conceptismo la belleza del retrato de Lisi, que el poeta tenía en una sortija:

En breve cárcel traigo aprisionado,
con toda su familia de oro ardiente,
el cerco de la luz resplandeciente,
y grande imperio del amor cerrado.
Traigo el campo que pacen estrellado
las fieras altas de la piel luciente;
y a escondidas del cielo y del Oriente,
día de luz y parto mejorado.
Traigo todas las Indias en mi mano,
perlas que, en un diamante, por rubíes
pronuncian con desdén sonoro yelo,
y razonan tal vez fuego tirano
relámpagos de risa carmesíes,
auroras, gala y presunción del cielo[116].

El poeta conoce la insignificancia de su valor para pretender a su amada, pero le hace, en bellísimo verso final, la más delicada petición:

Pues mi pena ocasionas, pues te ríes
del congojoso llanto que derramo
en sacrificio al claustro de rubíes,
perdona lo que soy por lo que amo:
y cuando desdeñosa te desvíes,
llévate allá la voz con que te llamo[117].

Pero ningún soneto tan hermoso, como aquel en que promete a Lisi su amor más allá de la muerte; soneto que Dámaso Alonso califica de "el mejor de Quevedo, probablemente el mejor de la literatura española"[118]:

Cerrar podrá mis ojos la postrera
sombra que me llevare el blanco día,
y podrá desatar esta alma mía
hora a su afán ansioso lisonjera;

---

[115] Ídem, íd., pág. 55.
[116] Ídem, íd., pág. 58.
[117] Ídem, íd., pág. 59.
[118] "El desgarrón afectivo...", cit., pág. 526.

mas no de esotra parte en la ribera
dejará la memoria, en donde ardía;
nadar sabe mi llama la agua fría,
y perder el respeto a ley severa.
Alma a quien todo un Dios prisión ha sido,
venas que humor a tanto fuego han dado,
medulas que han gloriosamente ardido,
su cuerpo dejarán, no su cuidado;
serán ceniza, mas tendrá sentido;
polvo serán, mas polvo enamorado[119].

Poesía severa, moralizadora. Aunque es cierto, según vimos, que en esa constante interferencia de mundos de Quevedo, hasta en sus poesías de carácter burlesco podemos hallar una intención moralizadora, el autor cultivó la poesía moral especialmente en un grupo de composiciones, que incluye algunas silvas, pero en el que los sonetos representan con mucho la parte más notable. Al igual que en las obras en prosa de idéntico carácter, es la experiencia desengañada de Quevedo la que provoca su inspiración, pero los motivos en que cristaliza su poesía están siempre tomados del pensamiento estoico y de la tradición ascética cristiana. Con frecuencia participan estos sonetos de una intención satírica, y entonces suele ser grande su deuda con los satíricos latinos, en particular Persio y Juvenal, a los que muchas veces imita directamente[120]; en otras ocasiones, el poeta medita sobre algún tema esencial de la vida humana o sobre la muerte. El pesimismo que destilan todas estas composiciones de Quevedo es de tal índole, que nos conduce a preguntarnos si no rebasa los límites de un cristianismo estricto. Dámaso Alonso se plantea esta cuestión aunque reconoce la inequívoca y diáfana ortodoxia del autor en sus poesías sagradas —y en sus obras ascéticas en prosa, pudiéramos añadir— y admite lo que en ello pudiera haber de "postura filosófica o literaria" y hasta de "remedo o imitación (que no pretendía ser sino eso) de autores leídos". También Américo Castro aborda muy concretamente el mismo problema: "El ascético —dice— sabe que esta vida es un mero camino para Dios, y habla mal de ella en cuanto es preciso convencer al hombre de que su atractivo y apariencia son falaces; no es algo esencial y definitivo, sino mera contingencia, pendiente de la voluntad suprema. El ascético no aspira a que la vida sea de otra forma que como es; sus deficiencias provienen de permitir Dios que así sea, para poner a prueba la voluntad humana y su posibilidad de amor divino. El ascético siente despego hacia la vida y la naturaleza, mas no la odia ni duda de

---

[119] Ed. cit., *Verso*, pág. 63. Cfr.: Amado Alonso, "Sentimiento e intuición en la lírica", en *La Nación*, Buenos Aires, 3 de marzo de 1940.

[120] Cfr.: Benito Sánchez Alonso, "Los satíricos latinos y la sátira de Quevedo", en *Revista de Filología Española*, XI, 1924. Anthony A. Giulian, *Martial and the Epigram in Spain in the XVIth and XVIIth Centuries*, Filadelfia, 1930.

su realidad. Quevedo hace ambas cosas, ninguna de las cuales está muy en armonía con una actitud religiosa clara y transparente" [121]. Pero es imposible detenernos aquí en este problema que requeriría un minucioso estudio.

Queda la cuestión de la originalidad del poeta, pues que su deuda es tan crecida respecto de las fuentes que hemos dicho. En tales materias no cabe ya —ni cabía en los días de Quevedo— originalidad conceptual. Pero Quevedo es original hasta cuando imita: a veces más entonces que nunca, pues que se ve cómo en virtud de su portentosa personalidad hasta el lugar común sale de sus manos fresco y luciente como moneda recién batida. "La novedad del poeta —dice Dámaso Alonso— es la forma, colaboradora del pensamiento en cuanto que lo fija, lo adensa, resalta partes en sombra, le da perfiles nuevos. Más aún: muchas veces es sólo la troquelación de la forma exterior, la condensación y vivificación del pensamiento en lenguaje rítmico, lo que es, estrictamente, creación del poeta. No, no pensemos que cada uno de esos pensamientos, tan ceñidos, que a través del verso de Quevedo penetran casi como materia sólida, compacta, en nuestra inteligencia, deben al poeta su interna estructura formal. Aun esta misma procede muchas veces ya de Séneca, ya de Juvenal o de Persio, ya de Marcial, ya de Epicuro o Demetrio (a través de Séneca), etc. A veces hasta la misma forma exterior, hasta el moldeamiento sintáctico estaba fraguado ya... Entonces, la originalidad de Quevedo está ante todo en la fijación en castellano, en la repartición de materia en el verso, en la intuitiva troquelación en unidades rítmicas de las partes de más interna cohesión del pensamiento mismo, de tal modo que ritmo exterior resalte cohesión interna. Pero su más profunda originalidad consiste en la incorporación de los elementos allegadizos al sistema de su poderosa expresión afectiva; por esta razón nada toca que no quede resellado como suyo" [122]. De esa potente originalidad forma parte principalísima lo compacto del pensamiento, lo que llama Dámaso Alonso "capacidad de condensación": "Un soneto de Quevedo —ya en la veta burlesca, ya en la moralizante— suele ser una poderosa concentración de materia lingüística hispánica... La unidad del endecasílabo se realza en Quevedo con una totalidad de sentido: parece como si en su verso cupiera más materia, de condensada y trabada que allí está" [123].

Esta capacidad quevedesca de concentración puede encontrar cien modos para expresar su pesimismo desolado. Véase este soneto sobrecogedor, que deja al fin resonando, como un eco, la original llamada del verso primero:

---

[121] "Escepticismo y contradicción en Quevedo", cit., pág. 391. Cfr.: Margarita Morreale, "Luciano y Quevedo: la humanidad condenada", en *Revista de Literatura,* VIII, 1955, págs. 213-227.

[122] "El desgarrón afectivo...", cit., pág. 499-500. Cfr. P. Delacroix, "Quevedo et Sénèque", en *Bulletin Hispanique,* XLVII, 1945.

[123] Ídem, íd., pág. 535.

¡Ah de la vida! ¿Nadie me responde?
Aquí de los antaños que he vivido;
la Fortuna mis tiempos ha mordido;
las Horas mi locura las esconde.
¡Que, sin poder saber cómo ni adónde,
la salud y la edad se hayan huido!
Falta la vida, asiste lo vivido,
y no hay calamidad que no me ronde.
Ayer se fue; Mañana no ha llegado;
Hoy se está yendo sin parar un punto:
soy un Fue, y un Será, y un Es cansado.
En el hoy y mañana y ayer, junto
pañales y mortaja, y he quedado
presentes sucesiones de difunto [124].

Pero quizá, más que la misma muerte, el escepticismo ante sus semejantes podía inspirarle los más desengañados versos; en el siguiente soneto, imitado de Persio, diríase que viene a negar su propia obra, pues que declara la vanidad, a más del riesgo inútil, de herir con censuras las acciones de los demás (adviértase especialmente la maravilla de los dos tercetos):

Raer tiernas orejas con verdades
mordaces, ¡oh Licino!, no es seguro;
si desengañas, vivirás escuro,
y escándalo serás de las ciudades.
No las hagas, ni enojes las maldades,
ni mormures la dicha del perjuro;
que si gobierna y duerme Palinuro,
su error castigarán las tempestades.
El que piadoso desengaña amigos
tiene mayor peligro en su consejo
que en su venganza el que agravió enemigos.
Por esto a la maldad y al malo dejo.
Vivamos, sin ser cómplices, testigos;
advierta al mundo nuevo el mundo viejo [125].

Poesía burlesca y satírica. Ni aun admitiendo la excepcional intensidad de su poesía amorosa y moral, puede desconocerse que, como en la prosa, el Quevedo personalísimo, absolutamente impar, está en sus versos burlescos y

[124] Ed. cit., *Verso,* págs. 423-424. Cfr.: J. Lanza Esteban, "Quevedo y la tradición literaria de la Muerte", en *Revista de Literatura,* IV, 1953, págs. 367-380. Rafael Alberti, "Don Francisco de Quevedo, poeta de la Muerte", en *Revista Nacional de Cultura,* Caracas, XXII, 1960, núm. 140-141, págs. 6-23. Manuel Durán, "El sentido del tiempo en Quevedo", en *Cuadernos Americanos,* México, LXXIII, 1954, págs. 273-288.

[125] Ídem, íd., pág. 412.

satíricos, donde su fuerza expresiva puede extraer del lenguaje registros y tonos que no tuvieron precedentes ni luego han conocido imitador. Todas las características del estilo de Quevedo, que pueden observarse más o menos esparcidas en sus otras cuerdas poéticas, se dan en lo satírico-burlesco con una densidad que hace quebrar todos los moldes. "Estas dos condiciones —dice Dámaso Alonso aludiendo a su constante capacidad de condensación y a su virulencia afectiva— saltan enseguida a los ojos en lo burlesco. Pero ya aquí la condensación, preñada de humores, rompe el equilibrio idiomático: todo se prensa, se estruja. Y del estrujón quevedesco, las funciones arquitectónicas resultan transformadas: tal voz anocheció sustantivo que al encontronazo se despierta adjetivo ("él era un hombre cerbatana", es decir, acerbatanado, largo como una cerbatana), o, con un tipo de sufijación que no le corresponde ("érase un naricísimo", un hombre de nariz grandísima). Dejémonos de dengues y de *buen gusto* y admitamos todo lo que nos proyecte este brutal espoleador de la realidad" [126].

Los medios de que se vale Quevedo para ese estrujón son variadísimos, y no los utiliza separadamente sino fundiéndolos y acumulándolos; a más de esa constante rotura sintáctica, el poeta baraja en revoltijo los planos más dispares, hinca en sus versos todo género de palabras extrapoéticas, incrusta giros del habla vulgar, destruye con cínico sarcasmo toda jerarquización de mundos y de temas, y como en un desafío a toda medida amontona hipérbole sobre hipérbole, sacudiendo al lector en cada nuevo exceso, pues siempre parece que no puede llegarse más allá. "Esta extraordinaria potencia transmutadora de los valores, esta increíble agilidad con que el lenguaje va a impetuosos barquinazos y trancos que reflejan fidelísimamente los del vertiginoso concepto, esta capacidad asociativa, por vínculo de metáforas, de realidades muy apartadas (pedrería de diamantes y gigote, nariz chata y persona en cuclillas, etc.); esa superación de todas las trabas que opone el verso castellano... a la reducción de los materiales fonéticos que conllevan pensamiento; esa increíble alacridad victoriosa para embutir en once sílabas un mundo de complejas relaciones mentales, donde tienen su cúspide, donde han de estudiarse en sus caracteres extremos, es en la poesía burlesca" [127]. Quevedo salta la valla de todas las convenciones poéticas y arrastra hacia su propio recinto toda la realidad que encuentra a mano, como el novio de la parábola que invita a toda la canalla al convite de sus bodas. "Quevedo intenta una brutal plasmación de la vida bullente, y su troquelación en palabras" [128].

---

[126] "El desgarrón afectivo...", cit., pág. 529. Cfr.: Ernesto Veres D'Ocón, *La anáfora en la lírica de Quevedo,* Castellón de la Plana, 1949. Del mismo, "Notas sobre la enumeración descriptiva en Quevedo", en *Saitabi,* año IX, núms. 31-32. Emilio Orozco Díaz, "El sentido pictórico del color en la poesía barroca". en *Temas del barroco,* Granada, 1947.

[127] "El desgarrón afectivo...", cit., pág. 537.

[128] Ídem, íd., pág. 553 (nota al pie).

En Quevedo se da además, de manera arquetípica, una de las más genuinas facetas del momento barroco, que si tiende de un lado a elevar la realidad, hasta hacer de ella una quintaesencia de bellezas ideales, tal como vemos en las creaciones de Góngora, propende de otra parte a degradar el mundo de lo noble y ejemplar, sea o no quimérico, urdiéndolo en lo infrahumano, como sucede en el plano plebeyo de Góngora y, en mayor medida, en el correspondiente de Quevedo; sin que aquellas palabras, entiéndase bien, envuelvan idea peyorativa en lo estético, porque estamos insistiendo, precisamente, en el valor excepcional de esta poesía quevedesca.

En esta tarea de derribo y degradación hay dos objetivos preferidos: el mundo mitológico, resucitado por la fantasía del Renacimiento, y el caballeresco medieval. Quevedo escribe su más extenso poema para cantar las *Necedades de Orlando*[129], del mismo modo que Góngora había emborronado en la *Fábula de Píramo y Tisbe* "la más bella —y romántica— historia de amor heredada de la antigüedad grecolatina". Quevedo toma del *Poema de Mío Cid* el episodio del león y el temor de los condes de Carrión, y escribe un romance bufo, adobado con todo género de malolientes lindezas; y somete a parecido tratamiento grotesco la bajada de Orfeo a los infiernos, a Medoro y los Pares, al rey Tarquino, a quien supone aconsejándose de una dueña, a Alejandro, con ocasión de su visita a Diógenes el Cínico, al rey don Pedro y a Nerón, a los que justifica burlescamente de sus crueldades, etc.

A las poesías satíricas pertenecen las veinticinco "letrillas", famosísimas en todo tiempo, que sólo tienen rival posible en las de Góngora. No faltan en estas composiciones punzadas de honda sátira, aunque, en general, predominan en ellas los típicos motivos no demasiado transcendentes, pero objeto de la predilección de Quevedo, a que en los *Sueños* aludimos; la gracia, la retozona y mordiente expresión dan a las letrillas lo más permanente de su mérito. Merecen destacarse —debiéndolo ser todas— "Poderoso caballero - es don Dinero", "Yo me soy el rey Palomo, - yo me lo guiso y yo me lo como", "Solamente un dar me agrada - que es el dar en no dar nada", "Yo he hecho lo que he podido; - Fortuna lo que ha querido".

Muy conocida es la sátira titulada *Riesgos del matrimonio en los ruines casados,* a la que ya hemos aludido. Dueño el poeta de un tema tan de su predilección, concentra aquí todas las pullas dispersas en lugares innumerables, y asalta incansable el fácil blanco con quevedesca tenacidad:

---

[129] Cfr.: Emilio Alarcos, "El poema heroico *De las necedades y locuras de Orlando el enamorado*", en *Homenaje a Quevedo...*, cit., págs. 25-63. G. Caravaggi, "Il poema eroico *De las necedades y locuras de Orlando el enamorado* di Francisco de Quevedo y Villegas", en *Letterature Moderne,* Milán, XI, 1961, págs. 325-343 y 461-474. C. Pitollet, "À propos d'un *romance* de Quevedo", en *Bulletin Hispanique,* VI, 1904, págs. 332-346. Del mismo, "Un écho oublié du *romance* de Quevedo *Orfeo*", en *Bulletin Hispanique,* VIII, 1906, pág. 392. M. A. Buchanan, "A neglected version of Quevedo's *Romance* on Orpheus", en *Modern Language Notes,* XX, 1905, págs. 116-118.

También se casan los soberbios godos,
porque también suceden desventuras
a los magnates, por ocultos modos.
....
En cuantas cosas hay hallo la muerte;
en la mujer, la muerte y el infierno,
y fin más duro y triste, si se advierte.
....
Dirás que no hay contentos ni placeres
en donde no hay mujer, y que sin ella,
con soledad, enfermo y sano, mueres;
que es gran gusto abrazar una doncella
y hacerla madre del primer boleo,
gozando de la cosa que es más bella.
Pues yo te juro, Polo, que deseo
ver, desde que nací, virgos y diablos,
y ni los diablos ni los virgos veo... [130].

Grupo aparte, y del mayor interés, forman las sátiras contra Góngora, algunas de las cuales fueron ya mencionadas al ocuparnos de este poeta. La terrible mordacidad de Quevedo se ensaña inmisericorde con su rival, y sus palabras se retuercen para plasmar los más originales, los más hirientes dicterios. Sobresalen entre todas estas composiciones el soneto "Yo te untaré mis versos con tocino...", el romance "Poeta de ¡Oh, qué lindico!, - verdugo de los vocablos...", el soneto "Ten vergüenza, purpúrate, don Luis", que acaba:

Peor es tu cabeza que mis pies.
Yo polo, no lo niego, por los dos;
tú puto, no lo niegues, por los tres [131],

la silva "Alguacil del Parnaso, Gongorilla", el soneto "Tantos años, y tantos todo el día...", y el "Epitafio", quizá la pieza más agresiva de toda la serie, aunque la disculpa como tal el que, según parece, fue compuesta antes de la muerte de Góngora.

No existe verdadera, o al menos fácil, distinción entre las poesías satíricas y las burlescas, ya que muchas de éstas no están exentas de intención satírica. En algunas de ellas vierte Quevedo su sentido pesimista de la vida con tan desgarrado escepticismo como en las más elevadas poesías morales, sólo que el tono de chanza aparente parece paliar la gravedad del tema; pero sería un error quitarle transcendencia y estimar como mero juego tales composiciones. Entre ellas debe situarse el siguiente soneto, acre y duro, en que desagua el poso aplebeyado del autor, pero, con todo, tremendamente humano:

130 Ed. cit., *Verso,* págs. 104-106.

131 Ídem, íd., pág. 154.

La vida empieza en lágrimas y caca,
luego viene la mu, *con* mama *y* coco,
síguense las viruelas, baba y moco,
y luego llega el trompo y la matraca.
En creciendo, la amiga y la sonsaca:
con ella embiste el apetito loco;
en subiendo a mancebo, todo es poco,
y después la intención peca en bellaca.
Llega a ser hombre y todo lo trabuca;
soltero sigue toda perendeca;
casado se convierte en mala cuca.
Viejo encanece, arrúgase y se seca;
llega la muerte, y todo lo bazuca,
y lo que deja paga, y lo que peca[132].

O este otro, en que el desgarro de Quevedo da un esguince brutal al tema eterno de la *dorada medianía*, cantada aquí con cínico descaro:

Mejor me sabe en un cantón la sopa,
y el tinto con la mosca y la zurrapa,
que al rico, que se engulle todo el mapa,
muchos años de vino en ancha copa.
Bendita fue de Dios la poca ropa,
que no carga los hombros y los tapa;
más quiero menos sastre que más capa;
que hay ladrones de seda, no de estopa.
Llenar, no enriquecer, quiero la tripa;
lo caro trueco a lo que bien me sepa:
somos Píramo y Tisbe yo y mi pipa.
Más descansa quien mira que quien trepa;
regüeldo yo cuando el dichoso hipa,
él asido a Fortuna, yo a la cepa[133].

Ese tenaz, siempre sospechoso y alarmante escepticismo de Quevedo se vuelca, o mejor, se desliza nuevamente en un turbador soneto, pocas veces citado:

Padre, yo quiero al prójimo, y me muero
por cumplir lo que en esto se me ordena.
Yo no cudicio la mujer ajena,
que antes todos cudician la que quiero.

---

[132] Ídem, íd., pág. 181.
[133] Ídem, íd., pág. 184.

A mí solo me hurto yo el dinero.
Las fiestas guardo yo, no mi cadena.
No temo, por no honrar los padres, pena;
ni peco en la avaricia del logrero.
Por mí estarán eternamente echados
los testimonios, y mi lengua muda
para jurar ni aún reyes coronados.
¿Si gracia alcanzaré con esta ayuda?
Ya que no ha de absolverme mis pecados,
padre fray Gil, absuélvame la duda[134].

En el plano más específicamente burlesco deben mencionarse: el famosísimo soneto "Érase un hombre a una nariz pegado...", "Antes que el repelón eso fue antaño: — ras con ras de Caín...", en que encarece los años de una vieja; el soneto "A Apolo persiguiendo a Dafne", que comienza:

Bermejazo platero de las cumbres,
a cuya luz se espulga la canalla,
la ninfa Dafne, que se afufa y calla,
si la quieres gozar, paga y no alumbres...[135]

en el que Dámaso Alonso ha señalado especialmente esa "especie de nihilismo que lleva a la reducción, a la atracción a plano inferior de todas las bellas alturas de la vida"[136]. Buen ejemplo de igual degradación es este otro soneto:

Sol os llamó mi lengua pecadora,
y desmintióme a boca llena el cielo...
....
en vos llamé rubí lo que mi agüelo
llamara labio y jeta comedora...[137].

Y en tono igual declara en otro soneto lo transitorio del deseo amoroso:

Por más graciosa que mi tronga sea,
otra en ser otra tronga es más graciosa
....
La que no se ha gozado, nunca es fea;
lo diferente me la vuelve hermosa...[138].

---

[134] Ídem, íd., págs. 186-187.
[135] Ídem, íd., pág. 184.
[136] "El desgarrón afectivo...", pág. 531.
[137] Ed. cit., *Verso*, pág. 185.
[138] Ídem, íd., pág. 188.

En este género de burlas, especialmente dirigido contra la mujer [139], están muy en la línea de lo más genuinamente quevedesco varias "canciones": "A una mujer flaca", "A una mujer gorda", con muchas sales de parecida calidad, aunque bien divertidas por cierto, "A una mujer pequeña", composición finamente graciosa:

> *Mi juguete, mi sal, mi niñería,*
> *dulce muñeca mía,*
> *dad atención a cuatro desvaríos*
> *y sed sujeto de los versos míos;*
> *pero sois tan nonada que os prometo*
> *que aun no sé si llegáis a ser sujeto.*
> *Dicen que un tiempo tan cobarde anduve.*
> *que por vos muerto estuve,*
> *y yo digo de mí que si os quería,*
> *por poquísima cosa me moría...* [140].

Y aquella otra, tan intencionada, sin título:

> *Si el tiempo que gasté contigo lloro,*
> *¿qué hará, Marica, el oro?...*
> ....
> *Pensé cuando por rara te vendías*
> *que diez piernas tenías,*
> *seis barrigas, tres frentes,*
> *y eres, al fin, como las otras gentes.*
> *Tienes una cabeza, un cuerpo, un cuello,*
> *que no hay sastre ni pícaro sin ello...* [141].

Próximas, aunque todavía más allá que las poesías burlescas, quedan las dieciséis jácaras, en forma de romances para ser cantados, en los que pinta el poeta gente del hampa y sus andanzas. En estas composiciones anda trenzado lo más soez por el asunto y la expresión, con todo su léxico de germanía, con delicadas pinceladas, que poetizan claroscuros en el cuadro tremebundo y avinagrado:

> *Fue tabernero en Sevilla;*
> *las sedes se lo perdonen,*
> *pues midió lluvias morenas*
> *con apellido de aloque...* [142].

---

139 Cfr.: Amédée Mas, *La caricature de la femme, du mariage et de l'amour dans l'oeuvre de Quevedo,* París, 1957.

140 Ed. cit., *Verso,* págs. 167-168.

141 Ídem, íd., pág. 169.

142 Ídem, íd., pág. 227 (Jácara IX, *Vida y milagros de Montilla*). Cfr.: J. M. Hill,

La más conocida de estas jácaras es la llamada del *Escarramán*, con la *Respuesta de la Méndez* y el romance del *Testamento*.

Poesía de carácter político. De especial interés en la obra poética de Quevedo son las sátiras políticas. La llamada *Epístola censoria* al Conde-Duque ha gozado de extensa fama por lo brioso de su arranque, que hace pensar en diferente continuación a quienes no la han leído:

No he de callar, por más que con el dedo,
ya tocando la boca, ya la frente,
me representes o silencio o miedo.
¿No ha de haber un espíritu valiente?
¿Siempre se ha de sentir lo que se dice?
¿Nunca se ha de decir lo que se siente?
¿Habrá quien los pecados autorice,
y el púlpito y la cátedra comprados
harán que la lisonja se eternice?
Y, bien introducidos los pecados,
¿verás a la verdad sin voz, desnuda,
y al interés echándola candados? [143].

Pero después de estos tercetos, la epístola vaga por lugares comunes, que ni siquiera pueden concretarse en circunstancias del propio país. Quevedo hace la apología de pretéritas edades, cuando resplandecía la virtud —una virtud de tópicos— perdida en su tiempo. Tan sólo un fragmento, que casi desentona en la trivialidad dominante, alude a realidades concretas de la nación: es a propósito de la fiesta de toros, costoso y vano deporte entonces del mundo aristocrático, que provoca en Quevedo palabras irritadas:

Pretende el alentado joven gloria
por dejar la vacada sin marido,
y de Ceres ofende la memoria.
Un animal a la labor nacido,
de paciencia preciosa a los mortales,
que a Jove fue disfraz y fue vestido;
que un tiempo endureció manos reales
y detrás dél los cónsules gimieron,
y rumia luz en campos celestiales,

"Una jácara de Quevedo", en *Revue Hispanique,* LXXII, 1928, págs. 493-503. Ruth L. Kennedy "*Escarramán* and Glimpses of the Spanish Court in 1637-1638", en *Hispanic Review,* IX, 1941, págs. 110-136.

[143] Ed cit., *Verso,* págs. 135-136.

¿por cual enemistad se persuadieron
a que su apocamiento fuese hazaña
y a las mieses tan grande ofensa hicieron?
¡Qué cosa es ver un infanzón de España
abreviado en la silla a la jineta,
y gastar un caballo en una caña! [144].

Por lo demás, la epístola no es una censura contra Olivares, sino amistoso consejo para su buen gobierno.

De muy distinto tono es el famoso *Memorial*, "Católica, sacra, real Majestad", al que se atribuye la desgracia y prisión del poeta. Se ha dicho a veces que es composición de escaso mérito, pero no lo creemos así; en verso —otra cosa hubiera sido en un detallado informe político sobre la situación del país— difícilmente podía decirse más ni más concreto:

A cien reyes juntos nunca ha tributado
España las sumas que a vuestro reinado.
Y el pueblo doliente llega a recelar
no le echen gabela sobre el respirar.
Aunque el cielo frutos inmensos envía,
le infama de estéril nuestra carestía.
....
Un ministro, en paz, se come de gajes
más que en guerra pueden gastar diez linajes.
Venden ratoneras los extranjerillos,
y en España compran horcas y cuchillos.
Y, porque con logro prestan seis reales,
nos mandan y rigen nuestros tribunales.
....
Al labrador triste le venden su arado,
y os labran de hierro un balcón sobrado.
Y con lo que cuesta la tela de caza,
pudieran enviar socorro a una plaza.
Es lícito a un rey holgarse y gastar,
pero es de justicia medirse y pagar.
Piedras excusadas con tantas labores,
os preparan templos de eternos honores.
Nunca tales gastos son migajas pocas,
porque se las quitan muchos de sus bocas.
Ni es bien que en mil piezas la púrpura sobre,
si todo se tiñe con sangre del pobre.

---

144 Ídem, íd., pág. 137.

Ni en provecho os entran, ni son agradables,
grandezas que lloran tantos miserables... [145].

A *El Padre Nuestro glosado* se ha atribuido también la prisión de Quevedo; pudo acarreársela con iguales méritos que el *Memorial* pues también es hiriente su denuncia de los males de la nación. En algunos momentos, sin embargo, cae en lo vago y verboso.

La composición en décimas *Sobre el estado de la monarquía,* que comienza,

Toda España está en un tris
y a pique de dar un tras...

apunta sobre todo a los daños que en el propio país causaban los ejércitos, alzados para la guerra contra Cataluña y Portugal:

A España se ha trasladado
de Italia y Flandes la guerra,
siendo señor de la tierra
el atrevido soldado;
la campaña y el poblado
roba su cudicia impía
con militar osadía;
que es la guerra, en conclusión,
para muchos perdición,
para pocos granjería.

Al aludir a la campaña portuguesa del conde de Monterrey, acaba con dos versos que resumen la situación con trágica ironía:

a Portugal amenaza
y castiga a Extremadura [146].

De muy quevedesca gracia es el conocido soneto *Al mal gobierno de Felipe IV*:

Los ingleses, señor, y los persianos
han conquistado a Ormuz; las Filipinas
del holandés padecen grandes ruinas;
Lima está con las armas en las manos;

---

145 Ídem, íd., págs. 143-144. Cfr.: José Manuel Blecua, "Un ejemplo de dificultades: el memorial 'Católica, sacra, real Majestad' ", en *Nueva Revista de Filología Hispánica,* VIII, 1954, págs. 156-173. James O. Crosby, *The text tradition of the Memorial "Católica, sacra, real Majestad",* Lawrence, University of Kansas Press, 1958.

146 Ídem, íd., págs. 147-148.

el Brasil, en poder de luteranos;
temerosas, las islas sus vecinas;
La Valtelina y treinta Valtelinas
serán del turco, en vez de los romanos.
La Liga, de furor y astucia armada,
vuestro imperio procura se trabuque;
el daño es pronto, y el remedio tardo.
Responde el rey: "Destierren luego a Estrada,
llamen al conde de Olivares duque,
case su hija, y vámonos al Pardo" [147].

Y también aquél en que describe la situación de España en sus días:

Grandes por mil maneras, cuatrocientos;
títulos por mil modos, mil y tantos;
hábitos que por mantas visten mantos,
casi un millón y diez y siete cuentos.
Pródigos, secretarios y avarientos,
más que la vanidad previene espantos;
oidores doce mil, y no a los llantos
de los pobres y míseros lamentos.
Ambición jesuita disfrazada
con hipócrita y vil correspondencia:
el odio y la venganza está en su punto;
juntas que engendran algo y paren nada;
viuda la rectitud, no la apariencia:
éste es de nuestro siglo fiel trasunto [148].

Los romances. Escribió Quevedo numerosísimos romances, de los que fue cultivador excepcional, sin más émulos, en el Siglo de Oro, que Lope y Góngora; y con ellos, de modo igual a lo que sucede en el soneto, comparte la indiscutible supremacía. Dentro de la sola unidad del metro, metió Quevedo en los romances toda la variedad de que era capaz su poesía, aunque dando predominio en ellos a los temas satíricos y burlescos y al habla popular y desgarrada. Hemos citado anteriormente algunos romances sobre asuntos mitológicos, caballerescos o históricos, tratados burlescamente. Compuso también Quevedo otros sobre motivos circunstanciales, tales como fiestas de la corte, cacerías del rey, toros y cañas, viajes de príncipes, etc., que son los menos y nunca los mejores. Muchos de sus temas predilectos en sus obras en prosa y en sus otros grupos de poesías son nuevamente objeto de romances, en especial las condiciones de las mujeres —sus galas, su interés, sus afeites, sus fin-

[147] Ídem, íd., pág. 138.
[148] Ídem, íd., pág. 124.

gimientos de la edad—, maridos consentidos, dueñas, terceras, viejas presumidas. En varias composiciones, a estilo del *Caballero de la Tenaza*, el poeta declara su resistencia a dar a las hermosas, mientras en uno de los romances una alcahueta adiestra a su pupila: en este último es curioso el romancillo con que termina, por su forma métrica que no parece repitió Quevedo:

El que sólo promete,
mete cizaña,
que los prometimientos
son para el alma.
Muestro a mis pretendientes
dientes y muelas;
danles alabanzas,
quieren meriendas.
Hombre sin talego
lego se queda,
que en mi orden el rico
sólo profesa...[149].

Quevedo endilga un romance a los temas más sorprendentes: basta con que le den leve pretexto para burla o chacota; así, el que le dirige a Adán, felicitándole porque no conoció suegra; o el muy divulgado que enumera burlescamente sus supuestas desgracias y que comienza "Parióme adrede mi madre — ¡ojalá no me pariera!"; o el titulado "Varios linajes de calvas":

Madres, las que tenéis hijas,
así Dios os dé ventura,
que no se las deis a calvos,
sino a gente de pelusa...

y que lleva luego el conocido estribillo:

Calvos van los hombres, madre,
calvos van;
mas ellos cabellerán[150].

Muy gracioso, aunque de tema repetido en más de una ocasión, es el llamado *Burla de los eruditos de embeleco que enamoran a las feas cultas*:

....

Al que sabia y fea busca,
el Señor se la depare;

[149] Ídem, íd., pág. 266.
[150] Ídem, íd., págs. 338-339.

a malos conceptos muera;
malos equívocos pase...[151]

y también el titulado *Romance burlesco*:

Alguaciles y alfileres
prenden todo cuanto agarran;
levántanse fácilmente
los testimonios y faldas...[152].

De nuevo el tema de la "dorada medianía", burlescamente tratado, con grueso cinismo, inspira el largo romancillo *La vida poltrona*:

Tardóse en parirme
mi madre, pues vengo
cuando ya está el mundo
muy cascado y viejo.
....
Yo, que he conocido
de este siglo el juego,
para mí me vivo,
para mí me bebo.
....
No vendrá a sobrarme
la vida, si puedo;
ni cuando me muera
sobrarán dineros.

Y resume en estos cuatro versos finales su sabrosa filosofía:

Después de yo muerto,
ni viña ni güerto;
y para que viva,
el güerto y la viña[153].

De particular interés parécenos un romance que puede calificarse de "amoroso", sin título (número XII en la edición de Astrana), que comienza:

Las columnas de cristal
al templo de Amor sustentan...[154].

---

[151] Ídem, íd., pág. 304.
[152] Ídem, íd., pág. 305.
[153] Ídem, íd., págs. 354-356.
[154] Ídem, íd., pág. 256. Cfr.: Narciso Alonso Cortés, "El romance de Quevedo a Valladolid", en *Homenaje a Quevedo...*, cit., págs. 64-75. Manuel Muñoz Cortés, "Sobre

Es una composición singular dentro del arte poético de Quevedo; describe la posesión sexual, pero ni en el tono de cálida pasión enamorada de sus sonetos amorosos, ni tampoco con el cinismo despiadado de sus versos burlescos. El tema está tratado con un desenfado increíble, pero velado a la vez con cendales de delicada poesía, que hacen gloriosamente bellas las mayores crudezas.

EL TEATRO DE QUEVEDO

Para que apenas le quedara a Quevedo campo sin arar, cultivó también el teatro. Es posible que escribiera algunas comedias que no han llegado hasta nosotros; al menos Tarsia alude a ello. Sólo poseemos una comedia completa, *Cómo ha de ser el privado,* que ya fue mencionada. Aparte esta obra, cuanto de Quevedo se conserva pertenece al llamado "teatro menor": diálogos, bailes, loas y entremeses.

Los *diálogos,* en número de cinco, son rápidos apuntes, de mucha gracia, en que baraja motivos de sátira contra la mujer, tema eterno en la pluma de Quevedo. En los *bailes* —romances para ser cantados— reaparecen idénticos motivos y desfilan además personajes que no le son menos familiares: busconas, valentones, sopones de Salamanca, sonsaconas, borrachos; Escarramán y la Méndez asoman en un *baile* empedrado de abstrusas alusiones a cofradías o sociedades burlescas de la época, cuya parte final es una virtuosista exposición, muy quevedesca, de los diversos géneros de cosquillas. El titulado *Boda de pordioseros* es una muestra formidable del poder de Quevedo para trazar tipos hampones y raídos, con tanta intención como despiadada crueldad. El titulado *Los nadadores* tiene en su airoso ritmo de romancillo una movida gracia lírica de muy subido encanto; pero caben en él también las habituales mordacidades de Quevedo contra la codicia femenina, que aquí desarrolla en variaciones de metáforas sobre el agua y los nadadores. Su longitud nos veda reproducirlo completo:

Al agua, nadadores,
nadadores, al agua;
alto a guardar la ropa,
que en eso está la gala.
En el mar de la Corte,
en los golfos de chanzas,
donde tocas y cintas
disimulan escamas,

---

el estilo de Quevedo (análisis del romance 'Visita de Alejandro a Diógenes Cínico')", en el *Homenaje...,* cit., págs. 108-142.

es menester gran cuenta,
porque a veces se atascan
en enaguas y ovas
nadadores de fama.
Tiburón afeitado
anda por esas plazas,
armado sobre espinas,
vestido sobre garras.
Acuéstanse lampreas,
sirenas se levantan;
son mero en el estrado,
son mielgas en la cama,
ya congrio con guedejas,
delfín con arracadas,
que pronostican siempre
al dinero borrascas.
....
Ballenas gordiviejas,
corto cuello y gran panza,
muchachuelos sardinas
de ciento en ciento tragan.
Guárdese todo el mundo,
porque quien no se guarda,
se le comen pescados
con verdugado y sayas.
....
La que nada con poeta,
con mancebito veleta,
bailarín de castañeta,
godo y peto, y todo trazas,
nadará con calabazas.
La que nada con mirlados,
carininfos y azufrados,
necios, pobres y hinchados,
no nada entre cuello y ligas:
ésa nada con vejigas.
La que nada con pelones,
y trueca dones en dones,
el paseo por doblones,
la cadena por la soga,
ésa nadando se ahoga... [155].

[155] Ídem, íd., págs. 530-531.

De las seis *loas* conservadas nos parece de mayor interés la *Sátira a los coches*, llena de gracejo, que podría ser escrita en nuestros días por su condición de instrumentos para la fácil seducción. Así dice uno de ellos:

Acúsome en alta voz
(dijo) que ha un año que sirvo
de usurpar a las terceras
sus derechos y su oficio [156].

Junto a ésta la loa titulada *Da señas de sí una dama recién venida, y refiere sus condiciones*, en la que una buscona, con el mayor desparpajo, después de jalear sus gracias, acaba con estas palabras:

...en remolinos del cuerpo
mil veces mudo el teatro.
Palabras contra el contante,
ni las quiero ni las gasto:
lo que me prometen oigo;
pero lo que me dan, palpo.
Todos me lo han de pagar,
aunque no trato de agravios;
y advierta todo perrero,
que prevengo y no amenazo.
Que con "Presto cobraré",
y con "Agora no traigo",
y "Fía de mi palabra",
no se hacen mayorazgos.
Vivo en la Puerta Cerrada
para los dineros trasgos;
y para los dadivosos
vivo en la calle de Francos [157].

Para los que no son capaces de pensar en el teatro de nuestro Siglo de Oro más que como una representación de sólo valores literarios, debe constituir una sorpresa esta loa de Quevedo, cuyo efecto estaba confiado a la presencia, garbo y meneos de la mujer que la recitase, sin que las galas literarias tuvieran en todo ello demasiado que ver.

Once entremeses dio a conocer Astrana en su edición de las *Obras Completas* de Quevedo. Eugenio Asensio, en fecha recientísima, ha publicado

---

156 Ídem, íd., pág. 535.
157 Ídem, íd., pág. 538.

otros cinco, descubiertos por él en un manuscrito de la Biblioteca de Évora [158]. De los publicados por Astrana, Asensio —siguiendo a Armando Cotarelo— se inclina a considerar como espúreos *El médico* y el *Entremés de Pan durico*; otros dos, inéditos hasta la edición de Astrana, *Los refranes del viejo celoso* y *El hospital de los mal casados*, que éste dijo haber reproducido de sendos autógrafos de Quevedo, parecen proceder, en realidad, de copias bastante defectuosas, especialmente el segundo; también las piezas reproducidas por Asensio abundan en incorrecciones de toda índole, y el mismo editor no excluye la posibilidad de alguna falsa atribución. Quiere decirse, pues, si añadimos las casi seguras pérdidas y que hasta las mismas obras publicadas en el siglo XVII dejan mucho que desear, que de la producción entremesista de Quevedo no poseemos sino una parte tan limitada como imperfecta; pese a lo cual, resulta posible deducir algunas conclusiones sobre su importancia y el notable papel que desempeña en la historia del género.

El problema de la cronología es fundamental. Venía suponiéndose que el Quevedo entremesista no era sino uno más de los imitadores y seguidores de Quiñones de Benavente, tenido sin disputa como el maestro —en el tiempo y la calidad— del entremés en su período de plenitud correspondiente al siglo XVII. Pero las deducciones a que llega Asensio invierten los términos. Resulta que las más tempranas producciones de Benavente son posteriores, sin excepción, a 1625, y quizá a 1629; en cambio, tres de los entremeses de Quevedo publicados ahora por Asensio, en prosa —*Bárbara, Diego Moreno* y *La vieja Muñatones*— son anteriores a 1618-1620, y los otros dos, en verso —*La destreza* y *La polilla de Madrid*— fueron escritos hacia 1624. De donde concluye el citado investigador: "La revisión de la fecha asignada a las innovaciones de Quiñones de Benavente y la aparición de entremeses tempranos, obra de Quevedo, imponen la conclusión de que no sólo este último madrugó para transformar en teatro sus fantasías e invenciones, sino que en el mismo terreno de la técnica trabajó para la posteridad" [159].

Se había señalado repetidamente que las obras satíricas de Quevedo, en prosa, de sus años de juventud, habían proporcionado tipos, situaciones y chistes numerosísimos a los entremesistas coetáneos; el mismo Quevedo, como ahora diremos, transplantó a sus entremeses una materia nutridísima de su propia producción. Pero, merced a lo temprano de este transplante, puede ya

---

[158] *Itinerario del entremés. Desde Lope de Rueda a Quiñones de Benavente. Con cinco entremeses inéditos de D. Francisco de Quevedo*, Madrid, 1965. Cfr.: Del mismo, "Hallazgo de *Diego Moreno*, entremés de Quevedo, y vida de un tipo literario", en *Hispanic Review*, XXVII, 1959, págs. 397-412.

[159] *Itinerario...*, cit., pág. 197. "La fama de Quevedo —insiste Asensio un poco más abajo— ha sido perjudicada por la tendencia a hacer de Quiñones de Benavente un Lope de Vega del entremés, aureolado con todas las invenciones y primacías. Mientras que, en pura objetividad, cabe asentar que las piezas insertas en la *Jocoseria*, su mayor timbre de gloria, son todas sin excepción posteriores a 1625, tal vez a 1629" (ídem, íd., pág. 198).

asegurarse que Quevedo señaló caminos nuevos no sólo desde la cantera primaria de sus creaciones satíricas, sino desde el mismo palenque de sus piezas entremesistas. "Quevedo fertilizó el entremés, directa o indirectamente —dice Asensio— de tres maneras diferentes: con sus piezas originales; con el almacén de tipos y figuras, de situaciones y ocurrencias que puso a disposición de los cómicos; y últimamente con la ejemplar técnica literaria que aplicó a la pintura del hombre" [160].

En los veinte primeros años del siglo XVII, según puntualiza Asensio en su estudio, el entremés evoluciona hacia nuevas formas; mientras Lope de Rueda se había concentrado en "la visión cómica de un personaje en acción" tratando de armonizar su carácter con los sucesos que provoca, y Cervantes le había inyectado al entremés, con genialidad no imitada, temas y técnicas de la novela proponiendo personajes vistos a la luz de su humana y optimista ironía, se tiende ahora a describir y clasificar la fauna social convirtiendo la pieza de teatro en un desfile satírico de entes ridículos, que el crítico citado califica, con terminología de la época, de "entremés de figuras"; éste posee apenas nudo argumental, "ya que su encanto reside en la variedad de tipos caricaturizados y no en la progresión de la fábula. Es como una procesión de deformidades sociales, de extravagacias morales o intelectuales. Las *figuras* comparecen ante el satírico o encarnación de la sátira —juez, examinador, médico, casamentero, vendedor de fantásticas mercadurías, o cualquier otra profesión que brinde un pretexto para el constante desfile—, gesticulan un momento, alzan la voz, replican a la ironía o acusación del personaje central que glosa y comenta: luego desaparecen para dejar el puesto a otra nueva *figura* que viene pisándoles los talones. El movimiento cada vez más acelerado suele desembocar sin violencia en la danza" [161]. Definiendo luego lo que venía a designarse con el dicho vocablo de *figura*, escribe: "*Figura* designaba primariamente una apariencia estrambótica, una exterioridad provocante a risa. Pero su campo semántico se dilataba a la esfera moral y social abarcando desde el vicio a la monomanía, desde el amaneramiento hasta la aberración, desde la exageración de las modas en el lenguaje y el vestido hasta el rasgo especial de carácter arraigado en el humor dominante. Propendía a subrayar el aspecto cómico de las pretensiones y vanidades que impulsan a los hombres a tomar actitudes falsas, a simular realidades vacías. El énfasis sobre un exceso o exorbitancia más que sobre una complejidad personal, que no cabía en las estrechas márgenes del entremés, inclinaba la pintura hacia la simplificación, hacia la caricatura" [162]. Y luego: "Se mezcló con el entremés de acción, insertando en él *figuras*, un modo de visión de las flaquezas sociales en que los hombres,

---

[160] Ídem, íd., pág. 177.
[161] Ídem, íd., págs. 80-81.
[162] Ídem, íd., pág. 84.

como ya sugería la asociación de *figura* con retablo de títeres, tenían algo de muñecos mecánicos"[163].

Piénsese ahora, para entender su decisivo influjo sobre las nuevas rutas del entremés, en lo peculiar del arte satírico de Quevedo desde sus páginas de juventud; una de sus primeras obras, *Vida de la corte y oficios entretenidos de ella,* está dividida en dos partes tituladas, precisamente, *Figuras de corte* y *Flores de corte,* que son uno y lo mismo. La técnica de Quevedo consiste en abstraer de muchos individuos detalles y pormenores, propios de una manera de ser o de una actitud social, y agruparlos en una "*figura*" abstracta, de líneas esquemáticas pero esenciales, que espera la colaboración imaginativa del lector para ser puesta en movimiento. La genial capacidad de Quevedo para encontrar los rasgos más definitorios y caricaturescos de cada *tipo* que se propone trazar, hacía de sus obras satíricas en prosa un arsenal inagotable de *figuras,* entes de una pieza, que encajaban a maravilla en las exigencias del nuevo entremés, con sus personajes grotescos, abocetados y gesticulantes, vacíos de individual psicología pero cargados de intención. Se comprende que no fuesen sólo los otros escritores, sino el propio Quevedo, quien se sintiera tentado de dar vida en las tablas a muchas de sus creaciones favoritas, insistentemente tratadas, llevadas ahora a nueva encarnación, con el simple recurso de oponerles un interlocutor que provoca sus reacciones; o más bien, diríamos, su autodefinición.

No debemos, pues, esperar novedades temáticas en los entremeses de Quevedo; todos sus personajes nos son de sobra conocidos, en especial las mujeres sacadineros, los maridos mansos, las farsas y apariencias de la vida social; uno de sus entremeses se titula concretamente *El caballero de la tenaza,* el de las cartas famosas, que repite su heroica defensa frente a las socaliñas de la mujer, llamada simbólicamente Anzuelo. Pero Quevedo es capaz de encontrar siempre, sobre los temas más manidos, las más estupendas variaciones y lograr cada vez espléndidos cuadros. "Varios de sus entremeses —dice Asensio— se alinean dignamente junto a escenas sueltas de *Los sueños* o la *Vida del Buscón.* Tipos y motivos, aunque a veces degradados y simplificados para desencadenar el regocijo elemental, reflejan la personalidad indomable del autor, sus obsesiones centrales. Al abrigo de la risa y la gesticulación introduce, como de matute, en un género liviano, sus visiones favoritas de la incoherencia del mundo, de la lucha sin tregua de los sexos, del *dinerismo* amo de la sociedad"[164].

Aunque casi desprovisto de su habitual intención satírica, pues que es un puro juguete, debemos mencionar *El marión,* graciosísima farsa, en que se invierten los papeles, y tres damas "de capa y espada" se disputan el amor de un lindo, don Constanzo. Quevedo lleva el trastrueque hasta los extremos más

---

[163] Ídem, íd., pág. 85.
[164] Ídem, íd., pág. 196.

bufos, pues el lindo parece usurpar el papel femenino hasta en lo fisiológico, entre escenas de gracia inenarrable. Una de las pretendientes, doña Bernarda, trata de hacerle un obsequio a don Constanzo:

DOÑA BERNARDA.

Aquí traigo, mi bien, un presentillo.

DON CONSTANZO.

No, no, no tengo yo de recibillo.

DOÑA BERNARDA.

¿Por qué lo excusas?

DON CONSTANZO.

No quiero obligarme.

....

DOÑA BERNARDA.

¿Por qué no tomarás
lienzos y guantes, y randados cuellos?

DON CONSTANZO.

Porque no es bien que tomen los doncellos;
que suelen sucederles mil desgracias.
Que uno conozco yo que apenas vía,
no digo el sol, pero la luz del día,
y porque recibió un cierto presente
de una mujer, en pretendelle loca,
está con la barriga hasta la boca.
¡Desdichado de mí!... [165].

En el *Entremés de la venta,* el ventero, Corneja, roba a sus clientes, ayudado por la moza Grajal. Un mozo de mulas requiebra a ésta con intención de conquistarla, y ella responde con desgarro de chula, en el que nos parece escuchar palabras de tipos semejantes en el teatro popular de hace unos lustros:

Poca hazaña me cuenta
para destrozo de hermosura andante;
tarde llegó el pobrete;
no cabe un alma más en mi cabello.
Y un mocito de mulas,
que es gentil-hombre al trote,
no es cosa competente
para este campanario de la gala
y para este tallazo de lo caro,

[165] Ed. cit., *Verso,* pág. 568.

que, con dos miraduras delincuentes,
pasó a pestaña infinidad de gentes,
y no hay para alfileres
en cuatro eternidades de alquileres[166].

---

[166] Ídem, íd., págs. 555-556. Cfr.: Narciso Alonso Cortés, *Quevedo en el teatro,* Valladolid, 1920. Armando Cotarelo, *El teatro de Quevedo,* Madrid, 1945 (tirada aparte del *Boletín de la Real Academia Española,* tomo XXIV, cuaderno CXIV). G. Mancini, *Gli entremeses nell'arte di Quevedo,* Pisa, 1955.

CAPÍTULO XII

CALDERÓN DE LA BARCA Y EL SEGUNDO CICLO DEL TEATRO ÁUREO

LA DRAMÁTICA BARROCA

A lo largo de las páginas precedentes sobre la historia de nuestro teatro hemos venido aludiendo a la existencia de dos ciclos, escuelas o sistemas, agrupados respectivamente en torno a Lope de Vega y a Calderón de la Barca. En realidad, vistos ambos a distancia panorámica, las diferencias no son particularmente profundas o esenciales; comparando lo que Lope había supuesto respecto a todo el teatro precedente, Calderón no trae ninguna nueva concepción fundamental del arte dramático ni lo encamina por distintas rutas de las que Lope y sus discípulos habían abierto y recorrido con audacia tan derramada. Con todo, distinguen a ambos dramaturgos peculiaridades de detalle más que suficientes para diferenciarlos con sobrada razón y admitir la existencia de los dos ciclos mencionados.

Como decimos, el molde de la comedia dentro del cual se mueve Calderón es el mismo, en sustancia, que había forjado la creadora genialidad de Lope: repudio de las unidades clásicas; desenfreno imaginativo en la presentación de lances y situaciones; utilización de todo asunto posible, extraído indistintamente de la tradición o de la historia nacional, de la historia o la leyenda extranjera de cualesquiera edades, de las fuentes bíblicas, de la mitología, de la novelería italiana; junto a ello, la introducción a raudales del costumbrismo más variado, tanto del mundo campesino como ciudadano. Y por encima de todo, la absoluta españolización de todo tema, sin que importen anacronismos ni preocupe falsificar el carácter de un personaje histórico o los rasgos de un pueblo o de una edad; los personajes se expresan siempre como españoles del momento y viven sus mismos sentimientos, alimentan idénticas ideas, tienen su mismo esquema mental de preocupaciones y convencionalismos. Y dicho se está que el gracioso, que continúa siendo pieza indispensable, se expresa lo mismo si sirve a un faraón o a un patriarca que a un noble de Madrid.

Con todo, insistimos, si la comedia de Lope y la de Calderón son el mismo río, están en una etapa diferente de su ruta al mar. Calderón vive la plenitud de nuestro siglo barroco —del que viene a representar la síntesis más completa—, y este hecho tiene su principal manifestación en el lenguaje: Calderón en esto, como en otros muchos aspectos, sustituye la espontánea frescura, la desenvuelta naturalidad del lenguaje dramático de Lope, por una estudiada acumulación de artificios estilísticos donde tienen cabida todas las innovaciones del cultismo y del conceptismo, que se armonizan amigablemente en su obra. Así como de Góngora dijimos que procede por intensificación y combinación acumulativa de todos los elementos recibidos de la tradición clásica, Calderón intensifica igualmente la herencia tomada de los dramaturgos anteriores para redoblar ante el espectador la eficacia de sus recursos: unas veces esto se produce mediante multiplicación o exageración de rasgos que tienden a sorprender la atención, embotada ya por la insistencia en unos mismos caracteres y juegos escénicos; otras veces, contrariamente, por la reducción de elementos y la concentración en episodios y personajes. En cualquier caso, lo que distingue esencialmente a Calderón —aparte sus peculiaridades estilísticas— es un mayor cuidado constructivo, una más estudiada elaboración arquitectónica, con la que trata de extraer novedad del generoso derroche de Lope, una actitud más reflexiva y meditada. Finalmente, Calderón aporta, dentro siempre de los generales cauces lopistas, un tipo de comedia poética, en la que la intención ideológica y doctrinal predomina sobre la acción y las pasiones, al tiempo que los personajes se desrealizan y estilizan para adquirir carácter de símbolos. Y queda aparte la aportación fundamental de Calderón en el *auto sacramental*, género que adquiere en sus manos la perfección definitiva.

Pero todo hemos de verlo en detalle más abajo.

DON PEDRO CALDERÓN DE LA BARCA

VIDA Y PERFIL HUMANO

Suele decirse que nada más diferente de la vida azarosa de Lope que la reconcentrada, solitaria y estudiosa de Calderón. No conoció éste, en efecto, la variedad de lances de aquél, pero no carece tampoco de casi ninguno de los más peculiares del hombre de su tiempo [1]. Nació Calderón en Madrid, el 17

[1] Cfr. sobre la vida de Calderón: F. Picatoste, *Biografía de don Pedro Calderón de la Barca*, Madrid, 1881. C. Pérez Pastor, *Documentos para la biografía de don Pedro Calderón de la Barca*, Madrid, 1905. P. Constancio Eguía, "Don Pedro Calderón de la Barca. Nuevas minucias biográficas", en *Razón y Fe*, 1920. Emilio Cotarelo y Mori, *Ensayo sobre la vida y obras de don Pedro Calderón de la Barca*, Madrid, 1924. Narciso Alonso Cortés, "Algunos datos relativos a don Pedro Calderón de la Barca", en *Revista de Filología Española*, II, 1915, págs. 41-51. Del mismo, "Carta de dote de la madre de Cal-

de enero de 1600, de familia de alguna nobleza —el poeta habla en una ocasión de la "mediana sangre en que Dios fue servido que naciese"—, oriunda de la Montaña donde tenía casa solariega y escudo de armas. Su padre, Diego Calderón de la Barca, que desempeñaba una secretaría de Hacienda heredada del abuelo, casó con doña Ana María de Henao, de la que tuvo seis hijos; el dramaturgo fue el tercero, y su hermano José, que le seguía, abrazó la carrera de las armas, alcanzó el grado de Teniente de Maestre de Campo y murió a los 43 años de edad en la defensa del puente de Camarasa (1645) durante la guerra de Cataluña.

Calderón ingresa a los nueve años en el Colegio Imperial de los Jesuitas, donde estudia cinco cursos de humanidades y se familiariza con los poetas clásicos latinos. Murió su madre en 1610, y su padre —andando el tiempo— contrajo nuevas nupcias con doña Juana Freyre, pero falleció a su vez al cabo de un año. Doña Juana pleiteó con sus hijastros por creerse perjudicada en la herencia, y como se fallara en su favor, tuvieron aquéllos que vender el cargo de la secretaría de Hacienda para pagarle a la madrastra.

El abuelo materno de Calderón había fundado una capellanía con la esperanza de que la ocupara alguno de sus nietos. Con este fin, Pedro se matriculó en Alcalá en 1614 y, al morir su padre al año siguiente, se trasladó a Salamanca, donde estudió Cánones y Derecho hasta 1620, fecha en que abandonó la carrera eclesiástica y se volvió a Madrid. Allí vivió por algún tiempo una vida libre y no poco agitada. Junto con sus dos hermanos, Diego —el primogénito— y José, se vio envuelto en un lance del que resultó muerto un hijo de don Diego de Velasco, del servicio del duque de Frías; reclamaron los padres del muerto, y los Calderón llegaron a una avenencia mediante el pago de 600 ducados. Tomó parte Calderón en algunos certámenes literarios y debió de comenzar por entonces a escribir para el teatro, ya que su primera comedia conocida, *Amor, honor y poder*, data de 1623, el mismo año en que Velázquez era nombrado pintor de cámara. Entre este año y 1625 es muy probable que estuviera en el norte de Italia y en Flandes, y a su regreso entró como escudero al servicio del duque de Frías. A partir de este momento emprende ya resueltamente su producción dramática; casi todas sus comedias se estrenan con gran aparato en el teatro del mismo palacio real y Calderón se convierte pronto en el dramaturgo oficial de las fiestas de la corte.

---

derón", en *Revista Histórica*, Valladolid, II, 1925, págs. 158-167. Del mismo, "Genealogía de Calderón", en *Boletín de la Real Academia Española*, XXXI, 1951, págs. 299-309. Eduardo Juliá Martínez, "Una fundación de Calderón de la Barca", en *Revista de Filología Española*, XXVI, 1942, págs. 302-307. F. Marcos Rodríguez, "Un pleito de Calderón de la Barca, estudiante en Salamanca", en *Revista de Archivos, Bibliotecas y Museos*, LXVII, 1952, págs. 717-732. N. D. Shergold y J. E. Varey, "Un documento nuevo sobre don Pedro Calderón de la Barca", en *Bulletin Hispanique*, LXII, 1960, págs. 432-437. E. M. Wilson, "Textos impresos y apenas utilizados para la biografía de Calderón", en *Hispanófila*, III, 1960, núm. 3, págs. 1-4. H. Lund, *Pedro Calderón de la Barca. A biography*, Edimburgo, 1963.

Nuevamente se vio envuelto Calderón en otro lance dramático. Pedro de Villegas, hijo del cómico Antonio de Villegas, hirió de gravedad a un hermano de Calderón y se refugió en el convento de las Trinitarias. El dramaturgo y un grupo de alguaciles violaron el sagrado eclesiástico y a pesar de las protestas de las monjas registraron todo el convento sin encontrar al fugitivo. El suceso provocó las protestas de Lope de Vega, cuya hija Marcela formaba parte entonces de la comunidad de las Trinitarias, y sobre todo del padre Hortensio Paravicino, que denunció el hecho en un sermón predicado ante la corte y envió un memorial terrible a las autoridades eclesiásticas. El cardenal don Gabriel de Trejo amonestó a Calderón, pero el lance dio pie más para chacotas que para castigos; Calderón no perdió el favor real, y aun se burló donosamente de la altisonancia de Paravicino por medio del gracioso de su comedia *El príncipe constante*. En 1635 se inauguraron con grandes fiestas los jardines y palacios del Buen Retiro y se representó una comedia de Calderón de gran espectáculo, titulada *Los encantos de Circe y peregrinación de Ulises*, con escenografía del italiano Cosme Loti, mago entonces de tales menesteres.

Al año siguiente el rey concedió a Calderón el hábito de Santiago, del que fue investido, previa la correspondiente información de nobleza, en 1637. Este mismo año pasó al servicio del duque del Infantado y comenzó su actividad militar. El príncipe de Condé al frente del ejército francés sitió Fuenterrabía, y Calderón se alistó en el ejército que acudió en su socorro y libertó la plaza. Más tarde, incorporado al ejército del conde-duque, como caballero de Santiago, tomó parte en la guerra de Cataluña; intervino en diversas acciones portándose en todas ellas "como de su persona y partes se podía esperar", resultando en una ocasión herido en una mano. En 1642 pidió su retiro después de haber asistido también al sitio de Lérida en el ejército mandado por el propio Felipe IV. En atención a sus servicios y a los de su hermano José, muerto en aquella campaña, le fue concedida una pensión mensual de 30 escudos. Poco después entró al servicio del duque de Alba.

El carácter de aquella guerra fratricida, el estado de la corte, los repetidos fracasos de la nación, la muerte de su hermano, debieron influir profundamente en el carácter desengañado y pesimista de Calderón. Por aquellos años tuvo, sin embargo, un hijo natural, Pedro José —nacido hacia 1647—, pero nada se sabe de estos amores ni de la madre, que debió de morir pronto. Es posible que este último suceso acabase de mover el ánimo de Calderón, que en 1651 decidió ordenarse de sacerdote. Hasta entonces había tratado a su hijo natural como sobrino, pero entonces lo reconoció oficialmente. El hijo murió de muy temprana edad.

Calderón fue nombrado capellán de los Reyes Nuevos de Toledo, cargo adscrito a su catedral, y se trasladó a dicha ciudad [2], aunque hacía frecuentes

---

[2] Cfr.: Eduardo Juliá Martínez, "Calderón de la Barca en Toledo", en *Revista de Filología Española*, 1941.

viajes a la corte y seguía componiendo obras de teatro para las fiestas del palacio real. Se le censuró por escribir comedias profanas siendo sacerdote, pero como al mismo tiempo los reyes le pedían que lo hiciera y el propio Patriarca de las Indias, que se había distinguido en las censuras, le encargase componer los "autos" para las fiestas del Corpus de Toledo, le escribió una carta al dicho Patriarca con aquella conocida frase: "o es malo o es bueno: si es bueno, no me obste, y si es malo no se me mande". El incidente quedó resuelto, aunque parece que Calderón decidió no escribir más comedias para el público sino sólo para palacio; de todos modos, se sabe que algunas de las obras allí estrenadas pasaron luego a representarse en los corrales.

Durante su estancia en Toledo, inspirado por la inscripción "Psalle et sile" —canta y calla— de la reja del coro de su catedral, compuso con aquel título un poema de 525 versos, uno de sus contados escritos en que pueden vislumbrarse ciertos aspectos de su carácter e intimidad [3].

En 1663 fue nombrado capellán de honor de Su Majestad y se estableció de nuevo en la corte, donde seguía dirigiendo la representación de los "autos" y piezas teatrales, en especial zarzuelas y obras de gran aparato, para los reales sitios. No obstante, durante esta última etapa de su vida se entregó con preferencia a componer "autos sacramentales". Ingresó en la Congregación de Sacerdotes Naturales de Madrid, de la que fue capellán mayor.

En 1665 falleció Felipe IV, el gran protector de Calderón, pero el poeta siguió gozando de idéntico favor por parte de su heredero. El 20 de mayo de 1681 redactó Calderón su testamento, "hallándome —dice— sin más cercano peligro de la vida que la misma vida, y en mi entero y cabal juicio"; allí pedía ser enterrado con la mayor sencillez y que le llevasen descubierto "por si mereciese satisfacer en parte las públicas vanidades de mi mal gastada vida con públicos desengaños de mi muerte". Cinco días más tarde moría Calderón en Madrid, cerrando el período de nuestra mayor grandeza literaria.

Aunque, como hemos visto, no faltaron en los años de juventud de Calderón lances y aventuras, era el poeta hombre de ánimo reconcentrado, amigo de la soledad y nada propicio a las confidencias. Son contadísimas las noticias que se poseen de su vida privada. De su altivo carácter da idea una de las pocas anécdotas, que el escritor confiaba en su vejez a un íntimo amigo: recordando los años de su niñez decía que "no sentía tanto los azotes del maestro, como que los muchachos le llamasen el *Perantón*, por llamarse Pedro y haber nacido el día de San Antón". El vacío que existe en torno al episodio de sus amores y de su hijo natural, siendo, como él era, hombre de fama tan dilatada, es significativo. A diferencia de Lope que volcaba tumultuosamente su vida entera no sólo en su obra lírica sino en su mismo teatro, es de hecho

---

[3] Edición facsímil con una noticia bibliográfica de Leopoldo Trenor y comentario crítico por Joaquín de Entrambasaguas, Valencia, 1936.

imposible penetrar en la intimidad de Calderón a través de ninguno de sus escritos.

A pesar de su condición de poeta áulico y cortesano y estar por ello tan vinculado a personajes y fiestas palatinas, Calderón se aislaba en aristocrático retiro, entregado a su producción, a sus estudios y meditaciones; y el paso de los años con su carga de sinsabores, de tragedias propias y nacionales, le hizo ahincar en esa concepción desengañada y pesimista de la vida, que se transparenta en toda su obra. Al establecerse en la corte después de su estancia en Toledo como capellán de los Reyes Nuevos, se recluye más todavía en su casa —aun sin dejar sus obligadas visitas a palacio— entre libros y obras de arte de las que llegó a reunir una importante colección, hasta el punto de que, a su muerte, fue encargado de tasarla nada menos que el pintor Claudio Coello. "El pesimismo estoico de Calderón —recuerda Valbuena Prat, nuestro primer calderonista— se compensaba con la fe cristiana, con la ferviente religiosidad" [4]. Y, sin embargo, aunque no cabe negar lo que pueda haber siempre de efectismo y retórica, son muchos los pasajes en los que el pesimismo calderoniano parece ir más allá del desengaño ascético, cristianamente resignado. ¿Es así, acaso, aquella atracción por el no ser, que expresa en un romance:

> *¡Qué dulcemente en la nada*
> *durmiera en sueño tranquilo,*
> *el que no tiene, si nace,*
> *respiración sin gemido!...* [5]?

¿Y hasta dónde alcanza la amarga desesperación de Segismundo, cuando afirma que "el delito mayor — del hombre es haber nacido"?

No obstante, este cantor de la muerte y de la vanidad de todas las glorias humanas, gozó en su tiempo de una fama y aceptación por nadie discutidas; pasada ya la polémica sobre la nueva dramática nacional, que había atormentado a Lope, el teatro de Calderón se impuso con clamores de apoteosis: "Rara vez se ha visto —dice Menéndez y Pelayo— ejemplo de una popularidad igual ni parecida siquiera a la de Calderón entre sus contemporáneos; realmente la de Lope fue más ruidosa, pero no tan honda ni tan duradera" [6]. "La multitud —añade luego— acudía en tropel a sus comedias; el rey, los magnates, las altas clases de la sociedad le aplaudían en coro; le comprendía hasta la ínfima plebe; sus discreteos eran gustados por todo el mundo; ni una sola voz se levantó a criticar su teatro; el triunfo de la escuela revolucionaria y española fue completo; Calderón dominó, como soberano, casi todo el si-

---

[4] *Historia de la literatura española,* vol. II, 7.ª ed., Barcelona, 1964, pág. 483.

[5] Citado por Valbuena en ídem, íd.

[6] "Calderón y su teatro": Conferencia Primera: "Calderón y sus críticos", en *Estudios y discursos de crítica histórica y literaria,* ed. nacional, vol. III, Santander, 1941, página 90.

glo XVII, puesto que, nacido en 1600, era ya aplaudido en 1620 a par de Lope y Montalbán, y poco antes de morir, en 1680, aún componía autos sacramentales. Pocas vidas literarias ha habido tan largas, felices y bien aprovechadas" [7].

En vida de Calderón se habían impreso cuatro "partes" de sus comedias, es decir, cuatro volúmenes de doce comedias cada uno, según era costumbre entonces; estas cuatro partes merecieron más o menos implícitamente la aprobación del autor. Como venía sucediendo invariablemente hasta entonces con todos los ingenios que escribían para el teatro, se habían publicado sueltas —o formando parte de colecciones varias con obras de distintos autores— numerosas comedias de Calderón impresas por mercaderes sin escrúpulos, sin respeto ninguno al texto original, basándose en los manuscritos estropeados o mutilados por los cómicos, o tomados de oído en las representaciones por aquellos famosos "memorillas" de la época. Para remediar este daño, el hermano del poeta, José, emprendió la publicación de las citadas *partes* y dio a la imprenta las dos primeras, aunque no es seguro tampoco que dispusiera de los textos autógrafos, que quizá el mismo Calderón no poseía (por regla general los autores entregaban el original a los cómicos y muy frecuentemente no se quedaban copia); así pues, las ediciones de José, aunque mejoraron mucho las anteriores, distan también de ser perfectas. La muerte de José y los trágicos acontecimientos del país interrumpieron la publicación, y sólo 27 años más tarde (trece llevaba ya Calderón de sacerdote), en 1664, apareció la "tercera" parte, preparada por el amigo del poeta don Sebastián Ventura de Vergara. En 1672 salió la "cuarta" con un prólogo del propio Calderón de gran interés, porque rechazaba expresamente la paternidad de una larga lista de comedias ajenas, que se habían impreso a su nombre. En 1677 fue editada la "quinta" parte sin conocimiento de Calderón y con tantos errores y adulteraciones que desató las iras del escritor y la total desautorización del libro. Ya no aparecieron más "partes" en vida del autor, aunque todavía éste, en aquel mismo año, publicó un volumen con doce "autos sacramentales".

Poco antes de su muerte, el duque de Veragua pidió a Calderón la lista exacta de sus obras, que el poeta le remitió, incluyendo en ella 110 títulos. Basándose en ellos, Juan de Vera Tassis y Villarroel que se decía, sin serlo, amigo de Calderón, emprendió la publicación de sus comedias, haciendo imprimir hasta una "novena parte". Esta edición ha sido muy discutida y, en su conjunto, desautorizada, aunque ha servido por mucho tiempo como base de todas las reimpresiones. Los modernos investigadores han tenido que afrontar larga tarea para fijar los textos de las obras dramáticas de Calderón. Algunos eruditos —Morel-Fatio, Buchanan, Northup, Rosemberg, Parker— han editado obras sueltas con gran esmero. Beneméritos esfuerzos para editar el conjunto de la obra calderoniana han sido realizados en nuestros días por Luis

[7] Ídem, íd., pág. 92.

Astrana Marín y Ángel Valbuena Briones[8]. De los "autos sacramentales" nos ocuparemos luego.

EL SISTEMA DRAMÁTICO DE CALDERÓN

Como dijimos al comienzo, Calderón adviene a la dramática cuando ya Lope y sus discípulos han puesto en pie la mole de nuestro teatro. Sobre este edificio, Calderón retoca, pule, estiliza, simplifica de un lado las líneas arquitectónicas y amontona de otro todas las galas del barroco. El carácter frío, razonador, rígidamente intelectual del dramaturgo se aplica a una tarea de ordenación dirigida por normas muy estudiadas: "Lope —dice Valbuena Prat— había representado el momento creador y juvenil del drama nacional. Calderón significará la sistematización y la madurez. Lo que se pierde con éste en vida exterior y en extensión, se compensa con vida interna y con profundidad. A la inventiva, sustituye la reflexión; a la espontaneidad, lo retocado y sabio; a la improvisación, el *descartar borradores,* para decirlo con expresión

---

[8] Cfr.: Miguel de Toro y Gisbert, "¿Conocemos el texto verdadero de las comedias de Calderón?", en *Boletín de la Real Academia Española,* V, 1918, págs. 401-421 y 531-549; VI, 1919, págs. 3-12 y 307-331. M. A. Buchanan, "Notes on Calderón: The Vera Tassis edition; The text of *La Vida es sueño*", en *Modern Language Notes,* XXII, 1907, págs. 148-150. Arturo Farinelli, "Divagaciones bibliográficas calderonianas", en *Cultura Española,* Madrid, VI, 1907, págs. 505-544. Everett W. Hesse, *The Vera Tassis text of Calderón's plays,* México, 1941. Del mismo, "The publication of Calderón's plays in the 17th century", en *Philological Quarterly,* XXVII, 1948, págs. 37-51. Del mismo, "The first et second editions of Calderón's *Cuarta Parte*", en *Hispanic Review,* XVI, 1948, páginas 209-237. N. D. Shergold, "Calderón and Vera Tassis", en *Hispanic Review,* XXIII, 1955, págs. 212-218. H. C. Heaton, "On the *Segunda Parte* of Calderón", en *Hispanic Review,* V, 1937, págs. 208-222. M. Oppenheimer, "Addenda on the *Segunda Parte* of Calderón", en *Hispanic Review,* XVI, 1948, págs. 335-340. S. E. Leavitt, "A rare edition of plays attributed to Calderón", en *Hispanic Review,* XV, 1947, págs. 216-218. E. M. Wilson, "Some calderonian 'Pliegos Sueltos' ", en *Homenaje a Van Praag,* Amsterdam, 1956, págs. 140-144. Del mismo, "Notas sobre algunos manuscritos calderonianos en Madrid y Toledo", en *Revista de Archivos, Bibliotecas y Museos,* LXVIII, 1960, páginas 477-488. H. W. Hilborn, *A chronology of the plays of don Pedro Calderón de la Barca,* The University of Toronto Press, 1938.

Ediciones modernas: *Teatro selecto de don Pedro Calderón de la Barca,* ed. de M. Menéndez y Pelayo, 4 vols., Madrid, 1881. *Comedias de don Pedro Calderón de la Barca,* ed. de J. E. Hartzenbusch, en BAE, vols. VII, IX, XII y XIV, nueva ed., Madrid, 1944-1945. Pedro Calderón de la Barca, *Obras Completas. Dramas,* ed. de L. Astrana Marín, 2.ª ed., Madrid, 1941. Pedro Calderón de la Barca, *Obras Completas. Comedias,* ed. de Ángel Valbuena Briones, 2.ª ed., Madrid, 1960. Las ediciones de obras sueltas son innumerables; cfr. la bibliografía reunida en los siguientes libros: E. Frutos Cortés, *Calderón de la Barca,* Barcelona, 1949. Albert E. Sloman, *The dramatic craftsmanship of Calderón. His use of earlier plays,* Oxford, 1958. Ángel Valbuena Briones, *Perspectiva crítica de los dramas de Calderón,* Madrid, 1965. J. A. Molinar, J. H. Parker y Evelyn Rugy, *Bibliography of the Buchanan's Collection of 'comedias sueltas',* The University of Toronto Press, 1959.

calderoniana, hasta encontrar la expresión y forma precisas"[9]. No es posible negar lo que a estos aspectos puede aplicarse de subjetiva apreciación; cabe preferir el tono popular, nacional, fresco y derramado de la dramática de Lope, y no estimar como ideal de perfección las conceptuosas elucubraciones calderonianas o su monumental arquitectura. No obstante, es cierto que el teatro de Lope, tan lleno de genialidad como de intentos frustrados, es sometido por Calderón a muy estrictas leyes estéticas: "El rey, el honor, la fe religiosa —más de obras que de meditación— dejan señales imborrables en el drama nacional de Lope y su ciclo. Estos rasgos continuarán en la época de Calderón, como que son algo esencial de la raza y de la época; pero el segundo gran dramaturgo los reducirá a esquema, y los moverá intelectualmente. A la religiosidad activa seguirá la actitud de la meditación"[10].

Dentro de este carácter general de la dramática calderoniana deben distinguirse dos "épocas" o "estilos". En la primera hay todavía un estrecho contacto con el teatro realista, nacional, costumbrista, de Lope y sus discípulos; Calderón se sirve entonces con frecuencia hasta de sus mismos asuntos —e incluso títulos—, pero prescinde de elementos innecesarios, intensifica la acción dramática, reduce los personajes y concentra la acción en un protagonista estableciendo una jerarquía: en una palabra, simplifica y estiliza. *El alcalde de Zalamea,* realizado sobre la obra homónima de Lope, es el ejemplo primordial de aquel primer "estilo". En el segundo, Calderón se distancia de la actitud realista y construye comedias poéticas o simbólicas, con predominio de los valores líricos o del contenido ideológico; los personajes experimentan entonces una mayor esquematización, y más que seres de normales proporciones humanas adquieren la dimensión de símbolos universales. *La vida es sueño* es el prototipo indiscutible de este segundo "estilo". La separación entre ambos no se delimita por ninguna cronología estricta; Calderón cultivó las dos formas a lo largo de toda su vida, pero al correr de los años se acentúa, evidentemente, el predominio de la segunda. Y dicho se está que lo más genuino de Calderón pertenece a este mundo de los símbolos; de aquí que el "auto sacramental", como especialmente ajustado a tales características, se convierta en lo más representativo de su genio. "Las dos formas de Calderón —dice Valbuena— pueden compararse, en literatura, con los dos estilos de Góngora; en pintura, con las dos formas del Greco; y en música, con las dos etapas del drama musical de Wagner, a pesar de las diferencias inherentes a técnicas artísticas diversas"[11].

Aclaremos dos puntos. Hemos dicho que en el teatro de Lope de Vega se encuentra una multiplicidad de elementos y, por lo común, duplicidad de intri-

---

[9] *Calderón. Su personalidad, su arte dramático, su estilo y sus obras.* Barcelona, 1941, página 18.

[10] Ídem, íd., pág. 17.

[11] Ídem, íd., pág. 20.

gas; Lope prefiere moverse libremente en un campo vario, que ahincar en un solo personaje. Pero advirtamos que también Calderón se sirve con gran frecuencia de una plural intriga dramática. Hay una diferencia sin embargo. En Lope la atención puede dispersarse entre dos o tres personajes, ninguno de los cuales se yergue como inequívoco protagonista. En Calderón, los diferentes personajes se estructuran de acuerdo con una jerarquía o, mejor, con un esquema de paralelismos que hacen pensar en una fórmula matemática, en una técnica muy precisa, rigurosamente calculada (y también, digamos, insistentemente repetida). Valbuena habla del "dialéctico paralelismo" entre antagonista y protagonista y del "perfecto equilibrio en el contraste de dos opuestas figuras", y recuerda la "desmedida simetría" atribuida a Calderón por uno de sus discípulos; pero quizá no insiste demasiado en ello. Dámaso Alonso ha dedicado, en cambio, todo un ensayo a estudiar *La correlación en la estructura del teatro calderoniano*; se ocupa preferentemente de las correlaciones estilísticas, innumerables, en la obra de Calderón, pero trata también de la estricta correlación dramática. Siendo imposible seguirle aquí en su estudio, limitémonos a reproducir alguna de sus conclusiones: "Basta —dice— estudiar un poco el teatro de Calderón para convencerse de que él procuró romper esa total bimembración de los finales, de la que estaban ya ahitos público y poetas. Pero eso era un modo de disimular. Porque la dualidad fundamental del nudo dramático no sólo fue conservada, sino fortalecida, matematizada, en el teatro calderoniano..." [12]. Y luego: "Muchas veces se ha repetido que el mundo de Calderón es una estilización de la realidad. Es necesario añadir que es una estilización plurimembre" [13]. Baste esto para hacer resaltar el estudiado sistema que sirve de férreo soporte a la dramática de Calderón, y aclarar con ello lo que quiere decirse al calificarlo de *ordenador* y *perfeccionador* del teatro de Lope de Vega.

El segundo punto que debe ser aclarado se refiere a la índole de los personajes creados por Calderón. La estilización y sujeción a fórmulas tan precisas y la tendencia al simbolismo conducen inevitablemente a la repetición de tipos humanos muy semejantes y, por otro lado, de dudosa consistencia y profundidad. De lo primero es difícil eximir a Calderón, sobre todo en las comedias de capa y espada, cuyos lances maneja con estudiada y hábil técnica: de ello le acusaba ya Luzán, y el mismo Goethe tan entusiasta, por lo demás, de su teatro. La consistencia humana de los caracteres puede, en cambio, ser discutida según el punto de mira bajo el que se enfoque el problema. El criterio más general sostiene que la verdadera creación se logra cuando los personajes, a fuerza de vida y de potente individualidad, acaban por encarnar una pasión o modo de ser universales, el alma de un pueblo o de una época: tales

---

[12] "La correlación en la estructura del teatro calderoniano", en *Seis calas en la expresión literaria española,* 3.ª ed., Madrid, 1963, pág. 166.

[13] Ídem, íd.

fueron las creaciones de Shakespeare o de Cervantes, la Celestina o Don Juan. Pero también, según otros, puede llegarse a la creación de tipos representativos mediante la acumulación de rasgos típicos de un vicio, de una profesión o un sector social; en este caso trátase más bien de personajes de comedia, y los de Molière podrían tomarse como arquetipos. Puede finalmente aspirarse a la universalidad mediante la creación de personajes premeditadamente simbólicos, aunque entonces, por su peculiar abstracción, sean más bien fórmulas que humanas realidades. En el teatro de Calderón no faltan las creaciones por aquel primero y principal camino, y puede valer por todas la figura de Pedro Crespo, quizá la más robusta de nuestro teatro nacional; sin salir de esta misma obra casi puede decirse que hay tantos caracteres como personajes, derramados hasta con despilfarro, como Menéndez y Pelayo decía. Pero no es esto lo más habitual en Calderón. Segismundo es un símbolo indudable, aunque tiene a la vez momentos de vida individualizada y pulso humano, que añaden fuerza a lo transcendente de su significación. Luego hemos de volver sobre estos grandes nombres. Resumamos ahora que los rasgos más genuinos de Calderón —cerebralismo, actitud intelectual, poder de síntesis, tendencia a la abstracción— le inclinan a lo simbólico con preferencia al estudio de caracteres fuertemente individualizados.

Otro rasgo debe destacarse para caracterizar el sistema dramático de Calderón y de su ciclo, que es la distinta presencia en su obra de la lírica. Dijimos antes que en algunas comedias del "segundo" estilo no es su valor simbólico, sino su predominio lírico lo que las aleja del realismo dominante en el "primero": tal sucede en las comedias de tipo mitológico, como *Eco y Narciso,* y en otros géneros afines. Pero ahora aludimos a la lírica como componente habitual de todo el teatro calderoniano. Valbuena insiste en esta compenetración de lo poético con el drama: "Los elementos poéticos —dice— estaban muchas veces en Lope como algo pegadizo y aparte, como los sonetos de los personajes que se quedan un momento en escena, y que hacen mejor papel al ser recogidos en las obras líricas; Calderón hermanará de tal manera la poesía decorativa con la acción, que aun lo más lírico es inseparable del fin teatral para que ha sido preparado" [14]. Y luego: "La musicalidad de Calderón es esencialmente escénica. La poesía de Lope en los asuntos, y en los versos, es más bien épica, naturalista, campestre, popular, pictórica, externa. Su música, de flauta y tamboril, de letras de canciones de faena, cantares de siega, cantares de vendimia, coro de vareadores de *avellanicas*... Calderón es más complejo en su musicalidad; su sentido sintético del teatro —que encierra la poesía, la plástica, la orquesta— preludia la decimonónica concepción de Wagner" [15]. Dámaso Alonso, menos entusiasta, confirma asimismo, en el estudio citado, esta desbordante integración de la lírica en lo dramático en toda la

[14] *Calderón*..., cit., pág. 18.

[15] Ídem, íd., págs. 20-21.

producción calderoniana: "En el teatro de Calderón —dice— abundan (hasta el hastío del lector) súbitas excrecencias líricas, reventones de la contenida pasión de un personaje... Todo el mundo recuerda, por ejemplo, el monólogo de Segismundo. Todo eso es poesía lírica, aunque esté incrustada en una obra dramática" [16].

Pero más todavía que en los aspectos mencionados, creemos que el arte de Calderón se diferencia de la dramática lopesca en sus caracteres estilísticos.

EL ESTILO BARROCO DE CALDERÓN

Valbuena Prat resume así las líneas generales de su lenguaje literario, que habíamos dejado ya apuntadas: "Calderón, por sus características, por su estilo, llena toda una generación, como antes había ocurrido con Lope. Las formas poéticas con que se reviste la trama teatral revelan a cada poeta, y son resultado de su temperamento y de su formación. Lope está embebido de emoción, de afectivismo, mientras que Calderón ordena su estilo en las formas del barroco: gongorismo y conceptismo" [17]. La utilización de estos elementos poéticos dentro de los cauces barrocos no tiene lugar como quiera, sino con la más derramada profusión; envuelven por igual diálogos y descripciones, soliloquios y relatos de sucesos. Cualquier escena de una comedia cualquiera puede servir de ejemplo. En *El médico de su honra* doña Mencía acaba de contemplar desde la torre de su quinta el accidente de un jinete, derribado por su caballo; y se lo cuenta a su criada Jacinta de esta singular manera:

---

[16] "La correlación...", cit., pág. 111.

[17] *Calderón...*, cit., pág. 32. Cfr.: M. A. Buchanan, "Notes on Calderón", en *Modern Language Notes,* XXII, 1907, págs. 148 y ss. Elisabeth Meunnig, *Calderón und die altere deutsche Romantik,* Berlín, 1912. Wilhelm Michels, "Barockstil bei Shakespeare und Calderón", en *Revue Hispanique,* LXXV, 1929, págs. 370-458. Max Oppenheimer, "The Baroque Impasse in the Calderonian Drama", en *PMLA,* LXV, 1950, págs. 1.146-1.165. A. L. Constandse, *Le Baroque espagnol et Calderón de la Barca,* Amsterdam, 1951. Hugo Friedrich, "Der Fremde Calderón", en *Freiburger Universitätsreden,* 1955. E. M. Wilson, "The Four Elements in the Imagery of Calderón", en *The Modern Language Review,* XXXI, 1936, págs. 34-47. Lucien Paul Thomas, "Les jeux de scène et l'architecture des idées dans le théâtre allégorique de Calderón", en *Homenaje a Menéndez Pidal,* II, Madrid, 1925, págs. 501-530. Eunice Joiner Gates, "Góngora and Calderón", en *Hispanic Review,* V, 1937, págs. 241-258. Alexander A. Parker, *The Allegorical Drama of Calderón,* Oxford, 1943. Del mismo, "Reflections on a new definition of 'Baroque' drama", en *Bulletin of Hispanic Studies,* XXX, 1953, págs. 142-151. Del mismo, "Metáfora y símbolo en la interpretación de Calderón", en *Actas del Primer Congreso Internacional de Hispanistas,* Oxford, 1964, págs. 141-160. W. J. Entwistle, "Calderón et le théâtre symbolique", en *Bulletin Hispanique,* LII, 1950, págs. 41-54. Eugenio Frutos Cortés, "La filosofía del barroco y el pensamiento de Calderón", en *Revista de la Universidad de Buenos Aires,* IX, 1951, págs. 173-230. J. W. Sage, "Calderón y la música teatral", en *Bulletin Hispanique,* LVIII, 1956, págs. 275-300. H. W. Hilborn, "Comparative 'Culto' Vocabulary in Calderón and Lope", en *Hispanic Review,* XXVI, 1958, págs. 223-233.

.........Venía
un bizarro caballero
en un bruto tan ligero,
que en el viento parecía
un pájaro que volaba;
y es razón que lo presumas,
porque un penacho de plumas
matices al aire daba.
El campo y el sol en ellas
compitieron resplandores;
que el campo le dio sus flores,
y el sol le dio sus estrellas;
porque cambiaban de modo,
y de modo relucían,
que en todo al sol parecían,
y a la primavera en todo.
Corrió, pues, y tropezó
el caballo, de manera
que lo que ave entonces era,
cuando en la tierra cayó
fue rosa; y así en rigor
imitó su lucimiento
en sol, cielo, tierra y viento,
ave, bruto, estrella y flor [18].

Véase otro pasaje mucho más famoso. Segismundo, ya en el palacio, descubre a Rosaura, que se aproxima vestida ahora de mujer, y dialoga así con el gracioso Clarín:

CLARÍN: *¿Qué es lo que te ha agradado*
más de cuanto aquí has visto y admirado?
SEGISMUNDO: *Nada me ha suspendido;*
que todo lo tenía prevenido;
mas si admirarme hubiera
algo en el mundo, la hermosura fuera
de la mujer. Leía
una vez yo en los libros que tenía
que lo que a Dios mayor estudio debe
era el hombre, por ser un mundo breve;
mas ya que lo es recelo
la mujer, pues ha sido un breve cielo;

[18] Jornada primera, ed. Astrana Marín, cit., pág. 136.

y más beldad encierra
que el hombre, cuanto va de cielo a tierra;
y más si es la que miro... [19].

Diríase que Calderón ignora la existencia del lenguaje natural, del que no se sirve ni en los más llanos pasajes. La capacidad retórica de Calderón es ilimitada; enlaza, amontonándolas, retorciéndolas, las más variadas figuras, y ya dejamos indicado el incesante flujo de esas correlaciones y paralelismos innumerables, rigurosamente estudiados por Dámaso Alonso. Con frecuencia, la acción dramática queda como asfixiada por esta yedra decorativa, que puede llegar a usurpar su papel al movimiento escénico; pero regala, en cambio, bellezas incontables de detalle, de incomparable seducción. La actual valoración del barroco se goza en todas estas *variaciones* poéticas; pero se comprende muy bien que la crítica antibarroca censurara estos rasgos como reprobables excesos.

Por lo demás, Calderón posee como pocos el sentido de la sonoridad del verso, que sabe comunicar lo mismo a los metros cortos [20] que a los de arte mayor: "Su endecasílabo —dice Valbuena— con algunos matices aprendidos del de Góngora, posee rotundidad y retorcido movimiento. Riqueza verbal, no por abundante menos precisa, rotundidad expresiva, efectos vibrantes, aparecen en este artífice de la estrofa acabada, y del verso elaborado con todo detalle" [21]. Alude luego a su habilidad para lograr los más varios efectos, tales como el "tono fúnebre" en que habla la Muerte en algunas octavas de *La cena de Baltasar*:

Yo, divino profeta Daniel,
de todo lo nacido soy el fin;
del pecado y la envidia hijo cruel
abortado por áspid de un jardín.
La puerta para el mundo me dio Abel,
mas quien me abrió la puerta fue Caín,

---

19 Jornada segunda, ed. Astrana, cit., pág. 182.

20 Sobre el verso octosílabo escribe Valbuena: "En el octosílabo, el metro de la habitual sencillez y descuido para otros autores, Calderón obtiene notables efectos, como en la matización precisa, al juntar versos en que hay algún esdrújulo, con otros de palabras llanas, que dan la sensación de lo liso... Así ocurre que en las descripciones en romance, el artista no decaiga, sino que nos ofrezca siempre insospechados ritmos, que halagan en su variedad, metáforas finas o audaces, repeticiones sabias y de efecto premeditado. Así las palabras en su sonido dan sensaciones precisas, como al decir el Apetito en un auto: 'las golosas opulencias / de vinos y de manjares'" (*Calderón...*, cit., páginas 34-35). Cfr.: Otis Reed, "The Calderonian Octosyllabic", en *Wisconsin Studies*, 1942.

21 *Calderón...*, cit., págs. 33-34.

donde mi horror introducido ya
ministro es de las iras de Jehová[22].

Típica también del barroquismo calderoniano es la tendencia a la hipérbole, que se manifiesta lo mismo en el lenguaje que en la contextura de sus personajes. En lo que a aquél respecta, Calderón se sirve constantemente de las mayores audacias y extremosidad en las comparaciones. Ejemplos, a miles; y en ellos derrama, también con idéntica extremosidad, tesoros de belleza. En *La niña de Gómez Arias*, cuando el moro Cañerí acepta la cínica oferta de Gómez de venderle a su amada Dorotea, rendido ante la belleza que le aguarda, ofrece de este modo:

Pídeme por su hermosura
cuanto avariento tesoro
trajo a retraer el moro
a esta bárbara espesura;
no engendra del sol la pura
luz por cuantos rumbos huella,
ni el mar guarda, el monte sella,
ni la ambición descubrió
tanto oro, como yo
daré, cristiano, por ella.

Cuanta plata se recata
en los centros de la tierra
daré, haciendo aquesta sierra
Sierra Nevada de plata;
cuanto cristal se desata
y en sí mismo se atropella
por esa campaña bella,
por más que huya despeñado
en blancas perlas cuajado,
daré, cristiano, por ella.

Toda esa hierba florida
que en la cumbre y en la falda
ha sido bruta esmeralda,
será esmeralda pulida;
la rosa menos crecida
rubí será; la más bella,
diamante; el diamante, estrella;
y en fin, cuanto gran tesoro

[22] Edición Valbuena Prat, *Calderón de la Barca. Autos Sacramentales*, vol. I, en Clásicos Castellanos, núm. 69, págs. 29-30.

tengo en piedras, plata y oro,
daré, cristiano, por ella[23].

Su desmesurada extensión nos impide reproducir completa la descripción que hace Menón de *La hija del aire* en la comedia de este título; basten sólo unos versos:

No de espaciosa te alabo
la frente; que antes en ésta
parte sólo, anduvo avara
la siempre liberal maestra;
y fue sin duda porque
queriendo, señor, hacerla
de una nieve que hubo acaso,
la hubo de dejar pequeña,
porque no le fue posible
que entre la más pura y tersa
se hallase ya un poco más
de una nieve como aquélla.
....
El cuello, blanca coluna
que este edificio sustenta,
era de marfil al torno;
de cuya hermosa materia
sobró para hacer las manos
a emulación de sí mesma...[24].

A sus personajes los dota Calderón de pasiones de ilimitada violencia; diríase, escribe Valbuena, "que en vez de la humanidad natural, se fija en figuras de rasgos exagerados, desmesurados, de trazos destacadísimos. Así ocurre en los personajes de maldad como Ludovico Enio, o de rebeldía como Luis Pérez el gallego. Así se acumulan crímenes sobre la conciencia de Ludovico, como sobre Julia, en la desesperación, en *La devoción de la cruz,* o se insiste sobre la refinada canallería del protagonista de *La niña de Gómez Arias.* Tipos, por tanto, en que ex profeso se busca una casi irrealidad, por tintas recargadas, por contorsión de su línea fundamental. No hay, por tanto, fracaso, ni falla; se logra, precisamente, lo que intentaba Calderón en tales casos"[25]. Esta exageración de rasgos ha influido notablemente para definir a Calderón como al dramaturgo de los temas de honor. A propósito de Lope vimos que fue éste y no Calderón quien creó los cánones dramáticos y las fórmulas con-

---

23 Jornada tercera, ed. Astrana, cit., págs. 332-333.
24 Parte primera, jornada segunda, ed. Astrana, cit., págs. 586-587.
25 *Calderón...*, cit., pág. 28.

vencionales de estos temas. Sin desconocer lo que han influido otros factores para poner en circulación el tópico del "honor calderoniano", creemos que ninguno tan decisivo como la peculiar desmesura con que Calderón ha construido a sus héroes. Y junto a la violencia y retorsión, el contraste y el claroscuro que afecta también, del mismo modo, al ornato verbal y a la contraposición de caracteres y juegos de escenas.

Quizá debamos ahora advertir que estos contrastes que tan profusamente muestra por todos sus ángulos la obra calderoniana, poseen una común tonalidad, están —diríamos— en una misma escala o, lo que es lo mismo, no se producen sino entre seres o situaciones afectados por idéntica idealización. Porque el potente barroquismo de Calderón desconoce una de las vertientes más genuinas del barroco, que es el contraste entre la belleza y la fealdad; y esto se debe al peculiar carácter idealista del dramaturgo. Menéndez y Pelayo definió perfectamente este rasgo, y sería vano tratar de sustituir sus palabras: "Calderón —dice— tenía repugnancia instintiva a presentar en las tablas ninguno de los aspectos feos, prosaicos o menos nobles de la naturaleza humana, y esto no solamente le privó de una infinidad de caracteres, sino que hizo que los pocos que presentó le saliesen casi siempre de una sola pieza, nada complejos, poco ricos de interés y fáciles de reducir a fórmula. No sólo excluyó del teatro los rufianes, las celestinas, etc., que Lope todavía había conservado, sino que no se atrevió a presentar jamás aquella situación doméstica, tan frecuente en Tirso, de la rivalidad entre dos hermanas... Todo género de interés secundario, toda la parte más o menos vulgar que se mezcla siempre en la naturaleza humana con los impulsos nobles y más poéticos, quedan excluidos: todo elemento realista está fuera del arte de Calderón, no cabe en su manera de entenderle. De aquí que gran parte de las relaciones sociales queden fuera de la jurisdicción del poeta" [26].

Hemos venido repitiendo cómo el carácter esquematizador y razonador de Calderón condiciona la disposición general de su teatro como una organizada estructura, de matemático entramado. Añadamos ahora que su mentalidad escolástica puede descender a detalles tales como dar forma y nombre de "argumento" a un diálogo cualquiera, incluso de amor; y apenas hay comedia suya donde no puedan hallarse ejemplos. Veamos éstos tomados al azar entre los innumerables anotados. En *La niña de Gómez Arias* Ginés reprocha a Gómez su volubilidad amorosa e indaga sus razones; y surge este diálogo:

GÓMEZ: *Para ser perfecto amor,*
perfecto ha de ser por fuerza
el objeto que se ame.
GINÉS: *La mayor concedo.*
GÓMEZ: *Espera.*

[26] *Calderón y su teatro,* cit., conferencia octava, "Resumen y síntesis", pág. 295.

No hay tan perfecta mujer
que algún defecto no tenga.

GINÉS: *Concedo la menor.*

GÓMEZ: *Luego*
preciso es que me concedas
que no hay tan perfecto objeto
que todo mi amor merezca.
Luego querer yo el aliño
de una, de otra la belleza,
de otra el ingenio y de otra
la calidad y las prendas,
es tener perfecto amor,
pues quiero en cada una de ellas
la perfección que hay en todas.

GINÉS: *Concedo la consecuencia...*[27].

En *El médico de su honra* doña Mencía está celosa de un amor anterior de su esposo don Gutierre, y éste se disculpa con un hermoso silogismo:

Ayer, como al sol no vía,
hermosa me parecía
la luna; mas hoy, que adoro
al sol, ni dudo ni ignoro
lo que hay de la noche al día.
Escúchame un argumento.
Una llama en noche oscura
arde hermosa, luce pura,
cuyos rayos, cuyo aliento
dulce ilumina del viento
la esfera; sale el farol
del cielo y a su arrebol
todo a sombra se reduce,
ni arde ni alumbra ni luce;
que es mar de rayos el sol.
Aplícolo ahora: yo amaba
una luz cuyo esplendor
vivió planeta mayor
que sus rayos sepultaba:
una llama me alumbraba;
pero era una llama aquella
que eclipsas divina y bella
siendo de luces crisol;

[27] Jornada primera, ed. Astrana, cit., págs. 310-311.

porque hasta que sale el sol
parece hermosa una estrella[28].

A lo que doña Mencía no puede menos que responder: "Muy metafísico estáis".

LOS DRAMAS DE CALDERÓN

Como era usual entre los dramaturgos de la época, Calderón cultivó todos los géneros. Su teatro podría, pues, clasificarse, a semejanza del de cualquier otro escritor, en razón de sus temas. No obstante, si semejante división es aceptable respecto a sus comedias, resulta problemática en sus piezas dramáticas por la peculiar índole de éstas. La denominación de "comedias de costumbres" está bastante clara cuando se atribuye a las "de capa y espada" o "de enredo"; pero no vemos bien en qué medida puede incluirse en el teatro costumbrista *El alcalde de Zalamea,* como hace Valbuena Prat. El término "costumbres" es vocablo de mucho tonelaje, y, como tal, de enorme imprecisión, pero ni aun así vemos que pueda embarcarse en él el drama de Pedro Crespo. Menos aún calificarlo de "drama histórico" por el hecho de que aparezca durante treinta segundos la persona de Felipe II. Lo mismo cabe decir, por ejemplo, de *La niña de Gómez Arias,* denominada asimismo "histórica" por algunos tratadistas, debido igualmente a la presencia de la reina Isabel —también unos minutos apenas— al final de la obra. El especial tratamiento que da Calderón a "lo histórico", hace muy problemática esta denominación, lo mismo si se aplica a sus obras de tema nacional que a las de asunto extranjero. ¿Dónde incluir entonces esos dramas —agrupados cómodamente por algunos como "de celos"— tales como *El médico de su honra,* en que intervienen ampliamente el rey don Pedro y el infante don Enrique, o *A secreto agravio, secreta venganza,* en que aparece el rey don Sebastián de Portugal, o *El mayor monstruo del mundo,* protagonizado por personaje tan histórico como el tetrarca Herodes? ¿Por qué no se les llama "históricos" también?

Al cabo, y sin que dejemos de reconocer su demasiada amplitud, nos parece muy conveniente tornar al viejo criterio de Menéndez y Pelayo de dividir la porción dramática de la obra calderoniana en dramas religiosos, filosóficos y trágicos; señalando en cada uno de ellos los matices oportunos.

Dramas religiosos. Menéndez y Pelayo incluye en este apartado los siguientes: *El príncipe constante, La devoción de la Cruz, El purgatorio de san Patricio, El mágico prodigioso, Los dos amantes del cielo, El José de las mu-*

[28] Jornada primera, ed. Astrana, cit., pág. 140. Cfr.: José M.ª de Cossío, "Racionalismo del arte dramático en Calderón", en *Notas y estudios de crítica literaria,* Madrid, 1939.

jeres, La sibila del Oriente, Los cabellos de Absalón, Judas Macabeo, Las cadenas del demonio, La aurora en Copacabana, La exaltación de la Cruz, El gran príncipe de Fez y *La margarita preciosa,* en colaboración con Cáncer y Zavaleta.

Valbuena Prat distingue en estos dramas tres momentos o estilos: al primero pertenece típicamente *La devoción de la Cruz,* obra de juventud de Calderón, caracterizada por el ímpetu rebelde y arrebatado de su protagonista Eusebio, que apasionó en consecuencia a los románticos de la pasada centuria. "Individualismo indisciplinado en los personajes —dice Valbuena—, acciones violentas, aun con el sello de la excepción y del escándalo, se distinguen claramente del resto de la producción reposada, serena y ejemplar del Calderón maduro. Igualmente hay en el grupo juvenil un predominio pasional, impetuoso, a diferencia del sentido intelectual y armónico del más típico Calderón" [29].

Eusebio, en *La devoción de la Cruz,* se enamora violentamente de Julia sin sospechar que es su hermana; ambos habían nacido de un mismo parto en circunstancias dramáticas, pero mientras el padre recogió a la hija, Eusebio fue salvado y criado por un pastor. El padre y otro hermano, Lisardo, se oponen a dichos amores, y Eusebio mata a Lisardo, mientras el padre recluye a Julia en un convento. Eusebio, que se ha lanzado al campo como bandolero para escapar a la justicia, asalta una noche el convento de Julia y llega a su misma celda con intención de raptarla; pero descubre impresa en su pecho una cruz, idéntica a la que él lleva, y huye aterrorizado dejando a Julia frustrada en su pasión. Esta misteriosa cruz había provocado en Eusebio su devoción casi supersticiosa por el sagrado símbolo y le había apartado de muchas maldades. Julia escapa del convento y se une a la partida de Eusebio, pero éste es muerto por sus perseguidores. La devoción por la cruz salva su alma hasta el extremo de que resucita los instantes precisos para poder confesar con un sacerdote a quien había perdonado la vida en cierta ocasión y que llamado por Eusebio en el último trance, se presenta oportunamente.

El drama abunda en episodios de los que el más exaltado romanticismo podría apetecer, sin que falte incluso "el típico sacrilegio romántico" del asalto al convento. No sólo Eusebio, sino la misma Julia es un carácter de apasionada rebeldía, que el poeta traza con propiedad; aunque se excede lastimosamente al atribuirle innecesarios crímenes en su corta vida de "bandolera". Al fin de la segunda jornada, cuando, acosada por la difícil situación en que queda después del asalto de Eusebio, decide huir del convento, pronuncia palabras que parecen preludiar la rebelión del Tenorio zorrillesco: "Llamé al cielo y no me oyó — y pues sus puertas me cierra...". Dice así Julia:

Pues si ya me habéis negado
vuestra clemencia, mis hechos

[29] *Calderón...,* cit., pág. 64.

de mujer desesperada
darán asombros al cielo,
darán espantos al mundo,
admiración a los tiempos,
horror al mismo pecado
y terror al mismo infierno [30].

En el aspecto religioso *La devoción de la cruz,* que pudo inspirarse en alguna leyenda o tradición piadosa, probablemente oral, recoge abundantes elementos, frecuentes entonces en sermonarios y tratados de religión. La trama pasional tiene precedentes en diversas comedias, especialmente en *La fianza satisfecha* de Lope y *El esclavo del demonio* de Mira de Amescua. Menéndez y Pelayo consideraba la obra como "uno de los dramas de Calderón mejor escritos" [31]. Valbuena lo estima también como "una de las más poderosas creaciones dramáticas de Calderón..." [32] por su vitalidad y la energía de los caracteres, por su robusta unidad y la perfecta arquitectura escénica.

Al segundo momento, o de transición, dentro de este grupo, corresponden, según Valbuena, *El purgatorio de San Patricio* y *El príncipe constante*: mezcla de personajes anárquicos e individualistas y "del ambiente reposado y sereno del mundo interior calderoniano".

El protagonista de *El purgatorio de san Patricio,* Ludovico Enio, es otro de esos monstruos de maldad en los que se recargan las tintas y amontona todo género de horrores hasta hacerlos inverosímiles. Tras una vida de perdición, Ludovico se arrepiente cuando una noche, al acuchillar a un embozado, descubre que es su propio esqueleto; hace entonces durísimas penitencias, una de las cuales consiste en bajar al "purgatorio de San Patricio". Según una antigua leyenda irlandesa, este lugar, consagrado antes del Cristianismo a la evocación de los muertos, se consideraba como la entrada a las regiones infernales. Al salir de él, Ludovico describe lo que ha visto en un larguísimo parlamento, en el que Menéndez y Pelayo encontraba rasgos dantescos "felizmente traídos a nuestra lengua y encerrados en vehemente frase" [33]

---

[30] Jornada segunda, ed. Astrana, cit., pág. 931.

[31] *Calderón y su teatro,* cit., conferencia cuarta, "Dramas religiosos", pág. 197.

[32] *Calderón...,* cit., pág. 74. Cfr.: L. Tailhade, "La devoción de la Cruz", en *La España moderna,* 1 de febrero de 1909. Otto Rank, *Das Inzest-Motiv in Dichtung und Sage,* Leipzig y Viena, 1929. A. Valbuena Prat, introducción a su edición de *La devoción de la Cruz* y *El mágico prodigioso,* en Clásicos Castellanos, núm. 106, Madrid, 1931. W. J. Entwistle, "Calderón's 'La devoción de la Cruz' ", en *Bulletin Hispanique,* L, 1948, págs. 472-482. Alexander A. Parker, "Santos y bandoleros en el teatro español", en *Arbor,* XIII, mayo-agosto 1949, págs. 395-416. Edwin Honig, "Calderón's Strange Mercy Play", en *The Massachusetts Review,* III, 1961, págs. 80-107. Luigi Derla, "Voltaire, Calderón e il mito del eslege", en *Aevum,* XXXVI, 1962, págs. 109-140.

[33] *Calderón y su teatro,* cit., pág. 197.

Ludovico Enio recuerda al Enrico de *El condenado por desconfiado,* el don Gil de *El esclavo del demonio* y al mismo Eusebio de *La devoción de la Cruz.* A semejanza de Enrico, expone ante el rey de Irlanda una jactanciosa relación de sus hazañas, en la que no faltan pasajes como éste:

> *Por forzar a una doncella*
> *di la muerte a un noble viejo,*
> *su padre; y por su mujer,*
> *a un honrado caballero*
> *en su cama maté, donde*
> *con ella estaba durmiendo;*
> *y entre su sangre bañado*
> *su honor, teatro funesto*
> *fue el lecho, mezclando entonces*
> *homicidio y adulterio;*
> *y al fin el padre y marido*
> *por su honor las vidas dieron,*
> *que hay mártires del honor:*
> *¡téngalos Dios en el cielo!* [34].

El más largo episodio de este relato lo ocupa otro romántico "asalto sacrílego" a un convento de donde rapta a una religiosa, de cuyas gracias intenta luego vivir al acabársele el dinero. Este pasaje, como recuerda Valbuena, fue suprimido por el censor para la representación, pero se permitió al imprimirse la obra [35].

El príncipe constante —"una de las más felices uniones de sentido heroico, paciencia estoica y profundo sentido católico", en opinión de Valbuena [36]; "una de las obras más bellas de nuestro autor y del teatro español" [37], según decía Menéndez y Pelayo— es un drama histórico tomado de la crónica de Alfonso V de Portugal [38]. Su héroe es el infante don Fernando, hermano del rey, que en una desgraciada expedición de los portugueses contra Fez es apresado por los moros. Éstos ofrecen su rescate a cambio de la plaza de Ceuta, a lo que acce-

---

[34] Jornada primera, ed. Astrana, cit., págs. 815-816.

[35] Cfr.: Antonio García Solalinde, "La primera versión española de 'El purgatorio de San Patricio' y la difusión de esta leyenda en España", en *Homenaje a Menéndez Pidal,* II, Madrid, 1925, págs. 219-257. W. Mulert, "Die Patrik legende in Spanische 'Flos Sanctorum' ", en *Zeitschrift für Romanische Philologie,* 1926. Juan Bautista Avalle Arce, "Sobre la difusión de la leyenda del purgatorio de San Patricio en España", en *Revista de Filología Hispánica,* II, 1948, págs. 195-196.

[36] *Calderón...,* cit., pág. 52.

[37] *Calderón y su teatro,* cit., pág. 202.

[38] Cfr.: A. E. Sloman, *The sources of Calderon's 'El príncipe constante',* Oxford, 1950.

de el rey, pero el infante se opone a que se entregue a los musulmanes una ciudad cristiana, y muere en la prisión después de atroces sufrimientos. Menéndez y Pelayo pondera la noble escena en que don Fernando dialoga con su hermano don Enrique, enviado para tratar del canje, que rechaza heroicamente:

> *...¿Fuera bien que sus capillas*
> *a ser establos vinieran,*
> *sus altares a pesebres,*
> *y cuando aquesto no fuera*
> *volvieran a ser mezquitas?...* [39].

"Es la única vez —dice Menéndez y Pelayo— que se ha presentado a un Santo en la escena, haciéndole personaje interesante" dentro de su perfección [40].

De gran hermosura también es la escena en que, en el campo de batalla, se encuentra el infante con el general Muley, y que consiste en una glosa muy amplificada del romance de Góngora "Entre los sueltos caballos...". Recita el infante:

> *En la desierta campaña*
> *que tumba común parece*
> *de cuerpos muertos, si ya*
> *no es teatro de la muerte,*
> *sólo tú, moro, has quedado,*
> *porque rendida tu gente*
> *se retiró, y tu caballo,*
> *que mares de sangre vierte,*
> *envuelto en polvo y espuma,*
> *que él mismo levanta y pierde,*
> *te dejó para despojo*
> *de mi brazo altivo y fuerte,*
> *entre los sueltos caballos*
> *de los vencidos jinetes...* [41].

Entre los muchos y bellos fragmentos líricos de la obra destaca el famoso soneto "a las flores", "uno de los más bellos y mejor construidos que existen en castellano":

> *Esos rasgos de luz, esas centellas*
> *que cobran con amagos superiores*
> *alimentos del sol en resplandores,*
> *aquello viven que se duelen dellas.*

---

[39] Jornada segunda, ed. Astrana, cit., pág. 859.
[40] *Calderón y su teatro*, cit., pág. 202.
[41] Jornada primera, ed. Astrana, cit., pág. 852.

Flores nocturnas son, aunque tan bellas,
efímeras padecen sus ardores;
pues si un día es el siglo de las flores,
una noche es la edad de las estrellas.
De esa, pues, primavera fugitiva
ya nuestro mal, ya nuestro bien se infiere:
registro es nuestro, o muera el sol o viva.
¿Qué duración habrá que el hombre espere,
o qué mudanza habrá, que no reciba
de astro, que cada noche nace y muere? [42].

Los dramas religiosos que pertenecen a la plenitud del "segundo estilo" están ya dentro de la línea subjetivo-idealista. Estas obras, dice Valbuena Prat, "llevan como motivo ideológico central el camino de la verdad. A diferencia de los tipos de Lope y Tirso de religiosidad primaria, cándida, a veces analfabeta, Calderón plantea un problema intelectual del sabio que por la meditación y el estudio alcanza las verdades fundamentales del catolicismo". "En todo este ciclo de producciones —añade luego— la meditación, el estudio, la ciencia, son los consejeros y guías de los perplejos... Un texto leído suele ocasionar las dudas, que metódicamente, como en Descartes, llevan a la certeza" [43]. Entre las obras de este grupo destaca sobre todas *El mágico prodigioso,* seguida por *Los dos amantes del cielo.*

El mágico prodigioso ha gozado de renombre universal debido en buena parte a la apología que de él hicieron los románticos alemanes, en particular Carlos Rosenkranz, que vio en la obra estrecho parentesco con el *Fausto* de

---

[42] Jornada segunda, íd., íd., págs. 863-864. Cfr.: E. M. Wilson y W. J. Entwistle, "Calderón's 'Príncipe constante', two appreciations", en *Modern Language Review,* XXXIV, 1939, págs. 207-222. Manuel Milá y Fontanals, "El príncipe constante", en *Obras Completas,* vol. V, Barcelona, 1893, págs. 66-79. W. C. Salley, "A possible influence of the Abencerraje story on Calderón's 'El príncipe constante' ", en *The Romanic Review,* XXIII, núm. 4, 1932, págs. 331-333. William M. Whitby, "Calderón's 'El príncipe constante': Fenix's role in the ransom of Fernando's body", en *Bulletin of the Comediantes,* vol. VIII, núm. 4, págs. 1-4. Wolfgang Kayser, "Zur Struktur des *Standhaften Prinzen* von Calderón", en *Gestaltprobleme der Dichtung,* Bonn, 1957, págs. 67-82. Bruce W. Wardropper, "Christian and Moor in Calderón's *El príncipe constante*", en *Modern Language Review,* LIII, 1958, págs. 512-520. Leo Spitzer, "Die Figur der Fénix in Calderon's Standhaften Prinzen", en *Romanisches Jahrbuch,* X, 1960, págs. 305-335. A. G. Reichenberger, "Calderón's *El príncipe constante,* a Tragedy?", en *Modern Language Notes,* LXXV, 1960, págs. 668-670. Y. Gulsoy y J. H. Parker, "*El príncipe constante,* drama barroco de la Contrarreforma", en *Hispanófila,* IX, 1960, págs. 15-23. E. M. Wilson, "An Early Rehash of Calderón's *El príncipe constante*", en *Modern Language Notes,* LXXVI, 1961, págs. 785-794. Robert Ricard, "Calderón et *el mar de Fez*", en *Al-Andalus,* XXVI, 1961, págs. 468-470. R. W. Truman, "The theme of justice in Calderón's *El príncipe constante*", en *Modern Language Review,* LIX, núm. 1, 1964.

[43] *Historia de la literatura española,* cit., vol. II, pág. 551.

Goethe [44]. Menéndez y Pelayo, sin mucho entusiasmo por este drama, sostiene que la semejanza "es a todas luces gratuita" [45]; sólo convienen en que los protagonistas de ambas obras hacen un pacto con el diablo, pero Cipriano, el "mágico", tan sólo para gozar a una mujer, mientras que Fausto, en su deseo de juventud, ciencia y poder, alimenta mucho más amplias ambiciones. "Los caracteres —añade— son de todo punto distintos. Fausto es un viejo escéptico y descreído de la ciencia humana y del poder divino, y Cipriano un mancebo fogoso y apasionado que, distraído con los estudios, no se ha acordado del amor hasta que vio a Justina" [46]. Tampoco en lo que concierne a calidades literarias admite Menéndez y Pelayo la comparación entre el drama calderoniano y la obra del gran poeta alemán.

Por lo demás, el pacto diabólico estaba en una larga serie de tradiciones y leyendas de los primeros siglos cristianos y de la Edad Media y había inspirado en toda Europa numerosas obras literarias. El drama se abre con una escena en que a Cipriano, leyendo un pasaje de Plinio en un bosque de Alejandría, se le despiertan dudas sobre el panteísmo y comienza a pensar en la unidad de Dios. El diablo se le aparece para confundirle, y entablan una disputa teológica con todas las trazas de una controversia escolástica. En esto, llegan al bosque Lelio y Floro con ánimo de batirse por rivalidad sobre una mujer, Justina, pero resultan ser amigos de Cipriano, que los separa y promete resolver pacíficamente la cuestión hablando con la dama. Cipriano, en su primera entrevista, se enamora tan perdidamente de Justina que se le declara a su vez. pero al negarse ésta, solicita el auxilio del diablo, que le ofrece la posesión de la mujer a cambio de su alma. Las palabras con que Cipriano descubre al diablo su pasión son inequívocamente calderonianas:

...al fin, cuna, grana, nieve,
campo, sol, arroyo, rosa,
ave que canta amorosa,
risa que aljófares llueve,
clavel que cristales bebe,
peñasco sin deshacer,
y laurel que sale a ver
si hay rayos que le coronen,
son las partes que componen
a esta divina mujer.

---

[44] Cfr.: A. Sánchez Moguel, *Memoria acerca de 'El mágico prodigioso' de Calderón y sus relaciones con 'El Fausto' de Goethe,* Madrid, 1881. Henry S. Wilson, "Calderón and Goethe: El mágico prodigioso and Faust", en *History and Criticism,* Londres, 1896, págs. 168-201. S. Atkins, "Goethe, Calderón and Faust. Der Tragödie Zweiter Teil", en *Germanic Review,* XXVIII, núm. 2, Nueva York, 1953.

[45] *Calderón y su teatro,* cit., pág. 175.

[46] Ídem, íd., pág. 176.

Estoy tan ciego y perdido,
porque mi pena te asombre,
que por parecer a otro hombre,
me engañé con el vestido.
Mis estudios di al olvido
como al vulgo mi opinión,
el discurso a mi pasión,
a mi llanto el sentimiento,
mis esperanzas al viento,
y al desprecio mi razón.
Dije (y haré lo que dije)
que ofreciera liberal
el alma a un genio infernal
(de aquí mi pasión colige)
porque este amor que me aflige
premiase con merecella;
pero es vana mi querella,
tanto que presumo que es
el alma corto interés.
pues no me la dan por ella[47].

El diablo trata por todos los medios de inclinar el ánimo de Justina; suceden entonces las famosas escenas "de la tentación", que son lo más hermoso de la obra. El diablo convoca a todas las bellezas de la naturaleza que puedan hablar de amor:

UNA VOZ: *¿Cuál es la gloria mayor*
desta vida?
CORO DE VARIAS VOCES: *Amor, amor.*
UNA VOZ: *No hay sujeto en que no imprima*
el fuego de amor su llama,
pues vive más donde ama
el hombre, que donde anima.
Amor solamente estima
cuanto tener vida sabe,
el tronco, la flor y el ave:
luego es la gloria mayor
de esta vida...
CORO: *Amor, amor...* [48].

[47] Jornada segunda, ed. Astrana, cit., pág. 1.018.

[48] Jornada tercera, ed. Astrana, cit., pág. 1.022. Calderón redactó dos versiones distintas de *El mágico prodigioso*. Compuso la primera para las fiestas del Corpus de Yepes (Toledo), de 1637, de la cual se conserva el manuscrito autógrafo; la segunda debió de es-

Pero Justina no cede; y el diablo, para cumplir su compromiso, le presenta a Cipriano una apariencia de la mujer; mas, cuando aquél levanta el velo, no encuentra sino un esqueleto. También este recurso figuraba en muchas leyendas piadosas y había sido utilizado en muchos dramas devotos, aunque quizá en ninguno con tanto dramatismo como en *El esclavo del demonio* de Mira de Amescua. Cipriano se convierte al cristianismo y, en unión de Justina, acaba mártir de su nueva religión. Menéndez y Pelayo le censuraba al *Mágico,* que a despecho de la belleza de su pensamiento capital y de tantos pasajes hermosos, se diluyera en multitud de escenas episódicas a cargo de los galanes celosos, criados y demás; es decir, no veía esa potente reducción a unidad que admira Valbuena en el teatro calderoniano. A nuestro juicio, donde sobran todavía más cosas es al final; quizá hubiera bastado que Cipriano, después de su fracaso con el diablo y abiertos sus ojos a la luz, dejara sugerido el nuevo rumbo de su espíritu. Pero en los cinco minutos finales Calderón hace que el gobernador romano de Antioquía, en una razzia contra los cristianos, capture a Cipriano y a Justina, que éstos confirmen su fe, que se les juzgue por la posta y que aparezcan en escena degollados por el verdugo; tras de lo cual todavía el diablo da explicaciones antes de hundirse en los infiernos.

Evidentemente, se amontonan demasiadas cosas. Pero en el teatro de Calderón, como en todo nuestro teatro áureo, suceden siempre demasiadas cosas; es su defecto capital, sobre todo para una sensibilidad moderna, aunque es claro que esto sabía a gloria al espectador de entonces. Para comprender y justificar que fuera así, sería necesario advertir —al lado de toda investigación erudita y los comentarios estilísticos, muy en su punto— que el teatro constituía el único espectáculo disponible, al que se le exigía todos los goces que fuera dado imaginar; y no era el más pequeño la acumulación de sucesos, dramáticos o divertidos, hasta el límite de lo que hacían posible los recursos escénicos. Lope lo había sabido bien, y Calderón —con todas las filosofías que se le atribuyan— todavía cargaba la mano en la receta. Valbuena, influido quizá por un breve ensayo de Azorín —leve juguete— sobre el *Mágico* [49], afirma que hay en él un drama universal, el drama del hombre de ciencia, desgarrado entre el pensamiento y la acción: "entre el reposo del sabio —dice— y la aventura del enamorado radica el conflicto humano de la obra" [50]. Pero, ¿se

---

cribirla mucho tiempo después y se publicó en la *Parte XX* de comedias de distintos ingenios (Madrid, 1663). En esta segunda redacción, que se aparta más de Amescua que la primera, incluye la "escena de la tentación".

[49] Incluido, bajo el título de "Calderón", en su libro *Los dos Luises y otros ensayos,* Madrid, 1921, págs. 157-162.

[50] *Historia de la literatura española,* cit., vol. II, págs. 553-554. Cfr.: H. C. Heaton, "A passage in Calderón's *Mágico Prodigioso*", en *Modern Language Notes,* XLVI, 1931, págs. 31 y ss. Del mismo, "Calderón's 'El mágico prodigioso' ", en *Hispanic Review,* XVIII-XIX, 1950-1951. Bruce W. Wardropper, "The Interplay of Wisdom and Saintliness in *El mágico prodigioso*", en *Hispanic Review,* XI, 1943, págs. 116-124. W. J. Entwistle, "Justina's temptation: an approach to the understanding of Calderón", en *Mo-*

plantea aquí, realmente, este gran problema? ¿O se trata tan sólo de una leyenda piadosa, colmada —por la asombrosa capacidad teatral de Calderón— con todas las incidencias capaces de seducir al espectador y embellecida por su inagotable potencia lírica?

Los dos amantes del cielo guarda bastante semejanza de fondo con el *Mágico.* Crisanto es un filósofo gentil a quien la lectura del Evangelio de San Juan pone en camino del Cristianismo; Daría, otra mujer poco proclive al amor, ha prometido no amar sino a quien muera por ella. Crisanto la convierte al fin, con lo que la promesa de Daría viene a ser como una adivinación de Cristo. Ambos amantes acaban sufriendo el martirio. El padre de Crisanto intenta apartar a su hijo de la nueva religión mediante halagos amorosos. A Daría, en castigo de su conversión, la envían a una mancebía. Cuando el gracioso Escarpín trata de gozarla, sale un león, huido de las montañas, y se interpone entre los dos. Este mismo león guía luego a Daría a la cueva donde está escondido Crisanto y donde ambos son apresados y muertos. Un ángel cubre luego con un peñasco la gruta que guarda sus cuerpos. Es mucho, sin duda. ¿Pensaba Calderón en un espectador bastante inteligente cuando redactaba estas escenas? Podríamos repetir aquí las consideraciones hechas sobre las escenas finales del *Mágico.*

En *El José de las mujeres* una mujer esta vez, Eugenia, famosa por su sabiduría, llega a la fe cristiana por la lectura de la epístola de San Pablo a los Corintios. Mientras se retira al yermo de la Tebaida, el pueblo de Alejandría, creyéndola muerta, le levanta estatuas y la diviniza; pero Eugenia regresa a la ciudad, destruye sus propios ídolos y es llevada al martirio.

Los otros dramas religiosos son de importancia mucho menor. Entre los de asunto bíblico es el más notable *Los cabellos de Absalón,* refundición de *La venganza de Tamar* de Tirso de Molina [51].

---

dern Language Review, XL, 1945, págs. 180-189. Albert E. Sloman, "*El mágico prodigioso*: Calderón Defended against the charge of theft", en *Hispanic Review,* XX, 1952, págs. 212-222. Joseph G. Fucilla, "Una imitazione dell'*Aminta* nel *Mágico Prodigioso* di Calderón", en *Superbi Colli e altri saggi,* Roma, 1963, págs. 181-185. Mario N. Pavia, *Drama of the Siglo de Oro. A study of magic, witchraft and other occult beliefs,* Hispanic Institute, Nueva York, 1959. T. E. May, "The symbolism of *El mágico prodigioso*", en *The Romanic Review,* LIV, abril 1963, págs. 95-112.

[51] Cfr.: como estudios de conjunto sobre este grupo de dramas, L. Rouanet, *Les drames théologiques de Calderón,* París, 1898. E. Gorra, "Il dramma religioso di Calderón", en *Fra drammi e poemi,* Milán, 1900. J. B. Trend, "Calderón and the Spanish religious theatre of the seventeenth century", en *Seventeenth Century Studies presented to Sir Herbert Grierson,* Oxford, 1938. Ramón Silva, "The religious dramas of Calderón", en *Bulletin of Spanish Studies,* XV, 1938, págs. 172-194; segunda época, 1946, págs. 119-194. Lucy Elisabeth Weir, "The ideas embodied in the religious drama of Calderón", en *Studies in Language, Literature and Criticism,* núm. 18, The University of Nebraska,

Los dramas filosóficos. "La vida es sueño". Calderón alcanza el punto más alto de su teatro idealista, de su "segundo" estilo, con *La vida es sueño*. ("Es obra de tal fama —decía Menéndez y Pelayo—, tal crédito y de tal importancia que casi aterra el hablar de ella"). Calderón compuso la obra en 1635, cuando no se encontraba todavía en la plenitud de aquel ciclo, sino en sus comienzos, por lo que más debe ser considerada como anticipación genial que como logro de madurez; quizá por esta "juventud" puedan explicarse algunos leves defectos, pero también la potencia dramática —no puramente simbólica, filosófica, poética— de su héroe, aún no demasiado alejado de su "primer" estilo, más individualizado y realista.

Lo conocido de la obra casi podría eximirnos de referir su asunto. Al rey de Polonia, Basilio, le ha vaticinado un horóscopo que si su hijo Segismundo llega a reinar, será un tirano cruel, que provocará la ruina de su país. Para evitarlo recluye al príncipe, recién nacido, en un abrupto paraje, lejos de la corte, donde crece con la sola compañía de su guardián, Clotaldo, que le instruye en algunos conocimientos, pero le trata con dureza y le oculta su origen. Un día Basilio desea comprobar la verdad del horóscopo y hace traer a la corte a Segismundo narcotizado. Cuando éste despierta se le trata y obsequia como a rey y Clotaldo le revela su condición. Enfurecido Segismundo, se comporta despóticamente y arroja incluso a un criado por la ventana; Basilio ordena que Segismundo sea devuelto a su encierro, donde Clotaldo le explica que todo ha sido un sueño y que, al portarse de aquel modo, despertó de él. Segismundo aprende la lección y reflexiona sobre ella en aquellas famosas décimas con que acaba la jornada segunda:

Es verdad; pues reprimamos
esta fiera condición,
esta furia, esta ambición,
por si alguna vez soñamos;
y sí haremos, pues estamos
en mundo tan singular,
que el vivir sólo es soñar;
y la experiencia me enseña
que el hombre que vive sueña
lo que es, hasta despertar... [52].

Lincoln, 1940. Ángel Valbuena Prat, *De la imaginería sacra de Lope a la teología sistemática de Calderón: dos momentos del teatro nacional,* Universidad de Murcia, Murcia, 1945. A. A. Parker, *The Theology of the Devil in the Drama of Calderón,* Londres, 1958. Charles V. Aubrun, "Le Déterminisme naturel et la causalité surnaturelle chez Calderón", en *Le Théâtre tragique,* Éditions du Centre National de la Recherche Scientifique, 1962, págs. 199-209.

[52] Jornada segunda, ed. Astrana, cit., pág. 188.

Segismundo es sacado de nuevo de la torre por una sedición popular que se rebela contra Basilio y lo eleva al trono; en un principio se niega a aceptar:

> *¿Otra vez (¡qué es esto, cielos!)*
> *queréis que sueñe grandezas*
> *que ha de deshacer el tiempo?*
> *¿Otra vez queréis que vea*
> *entre sombras y bosquejos*
> *la majestad y la pompa*
> *desvanecida del viento?*
> *¿Otra vez queréis que toque*
> *el desengaño o el riesgo*
> *a que el humano poder*
> *nace humilde y vive atento?...* [53].

Al fin accede a dirigir la rebelión popular y vence a su padre; pero aleccionado por la experiencia anterior, reprime sus pasiones y se comporta con la mayor prudencia para no despertar de nuevo:

> *A reinar, fortuna, vamos;*
> *no me despiertes, si duermo,*
> *y si es verdad, no me duermas.*
> *Mas, sea verdad o sueño,*
> *obrar bien es lo que importa:*
> *si fuere verdad, por serlo;*
> *si no, por ganar amigos*
> *para cuando despertemos* [54].

A *La vida es sueño* se le han averiguado los antecedentes próximos y remotos, y gracias a los eruditos sabemos que tiene relación con uno de los cuentos de *Las mil y una noches* y, a través de las formas cristianas del *Barlaán y Josafat*, con la leyenda de Buda. Arturo Farinelli, como en el caso del Don Juan, ha consumido un tiempo precioso para reunir en dos volúmenes —*La vita é un sogno*— [55] los pasajes de todas las literaturas y épocas en que viene a decirse, más o menos, lo que asegura Calderón en el título de su drama; asimismo, el padre Olmedo ha demostrado en otra investigación [56] que el pen-

---

[53] Jornada tercera, íd., íd., pág. 190.

[54] Ídem, íd., pág. 192.

[55] Arturo Farinelli, *La vita é un sogno*, 2 vols., Turín, 1916.

[56] P. Félix G. Olmedo, *Las fuentes de 'La vida es sueño'*, Madrid, 1928. Cfr. además: Lucien Paul Thomas, "La genèse de la philosophie et le symbolisme dans 'La vie est un songe' ", en *Mélanges offerts à M. Wilmotte*, París, 1910. A. Monteverdi, "Le fonti di *La vida es sueño*", en *Studi di Filologia Moderna*, vol. VI, 1913, págs. 177-210. C. Castillo, "Acerca de la fecha y fuentes de *La vida es sueño*", en *Modern Philology*, XX, 1923,

samiento calderoniano de *La vida es sueño* se encontraba difundido ampliamente en la literatura asceticomística y en la palabra de todos los predicadores de su tiempo. Pero con precedentes tan innumerables como se habían adelantado a Calderón en el descubrimiento de la vanidad y caducidad de las cosas terrenas, faltaba —como en el caso del Don Juan— un último detalle, que era escribir *La vida es sueño*: esto es lo que, sencillamente, hizo Calderón. Queremos decir que el pensamiento que informa el drama apenas si tenía importancia de tan universal, viejo y sabido como era; el problema no consistía sino en darle forma dramática.

Dejamos ya sugerido arriba que Segismundo no es un personaje real y vivo, sino un símbolo del hombre, una idea viviente, un *concepto representable*, como decía Calderón de sus propios "autos" simbólicos. No importa ahora averiguar si este procedimiento universalizador aventaja o no a la creación de un personaje individualizado, a la manera de Otelo o de Don Juan. Lo que sí es forzoso admitir es que no puede medirse la calidad de la construcción calderoniana por los criterios del realismo decimonónico. Es pueril, por ejemplo, calificar de inverosímil que Segismundo no sepa, a su regreso de palacio, si lo que allí le ha sucedido es sueño o realidad; también es injusto afirmar —Menéndez y Pelayo lo afirmaba— que el carácter de Segismundo cambia con demasiada rapidez después que vuelve a la torre. A tenor del concepto realista-naturalista del pasado siglo hay otro hecho más inverosímil aún: la educación y el modo en que ha vivido Segismundo no le permiten las sutilezas y elucubraciones, las profundas filosofías, las delicadas galanterías que prodiga desde que se alza el telón. Evidentemente, las palabras de Segismundo no son una *necesidad* que dependa de su *carácter* humano; podría proferirlas cualquier otro personaje de la obra, particularmente Clotaldo, que conoce en detalle los hechos y podría teorizar sobre ellos. Pero el autor se ha situado a un nivel de poética fantasía, de una premeditada irrealidad, de un juego de ficción, dentro del cual no hay otro canon de verdad sino las proporciones del conjunto. Dentro de ellas Segismundo tiene la realidad de un hombre verdadero, y a la par la proyección universal de las ideas que sustenta. El mejor teatro del siglo XX nos ha enseñado a perderle el respeto a todos los tabús realistas de la centuria anterior; hoy sabemos que, en arte, no es *verdadero* lo que reproduce literal y pedestremente la realidad, sino lo que la interpreta y potencia más profundamente. El modo para ello depende de la voluntad y capacidad del artista creador; y los caminos son innumerables. Según este credo, Segismundo no es un ser huma-

---

págs. 391-401. Pablo Acchiardi, "Antecedentes de *La vida es sueño*", en *Cuadernos de cultura teatral*, núm. 12, Instituto Nacional de Estudios de Teatro, Buenos Aires, 1940, págs. 113-127. J. A. van Praag, "Una fuente de *La vida es sueño* de Calderón", en *Neophilologus* (Amsterdam), XXV, 1940, págs. 250-251. Del mismo, "Otra vez la fuente de *La vida es sueño*", en *Studia Philologica. Homenaje ofrecido a Dámaso Alonso*, vol. III, Madrid, 1963, págs. 551-562.

no *arrancado de la realidad,* pero la proyecta, en cambio, hasta el infinito: de aquí su grandeza. Es un mito, no es un carácter.

Considerada incluso con el criterio realista, no desmerece la *humanidad* de Segismundo; debido a la perfección con que el pensamiento se convierte en creación dramática, el proceso humano de Segismundo se ajusta perfectamente al desarrollo intelectual. Cuando en el acto segundo, Segismundo despierta en el palacio y conoce su suerte, su reacción de violencia y brutalidad es naturalísima; como lo son igualmente su reflexión y sus propósitos al conocer, por las palabras de Clotaldo, la razón de su despertar y retorno a la torre. Luego, cuando es sacado de nuevo por la rebelión de su pueblo, siente al principio los viejos instintos de violencia y desea atropellar a Rosaura; pero su desatada pasión es vencida por la anterior experiencia y acierta a refrenarse; es entonces cuando pronuncia aquellas palabras decisivas:

> *......si sé*
> *que es el gusto llama hermosa,*
> *que la convierte en cenizas*
> *cualquiera viento que sopla,*
> *acudamos a lo eterno,*
> *que es la fama vividora,*
> *donde ni duermen las dichas*
> *ni las grandezas reposan* [57].

Se dice siempre que en *La vida es sueño* sobra —o, más aún, molesta— la intriga secundaria, y que Astolfo, Estrella y Rosaura distraen de la acción principal. Pero, sobre que no hubiera sido posible prescindir por entero de esta trama para hacer viable la obra sobre la escena, adviértase que son también numerosas las reacciones de Segismundo que se apoyan sobre estos personajes, definiéndose con ello su carácter [58]. Rosaura, en particular, ha merecido los desdenes mayores; pudo eliminarse, sin duda, toda la novelería de su perdido honor y amores con Astolfo. Sin embargo, su presencia provoca uno de los más bellos momentos de la obra, de los más delicadamente humanos: Segismundo, de vuelta a la prisión, vive la evidencia de su desengaño y admite que su breve reinado ha sido sólo un sueño; pero algo le cosquillea en el corazón, algo que no se marcha de allí y que le hace dudar de todo aquel suceso: es el amor que se le ha encendido por Rosaura:

---

[57] Jornada tercera, ed. Astrana, cit., pág. 197.

[58] Consúltese, sobre este aspecto: Edward M. Wilson, "La vida es sueño", en *Revista de la Universidad de Buenos Aires,* IV, 1946, págs. 61-78. José Bergamín, "Rosaura: intriga y amor", en su libro *Lázaro, Don Juan y Segismundo,* Madrid, 1959, págs. 83-87. William M. Whitby, "Rosaura's Role in the Structure of *La vida es sueño*", en *Hispanic Review,* XXVIII, 1960, págs. 16-27.

De todos era señor
y de todos me vengaba;
sólo a una mujer amaba...
que fue verdad, creo yo,
en que todo se acabó,
y esto sólo no se acaba[59].

Pasajes como éste apean a Segismundo de su abstracta simbología y le convierten en pura y llana humanidad, en un ser concretísimo y real, doliente como un hombre cualquiera.

El contenido ideológico de *La vida es sueño* es tan amplio como profundo, aunque la idea dominante es la expresión poética de un hondo pesimismo, la afirmación de la vanidad y caducidad de todo lo humano, expresada ya en el mismo título y sostenida —orquestada, diríamos, en bellísimas variaciones— a lo largo de todo el drama; en este sentido, *La vida es sueño* resume y cierra, en profunda simbología dramática, toda la corriente de ascetismo estoico, tan vieja como el hombre. El pesimismo calderoniano sobre el valor de la vida humana es radical: no hay lugar a dudas. Pero es un pesimismo "transitorio", como decía Menédez y Pelayo, una duda "metódica", por decirlo en términos filosóficos. La tesis escéptica se limita al mundo terreno, a la vida de los sentidos, a la realidad material; la vida es un sueño vano, pero la muerte no es la nada, sino el seguro despertar a otra vida donde nos aguarda la absoluta verdad; "acudamos a lo eterno", dice Segismundo, afirmación de una vida imperecedera, "donde ni duermen las dichas — ni las grandezas reposan"[60].

Junto a esta idea central es también importante la afirmación del libre albedrío, segundo tema que serpentea por toda la obra, desde las décimas iniciales de Segismundo —"¿y teniendo yo más vida / tengo menos libertad?"— has-

[59] Jornada segunda, ed. Astrana, cit., pág. 188.

[60] Cfr.: Alfonso Reyes, "Un tema de *La vida es sueño*: el hombre y la naturaleza en el monólogo de Segismundo", en *Revista de Filología Española,* IV, 1917, págs. 1-25 y 237-276. Del mismo, "El enigma de Segismundo a través de la literatura", en *Revista de América,* II, núm. 6, Bogotá, 1945, págs. 353-365. Blanca de los Ríos, *La vida es sueño y los diez Segismundos de Calderón* (conferencia), Madrid, 1926. Michele Federico Sciacca, "Verdad y sueño de 'La vida es sueño' de Calderón", en *Clavileño,* I, núm. 2, 1950, págs. 1-9. Leopoldo Eulogio Palacios, "La vida es sueño", en *Finisterre,* II, 1948, págs. 5-52. Del mismo, *Don Quijote y La vida es sueño,* Madrid, 1960. Everett W. Hesse, "La concepción calderoniana del príncipe perfecto en *La vida es sueño*", en *Clavileño,* IV, XX, 1953, págs. 4-12. L. G. Crocker, "Hamlet, Don Quixote and La vida es sueño. The Quest for Values", en *PMLA,* LXIX, 1954, págs. 278-313. Bruce W. Wardropper, "Apenas llega cuando llega a penas", en *Modern Philology,* LVII, 1960, páginas 240-244. Joaquín Casalduero, "Sentido y forma de *La vida es sueño*", en *Cuadernos del Congreso por la libertad de la cultura,* núm. 51, 1961, págs. 3-13. A. Salvador, "Concepción de la vida como sueño", en *Cuadernos Hispanoamericanos,* XLVIII, 1961, págs. 416-421. Ángel Valbuena Briones, "El simbolismo en el teatro de Calderón", en *Perspectiva crítica de los dramas de Calderón,* Madrid, 1965, págs. 35-69.

ta el momento del desenlace: por encima de todas las predicciones fatalistas de los astros, Segismundo endereza y rige su propia vida por la fuerza de su voluntad, ganando la más difícil batalla, que es vencerse a sí mismo:

> *Pues que ya vencer aguarda*
> *mi valor grandes victorias,*
> *hoy ha de ser la más alta*
> *vencerme a mí*[61].

En esta misma escena final, momentos antes, todavía el rey Basilio, "grande estrellero" como le llama Menéndez y Pelayo, proclama la omnipotencia de los astros: "de lo que éstos han decidido no podrás escaparte; para ello no existe camino". Pero Clotaldo le replica:

> *Sí hay, que el prudente varón*
> *victoria del hado alcanza;*
> *y si no estás reservado*
> *de la pena y la desgracia,*
> *haz por donde te reserves*[62].

Bajo el aspecto artístico, *La vida es sueño* es modelo de construcción dramática. Menéndez y Pelayo, que nunca elude reparos a Calderón, después de afirmar del contenido de este drama que "no lo hay más grande en ningún teatro del mundo", sostiene que "a la grandeza del pensamiento de este drama corresponde, en general, el desembarazo y sencillez de la ejecución"[63]. Los pasajes de dudoso gusto, bastante frecuentes en otras obras de Calderón, y que toda la devoción por el barroco y el más justo propósito reivindicativo no deben silenciar, no existen aquí; hasta las "gracias" de Clarín se contienen en el límite preciso de tono y de extensión.

El estilo acusa, en plenitud, los caracteres que hemos definido como más peculiares de la dramática calderoniana. Todo el drama de Segismundo está envuelto por espesa guirnalda de metáforas, de imágenes barrocas, en que se trenzan las agudezas conceptistas con las preciosidades culteranas. Y entre esa

---

61 Jornada tercera, ed. Astrana, cit., pág. 200.

62 Ídem, íd., pág. 199. Cfr.: M. A. Buchanan, "Segismundo's Soliloquy on Liberty in 'La vida es sueño'", en *PMLA,* XXIII, 1908, págs. 240-253. Tomás Carreras Artau, "La filosofía de la libertad en 'La vida es sueño' de Calderón", en *Estudios in memoriam de Adolfo Bonilla y San Martín,* vol. I, Madrid, 1927, págs. 151-179. Peter N. Dunn, "The Horoscope Motif in *La vida es sueño*", en *Atlante,* I, octubre, 1953, págs. 187-201. Ángel Valbuena Briones, "El concepto del hado en el teatro de Calderón", en *Perspectiva crítica de los dramas de Calderón,* cit., págs. 11-17. Miguel Herrero y Manuel Cardenal, "Los agüeros en la literatura española", en *Revista de Filología Española,* XXVI, 1942, págs. 16 y ss. Erika Lorenz, "Calderón und die Astrologie", en *Romanistisches Jahrbuch,* XII, 1961, págs. 265-277.

63 *Calderón y su teatro,* cit., pág. 230.

pompa majestuosa, los más variados efectos de contraste: "entre fatalismo de horóscopo y providencialismo cristiano, entre exuberancia decorativa y galana en el estilo y la rigidez conceptual de las ideas de pesimismo ascético; entre el protagonista y varias situaciones del gracioso Clarín. La ley del contraste preside claramente, pues, la contextura de *La vida es sueño*, drama de pesimismo y de fe; de exceso verbal, externo, y de concisa disciplina ideológica" [64].

Al lado de *La vida es sueño* hay que situar como drama filosófico, pero de importancia muchísimo menor, *En esta vida todo es verdad y todo es mentira*, obra protagonizada por personajes históricos —los emperadores bizantinos Focas y Heraclio—, aunque su carencia de valor histórico quede fuera de toda duda. Menéndez y Pelayo advertía que el primer acto de esta obra planteaba una situación de gran valor dramático, cuando Heraclio y Leonido, criados selváticamente por el criado Astolfo, pretenden a una ser hijos del asesinado emperador Mauricio; Astolfo, requerido por Focas, se niega a declarar cuál de ellos es realmente el hijo de Mauricio y cuál el de Focas. Los otros dos actos, con técnica muy propia de Calderón, derivan en una comedia de magia y enredo, que place a Valbuena, pero que Menéndez y Pelayo consideraba como una errónea desviación en que se echa a perder el germen dramático planteado en el primer acto: Focas, para averiguar quién es su hijo, acude a un mago, que hace de las suyas. Heraclio y Leonido son llevados temporalmente a palacio, donde —a semejanza de Segismundo— se les hace creer por algún tiempo que son reyes.

Los dramas trágicos. "El alcalde de Zalamea". Componen este grupo *El alcalde de Zalamea, La niña de Gómez Arias* y los cuatro dramas llamados comúnmente "de celos" o "de honor", que veremos aparte.

Con *El alcalde de Zalamea* alcanza Calderón la cumbre de su obra dramática; la otra cumbre, sería mejor decir, puesto que comparte dicha preeminencia con *La vida es sueño.* Si ésta última representa el logro superior del "segundo" estilo, del teatro poético-simbólico, *El alcalde* lo es de la primera época; durante ella, según vimos, Calderón sigue todavía muy de cerca las huellas de Lope y sus discípulos, toma y reelabora sus asuntos dentro de una dramática predominantemente costumbrista y nacional basada en su historia o sus leyendas, aunque a tono con su genio peculiar estiliza, refunde y perfecciona.

---

[64] *Calderón...*, cit., pág. 140. Cfr.: del mismo, "El orden del barroco en 'La vida es sueño' ", en *Escorial,* VI, 1942, págs. 167-192. M. A. Buchanan, "Culteranismo in Calderón's 'La vida es sueño' ", en *Homenaje a Menéndez Pidal,* vol. I, Madrid, 1925, páginas 545-555. B. Morales San Martín, "El teatro griego y el teatro español: Esquilo y Calderón, Prometeo y Segismundo", en *Revista Quincenal,* VI, 1918, págs. 260-275 y 342-359. Albert E. Sloman, "The Structure of Calderón's *La vida es sueño*", en *Modern Language Review,* XLVIII, 1953. Paul M. Arriola, "Two Baroque Heroes: Segismundo and Hamlet", en *Hispania,* XLIII, núm. 4, 1960, págs 537-540.

Dada la inmensa popularidad de *El alcalde de Zalamea*, bastan unas líneas para resumir su asunto. Estando unas tropas españolas de paso por Zalamea camino de Portugal, un capitán de ellas, don Álvaro de Ataide, fuerza a una doncella, hija de Pedro Crespo, y la abandona luego en el campo. Pedro Crespo, que acaba de ser nombrado alcalde, hace prender al burlador y le ruega primero que repare la ofensa; pero al negarse aquél, lo hace ajusticiar. Don Lope de Figueroa, jefe de las tropas, protesta airado por lo que juzga violación del fuero militar, pero el rey Felipe II, que va también camino del reino vecino, se presenta en el pueblo y aprueba lo hecho por Pedro Crespo.

Con el mismo título y asunto había escrito Lope su drama, colocando en él dos hijas y dos capitanes burladores. Calderón recortó muchas de las escenas de costumbrismo popular, concentró la acción en una sola hija y un capitán solo, y convirtió en eje del drama a las figuras de Pedro Crespo y don Lope de Figueroa, que de pálidos esbozos en la obra de Lope se convierten —muy especialmente el primero— en los dos caracteres más poderosos de nuestro teatro nacional[65].

Como llevamos dicho, lo específicamente calderoniano no hay que buscarlo en la creación de caracteres; de aquí lo excepcional de esta obra, en la que no solamente alcanzan aquel rango las dos figuras dichas, sino que Calderón parece hacer un despilfarro de ellas, como dice Menéndez y Pelayo, pues hasta los personajes menores están poderosamente individualizados. El mismo verso es, en casi toda la obra, mucho más recortado y ceñido, más natural, menos exuberante y pomposo de lo que es habitual en Calderón; el diálogo es más vivo, y en algunos momentos culminantes alcanza un punto de sencillez rotunda que no puede tocarse.

Así pues, aunque en *El alcalde de Zalamea* abundan, naturalmente, los rasgos inequívocamente calderonianos, su fórmula teatral no es aquí la dominante en el poeta. Valbuena advierte que así como en Shakespeare, humano y pasional, podemos encontrar la excepción de sus momentos lírico-fantásticos, como *La tempestad*, de la misma manera "al Calderón de los símbolos y las figuras estilizadas o del más bello artificio de comedia de corte, se le arrancan del corazón de hombre las verdades dramáticas, la natural conversación —dentro de su rotunda sabiduría— del drama de lágrimas y sonrisas de la vida doméstica ennoblecida. Escena a escena, este plano de natural humani-

[65] En una conferencia pronunciada en el Instituto del Teatro de Barcelona (1955), Valbuena Prat plantea la posibilidad de que, en contra de la opinión comúnmente admitida, la obra de Lope fuese posterior a la de Calderón; en tal caso, Lope habría tratado de mejorar la obra de aquél dentro de su peculiar estilo. La hipótesis de Valbuena no pasa de serlo; en cualquier caso, no queda invalidada ninguna de las conclusiones establecidas sobre el proceso de la dramática calderoniana respecto al ciclo precedente: la obra de Lope sería un caso de pervivencia frente a los modos nuevos. Cfr.: G. Junemann, "Glosas críticas. Los dos 'Alcaldes de Zalamea': el de Lope y el de Calderón", en *Revista Católica de Santiago de Chile*, XXXVI, 1919, págs. 131-135 y 194-202.

dad, sabiamente elaborado, nos va ganando en simpatía, en dignidad, en humor y dolor. Lo 'agridulce' de la vida ha encontrado la creación de lo más moderno de todo el teatro europeo del XVII, en este sentido de equilibrio entre tragedia y comedia. *El alcalde de Zalamea* crea el verdadero *drama*" [66].

A diferencia de Segismundo, Pedro Crespo no es un símbolo, sino un hombre concreto, cuyas acciones y palabras son intransferibles; los parlamentos de Segismundo los pone en su boca la voluntad del autor, pero Pedro Crespo sólo por ser quien es y sucederle lo que le sucede, hace lo que hace y dice lo que dice. Esta diferencia entre las dos grandes creaciones calderonianas plantea un problema de preferencias; para muchos, la realidad humana de Pedro Crespo es superior a la simbólica universalidad de Segismundo. Pero la comparación no puede hacerse sino enfrentando dos diferentes fórmulas dramáticas, entre las que puede escoger el gusto, pero cuya plena validez no cabe discutir.

Por la profundidad y perfección de su trazo, Pedro Crespo se ha convertido a su vez en un valor simbólico, representativo de una peculiar actitud humana, y en este sentido cabe proclamar, con Menéndez y Pelayo, que es una creación digna de Shakespeare; actitud de valor universal, pero, con todo, muy específicamente española, y aun, si se quiere, limitada a unos problemas sociales determinados y a un especial momento. La noble resistencia del plebeyo frente al atropello de quien se cree superior en nombre de una clase, y la afirmación de la igualdad esencial de todos los hombres, son gestos cuya transcendencia no la limitan tiempo ni lugar. Pedro Crespo no habla sólo como español de una circunstancia, cuando asegura que

Al rey la hacienda y la vida
se ha de dar; pero el honor
es patrimonio del alma,
y el alma sólo es de Dios [67].

Pero no cabe duda que Pedro Crespo, en su peculiar realidad, es un valor de raza, nacional; mientras que Segismundo salta por encima de toda contingencia.

Decía Menéndez y Pelayo que era un gran acierto de Calderón haber puesto "esta vindicación de la honra mancillada, no entre caballeros, como en todas las demás producciones suyas acontece, sino en un villano honrado" [68]. El hecho es que, aunque Calderón tiende siempre por temperamento a los ambientes cortesanos y aristocráticos, con *El alcalde de Zalamea* corona la cumbre de la tradición democrática de nuestro teatro. Creaciones de Lope tan notables como *El mejor alcalde, el rey, Peribáñez* y *Fuenteovejuna,* quedan eclipsadas en su significación por la fuerza dramática, humanamente individualizada, del "al-

[66] *Calderón...*, cit., pág. 84.
[67] Jornada primera, ed. cit., pág. 473.
[68] *Calderón y su teatro,* cit., pág. 235.

calde" calderoniano; aunque las obras de Lope le aventajen en lirismo y sentido del alma popular y colectiva. Tenemos con esto un segundo aspecto por el que Calderón, apartándose de su veta más personal, viene a dar con otro de los más felices hallazgos de su creación.

Dijimos que Calderón puebla su drama de caracteres. Con Crespo comparte el centro de la obra don Lope de Figueroa, "malhumorado, gotoso y jurador", veterano indomable, apenas doblegada su soberbia de clase y de oficio por los achaques de la edad, perfecta encarnación del militar de su tiempo. El capitán don Álvaro de Ataide llena su puesto con su amorosa agresividad mezclada de cinismo y galantería, presto sólo al placer como buen don Juan protegido por sus ventajas de clase; el hidalgo don Mendo, aun siendo un tipo rápidamente esbozado, es un sabroso ejemplar de estampa picaresca; y lo son igualmente en su género el soldado Rebolledo y la Chispa con su "jacarandina", que componen un animado cuadro de la vida de la milicia. En la doncella ofendida introdujo Calderón un cambio más, de evidente acierto: en lugar de las hijas livianas y atrevidas de Lope, Calderón hizo de Isabel una joven honesta y recatada, cuya conducta excluye toda participación en la audacia del capitán y hace por tanto más doloroso y dramático el atropello.

La estructura del drama responde al dominio constructivo de Calderón, y las escenas se ensamblan y suceden con perfecta gradación de interés. La sobriedad a que aludíamos hace más intensos y enérgicos los momentos culminantes del drama. Pocas escenas tan maravillosas en ningún teatro como la que cierra la primera jornada entre don Lope y Pedro Crespo con las preciosas palabras, ya citadas, en que el villano define imborrablemente su carácter; o la que tiene lugar entre los mismos en la sala de Crespo, en la jornada segunda, con motivo de la cena; o la última ocasión en que se enfrentan ambos personajes, cuando don Lope regresa para arrancar al capitán de manos del alcalde. Es igualmente modélico, por su brevedad y energía, el momento en que Pedro Crespo hace prender al capitán:

CAPITÁN: *Yo os apercibo*
que soy un capitán vivo.
CRESPO: *¿Soy yo acaso alcalde muerto?*

con las palabras de trágico humor y dolor de padre ofendido que ponen fin a la escena:

CAPITÁN: *Tratad con respeto...*
CRESPO: *Eso*
está muy puesto en razón.
Con respeto le llevad
a las casas, en efeto,
del Concejo; y con respeto
un par de grillos le echad

y una cadena; y tened,
con respeto, gran cuidado
que no hable a ningún soldado;
y a esos dos también poned
en la cárcel, que es razón,
y aparte; porque después,
con respeto, a todos tres
les tomen la confesión.
Y aquí, para entre los dos,
si hallo harto paño, en efeto,
con muchísimo respeto
os he de ahorcar, ¡juro a Dios! [69].

Pero ninguna escena tan justamente famosa como la que precede al momento anterior, cuando Pedro Crespo, dejando a un lado la vara y prescindiendo de su autoridad de alcalde, suplica de rodillas al capitán que repare el honor de su hija; las palabras de Pedro Crespo definiéndose a sí mismo, ofreciendo toda su hacienda y hasta su misma persona en servicio, a los pies de don Álvaro que le escucha con su impertinente altanería, son de una dolorosa humanidad, insuperables como expresión dramática.

La jornada tercera se abre con un largo monólogo de Isabel, abandonada en el monte, y un parlamento tres veces más extenso, que dirige a su padre, a quien encuentra poco después atado a un árbol entre la maleza. Menéndez y Pelayo consideraba esta escena, con su desbordante exceso verbal, como el único fallo del drama; Valbuena la cree, en cambio, "de bello lirismo y fuerza patética", y piensa que, en la representación, "la matización y los gestos de la actriz" pueden salvar la situación. Estimamos que Menéndez y Pelayo estaba en lo cierto; la belleza lírica y el patetismo existen, en efecto, si se lee la escena con independencia de la acción, pero emplazada en ella es insostenible. Pase aun el soliloquio inicial, tan calderoniano; pero no cabe imaginar que Isabel, antes de correr a desatar a su padre, le dirija casi doscientos versos, lamentándose y contándole cosas que Pedro Crespo ya conoce. Diríase que Calderón, que había refrenado prodigiosamente durante todo el drama su natural tendencia amplificadora, necesitaba urgentemente concederse un desahogo, antes de andar la última jornada [70].

---

[69] Jornada tercera, ed. Astrana, cit., págs. 488-489.

[70] Cfr.: Marcelino Menéndez y Pelayo, "El alcalde de Zalamea", en *Estudios y discursos de crítica histórica y literaria,* ed. cit., vol. III, págs. 353-366. Es un hecho notable que *El alcalde de Zalamea,* una de las cimas más altas de nuestra dramática, haya producido tan corta bibliografía y, en general, de tan escaso interés; probablemente, la misma claridad y grandiosa sencillez de la obra han ahuyentado la curiosidad —tantas veces rebuscadora de minucias— de los eruditos; cfr., sin embargo: U. Fleres, "Un capolavoro del teatro spagnuolo", en *Nuova Antologia; Florencia,* CCVII, 1906, págs. 83-98.

La niña de Gómez Arias pertenece a la misma etapa costumbrista-realista de *El alcalde de Zalamea*. Es refundición de la obra del mismo título de Vélez de Guevara, y de ella toma, a más del argumento y título, varias escenas y un acto casi entero. Aunque la inclusión de la obra en este grupo de dramas trágicos está justificada por la muerte final del malvado protagonista, los momentos dramáticos —reducidos a la sentencia capital contra Gómez y a la venta de Dorotea al moro Cañerí— quedan envueltos en una intriga de capa y espada, con todos los incidentes propios de la comedia de este género: tapadas, equívocos, confusiones, casualidades incontables, personajes que escuchan escondidos las palabras precisas que necesitan oir. Entiéndase que la inverosimilitud es aquí de índole muy diversa a la ideal orquestación simbólica de *La vida es sueño*; o, incluso, de las comedias "de capa y espada", planteadas en un clima de absoluto convencionalismo y libertad de juegos escénicos. En *La niña de Gómez Arias*, por el contrario, la acción oscila —salta, más bien— de los momentos de pretendido realismo a los episodios más pueriles: Gómez Arias se lleva a Dorotea, la segunda vez, contra su propósito, por haberla confundido con otra dama a causa de la oscuridad de la escena; y no advierte su error hasta que no amanece el día, después de haberla llevado consigo toda la noche. El dramatismo, indudable, de la venta de Dorotea, queda tan desligado de todo, que el espectador —suponemos— deberá hacer un gran esfuerzo para entrar en situación. Quedan siempre, eso sí, los abundantes pasajes donde el verbo de Calderón pone sus notas de belleza [71].

Los dramas de honor. Constituyen estos dramas en la obra de Calderón uno de sus apartados más famosos: recordados con una interpretación deformada y hasta grotesca, han podido convertirse en broma popular, lo que demuestra, en último término, una peculiaridad indudable: se habla tópicamente del "honor calderoniano". Sin embargo, como llevamos dicho —al tratar de Lope—, fue éste quien definió sus fórmulas y convirtió el honor con todos sus convencionalismos en tema teatral. No obstante, el hecho de que se le haya atribuido la paternidad a Calderón demuestra que fue él quien lo llevó a plenitud y lo dotó de plena resonancia. "Una vez más —dice Valbuena Prat— nuestro

---

G. Junemann, "Glosas críticas. Los dos 'Alcaldes de Zalamea' ", en *Revista Católica de Santiago de Chile*, XXXVI, 1919, págs. 131-135, y 194-202. V. Mallarino, "*El alcalde de Zalamea* y *Fuenteovejuna* frente al derecho penal", en *Revista de las Indias*, Bogotá, XIV, 1942, págs. 358-367. H. Krasza, "*El alcalde de Zalamea*: estudio psicológico-penal", en *Anales de la Universidad de Guayaquil*, I, 1949, págs. 280-292. A. E. Sloman, "Scene division in Calderón's *El Alcalde de Zalamea*", en *Hispanic Review*, XIX, 1951, págs. 66-71. W. Küchler, "Calderón's Comedia *El alcalde de Zalamea* als Drama der Persönlichkeit", en *Archiv für das Studium der Neueren Sprachen und Literaturen*, Braunschweig, Berlín, CXC, 1954, págs. 306-313. C. A. Jones, "*Honor* in *El alcalde de Zalamea*", en *Modern Language Review*, Cambridge, L, 1955, págs. 444-449.

[71] Cfr.: Ramón Rozzell, "The song and legend of Gómez Arias", en *Hispanic Review*, XX, 1952, págs. 91-107.

poeta queda como el artista que da las formas definitivas a lo antes establecido en sus líneas generales". Y luego, curándose en salud ante los reparos que va a provocar el tema, su devoción calderoniana añade: "La responsabilidad del concepto no es suya; el mérito de haber realizado con ello un grupo de obras maestras le pertenece de lleno" [72].

El honor y los celos no informan sólo los cuatro dramas de Calderón de que vamos a tratar ahora, sino muchas también de sus comedias costumbristas. La diferencia estriba en que en los primeros el conflicto se plantea en torno a una mujer casada y el desenlace —por ser imposible la reparación— es trágico; en las comedias la guarda de la mujer soltera queda a cargo de los padres y hermanos, no menos proclives a las soluciones sangrientas, pero el matrimonio reparador puede poner remedio en la escena final a los mayores desaguisados.

Se habla siempre, a propósito de tales dramas, del problema moral. El siglo XIX, sobre todo, se escandalizó de estas venganzas terribles, que consideraba inhumanas y anticristianas. Valbuena, con mucha razón, nos pone en guardia —como vimos también respecto de la novela picaresca— ante el peligro de involucrar cuestiones de ética con valores artísticos. Pero no se trata tampoco de justificar un arte inmoral; nosotros no creemos que los dramas de honor calderonianos sean más inmorales, en razón de su asunto, que *El príncipe constante*, por ejemplo. Calderón no parece que da sus dramas como tesis en ningún caso; jamás dice que el asesinato de la mujer desleal sea una bella acción. Menéndez y Pelayo, que se ocupó del tema, dejó bien claro, con textos, que los maridos vengativos de Calderón protestan con amargura de los principios del honor que les fuerzan a tales soluciones [73]; y Valbuena ha subrayado varios pasajes más, que amplían la demostración [74]. Más aún: ha precisado un dato —no tenido en cuenta anteriormente— de notable interés. Calderón convirtió en alegoría sacramental el mundo del honor y de los celos —al igual que Lope— en *La locura por la honra* y *La adúltera perdonada*, y escribió un auto, *El pintor de su deshonra*, del mismo título que el drama; en este último, el Pintor —Dios— perdona a la Naturaleza Humana —su Esposa— con palabras que definen, sin duda posible, el pensamiento de Calderón sobre este tema:

que es la diferencia que hay
en los duelos de la honra,
entre Dios y el hombre, pues
si a los dos vengarse toca,
se venga uno cuando mata,
y el otro cuando perdona.

[72] *Calderón...*, cit., pág. 89.

[73] *Calderón y su teatro*, cit., "Conferencia sexta. Dramas trágicos", págs. 235 y ss.

[74] Véase todo el capítulo VII de su *Calderón...*, cit., de donde tomamos la referencia que sigue (págs. 89-105).

Parece cierto, pues, como opinaba Menéndez y Pelayo, que Calderón "protestando contra esta ceguedad moral, la pone en escena porque encuentra en ella poesía y ventajas estéticas para hacer un drama trágico. Procede en todo ello con verdadero desinterés de artista" [75]; escenifica, en suma, los celos y sus venganzas como otra pasión cualquiera (y sin ellas no hay teatro posible; ya se sabe). Su violencia dramática encierra un evidente interés para el espectador; y nada habrá que explicarle al de nuestros días, que se bebe las novelas y películas "policíacas", colmadas de truculencias, con la más perfecta naturalidad. Téngase presente además el concepto de la época sobre tales materias: en pleno siglo XVII, no sólo en España, sino en cualquier país de Europa, un drama en que el marido engañado perdonara a su mujer infiel, hubiera sido rechazado ruidosamente, y semejante conducta —humana y cristianísima— calificada con los peores dicterios. Finalmente, adviértase que, para muchos contemporáneos del poeta —Valbuena recuerda la opinión de Bances Candamo— la solución sangrienta, aunque criminal, valía incluso como ejemplar lección contra el adulterio; los maridos demasiado "generosos" habrían servido de incentivo, como lo sería el criminal de hoy que dejara burlado al policía al acabarse la película [76].

Pero el asunto no carece de complejidad. Para muchos es arduo admitir que Calderón pudiese dar cauce dramático a los sentimientos de honor en un sentido que, al parecer, repugnaba a sus convicciones. Porque, a pesar de todas las salvedades dichas, el desenlace de la venganza sangrienta es el que se ofrece en definitiva a la consideración del espectador, cuya adhesión se espera recibir. El hecho de que el marido vengador proteste previamente de que sólo el respeto social le obliga a decisiones que no desea, puede ser tanto un recurso dramático como cautelosa habilidad del escritor. Si lo primero, se trataba de intensificar la lucha interior del personaje, dramáticamente desgarrado entre opuestos sentimientos; pero si lo segundo, el autor pretendía dejar a salvo su posición moral, mientras ofrecía la solución espectacular que era grata a su público, y en tal caso parece insoslayable la acusación de insinceridad.

---

[75] *Calderón y su teatro*, cit., pág. 238.

[76] Cfr.: G. Sánchez, "Datos jurídicos acerca de la venganza del honor", en *Revista de Filología Española*, IV, 1917, págs. 292 y ss. Antonio Rubió y Lluch, *El sentimiento del honor en el teatro de Calderón*, Barcelona, 1882. Marcelino Menéndez y Pelayo, "El sentimiento del honor en el teatro de Calderón", Carta-prólogo antepuesta al libro de Rubió, reproducida en *Estudios y discursos de crítica histórica y literaria*, ed. cit., vol. III, págs. 377-384 (estos dos últimos trabajos importan especialmente para la valoración moral del sentimiento del honor). Gustavo Correa, "El doble aspecto de la honra en el teatro del siglo XVII", en *Hispanic Review*, XXVI, 1958, págs. 99-107. Domingo Ricart, "El concepto de la honra en el teatro del siglo de oro y las ideas de Juan de Valdés", en *Segismundo. Revista hispánica de teatro*, Madrid, I, 1965, págs. 43-69. Recuérdese, asimismo, el estudio de Américo Castro —citado en el capítulo sobre Lope— "Algunas observaciones acerca del concepto del honor en los siglos XVI y XVII", en *Semblanzas y estudios españoles*, Princeton, N. J., 1956, págs. 319-382.

Queda, no obstante, otra razón, que es la propuesta por Menéndez Pidal en el estudio que mencionamos a propósito del tema del honor en el teatro de Lope de Vega[77]. Nuestra mentalidad actual, absolutamente alejada de tales soluciones, puede difícilmente comprenderlas y menos aceptarlas. Menéndez Pidal afirma, en cambio, categóricamente: "Es una impertinencia juzgar los dramas de honor con el criterio de hoy día; hay que aceptar las premisas que el honor supone, y una vez aceptadas, el desarrollo del drama es perfectamente comprensible como consecuencia lógica de tales premisas"[78]. Según el gran investigador explica, el honor se estimaba entonces no sólo como un patrimonio individual, sino como un deber social al que todo hombre estaba obligado; por esto cree equivocada la opinión de Menéndez y Pelayo que consideraba el móvil del honor como un *egoísmo enfermizo*: "ese depender el honor de la opinión de los demás arguye precisamente en favor de su carácter no egoísta, sino eminentemente social". Y añade: "Todo hombre digno ha de conservar intacto el precioso patrimonio del honor social de que cada uno es depositario y guardián, honor que anima la existencia entera de la comunidad, para vivir su vida colectiva con elevado ánimo y virtuoso esfuerzo. No defender ese patrimonio es cobardía bastarda, es hacerse cómplice del atropello cometido por el ofensor en daño del honor colectivo, maltrecho en la parte al individuo encomendada. Cualquier exageración de apariencia puntillosa a que el teatro llegó en el castigo de la ofensa, adquiere sentido y altura merced a ese valor transcendente que el honor del individuo reviste"[79].

En consecuencia, pues, la venganza puede llevarse a cabo como un deber doloroso, y el vengador puede muy bien quejarse de su destino que le empuja a tan terrible necesidad; "muy lejos de poder tacharse de egoísta, la venganza de honor ha de mirarse como una heroicidad. Así la miraron los poetas, y el renacimiento intervino para teñirla con colores de fortaleza estoica y de hazaña romana"[80]. Así concibe, en efecto, Calderón los conflictos de sus maridos vengadores. El dramaturgo aprovecha, evidentemente, la posibilidad de acrecer con ello la tensión pasional de sus personajes, pero responde al mismo tiempo a un auténtico sentir de sus contemporáneos; también, junto a los sentimientos personales, el vengador toma en cuenta motivos religiosos que entran en lucha con el código social del honor. Pero al llevar a escena estos conflictos, poniéndolos en boca de sus héroes, Calderón no obraba hipócritamente ni tampoco parece esconder tras sus palabras una protesta mayor de la que aquéllos hacían visible.

Claro que no es fácil precisar si Calderón alimentaba una más íntima repugnancia hacia las sangrientas soluciones de honor. En cualquier caso, no

[77] "Del honor en el teatro español", en *De Cervantes y Lope de Vega,* 5.ª ed., Madrid, 1958, págs. 145-173.

[78] Ídem, íd., pág. 150.

[79] Ídem, íd., pág. 151.

[80] Ídem, íd., pág. 152.

era la escena el lugar más a propósito para ello y sería arriesgado esperarlo. Menéndez Pidal recuerda también que frente a la doctrina de que el honor depende de manera eminente de la opinión ajena —fama u honor social, dramatizado por Calderón— existe ya desde la Edad Media una corriente de opinión individualista "que cifra el honor exclusivamente en la conducta honrosa con desprecio de la fama" [81]. Ya hicimos mención de la particular ideología de Cervantes a este respecto, seguida antes de él por Mateo Alemán; el mismo Lope, creador, como sabemos, del drama de honor, al escribir una novela, *La más prudente venganza,* aunque no prescinde del desenlace sanguinario, "no sólo protesta contra él muy por largo, sino que declara haberlo reprobado toda su vida" [82]; afirmación bien sorprendente, por cierto. Menéndez Pidal concluye que, aparte las ideas particulares de cada escritor, es de la mayor importancia el vehículo literario en que se expresan: "creo —dice— que esa discrepancia depende también del distinto género literario en que el conflicto se desarrolla. La novela destinada a la lectura privada invitaba a la reflexión condenatoria de una venganza sangrienta, mientras el teatro exigía entregarse a los sentimientos de mayor efectismo... La novela, pues, y no el teatro es campo apropiado para protestas contra la venganza de honor" [83]. (Lo cual nos lleva una vez más a nuestro firme convencimiento de que en la escena áurea intervinieron numerosos componentes, los más variados, que la despojaron de toda la "pureza" literaria que habitualmente se le supone; sólo admitiendo las complejas razones que hacían del teatro un espectáculo de placer para las gentes más diversas, puede comprenderse su absoluta aceptación popular, que ni razones literarias ni contenidos doctrinales podrían explicar nunca). Aun dentro del teatro es necesario distinguir los diferentes géneros dramáticos para entender las distintas soluciones a los casos de honor, que pueden oscilar desde las venganzas heroicas hasta los desenlaces cómicos, y hasta burlescos (recuérdese lo dicho a propósito de Lope de Vega): "Sentada la existencia —dice Menéndez Pidal— de varios géneros teatrales diversos por la distinta región en que para cada uno se sitúa el poeta en su modo de considerar la vida, nada extraño nos puede parecer que el concepto del honor sea cambiante también, no sólo en la novela respecto a la comedia, sino también que sea una cosa en la tragedia y otra en la comedia hidalga, y otra muy distinta en la comedia llana o vulgar, al estilo de Plauto y Terencio. Cada género literario sirve para expresar giros diversos del pensamiento del autor respecto a la reparación de la honra agraviada" [84].

Reduciéndonos ahora al plano artístico, importa una consideración inicial que afecta a todos los dramas del grupo. Se ha reprochado a Calderón, y el reproche parece innegable, que sus maridos celosos —aparte la fuerza dramática

---

[81] Ídem, íd., pág. 159.

[82] Ídem, íd., pág. 160.

[83] Ídem, íd., págs. 160-161.

[84] Ídem, íd., pág. 168.

conseguida en otros aspectos— matan con repugnante frialdad, en virtud de razonamientos cerebrales, retóricos y efectistas, que convierten el acto de la venganza en una grotesca acción. Los maridos calderonianos examinan su afrenta en retorcidos soliloquios y estudian los métodos de venganza, a la que llegan como consecuencia de un silogismo escolástico. Y surge siempre la inevitable comparación con el Otelo shakespeariano. Si aquéllos, como éste, matasen obcecados, en un arrebato de pasión, el drama sería humano y legítimo; pero a los maridos calderonianos más que los celos los mueve "el punto de honra". No matan, pues, sino por conservar la opinión social; y como además, según hemos visto, dudan de este principio, su acción criminal consiste en un sacrificio ofrecido a un vano ídolo. Si creyesen al menos, sería ésta una razón tan poderosa como los celos mismos; porque el amor propio o el respeto social son pasiones como otras cualesquiera.

También Menéndez Pidal enfrenta este problema, aunque dudamos que lo resuelva por entero. La venganza marital —nos dice— es independiente de los celos: "La muerte que Otelo da a Desdémona nada tiene que ver con la que Almeida da a doña Leonor en *A secreto agravio*: la una es por celos, la otra por honor, y ambas pasiones tienen campo diferente en el teatro. Calderón, que tantos dramas de honor escribió, compuso también comedias de celos; *Celos, aun del aire, matan* se titula una de ellas, y no olvidemos la principal, *El mayor monstruo los celos,* donde se estiliza la pasión dándole una espiritualidad y una nobleza de que la pasión de Otelo carece. Ahora bien, la honra puede hallarse complicada con los celos, pero puede existir desligada por completo de ellos, y por lo común sin ellos se manifiesta" [85]. La aclaración es muy importante; la diferencia entre los dramas de celos y los de honor queda puntualizada, con lo que la tragedia del moro shakespeariano no nos sirve, evidentemente, de pauta para medir los dramas de honor de Calderón: son dos cosas distintas. Pero, a nuestro entender, es en las últimas palabras del maestro donde flaquea la defensa, en el hecho, precisamente, de que en los héroes de Calderón se encuentren los celos tan desligados de la honra que no aparezcan en absoluto; es esto lo que los hace tan inhumanos, es decir, tan inverosímiles: así consiguen aquellos personajes teorizar tan fríamente sobre su situación social respecto al honor, sin que les arrastre el natural sentimiento de todo hombre sano, al ver, o suponer, a la mujer que aman en brazos de un rival.

Creemos que es este cerebralismo artificioso con exclusión de toda pasión viva, más que las mismas soluciones trágicas en los dramas conyugales —Otelo sigue provocando nuestra admiración—, lo que aleja de nuestra completa aceptación actual estas obras, cuya artificiosidad ha sido denunciada tantas veces.

Aventuramos además otra explicación de esa falta de hondura humana, que hace quebrar a los dramas calderonianos "de celos" o "de honra". Su fallo no está sólo, como se dice siempre, en los fríos razonamientos ni en que se pre-

[85] Ídem, íd., págs. 148-149.

pare con tanto estudio la venganza; un marido burlado puede darle muchas vueltas en su cerebro a la situación y disponer con el mayor cuidado su crimen: ¿no hay casos a millones? Ahora bien: en ninguno de estos dramas calderonianos existe realmente el adulterio; la moral de la época no hubiera permitido llevar a escena, directa y flagrante, una violación del lazo matrimonial; no hay más que sospechas, nacidas además de casualidades o equívocos, a veces ridículos, preparados con mano de prestidigitador por el dramaturgo, para poner en pie el conflicto. Falta, pues, la causa dramática suficiente para disponer el ánimo del espectador a todo lo que venga. Por otra parte, la preocupación moral y cristiana del escritor le impide también —como hemos visto— admitir el punto de honra como razón para un asesinato, y por esto, aunque se lleve a cabo, pone en boca del parricida palabras que lo condenan, y dejan por tanto a salvo la moralidad de los principios. De donde resulta que, no habiendo auténticos motivos que puedan encender los celos, ni tampoco razones —íntimas o sociales— bastante poderosas para justificar el crimen, todo se esfuma en nubes de retórica.

Quizá resulte útil una confrontación. En *El alcalde de Zalamea* contemplamos sobre la misma escena la repugnante violencia del capitán que arranca de su casa a la hija de Crespo para satisfacer un momentáneo capricho. Cuando luego el alcalde castiga inexorable el desacato —no importa que sea como alcalde y con procedimientos más o menos legales; pudo hacerlo por sí mismo de una estocada—, el espectador aplaude arrebatado. Y nos preguntamos si el autor que supo trazar tan humanamente este drama, no pudo hallar en los celos fuerza suficiente. Veamos ahora *El médico de su honra,* por ejemplo. El marido don Gutierre comienza por venir en sospecha de su esposa merced a una casualidad pueril: al infante don Enrique se le cae la daga en la propia casa de Gutierre cuando va a visitar a doña Mencía, y Gutierre puede averiguar cúya es, porque advierte la identidad del repujado en la espada del infante; pero esto pase todavía. Don Gutierre duda, regresa inesperadamente en la noche, sorprende a su esposa que duerme en el jardín (era absurdo dormirse allí tras la sorpresa de la noche anterior; ni el más necio lo hubiera hecho), apaga la luz próxima y le habla al oído; doña Mencía, medio dormida aún, le confunde con el infante, es decir, no reconoce la voz de su marido, aunque éste le habla varias veces, ni le distingue en la oscuridad, que debía de ser muy completa; y don Gutierre queda con ello cerciorado de su desgracia. Después de esta escena —con todas sus bellísimas frases, su delicado lirismo, "su extraordinario encanto y misterio" y todas las excelencias que se quiera imaginar— nos preguntamos si cabe seguir tomando en serio aquella situación; cuanto sucede luego, montado sobre tan débil artilugio, no puede ya conmovernos humanamente: aunque las galas literarias sigan arrullándonos los oídos.

Veamos ya los dramas en detalle. Valbuena distingue en ellos los consabidos "momentos" de la evolución calderoniana. *El pintor de su deshonra* y *El médico de su honra* —imitado éste último muy de cerca de la obra del mismo título de Lope— giran aún en torno al ambiente costumbrista, como la deuda con Lope hace presumir claramente. El tema del honor se volatiliza ya en gran parte "entre joyas, metáforas y melancólico lirismo" en *A secreto agravio, secreta venganza,* para llegar al "ambiente más lírico y extrarrealista" en *El mayor monstruo del mundo,* leyenda del tetrarca Herodes y de su esposa Mariene.

En *El pintor de su deshonra* la causa de los celos está mejor fundada que en los restantes dramas. El pintor catalán Juan Roca casa con doña Serafina, enamorada anteriormente de otro caballero, don Álvaro, a quien se supone muerto en un naufragio. Pero don Álvaro aparece, descubre a su amada y la asedia de nuevo. En doña Serafina subsiste el viejo amor, pero resiste por deber. Don Álvaro va a buscarla a Barcelona, donde vive, y debido a una circunstancia de increíble puerilidad —uno de esos recursos con que Calderón desluce tantas veces las mejores situaciones— consigue raptarla en la playa y llevarla consigo a Nápoles. Disfrazado y en hábito de pintor, les sigue Juan Roca, que merced a otra casualidad inefable llega hasta su esposa y la mata, en unión de su amante, de un pistoletazo. El doble asesinato se produce en presencia de los padres de ambos amantes, pero a don Juan se le permite escapar porque, como dice el padre del propio don Álvaro, muerto a sus pies, "quien venga su honor, no ofende". Mayor idealismo y conformidad no puede imaginarse.

El fundamento de los celos existe aquí —decíamos— y más que sobrado. No consta con exactitud si el adulterio se consuma, porque el idealismo de Calderón nos puede ofrecer las cosas más sorprendentes; a juzgar por las palabras que se oyen, diríamos que no, pero basta sólo pensar que ambos amantes, recíprocamente enamorados, viven unidos desde el momento del rapto de Barcelona. El desenlace sangriento es, pues, perfectamente natural y humano, mucho más que en los dramas restantes; pero Calderón, que tenía esta vez en las manos un celoso de buena ley, y justificado, no ahonda en él, y toda la obra se vuelca en el torrente de las puras anécdotas [86].

Calderón utiliza repetidamente el recurso de que los presuntos culpables hubiesen estado enamorados antes del matrimonio de la mujer, con lo que queda a salvo la dignidad de ésta, y se justifica sin desdoro su inclinación por el

---

[86] Cfr.: Bruce W. Wardropper, "The Unconscious Mind in Calderón's 'El pintor de su deshonra' ", en *Hispanic Review,* XVIII, 1950, págs. 285-301. Ernst Robert Curtius, "Calderón und die Malerei", en *Romanische Forschungen,* L, 1936, págs. 89-136. Leo Spitzer, "Eine Stelle in Calderóns Traktat über die Malerei", en *Neuphilologische Mitteilungen* (Helsingfors), XXXIX, 1938, págs. 361-370. A. Irvine Watson, "*El pintor de su deshonra* and the Neo-Aristotelian Theory of Tragedy", en *Bulletin of Hispanic Studies,* XL, núm. 1, 1963, págs. 17-34. Alexander A. Parker, "Towards a definition of Calderonian Tragedy", en *Bulletin of Hispanic Studies,* XXXIX, núm. 4, 1962. C. A. Soons, "El problema de los juicios estéticos en Calderón: *El pintor de su deshonra*", en *Romanische Forschungen,* LXXVI, núms. 1 y 2, 1964, págs. 155-162.

amante, con quien no pudo unirse por algún azar. Esto, que sucede en *El pintor de su deshonra,* se repite en *El médico de su honra*: el infante don Enrique, hermano de don Pedro el Cruel, había pretendido a doña Mencía, pero ésta, consciente de que es "para dama más — lo que para esposa menos", domina su amor hacia el infante y casa con don Gutierre. Un encuentro casual hace renacer el deseo de don Enrique y le mueve a reanudar sus pretensiones; ya vimos de qué modo surgen luego las sospechas del marido. Éste, no pudiendo atentar contra el amante por su condición de infante, mata sólo a su esposa, totalmente inocente; para ello recurre a un procedimiento bien poco artístico: llama a un cirujano, le ordena sangrar a su mujer y deja que ésta se desangre. Instantes después, estando aún doña Mencía muerta en su cama, en uno de esos finales galopantes y absurdos de nuestro teatro, don Gutierre da la mano de esposo a doña Leonor, antigua amada suya, a quien había dejado para casar con doña Mencía.

El drama, aun con todos estos excesos, tiene muchos momentos de interés. Su acción, dice Menéndez y Pelayo, "está perfectamente conducida, es de una sencillez sobria y severa, sin nada pegadizo ni extraño, con caracteres hermosísimos, aunque no profundos, y con una expresión a las veces sencilla y natural". No diríamos nosotros que la expresión sea sencilla y natural, si entendemos esto en el sentido de *El alcalde de Zalamea,* porque el drama rebosa de lirismo; pero en él encontramos sus mayores bellezas. Los caracteres son, en efecto, atrayentes, y no sólo los protagonistas, sino otros muchos secundarios, particularmente el de don Pedro, que conserva en el drama su silueta tradicional[87].

De nuevo unos amores anteriores dan ocasión para el drama de celos en *A secreto agravio, secreta venganza.* El vengador es ahora un caballero portugués, don Lope de Almeida; y un español, don Luis, quien provoca la tragedia. Don Lope asesina esta vez al pretendiente y a su propia esposa: al primero dándole de puñaladas y arrojándole al Tajo, y a la segunda prendiendo fuego a su casa y haciendo que muera en el incendio. El procedimiento estaba bien estudiado, porque como la ofensa —la supuesta ofensa, dado que

[87] Agustín González de Amezúa, "Un dato para las fuentes de 'El médico de su honra' ", en *Revue Hispanique,* XXI, 1909, págs. 395-411. A. D. Kosoff, "*El médico de su honra* and *La amiga de Bernal Francés*", en *Hispanic Review,* XXIV, 1956, págs. 66-70. Albert E. Sloman, "Calderón's *El médico de su honra* and *La amiga de Bernal Francés*", en *Bulletin of Hispanic Studies,* XXXIV, 1957, págs. 168-169. Bruce W. Wardropper, "Poetry and Drama in Calderón's *El médico de su honra*", en *Romanic Review,* XLIX, 1958, págs. 3-11. P. A. Touchard, "Calderón on Dramatic Action: à propos of *The Surgeon of his own honor*", en *Tulane Drama Review,* IV, núm. 2, 1959, págs. 108-109. C. A. Soons, "The convergence of doctrine and symbol in *El médico de su honra*", en *Romanische Forschungen,* LXXII, 1960, págs. 370-380. José R. Lomba y Pedraja, "El rey don Pedro en el teatro", en *Homenaje a Menéndez y Pelayo,* vol. II, Madrid, 1899, páginas 257-339. A. Irvine Watson, "Peter the Cruel or Peter the Just? A reappraisal of the role played by King Peter in Calderón's *El medico de su honra*", en *Romanistisches Jahrbuch,* XIV, 1963, págs. 322-346.

no hubo tampoco tal adulterio— había sido "secreta", "secreto" igualmente había de ser el castigo, para que éste no publicase el deshonor. De todos los dramas del grupo es éste donde los monólogos —a veces larguísimos— y las reflexiones del protagonista ocupan mayor espacio; don Lope, más que un carácter, es una representación simbólica del principio del honor, por el que vive atormentado, con lo que el drama más que de celos propiamente lo es "de honra" [88].

Los celos, en cambio, unos celos auténticos, provocan la tragedia del tetrarca Herodes en *El mayor monstruo del mundo*. La obra ha sido juzgada muy diversamente y no falta quien ha calificado de inverosímil e inhumana la pasión del tetrarca. No lo creemos así. Herodes está enamorado de manera arrebatada y profunda de su bellísima esposa Mariene; en las guerras civiles entre Octavio y Antonio toma partido por éste, y cuando conoce su derrota, ordena a un servidor que, en el caso de que él muera, mate a Mariene para evitar que caiga en poder de Octavio. El amor por su esposa es de tal fuerza, que tiene "celos del aire", no puede soportar la idea de que, muerto él, pueda ser presa de otro, y mucho más cuando averigua que su rival y vencedor, Octavio, se ha enamorado también de Mariene. Creemos que es ésta una de las contadas ocasiones en que Calderón tiene una auténtica pasión entre las manos; pero la echa a perder lastimosamente. Bastaba con desarrollar este carácter y esta pasión, pero el genio de Calderón estaba mal dotado para tales empresas. Creemos que Calderón no llegó a entender el verdadero sentido de la "fatalidad", tal como la encarna el drama moderno, es decir, en la forma que constituye la gloria de Shakespeare: una "fatalidad" que emana del carácter y que conduce inexorablemente a un desenlace. Para Calderón, en cambio, la fatalidad es un hecho externo, una especie de misteriosa, y gratuita, maldición lanzada por los astros o los hados: una maldición al modo romántico, a la manera del "sino" de don Álvaro, que es algo así como "tener la negra" sin saber por qué. Calderón, aunque no creyese en ellos, tenía gran afición por los hados y las estrellas, y basta ver las veces que los usa como condimento dramático; en vez de servirse de la "fatalidad" de los caracteres, que pocas veces acertó a crear, se vale de la "fatalidad" de los agüeros para dar a sus obras un misterioso halo de expectante tragedia, y de aquí la importancia primordialísima que tiene siempre en sus obras la casualidad. En *El mayor monstruo* es ésta, una vez más, la que dice la última palabra. Un agüero, en efecto, había vaticinado que Mariene moriría a manos del "mayor monstruo del

---

[88] Cfr.: Edward M. Wilson, "La discreción de don Lope de Almeida", en *Clavileño*, II, 1951, págs. 1-10. José M.ª de Cossío, "La 'secreta venganza', en Lope, Tirso y Calderón", en *Fénix*, núm. 4, Madrid, 1935, págs. 501-515. Del mismo, "El celoso prudente y *A secreto agravio, secreta venganza*", en *Boletín de la Biblioteca Menéndez y Pelayo*, V, 1923, págs. 62-69. Sherman Eoff, "The sources of Calderón's *A secreto agravio, secreta venganza*", en *Modern Philology*, XXVIII, 1931, págs. 297-311. Edwin Honig, "The Seizures of Honor in Calderón", en *Kenyon Review*, XXIII, 1961, págs. 426-447.

mundo", los celos. Temiendo que su puñal pudiese ser el instrumento de tan fatal pronóstico, intenta Herodes deshacerse de él, pero torna siempre a sus manos por los más extraños modos, algunos bien grotescos. Al fin, en la postrera escena, Herodes mata a Mariene con su propio puñal..., pero sin querer, con lo que la tragedia pierde todo sentido: queriendo matar a Octavio, a quien sorprende requiriendo a Mariene, apuñala a ésta porque se apagan en ese instante las luces —¿cuántas veces se apagan las luces en el teatro de Calderón?— y se confunde de persona [89].

LAS COMEDIAS DE CALDERÓN

Estructura y evolución. Forman las comedias el grupo más numeroso de su teatro y son las más notables las de costumbres, llamadas generalmente "de capa y espada", y también "de intriga" o "de enredo". Si las inverosimilitudes y casualidades pueden irritarnos en cualquiera de los géneros anteriores, en las comedias de costumbres no sólo deben ser aceptadas como cosa natural, sino admiradas y aplaudidas en lo que tienen de ingenio fértil, de travieso enredo y cómica desenvoltura. El autor, al igual de todos los de su tiempo, desde Lope, que cultivaron esta modalidad, nos sitúa premeditadamente dentro de un mundo teatral con medidas propias, que sólo la pedantería más necia puede rechazar; es un juego escénico, y para entrar y participar en él hay que aceptar las reglas de ese juego. Dentro de él caben todos los lances, recursos y elementos capaces de animar una intriga y sostener el interés hasta un final feliz. La verosimilitud tiene unos límites muy amplios. Y, sin embargo, son en su conjunto el fiel espejo de una sociedad, con sus costumbres, ideas, convencionalismos y pasiones, aunque en las manos de Calderón queden siempre idealizadas con un halo de heroísmo y nobleza que las sublima.

Todas estas comedias, variadísimas en su trama y accidentes, son, sin embargo, idénticas en su estructura esencial. Menéndez y Pelayo ha trazado, sin ánimo peyorativo, su esquema: un caballero noble, valiente y pundonoroso, propenso a la ira y fácil en dar cuchilladas, pero rendido a los pies de la beldad que adora; una dama soltera, huérfana de madre —jamás hay madres en nuestro teatro y mucho menos en el de Calderón—, sometida a la tutela de su padre, hermano o tutor (dama esforzada y varonil, porque hay dificultades que vencer, sobre todo la vigilancia de sus guardianes; no muy sensible ni apasionada, movida más por celos y amor propio que por el amor propiamente dicho); un gracioso, que cumple su conocido papel, y una criada de la dama. El amor es la pasión dominante, amor lícito y honesto entre personas libres, que acaba siempre en matrimonio. Para que el enredo sea posible, existe siem-

[89] Cfr.: Everett W. Hesse, "Obsesiones en *El mayor monstruo, los celos* de Calderón", en la revista *Estudios,* VIII, 1952, págs. 395-409. Del mismo, "El arte calderoniano en *El mayor monstruo, los celos*", en *Clavileño,* núm. 38, 1956, págs. 18-30.

pre por lo menos otra serie —o varias— de personajes paralelos, entre los cuales se entretejen todas las combinaciones: celos, equívocos, rivalidades. La repetición del dispositivo dramático no representa una mengua para el poeta, porque la habilidad para complicar el enredo, multiplicar los lances y renovar las situaciones la posee Calderón en grado eminentísimo e inagotable [90].

Este dominio de Calderón llega a convertirse, a fuerza de virtuosismo, en fórmula, con estilización cada vez más creciente de tipos y actitudes; la capacidad ordenadora y constructiva de Calderón, encuentra para su comedia de costumbres un auténtico esquema, que funciona, se enreda y se resuelve con precisión de fórmula matemática. De donde aquellas comedias vienen a adquirir carácter tan inconfundible, que no son menos calderonianas que sus dramas filosóficos, trágicos o de honra.

También en estas obras puede encontrarse una evolución paralela a la señalada para los dramas. En un primer período sigue de cerca los pasos de Lope y Tirso particularmente; hay entonces mayor variedad en la construcción, menos formulismo, más atención a los rasgos cómicos y psicológicos. Características de esta época son las comedias *El alcaide de sí mismo, Hombre pobre todo es trazas* y *El astrólogo fingido.* Pronto evoluciona Calderón hacia la plenitud de su estilo, que cuenta entre sus logros mejores *La dama duende* y *Casa con dos puertas mala es de guardar.* Estas comedias "de capa y espada" recogen preferentemente costumbres de la que podría llamarse clase media; sus protagonistas son nobles, pero no demasiado elevados. En cambio, un tercer grupo que puede denominarse de comedias "palacianas" o "palaciegas" se desarrolla en los elevados ambientes de corte, y sus personajes, nobles de alta alcurnia, permiten a Calderón desarrollar la plenitud de sus discreteos y afinar la poetización estilizada de su "segunda época". No se sitúan necesariamente estas obras en la corte española, sino más bien en otras de Europa, y con preferencia en las ducales italianas; *Dicha y desdicha del hombre, Mujer, llora y vencerás, El acaso y el error, Las manos blancas no ofenden,* representan esta modalidad. Adviértase que, como en los dramas, la diferenciación en épocas lo es más en "estilos", por lo que no es posible trazar barerras cronológicas concretas; aunque siempre el segundo estilo predomina en la edad madura del autor [91].

---

[90] *Calderón y su teatro,* cit., págs. 273 y ss.

[91] Cfr.: A. W. Atkinson, "La comedia de capa y espada", en *Bulletin of Spanish Studies,* 1927. Anita Lenz, "La source d'une comédie de Calderón: 'Para vencer a amor, querer vencerle' ", en *Revue Hispanique,* LIII, 1921. S. N. Treviño, "Nuevos datos acerca de la fecha de 'Basta callar' ", en *Hispanic Review,* IV, 1936. Max Oppenheimer, "The Burla in Calderón's *El astrólogo fingido*", en *Philological Quarterly,* XXVII, 1948. Santiago Montero Díaz, "Notas sobre *La hija del aire*", en *Las Ciencias,* núm. 1, Madrid, 1936. J. R. Schrek, "*El sitio de Breda,* comedia de don Pedro Calderón de la Barca; edición crítica y estudio", Instituto de Estudios Hispánicos, La Haya, 1957.

Comedias mitológicas. Valbuena Prat nos ha enseñado a valorar las comedias mitológicas de Calderón con un nuevo criterio. Estas comedias, compuestas para recreo de los reyes y de la corte, se representaban en Palacio o en los "reales sitios" y contaban como componente esencial con todos los recursos escenográficos de la época —portentosamente desarrollados ya— que en tales circunstancias y ambientes se prodigaban con derroche. Esta importancia de la parte espectacular ha conducido a definir las comedias mitológicas calderonianas —así lo hizo Menéndez y Pelayo— como aparatosos dramas de espectáculo, en los que "el poeta queda siempre en grado y en categoría inferior al maquinista y al pintor escenógrafo", y en las cuales "más se atendía al prestigio de los ojos que a la lucha de los afectos y los caracteres y a la verdad de la expresión"[92].

No sólo la escenografía, en su doble dirección pictórica y arquitectónica, sino la música, el canto y la danza —combinados con la poesía— entran a formar parte de estas comedias, en las que Calderón pretende hacer colaborar a todas las artes. Semejante fusión ha sido definida por Valbuena Prat de esta manera: "Riqueza formal, arquitectura dramática, ideas y musicalidad realzan un género original y nuevo, del que puede considerarse a Calderón como el verdadero creador, y que se aproximan al mundo musical de los siglos siguientes"[93]. Y a continuación, aludiendo a *La hija del aire* —afín al grupo mitológico en muchos aspectos, aunque no pertenezca a él por el asunto y condición de sus personajes— afirma que dichas obras se mueven en un ambiente "de poesía alejada del costumbrismo", palabras estas últimas que deben ser especialmente retenidas. En una palabra: Calderón crea un género en el que lo específicamente literario, aunque sirva de aglutinante y de germen inspirador del espectáculo, no reina en exclusiva, ni mucho menos pretende apresar una porción de la realidad, sino servir los derechos —siempre indiscutibles— de la fantasía y alimentar el goce estético del espectador por los varios caminos de artes diferentes. Calderón apunta, pues, o, mejor dicho, camina las primeras jornadas de lo que vino a ser luego la moderna concepción del espectáculo integral, especialmente de la ópera, que en el siglo XVIII adquiere ya la máxima categoría escénica. Por esto puede decir Valbuena que "como en los autos, Calderón, que dirigía el conjunto del espectáculo, se anticipaba a la concepción del teatro, como síntesis de todas las artes, de Wagner"[94].

Nuestros dramaturgos del Siglo de Oro entendieron —en medida muy superior a lo que imagina la erudición de nuestros días— el enorme valor del componente espectacular en el teatro, y comprendieron profundamente que en el complejo teatral tan sólo una porción era literatura. Por esto, se sirvieron —hasta el límite de lo que permitían la escena y los recursos de su tiempo—

---

[92] *Calderón y su teatro,* cit., pág. 285.

[93] *Historia de la literatura española,* cit., vol. II, pág. 555.

[94] *Calderón...*, cit., pág. 171.

de todo el movimiento dramático capaz de encadenar la atención por el camino de la emoción espectacular: recurso, pues, no específicamente literario. Cientos y cientos de comedias representan batallas, asaltos, naufragios, matanzas, caballos que se precipitan; Tirso lleva a escena en varias ocasiones corridas de toros. Sólo que no pudiendo hacer visible toda esta acción apasionante, la suponen entre bastidores y, dejándonos tan sólo oir su estruendo, ponen su relato en boca de un testigo: de aquí el valor de la palabra. Pero es seguro que, de haberles sido posible, la hubieran hecho plástica en toda su magnitud. Este portento estaba reservado al cine de nuestros días, y en haberlo logrado reside toda su diferencia con el teatro. Nuestros dramaturgos áureos "hicieron cine" en la medida que pudieron. Era difícil en los corrales por lo apretado del presupuesto y porque los avances de la escenografía fueron lentos. Calderón, en cambio, dispuso de fondos generosos, otorgados por el favor y la pasión del rey por el teatro, y de todos los recursos de la tramoya, puesta ya por entonces en un punto de asombrosa perfección, debido en especial a la inventiva de los italianos. Suele afirmarse que Calderón confeccionaba estos espectáculos para satisfacer el ansia de placeres banales de la corte; pero tales comedias no eran tanto una concesión, como el afán de aprovechar unas posibilidades escénicas, de que nadie había dispuesto hasta entonces, para intentar un nuevo género de espectáculo. Y los asuntos mitológicos, desligados de toda tiranía de la realidad, eran los más oportunos para los juegos de la fantasía.

En cuanto al modo de interpretar aquellas fábulas de la antigüedad es también necesario instalarse en la mentalidad de Calderón. Menéndez y Pelayo le reprochaba al dramaturgo el haberlas falsificado: "vano sería —dice— buscar en estas obras nada del espíritu de la teogonía helénica, nada del carácter que los griegos pusieron en sus divinidades. Son unos dioses del Olimpo enteramente distintos de como estamos acostumbrados a imaginarlos. Son caballeros galantes y cortesanos, lo mismo que los héroes de las comedias de capa y espada" [95]. Valbuena, por el contrario, ha comprendido el alcance de la tarea calderoniana: "Calderón —afirma— veía en los asuntos mitológicos más la idea capital que las incidencias. Concebía tales dramas tendiendo a interpretar lo esencial poético y filosófico; la fábula como lírica y como moralidad" [96]. Y tratando de hacernos comprender mejor estas comedias por comparación con formas dramáticas contemporáneas, escribe: "representan una porción considerable del Calderón más genuino, un procedimiento muy cercano al del arte escenográfico actual y al del drama musical moderno. La forma libre, anacrónica, esencial y no detallista de tratar las fábulas de la antigüedad está mucho más cerca de la posición de un Gide (en el *Prometeo mal encadenado*) o de Cocteau (en el *Orfeo*) que de la sujeción al patrón clásico de las tragedias mitológicas de Racine" [97].

---

[95] *Calderón y su teatro*, cit., pág. 285.
[96] *Calderón...*, cit., pág. 170.
[97] Ídem, íd., pág. 169.

Casi es inútil puntualizar que la mayoría de estas comedias, tan alejadas de todo "realismo" y "costumbrismo", pertenecen a la segunda época del poeta, y en todas ellas, a más del valor espectacular a que nos hemos referido especialmente, abundan los valores poéticos, la riqueza imaginativa y hasta los rasgos de aguda intuición psicológica. Merecen destacarse *Eco y Narciso* sobre la fábula de éste último; *Ni Amor se libra de amor,* sobre el mito de Psiquis y Cupido; *El mayor encanto, amor,* sobre Ulises y Circe; *La fiera, el rayo y la piedra,* sobre las durezas de Anajarte y el amor correspondido, "obra cumbre —dice Valbuena— en la historia de la escenografía española"; *La estatua de Prometeo,* una de las mejores del grupo, sobre el mito de este personaje; *Apolo y Climene* con su continuación *El hijo del sol, Faetón,* etc." [98].

LOS AUTOS SACRAMENTALES

El "auto sacramental". Puede definirse como representación dramática en un acto o jornada, de carácter alegórico y referente al misterio de la Eucaristía, que tenía lugar en el día de la festividad del Corpus. Pero esta definición, exacta evidentemente, y que sirve sobre todo para definir el género en el momento de su apogeo en manos de Calderón, no deja de ofrecer problemas cuando se trata de comprender los "autos" en su origen y diversas etapas de su desarrollo.

---

[98] Cfr.: Ángel Valbuena Prat, "La escenografía de una comedia de Calderón", en *Archivo Español de Arte y Arqueología,* núm. 16, Madrid, 1930, págs. 1-16. José Subirá, *La participación musical en el antiguo teatro español,* Barcelona, 1930. Gilbert Chase, "Calderón as opera librettist", en *The music of Spain,* 2.ª ed., Nueva York, 1959, páginas 99-102. W. G. Chapman, "Las comedias mitológicas de Calderón", en *Revista de Literatura,* V, Madrid, 1954, págs. 35-67. Pierre Paris, "La Mythologie de Calderón: 'Apolo y Climene', 'El hijo del sol, Faetón'", en *Homenaje a Menéndez Pidal,* I, Madrid, 1925, págs. 557-570. N. D. Shergold, "The first performance of Calderón's 'El mayor encanto, amor", en *Bulletin of Hispanic Studies,* Liverpool, XXXV, 1958, páginas 24-27. Henry M. Martin, "Corneille's 'Andromède' and Calderón's 'Las fortunas de Perseo'", en *Modern Philology,* XXXIII, 1925-1926, págs. 407-415. Del mismo, "The Perseus Myth in Lope and Calderón with some references to their sources", en *PMLA,* XLVI, 1931, págs. 450-460. Del mismo, "The Apollo and Daphne Myth as treated by Lope de Vega and Calderón", en *Hispanic Review,* I, 1933, págs. 149-160. Everett W. Hesse, "The 'terrible mother' image in Calderón's 'Eco y Narciso'", en *Romance Notes,* vol. I, núm. 2, 1960, págs. 133-136. Del mismo, "Estructura e interpretación de una comedia de Calderón: 'Eco y Narciso'", en *Boletín de la Biblioteca Menéndez y Pelayo,* XXXIV, 1963, págs. 57-72. E. M. Wilson, "The text of Calderón's 'La púrpura de la rosa'", en *Modern Language Review,* LIV, 1959, págs. 29-44. P. Groult, "Sur *Eco y Narciso* de Calderón", en *Les Lettres Romanes,* XVI, III, 1962, págs. 103-113. Edmond Cros, "Paganisme et Christianisme dans 'Eco y Narciso' de Calderón", en *Revue des langues romanes,* LXXV, 1962, págs. 39-74. Joseph G. Fucilla, "Etapas en el desarrollo del mito de Ícaro en el Renacimiento y en el Siglo de Oro", en *Hispanófila,* VIII, 1960, págs. 1-34.

Alexander Parker, uno de los más calificados estudiosos de los autos sacramentales, hace notar las diferencias de criterio existentes acerca del contenido de estas obras; así, Bonilla y Fitzmaurice-Kelly afirman que el *tema* de los autos es *exclusivamente el dogma de la presencia eucarística*; el padre Aicardo asegura que *la materia eucarística no era esencial al auto ni lo fue nunca en ninguna época de su historia*; por su parte, Valbuena Prat, en actitud ecléctica, sostiene que el auto se refiere *generalmente* a la comunión. Parker aclara que la confusión sólo puede resolverse distinguiendo entre la concepción calderoniana del auto y la de sus predecesores [99]. En su *Loa entre un villano y una labradora* Lope nos da una definición del auto sacramental:

Y ¿qué son autos? —Comedias
a honor y gloria del pan,
que tan devota celebra
esta coronada villa,
porque su alabanza sea
confusión de la herejía
y gloria de la fe nuestra,
todas de historias divinas [100].

Lope distingue, pues, entre el *asunto* de los autos y el *motivo* de su representación; el dramaturgo podía tomar un argumento cualquiera en las "historias divinas" y hacer representar su obra en honor de la Eucaristía en el día de su conmemoración específica. La relación entre el tema de la obra y la fiesta podía, en consecuencia, ser muy tenue, pues importaba tan sólo que la representación fuera en alabanza y gloria del Sacramento. Para Lope la materia eucarística no es esencial al auto.

Por el contrario, lo peculiar de Calderón consistió en crear, para sus obras sacramentales, una estrecha conexión teológica entre la fiesta y la obra representada, haciendo del tema eucarístico base esencial de ésta.

En el prólogo a su edición de doce autos sacramentales en 1677 [101] indica Calderón que hay que distinguir entre el *asunto* y el *argumento* de los autos; el *asunto*, o *tema*, ha de ser siempre la Eucaristía, pero el *argumento* puede

---

[99] Cfr.: Alexander A. Parker, "Los dramas alegóricos de Calderón" (traducción, fragmentaria, al español de su libro *The Allegorical Drama of Calderón*, Oxford-London, 1943), en *Escorial*, núm. 42, abril 1944, págs. 163-225. Los trabajos aludidos por Parker son: A. Bonilla y San Martín, *Las Bacantes o los orígenes del teatro*, Madrid, 1921. J. Fitzmaurice-Kelly, *A New History of Spanish Literature*, London, 1926. J. M. Aicardo, "Autos sacramentales de Lope de Vega", en *Razón y Fe*, XIX-XXXIII, 1907-1908. A. Valbuena Prat, "Los autos sacramentales de Calderón (clasificación y análisis)", en *Revue Hispanique*, LXI, 1924, págs. 1-302.

[100] *Obras*, edición de la Academia, vol. II, 1892, pág. 141.

[101] Reproducido por A. Valbuena Prat, en *Calderón de la Barca. Autos sacramentales*, II, Clásicos Castellanos, 4.ª ed., Madrid, 1958, págs. 3-5.

variar de un auto a otro: el dramaturgo puede servirse de cualquier *historia divina* —histórica, legendaria o ficticia—, siempre que sirva para arrojar algo de luz sobre alguna faceta del *asunto*. En consecuencia, pues, aunque éste es único, son abundantísimos los argumentos que pueden ilustrar el tema eucarístico. Debido a la muy estrecha conexión que tiene este dogma con todos los demás, el escritor puede escoger en el ancho campo de la dogmática y de la teología moral, con todas sus ramificaciones apologéticas, éticas, hagiológicas, etc.

En la definición del auto sacramental hemos mencionado un segundo aspecto: su carácter alegórico o simbólico. Ignacio de Luzán, en el siglo XVIII, atribuyó esta característica a los autos, pero los escasos tratadistas que se ocuparon de ellos durante el siglo XIX apenas hicieron hincapié en aquella condición. En cambio, Ángel Valbuena Prat al emprender, en nuestros días, la nueva valoración del auto, insiste en la alegoría como componente esencial: "Introducimos —dice— en la usual definición un nuevo elemento: el del *alegorismo*. Indudablemente este aspecto se ha hecho esencial en la auténtica madurez del género. La *alegoría* es, sin duda, lo que caracteriza el auto. Sean sus personajes de la realidad histórica o creados por la fantasía del autor, el sentido indirecto y mediato está escondido siempre en sus acciones" [102]. El propio Calderón había señalado también la importancia de la alegoría para la definición del auto; en la loa de *La segunda esposa*, un labrador que llega a Madrid en el día del Corpus, asombrado por todo lo que ve, pregunta a una labradora qué son aquellos *carros* donde los autos han de representarse, y aquélla refiriéndose a éstos, le responde:

> *Sermones*
> *puestos en verso,* en idea
> *representable cuestiones*
> *de la Sacra Teología,*
> *que no alcanzan mis razones*
> *a explicar ni comprender,*
> *y al regocijo dispone*
> *en aplauso de este día* [103].

Menéndez y Pelayo se preguntaba acerca de la licitud, y aun de la posibilidad, de llevar ideas abstractas, conceptos filosóficos y teológicos, personajes simbólicos y alegorías al terreno de la dramática; y su concepto realista del arte literario, propio de su tiempo, le hacía responder que no. Con todo, claro es que admitía la existencia de los autos como un hecho incontrovertible, aunque singularísimo y extraño: "el drama sacramental —decía— es fruto exclusivo de la literatura española; es más: me atrevo a sostener que el drama teológico

---

102 *Autos sacramentales,* II, cit., pág. XVII.
103 Citado por Parker en "Los dramas alegóricos...", cit., pág. 169.

no se ha dado en ninguna literatura, antes ni después de la nuestra" [104]. Pfandl repite esta misma afirmación —"son los únicos dramas verdaderamente simbólicos de la literatura universal"— después de haber fijado el lugar que, como tales, les corresponde: "Los misterios medievales —dice— no intentaron nunca ni en ninguna parte convertir un dogma, es decir, un artículo de fe propuesto por la Iglesia, en centro y objetivo de una representación teatral; nunca se había ensayado el hacer sensible, enseñar y profundizar el dogma por medio del drama. Por esta sola razón los autos sacramentales no deben ser comparados con los misterios, y mucho menos ser considerados como su continuación o su renovación" [105].

Parker explica la razón de que el auto sacramental adoptara la forma de representación alegórica, para lo cual le basta con glosar la definición de Calderón: los autos son *sermones*, es decir, una forma de instrucción, que aquí no tratan sólo de moral, sino del dogma; y no son sermones ordinarios, sino puestos en verso y convertidos en poesía dramática, en *idea representable*, con el fin de lograr un efecto no sólo auditivo, sino también visual; puesto que los dogmas como tales están más allá de los límites de la experiencia y existen sólo como ideas y el propósito del dramaturgo es enseñar Teología por medio del teatro, tiene forzosamente que dramatizar ideas y no acciones humanas: "Los dogmas —añade— están basados en sucesos históricos —la caída del Hombre, el Nacimiento y la Pasión de Cristo, etc.—; pero son ideas abstraídas de los sucesos para explicar lo que éstos significan realmente. Los sucesos, por sí solos, no expresan los dogmas, y por lo tanto no enseñan Teología. Si el dramaturgo tuviese que reproducir en el escenario, como lo hicieron sus predecesores medievales, los acontecimientos de la Vida de Cristo, no instruiría en el dogma de la Redención, lo que solamente podría hacerse por medio de uno de los personajes que comentase el significado de los sucesos representados en la escena. Esto es lo que Calderón quiere evitar a toda costa, ya que entonces su *sermón* se divorciaría de la acción dramática... Un sermón representado posee un mayor valor didáctico que un sermón predicado. Es mejor demostrar a un auditorio el significado de la Redención que hablarle de ese significado; y esto es lo que los *autos* de Calderón se proponen hacer. El dogma de la Redención comprende varias ideas: la pérdida de la Gracia por el Hombre; su sujeción al pecado; su imposibilidad de reconquistar el favor de Dios por sus propios medios; lo inadecuado, por tanto, del judaísmo y de toda otra religión precristiana como medio de salvación; la Encarnación; el sacrificio propiciatorio de Cristo. Por lo tanto, para que el dogma pueda ser dramatizado, la Humanidad, la Gracia, Satán, el Pecado, el Judaísmo, el Paganismo y Dios mismo habrán de convertirse en personajes dramáticos" [106].

---

[104] *El teatro de Calderón*, cit., "Conferencia tercera. Autos sacramentales", pág. 134.

[105] Ludwig Pfandl, *Historia de la Literatura Nacional Española en la Edad de Oro*, Barcelona, 1933, pág. 471.

[106] "Los dramas alegóricos...", cit., págs. 172-173.

No era sólo la necesidad de hacer más fácilmente inteligibles los conceptos abstractos lo que exigía el uso de la alegoría; existía además una larga tradición escrituraria —patrística y medieval— que gustaba de interpretar simbólicamente los libros sagrados y buscar en ellos prefiguraciones proféticas del Mesías; a lo cual se sumaban aun los símbolos poéticos libremente imaginados y el simbolismo mitológico que tomaba figuras de la historia antigua o de los dioses paganos "como anuncio de determinados rasgos de la doctrina cristiana de la salvación"[107]. Añádase finalmente el gusto por el arte alegórico que estaba en el aire de la época y que informa una parte tan extensa de la plástica y de la literatura barroca; piénsese —son sólo un ejemplo— en los grandes poemas de Góngora, en la pintura de Valdés Leal y de Pereda (fuera de España es de particular significación a este respecto la obra de Rubens, autor de tantos cuadros alegóricos y mitológicos); la misma narrativa había acogido esta tendencia, apuntada ya por Mateo Alemán, y que tiene su máximo exponente en la novela alegórico-filosófica de Gracián, *El Criticón*.

Paralelo al empleo de la alegoría está el carácter literario que adopta el auto sacramental como género en sí mismo. Se trataba en realidad, como dice Pfandl, de vestir poéticamente los dogmas y las ideas religiosas y de prestarles la fuerza, no sólo intelectual, sino también afectiva que los llevara hasta el entendimiento y la sensibilidad del espectador; hacer gustosa, gracias a lo atractivo de la forma, la sequedad de los conceptos teológicos. Y esto, no bajo la forma de poesía para ser leída reflexivamente y a solas, sino convertido en un brillante espectáculo, en una representación pública y solemne, donde se hacían participar todos los recursos —música, decoración, maquinaria— que pudiesen contribuir a su fastuosidad y belleza. Es necesario hacer hincapié acerca de la importancia excepcional que tuvo en la representación de los "autos" la parte escenográfica, hasta alcanzar —sobre todo en las producciones de los últimos años de Calderón— carácter de auténticas apoteosis; bajo el aspecto escenográfico los autos vinieron a ser los equivalentes en el teatro religioso de las brillantes escenificaciones de las comedias mitológicas en las fiestas reales. Este aparato impresionante, que inspiraba el deseo de honrar al Sacramento, resultaba posible por el subsidio económico recibido de los fondos públicos, de las corporaciones encargadas del mantenimiento de las fiestas, de los gremios de artesanos, de particulares, etc. Las ciudades competían con crecientes esfuerzos en superar a las demás en la magnificencia de sus autos, asignando cantidades cada vez mayores y tratando de asegurarse la colaboración de los más famosos autores y representantes; a éstos se les exigía exhibirse con gran ostentación y estrenar cada año vestiduras nuevas.

Para la representación se disponía de tablados fijos y de unos carros móviles que se adosaban al tablado; con ello se aumentaba la superficie disponible y la capacidad para el juego de la tramoya. Estos carros eran propiedad del

[107] Pfandl, *Historia...*, cit., pág. 481.

Ayuntamiento, se guardaban en lugares especiales y se preparaban con gran secreto, prohibiendo el acceso a los curiosos, para hacer más eficaz la novedad de los artificios. En comparación con esta riqueza escénica, las habituales representaciones de los "corrales" resultaban pobres y casi desnudas de aparato [108].

Menéndez y Pelayo se preguntaba —y muchos han repetido la pregunta— cómo semejantes obras dramáticas, tan escasas de interés argumental como atiborradas de conceptos, de sutilezas doctrinales y de abstrusos problemas teológicos, dificultados aún más por la alegoría y el estilo de Calderón, podían no sólo retener, sino hasta apasionar a una multitud; el mismo Menéndez y Pelayo admite que "la popularidad de los autos fue superior, con mucho, a la de los dramas más trágicos y a la de las más deliciosas comedias de enredo" [109]. A esto suele responderse que España era entonces un pueblo de teólogos y otras cosas de este jaez, harto conocidas. No pretendemos negarlo; con todo, estamos persuadidos de que la aparatosa escenografía de los autos era razón muy esencial de su popularidad, pues la magnificencia del espectáculo y lo sorprendente de sus efectos escénicos, siempre renovados —ya que los autos eran diferentes cada año—, debía de embobar a las sencillas multitudes de aquella época. Las grandes representaciones de la corte eran desconocidas fuera de ella, y los autos ofrecían al pueblo la ocasión de un espectáculo que no tenía rival [110].

---

[108] Sobre la escenografía de los autos es fundamental la obra de E. Schmidt, *El auto sacramental y su importancia en el arte escénico de la época,* Madrid, 1930. Cfr. además: M. Latorre y Badillo, "Representación de los autos sacramentales en el período de su mayor florecimiento", en *Revista de Archivos,* XV, 1911. Ronald B. Williams, *The Staging of Plays in the Spanish Peninsula Prior to 1555,* Iowa City, 1935. José Yxart, *El arte escénico en España,* 2 vols., Barcelona, 1894-1896. Hugo A. Rennert, *The Spanish Stage in the Time of Lope de Vega,* Nueva York, 1909.

[109] *El teatro de Calderón,* cit., pág. 133.

[110] En un estudio, verdaderamente luminoso, sobre el "auto sacramental", Marcel Bataillon se ocupa de varios aspectos generalmente omitidos por todos los tratadistas. Con testimonios y razones de gran solidez, examina Bataillon la parte importantísima que tuvo el "auto" como mera diversión popular —aparte los motivos religiosos que originariamente lo promovieron—. Con ello —aunque apenas roza este aspecto— apoya nuestro convencimiento sobre la sugestión enorme que todo aquel aparato, entonces prodigioso, tenía que ejercer sobre el espectador. Podían muy bien soportarse largas exposiciones teológicas, sin entenderlas demasiado, a cambio de contemplar cómo se abrían, sucesivamente, cuatro globos colocados en otros tantos carros multicolores, y salía de ellos "una mujer, caballera en un león corpóreo", otra "caballera en una salamandra", una tercera "en un delfín" y una cuarta "en un águila", igualmente corpóreos (véase la "Memoria de las apariencias" que Calderón antepone, como instrucciones escenográficas, a su "auto" *La vida es sueño.* Edición Valbuena, citada, I, pág. 126). Bataillon se extiende, en cambio, en otros dos aspectos de parejo interés: uno, la organización económica que regía y favorecía la celebración de los "autos"; otro, la simbiosis de orden técnico, profesional y, por descontado, también económico, que existía entre la farándula profana y las representaciones sacramentales. Todo lo cual no invalida, naturalmente, la significación y valor artístico de los "autos", aunque la consideración de aquellos as-

Por otra parte, sería igualmente vano negar, o ni siquiera disminuir, la más genuina significación religiosa de los autos, al menos para una minoría —aunque para gran parte del vulgo no fueran sino una fiesta bulliciosa—, y sobre todo en relación con el espíritu que les dio origen e hizo posible su existencia. "No sé —escribe Pfandl— si sería mejor hablar en este caso de una forma de culto que no de un drama" [111]. Y glosando, probablemente, este mismo concepto, escribe Parker: "Los temas de los *autos* son 'cuestiones de la Sacra Teología'; su propósito es 'el aplauso de este día'. Son una parte de la pública celebración de la fiesta, pero no una parte desconectada. No celebran la fiesta a la manera que pudieran hacerlo los estudiantes de una Universidad, representando una comedia de Séneca con motivo de una visita regia. Son una parte integral de las festividades religiosas, teniendo en su asunto una íntima relación con la fiesta, y siendo, como así lo eran, una contribución al oficio litúrgico de la Iglesia. Su propósito específico es el 'aplauso' del Sacramento. Son, por lo tanto, y en primer lugar, litúrgicos o semi-litúrgicos en un grado que no alcanzaron nunca las comedias del Corpus de la Inglaterra medieval o de cualquier otro país. Aunque no directamente, una forma de adoración era la contribución del pueblo a las celebraciones litúrgicas, pudiendo ser considerados como una forma paralela a la del culto oficial de la Iglesia. De ahí un detalle de la escenificación que llamaba la atención de los visitantes extranjeros: los cirios encendidos en la escena o detrás de ella, aunque los autos se representasen a plena luz del día. De ahí también la suntuosidad de los atuendos, la música, la total nota de 'regocijo' en la que Calderón hace hincapié con tanta insistencia" [112]. Y luego: "Todo esto debe ser recordado cuando se leen los *autos*. Es necesario, no solamente reconstruir con la imaginación, como nos pide Calderón, el artificio completo de la producción —'lo sonoro de la música' y 'lo aparatoso de las tramoyas'—, sino también recrear la atmósfera litúrgica, de la que los *autos* formaban parte. No son solamente teología dramatizada, son también obras de devoción. A menos de comprender y sentir esto, una gran parte de la fuerza compulsiva de los autos se perderá" [113].

---

pectos estremece en igual medida a la erudición literaria y a la "espiritual". Bataillon nos previene contra ello: "Un amante de la poesía —dice— seguirá sensible a la grandeza de un auto calderoniano incluso cuando se ha preguntado sobre las condiciones que llevaron a Calderón a escribirlo". El trabajo de Bataillon, "Ensayo de explicación del 'auto sacramental' ", publicado originalmente en *Bulletin Hispanique*, XLII, 1940, págs. 193-212, ha sido reproducido, vertido al español, en su libro de miscelánea, *Varia lección de clásicos españoles*, Madrid, 1964, págs. 183-205 (citamos por esta edición). Sobre el "pueblo teólogo", cfr.: J. M. Aicardo, "Autos anteriores a Lope de Vega", en *Razón y Fe*, V-VII, 1903; y Arturo M. Cayuela, "Los autos sacramentales de Lope de Vega, reflejo de la cultura religiosa del poeta y de su tiempo", en íd., íd., CVIII, 1935.

[111] *Historia...*, cit., pág. 471.

[112] "Los dramas alegóricos...", cit., págs. 169-170.

[113] Ídem, íd., págs. 171-172. Cfr.: Francisco de Paula Canalejas, *Discurso sobre los autos sacramentales de Calderón*, Madrid, 1871 (estudio de interés porque introduce el concepto de los autos como culto).

Un problema de profundo interés se ha planteado acerca de los autos. Prescindiendo, momentáneamente, de su desarrollo dentro de una tradición literaria, que luego veremos, Marcel Bataillon se ha preguntado "por qué se manifestó en España y no en otra parte, en tiempo de Carlos V y no antes, la tendencia a adaptar los espectáculos del Corpus a la ilustración del misterio de la Eucaristía" [114]. La respuesta a esta pregunta, implícitamente formulada por todos los estudiosos, nos la da el propio Bataillon: "España habría creado el auto sacramental en la época en que se convirtió en campeona del catolicismo contra los protestantes, porque de esa manera exaltaba la presencia real contra los heréticos que atacaban la doctrina de los sacramentos" [115]. Así han opinado, efectivamente, González Pedroso, Menéndez y Pelayo, Valbuena Prat, González Ruiz, Cayuela. Crawford fue el primero que puso en duda este parecer: al examinar la *Colección de autos, farsas y coloquios* publicada por Rouanet advirtió que de 95 piezas religiosas de que consta la colección sólo tres atacan la heterodoxia y sin referirse de manera especial a las herejías relativas al Sacramento [116]. Bataillon, que ha recogido este argumento, alega la inverosimilitud de que semejante teatro, si hubiera sido considerado en su tiempo como dotado de valor apologético contra la herejía, no hubiese sido imitado, o al menos elogiado, por los católicos de otros países, sobre todo de Francia, donde la lucha contra el protestantismo llegó a cuajar en una larga guerra civil.

Bataillon llega a la consecuencia de que los autos sacramentales no fueron obra de la Contrarreforma, sino de la precedente "reforma" española, movida por la voluntad de una minoría que procuró devolver a las ceremonias del culto el espíritu en que habían sido instituidas y dar a los fieles una instrucción religiosa conveniente; parte de este programa fue el reivindicar para la fiesta del Corpus el centro de todas las conmemoraciones religiosas, limpiándola a su vez de la gran orgía primaveral en que aquella festividad, y sobre todo su procesión, se habían convertido. La solemnidad de los autos, con todo su lujo y esplendor, no sólo dignificaba el día de la Eucaristía, sino que ofrecía además al espectador ansioso de diversiones una ocasión de cumplido esparcimiento. "Como las comparsas disfrazadas y danzantes —dice Bataillon—, las representaciones dramáticas se plegaron, sencillamente, a una disciplina nueva. Los autos serán en adelante sacramentales. Pero ¿quién va a impedir que Madrid celebre cada año el Corpus con nuevos autos encargados a los poetas más famosos, representados por los mejores actores, con el mayor lujo posible de atuendos y escenificación?" [117].

Parece, pues, que los autos no acogieron una reacción contra la actitud protestante frente a la Eucaristía; al menos en su forma embrionaria habían apa-

[114] "Ensayo de explicación...", cit., pág. 185.

[115] Ídem, íd.

[116] J. P. W. Crawford expone estas teorías en su libro *The Spanish Drama before Lope de Vega*, Filadelfia, 1922 (nueva edición corregida y aumentada, 1939).

recido antes de la difusión del protestantismo, pero lo principal es que se deseó dotarlos, desde su mismo comienzo, de un carácter positivo; así lo reconoce también Wardropper al comentar y hacer suyo el argumento de Bataillon: "La Eucaristía debería ser el objeto de la veneración y de la afirmación, y no un arma destructiva que se vuelve contra los que se niegan a afirmar y a adorar. Por eso se busca en vano en los autos eucarísticos ataques contra determinadas sectas religiosas. Si la difusión del protestantismo constituía un peligro, era un peligro que más eficazmente se podría frustrar proponiendo en su lugar algo positivo. El teatro religioso, al brindar al pueblo una oportunidad de venerar el dogma amenazado, aseguraba a la nación contra los ataques heréticos, mientras servía, a la vez, finalidades artísticas positivas" [118].

Con todo, entendemos que la teoría de Bataillon explica ciertas características de los autos, pero tampoco muestra por entero la causa de que permanecieran como un fenómeno literario-religioso exclusivamente español y que no fueran adoptados, con más o menos amplitud, en otros países europeos de parecidas circunstancias. La razón del hecho —bien singular, evidentemente— se justifica, a nuestro entender, por razones exclusivamente literarias, y es Alexander Parker quien ha dado con la clave; se trata de una manifestación más de esa tendencia tan característica de la literatura española a que nos hemos

[117] "Ensayo de explicación...", cit., pág. 197. Sobre la institución y evolución de la festividad del Corpus, sus ceremonias religiosas, procesión, etc., y las representaciones, danzas y demás diversiones públicas que tenían lugar en dicho día, cfr.: Sister Loretta McGarry, *The Holy Eucharist,* Washington, 1936. Marie J. Gaoquet, *La Fête-Dieu,* París, 1932. Henri Mérimée, *L'Art dramatique à Valencia,* Toulouse, 1913. Hermenegildo Corbató, *Los misterios del Corpus de Valencia,* Berkeley, 1932. Vicente Boix, *Fiestas reales (descripción de la Cabalgata y de la procesión del Corpus),* Valencia, 1858. Manuel Carboneres, *Relación y explicación histórica de la solemne procesión del Corpus, que anualmente celebra la ciudad de Valencia,* Valencia, 1873. Julio Monreal, "El día de Corpus y sus autos sacramentales", en su libro *Cuadros viejos,* Madrid, 1876. José Sánchez Arjona, *El teatro en Sevilla en los siglos XVI y XVII,* Sevilla, 1887. A. Aragonés, *Estudio del teatro de Toledo durante los siglos XVI y XVII,* Toledo, 1907. Julio Milego, *El teatro en Toledo durante los siglos XVI y XVII,* Valencia, 1909. Narciso Díaz de Escovar, *El teatro en Málaga,* Málaga, 1896. J. Gestoso y Pérez, *La fiesta del Corpus Christi en Sevilla,* Sevilla, 1910. R. Ramírez de Arellano, *El teatro en Córdoba,* Ciudad Real, 1912. Bernardino Martín Mínguez, "Los autos sacramentales en la fiesta del santísimo Corpus Christi en Carrión de los Condes, siglos XVI y XVII", en *La Ilustración Española y Americana,* 1904, parte 1.ª, págs. 338 y ss. Celestino López Martínez, *Teatros y comediantes sevillanos del siglo XVI,* Sevilla, 1940. José Deleito y Piñuela, "La vida madrileña en tiempo de Felipe IV", en la *Revista de la Biblioteca, Archivo y Museo del Ayuntamiento de Madrid,* IV, 1927 (recoge numerosos detalles sobre las costumbres de las fiestas del Corpus). Louis Dumont, *La Tarasque,* París, 1951. J. E. Varey y N. D. Shergold, "La Tarasca de Madrid. Un aspecto de la procesión del Corpus durante los siglos XVII y XVIII", en *Clavileño,* marzo-abril 1953, núm. 20, págs. 18-25. N. D. Shergold y J. E. Varey, *Los autos sacramentales en Madrid en la época de Calderón (1637-1681). Estudio y documentos,* Madrid, 1961.

[118] Bruce W. Wardropper, *Introducción al teatro religioso del siglo de oro (Evolución del Auto Sacramental: 1500-1548),* Madrid, 1953, págs. 113-114.

referido en tantas ocasiones: la supervivencia del espíritu medieval a través de la renovación renacentista, que hace posible entre nosotros la penetración y nuevo florecimiento de géneros y corrientes que se extinguen en todas las demás literaturas europeas: así, la épica popular recogida en el Romancero y el gran teatro áureo; la lírica tradicional estilizada y salvada por los poetas cultos; la mística, genuina manifestación de la Edad Media; todas las cuales vienen a producir lo que Menéndez Pidal ha calificado tan certeramente de *frutos tardíos.* También el auto sacramental, como todo el teatro religioso, es un teatro de raíz medieval, y sólo España lo recoge, desarrolla y lleva a madurez en la época barroca, como un *fruto tardío,* cuando en el resto de las naciones es sólo un recuerdo. "En un país que se hubiera vuelto de espaldas a la Edad Media no habría sido posible tal género dramático", afirma Parker. Y haciendo suyas las opiniones de éste comenta Wardropper: "El drama medieval sobrevivió sólo en España. En su desarrollo no sufrió un corte de cuentas; por el contrario, se elaboró y perfeccionó en manos de artistas conscientes y fue el origen de un tipo de obra peculiar de España y único en el mundo de la literatura. Ese tipo de obra es el auto sacramental. 'Los artistas conscientes' simbolizan, por así decirlo, la adopción por el Renacimiento del arte popular de la Edad Media; lo transforman y lo dotan de las mejores cualidades de cada época" [119].

Los precedentes del auto sacramental. La pervivencia de lo medieval aplicada al auto puede hacer pensar fácilmente en la dependencia de éste respecto de ciertas formas dramáticas medievales; de hecho, es ésta la opinión común, robustecida por la autoridad de Valbuena Prat, renovador entre nosotros de los estudios calderonianos. Pero Pfandl, Parker y Wardropper niegan la supuesta relación entre el auto y el teatro religioso de la Edad Media, sean "moralidades" o "dramas sacros". Para los críticos citados el auto no procede de aquéllos, con los que no guarda semejanza, sino directamente de la liturgia del Corpus, de la que fueron como una ampliación; los "misterios" medievales nunca trataron de convertir un dogma en centro de la representación teatral, o, con palabras de Pfandl, ya citadas, de "hacer sensible, enseñar y profundizar el dogma por medio del drama".

Existe otro problema: Parker y Wardropper niegan la existencia en nuestro país de los "misterios cíclicos", tan difundidos en toda la Europa medieval, y de las "moralidades", por lo que dicho está que es imposible que el auto procediera de ellos. No es ésta la ocasión de discutir este problema que fue aludido en su momento; en todo caso, parece evidente que los misterios o "autos" (no sacramentales) españoles, escenificación de temas sacados del Viejo o Nuevo Testamento o de la hagiografía, eran representaciones muy breves, mientras que los europeos, franceses en particular, duraban varios días y

[119] Ídem, íd., pág. 120.

tomaba parte en ellos toda la comunidad; de todos modos, para Parker y Wardropper no son posible germen de los autos sacramentales. Las formas dramáticas alegóricas de la Edad Media más semejantes a los autos son las "moralidades", pero éstas trataban solamente de enseñar normas de conducta y tampoco florecieron aquí. Menéndez y Pelayo, que no se avenía a reconocer la inexistencia en España de los misterios y moralidades a la manera europea, reconocía que al menos tales nombres no habían tenido difusión en España, prefiriéndose las denominaciones de *égloga, farsa, representación, auto* o *tragicomedia alegórica.* Wardropper admite la existencia de obras de *parecida tendencia*; por ello, y más para distinguir las piezas de contenido bíblico o hagiográfico de las exposiciones alegóricas que tratan un problema religioso o moral que porque se trate en realidad de tales géneros, utiliza los nombres de *seudomisterios* y *seudomoralidades*[120].

Esto supuesto, he aquí, con toda la posible esquematización, las opiniones de Wardropper sobre las fuentes del auto sacramental. Su punto de partida es la obra religiosa de Juan del Encina, en la que debe advertirse un claro influjo de la tradición litúrgica basada en el *Officium Pastorum.* En los pastores de los coloquios de Juan del Encina, Wardropper encuentra ya el mismo deseo de superar el mundo cotidiano que ha de preocupar a los dramaturgos sacramentales, es decir, algo muy distinto del ambiente realista del *misterio* europeo y plenamente sumido en la corriente abstraccionista que conduce a Calderón. Las aportaciones de Encina a la tradición sacramental pueden concretarse en "las sugestiones de una significación simbólica, su insistencia en que había una significación dramática que trascendiera los detalles de la acción y su introducción en el drama de un elemento lírico-musical en forma de villancico"[121]; éste último encierra en síntesis toda la intención del drama y es a la vez como un pequeño himno de devoción que armoniza con el origen litúrgico de aquellas piezas.

Poco aportan en el camino que nos ocupa las producciones realistas de Lucas Fernández y Torres Naharro (éste en su única composición religiosa, el *Diálogo del Nacimiento*), pero mucho, en cambio, la obra de Gil Vicente. Wardropper insiste en que la contribución del gran escritor portugués no se debe al *Auto de San Martinho,* a pesar de la opinión de González Pedroso, Menéndez y Pelayo y otros críticos; se trata sólo de un seudomisterio, representado en el día del Corpus —porque cualquier obra religiosa podía servir entonces para celebrar aquella festividad—, pero que ni siquiera es un drama alegórico ni alude a la Eucaristía. La importancia de Gil Vicente radica en su modo de avan-

[120] Cfr.: Alexander A. Parker, "Notes on the Religious Drama in Medieval Spain", en *Modern Language Review,* XXX, 1935, págs. 170-182. Sobre el drama medieval en Europa pueden consultarse las obras de carácter general, que ya se han hecho clásicas, de Edmund K. Chambers, *The Medieval Stage,* 2 vols., Oxford, 1903, y Karl Young, *The Drama of the Medieval Church,* 2 vols., Oxford, 1933.

[121] Ídem, íd., pág. 160.

zar en el tratamiento del coloquio pastoril a la manera de Juan del Encina: "Sólo un tipo de seudomisterio, el derivado del *Officium Pastorum,* de asunto navideño y pastoril, pudo engendrar la larga tradición sacramental". Pero su aportación es aún mayor en otro aspecto. En el *Auto da Sibila Casandra,* a propósito del parto de María, en que se cumplen una serie de profecías, en un "mundo sin tiempo" Salomón, Moisés, Abraham e Isaías aparecen junto a las sibilas clásicas, sin que razones históricas ni cronológicas impidan el desarrollo del tema: el precedente —y ejemplo— resultaba fundamental para los futuros autores de autos sacramentales. En otra obra que se atribuye a Gil Vicente, *Obra de Geraçam humana,* versión en forma alegórica de la parábola del Buen Samaritano, aparecen personajes como la Justicia, la Razón y la Malicia; el Sacerdote y el Levita desempeñan papeles simbólicos; Adán representa a la Humanidad pecadora; el Samaritano —Cristo— liga las heridas de Adán con los vendajes de la Gracia; la huéspeda de la venta a donde se lleva al caminante herido es la Iglesia, etc. El avance realizado en el camino del drama alegórico es notable.

Alrededor de 1520 Hernán López de Yanguas en su *Farsa sacramental* orienta ya hacia la Eucaristía la forma dramática que Encina y sus seguidores habían aplicado al tema de la Navidad. Como en las obras de todos éstos, un ángel se muestra a los pastores —que, al igual que en la *Obra* de Gil Vicente, llevan nombres que simbolizan a los Padres de la Iglesia— para explicarles no ya el misterio de la Encarnación, sino el de la Eucaristía, adaptación que Wardropper califica de "hito importantísimo en la evolución del auto sacramental" [122]. Y añade: "Estamos, desde luego, todavía muy lejos del drama alegórico de Calderón; pero podemos ver, en forma embrionaria, algunos elementos que componen el auto calderoniano. Como en la primera *Égloga* de Juan del Encina, los pastores, por sus nombres, son representativos de la Iglesia primitiva, de la Iglesia que recibió para la posteridad el don divino del Sacramento. Todavía no hay alegoría, pero el simbolismo de los nombres abre la puerta a la alegoría por venir" [123].

En otra *Farsa sacramental* aparecida al año siguiente y probablemente del mismo Yanguas, se avanza un paso más hacia la forma eucarística: el personaje que explica el misterio a los pastores ya no es un ángel sino la Fe. "El papel de la Fe en la Farsa sacramental de 1521 —dice Wardropper— no es distinto del que juega el Ángel de Yanguas; sin embargo, se ha dado el paso decisivo: ha nacido la idea de presentar la materia eucarística por medio de la alegoría" [124].

El gran avance hacia el auto sacramental genuino lo lleva a cabo, a juicio de Wardropper, el sacerdote extremeño Diego Sánchez de Badajoz, autor de

---

[122] Ídem, íd., pág. 170.
[123] Ídem, íd.
[124] Ídem, íd., pág. 173.

28 obras dramáticas publicadas, póstumas, en 1554 en su *Recopilación en metro,* diez de las cuales fueron compuestas para la fiesta del Corpus en la capital extremeña. Wardropper recaba para Diego Sánchez una importancia en el empleo de la alegoría no reconocida suficientemente por ninguno de los comentaristas. Cuatro piezas deben ser destacadas, sobre todo, en la obra del extremeño: la *Farsa moral,* la *Farsa militar,* la *Farsa racional del libre albedrío* y la *Farsa del juego de cañas,* en las cuales la alegoría y el simbolismo están tan desarrollados que, a juicio de Wardropper, Lope o Valdivielso no habrían podido mejorar la obra. "Es casi inconcebible —dice— que el drama alegórico haya hecho tal progreso, dados sus humildes comienzos. Diego Sánchez era un dramaturgo poético brillante, y sus defectos sólo pueden achacarse al estado rudimentario de la dramaturgia en su tiempo. Si hubiera aparecido más tarde en la historia del drama, no hubiera ido a la zaga ni del mismo Calderón" [125].

En varios puntos resume la aportación de Diego Sánchez de Badajoz al auto sacramental: modificó sutilmente el tipo del coloquio pastoril, sustituyendo los pastores convencionales por personajes individualizados; logró dar un interés dramático a la teología; presentó los problemas dogmáticos combinando temas y personajes sin atenerse en absoluto a las exigencias cronológicas; sirviéndose mucho más que sus antecesores de la prefiguración, dio a la historia israelita un sentido simbólico más intenso; y desarrolló la técnica alegórica en la medida que hemos dicho. "Dramatización de la teología escolástica, renovación de los temas litúrgicos, prefiguración sobrecargada, personajes alegorizados, argumentos simbólicos, apoteosis finales; todo esto constituye la contribución de Diego Sánchez al teatro religioso. Éstos son los elementos de la tradición teatral religiosa que, combinados y disciplinados, iban a culminar en los autos sacramentales" [126], comenta Wardropper. Y añade: "Cuando empezó a escribir —si interpretamos bien la cronología de su obra— se encontró con la pieza pastoril estereotipada. Redujo el elemento pastoril a la loa inicial, dejando que el pastor único —a veces dos— se quedara en la escena como circunstante, y en vez de hacer que un sabio le explicara los problemas teológicos, dio con una manera de dramatizar la exposición. Esta técnica introduce la teología en la estructura misma de la obra" [127].

A pesar de todo, Sánchez de Badajoz no dio el paso definitivo para llegar al auto sacramental; aplicó con preferencia sus certeros procedimientos a los temas navideños sin acertar a comprender que aquella técnica era mucho más conveniente para los temas eucarísticos.

---

[125] Ídem, íd., pág. 192.

[126] Ídem, íd., pág. 197.

[127] Ídem, íd., pág. 197. Sobre la obra de Sánchez de Badajoz es fundamental el estudio de José López Prudencio, *Diego Sánchez de Badajoz: estudio crítico, biográfico y bibliográfico,* Madrid, 1915. Sobre los 'prólogos' de la obra dramática, cfr.: Joseph A. Meredith. *Introito and loa in the Spanish Drama of the Sixteenth Century,* Filadelfia, 1928.

De gran importancia para el alumbramiento del auto sacramental es el llamado *Códice de autos viejos* (de que hicimos mención oportunamente), treinta de cuyas obras están ya dedicadas a la fiesta del Corpus. Esta celebración había adquirido ya entonces mayor importancia que la Navidad, hasta el punto de atraer la atención de los dramaturgos religiosos. Pero ninguno de estos dramas del Corpus lleva todavía el nombre de "auto sacramental", y siguen utilizándose los nombres de "farsas del Sacramento" o "farsas sacramentales" [128]; pese a lo cual se encuentran entre ellas las primeras obras del género que nos ocupa, aunque supongan un retroceso en cuanto a calidad y técnica dramática respecto de las mejores alegorías de Diego Sánchez de Badajoz. "Las obras sacramentales del *Códice* no son a menudo más que debates teológicos amenizados por los chistes del 'bobo'" [129], pero suponen en su conjunto un proceso intensificador de los procedimientos alegóricos. Al mismo tiempo se acentúa la desaparición del elemento cómico, herencia tradicional transferida de los seudomisterios a las farsas sacramentales, y que la nueva tendencia tridentina, orientada hacia la seriedad, hacía indeseable.

En siete obras anónimas del último cuarto del siglo XVI, afines a las del *Códice*, se aplica por primera vez el término de "auto sacramental" y se abandona la denominación de "farsa" [130].

El último eslabón que conduce hasta los primeros "autos" propiamente dichos, de Lope y Valdivielso, lo anuda el valenciano Juan de Timoneda, autor de dos *Ternarios espirituales* publicados en 1575. No nos importa ahora la cuestión de su debatida originalidad; fue, sin duda, un refundidor por ser mayor su gusto crítico y habilidad revisionista que su capacidad creadora, pero influyó decisivamente en la evolución del auto. Posiblemente le movió a su tarea, en este punto, el consejo o inspiración de los arzobispos valencianos, que deseaban acrecentar el esplendor de la fiesta del Corpus con fines apologéticos. En cualquier caso, la actividad de Timoneda, hecha frecuentemente de ligeros pero felices y significativos toques al original que manejaba, mejoró no sólo el estilo, sino la doctrina y alcance de las viejas farsas. "Timoneda —resume War-

[128] Wardropper, que establece esta diferencia al ocuparse de las piezas alegóricas del *Códice*, señala los rasgos que las distinguen: "Entre las dos calificaciones aparentemente sinónimas hay una diferencia insospechada. La distinción parece fundarse en el grado de la relación entre el drama y la Eucaristía y, por consiguiente, entre el drama y la alegoría. Una vez más nos damos cuenta de lo estrecha que es la conexión entre la técnica alegórica y el mundo sacramental. Podremos decir, pues, que las 'farsas del Sacramento' son composiciones en que se habla de la Eucaristía, mientras que las 'farsas sacramentales' son ya eucarísticas, es decir, presentan un mundo distinto, el mundo alegórico-sacramental. La 'farsa del Sacramento' debía de ser la forma transicional en la evolución de la pieza navideña hacia la farsa sacramental" (Ídem, íd., págs. 217-218).

[129] Ídem, íd., pág. 204.

[130] Han sido publicadas por Alice Bowdoin Kemp, *Three Autos Sacramentales of 1590*, Toronto, 1936; y Vera Helen Buck, *Four Autos Sacramentales of 1590*, Iowa City, 1937. Cfr. además: Carl A. Tyre, *Religious Plays of 1590*, Iowa City, 1938.

dropper— es el puente que une el territorio enmarañado de las farsas sacramentales con el parque cultivado de los autos sacramentales precalderonianos. No es un puente natural —un árbol caído—, sino un puente artificial, hecho con el trabajo humano. Esto no se lo podemos negar al genio de Timoneda: era trabajador y concienzudo. Si quitó al drama del Corpus cierto sabor popular al tratar de convertirlo en género literario digno de los poetas más cultos, tuvo la fortuna de tener como sucesores a Valdivielso y a Lope de Vega, quienes no tardaron en restituir al auto el toque popular. Pero sin la labor de Timoneda es dudoso que un género tan mal formado, tan vulgar, hubiera atraído a los grandes dramaturgos del Siglo de Oro" [131].

Como puede deducirse de la precedente exposición, el nacimiento y proceso del auto sacramental, hasta llegar a su cristalización definitiva, es obra lenta y laboriosa, a medias consciente, a medias producto y resultado de un conjunto de condiciones literarias, religiosas y sociales específicas de una época, que confluyen para alumbrar un género nuevo. Ninguna obra, pues, en particular, puede señalarse como concreto punto de partida; Wardropper, a propósito de la obra de Sánchez de Badajoz, lo afirma expresamente frente al criterio de otros investigadores: "El estudio de la obra de Diego Sánchez —dice— demuestra la falsedad del criterio de Cotarelo al identificar con la *Farsa sacramental*, de Yanguas, el principio del drama eucarístico: el género creció poco a poco, se desarrolló, surgió, por evolución, de otras formas literarias. No posee fecha de nacimiento" [132].

Cuando el auto sacramental sale de las manos de Timoneda es ya, sin embargo, un género definido, inequívoco; esta circunstancia coincide con la aparición de Lope de Vega y lo que puede calificarse de entronizamiento de la dramática profesional. El auto queda entonces vinculado —como puntualizan Bataillon y Wardropper— a la suerte de la comedia profana, se enriquece con sus experiencias y conquistas, y recorre el camino de sus diversas direcciones estilísticas y técnicas.

Como hemos podido ver anteriormente, Lope y sus discípulos llevan al auto sacramental las cualidades de la "comedia lopesca", y en sus manos el auto evoluciona como resultado de aplicarle sus personales métodos dramáticos y no por ningún propósito deliberado de transformar la tradición sacramental. Los autos de Lope, como los de Amescua, o los de Tirso, son obras líricas y emocionales, poemas simbólico-líricos, con frecuencia fraccionados en múltiples temas, que nunca logran la fusión entre los símbolos y lo simbolizado. Wardropper ha definido en fórmula feliz lo que viene a ser el auto sacramental del Fénix: "Lope pone la teología al servicio de la poesía, y no al revés, como

131 "Introducción al teatro religioso", cit., págs. 262-263. Sobre las relaciones entre Timoneda y los arzobispos de Valencia, véase —además del artículo de Bataillon, citado— Mariano Arigita y Lassa, *El ilustrísimo y reverendísimo doctor don Francisco de Navarra*, Pamplona, 1899.

132 Ídem, íd., pág. 198.

Calderón" [133]. Por obra de éste queda, pues, constituido el auto tipo, caracterizado inequívocamente por el empleo de la alegoría y el símbolo y por el perfecto ajuste de éstos con el tema sacramental; la Teología deja de ser objeto de explicaciones teóricas, como venía sucediendo, en mayor o menor grado, desde Encina a Timoneda, para convertirse en eje esencial de la obra y ser objeto de directa dramatización. Concebido de esta manera el auto sacramental como drama simbólico se emancipa "así de las tradiciones del teatro profano como de la trabazón y estructura de las comedias devotas y de santos" [134].

Larga serie de condiciones convirtieron a Calderón en el ingenio más apto para el cultivo de este género; "su extraordinario poder sintético le hacía, desde el primer momento, captar las ideas generales que tan bien se acomodaban a la naturaleza alegórica del género, para estrecharlas, escénicamente, en torno a una estricta unidad" [135]. "La formación teológica de Calderón —añade luego Valbuena—, viva y bullente en su juventud, eco todavía de los debates de Báñez y Molina, sesuda y detallista en su vejez, en que se rodeó de libros de los grandes maestros del pensamiento católico, cristalizó en esta *Summa* teatral, en que todo el pensamiento católico se halla en síntesis, en que el dogma se ha expresado en todas sus líneas fundamentales revestido de magnífica y retorcida pompa poética" [136]. Hemos visto insistentemente cómo el "segundo estilo" de Calderón le lleva cada vez más hacia un teatro de predominio ideológico, de estilización y alejamiento del costumbrismo realista, que cuaja en las comedias religiosofilosóficas, en las mitológicas y aún más especialmente en los autos, donde la libertad imaginativa del escritor podía correr sin barreras. "Si el autor —dice Valbuena— tropezaba con la dificultad de un tema obligado, se veía libre, en cambio, de las sujeciones técnicas de la comedia intangible. El gracioso se reduce a la menor expresión; la acción es una; cabe todo: simbolismo, pensar hondo, poesía, música, y, además, todo lo dramático humano: caracteres, pasión, vida, pues 'alegoría e historia no se embarazan'. Por eso el auto sólo es un valor, casi constantemente definitivo, en Calderón. Se necesitaba para ello un genio reflexivo, pleno de vida interna, teólogo y escolástico" [137].

Tampoco debe olvidarse la extensa parte que en la obra de Calderón como autor de autos tienen las peculiaridades de su estilo, síntesis —o, mejor, dinámico equilibrio— de las dos corrientes barrocas, la culta y la conceptista; pues si la primera le llevó a derramar la pompa de su ornato, la segunda le permitió sutilizar conceptos y apurar alegorías, cosas ambas —consustanciales a los autos— que el conceptismo estaba llevando a perfección.

---

[133] Ídem, íd., pág. 280.

[134] Menéndez y Pelayo, *El teatro de Calderón*, cit., pág. 137.

[135] A. Valbuena Prat, *Calderón...*, cit., pág. 184.

[136] Ídem, íd., pág. 185.

[137] Prólogo a su edición, citada, de *Autos sacramentales*, I, págs. XXIII-XXIV.

Clasificación de los autos calderonianos. Aunque, como dijimos, el "tema" de los autos sacramentales es siempre, y necesariamente, el mismo, la necesidad de preparar cada año una composición nueva forzaba a buscar los "argumentos" en los campos más variados; de aquí su diversidad y la necesidad, por tanto, de establecer una clasificación. Valbuena Prat los ha dividido en siete apartados, en forma casi igual a la sugerida por Menéndez y Pelayo [138]:

a) Autos filosóficos y teológicos ("en que lo central es el desenvolvimiento de una idea filosófica o la visión de la historia teológica de la Humanidad"): *El gran teatro del mundo, El gran mercado del mundo, No hay más fortuna que Dios, El pleito matrimonial del Cuerpo y el Alma, El Año Santo de Roma, El Año Santo en Madrid,* etc.

b) Autos mitológicos: *El divino Orfeo, El divino Jasón, Los encantos de la culpa,* etc.

c) Autos de temas del Antiguo Testamento: *Sueños hay que verdad son, ¿Quién hallará mujer fuerte?, El árbol del mejor fruto, La cena del rey Baltasar,* etc.

d) Autos inspirados en parábolas y relatos evangélicos: *El diablo mudo, El día mayor de los días, Tu prójimo como a ti,* etc.

e) Autos de circunstancias: *La segunda esposa y triunfar muriendo, El indulto general, Nuevo palacio del Retiro, Las Órdenes militares, El valle de la Zarzuela,* etc.

f) Autos históricos y legendarios: *El cordero de Isaías, La devoción de la misa, El santo rey don Fernando,* I y II parte, etc.

g) Auto de Nuestra Señora (exclusivamente mariano): *La hidalga del Valle.*

Aunque, según tenemos dicho, la alegoría es condición que caracteriza al "auto" calderoniano, la perfección del simbolismo no se logra siempre. Valbuena distingue *dos grados*: uno primero, en que la idea y la forma se compenetran, produciéndose el tipo perfecto del drama simbólico; y otro inferior, en que triunfa la *teología menuda,* "reduciéndose todo a discusiones sobre los sacramentos y especialmente el de la Eucaristía". En el primero, Calderón consigue obras maestras dentro de todos los grupos temáticos; al segundo pertenecen casi todos los "autos" de circunstancias.

Junto a esta diferencia de valoración distingue el crítico citado otra "de modalidad", que se corresponde con los dos "estilos" de Calderón fuera de los "autos". Según este criterio, los divide en "historial-alegóricos" y "fantástico-alegóricos". En los historiales, a que pertenecen con preferencia los que tratan temas del Antiguo Testamento y asuntos varios históricos y legendarios, pre-

---

[138] *Autos sacramentales,* ed. cit., I, pág. XXXII y ss.. Menéndez y Pelayo no traza propiamente una división, pero habla de los diversos temas o motivos de que se sirve el poeta; con lo que viene, de hecho, a coincidir la clasificación de Valbuena. Prescinde, en cambio, del "auto mariano", y forma un apartado con los derivados de comedias profanas, bajo el nombre —un tanto extraño— de "parodias" (*Calderón y su teatro,* cit., pág. 144 y ss.).

domina el movimiento de los personajes y el de las pasiones humanas; son equivalentes al teatro realista y costumbrista que sigue la línea de Lope de Vega. A los "fantástico-alegóricos" pertenecen los mitológicos y los inspirados en relatos y parábolas del Nuevo Testamento; en todos ellos la alegoría es lo principal, y con ella destaca el elemento ideológico y teológico. Estos "autos" guardan paralelismo con las comedias filosóficas y mitológicas del "segundo estilo".

Si la cronología no sirve para fijar preferencias temáticas ni tampoco entre las dos modalidades dichas, permite, en cambio, establecer tres períodos en la evolución del arte calderoniano. En el primero, los "autos" son más animados y ligeros; asimismo más breves, y no exceden en longitud a los de sus precursores, por lo que los mismos contemporáneos hablan de sus primeros "autos pequeños". De este período hay ya verdaderas obras maestras. *El pleito matrimonial del Cuerpo y el Alma* recoge un asunto de la Edad Media, tratado en los antiguos *debates* y en alguna farsa sencilla del siglo XVI, pero Calderón realza con rotunda expresión y profundo simbolismo la vieja trama. En *La cena del rey Baltasar* la simbología eucarística se encierra en la profanación de los vasos del Templo, representación de la comunión sacrílega, que provoca el trágico castigo. Todo el "auto", además, está traspasado por la sombría presencia de la muerte —verdadero protagonista de la obra, para Valbuena Prat— con la terrible, pero a la vez consoladora, lección de la miseria de las glorias humanas: "conjunto de fuerza trágica y sombría belleza verdaderamente clásica".

El gran teatro del mundo es una síntesis o cuadro general de toda la vida humana, presentada como una gran comedia, en la que Dios es el Autor y los hombres los representantes. El tema de la vida como comedia era un lugar común recogido en todas las literaturas y repetido insistentemente en los libros religiosos y en la predicación coetánea. Con tan manido asunto consigue Calderón una pieza de construcción perfecta y hondo simbolismo. "La belleza y rotundidad de las expresiones —dice Valbuena—, la animada corporeidad de los símbolos, el arte de trabar escenas, hacen de esta obra una cumbre del teatro universal" [139]. La obra está construida a base de cinco momentos: en el primero, dialoga Dios con el Mundo, llevando la representación de la comedia de la vida al plano de la creación y de toda la historia humana; en el segundo, los personajes se presentan al Autor, y el Mundo les proporciona los trajes correspondientes a sus papeles; en el tercero, se representa la comedia de la vida; en el cuarto, acabada la representación, el Mundo —en una escena que recuerda las medievales *danzas de la muerte*— despoja a los mortales de todas sus galas, menos de las buenas obras, único equipaje que puede sacarse de la vida; en el quinto momento, los personajes se presentan ante el Autor, que

[139] *Calderón...*, cit., pág. 189.

convida con la Cena Eucarística a quienes han representado bien su papel; y el "auto" termina con la solemne adoración del Santísimo.

De gran importancia también es *El gran mercado del mundo,* donde introduce Calderón algunos elementos realistas, e incluso con cierto carácter picaresco, en las escenas del mesón de la vida humana.

El grupo mitológico está representado por *Los encantos de la culpa,* basado en la fábula de Ulises, que representa al Hombre, mientras Circe simboliza a la Culpa. El empleo de la mitología pagana en los "autos sacramentales" le parecía a Menéndez y Pelayo de "dudoso gusto", aunque reconocía que Calderón había explicado perfectamente la razón de este simbolismo. Valbuena, en cambio, cuya opinión sobre la materia ya conocemos, afirma que "*Los encantos de la culpa* es una de las obras más finas y de sensibilidad y contraste entre lo muelle del cuadro del placer y la seducción, y la severidad del deber que grita un 'Acuérdate de la muerte'. Calderón realiza una 'teología mitológica', que en algún momento se inspira en *De civitate Dei* de San Agustín" [140].

También en este primer período merece destacarse *La devoción de la misa,* que escenifica la conocida leyenda del caballero que llega tarde a una batalla por asistir al Sacrificio, pero un ángel toma su puesto en la lucha; y *El veneno y la triaca,* "primer intento calderoniano de trazar una gran síntesis de historia teológica de la humanidad", donde la naturaleza humana está simbolizada en una Infanta, que vive los tres estados de inocencia primitiva, de pecado, y de gracia por la redención del Hijo de Dios.

Valbuena sitúa un *período intermedio* en la producción calderoniana de los "autos", entre 1648 y 1660. "Las obras —dice— que se hallan entre estas fechas, aunque pudieran buscarse algunos indicios anteriores, se caracterizan sobre todo por la gran amplitud escénica. Calderón ha aumentado la extensión de la obra: ha introducido más elementos; los personajes se mueven con una ampulosidad en un medio en el que la escenografía toma caracteres cada vez más apoteósicos y complejos" [141]. Valbuena compara las concisas síntesis de *El gran teatro del mundo* y *El gran mercado del mundo* con la abundancia de personajes y la riqueza espectacular de *El Año Santo de Roma* y *El Año Santo en Madrid,* "autos" característicos de este "período intermedio". En el primero se escenifica la peregrinación de la vida humana: el Hombre dialoga con varios peregrinos alegóricos —el Amor, el Temor de Dios, el Culto divino, el Perdón, la Obediencia, la Castidad y otras virtudes— que les disputan su posesión al Mundo y la Lascivia; después de caer temporalmente en la tentación, el Hombre consigue, acompañado de las virtudes, proseguir su camino hasta el templo de la Roma celestial. La segunda obra, igualmente pródiga en espectacularidad, plantea también el conflicto entre el placer y la virtud entre escenas de corte y estampas de las iglesias madrileñas.

---

140 Ídem, íd., pág. 190.

141 Ídem, íd., pág. 191.

"Desde 1660 Calderón une esta riqueza de amplitud escenográfica y de movimiento de las figuras escénicas con la madurez de sus estudios teológicos, con la intención medida de cada palabra, llegándose a la suma de compleja y serena intención alegórica, y de toda la pompa y el boato del auto extenso y apoteósico" [142]. A esta época de plenitud corresponden "autos" de toda la gama temática. El grupo mitológico está representado por *El divino Orfeo,* de 1663; los temas del Antiguo Testamento por *Sueños hay que verdad son,* de 1670, sobre la historia de José y sus hermanos; la historia nacional por las dos partes de *El santo rey don Fernando,* de 1671; *La vida es sueño,* de 1673, versión "a lo divino" de la famosa comedia, desarrolla otra de las características síntesis calderonianas de la historia de la humanidad; las parábolas evangélicas se exponen en *La viña del Señor,* de 1674, y en *El día mayor de los días,* de 1678, sobre la parábola de los obreros que van a la heredad a distintas horas. De especial interés dentro de este último grupo es *Tu prójimo como a ti,* sobre la parábola del buen samaritano, "auto" compuesto en fecha incierta, probablemente antes de 1674.

En esta etapa postrera Calderón toma frecuentemente "autos" propios y los somete a nueva redacción, puliéndolos y perfeccionándolos y —según la dirección de su último estilo— ampliándolos siempre. En otras ocasiones busca su inspiración en sus propias comedias, como en el caso de *La vida es sueño.* Valbuena Prat cuenta once "autos" cuya relación con comedias es innegable, aparte de otros que ofrecen con alguna de ellas coincidencias más o menos casuales" [143]. Algunos de estos "autos" siguen muy de cerca a una comedia dándole carácter alegórico —tal sucede con *Psiquis y Cupido* (versión para Madrid) respecto de *Ni Amor se libra de amor,* y *Los encantos de la culpa* respecto a *El mayor encanto, amor*—; otros son sugeridos por la idea de la comedia, pero siguen un desarrollo completamente diferente, como sucede en *El pintor de su deshonra* y *La vida es sueño.*

Al lado de sus valores literarios, dicho se está que los "autos sacramentales" calderonianos abarcan en su conjunto una amplísima y variada exposición de la doctrina católica; en ellos resume Calderón todos los elementos esenciales del dogma y del pensamiento católico, y también los problemas particulares puestos en litigio por las controversias teológicas de su tiempo, especialmente los de la gracia y la libertad, el dogma de la Transustanciación y el de la Inmaculada Concepción de María. En torno al tema capital de la Eucaristía, que Calderón funde en la mayoría de sus "autos" con el misterio de la Redención, agrupa toda la historia teológica de la humanidad desde la creación del hombre y su caída, y recoge a su vez así las minuciosas exposiciones catequísticas como las grandes síntesis dogmáticas, realzando el conjunto con la pompa más espectacular de la liturgia y haciendo plásticos, "en claras enseñanzas visuales",

---

142 Ídem, íd., pág. 196.

143 *Autos,* ed. cit., II, pág. XXVIII.

hasta los más abstrusos misterios de la religión. Con noble retórica pudo decir Menéndez y Pelayo de esta enseñanza plástica de los "autos": "del arte español dramático y pictórico del siglo XVII podemos decir, salvando todos los respetos debidos a los grandes teólogos y apologistas, que puso al alcance de la muchedumbre lo más práctico y asequible, lo más afectivo y profundo de la literatura ascética, y sentó a la Teología en el hogar del menestral, y abrió al más cuitado la visión espléndida de los cielos..." [144].

LA CRÍTICA SOBRE CALDERÓN

Como dejamos dicho, Calderón gozó en su larga vida de una popularidad ilimitada, sin discusiones ni contradictores, y a través de sus discípulos se pro-

---

[144] "Los autos como enseñanza teológica popular", en *Estudios y discursos de crítica histórica y literaria,* ed. cit., vol. III, págs. 367-376 (la cita es de la última página). Cfr.: Ángel Valbuena Prat, "Los autos sacramentales de Calderón; clasificación y análisis", en *Revue Hispanique,* LXI, 1924, págs. 1-302. Del mismo, "Los autos sacramentales en el ambiente teológico español", en *Clavileño,* 1952. Del mismo, "Una representación de 'El gran teatro del mundo'. La fuente de este auto", en *Revista de Archivos, Bibliotecas y Museos,* V, Madrid, 1928. E. González Pedroso, *Los autos sacramentales desde su origen hasta fines del siglo XVII,* introducción al volumen LVIII de la BAE, Madrid, nueva ed., 1952. M. Latorre y Badillo, "Representación de los autos sacramentales en el período de su mayor florecimiento", en *Revista de Archivos, Bibliotecas y Museos,* 1911-1912. Willy Kaspers, "Calderons Metaphysik nach den Autos Sacramentales", en *Philosophisches Jahrbuch der Görresgesellschaft,* 1917. Alexander A. Parker, "Calderón, el dramaturgo de la escolástica", en *Revista de Estudios Hispánicos,* 1935, núms. 3 y 4. Jenaro Alenda, "Catálogo de Autos Sacramentales historiales y alegóricos", en *Boletín de la Real Academia Española,* vols. III a X, 1916-1923. Medel del Castillo, "Índice de los autos sacramentales alegórycos, y al nacimiento de Nuestro Señor", en *Revue Hispanique,* LXXV, 1929, págs. 144-369. J. Baeza, *Calderón: su vida y sus más famosos autos sacramentales,* Barcelona, 1929. Eugenio González, "Los autos marianos de Calderón", en *Religión y Cultura,* 1936. Sister Frances de Sales MacGarry, *The Allegorical and Metaphorical Language in the Autos Sacramentales of Calderón,* Washington, 1937. Everett W. Hesse, "La dialéctica y el casuismo en Calderón", en la revista *Estudios,* 1954. José M.ª de Osma, *El verdadero Dios, Pan,* edición y estudio, University of Kansas Publications, 1949. N. D. Shergold, "Autos Sacramentales in Madrid, 1644", en *Hispanic Review,* XVI, 1958. George Cirot, "El gran teatro del mundo", en *Bulletin Hispanique,* XLIII, 1941. William J. Entwistle, *La controversia en los autos de Calderón,* Méjico, 1948, Eugenio Frutos, "La voluntad y el libre albedrío en los Autos Sacramentales de Calderón", en *Revista de la Universidad de Zaragoza,* XXV, enero-marzo, 1948. Del mismo, *La filosofía de Calderón en sus Autos Sacramentales,* Zaragoza, 1952. Del mismo, *Bañecismo y molinismo en Calderón,* Zaragoza, 1952. P. Groult, "La loa de 'El verdadero Dios, Pan' de Calderón", en *Hispania,* XXXIX, 1956. L. E. Weir, *The Ideas embodied in the Religious Drama of Calderón,* Lincoln, Nebraska, 1940.

Ediciones de los autos: además de los dos volúmenes citados de Valbuena y de la colección de González Pedroso: Ángel Valbuena Prat, *Autos Sacramentales de Calderón,* vol. III de las *Obras Completas,* Madrid, 1952. Nicolás González Ruiz, *Teatro teológico español: Autos sacramentales y comedias,* 2 vols., en Biblioteca de Autores Cristianos, Madrid, 1946.

longó todavía hasta bien entrado el siglo XVIII. El triunfo del neoclasicismo representó, sin embargo, el ocaso de Calderón y el comienzo de las censuras; con su pompa barroca, su sentido católico y tradicional, la obra calderoniana contrastaba con las nuevas corrientes, sostenidas en lo estético por los principios del clasicismo e inspiradas en la ideología afrancesada y europeizante. Luzán, en su *Poética* de 1737, efectuó un duro examen de la obra de Calderón y, aunque injusto a veces, puntualizó defectos indudables y aun tuvo comprensión para el género que menos podríamos imaginar: los "autos". Los críticos siguientes, Montiano, Nasarre y Velázquez, ya en pleno momento neoclásico, llevaron sus censuras hasta los límites de una absoluta injusticia e incomprensión —bien servidas por un desconocimiento casi total de nuestro teatro—; y el movimiento culminó en la orden real de 1765, que prohibió la representación de los "autos sacramentales". Moratín, padre, y Clavijo influyeron decisivamente, con sus críticas, en la promulgación de tal medida [145]. Fuera de España el gusto francés dominante fue igualmente contrario a Calderón, y Voltaire, aunque los admiraba en no pocos aspectos, envolvió en unos mismos ataques a Shakespeare y a Calderón.

El Romanticismo alemán, triunfante a fines del siglo XVIII, restauró, en cambio, la gloria de Calderón, y lo exaltó precisamente por las mismas razones por las que el neoclasicismo lo había denostado: su condición de poeta católico y nacional, y hasta lo antepuso al mismo Shakespeare. En esta dirección se

[145] Merece aclararse —aunque cedamos provisionalmente a la opinión más común, ante la imposibilidad de ocuparnos aquí, con la extensión precisa, del problema— que la prohibición oficial de los "autos" no fue debida a motivos de hostilidad religiosa y prejuicio antinacional, y mucho menos a mera fobia literaria anticalderoniana: razón esta última que difícilmente hubiera provocado un decreto real. Más bien fue éste inspirado por todo lo contrario. Marcel Bataillon, en su estudio citado —*Ensayo de explicación del auto sacramental*, pág. 203—, escribe que "las objeciones del puritanismo *moral* pesaron más todavía que las del puritanismo literario neoclásico" en la campaña contra los "autos". Éstos —perdido cada vez más su original sentido religioso— habían degenerado en una mojiganga populachera, que sólo interesaba como diversión espectacular (recuérdese nuestro criterio sobre este punto, aun en los días de su más religioso esplendor) y donde el respeto debido al tema sacramental corría todos los riesgos. Puede admitirse que la representación de los "autos" en las calles se había divorciado por entero de su valor piadoso; si se nos permite una comparación extrema, diríamos que tenían ya tanto que ver con el espíritu del Corpus como el "encierro" pamplonica de los toros tiene que ver con San Fermín. El mismo Menéndez y Pelayo admite: "como las creencias se habían entibiado, y el espíritu religioso había venido a menos, quizá sea cierto lo que amargamente consignan, lo mismo Moratín que Clavijo y Fajardo, esto es, que entre los espectadores de los autos sacramentales, pocos había que los viesen con espíritu cristiano, y que no convirtiesen en materia de risa muchas cosas que, en el sentido del autor, eran de gran ejemplo y enseñanza" (*Calderón y su teatro,* cit., "Conferencia primera. Calderón y sus críticos", pág. 97).

El tema es para tratado con más detenimiento. Y casi es vano aclarar que, aun aceptada nuestra sugerencia sobre la "prohibición", la hostilidad anticalderoniana era un hecho en el mundo literario, por todas las razones conocidas.

distinguieron sobre todo los hermanos Guillermo y Federico Schlegel; el primero en su *Curso de literatura dramática*, y el segundo en sus *Lecciones de historia de la literatura antigua y moderna*. Tras ellos Goethe renovó los elogios, intuyendo con acierto muchas de las bellezas de la dramática calderoniana. Como consecuencia, se tradujeron y difundieron muchas de las obras de Calderón en bellas ediciones, que influyeron profundamente en los dramaturgos de la época, y lo convirtieron en el modelo del nuevo teatro.

Con todo, la admiración de los alemanes era más entusiasta que reflexiva; no siempre vieron, ni alabaron, al mejor Calderón. Por otra parte desconocían en su casi totalidad el resto de la dramática española; y como ha puntualizado con justicia Menéndez y Pelayo exaltaron a Calderón como si su obra hubiera surgido prodigiosamente sin contar con toda la dramática que le había precedido: "poniendo en la cabeza de un autor la gloria de toda una literatura, el entusiasmo por este autor no debía tener límites". La crítica alemana posterior fue más profunda y rigurosa; Schack en su conocida *Historia del teatro español* y Valentín Schmidt analizaron con más atentos criterios —no menos elogiosos, sin embargo— la obra calderoniana.

Entretanto, como había sucedido con todo el movimiento romántico, el influjo alemán trajo posteriormente a España la nueva actualidad de Calderón de la mano de Bölh de Faber, Agustín Durán y Hartzenbusch; el duque de Rivas se lo asimiló profundamente. Se imprimieron entonces ediciones de sus obras, aunque con poco rigor crítico. En general, todo este movimiento tuvo más de retórica y palabrería que de valoración analítica.

A mediados del siglo el culto a Lope desplazó al de Calderón, incluso en la misma Alemania, donde Grillparzer, calderoniano en un principio, dirigió sus posteriores esfuerzos a reivindicar y estudiar al "monstruo de la Naturaleza"

Al celebrarse en 1881 el centenario de Calderón, Menéndez y Pelayo pronunció unas conferencias, recogidas luego en *Calderón y su teatro*, que repetidamente hemos citado. Evidentemente, dichas conferencias, cuyo texto fue tomado taquigráficamente, son un trabajo improvisado, tanto en su contenido como en su redacción. Numerosas veces se han denunciado los fallos de este apresurado estudio, sus numerosas —y graves— omisiones. Además, Menéndez y Pelayo, cerrado a la comprensión del Barroco como hemos visto con ocasión de Góngora, entusiasta en cambio de la armónica severidad de la poesía clásica, juzgó a Calderón con una severidad injusta en ocasiones, que incomprende muchos valores positivos de la tendencia artística que él no amaba. El propio Menéndez y Pelayo reconoció más tarde —en el prólogo al libro de Blanca de los Ríos, *Del Siglo de Oro*— el carácter provisional y juvenil de aquel estudio, y afirmó que "el verdadero libro sobre Calderón no lo había escrito todavía"; en otros trabajos posteriores, también citados por nosotros, sobre *El alcalde de Zalamea* y los "autos", modificó ya sensiblemente sus apreciaciones anteriores. No obstante, digamos que en *Calderón y su teatro* hay aciertos no desdeñables, datos preciosos y juicios agudos sobre todo en la parte negativa; justicia a medias, por lo tanto, pero que no por eso pierde su lado aprovechable. Embebido luego en su magna tarea sobre el teatro de Lope, Menéndez y Pelayo dejó de escribir el libro sobre Calderón.

La rehabilitación del Barroco en estas últimas décadas ha traído al fin la comprensiva valoración de la dramática calderoniana, a la par de otros escritores, pintores, escultores y arquitectos de aquella centuria. Coincidiendo con la "vuelta a Góngora" producida en los días de su centenario, Valbuena Prat, que ya en sus primeros trabajos había encaminado hacia Calderón su tarea crítica, proclamó también, en 1927, la vuelta al gran dramaturgo. Este movimiento ha corrido paralelo en casi todos los países cultos, produciendo calderonistas eminentes y multiplicando los trabajos de gran seriedad crítica (los citados en nuestras notas bibliográficas dan idea de ello). Asimismo se han multiplicado sus ediciones y efectuado en todos los países representaciones de sus obras con exigente perfección. El concepto novecentista del arte dramático, liberado de los prejuicios realistas y naturalistas del pasado siglo, abierto, en cambio, a las más arriesgadas concepciones poéticas y de juego escénico, ha favorecido igualmente la justa estima de Calderón, puesto hoy, unánimemente, por la crítica de todos los países a la par de las mayores cumbres de la dramática universal [146].

[146] Sobre la aceptación y crítica de la obra de Calderón en diversas épocas y países, cfr.: G. C. Rossi, "Calderón nella critica spagnola del settecento", en *Filologia Romanza*, Torino, II, 1955, págs. 20-66. K. R. Pietschmann, "Recepción e influencia de Calderón en el teatro alemán del siglo XIX", en *Clavileño*, VI, 1955, núm. 35, págs. 15-25. *Calderón in Italia. Studi e ricerche*. Pisa, 1955; volumen colectivo, que comprende: G. Mancini, "Introduzione"; del mismo, "Note sull'interpretazione di Calderón nel 600"; I. Pepe, "Motivi calderoniani nella letteratura settecentesca"; R. Froldi, "Giudizi di Romantici italiani su Calderón"; C. Samonà, "Calderón nella critica italiana del Novecento". J. Wilhelm, "La crítica calderoniana en los siglos XIX y XX en Alemania", en *Cuadernos Hispano-Americanos*, Madrid, XXVI, 1956, págs. 47-56. C. Samonà, *Calderón nella critica italiana*, Milán, 1960.

La bibliografía sobre el influjo de Calderón en las literaturas extranjeras es muy abundante: cfr.: Arturo Farinelli, "Apuntes sobre Calderón y la música en Alemania", en *Cultura Española*, Madrid, 1.º, 1907, págs. 119-160. J. de Armas, "Calderón en Inglaterra", en *Ensayos críticos de literatura inglesa y española*, Madrid, 1910. Del mismo, *Calderón en la literatura inglesa*, Madrid, 1916. T. Peiper, "La traducción polaca de *El príncipe constante* de Calderón", en *La lectura*, III, 1919, págs. 4-5. Camile Pitollet, "À propos de deux traductions italiennes de *La vida es sueño*", en *Hispania*, París, III, 1920, págs. 365-368. J. A. van Praag, "Les traductions de *El mayor encanto amor* de Calderón en néerlandais", en *Neophilologus*, Amsterdam, VII, 1921, págs. 8-19. A. Cantella, *Calderón in Italia nel secolo XVII*, Roma, 1923. Lucien-Paul Thomas, "François Bertaut et les conceptions dramatiques de Calderón", en *Revue de Littérature Comparée*, 1924, páginas 199-221. A. Günther, "Calderóns *Alcalde de Zalamea* in der deutschen Literatur", en *Zeitschrift für Französischen und Englischen Unterricht*, Berlín, XXV, 1926, págs. 445-457. H. M. Martin, "Corneille's *Andromède* and Calderón's *Las fortunas de Perseo*", en *Modern Philology*, XXIII, 1926, págs. 407-415. A. Steiner, "Calderón's *Astrólogo fingido* in France", en *Modern Philology*, XXIV, 1926, págs. 27-30. E. Schramm, "Corneilles *Heraclius* und Calderóns *En esta vida*", en *Revue Hispanique*, LXXI, 1927, págs. 225-308. R. Guignard, "Calderón dans le 'Frauentaschenbuch'", en *Revue de Littérature Compa-*

rée, X, 1930, págs. 733-746. J. Sofer, *Die Welttheater Hugo von Hofmannsthals und ihre Voraussetzungen bei Heraklit und Calderón,* Viena, 1934. Eunice Joiner Gates, "Shelley and Calderón", en *Philological Quarterly,* XVI, 1937, págs. 49-58. M. Malkiewics, "Un remaniement français de *La vie est un songe*", en *Revue de Littérature Comparée,* XIII, 1939, págs. 429-444. L. B. Turkevich, "Calderón en Rusia", en *Revista de Filología Hispánica,* I, 1939, págs. 139-158. M. Oppenheimer, "Supplementary data on the French and English adaptations of Calderón's *El astrólogo fingido*", en *Revue de Littérature Comparée,* XXII, 1948, págs. 547-560. J. U. Rundle, "More about Calderón, Boursault and Ravenscroft", en *Modern Language Notes,* LXII, 1947, págs. 382-383. Del mismo, "Wycherley and Calderón: a source for *Loove in a Wood*", en *PMLA,* LXIV, 1949, páginas 701-707. H. C. Lancaster, "Still more about Calderón, Boursault and Ravenscroft", en *Modern Language Notes,* LXII, 1947, págs. 385-389. E. R. Curtius, "George, Hofmannsthal und Calderón", en *Kritische Enssays zur europäischen Literatur,* Berna, 1950, páginas 172-201. Alexander Cioranescu, "Calderón y el teatro clásico francés", en *Estudios de literatura española y comparada,* La Laguna, 1954, págs. 137-195. C. Heselhaus, "Calderón und Hofmannsthal", en *Archiv für das Studium der Neueren Sprachen und Literaturen,* Braunschweig, Berlín, CXCI, 1954, págs. 3-30. Everett W. Hesse, "Calderón's popularity in the Spanish Indies", en *Hispanic Review,* XXIII, 1955, págs. 12-27.

CAPÍTULO XIII

LA DRAMÁTICA DEL CICLO DE CALDERÓN: ROJAS. MORETO. DRAMATURGOS MENORES EL ENTREMÉS: QUIÑONES DE BENAVENTE

FRANCISCO DE ROJAS ZORRILLA

DATOS BIOGRÁFICOS

Nació este famoso dramaturgo en Toledo el cuatro de octubre de 1607, y fue hijo mayor del alférez Francisco Pérez de Rojas y de su mujer Mariana de Besga. El alférez, que dejó por más pacíficas ocupaciones su largo servicio en las armas, trasladó su residencia a Madrid cuando el futuro escritor contaba sólo tres años. Supone Cotarelo [1] que Rojas debió de aprender las primeras letras de su paisano, el célebre calígrafo Pedro Díaz Morente, inventor del ligado de la escritura, que, después de haber enseñado en Toledo, abrió escuela en Madrid, y precisamente en la plaza del Ángel, donde vivían los Rojas; por lo menos, dice Cotarelo, los autógrafos que se conservan del dramaturgo lo acreditan de excelente calígrafo. Es muy probable, en cambio, que cursara Humanidades en su ciudad natal, donde había Universidad entonces, y que prosiguiera luego sus estudios en las de Salamanca y Alcalá. No existe rastro alguno de Rojas en los libros de matrícula de ninguna de las dos, pero el conocimiento que muestra en sus comedias de la vida estudiantil de ambas ciudades parece argüir algo más que estancias ocasionales. Rojas exhibe además con cierta frecuencia saberes jurídicos, y consta —por alusiones de ciertos vejámenes literarios— que hasta 1636 anduvo vestido de estudiante.

---

[1] Emilio Cotarelo y Mori, *Don Francisco de Rojas Zorrilla. Noticias biográficas y bibliográficas,* Madrid, 1911. El estudio de Cotarelo sigue siendo fundamental para la biografía del dramaturgo toledano y la información sobre sus obras, aunque la parte crítica encierra mucho menor interés.

De 1631 existen, sin embargo, referencias de que se hallaba Rojas en Madrid, y a dicho año pertenecen los primeros versos suyos que se conservan: Rojas fue uno de los ochenta y nueve poetas de la Corte que colaboraron en el volumen dedicado por José Pellicer de Tovar a la Católica Majestad de Felipe IV, cuando éste mató un toro de un arcabuzazo en la Plaza del Parque de Madrid.

Pero no debieron de ser éstos sus primeros trabajos literarios. Montalbán en su *Para todos*, publicado en 1632, habla ya de Rojas como "poeta florido, acertado y galante, como lo dicen los aplausos de las ingeniosas comedias que tiene escritas" [2]. Es lo cierto que por estas fechas compuso en colaboración con Calderón y el propio Montalbán la comedia *El monstruo de la fortuna, Felipa Catanea, o la lavandera de Nápoles*, obra de gran éxito, muchas veces representada. Durante la temporada 1633-1634 estrenó también en los corrales de Madrid por lo menos una comedia, escrita en colaboración con Antonio Coello, y compuso otras varias a medias con Vélez de Guevara.

Rojas fue un escritor precoz; muy tempranamente también, como hemos visto, tuvo acceso a la colaboración con escritores ya famosos y conquistó el favor del público. Más aún: fue acogido inmediatamente como uno de los dramaturgos predilectos de la atención real; en febrero de 1633 se representó en El Pardo, ante los reyes, su comedia *Persiles y Segismunda*, inspirada en la novela de Cervantes; en enero de 1635 fue estrenado en palacio su drama *No hay ser padre siendo rey*; apenas unos días después se estrenaba en el mismo lugar *El catalán Serrallonga*, escrito en colaboración con Luis Vélez de Guevara y Antonio Coello; en abril, igualmente en palacio, la comedia *Peligrar en los remedios*; un mes más tarde, *El desafío de Carlos V*; a principios del mes siguiente, *El falso profeta Mahoma*; a mediados de septiembre, *El villano, gran señor*; y dos días después, *Santa Isabel, reina de Portugal*. En el transcurso de 1636 se representaron ante los reyes *Progne y Filomena* (10 de enero), *El jardín de Falerina* (17 de enero), escrita en colaboración con Calderón, *El mejor amigo, el muerto* (2 de febrero), también en colaboración con Calderón y Luis de Belmonte, *Obligados y ofendidos* (6 de junio), y *No hay amigo para amigo* (29 del mismo mes). No cabe imaginar aceptación más rápida y completa. Evidentemente Rojas se había convertido en uno de los más solicitados proveedores de entretenimiento escénico para divertir los reales ocios.

El favor de la Corte continuó. El año de 1637 fue famoso en los anales del reinado de Felipe IV por sus fiestas cortesanas, a las que dieron ocasión dos "gloriosos" sucesos: la llegada a Madrid, en las últimas semanas del año anterior, de la princesa María de Borbón, esposa del príncipe de Saboya, y la elección como rey de Romanos del emperador de Alemania, Fernando III, cuñado del monarca hispano. Las prolongadas festividades, quizá las más dispendiosas que había conocido Madrid, contaron con varios estrenos de Rojas

---

[2] Citado por Cotarelo en ídem, íd., págs. 37-38.

en los escenarios de los Reales Sitios: *Donde hay agravios no hay celos, El más impropio verdugo* y *El robo de las sabinas*, en colaboración con ambos Coello; sin contar otras intervenciones en espectáculos literarios, sobre todo en los *vejámenes* satíricos, tan del gusto de entonces.

Otra ilustre visitante, la famosa duquesa de Chevreuse, hizo encender de nuevo las luminarias de la corte española con ostentosas fiestas, en las que no podían faltar comedias y *vejámenes*. Por cierto que uno de éstos, que había sido encargado primeramente a otros poetas, fue luego otorgado a Rojas por particular voluntad del rey. Algo sucedió entonces, todavía no bien aclarado en la biografía del dramaturgo: posiblemente las burlas de Rojas molestaron a algunos escritores y personajes de la corte, y el 24 de abril fue objeto de un atentado. Unos *avisos*, de que da noticia Cotarelo [3], afirman que Rojas murió en esta ocasión; pero, claro está que no fue así, aunque necesitó varios meses para convalecer de las heridas.

De cómo la atención real siguió favoreciendo al poeta da idea el hecho —aparte la representación de varios *autos* suyos en distintas ocasiones— de haberse escogido su comedia *Los bandos de Verona*, para inaugurar, el 4 de febrero de 1640, el Coliseo construido para espectáculos teatrales en los jardines del Buen Retiro.

Aquel mismo año publicó Rojas la *primera parte* de sus comedias; y a comienzos del siguiente contrajo matrimonio con doña Catalina Yáñez Trillo de Figueroa, de una familia de Guadalajara bastante distinguida. Rojas, cuyas andanzas en la Corte y entre las gentes de la farándula no es de esperar que fueran muy edificantes, había tenido en cierta María de Escobedo, mujer de un cómico de escaso renombre llamado también Francisco de Rojas, una hija, que andando el tiempo había de llegar a ser la famosa cómica Francisca Bezón, o la Bezona.

En agosto de 1643 el rey concedió a Rojas el hábito de Santiago, pero los jueces encargados de la información recibieron declaraciones en Toledo, según las cuales los Rojas no sólo procedían de moriscos sino de judaizantes quemados por el Santo Oficio. La mala voluntad hacia Rojas de uno de los jueces y de varios de los informantes fue manifiesta, pero de todos modos parece que sus afirmaciones no carecían de base. Las diligencias fueron interrumpidas y Rojas protestó de ello en un escrito al Consejo. Entonces fue designado don Francisco de Quevedo para proseguir la información y todos los obstáculos fueron allanados; además, el padre de Rojas había sido escribano al retirarse de la milicia y fue necesaria la dispensa papal para eximirle de este defecto. A mediados de 1646 Rojas pudo, por fin, vestir el hábito de Santiago. Un año antes había publicado la *segunda parte* de sus comedias.

Las últimas noticias que se poseen del dramaturgo —bastante escasas en esta parte de su vida— coinciden con una de las frecuentes interrupciones de

[3] Ídem, íd., pág. 61.

la vida teatral. Las representaciones habían sido suspendidas desde la muerte de la reina doña Isabel de Borbón en octubre de 1644; "trabajaban con ardor los enemigos del teatro —dice Cotarelo— para conseguir del Rey una prohibición general y absoluta, cual la de 1598, aprovechando las circunstancias críticas y desfavorables por que pasaba España, publicando a porfía libros, folletos y sermones en contra del teatro. El Rey vacilaba y consultaba a las personas más acreditadas a sus ojos. Su larga ausencia de la Corte ahuyentó a cómicos y poetas. Unos y otros se prepararon a emprender nuevos oficios y profesiones" [4]. En octubre de 1646 falleció el heredero de la corona, el príncipe Baltasar Carlos, y Felipe IV, tan apasionado de las comedias, ya no dudó en decretar su abolición, que estuvo vigente hasta que en 1649 contrajo el rey nuevas nupcias con su sobrina Mariana de Austria [5].

Pero Rojas ya no alcanzó esta fecha, pues murió en Madrid el 23 de enero de 1648, apenas cumplidos los cuarenta años de su edad. El hecho de no tenerse noticia de dolencia anterior que explique fin tan prematuro, el que no otorgase testamento, y los términos en que está redactada su partida de defunción —ya que se expresa que fue enterrado "con licencia del Sr. Vicario"— hace suponer a Cotarelo que la muerte de Rojas pudo sobrevenir de forma violenta, aunque no existen datos seguros para afirmarlo.

ENJUICIAMIENTO DE SU OBRA

La fama de Rojas en su tiempo, entre el público de los corrales, debió de correr pareja con el sostenido favor de que gozó en la Corte, y persistió aún después de que los nuevos gustos y las exigencias del patrón neoclásico fueron haciendo olvidar a los mayores creadores del teatro áureo. Cotarelo nos informa de que Rojas fue de los autores que por más tiempo se conservaron vivos sobre la escena, según consta por el registro de las representaciones diarias conservado desde 1720 en los archivos municipales de Madrid. Algunas comedias de Rojas, tales como *Casarse por vengarse* y *Progne y Filomena,* fueron por mucho tiempo, a lo largo del siglo XVII, "como la prueba y término de comparación de las actrices que aspiraban a la supremacía en su arte" [6], y algo parecido sucedió entre los actores con los papeles masculinos, en especial con *García*

[4] Ídem, íd., pág. 86.

[5] A propósito de la comedia *El jardín de Falerina,* escrita por Rojas en colaboración con Coello y Calderón —y que nada tiene que ver con la obra en dos actos del mismo título, compuesta por Calderón únicamente— nos da Cotarelo la curiosa noticia de que la prohibición de las comedias sólo afectaba a los lugares públicos, pero no a los Reales Sitios: "aunque estaba prohibida —dice— la representación de comedias desde 1646, esto no se entendía con Palacio, donde en 1648, y desde todo 1649 en adelante, hubo representaciones" (Ídem, íd., pág. 174.) La mencionada comedia de Calderón se representó ante Felipe IV —dice Cotarelo— en 1648 o a principios de 1649.

[6] Ídem, íd., pág. 106.

del Castañar, cuya popularidad recibió nuevo impulso a comienzos del XIX debido a las interpretaciones de Isidoro Máiquez.

Mesonero Romanos, que preparó el volumen de las obras de Rojas para la *Biblioteca de Autores Españoles*[7] y Emilio Cotarelo en su estudio mencionado, han recogido, con más o menos extensión, buena parte de los juicios que el teatro de Rojas mereció a los críticos de los siglos XVIII y XIX y tales opiniones, que reflejan, naturalmente, gustos de época —y casi diríamos que precisamente por ésto mismo—, son del mayor interés para ponernos en camino hacia una valoración del arte dramático del toledano. En realidad, el siglo XVIII no le dedicó una atención crítica equivalente al favor popular que seguía gozando sobre la escena; el mayor interés, bien que por lo común para denostarle a tenor de las preceptivas neoclásicas, se lo llevaron Lope y Calderón, y, en menor medida, Alarcón y Tirso. Mientras tanto, el teatro francés, como en tantos otros predios de la literatura española, entró a saco en la obra dramática de Rojas; el segundo Corneille, Scarron, Rotrou, tradujeron, adaptaron e imitaron varias de sus obras, y hasta Lesage —según recuerda Mesonero— ingirió en su *Gil Blas*, convertido en novela, el drama de Rojas *Casarse por vengarse*.

En el siglo XIX, con la llegada del Romanticismo, y al tiempo que se efectuaba la restauración de Calderón y crecía el interés por los otros dramaturgos del Siglo de Oro, la obra de Rojas comenzó a ser estudiada con alguna mayor amplitud: Martínez de la Rosa, Agustín Durán, Dionisio Solís y Alberto Lista hicieron ya a Rojas un importante lugar junto a los grandes nombres de nuestro teatro, aunque, en lo que concierne al volumen de su comentario, muy a la zaga de ellos.

La innegable supremacía que en toda la producción de Rojas tiene su drama *García del Castañar*, justifica que el interés preferente de la crítica del ochocientos recayera sobre sus piezas dramáticas y trágicas; esta porción de su obra fue estimada, generalmente, como la más importante en intensidad y volumen, y, en consecuencia, como la más característica: Rojas ha venido siendo calificado desde entonces como el poeta trágico por excelencia de nuestro teatro. Resulta curioso, sin embargo, que al mismo tiempo que se le investía de esta peculiar definición, se le oponían los más graves reparos; de modo un tanto pintoresco podríamos resumir el concepto ochocentista sobre Rojas diciendo que era un "gran" escritor dramático, pero "malo", o, al menos, con excepción del *García*, dotado de altas condiciones para el cultivo de esta modalidad teatral, pero contrarrestadas por fallos no menos notables.

Martínez de la Rosa decía que si alguien, movido por la fama de Rojas como poeta dramático, se acercara a sus obras, "¡cuán burlado se quedaría si la casualidad hiciese que topase con algunas de ellas! Hasta sospecharía que habían querido hacerle una pesada burla. Ni fuera fácil formar otro concepto

[7] *Comedias escogidas...*, vol. LIV, nueva ed., Madrid, 1952.

al leer el inmoral y desatinado plan de *No hay ser padre siendo rey*, o la hinchazón ridícula de *Los áspides de Cleopatra*, o las necedades de *El falso profeta Mahoma* y de *Los celos de Rodamonte*, o los absurdos de *Santa Isabel, reina de Portugal*, y otras composiciones de esa laya, las cuales, lejos de descubrir ni aun visos de un poeta ingenioso y ameno, parecen únicamente sueños de un delirante. Hállanse en ellas, en vez de pensamientos oportunos, conceptos falsos y alambicados; en lugar de dignidad, hinchazón; juguetes pueriles en cambio de agudeza y metáforas ridículas y frases huecas y estilo escabroso y todos los defectos juntos que pueden afear las composiciones dramáticas" [8]. Eugenio de Ochoa, a vuelta de no escasos elogios, califica de "monstruosa" la obra *No hay ser padre siendo rey*, "que sólo puede compararse en lo absurda y necia a la de *Los áspides de Cleopatra*" [9]. Alberto Lista, uno de los críticos que dedicó por entonces al teatro de Rojas más inteligentes comentarios, califica también con gran dureza algunos de sus dramas, en particular *Los áspides de Cleopatra*. El conde Schack, cuya profunda y certera visión de nuestro teatro áureo es sobradamente conocida, pondera asimismo las altas dotes dramáticas de Rojas, con las que compuso obras maestras, dignas de figurar al lado de las más notables de Calderón, pero señala a continuación los mismos fallos que habían sido blanco de los críticos precedentes: "Con esas grandes cualidades —dice— tenía nuestro poeta cierta afición a lo raro y exagerado, que se observa, ya en el caprichoso arreglo de sus piezas, ya en las extravagancias de sus detalles. Cuando se abandona a esta propensión engendra verdaderos monstruos, dignos de una imaginación calenturienta, inventando los más locos caprichos y ofreciendo caracteres tan repugnantes como poco naturales" [10]. Cotarelo recoge los juicios de Adolfo Schaeffer sobre el teatro de Rojas y los resume de esta manera: "Rojas poseía un genio eminentemente dramático y condujo la acción en muchos casos hasta una catástrofe trágica; pero no es un poeta trágico. En su fuerza creadora puede compararse con algunos predecesores y coetáneos de Shakespeare; pero le falta la medida y tacto estético que caracteriza a Calderón. Su poesía se desborda y produce situaciones forzadas y efectos inverosímiles. Traspasa con frecuencia el decoro y las conveniencias artísticas. Es más original que Calderón, mérito grande en un dramático del segundo período. En resumen, Rojas poseía un genio dramático inmenso y hubiera llegado a lo más encumbrado del arte si no fuera su invencible tendencia a lo raro y excepcional. Así y todo debe colocarse entre los seis dramáticos de primer orden" [11].

Mesonero Romanos, después de aducir las opiniones de mayor interés sobre Rojas —que son casi las mismas que luego había de mencionar Cotarelo—,

---

8 Citado por Mesonero en ídem, íd., pág. XII.

9 Ídem, íd., pág. XV.

10 Ídem, íd., pág. XVII.

11 *Don Francisco de Rojas...*, cit., pág. 118.

aventura su propio parecer sobre la obra dramática del autor del *García del Castañar*. Por lo común, estos juicios de Mesonero Romanos suelen tenerse en poco, pero quizá no sean tan vanos como generalmente se afirma; son, por lo menos, muy significativos y pueden hacernos luz para mejor entender algunos aspectos del problema. Mesonero nos advierte cuidadosamente que no le ofende —acostumbrado como estaba al trato del antiguo teatro español— la constante fusión de lo trágico y de lo cómico, que tanto había escandalizado a los neoclásicos, obtusamente cerrados ante esta consustancial característica de la *comedia* española. Pero afirma, a renglón seguido, que en estas combinaciones de lo sublime y lo ridículo "pocos, aun los de segundo orden de nuestro teatro, lleva tan allá como Rojas la indisciplina, el desentono, la degradación, en fin, de su magnífico ingenio" [12]. Y cita, como ejemplo, algunas de las piezas antes mencionadas, además de los autos sacramentales. Líneas más arriba, Mesonero apunta las causas —no por repetidas y vulgares, menos graves— que pudieron, quizá, descarriar tan frecuentemente el innegable talento de Rojas: lamenta que quien pudo en ocasiones alzarse a tan inmensa altura, "ya fuese por complacer y halagar el gusto del vulgo, ya por capricho propio, extravagante y veleidoso, se rebajara en otras (por desgracia harto frecuentes) a hacinar como de intento despropósitos y vaciedades que rayan en el absurdo, y que contra sus propias convicciones (consignadas con el ejemplo y con la palabra) viniese a hacerse el eco delirante de aquellas demasías que un público estragado apetecía o ensalzaba..." [13]. El resultado a que llega Mesonero después de su examen es negar la supuesta preeminencia de Rojas en el campo del drama y de la tragedia, y afirmar, en cambio, su excelencia en el género cómico: "Con la sola y única excepción —dice— de *García del Castañar* (admirable creación fuera de línea y con la que ninguna otra del mismo Rojas puede ser comparada), ¿qué es lo que hallamos en sus dramas trágicos que suponga su especialidad en este punto, ni autorice por consiguiente la superioridad que ha querido asignársele sobre los otros autores que cultivaron ambos como él?" [14]. Y pasa revista luego, para comparar con ellos los de Rojas, a los dramas trágicos más sobresalientes de Lope, Tirso, Alarcón y Calderón.

A cambio de desposeerle de su, diríamos, tradicional renombre de genio trágico, Mesonero reclama para Rojas, como autor *cómico*, uno de los primeros puestos entre nuestros más grandes autores: "La discreta e ingeniosa comedia de enredo o de capa y espada, de caracteres y costumbres... no tiene seguramente, después de Calderón y Moreto, representante más digno, intérprete más propio y adecuado que don Francisco de Rojas... Sin la malignidad picaresca de Tirso, es punzante, incisivo y cáustico; sin la afectada hipérbole de Calderón, es tierno y apasionado; discreto y agudo como Moreto; más es-

[12] Edición cit., pág. XVIII.

[13] Ídem, íd.

[14] Ídem, íd., pág. XIX.

tudioso y detenido en sus planes que Lope, y a veces tan filosófico en la forma y correcto en la frase como Ruiz de Alarcón"[15].

Emilio Cotarelo no hace, por su parte, demasiado hincapié acerca de las cualidades del teatro de Rojas, después de haber acogido, como hemos visto, ajenos pareceres. Al exponer, en forma bastante concisa, su propio juicio sobre la obra del toledano, parece rehuir el problema. Refiriéndose a la "invención" afirma que es su cualidad principal; y añade: "Voluntariamente quiso apartarse de la pauta normal de nuestro teatro, buscando nuevos problemas morales y lances en que el choque de las pasiones humanas revistiese formas inusitadas en nuestra escena. Su atrevimiento le condujo a idear situaciones ultratrágicas (fratricidios, filicidios, violaciones) y a presentar conflictos de honor muy poco comunes en nuestro antiguo teatro (*Cada cual lo que le toca, La traición busca el castigo, La prudencia en el castigo*)"[16]. Hubiera sido del mayor interés una opinión respecto al modo como trata Rojas esas "situaciones ultratrágicas", pues la insinuada ponderación del crítico nos pone sobre alerta. Al ocuparse de la "técnica artística" Cotarelo concede a Rojas "maestría en la concepción y desarrollo del plan de sus dramas. Casi siempre se justifica todo cambio de situación de los personajes. Están bien preparados y logrados los efectos dramáticos. El desenlace, escollo común a casi todos los mejores autores del tiempo, es artístico y en general acertado y lógico". En relación con los "caracteres" afirma que "son vigorosos y precisos, aunque a veces recargados y tendiendo a lo inverosímil... Los femeninos son muy reales. En este punto Rojas se da mucho más la mano con Lope que con Calderón. Las mujeres de Rojas, sin ser, ni mucho menos, perfectas en lo moral, tienen un grado de perfección artística, a mi ver superior a algunas, a muchas, de las de Téllez. Poseyó Rojas especialidad en fantasear caracteres ridículos, en lo que sobrepujó a los demás dramáticos"[17].

A pesar de esta relativa abundancia de juicios sobre el teatro de Rojas durante el siglo XIX, la crítica y la erudición contemporáneas han sido bastante parcas en su atención hacia la dramática del toledano. Su más riguroso investigador en nuestros días, Raymond R. MacCurdy, señala a este propósito que, después del estudio de Cotarelo, apenas se ha añadido dato alguno a su biografía ; además, desde 1900 sólo han visto la luz catorce ediciones de obras suyas, seis de las cuales corresponden a *Del rey abajo ninguno y labrador más honrado García del Castañar*, y cinco a *Entre bobos anda el juego*, casi todas ellas vulgares reimpresiones de alguna edición anterior[18]. Muchas, pues, de las

---

[15] Ídem, íd., pág. XX.

[16] *Don Francisco de Rojas...*, cit., pág. 119.

[17] Ídem, íd., págs. 120-121.

[18] Raymond R. MacCurdy ha dedicado al estudio de Rojas y de su teatro diversos trabajos que le acreditan como el más concienzudo investigador de la obra del toledano; todos ellos irán siendo citados en su lugar correspondiente. Para cualquier problema en

obras de Rojas, algunas esenciales, tan sólo conservadas en ediciones del siglo XVII, son prácticamente inasequibles, mientras por otra parte se le han venido atribuyendo comedias que no le pertenecen, alguna de las cuales figura en el mencionado volumen de la *Biblioteca de Autores Españoles*. Debe entenderse, en consecuencia, que los futuros investigadores del teatro de Rojas tienen todavía larga tarea que llevar a cabo y muchas cosas que decir.

ROJAS, POETA TRÁGICO

No obstante las graves reservas que acabamos de ver, la fama de Rojas sigue descansando evidentemente sobre su condición de poeta trágico, y no sólo por su *García del Castañar*, sino por otras muchas de este carácter. MacCurdy recoge las opiniones, inequívocas, de algunos críticos más recientes: Hurtado y González Palencia dicen de Rojas que "se distingue entre todos los dramáticos del siglo XVII por ser el que tuvo en mayor grado el sentido de lo trágico"; y a propósito de *Los áspides de Cleopatra* escriben que "en esta obra muestra Rojas ser el único que tuvo sentido trágico en el siglo XVII" [19]. Valbuena Prat sostiene que Rojas, aunque retórico, es "grandiosamente trágico en ocasiones; y salvo las graciosas pero no pertinentes intervenciones de los tipos cómicos, se aproxima a un modo próximo al de la tragedia por un lado y por otro al drama lírico" [20]. Finalmente, Pfandl afirma que "como autor dramático merece consideración especial en cuanto poseyó un sentido extraordinario para su tiempo, de la distinción entre lo trágico y lo cómico. En realidad es el único en cuya producción pueden distinguirse las tragedias de las comedias" [21].

MacCurdy, que ha dedicado un valioso estudio a demostrar el valor de Rojas como poeta trágico [22], recuerda dos opiniones —la de Clifford Leech y la de Vossler— que coinciden en las razones por las que la auténtica tragedia es tan escasa —casi podría decirse inexistente— en el teatro del Siglo de Oro

---

relación con Rojas véase la completísima bibliografía del mencionado crítico, *Francisco de Rojas Zorrilla. Bibliografía crítica*, núm. XVIII de Cuadernos Bibliográficos, Madrid, 1965. Las afirmaciones de MacCurdy, que recogemos en el texto se encuentran en el prólogo a su edición de *Morir pensando matar* y *La vida en el ataúd*, Clásicos Castellanos, núm. 153, Madrid, 1961, pág. IX; y en el prefacio a su edición de *Lucrecia y Tarquino, edited with an Introduction and Notes by...*, The University of New Mexico Press, Albuquerque, 1963, pág. IX.

19 Juan Hurtado y Ángel González Palencia, *Historia de la literatura española*, 3.ª ed., Madrid, 1932, págs. 690 y 688.

20 Ángel Valbuena Prat, *Historia de la literatura española*, vol. II, 6.ª ed., Madrid, 1960, pág. 576.

21 Ludwig Pfandl, *Historia de la Literatura Nacional Española en la Edad de Oro*, Barcelona, 1933, pág. 466.

22 Raymond R. MacCurdy, *Francisco de Rojas Zorrilla and the Tragedy*, The University of New Mexico Press, Albuquerque, 1958.

español: "Lo que para el pensamiento antiguo y moderno —dice Vossler— ha sido siempre insondable misterio, el sentido del dolor, no era ni mucho menos, para Lope y su público, una inquietante cuestión, sino algo simple dado, conmovedor y edificante. A él le constaba el sentido de redención, purificación y sustitución y la divina causa primigenia del dolor. El mártir problemático que a sí mismo se tortura, como Hamlet o Tasso o Fausto, no le sirve a Lope para héroe dramático... No doblegarse ante la aflicción y la injusticia ni dejarse mortificar por ellas, sino reaccionar valientemente, es para Lope la actitud escénica gallarda y adecuada" [23].

Por este motivo, la posición de Rojas frente al conflicto trágico es inusitada, en opinión de MacCurdy, dentro de nuestro teatro. Evidentemente, la mayoría de los temas que lleva a sus dramas, dice, son los de su tiempo: el honor, la venganza, rivalidades entre padres e hijos, la pasión amorosa: pero lo nuevo en Rojas es la manera de tratarlos. Rojas no los plantea en términos sociales o religiosos, sino como problemas que afectan a la vida individual; sus personajes no pretenden lograr una solución social o religiosa, sino que luchan contra obstáculos que se oponen a su humana felicidad. Los personajes trágicos de Rojas, salvo contadas excepciones, no encuentran el remedio en ningún poder exterior, fuera de sí mismos; se omiten los convencionalismos sociales propios de la época, para dejar el hecho trágico exento y desnudo. Los héroes de Rojas, sigue diciendo MacCurdy, siguen sus íntimos impulsos, aunque comprenden que con ello provocan su propia destrucción. Vencerse a sí mismo, había afirmado Segismundo en *La vida es sueño,* es la más alta victoria; pero esto, viene a decirnos Rojas, es imposible: cada uno es quien es, y la razón no sirve para someter las pasiones. En esto consiste la tragedia, y en haberlo entendido así radica la principal aportación de Rojas al género trágico en nuestro teatro. Menéndez y Pelayo, al estudiar los dramas de Calderón, dice que "en vez de la pasión real imperaban las preocupaciones sociales"; "los instintos y las pasiones —añade— casi nunca se presentan francos, desatados y sueltos, sino cubiertos y velados con dobles cendales de honor, de respeto a la opinión...". Los personajes de Rojas, por el contrario, aunque no desprecian aquellas consideraciones, se dejan arrastrar de sus propias pasiones, a las cuales se entregan por entero [24].

La originalidad de Rojas reside en este peculiar tratamiento dramático, y no —como sostiene Pfandl, pretendiendo elogiar al escritor— en el hecho de que sus tragedias puedan diferenciarse de las comedias debido a la ausencia de elementos cómicos, frente a la conocida estructura consustancial a nuestra escena áurea. Porque el caso es que Rojas no prescinde jamás de semejante convencionalismo y, sus graciosos interrumpen a cada instante el hilo dra-

---

[23] En *Lope de Vega y su tiempo,* Madrid, ²1933, págs. 315 y 317; citado por MacCurdy en pág. 136.

[24] MacCurdy, *Francisco de Rojas... and the Tragedy,* cit., pág. 137.

mático con intervenciones de muy discutible oportunidad. Lo verdaderamente peculiar del toledano, dice MacCurdy en otra parte, consiste en que "a pesar de mezclar lo terrorífico trágico y lo ridículo cómico en una sola obra, Rojas, al contrario de Lope de Vega y los más de los otros, solía permitir que los sucesos luctuosos llegaran a su lógica solución catastrófica. Se encuentran en su teatro pocas de esas tragicomedias en donde todo se arregla al final, enfrentando los personajes un porvenir sonriente y feliz" [25].

Sucede por otra parte, que el propósito de mantener el tono trágico y una gran preocupación, muy característica también de nuestro dramaturgo, por plantear conflictos y desenlaces originales, le llevan con gran frecuencia a violencias y demasías —a truculencias, en realidad— que han sido repetidamente señaladas, como vimos; recuérdese el juicio de Schaeffer, aducido por Cotarelo, y que el propio MacCurdy considera atinado, según el cual a Rojas le falta la medida y el tacto estético, por lo que "su poesía se desborda y produce situaciones forzadas y efectos inverosímiles".

Este culto de Rojas por la violencia, que en buena parte le emparenta con los dramaturgos prelopistas del grupo de Juan de la Cueva, se ha pretendido explicar por el influjo del teatro de Séneca, perceptible también en otros puntos, como diremos. MacCurdy disculpa las abundantes imperfecciones e irregularidades de la obra dramática de Rojas con una razón de innegable validez: Rojas murió a los cuarenta años, y probablemente había dejado de escribir varios años antes debido al cierre de los teatros en 1644 (de hecho, su última comedia de que se conoce la fecha es de 1640); siendo extraordinariamente precoz, su carrera teatral no duró más de doce o catorce años, por lo que fue imposible que su obra llegara a un punto de suficiente madurez.

Pero no creemos, puestos también en este vano campo de las hipótesis, que el "tremendismo" de Rojas se hubiera atenuado con el tiempo; más bien lo contrario. Aparte las tendencias que emanan de la peculiarísima personalidad del escritor, la dramática, en cualquiera de sus especies, seguía fatalmente el mismo proceso que había conducido a todos los géneros literarios hacia las frondosidades y exuberancias del Barroco. En el teatro no era solamente la palabra la que experimentaba el natural recargamiento de la época, sino mucho más todavía la estructura general del espectáculo. La curiosidad se embotaba, y los escritores porfiaban en el hallazgo de nuevos temas, situaciones, conflictos, desenlaces y todo género de aditamentos capaces de sacudir la fatigada atención de los oyentes; había que sorprenderles con excitantes más poderosos cada vez, y la violencia era un componente de probada eficacia (obsérvese idéntico fenómeno en el cine de nuestros días). A propósito de Vélez de Guevara pudimos ya ocuparnos de estos hechos. La creciente tramoya escénica, los efectos espectaculares —desfiles suntuosos, caballos en escena—, la repetida utilización de trucos para producir en el espectador la ilusión realista de violencias

---

[25] Edición de *Morir pensando matar...*, cit., pág. XXIV.

físicas tales como efusión de sangre, cabezas cortadas, caídas en fosos y precipicios, etc., son aspectos que olvidan siempre quienes se obstinan en considerar el teatro del Siglo de Oro como un fenómeno de pura literatura. Pero distaba mucho de ser eso tan sólo. La presentación —recordemos nuevamente a Vélez— de mujeres enérgicas, vengadoras sangrientas de su propio honor y bravas defensoras de sus derechos, que hemos de hallar en la obra de Rojas, podía apuntar hacia idénticas metas; tales caracteres y situaciones resultaban de perlas para el lucimiento de las exuberantes actrices que habían de vivirlas sobre las tablas. Sería absurdo pretender justificar el *feminismo* de un dramaturgo como Rojas por esta sola intención; pero desconocer su posible influjo sería igualmente equivocado.

Decíamos que abundan en sus obras las hembras de independiente carácter y acabamos de escribir la palabra *feminismo.* Valbuena Prat dice que el verdadero Rojas hay que *adivinarle* en torno a dos ideas capitales, una de las cuales es "la emancipación de la mujer" [26]; pero la palabra nos parece excesiva. Américo Castro, mucho más moderado, al estudiar el drama de Rojas *Cada cual lo que le toca,* destaca este aspecto de la obra del toledano y escribe; "Tal concepción del honor en la mujer casada no la he encontrado en otros autores. Y prescindiendo de que se trate de algo exclusivo o no de Rojas, es manifiesto que dentro de su teatro hemos encontrado bastantes elementos para afirmar que la idea de la importancia del papel de la mujer en el matrimonio le era muy grata" [27]; deducción que, en su cauta matización, nos parece exacta. En *Cada cual lo que le toca,* Isabel es obligada por su padre a contraer matrimonio con don Luis; éste averigua luego que su mujer había sido seducida, antes del matrimonio, por otro hombre, y duda, según las habituales normas de honor, entre matar a su esposa o perdonarla. El seductor, Fernando, trata de utilizar la amistad con el marido para acercarse a doña Isabel y gozar de nuevo sus favores, pero ella, más enérgica que su esposo, mata al seductor, decisión aprobada por el marido, que perdona a su esposa. También en *Progne y Filomena* es nuevamente la mujer quien se convierte en *médico* de su honor. El rey Tereo, casado con Progne, desea ardientemente a su cuñada Filomena y la viola cuando se entera de que ésta ha decidido unirse con Hipólito, hermano a su vez de Tereo. Juntas las dos hermanas asesinan entonces al seductor. Señala Castro, y también MacCurdy, que la originalidad de Rojas no consiste en el mero hecho del desenlace sangriento —existente ya en Ovidio— sino en el expreso razonamiento de las dos mujeres para hacer constar no sólo su derecho sino el deber que tienen de castigar la infidelidad del esposo (y, por descontado, en llevar a término el desenlace trágico, frente a la solución de Guillén de Castro que todavía reconcilia a Tereo con su mujer). He aquí la escena de Rojas:

---

26 *Historia,* cit., pág. 572.

27 Américo Castro, edición de *Cada cual lo que le toca* y *La viña de Nabot,* Teatro Antiguo Español, vol. II, Madrid, 1917, pág. 193.

PROGNE. *...Con este acero que aquí*
Se ha dejado, lavar pienso
Con su sangre su delito,
Mi injuria, mi honor y celos,
Para que el nombre de Progne
Se escriba en bronces eternos.
FILOMENA. *Tente, que aquesta venganza*
Me toca a mí; pues no quedo
Satisfecha de mi agravio,
Si yo propia no le vengo.
PROGNE. *También este agravio es mío.*
Di, ¿cuando hace un adulterio
Una mujer, no merece
La muerte?
FILOMENA. *Yo lo confieso.*
PROGNE. *¿Por qué?*
FILOMENA. *Porque va el honor*
De su esposo.
PROGNE. *Luego es cierto*
Que si a mí me va el honor
Tuyo, siendo mi honor mesmo,
Con adulterio y agravio
Incurro en el mismo duelo.
Luego con justa razón
Cobrar ahora pretendo
De una muerte dos venganzas,
Y de un castigo dos premios... [28].

Américo Castro sugiere que en este *feminismo* de Rojas puede rastrearse la huella de Erasmo, propugnador "de un ideal más humano de mujer"; MacCurdy piensa que en ambos pudo provenir del influjo de Séneca —celoso defensor de la fidelidad conyugal—, pues Erasmo editó varias de sus tragedias. Evidentemente, cabe que Rojas aprendiera en el gran cordobés tales ideas, al tiempo que adquiría de él su conocida proclividad hacia los sucesos terroríficos. Pero el *feminismo* del toledano —debemos confesarlo— nos parecería más convincente si no estuviera tan estrechamente fundido con aquellas violencias dramáticas en las que tanto se complacía para impresionar al espectador; el propio MacCurdy, que trata de desligar ambos componentes —feminismo y tremendismo—, admite que Rojas cultiva el horror por el horror mismo; a lo cual debe también sumarse la pretendida novedad —muy suya— del caso de dos mujeres apuñalando a un rey para vengar su honra, y, por añadidura, la

[28] Edición Mesonero, cit., págs. 59-60.

oportunidad de ofrecer la intervención de la mujer en momentos sobrecogedores o sugestivos. MacCurdy, recogiendo una idea de Carlos Ortigosa, afirma que Rojas es el más voluptuoso de los dramaturgos de su siglo; y se refiere al sensualismo que emana de muchas de sus situaciones dramáticas [29]. Nosotros añadiríamos algo que nos parece muy revelador: es sorprendente el número de veces en que Rojas exige en sus acotaciones la exhibición de la actriz en actitudes sexualmente atractivas; basten unos ejemplos: en *Progne y Filomena,* al comienzo de la jornada segunda, dice: "Sale Filomena, medio desnuda, con una luz y una espada en la mano, y Progne con otra luz"; al comenzar la jornada primera de *Obligados y ofendidos*: "Sale Fénix, medio desnuda, deteniendo al conde, y Beatriz con luz"; en la misma obra, la jornada tercera se inicia de este modo: "Salen Fénix, medio desnuda, y el conde depriesa; entran y cierran una puerta"; en *El más impropio verdugo,* a mediados de la jornada segunda, se dice: "Sale Casandra, medio desnuda, y Federico huyendo"; al principio de la jornada tercera de *Casarse por vengarse,* se indica: "Sale Blanca con la daga, medio desnuda, destrenzados los cabellos, sueltas las basquiñas y una luz en la mano". El lector puede entretenerse haciendo el recuento de parecidas acotaciones.

Basándose en las fechas conocidas de las representaciones, que pueden suponerse aproximadamente coincidentes con el orden de su composición, MacCurdy ha llegado también a la conclusión —que confirmaría nuestra hipótesis— de que el número y carácter de las escenas sangrientas en el teatro de Rojas no decrece sino que se acrecienta con los años; sucesos violentos que en sus primeras tragedias suceden fuera de la escena y son simplemente referidos, se llevan luego a presencia del espectador. MacCurdy aduce, siempre en defensa de Rojas, numerosos casos de violencias sangrientas en otras muchas producciones de sus colegas contemporáneos, y recuerda que en ninguna tragedia de Rojas corre la sangre tan abundantemente como en *Hamlet* o en *Macbeth.* Y, sin embargo, ya hemos visto con qué sospechosa insistencia han venido denunciando los críticos de Rojas el sensacionalismo de su dramática. MacCurdy alega, no obstante, que esto es una necesidad —una derivación lógica— de llevar el proceso trágico hasta sus últimas consecuencias: condición, como vimos, que define y da valor a su teatro; y es el resultado además de la naturaleza de sus temas, ya que, en su mayoría, se trata de "tragedias de venganza". MacCurdy concluye que más que en los hechos mismos y en su frecuencia sobre la escena, el sensacionalismo del toledano se basa en el énfasis peculiar de su dicción poética, es decir, en la manera de contar; Rojas posee en su palabra un tremendo vigor, un gran poder evocativo, un incontenible flujo de imágenes que pone al servicio de la violencia y la pasión, por lo que es el poeta más que el dramaturgo quien resulta culpable de sus evidentes excesos [30].

---

[29] Edición de *Morir pensando matar...,* cit., pág. XXVII.
[30] *Francisco de Rojas... and the Tragedy,* cit., pág. 68.

Pero esto es lo que, en sustancia, habían venido a decir los críticos del siglo XIX, cuando denunciaban la falta de medida y tacto estético del toledano; sólo que, en su incomprensión hacia el Barroco, desconocían las innumerables bellezas parciales sembradas en sus dramas, aunque no andaban equivocados al señalar con cuánta frecuencia una innegable desmesura —en la palabra, en la situación, en ambas a la vez— torcía y violentaba la verdad humana de los caracteres. MacCurdy, que pretende dejar a salvo, diríamos, la integridad "de los principios", tiene buen cuidado en advertir que los excesos de Rojas no son atribuibles al Barroco —del que ha de ser considerado como representante genuino—, sino tan sólo a sus propias cualidades, y concluye que aquellos excesos deben ser calificados de "mal barroco" [31]. Lo cual entraña el reconocimiento —y MacCurdy no puede menos de admitirlo así— de las evidentes demasías de Rojas, que casi siempre parecen tener su fuente en el propósito, no muy literario, de sobrecoger al espectador [32].

Seis de las tragedias de Rojas tratan asuntos tomados de la mitología o de la historia antigua: *Numancia destruida, Lucrecia y Tarquino, Los encantos de Medea, Los áspides de Cleopatra, Morir pensando matar* y *Progne y Filomena.* Pero mucho más que el motivo anecdótico importa el tema. De hecho, las obras dramáticas de Rojas —excluidas las dos primeras de las mencionadas y alguna otra, que diremos— se reparten en dos grupos principales: tragedias de honor y tragedias de venganza.

Morir pensando matar dramatiza la historia de Rosimunda, reina de los lombardos, que es obligada a casar con Alboíno, vencedor y matador de su padre. Para vengarse de su marido, que le hace beber en una copa tallada en el cráneo de su padre, Rosimunda busca la ayuda de su enamorado, el duque Leoncio, y ella misma con el puñal de su amante asesina a Alboíno —en escena esta vez—. La hermana del rey muerto, Albisinda, y su prometido, el duque Flabio, tratan a su vez de eliminar a los asesinos. Pero Rosimunda envenena por error a su amante con la bebida que había preparado para aquéllos, y Leoncio, creyendo que Rosimunda pretendía asesinarle, obliga a ésta a beber el resto del veneno. Flabio que sorprende la escena, impide que sus acompañantes apuñalen a los moribundos; y el gracioso Polo, dirigiéndose a los espectadores y muy en su papel de ironizar sobre la situación dramática dice estos versos que sugieren lo que debía de pensar el propio Rojas sobre las peripecias que ofrecía al público:

Muy bien ha dicho su alteza...
que no es razón que vustedes,
que aquí han venido a tomar
placer, dineros les cueste

[31] Ídem, íd., págs. 85 y 122.
[32] Ídem, íd., pág. 85.

ver al uno hacer figuras,
ver al otro estremecerse.
Basta Alboíno, y aun sobra;
que el poeta no pretende
lastimaros; pues ninguno
gusta que en las tablas juegue
de uno y dos y tres difuntos,
y doble lo de repente;
esto es fuera de la historia [33].

MacCurdy afirma que *Morir pensando matar* contiene muchas de las mejores cualidades de la dramática de Rojas y al mismo tiempo muchos de sus más graves defectos. Las imágenes poéticas, dice, son ricas, pero más ornamentales que significativas; y entre los personajes —todos ellos enérgicos— destacan esas "mujeres intrépidas que Rojas se complacía en crear". Rosimunda, que se muestra al principio como una doliente presa desdichada, "pajarillo aprisionado", del vencedor Alboíno, se transforma, arrastrada por su sed de venganza, en "víbora, arroyo y fuego", que ejecuta y provoca crímenes hasta la catástrofe final. Parecida transformación experimenta también Albisinda, de cuya exaltada bravura pueden darnos idea estas palabras:

Loba soy enfurecida
y acosada de los canes;
toro que sale del coso
garrochado; inexorable
tigre a quien robó los hijos
el cazador; fiero áspid,
a quien planta inadvertida
pisó, discurriendo el valle;
y al fin, mujer ofendida,
con quien parecen tratables,
mansos, blandos y apacibles,
loba, toro, tigre y áspid [34].

Hay en la obra, como es frecuente en Rojas, extensos relatos descriptivos, de sabor pictórico, como el romance de Flabio sobre la batalla entre los dos reyes, y su escenario; frecuentes y largos soliloquios —muy característicos también de su dramática— que recuerdan la manera enumerativa de Calderón, y que se destinan a analizar los cambios psicológicos de los personajes; y canciones líricas, a la manera de Lope, en que se prefiguran los sucesos dramáticos que han de acontecer.

[33] Ed. MacCurdy, cit., pág. 125.

[34] Ídem, íd., pág. 99. Cfr.: Joaquín de Entrambasaguas, "La leyenda de Rosimunda", en *Revista Bibliográfica y Documental,* II, 1948, págs. 339-389.

Los áspides de Cleopatra provocaron, como hemos visto, los juicios más duros de la crítica ochocentista, pero la actual ha rechazado aquellas opiniones. Valbuena Prat declara que no considera "irreverente llamar shakespeariano al ambiente de *Los áspides de Cleopatra*", y añade que "Rojas ha llegado en esta obra a una original suntuosidad trágica" [35]; recordemos también las palabras de Hurtado y González Palencia. Pero ninguno de dichos críticos se detiene apenas para razonar su opinión. MacCurdy ha dedicado, en cambio, largas páginas al estudio de este drama. Su asunto es la conocida historia de los amores de Antonio con la seductora reina de Egipto y los conflictos políticos que se derivan, decisivos para la historia del mundo romano. Los dos triunviros, Lépido y Octavio, han sido derrotados por Cleopatra por mar y tierra respectivamente. Octavio ha prometido la mano de su hermana Irene a quien consiga someter a la reina egipcia, de quien está dramáticamente enamorado:

Yo vi a Cleopatra divina
(Como te dije primero),
Y mis ojos navegaron
Las ondas de su cabello... [36].

e incita a Antonio a que emprenda la conquista de aquel país con la promesa de dejarle su entera posesión a cambio de que le entregue a Cleopatra:

...Tenme lástima, que llego
A hacer las lágrimas voces,
Y hacer ojos sus acentos;
Vence, y logre yo sus rayos,
Y pues ha sido concierto
Partir los dos, como amigos,
Del mundo todos los reinos,
Tómate tú todo el mundo,
Y dame a Cleopatra en premio,
Porque vale más Cleopatra
Que el mundo, aunque entren los cielos [37].

Cleopatra, desdeñosa de su propia beldad pero muy orgullosa, en cambio, de su poderío militar y político, es presentada por el dramaturgo como una casta mujer, ajena a toda pasión erótica; pero desde su primer encuentro con Antonio ambos quedan vencidos por el más tiránico amor. Antonio, leal en un principio a su amigo Octavio, intenta escapar a la atracción de la reina, pero el destino es ineludible. Octavio y Lépido, acompañados de Irene, se dirigen a Egipto para vengar la defección de Antonio que al fin es apresado junto

[35] *Historia...*, cit., págs. 576 y 577.
[36] Edición Mesonero, cit., pág. 424.
[37] Ídem, íd., pág. 424.

con Cleopatra, y ambos se suicidan en la forma conocida: Antonio se arroja sobre su espada y la reina se hace picar por un áspid.

"*Los áspides de Cleopatra* es una romántica tragedia de amor", dice MacCurdy, "la más poética tragedia de amor del Siglo de Oro", añade después [38]. Los diálogos de amor llenan, efectivamente, gran parte de la obra con su música apasionada. Valbuena dice que el diálogo amoroso que pone fin al primer acto le parece un dúo de ópera, y no sabríamos decir si esto es exactamente un elogio, puesto que se trata —en plena acción dramática— de una explosión lírica, quizá demasiado grandilocuente y simétrica —como para cantarla, en efecto [39]—. Pero lo cierto es que por toda la obra cruza este mismo aire de pieza musical, intensamente lírico, y bien ha podido afirmarse que *Los áspides* es el drama más lírico de todo nuestro teatro áureo; y, por supuesto, del de Rojas. Los fragmentos descriptivos y narrativos en los que se descarga buena parte de la acción —y que corren a cargo de un soldado rescatado de la anterior campaña, apodado "Caimán", que relata los sucesos— son una apretada sucesión de imágenes a las que se confía la misión de apresar toda la legendaria opulencia, la luz y el brillo de la corte egipcia; en su espléndido colorido, son un perfecto contrapunto de la romántica pasión de los protagonistas.

El proceso trágico, tal como arriba quedó descrito, se cumple fatalmente con la muerte de la reina y del triunviro; la ciega pasión de los amantes, a la que no pueden escapar ni resistir, es la causa de la catástrofe: la defección a la palabra dada, el abandono de sus deberes y, al fin, la derrota y la muerte a manos de sus enemigos vengadores. La figura de Marco Antonio —piensa MacCurdy—, perfectamente trazada en la primera mitad del drama, hasta el extremo de aproximarse a la grandeza del Antonio shakespeariano, con su íntima lucha entre el deber y la pasión, decae en la segunda mitad, demasiado ocupado en escapar a la ruina para hacer posible el desarrollo de su carácter. Cleopatra, por el contrario, es una poderosa criatura que evoluciona desde su primera condición de mujer fría e insensible, entregada a la política y capaz de dictar castigos de muerte contra quienes delincan en materia de castidad, hasta transformarse en una romántica heroína a partir del instante en que ha conocido el amor de Antonio.

---

[38] *Francisco de Rojas... and the Tragedy,* cit., pág. 108.

[39] Debe advertirse que este diálogo final, que impresiona a Valbuena, y que por su contenido amoroso puede compararse, evidentemente, con un dúo de ópera, no es en manera alguna —cualquiera que sea en este caso su valor lírico o musical— privativo de esta obra; Rojas termina innumerables actos de sus dramas y comedias con diálogos —o dúos— semejantes, hasta el extremo de que podría considerarse este género de finales como uno de los recursos más repetidos y característicos de su teatro. En muchas ocasiones se trata de dúos de amor, otras veces es un duelo de reproches, o simple tiroteo de ingeniosidades. En cualquier caso, es siempre una prueba del efectismo teatral de Rojas, que sabe aprovechar habilidosamente todos los medios para impresionar: esos finales de acto, dinámicos y apasionados como un vibrar de espadas, debían de ser de una eficacia irresistible para arrancar el aplauso del espectador.

De mucho menos valor artístico es *Los encantos de Medea,* escenificación del conocido mito, nueva prueba del influjo de Séneca sobre el toledano en su gusto por las tragedias sangrientas y en las que Rojas sobrepasa todavía a su modelo. Rechazada por Jasón, Medea convierte su anterior amor apasionado en la más delirante sed de venganza, hasta el punto de matar a sus propios hijos, "por ser de Jasón reliquias", sin sentir remordimiento alguno ni debatirse entre el amor maternal y su afán vengador, tal como había sido el desarrollo dramático de Eurípides y de Séneca, pero que en manos de Rojas se convierte en el repugnante y frío crimen de una mujer despechada.

También el amor —o quizá fuera más exacto decir, el deseo amoroso— desencadena el suceso trágico en una de las más notables creaciones de Rojas, *Lucrecia y Tarquino,* obra desconocida hasta la reciente edición de MacCurdy[40]; aunque aquí, a diferencia de las tragedias anteriores, no es la venganza el motor de la acción dramática. Su asunto es el conocido episodio de la violación de Lucrecia por Sexto Tarquino, contado por Tito Livio en su primera *Década.* Afirma su editor que la *Lucrecia* de Rojas sobresale más por la estructura y organización de su argumento que por la riqueza de su lenguaje poético, aunque éste es correcto y apropiado. Subraya igualmente el hecho de que el comienzo del conflicto trágico es diferido de una manera que puede estimarse excepcional, ni aun habida cuenta de la frecuencia con que la *comedia* del Siglo de Oro acostumbra a demorar la acción capital entreteniéndose con las intrigas secundarias; las razones —añade— son obvias: por una parte, no podía transcurrir mucho tiempo entre el estupro de Lucrecia y el subsiguiente suicidio en que consiste la tragedia; en segundo lugar, dado que el argumento era conocido del espectador, se hacía necesario mantener todo lo posible la incertidumbre del desenlace. Rojas acierta plenamente a sostener el clima de expectación, y al mismo tiempo se sirve de la acción secundaria —que son en este caso las campañas militares de Tarquino— para desarrollar el carácter de los protagonistas, ya presentados, sin embargo, desde las primeras escenas.

En el segundo acto, y a propósito de un romance que canta un músico sobre la virtud de la reina Dido, se inician los sucesos que van a provocar el drama: dos amigos de Tarquino, Tito y Acronte, ponderan la virtud de sus respectivas esposas, a lo que responde imprudentemente Colatino, orgulloso de la virtud de la suya, Lucrecia, proponiendo una confrontación entre las tres:

Quien a Lucrecia no ha visto,
no conoce la hermosura,
ni del ingenio y el brío
tiene noticia, ni puede
hacer de nada juicio.
Porque lo cuerdo y lo hermoso,

40 Citada en la nota 18.

lo prudente y lo entendido,
lo airoso y lo recatado,
lo desenvuelto y lo lindo,
está en ella tan conforme,
vive con tanto artificio,
que se abrazan los extremos
cuando más están distintos[41].

Cuando llegan a Roma, Tito y Acronte encuentran a sus mujeres divirtiéndose en una fiesta de la Corte, al tiempo que Lucrecia permanece retirada en su hogar aguardando el regreso del esposo. Cuando todos los amigos irrumpen en su casa, Tarquino queda enamorado de la belleza y discreción de Lucrecia, amor que se enardece ante la resistencia que le opone la inabordable virtud de la mujer. Tarquino aprovecha una ausencia de Colatino, en campaña contra la ciudad de Ardea, para volver a casa de Lucrecia; y entonces acontecen los hechos trágicos en la forma conocida. El diálogo que precede a la violencia de Tarquino es un acierto de rapidez y sobriedad, en que al par que se ve estallar la urgida pasión del seductor, se revelan espléndidamente los caracteres:

SEXTO. *Vi una divina belleza,*
y una fuerte inclinación
pudo más que la razón.
LUCRECIA. *Pues vénzala vuestra alteza.*
SEXTO. *Fuerza es de amor impaciente.*
LUCRECIA. *Para esa fuerza hay valor.*
SEXTO. *Es muy poderoso, amor.*
LUCRECIA. *Y la razón muy valiente.*
SEXTO. *Que no hay razón en quien ama.*
LUCRECIA. *Hayla en quien amar pretende.*
SEXTO. *¿A quién amando se ofende?*
LUCRECIA. *Al crédito y a la fama.*
....
Yo defiendo la razón.
SEXTO. *Contra mi vida es crueldad.*
LUCRECIA. *La virtud es acto amable.*
SEXTO. *Todo rigor es culpable.*
LUCRECIA. *Toda defensa es piedad.*
SEXTO. *Pues, ¿qué he de hacer si me pierdo?*
LUCRECIA. *Aprender a ser señor.*
SEXTO. *¿En qué escuela?*
LUCRECIA. *En la de honor.*

---

[41] Edición MacCurdy, cit., pág. 69.

SEXTO. *¿Cómo podré?*
LUCRECIA. *Siendo cuerdo.*
SEXTO. *¿Cuerdo amando?*
LUCRECIA. *Cuerdo amando.*
SEXTO. *No es posible.*
LUCRECIA. *¿Quién lo niega?*
SEXTO. *Quien muere en su pasión ciega.*
LUCRECIA. *Pues sepa morir callando...* [42].

Lucrecia y Tarquino carece casi por entero de los intermedios cómicos que suelen censurársele a Rojas; de hecho, existe una sola escena de esta índole, y en este caso diríamos que queda perfectamente encajada en la acción y es absolutamente necesaria: se trata de la fiesta en que los maridos encuentran entretenidas a sus esposas, y que consiste en un pequeño juguete o "comedia de repente" sobre el juicio de Paris. La escena es divertida; el bufón de Paris hace jocosos comentarios sobre los defectos físicos de las tres diosas, y como la comedia se interrumpe por la llegada de los maridos, uno de los presentes hace este comentario que no nos sorprende en la pluma de Rojas:

Malogróse la comedia.
Lo que siento es que se queden
sin desnudar las tres diosas;
que fuera un paso excelente [43].

Señala MacCurdy que Rojas, en *Lucrecia y Tarquino,* fue uno de los contados dramaturgos de su tiempo capaz de comprender los profundos resultados que podían obtenerse de que un héroe trágico poseyera las más excelsas cualidades y que fueran éstas precisamente las que condujeran los hechos hacia el resultado catastrófico. Porque, si de una parte, es la concupiscente pasión de Tarquino la que provoca la tragedia, ésta se alimenta de la propia virtud de la protagonista, que se exhibe casi como una corona de martirio en una comedia de santos, perfección también capaz de estimular la jactancia culpable de su esposo. Idea, añade MacCurdy, que debía de chocar con los conceptos de la moral convencional en una sociedad acostumbrada a encontrar siempre en las obras literarias recompensada la virtud y no castigada.

Como juicio de conjunto, MacCurdy afirma que *Lucrecia y Tarquino* es un perfecto ejemplo de drama barroco español aplicado a un asunto de la antigüedad clásica, y lo califica de una de las más *poéticas* obras de Rojas en el sentido de la perfecta adecuación entre el lenguaje y el fluir dramático.

A nuestro entender, *Lucrecia y Tarquino* se encuentra limpia de los defectos que con mayor frecuencia es necesario reconocerle a Rojas: hasta el mismo

[42] Ídem, íd., págs. 101-102.
[43] Ídem, íd., pág. 76.

momento trágico está resuelto con ejemplar sobriedad, sin retóricas truculencias; la demasiada longitud de los parlamentos y relatos no se produce aquí, ni tampoco la torrencial abundancia lírica; los caracteres están trazados con acierto, el proceso de la acción bien graduado; y una prudente sentenciosidad, muy endeudada con Séneca, enriquece y da gravedad a numerosos pasajes. *Lucrecia y Tarquino* no es propiamente una tragedia de venganza, aunque en la concepción global del dramaturgo lo era también; Rojas cierra la obra anunciando una continuación de esta naturaleza, por boca de Bruto, curioso personaje que, en su fingida locura, va derramando audaces ironías y comentarios sobre las cosas, a modo de un original y extraño coro antiguo:

> *Cese el llanto, empiece el ocio,*
> *y tenga fin la tragedia,*
> *casta vida y amor loco*
> *de Lucrecia y de Tarquino;*
> *prometiendo al auditorio*
> *para la segunda parte,*
> *la venganza de su esposo*[44].

Existen tres obras dramáticas de Rojas —*No hay ser padre siendo rey. El Caín de Cataluña* y *El más impropio verdugo por la más justa venganza*— que MacCurdy califica como "tragedias sobre el tema de Caín y Abel", en las que también se encuentra implicado el llamado "conflicto entre generaciones" o entre padres e hijos. El nudo central es muy semejante en las tres obras: un padre tiene dos hijos, uno de los cuales —el cainita— siente mortal envidia por su hermano, al paso que éste es un dechado de perfección. Empujado por una rivalidad amorosa, el primero asesina al segundo, forzando a su padre al trágico dilema de perdonar o castigar al hijo asesino. En estos dramas es donde encuentra Valbuena la segunda idea capital en torno a la cual hay que *adivinar* a Rojas: "en la humanización de los problemas —dice— entre el deber de rey y el amor de padre"[45].

En *No hay ser padre siendo rey* el cainismo del hijo malvado no es tan evidente, o está muy atenuado por lo menos. Rojas tomó el asunto de esta tragedia del drama de Guillén de Castro *La piedad en la justicia,* pero aunque conservó también el desenlace, modificó ciertos rasgos del carácter del protagonista. La acción transcurre en Polonia, cuyo rey tiene dos hijos, Alejandro y Rugero. Éste envidia y aborrece a su hermano, pero, a diferencia del héroe de Guillén de Castro, que es un malvado sin atenuantes, su odio es más aparente que real, y lo proclama sobre todo para hacer ostentación de su fiereza y arrogancia. Ambos hermanos están enamorados de la misma mujer, la duquesa Casandra, con la que Alejandro casa en secreto por razones perfectamente ab-

[44] Ídem, íd., pág. 108.
[45] *Historia...*, cit., pág. 572.

surdas, pero que así convienen al autor para tejer su drama. A quien verdaderamente aborrece Rugero es al duque Federico, privado o ministro del rey, y creyendo —por una serie de equívocos y de casualidades, muy del caso— que el duque es el amante de Casandra, intenta asesinarlo mientras ésta yace en el lecho con él; pero a quien mata es a su propio hermano, que acude de noche a los brazos de su esposa. Su odio, repetidamente declarado, le acusa, y Casandra y el pueblo todo piden el castigo del crimen; nadie, sin embargo, lo lamenta más que el propio asesino, que ha matado "por error". El rey resuelve el trágico conflicto entre sus deberes de monarca y el amor de padre, con una solución de gran efecto: renuncia al trono, y pone la corona en la cabeza de Rugero:

Tu seas rey, yo seré padre;
Siendo sólo padre, es fuerza
Como padre perdonarte,
Y siendo rey, no pudiera;
Pues siendo tú rey ahora,
Es preciso que no puedas
Castigarte tú a ti mismo;
Y ansí, de aquesta manera,
Siendo yo padre, tú rey,
Partimos la diferencia;
Yo no te castigaré;
La plebe queda contenta:
Yo quedaré siendo padre,
Y tú siendo rey te quedas[46].

La obra piruetea a través de una serie de situaciones muy novelescas, cuando no absolutamente inverosímiles, para preparar y conducir al espectacular desenlace; un poco como en el caso del "feminismo", nos sentiríamos tentados a decir que el conflicto entre los deberes de padre y de rey no le importa a Rojas sino para llegar al efectismo dramático de la situación (tentación muy grave, no hemos de ocultarlo). Pero existe un hecho cierto: el rey no resuelve el caso aceptando impertérrito las exigencias de su deber como tal y la presión de unas normas de honor o de convenciones sociales —como era común en el teatro de la época—, sino que dramatiza, efectivamente, su atormentada incertidumbre en unas patéticas escenas con su hijo —las mejores sin duda, las las únicas buenas de toda la obra, diríamos— en que éste alega su error, y grita el dolor de su crimen no deseado, y apela a la piedad paterna; y el padre declara igualmente su desgarradora angustia al tener que castigar: así le dice a Rugero que llora tendido a sus pies:

[46] Edición Mesonero, cit., pág. 406.

No me lloréis desa suerte:
Más hago yo en daros muerte
Que vos hacéis en sufrirla[47].

Y, al fin, el amor de padre se sobrepone, resueltamente, al deber justiciero del monarca.

En *El Caín de Cataluña* Rojas repite exactamente el mismo tema; parece que el autor, interesado por el conflicto, torna a él o pretende al menos introducir nuevos aspectos en el carácter del protagonista. Ahora se trata de la dramática historia de los condes Ramón Berenguer y Berenguer Ramón —conocido éste por el sobrenombre de "Fratricida"—, aunque el autor introduce las modificaciones que precisa para su trama, entre ellas una muy importante como es el suponer vivo y reinante al padre de los dos hermanos. Esta vez el Caín lo es en toda su plenitud, ya a partir del mismo título. El odio de Berenguer hacia Ramón no es aparente, sino auténtico y profundísimo: es el *segundón,* y aborrece al heredero de quien envidia todas sus cualidades, sus bienes y, por descontado, su mujer. Casa primeramente con la que estaba prometida a su hermano; solución a la que accede el padre para evitar mayores males; y cuando llega la nueva prometida de Ramón, trata también de arrebatársela, pretendiendo separarse de su esposa con el pretexto de que ésta había contraído el matrimonio contra su voluntad. Al regresar Ramón de una breve expedición naval contra los turcos, cuyo mando también él ambicionaba, Berenguer asesina a Ramón. La íntima lucha entre los deberes de padre y de rey estalla en el afligido ánimo del conde, del mismo modo que en el drama anterior, pero creemos que el autor la desarrolla con menor acierto, al menos en las escenas culminantes. El conde cumple como rey condenando a muerte a su hijo, pero corre luego a la prisión y lo liberta secretamente para cumplir entonces como padre. Berenguer huye, pero lo matan los guardas, que ignoran lo que sucede. El desenlace sangriento parece inevitable, porque Berenguer no asesina "por error", sino que admite y aún proclama su crimen; su cainismo se afirma hasta el último instante, e incluso, cuando se dispone a escapar, niega a su padre un abrazo de despedida con impiedad empecinada:

CONDE.	*Ea, ¿no pedís perdón?*
BERENGUEL.	*Yo ¿de qué le he de pedir?*
CONDE.	*¿Y no me abrazáis?*
BERENGUEL.	*Pues tú,*
	Dime, ¿qué has hecho por mí?

[47] Ídem, íd., pág. 405. Cfr.: H. C. Lancaster, "The ultimate source of Rotrou's *Venceslas* and Rojas Zorrilla's *No hay padre siendo rey*", en *Modern Philology,* XV, 1918-19, págs. 435-440.

CONDE. *Darte la vida,*
BERENGUEL. *La vida,*
Si me la das, es a fin
De no quedarte sin hijo.
¿Pues por qué me has de pedir
Que yo por mí te agradezca
Lo que no haces por mí? [48].

Rojas dispone la escena del asesinato de Ramón en medio de un bosque y entre sombras nocturnas —mientras éste se dirige en busca de su prometida, apenas vuelto de su acción naval—, en un ambiente de misterio del más genuino sabor romántico. Cantos y sones agoreros preparan el clima de la tragedia, pero tememos que el expectante temor se desvanezca entre la repetida inverosimilitud de muchas situaciones. Las intervenciones de los dos graciosos, Cardona y Camacho, son incuestionablemente excesivas; son dos tipos omnipresentes, que se inmiscuyen hasta en los momentos de mayor gravedad dramática. Pero todo ello nos interesa ahora de modo secundario; lo más importante es destacar que Rojas vuelve a proponer el conflicto entre el deber y la piedad filial por lo que el drama es en sí mismo, sin atenerse a códigos de honor ni a rígidas convenciones sociales; es decir: el problema se enfrenta no desde supuestos teóricos, sino desde los ángulos más humanos de la pasión caliente y real. En esto reside la novedad y el mérito de Rojas.

En *El más impropio verdugo por la más justa venganza* Rojas no plantea tanto el odio entre hermanos como el aludido "conflicto entre generaciones", porque Alejandro, su protagonista, aunque es un cainita también, reserva su más profundo aborrecimiento para su propio padre. Sería vano, sin embargo, esperar razones convincentes que justifiquen este odio; Rojas nos lo muestra en acción, es decir, lo hace estallar sin alumbrar su fuente. Lo que pretende el dramaturgo es llevar a escena un monstruo de maldad que llene espectacularmente sobre las tablas su papel; es un rebelde gratuito, sin otra ley que su voluntad y que vive en la violencia como en su elemento. En este sentido es un tipo eterno, que tiene su réplica en esos jóvenes de nuestros días, igualmente gratuitos, al parecer, en sus desmanes destructores. Pero en tales estallidos existe siempre una razón, aceptable o no, y a las veces profunda, que el dramaturgo debe analizar y presentar. Nada de esto, por descontado, se propone Rojas, a quien sólo le importa la espuma visible y aparatosa de esa violencia. La obra ha sido señalada siempre como de las más caprichosas del autor por su arbitraria acumulación de sucesos sangrientos y terribles, aunque es lo cierto que, más aún que en los mismos hechos, están aquéllos en las palabras y en las jactancias de Alejandro; muchos parlamentos acaban por resultar grotescos. MacCurdy pretende reivindicar la significación de este personaje y llega a decir que es "uno de los más grandes rebeldes del Barroco" [49]; pero no nos

[48] Ídem, íd., pág. 292.

convence esta vez. Alejandro no pasa de ser un gran fantoche de folletín, sin hondura ni humanidad. Los excesos verbales, derrochados por toda la pieza, son tales, que nos hacen perdonar muchos de los intransigentes juicios que la crítica neoclásica dedicó a este género de obras.

Especial importancia revisten dentro de la producción de Rojas las llamadas "tragedias de honor"; a ellas ha debido siempre su fama de autor dramático. Incluso los críticos que han discutido, o desconocido, su importancia en otros aspectos, se muestran unánimes en proclamar el mérito de *Casarse por vengarse, Cada cual lo que le toca* y muy particularmente de *García del Castañar*. Es cierto, sin embargo, que en estos dramas no muestra Rojas la novedad temática ni la audacia en las soluciones que le hemos atribuido en otras piezas, sino que acepta en su conjunto las más convencionales leyes de honor vigentes en el teatro de su tiempo.

En *Cada cual lo que le toca* sí existe originalidad en el desenlace, como arriba dijimos, puesto que no es el marido, sino la mujer quien toma el papel de "médico" de su honra. Otra novedad, no menos importante, debe ser señalada. La esposa, Isabel, castiga, como vimos, el cinismo del seductor, Fernando, cuando éste, que había eludido la consabida "reparación" matrimonial, pretende aprovechar la amistad con el esposo para gozar de nuevo los favores de su antigua amada; es una decisión humana y de gran eficacia teatral la de que esta mujer, burlada en sus más íntimos sentimientos, vengue por sí misma la conducta inescrupulosa de un aprovechado. Pero quedaba otra cuestión: según los tópicos conceptos del honor, el marido que descubría el delito amoroso de la esposa —siquiera fuese anterior al matrimonio— debía "lavar su afrenta" con sangre, nunca perdonarla; el marido de Rojas perdona, sin embargo. Tenemos una curiosa noticia de cómo recibió el público aquella curiosa solución que chocaba estridentemente con lo que el concepto del honor marital, aceptado por todos, estaba dispuesto a permitir; cuenta Bances Candamo que "a don Francisco de Rojas le silvaron la comedia de *Cada cual lo que le toca*, por haverse atrevido a poner en ella un cavallero que, casándose, halló violada de otro amor a su esposa" [50]. Rojas desafió, sin embargo, la opinión común con un desenlace original que nos ha servido para descubrir la peculiar posición del dramaturgo frente al papel de la mujer en el matrimonio. Pero fuera de esto, aun siendo muy importante, Rojas maneja en su obra los mismos conceptos sobre el honor —no importa ahora quién vele por ellos— que constituían entonces los supuestos básicos sobre los cuales era inevitable levantar una obra acerca de este tema.

---

[49] *Francisco de Rojas... and the Tragedy*, cit., pág. 61. Las palabras de MacCurdy son éstas exactamente: "Alejandro is Rojas' most Freudian creation and one of the greatest social rebels born of the Baroque, one who let neither reason not fear curb the urges of his over-charged libido".

[50] Citado por Cotarelo en *Don Francisco de Rojas...*, cit., pág. 146.

Casarse por vengarse es un drama "de honor" en el que Rojas no descuidó detalle para cumplir con todos los requisitos que su público, las convenciones sociales y los efectismos dramáticos podían exigir de él. La obra supone la más total contradicción con ese espíritu de rebeldía y de novedad que parece alentar en otras creaciones suyas, aunque puede decirse en su descargo que pertenece evidentemente a los primeros tiempos de su carrera como autor; se publicó en la "primera parte" de sus comedias y, según asegura Cotarelo, a mediados de 1636 era ya muy conocida y común, hasta el punto de representarse en pueblos de escaso vecindario [51]. El eje del conflicto "de honor" es tan típico, que tiene poco que contar: el infante Enrique de Sicilia, prometido, y enamorado de Blanca, contrae matrimonio con otra mujer, por exigencias políticas, al heredar la corona. Blanca casa entonces, por disposición paterna, con el Condestable de aquel reino. Enrique trata de entrevistarse y justificarse con su antigua amada, con lo cual enciende la sospecha del Condestable, que, persuadido de su deshonor, da muerte a su esposa. El habitual prurito de originalidad de Rojas se satisface esta vez con sólo el procedimiento del asesinato: el esposo derriba sobre su mujer una pared, cuya puerta secreta se había utilizado para las anteriores entrevistas de Blanca con Enrique y que sirve luego para crear el equívoco de la situación; con ello, la venganza parece casual. El influjo de *El médico de su honra* y *A secreto agravio, secreta venganza* de Calderón es evidente.

Cotarelo dice, con notable generosidad, que en el drama "hay algo de inverosimilitud" [52]. Sin temor a ser demasiado injustos nosotros diríamos que apenas hay escena que no lo sea en sumo grado; las casualidades, la oportunidad maravillosa con que se producen las entradas y salidas de los personajes para que el conflicto se enrede a gusto del autor, nos producen constante asombro. Pero ni el hecho, y ni siquiera su exceso, debe escandalizarnos. La libertad para enhebrar situaciones es premisa esencial de la comedia áurea, y apenas podríamos encontrar unas pocas obras de la época con mayor verosimilitud en el juego escénico. En compensación a cualquier demasía en este punto, *Casarse por vengarse* posee una versificación de admirable fluidez, bellamente poética, lírica sin derroches, muy lejos siempre de la retorcida hinchazón que hace tan ingrata la lectura de muchas escenas de *El más impropio verdugo.* Y si los escrúpulos de honor del Condestable se ajustan demasiado al repetido clisé del marido vengador, los sentimientos de Blanca están, en cambio, matizados con gran justeza. Sin las "bravuras" de muchas otras de sus hembras, Blanca —a nuestro entender— es una de las creaciones femeninas más humanas de Rojas.

Como ya sabemos, *Del rey abajo ninguno, y labrador más honrado García del Castañar* representa la cima, por nadie discutida, de la dramática del tole-

[51] Ídem, íd., pág. 149.

[52] Ídem, íd., pág. 150.

dano. Resulta, sin embargo, que MacCurdy ha puesto en duda recientemente la paternidad de Rojas [53]. De ser cierta la sospecha, perdería Rojas su título más ilustre; y esto, si por un lado sería grave para su fama, permitiría en cambio reducir el número de sus concesiones a los tópicos de época sobre el honor y el respeto al rey, con ventaja quizá para su personalidad de innovador. En cualquier caso, mientras no se pruebe la hipótesis, consideramos el *García* como de Rojas, según la atribución tradicional.

El argumento es sobradamente conocido. García del Castañar es un rico labrador que vive retirado en sus posesiones —muy en la línea de *El villano en su rincón,* de Lope, y *El celoso prudente,* de Tirso—, donde esconde, por razones políticas, su ilustre sangre. El rey, Alfonso XI, desea conocerle al tener noticia de su generosa oferta para la inminente campaña contra los moros, y con un grupo de caballeros se presenta en su casa pero ocultando su personalidad y a pretexto de una montería. Un noble amigo previene secretamente a García de la visita, pero éste confunde al rey con uno de sus acompañantes, don Mendo, debido a la banda de caballero, recién concedida, que lleva sobre el pecho. Don Mendo se enamora fulminantemente —con amor muy de comedia— de doña Blanca, la esposa de García, y vuelve una noche al Castañar con intención de sorprenderla, aprovechando que su esposo sale de caza. García regresa inesperadamente y sorprende a don Mendo cuando escala el balcón, pero creyendo que es el rey, contra quien no puede proceder en modo alguno, lo deja marchar. Para salvar su honor se dispone a matar a su esposa, pero ésta huye y se refugia en la Corte. Allí acude García, y cuando comprueba que el seductor no es el monarca, mata a don Mendo en el mismo palacio, casi a presencia del rey, y concluye la disculpa de su acción y la revelación de su linaje con estas conocidas palabras:

> *Pero en tanto que mi cuello*
> *Esté en mis hombros robusto,*
> *No he de permitir me agravie,*
> *Del rey abajo, ninguno* [54].

El drama de Rojas ha sido siempre estimado como la más perfecta expresión de aquellos conceptos que se suponen básicos en el hombre español de entonces: el respeto idolátrico al monarca y la defensa del propio honor que ha de lavar con sangre las ofensas. No pudiendo atentar contra el rey por su posición excepcional fuera del alcance de la común venganza, García debe matar a su propia mujer, aun estando persuadido de su inocencia, para destruir así la posible ocasión de su deshonra:

---

[53] Raymond R. MacCurdy, "Francisco de Rojas Zorrilla", en *Bulletin of the Comediantes,* IX, 1957, págs. 7-9.

[54] Edición Mesonero, cit., pág. 25.

> *Pero si Blanca es la causa,*
> *Y resistirle no puedo,*
> *Que las pasiones de un Rey*
> *No se sujetan al freno*
> *Ni a la razón, ¡muera Blanca!*
> *Pues es causa de mis riesgos*
> *Y deshonor, y elijamos,*
> *Corazón, del mal lo menos.*
> *A muerte te ha condenado*
> *Mi honor, cuando no mis celos,*
> *Porque a costa de tu vida*
> *De una infamia me preservo.*
> *Perdóname, Blanca mía,*
> *Que, aunque de culpa te absuelvo,*
> *Sólo por razón de estado*
> *A la muerte te condeno...* [55].

Ninguna de las exigencias del código de honor quedan omitidas. Pero en el drama de Rojas —y de aquí que supere a todas las obras semejantes, en especial a las de Calderón, montadas frecuentemente sobre escolásticos razonamientos— los sentimientos del esposo se humanizan con angustiadas incertidumbres entre su amor y su deber; en tan crueles instantes, el recuerdo de la belleza de su esposa le hace llorar de dolor, y ha de ahogarlo para cumplir con más exigentes razones.

En lo que atañe a la persona del protagonista, defensor de su honor, el drama de Rojas difiere de aquellas comedias de Lope en que se plantean conflictos de clase, porque García no es un villano más o menos humilde —recuérdense, no obstante, las "precauciones" de Lope a este respecto, de que hablamos en su lugar—, sino un noble disfrazado, de sangre real incluso, y lo mismo sucede con Blanca, su mujer. García alega muy al detalle su condición para justificar el asesinato de don Mendo. La diferencia es capital, y señala la distancia que media entre el poeta popular que era Lope, y el aristocratismo de Rojas, hombre y poeta cortesano aunque no fuese noble por nacimiento.

Sin embargo, todo el *García* respira un fresco aire campesino, bien que prudentemente abrillantado por cortesanas esquisiteces y barrocas suntuosidades; el elogio de la vida retirada en la paz y la abundancia de la hacienda, la fértil hermosura de las cosechas, el placer de la caza, el sosegado amor conyugal, las sabrosas y naturales viandas constituyen el motivo de los más delicados momentos de la obra, algunos difícilmente superables. En un soliloquio en estancias, García medita sobre la felicidad de su retiro:

---

[55] Idem, íd., págs. 10-11.

...En ti vivo contento
Sin desear la Corte o su grandeza,
Al ministerio atento
Del campo, donde encubro mi nobleza... [56].

Cuando el rey sugiere a García la posibilidad de un alto puesto en palacio, García responde con el encomio de su paz campestre, al que sigue la colorista descripción de la caza:

Más precio entre aquellos cerros
Salir a la primera luz,
Prevenido el arcabuz,
Y que levanten mis perros
Una banda de perdices,
Y codicioso en la empresa
Seguirlas por la dehesa
Con esperanzas felices
De verlas caer al suelo...
...Levantarlas, ver por dónde
Entró entre la pluma el plomo,
Volverme a mi casa, como
Suele de la guerra el Conde
A Toledo, vencedor;
Pelarlas dentro en mi casa,
Perdigarlas en la brasa,
Y puestas al asador
Con seis dedos de un pernil,
Que a cuatro vueltas o tres
Pastilla de lumbre es
Y canela del Brasil;
Y entregársele a Teresa,
Que con vinagre y aceite
Y pimienta, sin afeite
Las pone en mi limpia mesa,
Donde, en servicio de Dios,
Una yo y otra mi esposa
Nos comemos, que no hay cosa
Como a dos perdices, dos;
Y levantando una presa,
Dársela a Teresa, más
Porque tenga envidia Bras
Que por dársela a Teresa;

---

[56] Ídem, íd., pág. 2.

Y arrojar a mis sabuesos
El esqueleto roído,
Y oir por tono el crujido
De los dientes y los huesos... [57].

Blanca, por su parte, ofrece esta deliciosa enumeración de los manjares que va a ofrecer, cuando el rey y los nobles le preguntan con qué les puede obsequiar:

¿Para qué saberlo quieren?
Comerán lo que les dieren,
Pues que no lo han de pagar,
O quedaránse en ayunas;
Mas nunca faltan, señores,
En casa de labradores
Queso, arrope y aceitunas;
Y blanco pan les prometo,
Que amasamos yo y Teresa,
Que pan blanco y limpia mesa
Abren las ganas a un muerto;
También hay de las tempranas
Uvas de un majuelo mío,
Y en blanca miel de rocío
Berenjenas toledanas;
Perdices en escabeche,
Y de un jabalí, aunque fea,
Una cabeza en jalea,
Porque toda se aproveche;
Cocido en vino un jamón,
Y un chorizo que provoque
A que con el vino aloque
Hagan todos la razón;
Dos ánades, y cecinas
Cuantas los montes ofrecen,
Cuyas hebras me parecen
Deshojadas clevellinas,
Que cuando vienen a estar
Cada una de por sí,
Como seda carmesí
Se pueden al torno hilar [58].

---

[57] **Ídem, íd., pág. 4. (En éste, como en otros pasajes tomados de la edición de Mesonero, corregimos en ocasiones la puntuación por parecernos incorrecta.)**

[58] **Ídem, íd., pág. 5.**

Famosísimos han sido siempre los dos sonetos en que esposo y esposa se dicen sus mutuas ternezas:

No quiere el segador al aura fría,
Ni por abril el agua mis sembrados...

No quieren más las flores al rocío
que en los fragantes vasos el sol bebe... [59].

García del Castañar está construido con el mayor acierto. En el acto primero se definen los caracteres y se ponen en movimiento todos los componentes del drama; el segundo gira en torno de la pretendida seducción de Blanca por don Mendo; en el tercero se produce el desenlace trágico, como consecuencia insoslayable de todas las premisas dadas: caracteres, ideología de los personajes y circunstancias en que se ven envueltos. Las intervenciones del gracioso son parcas y oportunas. Hay frecuentes pinceladas de sabor gongorino —a veces con evidente reminiscencia del poeta de las *Soledades*— y toques conceptistas, pero sin exceso; la barroca opulencia casi nunca va más allá de lo necesario para dar a la obra la entonación de poesía trágica que la ennoblece. Sólo en contadas ocasiones cede el poeta a su proclividad amplificadora; cuando el conde de Orgaz informa al rey de la fortuna y prendas de García, hace su elogio en una larga tirada de ochenta y cuatro versos, de excesivo entusiasmo lírico, impropios de la ocasión; igualmente son demasiados los doscientos versos con que García se justifica ante el rey cuando acaba de apuñalar a don Mendo: la tensión del instante exigía una concisión más rotunda. Pero, en su conjunto, el *García* es el drama más apretado y denso de toda la producción de Rojas [60].

[59] Ídem, íd., págs. 2-3.

[60] Cfr.: J. W. Barker, introducción a su edición de *García del Castañar,* Cambridge, 1935. F. Ruiz Morcuende, prólogo a su edición del *Teatro* de Rojas *(Del rey abajo, ninguno* y *Entre bobos anda el juego),* Clásicos Castellanos, núm. 35, 3.ª ed., Madrid, 1944. Joseph G. Fucilla, "Sobre las fuentes de *Del rey abajo, ninguno*", en *Nueva Revista de Filología Hispánica,* V, 1951, págs. 381-393. Carlos Ortigoza, "*Del rey abajo, ninguno,* de Rojas, estudiada a través de sus móviles", en *Bulletin of the Comediantes,* IX, 1957, págs. 1-4. Arnold G. Reichenberger, "Rojas Zorrilla's *Del rey abajo, ninguno,* as a Spatcomedia", en *Stil- und Formprobleme in der Literatur,* Vorträge des VII Kongresses der Internationalen Vereinigung für moderne Sprachen und Literaturen in Heidelberg, Heidelberg, s. a., págs. 194-200. William M. Whitby, "Appearance and reality in *Del rey abajo, ninguno*", en *Hispania* (Baltimore), XLII, 1959, págs. 186-191. Bruce W. Wardropper, "The poetic world of Rojas Zorrilla's *Del rey abajo, ninguno*", en *The Romanic Review,* LII, 1961, págs. 161-172.

Sobre aspectos diversos de la obra dramática de Rojas, cfr.: Américo Castro, "Obras mal atribuidas a Rojas Zorrilla", en *Revista de Filología Española,* III, 1916, págs. 66-68. Kathleen Gouldson, "Religion and superstition in the plays of Rojas Zorrilla", en *Three studies in Golden Age drama (Spanish Golden Age poetry and drama),* Liverpool Studies

ROJAS, COMEDIÓGRAFO

Hemos visto que hasta los críticos que más resueltamente han negado el valor de Rojas como poeta trágico, le conceden un puesto de primer orden en el cultivo de la comedia. Como juicio de conjunto puede decirse que Rojas viene a representar en el ciclo de Calderón algo semejante a lo que Tirso entre los más inmediatos seguidores de Lope. Sus comedias destacan por la intensidad cómica, la segura caracterización de los personajes, la movilidad de la acción, libertad en la intriga, variedad de ambientes y situaciones, frecuente utilización de tipos picarescos y acusada tendencia a la caricatura y el sarcasmo. Rojas hace suyas todas las libertades consustanciales al espectáculo dramático de su tiempo, y se mueve en él con una soltura y desparpajo que no conoce límites. En las comedias ya no podemos, en manera alguna, denunciar la inverosimilitud de ninguna situación, porque sabemos que el autor está moviendo sus figuras como en un juego, cuyas reglas y convenciones se aceptan de antemano; así, nunca podrá escandalizarnos que dos personajes que acaban de salir de la escena, vuelvan a ella ocultándose tras las sillas en que están sentados los demás, y se enteren de toda la conversación para intervenir cuando llegue el caso. En la mayoría de las ocasiones las comedias de Rojas son sainetes burlescos, a veces muy modernos, en los que sólo importa la ingeniosidad del recurso y la gracia de la situación; lo cual no es óbice para el realismo de innumerables detalles, la intención satírica y la exacta caracterización psicológica que se oculta bajo el rasgo abultado de la caricatura.

Ahora bien: reconociéndole a Rojas la habilidad mayor para el juego escénico que se propone, nos atrevemos a decir que, puesta en parangón con los grandes creadores de nuestra dramática, la comedia de Rojas adolece de falta de personalidad; nada hallamos en ella que pueda compararse con lo que supone el original acento de Tirso, o con el peculiar teatro urbano de Alarcón, o con el nuevo tono inconfundible de la comedia de Moreto. En las de Rojas apenas existe situación o personaje que no nos recuerde algo. Rojas es un epígono; un epígono de alta calidad, conocedor como el primero del mundo del teatro, habilísimo manipulador, que zurce y combina los más variados elementos de probada eficacia teatral, acreditados por los otros ingenios. No queremos decir que Rojas se apropie asuntos ya tratados; sabemos cuán extendida es-

---

in Spanish Literature, second series, Institute of Hispanic Studies, 1946, págs. 89-101. Raymond R. MacCurdy, "More on 'The gracioso takes the audience into his confidence': the case of Rojas Zorrilla", en *Bulletin of the comediantes,* VIII, 1956, págs. 15-16. Del mismo, "The bathing nude in Golden Age drama", en *Romance Notes* (Chapel Hill), II, 1959, págs. 1-4. Del mismo, "The Numantia plays of Cervantes and Rojas Zorrilla: The shift from collective to personal tragedy", en *Symposium* (Syracuse), XIV, 1960, páginas 100-120. Ermanno Caldera, "Solitudine dei personaggi di Rojas", en *Studi Ispanici* (Studi di Filologia Moderna. Università degli Studi di Pisa), I, 1962, págs. 37-60.

taba entonces esta práctica, que nada dice contra la propia "originalidad", sobre la cual se tenía entonces concepto muy diferente al nuestro. Lo de Rojas es otra cosa; quizás él sea quien se sirvió de menos argumentos ajenos *completos,* pero creemos que nadie como él para aprovecharlos *por partes*: una comedia de Rojas es, casi siempre, un *collage.* Claro está que sobre estas hábiles combinaciones Rojas imprime una voz propia; pero es un aderezo exterior más que una sustancia; más bien una *manera,* influida por las peculiaridades estilísticas del Barroco imperante, que un auténtico *estilo,* en ese sentido profundo que consideramos consustancial con la verdadera personalidad. Creemos, pues, que existe su buena porción de tópico cuando se extiende a la *comedia* de Rojas la originalidad renovadora que debe concedérsele a muchos aspectos de sus dramas; Rojas resume y compendia, no innova. Lo cual no obsta para la excelencia de conjunto de su teatro cómico y sobre todo para lo divertido y ágil de sus piezas; cosa que explica la general aceptación de que gozó en su tiempo, sobre todo en los medios cortesanos.

Entre bobos anda el juego y don Lucas del Cigarral ha sido generalmente tenida por una de las mejores comedias de Rojas. Dice Schack que es de las más originales del teatro español, afirmación —a nuestro juicio— exagerada. La originalidad de la pieza debe verse no tanto en su trama como en la índole del protagonista; pertenece a la especie que ha venido llamándose "comedia de figurón" por la traza grotesca del personaje, creado con propósito de caricatura. No sabemos hasta qué punto los rasgos de este tipo representan una auténtica novedad; más bien creemos que se trata de una ampliación a ritmo de comedia de un tipo ya muy familiar en las piezas cortas, particularmente en los entremeses, de gran aceptación en aquel momento.

Don Lucas es un palurdo avaro y miserable, pedante y vanidoso, que concierta su matrimonio con una joven pobre; para recogerla, envía a un primo suyo —un perfecto galán de comedia— que enamora y se queda con la novia. Hay un enredo complicadísimo con otras damas y pretendientes, que hacen posible la acumulación de falsas situaciones, equívocos, confusiones, etc., sobre todo en unas escenas nocturnas en un mesón, con algunos momentos vodevilescos y dos o tres salidas de damas "medio desnudas". Al comienzo de la comedia el gracioso Cabellera dibuja una pintoresca estampa de su amo don Lucas, enumerando sus "partes" físicas y morales, aunque con no poco de clisé cómico [61].

En *Obligados y ofendidos y Gorrón de Salamanca* dos nobles, el conde de Belflor y el estudiante don Pedro, están enamorados cada uno de la hermana del otro; una compleja serie de circunstancias les enfrentan en repetidas ocasiones, de las que salen siempre ofendidos pero, a la vez, obligados a servirse por caballerescos motivos de honor que se explican en sutiles razonamientos.

---

[61] Cfr.: Edwin B. Place, "Notes on the grotesque: the *comedia de figurón*", en *Publications of the Modern Language Association,* LIV, 1939, págs. 412-421.

Al fin, naturalmente, se realizan ambos matrimonios. La obra encierra elementos muy diversos y es una muestra de las variadas facetas de Rojas; en sustancia, es una comedia de intriga, o de capa y espada, con incrustaciones de picardía estudiantil —como la descripción que hace Crispinillo de su amo don Pedro— y escenas de hampa, una de las cuales tiene lugar en la cárcel, donde un grupo de valentones, que está para salir, prepara la muerte del conde, concertada en quinientos ducados; no faltan notas de aguda ironía:

Esta noche, si Dios quiere,
Hemos de matar a un Conde... [62],

dice uno de los jaques.

Otra combinación semejante, con parecida acumulación de incidentes y complicada intriga ofrece la comedia *No hay amigo para amigo,* urdida también sobre un conflicto de amor. Un noble, don Luis, se va al ejército de Flandes después de haber dado muerte a un hombre por causa de la mujer amada, Estrella. Regresa en su busca al cabo de seis años, pero encuentra y se enamora fulminantemente de otra mujer, amiga de la primera; la acción se enreda por la rivalidad de las dos mujeres y porque un hermano del caballero muerto por don Luis está enamorado a su vez de Estrella. Buena parte de la comedia la ocupan reparaciones de honor entre los caballeros, y al fin se anuncian las bodas consiguientes. En la comedia tienen notable participación los criados y graciosos, que son varios: Fernando, criado de don Luis, y Otáñez y Moscón, ama y criado de otro caballero, don Lope, del que Rojas por boca de estos últimos traza una notable caricatura que vale por un cuadro de época. Otáñez describe las costumbres de su amo:

Mi Señor, para que empiece
Con verdad, Señora mía,
Se levanta cada día
Si amanece o no amanece.
Hace versos arrogantes,
De vapor, de rayo y nube,
Y a una azotea se sube
Para alcanzar consonantes.
Porque de laurel le enramen
Tiene escrita una gaveta;
Ser puede, por mal poeta,
Secretario de un certamen.

---

[62] Edición Mesonero, cit., pág. 77. Cfr.: edición de Raymond R. MacCurdy, Salamanca, 1963.

Sale fuera mi Señor
Luego que ha poetizado,
Y oye misa de soldado
Como otros de cazador:
Como en tantas ocasiones
Sirvió en la mar y en la tierra,
Se va al Consejo de Guerra
A seguir sus pretensiones;
Pero viendo el desengaño
Del prolijo pretender,
Va a San Felipe a coger
Mentiras para su año;
Como es capitán de honor,
Le escuchan más aplaudido;
Luego que bien ha mentido
Se viene a comer mejor... [63].

Moscón la interrumpe para añadir por su parte:

Ahora me toca a mí
Desde la comida abajo.
Come con dos mil placeres
Muy llano y desenfadado,
Y habla con cada bocado
De Mastrik, Namur y Amberes;
Aunque me tiene avisado,
Si la guerra le provoca,
Que al tiempo que se desboca
Le tire yo por un lado... [64].

En una ocasión, Moscón es abofeteado por Fernando, y don Lope, muy hombre de honor, reprocha al criado su cobardía. La escena, en apariencia, juega una vez más con el recurso tan socorrido de la cobardía del gracioso; pero creemos que Rojas, más que de éste, se burla aquí sutilmente de los lances de honor entre los mismos caballeros: no importa que el propio Rojas los dramatice tantas veces, al servicio de convencionalismos sociales y teatrales, que no era fácil soslayar. La escena es divertida:

....

DON LOPE. *¿Que esa ofensa en ti no labre*
Indignar la espada airada?
MOSCÓN. *Dice el miedo: "A estotra espada,*
Que esta vaina no se abre".

---

[63] Ídem, íd., pág. 86.
[64] Ídem, íd., págs. 86-87.

DON LOPE. *Buscar quiero otro criado*
Supuesto lo que le pasa,
Que no ha de estar en mi casa
Hombre que está deshonrado.
MOSCÓN. *¿Qué medio hay entre los dos?*
DON LOPE. *Morir noble y temerario.*
MOSCÓN. *Pues págueme mi salario*
Y quédese usted con Dios.
DON LOPE. *De suerte, Moscón, de suerte*
Que cuando agraviado estás
¿Aun valor no mostrarás
De vengarte con su muerte?
MOSCÓN. *¿Luego con su muerte gana*
Mi deshonra mi opinión?
DON LOPE. *Así habrá satisfacción.*
MOSCÓN. *Hablara para mañana.*
Lo que usted me ha advertido
Es lo que llega a importarle;
¿Hay más que decir matarle.
Y hubiérale yo entendido?
Ahora, don Lope, pues,
Coraje y valor me sobra;
A él, manos a la obra;
Buen corazón, y ahora sús;
Pues su alivio me despierta,
Voy a matarle derecho.
DON LOPE. *Hasta volver satisfecho*
No me entres por esa puerta.
MOSCÓN. *Vos veréis lo que yo hiciere.*
DON LOPE. *Que has de darle muerte espero.*
MOSCÓN. *No está más de que él se muera*
Del golpe que yo le diere.
Pregunto, pues sabéis de esto:
Si por valor o por suerte,
Él me diera a mí la muerte,
¿Cuál quedará mejor puesto?
DON LOPE. *Tú, Moscón. Vete con Dios*
Y de tu venganza trata.
MOSCÓN.. *Pues por Dios, que si me mata,*
Que me he de quejar de vos... [65].

[65] Idem, íd., págs. 95-96.

Abre el ojo —o *Abrir el ojo*, como se titula en algunas reimpresiones— es una de las comedias de Rojas de más penetrante humor, más movidas y mejor dialogadas; no es de intriga —aunque claro está que en una comedia de Rojas no puede escasear— sino de caracteres. Es un cuadro divertidísimo de "damas" cortesanas, con todos los enredos y tretas de que usan para exprimir a los galanes haciendo prudente empleo de su persona. No se trata de gente del bronce —entiéndase bien—, sino de discretas entretenidas y caballeros no menos discretos y pundonorosos, que tratan de vivir placenteramente. Las dos primeras jornadas son perfectas; Rojas descansa de su verborrea habitual y construye unos diálogos veloces y chispeantes, pletóricos de agudezas, muy intencionados y felicísimos en la caracterización. La tercera jornada es algo más premiosa, pero contiene también unas deliciosas escenas a cargo del gracioso Cartilla, que aprovecha de nuevo Rojas para montar una graciosa caricatura de los lances de honor.

Apenas inferior —si llega a serlo— es la comedia *Lo que son mujeres*, llena también de estupendos tipos. Las sutilezas de amor en su más amplia gama, desde el más poético al más interesado —aunque con predominio de este último— llenan la mayor parte de los diálogos, pero Rojas dibuja a la vez sátiras muy vivas de gentes de la Corte. Algunas letrillas y romances descubren la huella de Góngora o de Quevedo; como el que recita don Marcos, un hombre que se "pudre" de todo:

....
Que se azote un majadero
No me causa pesadumbre;
¿Pero que haya quien le alumbre
Costándole su dinero?
¿Que ande un hidalgüelo añejo
Con aire y hielo a porfía
Por los montes todo un día
Para coger un conejo?
¿Que haya puercos mentecatos,
Que aunque sea de buen pelo,
Ensucien un ferreruelo
Por limpiar unos zapatos?
¿Y que ahorre el mosquetero
Seis cuartos de su caudal
Y que se venga al corral
A silbarse su dinero?...
¿Que envíe un hombre a comprar
Un caballo a Andalucía,
Y le preste el mismo día
Que llega para torear?

¿Que haya quien vaya a porfía
A los toros de Alcalá,
No más de a pasar allá
Dos noches malas y un día?
Pues los músicos digan a coro:
No están todos
En la casa de los locos[66].

A lo cual responde otro caballero, defensor de la opuesta filosofía:

Que se caiga la torre
De Valladolid.
Como a mí no me coja,
¿Qué se me da a mí?
Un disparate es morirse,
El pudrirse, más de mil;
Luego el pudrirse es lo mesmo
Que irse dejando morir.
....
Que no pague a los criados
Un señor, ¿qué importa, en fin,
Si ha menester lo que tiene
Para echallo por ahí?
¿Qué me importa que don Diego,
Don Andrés o don Martín
No tengan para comer,
Si lo gastan en vestir?
Hacerse uno caballero,
Saberlo obrar y fingir,
¿Qué le quita a mi solar
Si echa la culpa al del Cid?
La mujer que me ha admitido,
Aunque mire aquí y allí,
El favor que a mí me hace
¿Por qué se le he de reñir?
Pues los músicos vuelvan a decir:
Que se caiga la torre
De Valladolid...[67].

Al final de la comedia Rojas reclama el tributo a su originalidad por boca del gracioso Gibaja, que dice al público:

[66] Ídem, íd., pág. 209.
[67] Ídem, íd., pág. 210.

> *Y don Francisco de Rojas*
> *Un vítor sólo pretende*
> *Porque escribió esta comedia*
> *Sin casamiento y sin muerte* [68].

Imposible ya detenernos en otras comedias de Rojas no menos ingeniosas y divertidas, pero que no añaden aspectos esenciales a lo que llevamos apuntado sobre su teatro; recuérdense, sin embargo, *Donde hay agravios no hay celos o amo y criado* [69], *Don Diego de noche,* muy celebrada, pero que MacCurdy cree de dudosa atribución, *Lo que quería ver el Marqués de Villena,* interesante por sus tipos y escenas del mundo estudiantil salmantino y que quizá recoge los recuerdos escolares del autor, etc.

LOS AUTOS Y LAS COMEDIAS DE SANTOS

Cotarelo da noticia de quince títulos de autos sacramentales de Rojas —de los cuales tan sólo once, según MacCurdy, son auténticos— [70], pero sólo es el título lo que se conoce de la mayoría de ellos, aparte algunos detalles de su representación recogidos por Pellicer [71]. Todos pertenecen a la última etapa del poeta; el más antiguo conocido, *El Hércules,* fue representado en las fiestas del Corpus de Madrid de 1639, y *El gran patio de palacio* —probablemente el último— fue compuesto en tres días en 1647. No es de presumir que Rojas fuese estimulado al cultivo del auto sacramental por íntimas exigencias de expresión literaria; dado el tono de su teatro y el resultado de sus esfuerzos en aquel género, debemos pensar que lo llevaron a él sus compromisos de poeta cortesano —no se olvide el importante lugar que los monarcas ocupaban en las fiestas del Corpus de Madrid—, cuando no el deseo de sumarse a un espectáculo tan prestigiado y popular y, a las veces, remunerativo. De las noticias recogidas por Cotarelo puede deducirse que Rojas trató de que le aceptaran dos autos en 1641 para remediar una de sus frecuentes crisis de dinero.

Valbuena Prat no concede a los autos de Rojas demasiada importancia; en su opinión, supo apropiarse "la forma calderoniana, los asuntos, la riqueza de temas", pero no solamente no logra acercarse al dominio de la alegoría lleva-

---

[68] Ídem, íd., pág. 211.

[69] Cfr.: James U. Rundle, "D'Avenant's *The Man's The Master* and the Spanish Source", en *Modern Language Notes,* LXV, 1950, págs. 194-196.

[70] Prólogo a su edición de *Morir pensando matar...,* cit., pág. XXII.

[71] Véase Cotarelo, estudio cit., capítulo IV y V. Cfr.: N. D. Shergold y J. E. Varey, "A problem in the staging of autos sacramentales in Madrid, 1647-1648", en *Hispanic Review,* XXXII, 1964, págs. 12-35 (trata de la representación en 1647 del auto de Rojas *El gran patio de palacio).*

da a tan alto grado por Calderón, sino que se halla todavía en un nivel muy primitivo en cuanto al arte de corporeizar las abstracciones, y poco versado, por añadidura, en saber teológico. Rojas tomó de Calderón argumentos y motivos, así, por ejemplo, en *Los acreedores del hombre* y en *El gran patio de palacio,* que recuerdan respectivamente *El indulto general* y *Los alimentos del hombre* calderonianos; pero —en expresión de Valbuena— sólo "se parecen en la cáscara": "cuando en *El gran patio de palacio* —añade— Rojas concibe la vida como una antesala de la corte en que cada hombre va a presentar su memorial a Dios, sugiere aun el motivo de la comedia de la vida de *El gran teatro del mundo;* pero ¡qué diferencia de poeta a poeta! Rojas sólo ha captado lo más externo" [72]. Rojas, no obstante, consigue aciertos parciales cuando se trata de motivos que puede tratar al modo de sus comedias profanas, como sucede frecuentemente en la descripción, o "personificación", de algunas figuras abstractas. En *La viña de Nabot,* editado por Américo Castro [73], se basa Rojas en el relato del Antiguo Testamento, pero, lo mismo que en los autos arriba mencionados, sus momentos mejores corresponden a las escenas realistas, mientras que el sentido alegórico de la obra es poco feliz. Pretendiendo, como su maestro Calderón, cultivar todas las variedades del género, escribió el auto caballeresco *El caballero de Febo,* en el que éste es Cristo, y buscó un tema mitológico en *El robo de Elena y la destrucción de Troya.*

Mucho mayor interés que los autos pueden tener para el lector de Rojas dos "comedias de santos" —o que pueden llamarse aproximadamente así—, porque demuestran en qué medida era Rojas un escritor esencialmente profano —el más profano, sin duda, de nuestros dramaturgos del Siglo de Oro— y cómo sus peculiares condiciones se avenían mal con aquellos géneros.

En un reciente estudio, Edward Glaser, dentro de la actual corriente reivindicadora del teatro de Rojas, se ocupa de su comedia *Santa Isabel, Reina de Portugal* [74], y reclama para ella la calidad que le habían negado los críticos del siglo XIX. Isabel de Aragón, esposa del monarca portugués don Dinís, recién canonizada por los esfuerzos de Felipe IV, era una santa muy popular por aquellos días y acerca de la cual se habían escrito en las últimas décadas multitud de "vidas". Rojas prescinde casi por entero de los motivos religiosos, encomiados por los hagiógrafos, y plantea su obra sobre un conflicto de honor. Américo Castro, en palabras que recuerda Glaser, había ya advertido que *Santa Isabel* podía ser otra prueba del "feminismo" de Rojas: "Esta manera de considerar a la casada la desarrolla Rojas a lo divino en *Santa Isabel, Reina de Portugal.* La Reina hace cuanto quiere a despecho de las prohibiciones del

---

72 *Historia...,* cit., pág. 584.

73 En Teatro Antiguo Español, vol. II, cit.

74 Edward Glaser, "*Santa Isabel, Reina de Portugal,* de Francisco de Rojas Zorrilla", en *Estudios hispano-portugueses. Relaciones literarias del Siglo de Oro,* Valencia, 1957, págs. 179-220. Edición de la comedia en BAE, vol. LIV, cit.

Rey... En suma, tenemos aquí una vez más la personalidad de la esposa resaltando sobre la del marido débil e injusto"[75].

Las extremadas prácticas religiosas de Isabel, con su riguroso ayuno y penitencias, así como su desatada caridad, provocan el disgusto de don Dinís, hombre sensual, voraz gustador de placeres, y originan las desventuras domésticas de la reina (tema excelente —pensamos— para un conflicto dramático). Rojas, en cambio, apenas alude a estas manifestaciones de piedad en cuanto afectan a la perfección religiosa de Isabel, ni dedica espacio alguno a temas dogmáticos o morales —según técnica usual en los cultivadores del género—, sino que anuda la trama de su obra en torno a dos parcialidades enemigas, que dividen la casa real, y a los celos que enciende en el monarca la confianza depositada por la reina en su consejero Ramiro, traído por ella desde Aragón. La inocencia de la reina queda patente al fin, después de un fallido intento de don Dinís de hacer morir a Ramiro. Glaser destaca en su estudio que Rojas, prescindiendo de los motivos tenazmente repetidos por todos los hagiógrafos, elabora un conflicto nuevo en el que Isabel desempeña el papel de una mujer resuelta, que se enfrenta a "un marido débil y de menos talla" para defender valientemente su matrimonio y su dignidad, convirtiéndose de este modo en una heroína espléndida, muy distante de la tradicional figura de la Santa, "medio borrosa bajo una envoltura de milagros"[76].

Evidentemente, esta interpretación nos conduce de nuevo al Rojas "feminista", que convierte a la mujer en conductora activa y eficaz de la acción dramática, imponiéndose a la torpe conducta del marido. Ahora bien: insiste Glaser en que esta "secularización" —o "humanización" si se prefiere— del drama de Isabel es una originalidad del dramaturgo, que desemboca en "un desarrollo nuevo y sorprendente"[77]. Pero hemos de disentir de estas deducciones. Existe una originalidad aparente y superficial —de fácil diagnóstico— en el hecho de que Rojas se evada del ambiente piadoso y milagrero de la leyenda devota de la Santa, del que disponía a manos llenas, y trace un conflicto "secularizado" que ni por asomos estaba en dichas fuentes; Glaser dedica, en efecto, la mayor parte de su erudito trabajo a precisarlas para poder llegar a la mencionada conclusión. Creemos, sin embargo, que, si en este inmediato sentido Rojas es *original*, el hecho de convertir un delicado conflicto de espíritu en un drama de intriga, de rivalidades cortesanas, de celos y de honor era lo más manido y vulgar; era eludir los problemas de mayor riesgo y hondura para triscar cómodamente por el camino de la intriga anecdótica, según la norma que la escena áurea —con santos, con héroes, con reyes, con personajes históricos de toda condición— había puesto en práctica infinitas veces.

[75] Edición de *Cada cual lo que le toca...*, cit., pág. 193. Aducido por Glaser, en estudio cit., págs. 184-185.

[76] Est. cit., pág. 220.

[77] Ídem, íd., pág. 218.

La *Santa Isabel* de Rojas se diferencia por entero —no puede dudarse— de las habituales "comedias de santos", con milagros y apariciones, que él no sentía ni sabía hacer; pero no creemos que esto permita atribuirle la originalidad que se pretende. Porque esta *Santa Isabel* huyendo como de la peste de lo que era un hermoso asunto —el desvío de un rey mujeriego hacia su esposa, que destruía su propia hermosura con una exaltada vida de piedad— sigue, en cambio, de lleno la más socorrida receta del drama de intriga y de honor. Convertir *lo que fuese* en una comedia de capa y espada para solaz de mosqueteros y cortesanos, en los días de Rojas ya no representaba nada nuevo.

La vida en el ataúd, recientemente editada por MacCurdy [78], es también otra prueba de esa "secularización" con que trata Rojas los asuntos religiosos, y a la vez de su incapacidad para llevar a escena temas y personajes de dicha índole. *La vida en el ataúd* dramatiza la vida de San Bonifacio, quien —según esquema muy repetido— después de una vida de pecado llega a afrontar el martirio por su fe. Según los hagiógrafos, Bonifacio, criado de la rica dama romana Aglaes, fue convertido por ésta en su amante, hasta que al cabo de varios años de escándalos, abrazan los dos el cristianismo. Rojas, para animar la intriga, enfrenta a dos mujeres, ambas enamoradas de Bonifacio, que luchan por su conquista durante todo el drama. Oigamos el esclarecedor comentario de MacCurdy: "Destaca en primer lugar la vigorosa delineación de los personajes femeninos, Milene y Aglaes, cuyas rencillas con motivo del amor de Bonifacio proveen el conflicto dramático sostenido a lo largo de la obra. Mujercillas fuertes y porfiadas éstas, con su atrevida declaración del *derecho de amar*. Con razón la crítica ha insistido tanto en el feminismo de Rojas, aunque desde luego la agresiva femineidad de estas rivales puede pasar la raya, convirtiéndolas en tipos hombrunos" [79].

Rojas traza vivas escenas de seducción amorosa, "cuya escenificación ante un público del siglo XVII —dice el mismo comentarista— no dejaría de causar problemas". En tales momentos podemos encontrar fugazmente al mejor Rojas; pero la mezcla de estos elementos "humanos" con intervenciones sobrenaturales —según la fórmula, esta vez, de la típica "comedia de santos"— es poco afortunada.

AGUSTÍN MORETO

LA LEYENDA Y LA REALIDAD DE SU VIDA

Es un lugar común, pero indiscutible, situar a Moreto entre los seis más grandes dramaturgos de nuestra escena áurea, y es bien sabido que en sus días

[78] En Clásicos Castellanos, núm. 153, cit.

[79] Ídem, íd., pág. XLIX.

de mayor triunfo compitió en popularidad con Calderón y Rojas. No obstante, los datos que se poseen de la vida de este escritor son muy escasos, y hasta tiempos relativamente recientes su biografía no era sino un tejido de leyendas, algunas bien ridículas. Un año antes tan sólo de que Luis Fernández-Guerra publicara su estudio sobre Moreto, en las páginas preliminares a la selección de sus comedias en la *Biblioteca de Autores Españoles* [80], se había podido todavía escribir una fantástica "vida" del escritor [81]. Según se cuenta en ella, Moreto era hijo de una actriz valenciana, y para proteger a su madre de las importunas solicitaciones del poeta Baltasar Elisio de Medinilla, había tenido que asesinar a éste [82]. Se le tenía por un petimetre, a la manera del que retrata en su comedia *El lindo don Diego*: versión recogida por Lesage en su *Gil Blas*; se le atribuían también amores dramáticos y desgraciados y duelos a muerte contra rivales; finalmente, se afirmaba que, arrepentido de sus culpas, sobre todo de la muerte de Medinilla, había pedido ser enterrado en el Pradillo del Carmen, donde ordinariamente se daba sepultura a los ajusticiados. Mesonero Romanos recogió también la especie de que había sido soldado en Flandes y, como tal, había ganado la protección del marqués de Denia y del duque de Uceda.

Fernández-Guerra deshizo documentalmente todas estas fábulas y acopió la casi totalidad de las noticias seguras —muy pocas, por cierto— que, hasta el momento, poseemos del dramaturgo. Agustín Moreto y Cavana nació en Madrid y fue bautizado en la parroquia de San Ginés el 9 de abril de 1618. Sus padres, Agustín Moreto y Violante Cavana —o Cavaña—, eran italianos [83]; vivían prósperamente del comerçio de ropa y muebles, lo que les permitió adquirir varias casas en la calle de San Miguel y en la del Barquillo. El futuro dramaturgo comenzó sus estudios en Alcalá en 1634, cuando tenía 16 años, y los dio por acabados en 1637, después de haber cursado "súmulas, lógica y física", aunque no se graduó sino en diciembre de 1639, quizá, como supone

80 *Comedias escogidas de D. Agustín Moreto y Cavaña,* edición de Luis Fernández-Guerra y Orbe, BAE, XXXIX, Madrid, nueva ed., 1950. El estudio de Fernández-Guerra está fechado en 1856.

81 Juan Guillén y Buzarán, "Escritores del siglo XVII. Literatura dramática española. Don Agustín Moreto", en *Revista de ciencias, literatura y artes,* Sevilla, 1855, tomo I, entregas VII, VIII, IX, X y XI.

82 Moreto tenía tan sólo dos años de edad cuando tuvo lugar el asesinato de Medinilla.

83 Existen diversas opiniones, y hasta documentos contradictorios, acerca de la región de procedencia de los padres de Moreto. Cfr.: Emilio Cotarelo y Mori, "Testamento de una hermana de Moreto", en *Boletín de la Real Academia Española,* I, 1914, págs. 67-68. Luis Fernández-Guerra y Orbe, *Don Juan Ruiz de Alarcón y Mendoza,* Madrid, 1871 (en la pág. 340 trata de la patria de los padres de Moreto). Joaquín de Entrambasaguas, "Doce documentos inéditos relacionados con Moreto y dos poesías suyas desconocidas", en *Revista de la Biblioteca, Archivo y Museo del Ayuntamiento de Madrid,* oct., 1930, págs. 341-356.

Ruth Kennedy[84], porque no le acuciaban necesidades económicas o porque ya había comenzado a apasionarse por la literatura. En 1642 era clérigo de órdenes menores, y como tal obtuvo un beneficio en la iglesia de Mondéjar, de la diócesis de Toledo, aunque sin duda alguna continuó residiendo en Madrid. Entre aquella fecha —pues Moreto fue un escritor muy precoz— y 1656 debe situarse el período de mayor actividad literaria del dramaturgo.

Hacia este último año, o algo antes, Moreto entró al servicio, ya como capellán, del arzobispo de Toledo don Baltasar de Moscoso, de quien había recibido protección con anterioridad y que probablemente había favorecido la entrada del poeta en los medios cortesanos. El arzobispo, que sentía gran preocupación por los pobres y abandonados, había reorganizado para su asistencia la Hermandad de San Pedro o del Refugio y le había anexionado el Hospital de San Nicolás. Para cuidar de éste, Moscoso escogió a Moreto en 1657, señalándole alojamiento en el mismo Hospital. A partir de esta fecha parece que puede considerarse terminada la actividad literaria del dramaturgo, que vivió desde entonces entregado a su caritativa ocupación; en los libros de cuentas de aquella institución se conservan partidas anotadas de mano de Moreto, que nos certifican de su actividad.

El maldiciente Jerónimo de Barrionuevo recogió el rumor, en uno de sus *Avisos*, de que en 1657 Moreto se había metido cartujo o capuchino en Sevilla "por huir de los vizcaínos, que le buscaban para matarle"[85]. La noticia tiene toda la traza de una invención, y Ruth Kennedy recuerda que no se conoce dato alguno que permita atribuirle a Moreto las cualidades que Barrionuevo le supone; es de presumir —añade— que Moscoso no habría dedicado al cuidado de sus queridos pobres a quien no fuese digno de esta tarea. Moreto siguió viviendo en el Hospital hasta su muerte, el 28 de octubre de 1669. En el testamento ordenó que, si quedaba algo de sus bienes, después de pagar las deudas, se entregara a los pobres, y pidió, en efecto, ser enterrado en el Pradillo del Carmen donde se llevaba no a los ajusticiados sino a los pobres del Hospital; de aquí nació la leyenda de su sepultura, por haberse confundido el del Carmen con el llamado *prado de los ahorcados*. Su voluntad no fue, sin embargo, respetada en este punto, y se le dio sepultura en la parroquia de San Juan Bautista, de Todelo, donde reposa todavía.

PROBLEMAS BIBLIOGRÁFICOS

Mucho más problemática que su vida es todavía la producción dramática de Moreto. Fue ésta considerablemente copiosa, y aunque gran parte de sus

[84] Ruth Lee Kennedy, *The dramatic art of Moreto*, Smith College Studies in Modern Languages, vol. XIII, núms. 1-4, oct. 1931-julio 1932, Northampton, Massachusetts, página 4.

[85] Citado por Kennedy, ídem, íd., pág. 5.

obras —según costumbre muy practicada en su tiempo— fueron compuestas en colaboración con otro o varios escritores, quedan aún bastantes para considerarle autor de no escasa fecundidad. Sin embargo, también Moreto, como la mayoría de sus colegas, descuidó el coleccionar y hacer publicar su teatro; durante su vida, y bajo su vigilancia, tan sólo vio la luz, en 1654, una *primera parte*, cuyas doce comedias son las únicas que, en el estado actual de los estudios moretianos, ofrecen totales garantías de autenticidad. En vida incluso de Moreto se publicaron muchas de sus obras, bien como sueltas, bien formando parte de diversos volúmenes de *varios*, pero con todo género de alteraciones y mutilaciones, cambio de títulos, falsas atribuciones, etc., según práctica editorial del tiempo que ya nos es bien conocida. La popularidad del teatro de Moreto —uno de los más representados y leídos de su época— estimuló la codicia de los editores, y durante el resto del siglo y primera mitad del XVIII se multiplicaron las ediciones de sus obras y vieron repetidamente la luz como *segunda* y *tercera* parte varios volúmenes amañados con todo género de supercherías, ya que algunos de ellos, publicados en el siglo XVIII, se quisieron hacer pasar como de la época del autor. Con todo ello se urdió uno de los más estupendos embrollos bibliográficos que conoce la historia de nuestro teatro. Ni don Luis Fernández-Guerra, al publicar su mencionado volumen en la *Biblioteca de Autores Españoles*, ni La Barrera al escribir después la biografía y bibliografía de Moreto en su *Catálogo del teatro antiguo español*, tuvieron noticia de aquellas falsificaciones, que sólo Gallardo y Salvá comenzaron a desenmarañar. En 1918 Morley [86] hizo notar los difíciles problemas de atribución que planteaba el teatro de Moreto; según él, de las comedias seleccionadas por Fernández-Guerra tan sólo ofrecían garantías las pertenecientes a la *primera parte* auténtica, las que llevaban su nombre en los versos finales, las no atribuidas a distinto autor en otras ediciones, y las autógrafas: selección muy generosa todavía, como luego se ha visto. Don Emilio Cotarelo y Mori, en 1927 [87], afrontó por primera vez la tarea de esclarecer los problemas bibliográficos del teatro de Moreto, y hubo de despojarle de bastantes obras tenidas anteriormente como suyas. Finalmente, en 1932 publicó Ruth Lee Kennedy su mencionado estudio sobre el dramaturgo en el que se ocupa con rigor y minuciosidad del problema de las atribuciones. Según nuestra cuenta, once de las treinta y tres comedias seleccionadas por Fernández-Guerra no pueden asignarse con seguridad a Moreto de acuerdo con las deducciones de Ruth Kennedy, al menos como obras de su sola mano. En cambio, de todas las demás admitidas por aquélla como auténticas y no seleccionadas por Fernández-Guerra, no existen, que sepamos, ediciones modernas; lo que significa que el lector de Moreto tiene que vencer

---

[86] S. G. Morley, *Studies in Spanish Dramatic Versification of the 'Siglo de Oro': Alarcón and Moreto*, University of California Press, 1918.

[87] Emilio Cotarelo y Mori, "La bibliografía de Moreto", en *Boletín de la Real Academia Española*, XIV, 1927, págs. 449-494.

todavía en nuestros días serias dificultades para acercarse con provecho al conocimiento de su teatro.

En cuanto a la cronología, según Ruth Kennedy tan sólo doce de las comedias de Moreto pueden ser fechadas con seguridad, lo que hace muy arriesgado cualquier intento de establecer la evolución de su arte dramático. No obstante, el mencionado crítico cree poder fijar algunas directrices. Seguramente, Moreto comenzó su carrera literaria escribiendo comedias de argumento novelesco o de intriga, tales como *Las travesuras de Pantoja* o *El Caballero.* Los dramas de índole histórica fueron compuestos alrededor de 1650, aunque algunos se alejan de esta fecha, como *El valiente justiciero,* que parece ser de 1656, y *Cómo se vengan los nobles* de 1667. Las piezas religiosas fueron escritas a lo largo de toda su vida, aunque las específicamente hagiográficas parecen corresponder al último período. Las comedias *de carácter* debieron de ser compuestas a partir de 1650, y las obras maestras de este grupo pertenecen probablemente a los años postreros del autor. Como se ve por las fechas citadas, Ruth Kennedy no admite, como venía afirmándose, que Moreto dejase de escribir para el teatro al encargarse como capellán del hospital de los pobres. Es posible, sin embargo, que Moreto no escribiera ya entonces con destino a los corrales públicos, sino tan sólo para los teatros de los Reales Sitios [87 bis].

En lo que concierne a la división del teatro moretiano, Ruth Kennedy rechaza la establecida por Fernández-Guerra y propone la siguiente: teatro *religioso* y teatro *profano*; y subdivide este último en comedias *de argumento* —que subdivide a su vez en comedias *de interés novelesco* y *de intriga*— y comedias *de carácter* o *ideas.* Entre las religiosas, o más concretamente hagiográficas, deben destacarse *El más ilustre francés, San Franco de Sena* y *La vida de San Alejo*; entre las novelescas, *Amor y obligación* y *Las travesuras de Pantoja*; a las de intriga hay que asignar *El Caballero, El parecido en la corte* y *Trampa adelante*; finalmente, a las de carácter e ideas pertenecen las más famosas entre las obras de Moreto: *El desdén con el desdén, El lindo don Diego, Industrias contra finezas, No puede ser,* y algunas otras clasificadas ruti-

---

[87 bis] Ruth Lee Kennedy ha completado su estudio básico sobre Moreto con otros trabajos posteriores en los que ha tratado de esclarecer diversos problemas referentes a la atribución de algunas obras en particular; véanse los siguientes: "Concerning seven manuscripts linked with Moreto's name", en *Hispanic Review,* III, 1935, págs. 295-316. "Manuscripts attributed to Moreto in the Biblioteca Nacional", en *Hispanic Review,* IV, 1936, págs. 312-332. Respecto a la fecha en que Moreto dejó de escribir para el teatro, Kennedy ha vuelto de nuevo sobre la cuestión en su artículo "Moreto's span of dramatic activity", en *Hispanic Review,* V, 1937, págs. 170-172. En este trabajo reafirma su opinión de que Moreto siguió escribiendo obras dramáticas después de retirarse a Toledo en 1657, pero duda de que lo hiciera después de la muerte de Felipe IV en 1665; desde esta fecha hasta 1667 estuvieron cerrados los teatros, y en los últimos años de su vida parece que Moreto estuvo muy delicado de salud y no es probable que prosiguiera ya entonces su tarea literaria.

nariamente como *históricas* por algunos comentaristas debido a la presencia de personajes tomados de la historia patria o extranjera.

MORETO Y EL PROBLEMA DE LA ORIGINALIDAD

Hemos tenido repetida ocasión de observar la frecuencia con que nuestros dramaturgos de la Edad de Oro tomaban obras ajenas —muchas veces hasta con sus mismos títulos— para apropiarse todo o parte de su argumento o refundirlo o adaptarlo a su gusto; ni el mismo Lope se privó de esta libertad, que fue cada vez mayor, y que alcanza carácter de costumbre en los días de Calderón y de su "escuela": ya sabemos cuán peculiar del ciclo calderoniano fue la norma de someter los viejos asuntos al nuevo tratamiento dramático que pedía la estética barroca.

Esta tendencia o práctica, tan repetida, no fue por lo común objeto de censura ni aun siquiera por parte de los críticos o rivales más enconados de los respectivos dramaturgos. Sin embargo, Moreto ha sido siempre señalado como impenitente refundidor e incluso plagiario. Fernández-Guerra recogió una anécdota de interés, que parece probar la opinión en que ya se le tenía en su tiempo y puede explicar a la vez la acusación que pesa sobre el dramaturgo. Refiere el mencionado investigador que en septiembre de 1649 con ocasión de reunirse los poetas de la *Academia Castellana,* de la que era miembro Moreto, se encargó del *vejamen* su secretario Jerónimo de Cáncer; fingía éste un sueño en el que los poetas latinos e italianos tenían sitiado el Parnaso, y Apolo pedía socorro a los de Castilla; acudieron éstos en su auxilio y comenzó la batalla, "y en medio de este peligro —sigue diciendo Cáncer— reparé que don Agustín Moreto estaba sentado y revolviendo unos papeles, que, a mi parecer, eran comedias antiquísimas, de quien nadie se acordaba. Estaba diciendo entre sí: —Esta no vale nada. De aquí se puede sacar algo, mudándole algo.: este paso puede aprovechar. Enojéme de verle con aquella flema cuando todos estaban con las armas en las manos, y díjele que por qué no iba a pelear como los demás. A que me respondió: —Yo peleo aquí más que ninguno; porque aquí estoy minando al enemigo. —Vuesamerced, le repliqué, me parece que está buscando qué tomar de esas comedias viejas. —Eso mismo, me respondió, me obliga a decir que estoy minando al enemigo; y échalo de ver en esta copla:

> *Que estoy minando imagina,*
> *Cuando tú de mí te quejas;*
> *Que en estas comedias viejas*
> *He hallado una brava* mina" [88].

[88] Citado por Luis Fernández-Guerra, edición cit., pág. XIII.

Piensa Fernández-Guerra que en la práctica refundidora de Moreto pudo influir el decreto dado en 1644 por el Consejo Real, que prohibía representar comedias "de inventiva propia de quienes la componen" y sólo permitía comedias sobre "historias o vidas de santos". Pero los decretos contra el teatro, en una sociedad que lo pedía ansiosamente, no parece que se cumplieron nunca con demasiado rigor. Por otra parte, Fernández-Guerra parece interpretar muy a la letra lo de "inventiva propia", y supone que estaba, en cambio, permitido rehacer las obras antiguas, incluso aquellas cuya prohibición quedaba incursa en el decreto del Consejo, limpiándolas de paso de sus posibles desenvolturas. Entendemos, sin embargo, que lo de "propia inventiva" alude a las comedias de mero pasatiempo, es decir, de invención "novelesca", consistentes invariablemente en enredos y fábulas de amor, que es lo que se estimaba pernicioso, no importa que fuesen de primera o de segunda mano.

El propio crítico define luego certeramente los más peculiares rasgos de la personalidad dramática de Moreto, que no han sido rectificados en sustancia por los recientes investigadores. Moreto no poseía, sin duda, la capacidad creadora de los grandes dramaturgos que le habían precedido, pero tenía en cambio un gusto más exigente y, sobre todo, un raro "instinto de la perfección", como tenía que decir más tarde Menéndez y Pelayo. Kennedy resume las condiciones que pudieron determinar la tarea refundidora y revisionista de nuestro autor: las condiciones del teatro y las costumbres dramáticas de la época; la falta de genio creador; y ese aludido instinto de la perfección que empujaba al dramaturgo más a revisar que a crear; y añade una cuarta razón posible, pero que estima menos probable: un "cierto diletantismo que encuentra más fácil tomar los argumentos de los demás, que imaginarlos por sí mismo" [89].

En cuanto a lo que atañe a las condiciones teatrales y costumbres dramáticas del momento, Kennedy parece asentir al problema de la prohibición aducido por Fernández-Guerra; pero repetimos que no lo estimamos válido. Las tendencias y prácticas dominantes en aquel período dramático son fundamentales, pero no en el sentido a que se refieren los dos críticos mencionados; la prohibición no podía, en todo caso, afectar a Moreto más que a los otros escritores. La razón esencial hay que buscarla en las diferencias que separan el período creador empujado por la fuerza avasalladora de Lope y el segundo momento que corresponde al ciclo calderoniano. Esas diferencias las hemos ido viendo a propósito del mismo Calderón y luego de su más característico discípulo, Rojas Zorrilla, y serán todavía puntualizadas al referirnos a los dramaturgos de menor rango. Medio siglo de producción masiva de teatro había exprimido todos los motivos de posible escenificación; Lope y sus más directos discípulos creaban apresuradamente, solicitados por el afán de un pueblo, que había encontrado por primera vez en su historia el gran espectáculo nacional.

[89] "A certain dilettantism that found it easier to take the plots of others than to create them for himself", *The dramatic art...*, cit., pág. 75.

Los filones se agotaban al fin, pero la demanda de espectáculo seguía más acuciante cada vez. Había llegado, consecuentemente, el momento de rehacer y revisar, de retomar los viejos asuntos quizá indebidamente aprovechados, y someterlos a nuevo tratamiento: ordenarlos, aderezarlos con otro sabor, sustituir los motivos inútiles o gastados, condensar la anécdota para robustecer la pasión y potencia humana del héroe central, exagerar los efectos escénicos en busca de una renovada eficacia, multiplicar la escenografía... ; es, simplemente, el barroquismo llevado al género dramático.

El "diletantismo", a que alude Kennedy, que encuentra más cómodo tomar lo ajeno que inventar cosas nuevas, no nos parece recusable; al menos en muchas ocasiones. El plagio —por decirlo brevemente con la palabra más cruda— era una necesidad a que apremiaban mil circunstancias. El dramaturgo, desde Calderón al más adocenado, trabajaba de encargo infinitas veces; no es un problema, entiéndase, de codicia o de cuquería, sino que había que atender demandas irrecusables, con frecuencia del mismo monarca, o de políticos eminentes, o de hermandades o corporaciones que precisaban un "auto" o una comedia para determinada festividad; y entonces quedaba escaso tiempo para exigirle novedades al propio genio: allí estaba el caudal dramático derrochado precipitadamente por muchas docenas de colegas. Tales urgencias explican igualmente la frecuentísima costumbre de las colaboraciones, que iba en aumento cada día: repartiéndose los actos —a veces, parte sólo de ellos— varios ingenios reunidos podían salir bastante fácilmente de un apuro. Dentro de estas condiciones del teatro de su tiempo, el peculiar talento de Moreto, minucioso y ordenador, y su instinto de perfección pueden explicar los caracteres de su dramática, que veremos luego.

Ruth Kennedy ha tratado, pese a todo, de ver lo que hay de cierto en la acusación de plagiarismo sostenida contra Moreto, y examina con minuciosidad cada una de sus comedias de atribución segura; tarea en la que el propio Cotarelo le había preparado el camino. De las treinta y dos obras analizadas, aparte otras dieciséis escritas en colaboración, deduce Kennedy los siguientes resultados: en ocho de sus comedias el autor toma prestados a los modelos que se le atribuyen, diálogos, situaciones y a veces hasta el orden mismo de los sucesos; en tres de ellas se apropia, además de lo dicho, de tantos versos completos, que es imposible negar el plagio; en unas pocas —entre las que cuentan obras importantes como *Industrias contra finezas, El licenciado Vidriera, El más ilustre francés* y *San Franco de Sena*— debe tan poco a las fuentes señaladas, que no es justo hacerlo objeto de censura; en once ocasiones, entre las que se incluyen sus obras maestras *—De fuera vendrá, El desdén con el desdén, El lindo don Diego, No puede ser, El parecido en la corte—* Moreto toma de sus modelos el plan general de la comedia y muchos rasgos esenciales de los personajes, pero el resultado obtenido con la nueva elaboración es tan excelente, que el robo cometido es acción no sólo disculpable sino meritoria; en otros casos, lo conseguido no disculpa la apropiación, es decir, según la conocida máxima, no existe asesinato que haga perdonable el robo [90].

Por nuestra parte creemos poder llegar a las siguientes deducciones: comparado con los grandes nombres de nuestra escena, entre los que se le incluye, la capacidad creadora de Moreto es notablemente inferior; la repetida acusación sobre sus muchos préstamos, en medida muy superior a lo llevado a cabo por otros dramaturgos, es innegable; el "diletantismo" de apropiarse a veces lo ajeno para salir de algún atolladero con comodidad, es igualmente cierto. A pesar de lo cual, Moreto, representante genuino de la corriente refundidora de la época calderoniana, posee una personalidad de primer orden, que, si no alumbró caminos esenciales, mostró sendas menores del mayor interés, innegablemente fecundas para el futuro del teatro.

EL TEATRO RELIGIOSO DE MORETO

Como cualquier dramaturgo de su tiempo, Moreto compuso un número considerable de piezas religiosas sobre asuntos tomados del *Flos Sanctorum*, de la *Escritura* o sobre santos o advocaciones marianas de gran aceptación popular. En conjunto, este teatro religioso —en el que no faltan los aciertos— representa la parte menos valiosa de su obra. En cierto modo Moreto recuerda el carácter burgués y práctico de Alarcón; y aunque sería excesivo traer también a cuento el "laicismo" atribuido al famoso jorobado, porque de hecho Moreto escribió abundante teatro religioso, parece no menos cierto que carecía de la adecuada sensibilidad para interpretar poéticamente tales motivos; su temperamento no sentía las emociones místicas, ni era capaz de traer lo sobrenatural a la vida cotidiana, según aquella fórmula que tan certeramente había practicado Lope, o de convertirlo en espléndidas figuraciones dramáticas a la manera de Calderón. Los santos de Moreto son también con frecuencia un poco "burgueses", es decir, practican las virtudes más convenientes, sin género de duda —la templanza, la caridad, la humildad—, pero en una línea de buen sentido; podríamos decir, que si los sitúa en el plano de los modelos imitables, los aleja de la poética dimensión del héroe dramático.

Moreto trata, sin embargo, de dar movilidad y color a sus piezas religiosas, según el gusto de su época, y vencer la inevitable monotonía que agarrotaba ya aquel género teatral. Para ello, suele añadir a sus fuentes muchos más elementos de acción de lo que acostumbra en sus comedias profanas, sirviéndose, como intrigas secundarias, de enredos amorosos, o dando extensa participación al *gracioso,* que, en ocasiones, como sucede también en sus otras comedias, se

[90] Véase ídem, íd., el apartado 4 del capítulo I como visión de conjunto, y el extenso *Apéndice* (págs. 123-201) donde, a la vez que estudia los problemas de autenticidad de cada comedia, se ocupa en detalle de lo referente a sus fuentes.

convierte en el eje de la obra. Moreto que rehuía en sus piezas *de carácter* el empleo de elementos maravillosos, cede en las religiosas a la exigencia popular y las adereza con sorprendentes efectos sobrenaturales o de vistosa milagrería, aprovechando las amplias posibilidades escenográficas conquistadas ya por el teatro de su tiempo. Pero todo ello tiene casi siempre más el carácter de un aparato exterior que de una entraña religiosa o poética. Kennedy que no siente demasiado entusiasmo por el teatro religioso de Moreto, trae a cuento algunas curiosas acotaciones escenográficas del autor, que pueden ser reveladoras. En *Nuestra Señora del Pilar,* acto III, dice: "de arriba bajará Santiago en un caballo hasta alcanzarlo a reñir con la espada y así pasará hasta el otro lado. Hase de oscurecer el teatro y caer rayos con estruendo de truenos"; en *La vida de San Alejo,* acto II, el diablo quiere tentar al protagonista ofreciéndole una visión de su casa y de lo que está sucediendo en ella, pero "al decir Jesús, desaparece todo y los que están en él, unos volando y otros hundiéndose, y quédase el teatro como de antes"; en *Santa Rosa del Perú,* acto III, los mismos árboles cantan himnos de alabanza al Creador: "los árboles han de estar puestos en forma que se puedan mover a compás"; en *El bruto de Babilonia* se dice; "Abrese el horno ardiendo por abajo, y por arriba será todo jardín, y en una elevación de gloria van subiendo los tres mancebos y en ellos (sic) el ángel"[91]. Todas estas maravillas funden imperfectamente con el conjunto de la acción dramática; recursos tales son repetidamente utilizados por todos los dramaturgos de la época, pero el talento de Moreto, irónico, moderado, objetivo y sagaz observador de caracteres y debilidades humanas de la vida cotidiana, no acierta a fundir esta dualidad de planos en una poética orquestación dramática al modo que Calderón lograba tantas veces.

Fernández-Guerra dice, no sin gracia, de las comedias de santos que se escribían cuando no se permitían las profanas, que eran algo así como las "comedias políticas de ahora"[92], dando a entender que se trataba de obras de circunstancias o de encargo, para conmemorar festividades u honrar patronos; y en la necesidad de plegarse a estas exigencias encuentra el crítico la disculpa de su mediocridad; tampoco debe olvidarse la prisa con que serían compuestas en muchos casos. Pero estas condiciones, habituales, no eran distintas para Moreto, ni puede decirse que se agravaran en sus días; las prohibiciones del teatro profano fueron transitorias. Kennedy, en cambio, estima como determinante principal del menor acierto de nuestro autor en el teatro religioso, su peculiar personalidad como escritor, según hemos puntualizado. Y llega a la conclusión, como juicio de conjunto, de que si Moreto en el teatro profano se adelantó a su tiempo, en el religioso no rebasa el nivel de lo mediocre[93].

Pero no faltan —dijimos— algunas comedias de mérito ni escasean tampoco los aciertos parciales hasta en las obras menos felices. Si al enfrentar el pla-

91 Citado por Kennedy, *The dramatic art...*, cit., págs. 38-39.

92 Edición citada, pág. XIII.

93 *The dramatic art...*, cit., pág. 42.

no real con el mundo sobrenatural no consigue Moreto armonizarlos satisfactoriamente, en cambio, su sagacidad para el estudio de caracteres le permite incorporar a los manidos esquemas del drama religioso muchas de sus mejores aportaciones en la comedia profana; gracias a ellas el tono trágico habitual de tales obras se suaviza en una matización de mayor delicadeza poética y ternura humana, que nos ofrece ya un distinto tipo de teatro, mucho más próximo al espíritu del siglo XVIII que a las potentes tonalidades barrocas.

Un buen ejemplo es *Caer para levantar,* escrita en colaboración con Matos y Cáncer. La obra está endeudada muy estrechamente con *El esclavo del demonio* de Mira de Amescua, pero existe notable diferencia entre la fuerza un tanto ruda de aquél en escenas como la tentación y caída de don Gil y el mismo suceso en *Caer para levantar,* en el acto I que es el de Moreto. Este acto, muy breve por cierto, está dispuesto con gran arte; y salvo la apresurada renuncia a su amada —inverosímil— de don Diego de Meneses, que permite dejar el puesto a don Gil, los sentimientos están perfectamente graduados. El momento del rapto, con su preparación musical, es muy característico de Moreto.

Valbuena encarece con gran entusiasmo el *San Franco de Sena,* al que Kennedy no dedica, bajo el punto de vista artístico, ninguna atención. Valbuena afirma que *San Franco* "es la fusión más feliz del teatro sacro y la comedia de rebeldía" [94]. Franco, en efecto, con el que puede cerrarse la serie de los grandes rebeldes barrocos, tiene numerosos precedentes en la traza general de su carácter, pero se ha señalado en especial su parentesco con el Enrico de *El condenado por desconfiado* de Tirso. Kennedy, al estudiar las posibles fuentes, sostiene, en cambio, que no existe más semejanza que la de su genérica "rebeldía"; mayor parecido le encuentra con el don Gil de *Caer para levantar* del propio Moreto, aunque tiene de común con *El condenado* el tipo del padre reducido a la miseria por los desmanes y la afición al juego del hijo. Valbuena ha señalado también, no como fuente sino como paralelo moral y en parte ambiental, *El rufián dichoso* de Cervantes. De todos modos, el proceso del pecador arrepentido se había llevado a escena infinitas veces y no es en esta línea argumental donde hay que buscar el mérito de Moreto, sino en la riqueza de caracteres y en la verdad psicológica de los personajes: "la fusión de matonismo y piedad —dice Valbuena—, de brío y ternura, de escenas de campamento y tahúres, con la ironía en torno al milagro, y la humanización del plano sobrenatural se logran en una obra perfectamente equilibrada y de una riqueza de situaciones, como lo mejor de lo mejor" [95]; afirmación —esta última— de cierto riesgo, sin duda. Un acierto indudable, también apuntado por Valbuena, es que en Franco, a pesar de sus maldades, existen más elementos "buenos" para explicar

---

[94] Ángel Valbuena Prat, *Historia del Teatro Español,* Barcelona, 1956, pág. 248.
[95] Ídem, íd., pág. 249.

la posterior evolución y conversión del pecador que en otras comedias semejantes.

También ofrece interés, aun siendo de menor mérito, *La vida de San Alejo,* que recuerda la trama inicial de *La mesonera del cielo* de Mira de Amescua. Alejo deja a su prometida el mismo día de la boda para apartarse del mundo y hacer vida de piedad. Hay en la comedia frecuentes intervenciones sobrenaturales, con participación del diablo y escenas de magia, aunque, de nuevo, los mejores momentos están en el análisis del protagonista con las dudas y tentaciones que consigue vencer.

EL TEATRO PROFANO Y LAS COMEDIAS DE CARÁCTER

Moreto cultivó también el teatro de tema "histórico", sobre motivos extranjeros y nacionales, bien por sí solo o en colaboración; entre la docena aproximada de obras que conservamos merecen destacarse *Antíoco y Seleuco, La fuerza de la ley, Los jueces de Castilla, Cómo se vengan los nobles* y *El valiente justiciero*[96]. En cualquiera de ellas pueden hallarse bellezas de detalle y aciertos de caracterización dentro del tono habitual de su teatro. Pero ninguna aportación esencial trae tampoco en este campo la dramática de Moreto. Su vena más personal no estaba hecha ni para el mundo épico-histórico ni para la tragedia. Lo que esencialmente le distingue es la armonía y la proporción, la pincelada tenue y delicada, el tono medio de las pasiones, la propiedad en el diálogo, el tacto para el detalle psicológico, la fina matización, la sobriedad que le permite eludir todo género de excesos.

Dentro del momento barroco en que vive y produce toda su obra, el teatro de Moreto es el menos afectado —en muchos aspectos no lo está en absoluto— por los temas y estilo que definen el mundo de Calderón. Por el contrario, sus más genuinas comedias con sus discretas ingeniosidades, su sentido de la musicalidad, su gracia y elegancia, preludian inequívocamente el espíritu y la dramática del siglo XVIII. De Moreto a Moratín, dice Ruth Kennedy, existe un solo paso: el que separa la poesía de la prosa[97]. Aludimos arriba al paralelo que podría establecerse entre Moreto y Alarcón dentro de sus respectivos ciclos dramáticos; ambos coinciden en su preferencia por un mundo más llano y próximo y en su cuidado del diálogo y la caracterización psicológica, pero, lo que en el mejicano es intención moral y pedagógica, en Moreto es humor y sátira

[96] Kennedy, según vimos, al clasificar el teatro de Moreto no establece apartado alguno para las llamadas comedias "históricas", a las que incluye en su totalidad entre las "de carácter" o de ideas; el personaje "histórico" no le interesa, efectivamente, en su condición de tal, sino tan sólo como pretexto para el desarrollo de caracteres o de conflictos psicológicos.

[97] *The dramatic art...*, cit., pág. 122.

de costumbres; una sátira discreta y tolerante, que ridiculiza y se burla finamente, aunque no por eso es menos intencionada.

En lo que respecta al lenguaje y estilo literario, Moreto muestra la misma preferencia por la moderación y el tono medio que le distinguen en la elección de sus asuntos y el modo de tratarlos. Probablemente ningún dramaturgo de su tiempo cedió menos que él a las tendencias culteranas; la claridad era su norma. En *El lindo don Diego* pone en boca de éste una despectiva alusión a Góngora:

Yo, prima, no sé de cultos;
Porque a Góngora no entiendo
Ni le he entendido en mi vida...[98].

No nos parece legítimo, sin embargo, como a veces se ha hecho, extraer de estas palabras amplias consecuencias, porque todo lo que don Diego dice tiende a ridiculizarlo, y quizá no pretendía el autor sino poner de relieve la vulgaridad del lindo. Pero es lo cierto que, tanto en el léxico como en la construcción, las huellas culteranas son muy leves. Cuando se sale de su moderación habitual, Moreto se siente más bien proclive hacia el conceptismo. En ocasiones —tampoco muchas—, cuando pretende levantar el tono de sus galanes en los parlamentos amorosos, se complace en juegos de palabras o en repeticiones de un mismo vocablo; pero con muy escasa fortuna, porque las agudezas de esta índole no eran su fuerte. Los graciosos se toman a veces libertades con el lenguaje y prodigan los neologismos extravagantes; pero tan sólo con propósitos de comicidad.

De las tendencias generales del segundo ciclo dramático, Moreto posee el afán por la ordenada construcción, la claridad expositiva, la subordinación de las intrigas secundarias al argumento principal; a todo ello se avenía perfectamente —y por eso mismo se aplicaba con tanto fervor como eficacia— su talento de refundidor, sobre el que hemos insistido. Pero difiere en otros muchos aspectos que estimamos característicos. En algunas de sus obras —sobre todo "de historia"— Moreto rindió tributo a los temas más convencionales y repetidos en su tiempo, como es el del honor. Cuando se sirve de él, como sucede en *El defensor de su agravio* y *Primero es la honra,* Moreto no se aparta gran cosa de las directrices del teatro calderoniano; pero aun en esto se echa de ver su peculiar sensibilidad. Comparativamente, ningún dramaturgo de su tiempo usó menos que él de los excesos del *pundonor*; en sola una ocasión —*La fuerza de la ley*— sucumbe una mujer a manos de su esposo; los maridos de Moreto no actúan nunca por meras sospechas, y en varias ocasiones se ridiculizan los celos desmedidos, como sucede en *No puede ser...*, una de sus más graciosas creaciones.

---

98 Edición Fernández-Guerra, cit., pág. 357.

En general, Moreto rehúye las situaciones extremas, las pasiones violentas y los grandes gestos. Los protagonistas de sus comedias *de carácter* —cuando no se trata de caricaturas que sirven a sus propósitos satíricos, como en *El lindo don Diego*— son caballeros correctos, de irreprochables sentimientos y modales, dispuestos a moderar sus pasiones con la reflexión, ejemplos, en suma, del *discreto* definido por Gracián o del *homme de court* francés; nunca hallamos los agresivos, tenoriescos y petulantes galanes tan abundantes en nuestra dramática desde Lope a Rojas. Los de Moreto sienten, por lo común, un gran respeto a la mujer, que también en sus comedias ofrece predominantemente parecidas virtudes de moderación y buen sentido; recato frente al "brío" de tanta heroína de Lope y de Tirso. No encontramos, pues, en Moreto mujeres que, como muchas de aquel último, corran tras sus galanes, vestidas de varón, para exigir reparaciones amorosas; tan sólo en dos ocasiones presenta Moreto mujeres en traje masculino, y aun esto en episodios secundarios.

De la dramática calderoniana —y podría decirse que de todo nuestro teatro áureo, en general— separa también a Moreto la ausencia de lirismo. Como en el caso de Alarcón, el valor poético de su teatro no hay que buscarlo en su envoltura, ni en los intermedios o desahogos líricos tan frecuentes en el autor de *La vida es sueño*, sino en el tono íntimo y en actitudes de peculiar sensibilidad frente a las cosas; no en la forma sino en el espíritu. Pero los diálogos de Moreto son siempre poco líricos; Kennedy señala la gran diferencia que puede observarse sobre este punto, siempre que Moreto rehace una comedia de Lope. Quizá para compensar aquella ausencia, según sugiere el mismo crítico, Moreto se sirve, en cambio, muchas veces de la música; no, como Lope, para preparar un clima o atmósfera poética, sino como auxiliar directo e inmediato de la acción dramática [99]. Precisamente, en este uso, en el que logra muy felices resultados, está un aspecto más de esa atmósfera cortesana, refinada y galante, que hace preludiar las formas exquisitas del siglo XVIII.

Los mencionados rasgos nos permiten deducir que no se distingue el teatro de Moreto por la presencia de fuertes individualidades, hombres o mujeres de rasgos poderosos o de dramáticas resoluciones; más bien existe una cierta monotonía en el tejido de estos caracteres. Y, sin embargo, en este mundo medio, y no en el teatro religioso o "histórico" donde dramatizó con dudoso acierto gentes de más infrecuente condición, es donde están sus más felices y personales aportaciones dramáticas. Lo suyo es el diálogo ajustadísimo, la construcción perfecta, el exacto ensamblaje de las partes, la habilidad para desarrollar la acción, la verosimilitud de cada situación aun dentro de las comedias de mayor libertad argumental, la agudeza de sus ironías, su talento para ridiculizar, la fluidez y gracia del diálogo; y siempre, como llevamos dicho, el tino para definir y caracterizar a un personaje.

---

99 *The dramatic art...*, cit., pág. 59.

Especial importancia ocupan en el teatro de Moreto los *graciosos*, entre los cuales pueden señalarse algunos de los mejores de todo nuestro teatro. La peculiar capacidad cómica de nuestro autor vale ya por sí misma para explicar su acierto en el manejo de este tipo. Pero Moreto se distingue además por la importancia que le concede en sus comedias, hasta el punto de que en algunos casos es él y no el galán enamorado el verdadero protagonista. Al ocuparnos del gracioso y de sus características genéricas, dejamos dicho que muy frecuentemente son la astucia y sentido práctico de este personaje los que conducen a buen puerto las aventuras de su señor. En Moreto, sin embargo, el gracioso es centro y fuerza impelente de toda la acción; no actúa solamente en determinadas circunstancias, sino que se sitúa en el eje mismo de la comedia. Tal sucede, por ejemplo, en *Trampa adelante*, calificada por Kennedy como *de intriga*, pero que al mismo tiempo —como es frecuente en nuestro autor— podría llamarse *de carácter* por la riqueza y variedad de los que encierra y su feliz caracterización. En esta obra, don Juan, un caballero noble pero muy pobre, corteja a una dama principal, que le corresponde, pero al mismo tiempo se enamora de él otra dama rica, que vive pared por medio de la primera. El criado de don Juan, Millán, a espaldas de su señor, aprovecha la generosidad de la rica para sacarle dinero con que remediar las necesidades de su amo... y las propias, haciéndole creer que es correspondida, a lo que ayuda la asidua presencia de don Juan en aquella calle. El embrollo a que dan lugar las trapacerías de Millán es divertidísimo, y no dudamos en calificarlo de modelo en su género. Para salir de cada conflicto, la fértil imaginación del criado no encuentra otro recurso sino enredar otro mayor en el que envuelve cada vez a todos los personajes. Al fin, cuando se llega ya al ápice de lo imposible, toda la trampa del criado se derrumba, pero los amantes salen del equívoco y todo se resuelve con final feliz. Millán es todo un personaje, que no anda muy lejos del Crispín benaventino; no posee su intención satírica, pero se le parece bastante en su astucia para aprovechar las debilidades ajenas y amarrarlas a la rueda de su interés. Y, como Crispín, maneja los hilos todos de la comedia.

Algo muy semejante sucede en otra de las más divertidas y bien tramadas piezas de Moreto, *No puede ser...*, título que requiere la segunda parte del refrán: "el guardar a una mujer" cuando ella misma no se guarda. Aquí el alma del enredo es el gracioso Tarugo, protagonista indiscutible de la obra pese a la presencia de varios galanes. La comedia se abre con una de aquellas "academias" poéticas, tan del gusto de entonces, que se celebra en casa de la inteligente y hermosa doña Ana. Se discretea sobre el amor y alguien afirma que es imposible guardar a una mujer contra su voluntad. Don Pedro, prometido de doña Ana, defiende lo contrario con tal tenacidad, que doña Ana se propone darle una lección. Don Pedro tiene una bella hermana a la que cela de importunos con un rigor tan extremado, que sólo podremos comprenderlo acudiendo al anecdotario más pintoresco de la época. Un amigo de doña Ana, don Félix, es el encargado de romper el muro del feroz guardián y enamorar a la prisionera; pero es su criado Tarugo quien maquina, ejecuta y lleva a término lo imposible. Los incidentes, deliciosísimos, demuestran palmariamente el error del celoso hermano, que sólo después de confesar su equivocación, puede obtener la mano de doña Ana.

Quizá convenga recordar, al paso, que es muy frecuente hallar en las comedias de Moreto demostraciones inequívocas de su opinión sobre la libertad de la mujer para escoger marido, libre de las tradicionales imposiciones familiares; manifestación de un feminismo, que se supone peculiar de Rojas, pero que es en Moreto no menos evidente, aunque no se muestre en su obra con aparato de tragedia. En *No puede ser...*, don Pedro, para librarse de la guarda de su hermana, quiere casarla por la posta con un galán de su elección; a lo que aquélla responde:

DOÑA INÉS: *Y ¿sabes tú si yo quiero?*
DON PEDRO: *Pues queriendo yo, ¿no es llano*
Que has de querer tú también?
DOÑA INÉS: *No, que soy yo quien me caso.*
Si tú hubieras de vivir
Con mi marido a tu lado,
Bastaba que tú quisieses;
Pero habiendo yo de estarlo,
Es menester que yo quiera
El marido, y no tú, hermano;
Que no ha de ser la elección
De quien no ha de ser el daño [100].

Casi cualquier comedia de Moreto puede servir en grado parecido para ejemplificar la mencionada importancia del gracioso; recuérdense, entre otras, *Las travesuras de Pantoja,* en donde el criado Guijarro es pieza imprescindible de las aventuras de su amo, y *El parecido en la corte* cuyos enredos serían imposibles sin los manejos incesantes del gracioso Tacón. Frecuentemente, estos graciosos se cobran su importancia de ser la máquina de la intriga con libertades muy notables, no sólo para imponer su voluntad, sino para expresar opiniones de gran interés —que forman parte evidente de la ideología del autor— o permitirse sorprendentes atrevimientos; en cualquier caso, el gracioso de Moreto salta constantemente por encima de los límites en que lo había mantenido la tradición escénica del personaje.

En *Las travesuras de Pantoja,* éste pretende que Guijarro se bata junto a él, pero el criado muy en la línea del tipo, se niega. El diálogo permite descubrir el pensamiento del escritor, cuando el género de la obra permitía evadirse de los convencionalismos inevitables en el drama:

---

100 Edición Fernández-Guerra, cit., pág. 204.

PANTOJA: *Pues, infame, mal nacido,*
¿Sin honra, di, que serás?
GUIJARRO: *Dijo Dios: 'No matarás';*
Si lo cumplo, noble he sido.
De modo que dice Dios
Que no mate, y tendré honra;
Y ¿tú dices que es deshonra?
¿Somos cristianos los dos,
O no lo somos? Yo quiero
Guardar lo que Dios me dice,
Aunque el diablo se autorice
De mundano caballero [101].

Véase un ejemplo de las mencionadas desenvolturas. En *Industrias contra finezas,* el gracioso Testuz le dice a su amo —príncipe y futuro rey consorte— cuando le ve idealizar con exceso su amor:

¡Qué poco, Fernando, alcanza
Quien aprecia la hermosura
Más que un reino! ¿A quién le dura
La belleza sin mudanza?
La corona es firme basa,
Y la hermosura en que fías
Es almendra cuatro días
Y luego se vuelve pasa [102].

Unas escenas después le responde a la propia reina, Dantea, que le pregunta "¿Qué es amor?":

En el mundo es un licor
Que hace lo mismo que el vino;
Pues cuantos aman, entiendo
Que están borrachos a igual;
Y con su dama, es un mal
Que se les quita durmiendo [103].

Dos comedias, ambas "de carácter", han merecido siempre la preferencia de críticos y lectores, y nadie les ha discutido la condición de obras maestras: *El desdén con el desdén* y *El lindo don Diego.*

El asunto de *El desdén con el desdén* es harto conocido. Diana, hija del conde de Barcelona, aficionada al estudio desde niña, se muestra ajena a la

[101] Ídem, íd., pág. 396.
[102] Ídem, íd., pág. 269.
[103] Ídem, íd., pág. 272.

pasión amorosa y rechaza a todos sus pretendientes, bien por no perder su libertad o por cierta caprichosa altivez, aunque acepta gustosamente sus obsequios. Carlos, conde de Urgel, enamorado de Diana, siguiendo los consejos de su criado Polilla, finge también desdén por la hermosa, a la que logra así vencer y enamorar.

A esta comedia se le ha señalado mayor número de fuentes que a ninguna otra de Moreto. M. M. Harlan, que ha estudiado el problema, ha reunido hasta veinte posibles acreedores, aducidos por distintos críticos [104]. De toda esta cifra, con sólo cuatro tiene la obra de Moreto estrechas concomitancias: *Los milagros del desprecio, La vengadora de las mujeres* y *La hermosa fea* de Lope de Vega, y *Celos con celos se curan* de Tirso de Molina. Fernández-Guerra había ya señalado que Moreto, satisfecho del tema de *El desdén con el desdén,* lo ensayó primeramente en otras comedias, opinión en la que ha insistido Ruth Kennedy; según ésta, se trata de *Hacer remedio el dolor* y *El poder de la amistad,* que, a su juicio, son precedentes más directos de *El desdén* que cualquiera otra de las obras que se señalan; pero estas comedias, a su vez, tienen estrecha deuda con la primera de las mencionadas comedias de Lope, que sería en tal caso fuente mediata, a través de los primeros ensayos del propio autor [105].

De todos modos, y en medida mayor que en otras ocasiones, Moreto venció a todos sus modelos, y si tomó de ellos detalles y situaciones de la acción, consiguió una creación original en lo que concierne a su desarrollo, y sobre todo en la matización psicológica, la verdad de los caracteres, la delicadeza y primor con que están urdidas las escenas, es decir, en todos aquellos puntos en que radica su habitual maestría, llevada aquí a su punto de perfección. En *El desdén con el desdén* pueden encontrarse los rasgos que más genuinamente definen su teatro. A diferencia de otras muchas de sus comedias, la trama es muy leve en realidad, y el lector —o el espectador— puede adivinar desde las primeras escenas, ayudado por el título, el desenlace del conflicto que allí se plantea; podemos asegurar que no hay sorpresas; todo el interés reside, pues, en el proceso de los personajes.

El medio cortesano en que la acción se desenvuelve permite a Moreto componer numerosas escenas de su predilección, entre fiestas, saraos, galanterías, torneos amorosos, con acompañamientos musicales y fondo de elegantes salones o frondas de jardín. Seguramente ninguna otra obra de Moreto está ya tan cerca de ese mundo galante y refinado que de modo quizá convencional, pero exacto en el fondo, calificamos de "versallesco". En realidad, podría afirmarse que *El desdén con el desdén* es una opereta de espectáculo, con una leve trama argumental, que la experta mano del autor redime de la banalidad por su certero estudio de los caracteres. Una lectura al paso de las acotaciones de la obra

---

104 M. M. Harlan, *The Relationship of Moreto's 'El desdén con el desdén' to Suggested Sources,* Indiana University Studies, junio, 1924.

105 *The dramatic art...,* cit., págs. 160-169.

permite advertir enseguida el tono espectacular y musical que es el alma de la comedia: "Danzan una mudanza y pónense mascarillas, y retíranse a un lado, quedando en pie" (jor. II, escena III); "quítase la mascarilla Diana y suéltale la mano" (jor. II, escena IV); jardín del palacio: "salen Diana y todas las damas en guardapieses y justillos, cantando" (jor. II, escena VIII); "salen todos los galanes con sus damas, y ellos y ellas con sombreros y plumas" (jor. III, escena IV). Característica en sumo grado es la escena IV de la jornada I en el gabinete de Diana, que discute con sus damas de compañía las razones de sus desdenes amorosos mientras cantan los músicos al fondo. El largo relato que Carlos hace a Polilla de su pasión por Diana y los motivos del desamor de ésta, parece la descripción de una estampa bucólica tejida sobre un tapiz de gusto rococó:

....

De este estudio y la libión
de las fábulas antiguas,
resultó un común desprecio
de los hombres, unas iras
contra el orden natural
del Amor con quien fabrica
el mundo a su duración
alcázares en que viva...
A su cuarto hace la selva
de Diana, y son las ninfas
sus damas, y en este estudio
las emplea todo el día.
Sólo adornan sus paredes
de las ninfas fugitivas
pinturas que persuaden
al desdén. Allí se mira
a Dafne huyendo de Apolo,
Anaxarte convertida
en piedra por no querer;
Aretusa en fuentecilla,
que el tierno llanto de Alfeo
paga en lágrimas esquivas... [106].

La otra comedia que ha merecido las preferencias unánimes es *El lindo don Diego*. Moreto traza aquí de manera caricaturesca, hasta hacer de ella una tí-

[106] Moreto, *Teatro (El lindo don Diego* y *El desdén con el. desdén)*, ed. de Narciso Alonso Cortés, Clásicos Castellanos, Madrid, 1916; págs. 171-172. Cfr.: Bruce W. Wardropper, "Moreto's *El desdén con el desdén:* The Comedia secularized" en *Bulletin of Hispanic Studies*, XXXIV, 1957, págs. 1-9.

pica comedia de figurón, la estampa de un petimetre pagado hasta el ridículo de su persona. Doña Inés, hija de don Tello, ama a don Juan, pero su padre la tiene prometida al *lindo*, a quien ella desprecia por su grotesca petulancia. Una vez más, es el gracioso, Mosquito, quien resuelve el problema de los amantes: por su consejo, una criada, Beatriz, se finge condesa, y de tal manera halaga —con su supuesto enamoramiento— la vanidad de don Diego, que éste renuncia a doña Inés por la que cree un mejor partido, dejando libre el camino a los dos enamorados.

Según recuerda Kennedy, Moratín fue el primero que señaló el parentesco entre la comedia de Moreto y *El Narciso en su opinión* de Guillén de Castro. La deuda es innegable: Moreto toma del modelo gran número de escenas, entre ellas la descripción del lindo que hace el gracioso a doña Inés y a su hermana; la en que don Diego compone su elaborada *toillette*; el encuentro de don Diego con Beatriz, que, para ponerse a tono con su papel, se expresa en altisonantes frases del más cómico efecto:

> *¿Qué intento os lleva neutral*
> *a mis coturnos cortés?*
> DON DIEGO: *¡Jesús, cual habla! Esto es*
> *estilo de sangre real...* [107]

y otras varias; aunque no reproduce versos completos. Suprime, en cambio, algunas partes con el fin de concentrar la acción, según técnica que ya nos es bien conocida; en la comedia de Guillén de Castro el tema amoroso de la hermana de doña Inés con su galán tiene igual importancia que el de ésta, mientras que Moreto lo subordina al motivo principal, con lo que puede centrar la atención en la persona de don Diego. Las partes que añade a su vez tienden visiblemente a destacar las cuatro figuras esenciales —los dos enamorados, el lindo y el gracioso—, y sobre todo a intensificar los efectos cómicos.

La opinión más común ha sostenido siempre la ventaja de la comedia de Moreto sobre su modelo; Alonso Cortés, por ejemplo, pondera entre admiraciones la distancia que media entre la fresca animación de Moreto y la premiosidad del valenciano, así en la pintura de los caracteres como en el desarrollo del plan y gracia del diálogo. Don Diego con sus extremosidades caricaturescas es, en efecto, una creación de primer orden, difícilmente superable; la mencionada escena ante el espejo es sabrosísima y de la mejor comicidad. Cuando don Mendo le censura a don Diego el excesivo cuidado de su persona, responde éste:

> *Vos, que no tan bien formado*
> *os veis como yo me veo,*
> *no os tardáis en vuestro aseo,*
> *porque es tiempo mal gastado.*

[107] Moreto, *Teatro*, cit., pág. 102.

Mas si veis la perfección
que Dios me dio sin tramoya,
¿queréis que trate esta joya
con menos estimación?...
Al mirarme todo entero,
tan bien labrado y pulido,
mil veces he presumido
que era mi padre tornero.
La dama bizarra y bella
que rinde el que más regala,
la arrastro yo con mi gala;
pues dejadme cuidar della... [108].

Su petulancia al ponderar sus triunfos amorosos no conoce límites:

DON MENDO: *¿Qué dama hay que os quiera bien?*
DON DIEGO: *Cuantas veo, si me ven;*
porque en viéndome dan fin...
No paso yo por balcón
donde no haga batería;
pues al pasar por las rejas
donde voy logrando tiros,
sordo estoy de los suspiros
que me dan por las orejas... [109].

Las constantes ironías de Mosquito son graciosísimas, sin que don Diego se percate nunca de ellas.

Ruth Kennedy admite la evidente superioridad de estos dos personajes centrales —el lindo y el gracioso—, mucho mejor trazados que en la comedia de Castro; Moreto los ha dotado de rasgos más intensos y les ha concedido —añadimos nosotros— una participación tan amplia, que señorean la acción y dan el tono a la comedia. Como el propósito del autor consiste en llevar a primer plano la caricatura de este tipo y subordina a este fin los demás personajes y anécdotas de la obra, dicho se está que la deuda parcial con la comedia del valenciano no rebaja la suya como creación, y puesto que le excede en los tipos centrales que subraya, la ventaja queda de su parte. Kennedy sostiene, en cambio, que en los personajes restantes la superioridad cae del lado de Guillén de Castro: don Pedro, el Marqués, doña Brianda, don Gonzalo, trazados —dice— con mucho más vigor, aunque a veces con menos consistencia, encierran notables actitudes humanas, que no merecen la atención de Moreto [110].

[108] Ídem, íd., págs. 54-55.
[109] Ídem, íd., págs. 55-56.
[110] *The dramatic art...*, cit., págs. 177-178.

Al renombre de su título debe la mayor parte de su interés la comedia *El licenciado Vidriera,* que suele suponerse endeudada con la novela ejemplar de Cervantes; pero el parentesco no es muy grande esta vez. Moreto toma de Cervantes la idea del licenciado loco que se cree de vidrio y puede decir entonces las verdades; pero sobre esta sugerencia —que, sin duda alguna, pone en marcha su obra—, Moreto levanta una intriga de considerable complicación; demasiada, a nuestro entender. Carlos, noble sin fortuna, se enamora de una dama muy principal; para merecerla, se ejercita primero en las letras, luego en las armas, y toma parte en una acción de guerra en la que gracias a su intervención personalísima conserva su trono el duque de Urbino; todo muy rápido y superficial. Pero en lugar de las mercedes que espera y con ellas la mano de la mujer amada, llueven sobre él todo género de ingratitudes y se ve reducido a extrema miseria. Para vengarse entonces de sus ofensores, se le ocurre fingir la locura de creerse de vidrio; no como el licenciado de Cervantes, que enloquece de veras por un filtro de amor. Y desde ese momento, quienes hasta entonces le habían despreciado, compiten en obsequiarle y honrarle por el placer de oir sus agudezas. El gracioso, Gerundio, que —como de Moreto— había ya tenido notable participación, coge por su cuenta a su amo en la última jornada, y toda la gravedad anterior se trueca en burlas y rasgos caricaturescos. Casi al final de la obra, el licenciado aprovecha la ocasión de hallar reunidos a todos los ingratos para cantarles las verdades; éstos reconocen sus faltas y le conceden la mano de la hermosa como en cualquier comedia que se estime. Como se ve, muy poco de Cervantes; ni siquiera podemos oir las máximas desengañadas de Vidriera, porque es Gerundio quien dice que las dice. La comedia, clasificada por Kennedy como "de carácter", podría serlo muy bien "de intriga" o "novelesca", aunque, claro es, el tacto de Moreto pone frecuentes pinceladas de sagaz observación psicológica en muchos personajes.

POPULARIDAD E INFLUJO DE MORETO

Dijimos al comienzo que Moreto había competido en popularidad con Calderón y Rojas, y este éxito se prolongó a lo largo del siglo XVII y aún continuó durante todo el siguiente. El número de ediciones aparecidas durante este último y las falsificaciones de que hicimos mención, interesadas en beneficiarse de la fama del dramaturgo, demuestran su gran aceptación popular, a la que contribuyeron los mejores actores de aquel tiempo con frecuentes representaciones de sus comedias [111]. Esta aceptación puede explicarse perfectamente por las afinidades de su dramática con el nuevo espíritu y porque, en general, se ha-

[111] Cfr.: Emilio Cotarelo y Mori, *Estudios sobre la historia del arte escénico en España: María Ladvenant y Quirante,* Madrid, 1896. Del mismo, *Isidoro Máiquez y el teatro de su tiempo,* Madrid, 1902.

bía mantenido exento de las demasías que provocaron en el setecientos el desprecio hacia Calderón y otros autores del Barroco. Por otra parte, según ya puntualizó Fernández-Guerra, pocos autores del Siglo de Oro tienen tantas comedias que puedan representarse en nuestros días "sin necesidad de alterarlas ni refundirlas"[112]. No obstante, Moreto, el gran adaptador y refundidor, fue a su vez imitado repetidas veces o se adaptaron sus comedias para mejor acomodarlas a las exigencias neoclásicas de las tres unidades. Algunos de sus asuntos fueron todavía aprovechados en el siglo XIX, como *La fuerza del natural*, sobre la que compuso Bretón de los Herreros *El príncipe y el villano*, y *Las trevesuras de Pantoja* que inspiró a Zorrilla *La mejor razón la espada*. Asimismo, fueron muy abundantes las traducciones de sus obras a varios idiomas; *El desdén con el desdén* lo fue incluso al húngaro.

En cuanto a su influjo en la literatura extranjera, el teatro de Moreto comparte la supremacía con el de Alarcón. *El desdén con el desdén* fue imitado por Molière en su *Princesse d'Elide*, por H. de Joufroy en *Donna Diana*, por el italiano Rafael Tauro en *La Contessa di Barcellona*, por Carlos Gozzi en *La principessa filosofa*; Lesage lo convirtió en un episodio de *El bachiller de Salamanca*. *El lindo don Diego* inspiró a Scarron para su *Don Japhet d'Arménie*. La comedia *No puede ser* fue imitada por el inglés Crown, en el mismo siglo XVII; por el alemán Schröder; y todavía en el siglo XIX conoció otras dos adaptaciones francesas. *Primero es la honra* fue imitado por Pedro Corneille en *Le Baron d'Albikras*. Tomás Corneille hizo lo mismo en su *Le charme de la voix* con *Lo que puede la aprensión*. *La confusión de un jardín* fue imitada por Scarron en su *Roman comique*. Sin embargo, ninguno de quienes han seguido los pasos del dramaturgo español puede vanagloriarse —según asenso unánime— de haber aventajado a su modelo[113].

---

[112] Edición cit., pág. XXVIII.

[113] Cfr.: E. Martinenche, *Histoire de l'influence espagnole sur la littérature française. I: La Comédie espagnole en France de Hardy à Racine*, París, 1900. E. Fournie, "L'Espagne et ses comédiens en France au XVIIe siècle", en *Revue Hispanique*, XXV, 1911, págs. 19-46. G. Huszar, *Études critiques de littérature comparée. I: P. Corneille et le théâtre espagnol*, París, 1903. Del mismo, ídem, íd., *II: Molière et l'Espagne*, París, 1907. Del mismo, ídem, íd., *III: L'influence de l'Espagne sur le théâtre français du XVIII et XIX siècles*, París, 1912. S. G. Morley, "Notes on Spanish Sources of Molière", en *PMLA*, XIX, 1904. Paul Hazard, "Ce que les lettres françaises doivent à l'Espagne", en *Revue de Littérature Comparée*, XVI, 1936, págs. 5-22. F. del Valle Abad, "Influencia española sobre la literatura francesa. Pedro Corneille (1606-1684). Ensayo crítico", en *Boletín de la Universidad de Granada*, XVII, 1945, págs. 137-241. A. Lisoni, *Gli imitatori del teatro spagnolo in Italia*, Parma, 1895. Enrico Carrara, *Studio sul Teatro Ispano-Veneto di Carlo Gozzi*, Cagliari, 1901. M. Ottavi, "Carlo Gozzi, imitateur de Moreto. *El desdén con el desdén* et *La principessa filosofa*", en *Melanges de philologie, d'histoire et de littérature offerts à Henri Hauvette*, París, 1934, págs. 471-479. P. P. Rogers, *Goldoni in Spain*, Oberlin, 1941. G. M. Bertini, "Drammatica comparata ispano-italiana", en *Letterature Moderne*, Milán, II, 1951, págs. 418-437. J. A. van Praag, *La Comedia espagnole aux Pays-Bas au XVIIe et au XVIIIe siècles*, Amsterdam, 1922. J. Loftis, "Spanish Drama in Neoclassical England", en *Comparative Literature*, Eugene (Oregon), XI, 1959, págs. 29-34.

LOS ENTREMESES DE MORETO

Fue también Moreto excelente entremesista, aunque la escasez —o falta casi absoluta— de ediciones modernas de sus obras de esta especie no permite la debida estima de esta faceta de su talento. Cotarelo, que no llegó a incluir textos entremesiles de Moreto en su inconclusa colección [114], lo considera en su estudio preliminar como uno de los más notables cultivadores del género: "Después de Cervantes y Quiñones de Benavente —dice— es Moreto el entremesista de mayor enjundia y más gracia del siglo XVII, aun incluyendo a Cáncer, Calderón y Villaviciosa, porque si cada uno de estos autores, así como otros de menos valor, tienen tales o cuales piezas excelentes, Moreto tiene más que ellos y es más completo por los varios temas ya serios, ya satíricos, jocosos, de costumbres y para palacio que encierran sus entremeses y sus bailes en los que también sobresalió" [115].

El agudo sentido de la comicidad que posee Moreto y la notable importancia que tiene el gracioso en todo su teatro permiten fácilmente imaginar sus dotes para el cultivo del entremés; además, su talento para la caracterización le hace apto para dar vida en cuatro rasgos a tipos excelentes y animar escenas de penetrante ironía. Uno de los tipos que con mayor acierto llevó Moreto a las tablas en sus entremeses es el del valentón cobarde, de larga tradición escénica, sobre todo en este género de obras. Merecen destacarse el *Entremés para la noche de San Juan,* también llamado *Alcolea* por el nombre del protagonista, y *El cortacaras.* En el primero, un matón que anda molestando a todo el mundo con las pesadas bromas habituales en dicha fiesta, acaba por recibir una paliza de un transeúnte, cosa que justifica ante sus colegas diciendo que aquél se toma tales libertades por ser su amigo. En el segundo, el héroe es un bobo, a quien la moza que pretende desprecia por su cobardía, y para remediarla se dispone a tomar lecciones de un maestro de jaques; éste, como prueba, le envía a dar una cuchillada que tiene encargada por un cliente, justo a su misma novia; el bobo la encuentra rodeada de valentones, y le informa de su propósito con tal naturalidad, que aquéllos se atemorizan y echan a correr.

Otro tipo que trató también Moreto con gran fortuna es el de la dama cortesana, cuyas picardías y habilidades retrata con delicioso humor; *Doña Esquina* y *El hijo del vecino* son sus mejores piezas sobre este tema. *La reliquia,* uno de los entremeses de Moreto que gozó en su tiempo de mayor popularidad, es una sátira de la excesiva tolerancia de muchos maridos; la "reliquia" es un garrote que un vecino enseña a manejar oportunamente al bobo Lorenzo. En

---

114 Emilio Cotarelo y Mori, *Colección de entremeses, loas, bailes, jácaras y mojigangas desde fines del siglo XVI a mediados del siglo XVIII,* Nueva Biblioteca de Autores Españoles, 2 vols., Madrid, 1911.

115 Ídem, íd., vol. I, pág. XCI.

El aguador utiliza Moreto un personaje, ya tratado por Quiñones en *Los condes fingidos* y por Cáncer en *El francés,* que había de convertirse en un tipo entremesil de gran circulación: doña Estafa, mujer hipócrita y vanidosa, que alardea de todas las virtudes que justamente no posee.

Fuera de estos aciertos mayores, Moreto pagó también tributo a las exigencias populares con piezas de más fácil y burda comicidad, y a su condición de poeta cortesano con obras de circunstancias para las fiestas de palacio. A estas últimas pertenecen *El alcalde de Alcorcón,* juguete cómico compuesto para felicitar a la reina Mariana de Austria en el nacimiento del príncipe Felipe Próspero; *Las fiestas de Palacio,* con motivo de haber salido a misa la reina después de aquel suceso; *La loa de Juan Rana,* dedicada al santo de la reina, etc.

Como géneros muy en boga, compuso también Moreto loas y bailes de mediano interés, que no eclipsan la gracia de sus entremeses [116].

DRAMATURGOS MENORES

ÁLVARO CUBILLO DE ARAGÓN

La tarea de rehabilitar figuras olvidadas de la época áurea ha encontrado en el dramaturgo Cubillo de Aragón un notable escritor digno de este esfuerzo.

Nació Cubillo en Granada en fecha que aun no ha podido determinarse, pero que Cotarelo supone alrededor de 1596 [117]. De familia modesta pero no carente de recursos, pudo Cubillo cursar estudios de jurisprudencia, aunque parece que no llegó a recibirse de abogado. Ocupado en oscuras profesiones vivió temporalmente, a más de en su ciudad natal, en Córdoba y en Sevilla, donde fue adquiriendo reputación de escritor y sobre todo de poeta dramático. Vélez de Guevara lo menciona en *El diablo cojuelo* como "ingenio granadino que había venido a Sevilla a algunos negocios de su importancia; excelente cómico y gran versificador, con aquel fuego andaluz que todos los que nacen en aquel clima tienen" [118]. Sus comedias debieron de trasponer el círculo local,

[116] Cfr.: Rafael de Balbín Lucas, "Tres piezas menores de Moreto inéditas", en *Revista de Bibliografía Nacional,* Madrid, III, 1942, págs. 103-108. Del mismo, "Notas sobre el teatro menor de Moreto", en *Homenaje a F. Krüger,* Mendoza, 1952-1954, II, páginas 601-612. *Baile de Lucrecia y Tarquino* de Moreto, edición de Raymond MacCurdy, en *Francisco de Rojas Zorrilla. Lucrecia y Tarquino,* cit., págs. 142-148.

Sobre otros aspectos de Moreto no mencionados en nuestro texto, cfr.: Everett W. Hesse, "Moreto en el Nuevo Mundo", en *Clavileño,* 1954, núm. 27, págs. 15-18. Emilio Orozco Díaz, "Moreto y la poesía taurina. Comentario a un romance inédito", en *Studia Philologica. Homenaje a Dámaso Alonso,* II, 1961, págs. 541-555.

[117] Emilio Cotarelo y Mori, "Dramáticos españoles del siglo XVII. Álvaro Cubillo de Aragón", en *Boletín de la Real Academia Española,* V, 1918, págs. 3-23 y 241-280.

[118] Edición Rodríguez Marín, Clásicos Castellanos, Madrid, 1918, pág. 244.

pues Montalbán en su *Para todos* dice de él: "Álvaro Cubillo, bizarro poeta, hace excelentes comedias, como lo fueron en esta corte y en toda España las dos de Mudarra" [119].

En 1641 Cubillo adquirió por compra un cargo de escribano en Madrid, y allí se inscribió como tal en la Sala de Alcaldes de Casa y Corte. Cubillo había casado en Granada con doña Inés de la Mar, de la que tuvo once hijos, y el sostener tan dilatada prole constituyó la gran tragedia de su vida. Ni su cargo ni sus comedias le daban para vivir, y sus apuros económicos fueron tan continuados como acuciantes. En él encontramos un nuevo caso, y quizá de los más extremos, del escritor que ha de ejercer la "mendicidad poética", con un descaro a veces que nos llenaría de asombro si no supiéramos que semejante proceder entraba por mucho en las costumbres de la época. Muchas de sus composiciones adulatorias, con expresas demandas de dinero a los magnates o al propio rey, fueron incluidas por el propio Cubillo en el volumen antológico de su producción, poética y dramática, que publicó en Madrid en 1654 bajo el título de *El enano de las musas.*

Cuando el duque de Granmont llegó a Madrid como embajador extraordinario de Francia para firmar la paz de los Pirineos, Cubillo fue encargado de escribir la relación de su entrada y de las fiestas que se le hicieron [120]. Falleció el poeta en Madrid el 21 de octubre de 1661. En un romance biográfico, que puso al frente de *El enano...* afirma haber escrito cien comedias, de las cuales apenas una tercera parte ha llegado hasta nosotros. Sólo diez fueron seleccionadas por el autor para la mencionada antología.

A Valbuena Prat debemos el primer intento de sistematizar y valorar con criterio moderno la producción dramática de Cubillo [121], pues el trabajo de Cotarelo es más biobibliográfico que crítico.

Dejando aparte sus comedias religiosas, de menor interés porque su emoción devota parece siempre fría y hasta, a las veces, insincera, cultivó Cubillo, como todo dramaturgo de su tiempo, el teatro heroico y la comedia de costumbres. Según norma común entre los escritores del segundo ciclo dramático, Cubillo se sirvió frecuentemente para sus piezas heroicas de asuntos ya tratados por Lope o sus discípulos, lo que movió a Cotarelo a situar al granadino entre los seguidores o imitadores de aquél. Valbuena, que en sus estudios sobre el teatro barroco ha señalado tantas veces los rasgos que caracterizan a la época de Calderón, hace ver que no son los temas, y sus fuentes, los que permiten

---

119 Citado por Cotarelo en estudio cit., pág. 7.

120 Cfr.: W. T. MacCready y J. A. Molinaro, "La *Relación breve...* de Cubillo de Aragón y la Paz de los Pirineos", en *Bulletin Hispanique,* LXII, 1960, págs. 438-443.

121 Ángel Valbuena Prat, *Álvaro Cubillo de Aragón. Las Muñecas de Marcela. — El Señor de Noches-Buenas,* edición y estudio, en Clásicos Olvidados, III, 2.ª ed., Madrid, 1928. En el volumen XLVII de la BAE *—Dramáticos posteriores a Lope de Vega,* tomo I, nueva ed., Madrid, 1951— se incluyen siete comedias de Cubillo, entre ellas las dos publicadas por Valbuena.

definir la personalidad de un dramaturgo en esta etapa, sino la forma de tratarlos. Cubillo, en efecto, reelaborando asuntos ya utilizados por los escritores del primer ciclo, sigue la norma de Calderón de eliminar episodios, concentrar la acción, regularizar el plan, construir más reflexivamente y, sobre todo, fundir más estrechamente poesía y drama.

Hay un primer momento, sin embargo, en que Cubillo sigue aun de cerca las huellas de Lope y de su escuela. A él pertenecen *Ganar por la mano el juego,* comedia de santos y bandoleros que recuerda *El esclavo del demonio* de Mira de Amescua; *El vencedor de sí mismo,* muy al modo de Lope; *El conde Dirlos,* inspirada en la obra del mismo título de Guillén de Castro; la comedia de capa y espada *Añasco el de Talavera,* poblada de violencias y valentones, protagonizada por una mujer hombruna —muy a gusto de la escena del tiempo, como sabemos—, que debe bastante, entre otras, a *La Fénix de Salamanca,* también de Mira; y *El amor cómo ha de ser,* comedia de costumbres más dentro ya de la línea peculiar de Cubillo, pero muy endeudada todavía con las obras de intriga del primer ciclo, a la manera de *Don Gil de las calzas verdes* de Tirso.

En el segundo período sobresalen especialmente las comedias heroicas. *El conde de Saldaña* —también llamada *El bastardo de Castilla*— con su segunda parte *Hechos de Bernardo del Carpio,* tienen su fuente principal en las obras del Fénix *Las mocedades de Bernardo del Carpio* y *El casamiento en la muerte,* pero en ellas está ya patente la interpretación propia del momento calderoniano con su reducción a unidad, que —en la primera parte— mejora con mucho el original, según había señalado ya Menéndez y Pelayo, aunque sustituye el potente realismo del Romancero por una finura literaria tejida de imágenes gongorinas. Schack decía que *El conde de Saldaña* era la mejor obra dramática que había tratado el tema de Bernardo, opinión que hace suya Cotarelo. Valbuena estima que es la mejor comedia heroica de Cubillo y pondera particularmente "la sobria armonía de lo delicado y lo fuerte" [122].

Notables también son las dos comedias "de Mudarra" recordadas por Montalbán; la primera y segunda parte de *El rayo de Andalucía y Genízaro de España.* De nuevo la confrontación con el modelo, *El bastardo Mudarra* de Lope, muestra el cambio que se produce entre la ruda sencillez épica del primer ciclo teatral y la literaria estilización con que trata Cubillo las dramáticas violencias de la leyenda.

Sin embargo, la forma más perfecta del teatro de Cubillo, la más personal y la que justifica, por lo tanto, el puesto que ha de otorgársele en la dramática de su tiempo, está representada por las comedias de costumbres y sobre todo por cuatro de ellas: *La perfecta casada, Perderse por no perderse, Las muñecas de Marcela* y *El señor de Noches-Buenas.*

---

[122] Edición cit., pág. LXXIV.

En una "Carta que escribió el autor a un amigo suyo, nuevo en la Corte", incluida en *El enano,* expone Cubillo lo que podríamos llamar su estética sobre el teatro:

> *Si a la* comedia *fueres inclinado*
> *y dejares tu casa estimulado*
> *de tus propios dolores,*
> *nunca vayas a ver en ella horrores;*
> *que si aquel breve espacio*
> *te desvías del peso de palacio,*
> *del pleito de las trampas e inquietudes,*
> *y a la comedia acudes*
> *quizá muerto y rendido*
> *a desahogar el ánimo afligido,*
> *no es desahogo ver en la* comedia
> *el insulto, el agravio, la tragedia,*
> *el blasfemo de Dios amenazado,*
> *el duelo ejecutado,*
> *la virtud ofendida,*
> *y a precio de una vida y otra vida*
> *con bárbara violencia,*
> *la traición, la maldad y la insolencia.*

Y sigue luego:

> *¿Qué linaje de gusto se halla en esto,*
> *si aun a los mismos brutos es molesto,*
> *y vuelves a tu casa*
> *con la pena de ver lo que allí pasa,*
> *que por torpe e injusto*
> *aunque representado da disgusto?*
> *Tengo por muy poco hombre y por menguado*
> *el que va a la comedia muy preciado*
> *de oir cosas de seso,*
> *que el tablado no se hizo para eso...*
> *Si gustas de las veras, aquel rato*
> *vete a oir un sermón, que es más barato;*
> *si gustas de lo grave, y por ventura*
> *has estudiado, lee la Escritura...*
> *Mas la* comedia *búscala graciosa,*
> *entretenida, alegre, caprichosa...*
> *Y breve, que no es bien, faltando el tiempo,*
> *que gaste mucho tiempo el pasatiempo...* [123].

123 Citado por Valbuena en ídem, íd., págs. XXIV-XXVI.

No puede desconocerse lo que en tales palabras existe de ironía traviesa, ni cabe olvidar que también Cubillo había llevado a las tablas, en muchas ocasiones, algo de esas tragedias y violencias que dice condenar. Pero es, a la vez, altamente significativo el solo hecho de haber expuesto tales conceptos, que en gran medida podemos ver materializados en sus comedias más representativas. Lo que en ellas interesa a Cubillo es el juego escénico, la gracia menuda, la pincelada suave, la certera metáfora, que el autor organiza y dispone para lograr un ingenioso pasatiempo, y siempre —como dice acertadamente Valbuena— con "labor de orfebre y no de arquitecto" [124]. Es ese sentido de la comedia lo que le sitúa en un plano artístico muy moderno para su época, puesto que anticipa primores y delicadezas de la centuria inmediata. "Es algo de magia de minuetto —escribe Valbuena—, de encanto de danza, lo que se siente en el teatro —en cierto modo de marionetas— de Cubillo y de Moreto. En esta superación de nuestro XVII está el preludio de toda la delicadeza de los jardines de Versalles y los palacios de Viena. En *El desdén con el desdén* o en *Las muñecas de Marcela* el teatro se convierte en danza, de un modo —aunque en técnica distinta— comparable a la versión musical dramática en las óperas mozartianas: *La flauta encantada* o *Don Juan*" [125]. El estilo de Cubillo participa de la imagen de Góngora —de quien toma a veces versos completos— y de la construcción conceptual de Calderón; pero sin la dureza marmórea del primero ni la rigurosa estructura del segundo, antes bien con una minúscula complacencia en los detalles, en la que se advierte la peculiar sensibilidad de su ingenio granadino.

En *La perfecta casada*, Estefanía, crea Cubillo una delicada figura de esposa amante y comprensiva bien distinta de las hembras arriscadas tan abundantes en la dramática del momento [126]. "Estefanía —dice Valbuena— es una figura sin asperezas, diáfana, límpida como una figurita de cristal o de porcelana de un XVIII presentido. Para situar esta creación en su marco adecuado debemos

---

[124] Ídem, íd., pág. VIII.

[125] Ídem, íd. págs. XX-XXI.

[126] El mismo Cubillo no había desdeñado el llevar a escena hembras de esta índole. En la comedia *Añasco el de Talavera,* a que hemos aludido, su protagonista doña Francisca de Añasco es un virago capaz de atemorizar al más desaforado espadachín y sus bravuras son, en efecto, impresionantes. En *Los desagravios de Cristo,* la protagonista Veronice es otro notable ejemplar de mujer varonil y guerrera, y parece seguro que Cubillo trataba de impresionar con ella a los espectadores en forma no muy diferente a la practicada por Rojas, Vélez y otros dramaturgos; Cotarelo, como sin darle importancia, dice en sus comentarios a esta obra: "Esta comedia tuvo mucho éxito y fue muy representada desde su estreno por Alonso de Olmedo (hacia 1637), quizá por las guapezas de Veronice quien, en una escena, entra a caballo por el patio a desafiar a los romanos, en cuya ocasión la ve Tito por primera vez y se prenda de ella" (estudio cit., pág. 255). Adviértase bien que si las obras más representativas y personales de Cubillo son las que examinamos a continuación, no dejaba de pagar generoso tributo a los más efectistas recursos del espectáculo teatral de su tiempo; no todo son "pinceladas suaves" ni "gracia menuda" en la dramática del granadino.

pensar, de nuevo, en la cuna del poeta, en la Granada del siglo XVII" [127]. Cotarelo pondera lo original de la estructura de la obra y lo hermoso y bien trazado de los caracteres, en especial el de la protagonista, que califica de "primor psicológico" [128].

Perderse por no perderse, localizada en una convencional corte napolitana, conserva mucho todavía de la comedia palatina a la manera de Lope, o más aún de Mira y de Vélez, pero precisamente en la mayor regularidad de la intriga, en la delicadeza de la protagonista —que quizá supera todavía a la anterior— y en la ternura y nobleza de sentimientos se echa de ver la peculiar sensibilidad que aporta el arte dramático de Cubillo.

Las muñecas de Marcela representa, por este camino, lo más personal de nuestro autor. La comedia posee el enredo propio de las de "capa y espada". Marcela, apenas salida de la niñez, se enamora de Carlos que penetra por su balcón huyendo de una venganza de honor, y lo esconde en el cuarto de sus muñecas, que todavía conserva como ilusionado recuerdo de aquella edad. Hay escenas de intriga, a la manera calderoniana, pero lo que se impone sobre ellas es la atrayente figura de la niña-mujer, que hace triunfar su juvenil pasión sobre todas las dificultades y obtiene al cabo de los vengadores el perdón para su enamorado. "Casi puede asegurarse —dice Valbuena— que los verdaderos personajes ideales, los que levantan la comedia de intriga a un reino de delicioso encanto, son aquellos muñecos del "estrado con barandillas", en cuya habitación, destinada a los juegos de niña, se ocultan el galán y su criado. Faltaba para llegar Cubillo a su propio ambiente, sobrepasar el último escaño de su escala de vidrios y porcelanas. El penúltimo era la esposa idealizada y límpida: Estefanía; el último, la niña, el juguete: Marcela" [129]. Destaca igualmente el crítico el sentido de perdón y de generosidad que campea en toda la obra; son los viejos quienes defienden arcaicas intransigencias de honor mientras los jóvenes mantienen un criterio de condescendencia y reconciliación, que se acerca al sentir de nuestros tiempos: "Difícil —dice— es encontrar en comedias del siglo XVII ideas más netamente cristianas sobre el perdón" [130].

El señor de Noches-Buenas es una excelente comedia, superior, en nuestro juicio, a todas las anteriores. Desarrolla el tema —ya tratado por Lope, según recuerda Cotarelo, en *Las flores de don Juan*— de la oposición entre dos hermanos: el mayorazgo, heredero rico, y marqués, pero necio y vanidoso, que desprecia al hermano menor, privado de fortuna pero noble y discreto; ambos se enfrentan además al pretender a la misma mujer. Como en el caso de *Las muñecas de Marcela,* existe aquí una intriga "de capa y espada" como base del enredo dramático; Porcia, la protagonista, habla una noche a la reja con el hermano menor y creyendo que es el mayorazgo le concede a éste su afecto,

---

127 Ídem, íd., págs. LXXXII-LXXXIII.

128 Estudio cit., pág. 267.

129 Edición cit., págs. LXXXVI-LXXXVII.

130 Ídem, íd., pág. LXXXVIII.

pero, desengañada luego al tratarle, elige al discreto. La acción, como en la comedia de Lope, transcurre en Valencia. Evidentemente, Cubillo exagera la rudeza del marqués e idealiza al menor (mucho más lo primero que lo segundo), y de no ser los dos de idéntica procedencia —nacidos de un mismo parto, además— maliciaríamos que el dramaturgo ha pretendido trazar la caricatura de un palurdo valenciano, rudo y petulante.

Pero también —como en el caso de *Las muñecas*— pese a sus lances y su acción a veces comprimida por exigirlo la economía de la comedia, lo que en ésta sobresale no es la anécdota, sino los caracteres, todos perfectamente matizados con la sola excepción apuntada. A decir verdad, no encontramos en *El señor de Noches-Buenas* la "orfebrería granadina" en que ha centrado Valbuena lo más genuino de Cubillo. La feliz naturalidad con que desarrollan sus sentimientos los personajes, la justeza de su evolución, la medida exactitud de sus palabras, noblemente poéticas pero sin vanos artificios, y la ordenada andadura de la fábula en un mundo normal y cotidiano, nos hacen pensar mucho más en la sobria comedia urbana de Alarcón que en cualquier género de preciosismos de estilo; *El señor de Noches-Buenas,* que no desmerece de las mejores de aquel ingenio, podría tomarse —pensamos— como prototipo de lo que generalmente concebimos como "comedia alarconiana". Incluso el gracioso Copete, servidor desinteresado de su amo al que quiere y admira por sus dotes personales sin cuidarse de su pobreza, es en su discreción y sobriedad un perfecto armónico del tono general de la comedia [131].

OTROS DRAMATURGOS

El "ciclo dramático" de Calderón es fertilísimo en nombres, de los que apenas unos pocos podemos ya recoger aquí. La corriente reivindicadora del Barroco encuentra autores —menospreciados u olvidados durante largo tiempo— que evidentemente merecen ser revalorizados si se les examina bajo una nueva luz. Con todo, aunque muchos de ellos ofrecen aún porciones de originalidad y matices de especial interés, que el estudioso puede señalar, es evidente que —en el teatro lo mismo que en la lírica— cuando enfrentamos el panorama literario de cara ya a las últimas décadas del siglo, percibimos una tan densa saturación de temas y procedimientos, una insistencia tan tenaz en mundos de arte felizmente recorridos una y otra vez por los genios mayores, que el olvido en que yace la mayoría de los otros, no parece del todo injustificado. Los que se vienen llamando dramaturgos de "segunda" o de "tercera fila" en esta época muestran comedias aisladas de innegable mérito, pero difí-

---

131 Además de las obras mencionadas, cfr.: J. B. Avalle-Arce, "Lope y Álvaro Cubillo de Aragón", en *Nueva Revista de Filología Hispánica,* VII, 1953, págs. 429-432. E. Glaser, "Álvaro Cubillo de Aragón's *Los desagravios de Cristo*", en *Hispanic Review,* XXIV, 1956, págs. 306-321.

cilmente podemos hallar en ellas nada de veras esencial para la vida del teatro, que los grandes autores no hubieran exprimido ya.

Francisco Antonio de Bances Candamo (1662-1704) es uno de los seguidores de Calderón que prolongaron con mayor fortuna la dramática barroca hasta los mismos albores del siglo XVIII. Nació en Sabugo (Avilés), estudió en Sevilla con un tío suyo canónigo y se doctoró en Leyes. Ganó el favor real con sus comedias, y se cuenta que durante cierta enfermedad del escritor los reyes hicieron enarenar su calle para que no le molestaran los ruidos. Por cierto que, según cuenta Mesonero, no sabemos con qué fundamento, la enfermedad no fue sino una herida grave que le causaron algunos colegas, envidiosos de su gran favor en la Corte. Ocupó distintos cargos administrativos, y estando en Lezuza con motivo de una comisión, murió y hubo de ser enterrado de limosna.

Evidente interés encierra su obra en prosa *Theatro de los theatros de los passados y presentes siglos. Historia scénica griega, romana y castellana: preceptos de la Comedia Española,* que ha permanecido inédita hasta comienzos de nuestro siglo [132]. Bances compuso este tratado para defender el teatro de los ataques de los moralistas, en especial del padre jesuita Ignacio Camargo; el autor teoriza sobre la comedia y recoge abundantes noticias y anécdotas curiosas, como la que citamos a propósito de *Cada cual lo que le toca* de Rojas Zorrilla.

En la dramática de Bances, Valbuena destaca su comedia *La piedra filosofal,* derivada de *La vida es sueño* de Calderón, aunque quizá su desenlace sea de signo contrario, pues el protagonista, Hispalo, cree encontrar la felicidad en su propio mundo interior —"yo tengo en mi fantasía / la piedra filosofal"—; lo que equivale a decir que si la vida no vale más que un sueño, los sueños pueden a la vez ser tan válidos como la vida.

Bances volvió al tema de Macías —tratado por Lope en *Porfiar hasta morir*— en su comedia *El español más amante y despreciado Macías*; trató de la reina Cristina de Suecia en *Quién es quien premia el amor*; cultivó la leyenda religiosa en *La Virgen de Guadalupe*; y la comedia de enredo, con protagonista disfrazada de varón, en *El duelo contra su dama.* Escribió además autos sacramentales, entre los que destacan *El gran químico del mundo* y *Las mesas de la fortuna* [133].

---

132 Edición fragmentaria de M. Serrano y Sanz, en *Revista de Archivos, Bibliotecas y Museos,* V, 1901 y VI, 1902.

133 Ediciones modernas: cuatro comedias, edición Mesonero Romanos, en BAE, XLIX, *Dramáticos posteriores a Lope de Vega,* tomo II, nueva ed., Madrid, 1951. Cfr.: "Documentos relativos a Bances Candamo extractados por Cristóbal Pérez Pastor", en *Memorias de la Real Academia Española,* X, 1911, págs. 18-19. D. Cuervo-Arango y González-Carvajal, *Don Francisco Antonio de Bances y López-Candamo,* Madrid, 1916. N. Díaz de Escovar, "Poetas dramáticos del siglo XVII. Don Francisco de Bances Candamo", en *Boletín de la Real Academia de la Historia,* XCI, 1927, págs. 105-114. W. S. Jack, "Bances Candamo and the Calderonian Decadents", en *PMLA,* XLIV, 1929, págs. 1079-

Antonio de Solís y Rivadeneyra (1610-1686) tiene gran importancia como historiador —y como tal lo estudiaremos en el capítulo correspondiente—, pero fue muy celebrado también como comediógrafo. Nació en Alcalá de Henares, se graduó de ambos Derechos en Salamanca, fue secretario del conde de Oropesa, virrey de Navarra y de Valencia, y a la muerte del erudito Antonio de León Pinelo se le nombró cronista de Indias. A los 57 años de edad se ordenó de sacerdote [134].

Solís escribió poesías líricas —sagradas y profanas— de gusto gongorino [135], y *Cartas* [136]. Su teatro se distingue por su predominante tono satírico, particularmente en torno al tema del amor, cuyos móviles examina de un modo realista, positivo y, a las veces, cínico, bien diferente de las caballerescas actitudes que parecen consustanciales con la *comedia* áurea española. Quizá por este *cinismo* elegante las comedias amorosas de Solís fueron gustadas y celebradas durante el siglo XVIII, con preferencia a las obras maestras de otros dramaturgos mayores. Merecen destacarse *El doctor Carlino,* título igual al de una comedia de Góngora, y sobre todo *El amor al uso,* su mejor obra, que fue traducida por Scarron con el título de *L'amour à la mode* [137].

El amor al uso es, en efecto, una deliciosa comedia, quizá de las más ágiles y divertidas que, en su especie, ha producido nuestro teatro. Su lectura constituye una gran sorpresa, porque el desenfado de las situaciones y la intención y gracia de los conceptos que allí se exponen sobre el amor son de lo más moderno, y no dudamos que su representación haría las delicias de un público de nuestros días. Las condiciones de ingravidez, capricho y juego que pedía Cubillo para la comedia, las pone en práctica Solís con un acierto inimitable, aunque desde un ángulo distinto al de Cubillo; pues lo que en éste son primores poéticos y delicados, alados en la forma pero con un cogollo de pasión, en Solís son una travesura escéptica, una caricatura de los gestos gallardos y del amor ideal, que sólo es verdad en el teatro. Solís construye lo que hoy llamaríamos una farsa o juguete cómico, y con la misma desenvoltura con que en-

---

1089. P. Penzol, "Francisco Bances Candamo. De la comedia a la zarzuela (1662-1709)" en *Erudición Ibero-Ultramarina,* Madrid, III, 1932, págs. 145-159.

[134] Cfr.: G. Arcila Robledo, "Fuente desconocida sobre la vida de Solís", en *Boletín de Historia y Antigüedades,* Bogotá, núm. 473-474, 1954, págs. 190-209.

[135] *Poesías,* edición de Adolfo de Castro en BAE, XLII, nueva ed., Madrid, 1950. Cfr.: U. Petit de Murat, "La poesía de Antonio de Solís y Rivadeneyra", en *Síntesis,* Buenos Aires, 1927, núm. 3, págs. 79-87. A. Gasparetti, "Un ignotto manoscritto palermitano delle *Obras líricas* di Don Antonio Solís y Rivadeneyra", en *Bulletin Hispanique,* XXXIII, 1931, págs. 289-324.

[136] *Cartas,* edición de Eugenio de Ochoa en BAE, XIII, nueva ed., Madrid, 1945.

[137] Ediciones modernas: cuatro comedias, edición Mesonero Romanos, en BAE, XLVII, *Dramáticos posteriores a Lope de Vega,* tomo I, nueva ed., Madrid, 1951. *Amor y obligación,* edición con estudio y un ensayo bibliográfico de Eduardo Juliá, Madrid, 1930. Cfr.: J. H. Parker, "The Versification of the *Comedias* of Antonio de Solís y Rivadeneyra", en *Hispanic Review,* XVII, 1949, págs. 308-315.

hebra los lances se burla de los tópicos literarios sobre el amor y de otras muchas convenciones dramáticas, en especial del punto de honra.

Jerónimo de Cáncer y Velasco nació probablemente en Barbastro, no se sabe en qué año, y murió en Madrid en 1655. Fue contador del conde de Luna, y vivió siempre tan alcanzado de dinero que en él se repite el caso, una vez más, del poeta pedigüeño; sólo que su mendicidad poética se acicalaba menos literariamente que la de Cubillo, por ejemplo. Cotarelo, que ha reunido curiosas noticias de este pintoresco y simpático personaje [138], nos dice que, más que a los de su tiempo, parece semejarse a aquellos poetas del siglo XV como Villasandino, Juan de Valladolid y Antón de Montoro que ponían su musa al servicio de sus necesidades. Cáncer, que escribió magníficos entremeses, debía de ser él mismo un tipo de entremés, hasta en lo físico y en el desaliño de su persona. Su señor, el de Luna, se cuidaba poco de pagarle el salario, y en una ocasión, como le debiera ya nueve meses, el poeta le dirigió una divertida composición para recordárselo. Cáncer pedía frecuentemente a diversos nobles y, por supuesto, al rey. En un vejamen poético se aludió a sus costumbres pedigüeñas con estas palabras: "Don Jerónimo Cáncer a cualquiera que le pide una copla, se la jura, porque dice que se la ha de pagar" [139].

Cáncer colaboró con todos los grandes ingenios de su época: Vélez de Guevara, Calderón, Rojas Zorrilla y otros varios, pero sobre todo con Moreto. Cáncer debía de ser un perezoso ingeniosísimo, al que sólo hacían trabajar la invitación y estímulo de otros escritores, que le buscaban por la gran estima que tenían de su talento. Por sí solo no escribió sino dos comedias burlescas: *La muerte de Valdovinos,* que fue prohibida por la Inquisición, y *Las mocedades del Cid.* En sus manos lo caballeresco y lo épico son objeto de befa; pero parece que nada nos permite esperar que Cáncer respetara demasiado a tan gloriosos personajes. En cambio, cuando colaboraba con los maestros, tenía que ponerse a su tono. Su más notable colaboración es *El mejor representante, San Ginés* —inspirada en *Lo fingido verdadero,* de Lope— con Rosete Niño y Martínez de Meneses; el primer acto, que es el de Cáncer, no sólo excede con mucho a los otros dos, sino que constituye por sí mismo a juicio de Valbuena, una pieza magnífica.

Cáncer fue notable entremesista. Cotarelo registra de él veintiséis de estas obras, aparte varios bailes y jácaras. Destacan entre sus entremeses *La burla más sazonada, Los ciegos, El francés, Los gitanos, El portugués, Los putos, El sí, La mal acondicionada, La visita de la cárcel,* de igual título que el de Benavente y también con participación de Juan Rana, y el denominado —entre-

---

[138] Emilio Cotarelo y Mori, *Colección de entremeses, loas, bailes...*, cit., vol. I, páginas LXXXIV-LXXXVIII.

[139] Citado por Cotarelo en ídem, íd., pág. LXXXV.

més, que no libro, como algunos afirman— *El libro de ¿qué quieres boca?*, en que ridiculiza algunas modas y se burla de la pobreza general:

> *Esto de no tener va tan de veras,*
> *que ya no usan los hombres faltriqueras...* [140].

Antonio Coello y Ochoa (1611-1682) nació y murió en Madrid. Fue servidor del duque de Albuquerque a cuyo lado estuvo durante sus campañas contra Francia en la Guerra de los Treinta Años hasta alcanzar el grado de capitán. Fue Caballero de Santiago y figuró entre los poetas dramáticos favorecidos por el rey, ante el cual se representaron varias de sus obras [141]. Colaboró con Montalbán, Vélez, Rojas y Calderón. A medias con éste compuso una de sus comedias más famosas: *Yerros de naturaleza y aciertos de la fortuna* [142], en la que se advierten curiosos puntos de contacto con *La vida es sueño*; con Vélez de Guevara, *La Baltasara,* sobre esta famosa comedianta, que dejó la escena para retirarse a la vida de piedad. Por sí solo escribió *El celoso extremeño,* basada en la novela de Cervantes aunque con bastantes diferencias (Carrizales no está casado con Leonor, sino tan sólo prometido). Pero su obra más importante es *El conde de Sex* (Essex), famosa además porque se la supuso escrita por el propio rey Felipe IV, atribución que ha desmentido Cotarelo. El drama gira en torno a la conocida historia del conde de Essex, que por no descubrir que su prometida Blanca conspiraba contra la reina, se deja ajusticiar rechazando la posibilidad de fuga que le ofrecía la propia soberana, enamorada de él aunque convencida de su culpabilidad.

Subraya Cotarelo el hecho de que este poderoso drama, perfectamente desarrollado y escrito, fuera compuesto por su autor cuando sólo tenía veintidós años. Pero lo más notable de él —condición siempre ponderada— consiste en el carácter de la reina Isabel, a la que presenta Coello "dulce, sensible, honesta, digna, altiva, pero no cruel cuando ve menospreciado su amor y hasta ofendida su cualidad de Reina, y que, en lugar de gozarse en su venganza, perdona como mujer sus agravios más íntimos, los del corazón, y trata de salvar al causante de ellos" [143]. Era necesario, dice el mismo crítico, mucho valor para ofrecer al público una imagen de aquella reina, adornada de cualidades nobles y simpáticas, cuando era tendencia general de entonces en nuestro país el estimar a la

---

[140] Citado por ídem, íd., pág. LXXXVIII. *Poesías* de Cáncer en BAE, XLII, cit. *Vejámenes literarios por Jerónimo de Cáncer y Velasco y Anastasio Pantaleón de Ribera (siglo XVII). Anotados y precedidos de una advertencia histórico-crítica por el Bachiller Mantuano* (seudónimo de A. Bonilla y San Martín), Madrid, 1909. Cfr.: N. Díaz de Escovar, "Don Jerónimo de Cáncer y Velasco", en *Revista Contemporánea,* Madrid, CXXI, 1901, págs. 399-409.

[141] Cfr.: Emilio Cotarelo y Mori, "Dramáticos del siglo XVII. Don Antonio Coello y Ochoa", en *Boletín de la Real Academia Española,* V, 1918, págs. 550-600.

[142] Edición de Eduardo Juliá, Madrid, 1930.

[143] Cotarelo, estudio cit., pág. 583.

soberana inglesa, causante de nuestras más graves desgracias políticas, como un monstruo de lascivia y de crueldad, perseguidora inicua de católicos.

Coello fue el primero en llevar al teatro este asunto, que han repetido después muchos escritores de todos los países hasta nuestros días, sin que ninguno haya aventajado la creación del madrileño.

Juan Bautista Diamante (1625-1687) descendía de griegos evacuados en 1534 de la ciudad de Corón, cuando las tropas españolas la abandonaron ante los repetidos ataques de los turcos; después de residir algún tiempo en Sicilia, los ascendientes de Diamante se trasladaron a Madrid, donde nació el futuro dramaturgo. Su padre, a pesar de que algunos miembros de la familia ostentaban títulos nobiliarios, poseía en la calle Mayor una tienda de mercaderías extranjeras que marchaba prósperamente. Juan Bautista, que ya de muchacho se hizo notar por sus bravuras y el fácil manejo de la espada, estudió en Alcalá con otro de sus hermanos y se graduó de Bachiller en Cánones. Durante sus estudios y siendo ya subdiácono, fue encarcelado y procesado por haber muerto a un hombre en una pendencia, aunque se logró componer el hecho con la viuda mediante 400 ducados que pagó su padre, el mercader. Ordenado ya de presbítero, fue procesado nuevamente, según informa Cotarelo [144], aunque admitiendo la poca garantía que merece Jerónimo de Barrionuevo, que es quien recoge en sus *Avisos* tan curiosas noticias. De ser ciertas, Diamante y otros varios enmascarados asaltaron a mano armada la casa de un vecino de la villa y la desvalijaron de todos sus bienes. Diamante, según Barrionuevo, fue sometido a tormento, aunque Cotarelo no lo cree probable por tratarse de un clérigo. En todo caso, parece evidente que el dramaturgo, a quien Barrionuevo llama "el guapo y crudo de la Puerta del Sol", era un pendenciero de gran estilo. Lo cual no le impidió llegar a ser Caballero de la Orden Militar de Jerusalén, prior de Morón, sin obligación de residir en este convento de su Orden, y uno de los poetas favoritos de la atención real.

Nos hemos detenido un tanto en esta etopeya del escritor porque viene afirmándose que es su carácter y costumbres los que explican la profusión de tipos reñidores y desaforados que existen en su obra. El mismo Cotarelo afirma que aun siendo grande el número de sus comedias devotas y no escasas las de simple enredo de costumbres, las que mejor le caracterizan "son las comedias guerreras y las de héroes y valentones" [145].

Como era propio de todos los autores de este ciclo dramático, Diamante reelabora constantemente asuntos ya utilizados, y en no pocas ocasiones acierta —según la técnica peculiar del momento calderoniano— a reducir la acción y concentrar la intensidad dramática, consiguiendo interpretaciones de innegable

---

[144] Cfr.: Emilio Cotarelo y Mori, "Don Juan Bautista Diamante y sus comedias", en *Boletín de la Real Academia Española,* III, 1916, págs. 272-297 y 454-497.

[145] Ídem, íd., pág. 295.

originalidad. Tal ocurre, por ejemplo, con *La judía de Toledo,* basada en *La desgraciada Raquel* de Mira de Amescua, o en *El valor no tiene edad* sobre el "Sansón de Extremadura" García de Paredes, originada en la comedia de Lope *Contienda de Diego García de Paredes.*

Pero el caso de mayor interés en la producción de Diamante es *El honrador de su padre,* sobre el tema del Cid. Basándose en una teoría de Antonio de Latour, recordada por Cotarelo, Valbuena supone que *El honrador* no deriva de la obra de Guillén de Castro, sino del *Cid* de Corneille. Dice textualmente: "Es posible que [Diamante] conociera *Las mocedades*" —nos parece imposible, pensamos nosotros, que no la conociera— "pero *El honrador de su padre* deriva escenas enteras de la tragedia del poeta francés" [146]. Cotarelo ha demostrado, contra Latour, que Diamante no sabía francés, y que la primera traducción española de la obra de Corneille, que Latour supone ya en tiempos de Diamante, no se produce hasta finales del siglo XVIII. Admite que en los dos primeros actos *El honrador* se aproxima más a *Le Cid* que a *Las mocedades,* pero no así el tercero; y sugiere la existencia de un tercer modelo, hoy desconocido, "que imitaría en parte Corneille y refundiría Diamante. Quizá sería alguna de las dos comedias del *Cid* que, por testimonio de Lope de Vega, sabemos que compuso, muy a los comienzos del siglo XVII, el poeta aragonés Pedro Liñán de Riaza" [147]. Valbuena, que no aduce nuevas razones contra la hipótesis de Cotarelo, sostiene el aducido influjo de Corneille con el fin de probar la *modernidad,* diríamos, y peculiaridad del teatro de Diamante, que representa —son sus palabras— "el mayor acercamiento al arte francés". Pero la conclusión es desmesurada, y formulada de este modo no define, ni por aproximación, la índole de la producción de Diamante, exponente característico de la dramática barroca en sus últimas etapas.

En cualquier caso, *El honrador de su padre* es una afortunada versión del tema cidiano; Cotarelo admite que supera a la obra del valenciano [148], y en otro pasaje aduce el testimonio de Schack cuyas palabras son terminantes: "Sin duda —dice— carece de ese brillo y colorido poético seductor y de ese estro y frescura juvenil de *Las mocedades del Cid*; pero en la vitalidad orgánica de toda la composición, en la superior disposición artística de sus materiales, no encontrándose detalle alguno ocioso que detenga en lo más mínimo la rapidez de la acción; en todas estas propiedades, repetimos, quizá aventaje, en nuestro concepto, a la obra de Guillén de Castro, no faltándole tampoco colorido poético brillante y original" [149].

---

146 *Historia de la literatura española,* cit., vol. II, pág. 616.
147 Estudio cit., pág. 290.
148 Ídem, íd., pág. 289.
149 Ídem, íd., pág. 495.

EL ENTREMÉS: LUIS QUIÑONES DE BENAVENTE

El estudio de la comedia y el drama áureos ha de completarse con la mención de un género menor, el entremés, que, aunque cultivado ya desde antiguo, fue creciendo en importancia y popularidad al correr del siglo XVII. Hasta los mayores ingenios del segundo ciclo dramático, como Moreto y el propio Calderón, escribieron piezas de esta índole; y en la práctica teatral el entremés se convirtió en inseparable acompañante de la comedia: apenas se concebía representación sin dos entremeses para los entreactos y su correspondiente *loa* y *baile* para el comienzo y final del espectáculo[150].

La historia del entremés va, sin embargo, particularmente unida al nombre de un escritor, Luis Quiñones de Benavente —también llamado Luis de Benavente—, que se especializó y sobresalió en su cultivo, hasta el extremo de oscurecer en este campo a todos sus colegas. Su producción fue abundantísima, sin duda, pero a causa de su gran fama se hizo costumbre atribuirle todas las piezas de dudosa paternidad y muchas otras que los editores interesados trataban de prestigiar con su nombre. De este modo, la obra de Benavente ofrece complejos problemas críticos que sólo en nuestros días comienzan a ser desentrañados[151].

---

[150] Refiriéndose a esta costumbre y ponderando la parte que en el éxito de una comedia podían tener los entremeses de que se acompañaba, escribe el prologuista de la *Jocoseria,* aludiendo por descontado a los de Benavente: "La mejor comedia tiene hoy el peligro de los desaires que padece entre jornada y jornada... de modo que el autor que tenía una mala comedia, con ponerle dos entremeses deste ingenio le daba muletas para que no cayese, y el que tenía una buena le ponía alas para que se remontase; con que todas las comedias le debían: la buena, el ser mejor; la mala, el no parecerlo" (cit. por Cotarelo —véase nota siguiente—, vol. I, pág. LXXVII). Pérez de Montalbán, en su *Para todos,* menciona a Benavente y dice: "El licenciado Luis de Benavente no ha escrito comedias; pero ha hecho tantos *bailes* y *entremeses* para ellas, que podemos decir segurísimamente que a él se le debe la protección y el logro de muchas y el aliño y adorno de todas..." (ídem, íd., pág. LXXVI).

[151] La bibliografía sobre Luis Quiñones de Benavente es muy poco abundante, pero de gran interés. Cayetano Rosell dedicó, en la serie *Libros de antaño,* dos volúmenes a la obra del entremesista, Madrid, 1872 y 1874. El primero reproduce completa la *Jocoseria,* y el segundo recoge 34 piezas sacadas de diferentes colecciones antiguas y de manuscritos. Emilio Cotarelo y Mori en su *Colección de entremeses, loas, bailes...,* cit., dedica extenso comentario a la obra de Benavente e incluye —reproduciendo entera la colección de Rosell— 142 obras del autor, entre entremeses y piezas menores. La colección reunida por Cotarelo es inapreciable y, por el momento, indispensable cantera para el conocimiento del escritor, pero deja planteados difíciles interrogantes de atribución y de cronología. En nuestros días, la investigadora norteamericana Hannah E. Bergman ha dedicado a su esclarecimiento un erudito y amplio estudio: *Luis Quiñones de Benavente y sus entremeses. Con un catálogo biográfico de los actores citados en sus obras,* Madrid, 1965. Eugenio Asensio en su libro *Itinerario del entremés. Desde Lope de Rueda a Quiño-*

Apenas nada se sabe de la vida de tan famoso escritor. Nació en Toledo, usaba el título de *Licenciado,* y murió en Madrid el 25 de agosto de 1651. Se ha supuesto sin fundamento que pertenecía a la familia de los condes de Benavente, y también se ha pretendido identificarle con el actor Luis de Quiñones, que representaba por la primera década del siglo. Parece evidente su formación universitaria, aunque su nombre no se encuentra en las actas de Salamanca ni de Alcalá. Lo más probable es que hubiera estudiado Derecho, pero tampoco consta que ejerciera nunca la abogacía o la judicatura. En su partida de defunción, descubierta por Cotarelo, se le llama *Presbítero,* lo que demuestra que en los últimos años de su vida, como tantos otros escritores de su tiempo, se había hecho clérigo.

Hannah E. Bergman subraya que la fama de Benavente, entre sus contemporáneos, no se fundaba tan sólo en sus dotes poéticas, sino también en su talento musical, como compositor y como ejecutante a la vez; muchas de sus piezas eran en parte o por entero cantadas, y fue el propio Benavente quien compuso las melodías. De todos modos, parece que ni el escribir entremeses ni el ejecutar su música fue para Benavente ocupación profesional, y Bergman sugiere que debió de ganar su vida como funcionario público o quizá como secretario de algún noble.

Lo que consta, en cambio, es que fue muy querido por sus colegas, cuyas envidias y ataques —siempre enconados en nuestro mundo literario— no se cebaron en él; muy al contrario, recibió frecuentes elogios, algunos calurosos, aunque ninguno tan entusiasta como el que escribió Tirso en *Los cigarrales* y también —si alude efectivamente a Benavente— en su comedia *Tanto es lo de más como lo de menos*[152].

---

nes de Benavente. Con cinco entremeses inéditos de D. Francisco de Quevedo, Madrid, 1965, consagra a Benavente un capítulo, que es un acierto de interpretación.

[152] Tirso dice en *Los cigarrales* que los bailes que se hicieron con su comedia *El vergonzoso en palacio* fueron de Benavente, "sazón del alma, deleite de la naturaleza y, en fin, prodigio de nuestro Tajo" (cit. por Cotarelo, I, pág. LXXV). En la comedia *Tanto es lo de más como lo de menos* dice por boca de los personajes (jornada II, escena 7.ª):

—¡Brava comedia!
— Donosa.
—¿Y el entremés?...
— Extremado.
—¿Quién fue el poeta?
— La sal
de los gustos; el regalo
de nuestra corte. Es de un hombre
mozo, cuerdo, cortesano,
virtuoso, y que no ha dicho
mal de poeta.
— ¡Milagro!
—Amigo debe ser vuestro.

Debido a la popularidad del entremés, ya desde las primeras décadas del siglo fue costumbre incluirlos en las colecciones de comedias de diversos autores que se editaban, hasta que en 1640 apareció en Zaragoza el primer libro compuesto exclusivamente de entremeses, al que siguieron otros volúmenes en Alcalá y Valencia [153]. Y en 1645 se publicó en Madrid la *Jocoseria,* única colección particular de piezas de Benavente que vio la luz en su tiempo; su título completo es: *Jocoseria. Burlas veras, o reprehensión moral y festiva de los desórdenes públicos. En doze entremeses representados y veinte y quatro cantados. Van insertas seis loas y seis jácaras, que los Autores de Comedias han representado y cantado en los teatros desta Corte. Compuestos por Luis Quiñones de Benavente, natural de la Imperial Toledo.* La idea de editar esta colección y el trabajo de reunirla no fueron del propio autor, sino de su amigo Manuel Antonio de Vargas. Según éste declara en el prólogo al lector, en la fecha de la publicación Benavente había dejado ya de escribir para el teatro.

En el mismo título de la colección se indica, como vemos, la calidad y número de sus piezas. El entremés *representado* es el típico; el *cantado* combina la música, el baile, y la intriga propia de aquél. Bergman sugiere que Benavente debió de idear esta denominación para distinguir sus bailes, más complejos, de los sencillos bailes con que terminaban los entremeses propiamente dichos, o *representados*; pero el término no prosperó y sólo se encuentra en la *Jocoseria* (los bailes atribuidos a Benavente en otras colecciones llevan este título, pero tienen por lo común el carácter que muestran aquí los *entremeses cantados*).

Las loas de la *Jocoseria* no son monólogos, como era lo más frecuente tanto en el teatro religioso como en el profano, sino todas ellas dialogadas y hasta con cierta complicación escenográfica y argumental, que las aproxima a los *entremeses cantados.* Benavente, gran conocedor del mundo teatral, cultivó una variedad de loas que se destinaban a servir de presentación a las compañías teatrales, exponiendo sus habilidades, secretos del oficio, repertorio, proyectos y detalles varios de su vida y andanzas, por lo que tales piezas consti-

---

—Aunque soy su apasionado,
la verdad es más mi amiga.
Confírmenla los teatros
gozosos y deleitados,
por más de nueve o diez años
que tienen en pie a la risa
y a los gustos con descanso.
—¿Qué entremeses habrá escrito?
—Al pie de trescientos.
— ¿Tántos?
—Y acaban en baile todos
si los antiguos en palos...

(cit., ídem, íd., I, LXXV).

[153] Cit. por Bergman, pág. 25.

tuyen, según dice Bergman, "una verdadera mina de datos curiosos sobre la vida detrás de las candilejas" [154]. También las jácaras de Benavente tienden a complicar el movimiento escénico con participación de varios cómicos, aproximándose asimismo a los *entremeses cantados*, excepto dos de ellas que son simples romances cantados por una sola persona.

Dos problemas fundamentales se presentan en torno a la obra de Benavente: la atribución y la cronología. Como hemos dicho, la producción de nuestro autor debió de ser abundantísima, aunque, con toda seguridad, ha sido muy exagerada "por la tendencia —según dice Asensio— a hacer de Quiñones de Benavente un Lope de Vega del entremés, aureolado con todas las invenciones y primacías" [155]; y también con la cantidad, hemos de añadir [156]. No sólo —como en el caso de Lope, en efecto— han debido de perderse a buen seguro multitud de piezas del famoso entremesista, sino que también otras muchas le han sido atribuidas falsamente. La tarea de hacer luz en esta densa selva de atribuciones ha sido emprendida con gran rigor por la mencionada investigadora Hannah Bergman, quien consciente de su enorme dificultad llega a esta conclusión: "Casi me inclino a tener por auténticas únicamente las 48 piezas de la *Jocoseria* más unas cuantas otras que se atribuyen a nuestro poeta en, al menos, dos textos antiguos" [157].

El segundo problema es el cronológico. Desde Cayetano A. de la Barrera se venía afirmando que ya en 1609 había compuesto Benavente su entremés titulado *Las civilidades*; pero Bergman ha refutado inequívocamente esta opinión [158]. Como en el caso de tantos otros dramaturgos del Siglo de Oro, apenas existen datos para fechar las piezas de Benavente. En los primeros años de este siglo el erudito italiano Antonio Restori consiguió resultados muy estimables confrontando los entremeses con los documentos histriónicos publicados por otros investigadores del teatro (Sánchez Arjona, Pérez Pastor) [159]. Sucede que,

---

154 Ídem, íd., pág. 26.

155 Estudio cit., pág. 198.

156 Recuérdese que Tirso en el pasaje de *Tanto es lo de más...* citado arriba, le atribuye a Benavente (si sus palabras aluden efectivamente a él, pues es asunto discutido), en edad que debemos suponer temprana, 300 entremeses, cifra enorme aun contando con la brevedad de estas piezas y el corto tiempo que en componerlas debía de emplear su autor. Cotarelo, haciendo cuentas excesivamente matemáticas, supone que si en nueve o diez años —según las palabras de Tirso— había escrito 300 piezas, y continuó escribiendo otros veinte años, llegaría a las novecientas, número asombroso "aunque no inverosímil, supuesta la usual fecundidad de nuestros grandes poetas del siglo XVII, y que tal vez explique la relativa abundancia de entremeses y bailes anónimos de esta época, que aunque estropeados, interpolados o refundidos por cómicos y editores, tal cual vez descubren el sello de su origen" (ídem, íd., I, pág. LXXVIII).

157 Obra cit., pág. 263.

158 Cfr.: Hannah E. Bergman, "Para la fecha de *Las civilidades*", en *Nueva Revista de Filología Hispánica*, X, 1956, págs. 187-193.

159 Antonio Restori, *Piezas de Títulos de Comedias. Saggi e documenti inediti o rari del teatro spagnuolo dei secoli XVII e XVIII*, Messina, 1903.

en los entremeses —a diferencia de lo que ocurre en las comedias impresas—, es muy frecuente que se dé el reparto completo de los actores que los representaron, y para los cuales se habían escrito expresamente en la mayoría de los casos; más aún: en casi la mitad de las piezas de la *Jocoseria*, los interlocutores no se designan con el nombre del personaje, sino del actor. Ahora bien: era tan frecuente el cambio de cómicos en las compañías, que cuando coinciden los que se citan en algún entremés o loa con los que constan en un documento histriónico, se puede fechar aquél con bastante exactitud, habida cuenta de que el estreno y la composición solían andar poco distantes en este género de producciones. De parecido método se sirvió Cotarelo en su colección de entremeses, y es el seguido igualmente por Bergman, sólo que con mayores medios por la abundante documentación nueva dada a conocer en estas últimas décadas.

Como consecuencia de tales investigaciones ha podido llegarse a los siguientes resultados. La *Jocoseria* no es una colección completa ni representa una selección de toda la obra del autor a lo largo de su carrera literaria, sino que está espigada, con un criterio de unidad artística, entre la producción de madurez; la mayoría de las obras que contiene puede fecharse con suficiente precisión dentro de la década 1630-1640. El entremés *Las civilidades*, que se suponía compuesto en 1609, tiene que retrasarse a 1629 ó 1630; las semejanzas que encierra con la "Dedicatoria" del *Cuento de cuentos* de Quevedo son tan notorias, que no puede hablarse sino de una adaptación escénica de esta página del gran satírico, y el *Cuento de cuentos* no fue publicado hasta 1629 (recuérdese que este reajuste de fechas ha permitido a Eugenio Asensio reclamar para Quevedo una situación de magisterio en la historia del entremés, dentro de la cual se le venía considerando como uno más de los imitadores de Benavente). Tan sólo una docena de entremeses pueden suponerse anteriores a 1626. (Aun suponiendo que se anticipe todavía la fecha inicial de la producción entremesil de Benavente, importa poco, dice Asensio, porque "los entremeses anteriores a *Los alcaldes* poco debían de añadir a su estatura") [160]. No obstante, existen testimonios de que por aquella fecha, e incluso antes, Benavente era ya famoso y había escrito numerosísimas obritas, pero que no debieron de ser entremeses. Bergman afirma que Benavente obtuvo sus primeros triunfos como músico; luego, comenzaría a componer tonos y letras para bailes de teatro: todos sus coetáneos le encomian siempre, en los primeros años, como autor de bailes, no de entremeses, que se ejecutaban al final de las piezas de otros autores; después, por fin, comenzó a cultivar él mismo el género de obras a que debe su puesto primordial en nuestra historia literaria, y cuya etapa culminante corresponde a la década que se resume en la *Jocoseria* [161].

---

[160] Estudio cit., pág. 131.

[161] Obra cit., págs. 74-75. Cotarelo, al espigar pasajes en que elogian a Benavente sus contemporáneos, recoge algunos que lo mencionan como autor de bailes tan sólo.

Bergman traza una división de la obra de Benavente que puede aceptarse de manera fundamental: *teatro realista* y *teatro fantástico*; pero existen numerosas piezas que participan de ambas modalidades o introducen nuevos matices de difícil catalogación.

La forma típica de las piezas *realistas* es la novelesca; son como comedias en miniatura, o como la intriga secundaria de una comedia, que desarrollan un cuento o anécdota. A esta especie pertenecen la mayoría de los *entremeses representados*. Merecen destacarse *El borracho, Los condes fingidos, Casquillos y la volandera* y *El talego-niño*, que Bergman estima como la pieza más notable de la *Jocoseria*.

De modo general, puede afirmarse que todo el teatro de Benavente es costumbrista, "en cuanto refleja y comenta —dice Bergman— las costumbres del día (precisamente en ello estriba su encanto para el lector moderno)" [162]; pero existe un número de piezas cuya intención específica consiste en la pintura de costumbres, principalmente de fiestas o de aspectos de la vida diaria, como en *La muestra de los carros, El abadejillo, Los gallos, Los toros, La maya, Las manos y cuajares, El aceitunero, El amolador, Las nueces, Juan Francés, Los coches* y otras varias. Es frecuente que en estas piezas se encuentre un tono satírico, que se exagera en ocasiones para trazar caricaturas de tipos grotescos, como *El murmurador, El enamoradizo, Los cuatro galanes* y *La malcontenta*; en estas dos últimas se trata el tema del examen de pretendientes, muy del gusto de nuestro autor. En esta mezcla de realismo y sátira cabe frecuentemente encontrar, como afirma Asensio, "al margen de la visión del trajín humano, una valoración implícita o explícita del hombre" [163].

Probablemente, sin embargo, lo más notable de la producción de Benavente ha de buscarse en su *teatro fantástico*; especie, por lo demás, que predomina en la *Jocoseria*, y a la que pertenecen los *entremeses cantados*. El autor ya no se siente preso por ninguna exigencia de costumbrismo documental, y construye sus piezas con alegre y despreocupada inventiva, que no respeta cercados. Refirién-

---

Antonio Hurtado de Mendoza en su entremés de *Miser Palomo*, de 1618 —primera mención segura que poseemos de Benavente, según Cotarelo— dice:

Vaya un baile con tono de Juan López,
o sea por mi amor, el excelente,
metrópoli de bailes, Benavente.

Juan Ruiz de Alarcón en su comedia *La culpa busca la pena*, hablando de una representación de la compañía de Vallejo, escribe:

La comedia, felizmente,
aplaudida al puerto llega,
que era de Lope de Vega,
y el baile, de Benavente.

(I, pág. LXXV).

[162] Obra cit., pág. 81.
[163] Estudio cit., pág. 140.

dose a la totalidad de la *Jocoseria*, pero con palabras que deben aplicarse muy especialmente a las piezas *fantásticas*, escribe Asensio: "poseen notas comunes: brillantez y esmero literario, elegancia moral, estilización de lo cómico no por vías naturalistas, sino gracias al simbolismo, propensión a la mascarada y aun a la arlequinada. Surge así un género donde, sin volver la espalda a la pintura de costumbres y sátira de modas, se sitúa la acción en un plano desrealizado al que confluyen los recursos de la poesía, el canto y la coreografía" [164]. Y en otro pasaje: "El entremesista toledano se complace en saltar el cerco mágico del escenario, convirtiendo el patio en tablado, los espectadores en confidentes o cómplices de la ficción. No conoce la cárcel de tres paredes impuesta por un realismo sin imaginación, sino que obliga al público a participar en el juego, le enseña las cartas, ya confiándole el nombre de los actores, ya discutiendo si tal o cual pasaje encaja en un entremés" [165].

Es notable, en efecto, la frecuencia con que el entremés, como entidad dramática, habla de sí mismo para definir sus límites y su función, su técnica y sus convenciones, todo lo cual se encamina a un último propósito: darnos a entender que lo que allí contempla el espectador no es realidad reproducida sino *teatro*. Este guiño irónico sobre sus propias ficciones lo había hecho la comedia infinitas veces, pero nunca con el desenfado y la libertad del entremés. De semejante libertad se vale sobre todo para disparar el mecanismo de la risa, que es su fin primordial al fin y al cabo, pero también para ensanchar su campo por el camino de lo fantástico o lo alegórico y, de rechazo, potenciar las mismas referencias al mundo real y dar mayor cabida a la intención moralizadora y satírica aunque frecuentemente se disfrace cómicamente de caricatura.

Porque en la obra de Benavente es necesario advertir también esta constante intención moral, que muchos han negado, o subestimado. Bergman insiste en ella, y recuerda que queda ya afirmada en el título mismo de la colección: *Jocoseria. Burlas veras, o reprehensión moral y festiva de los desórdenes públicos...* Aduce además el testimonio de los varios aprobantes del libro y de casi todos los autores que escribieron para él versos laudatorios. Un aspecto de particular interés destaca Bergman: "La crítica —dice— que Benavente dirige contra la sociedad de su tiempo va por el mismo camino que recorrió Quevedo: *la condena sin tregua a toda clase de falsificación*. Un sin fin de reminiscencias textuales señala las huellas del gran moralista en las obras del poeta toledano, pero es en su visión fundamental del mundo donde Benavente muestra con mayor claridad la consonancia con su ilustre contemporáneo. A las personalidades tan diversas de los dos escritores se debe la diferencia de tono hasta al tratar la misma materia: la hipérbole violenta del feroz Quevedo se sustituye por la sátira benévola del manso Benavente..."; pero —añade luego—, "*Benavente nunca deja de atacar a los falsificadores de valores morales y sociales*" [166].

---

164 Ídem, íd., págs. 131-132.

165 Ídem, íd., pág. 144.

166 Obra cit., págs. 73-74.

Tras este objetivo de la falsificación moral o social Benavente tenía un campo infinito ante sus ojos, y su instinto dramático —un instinto que no se apoya en teorías sino en una capacidad excepcional para convertir en juego escénico los más triviales motivos— le permitió servirse de asuntos muy diversos. Benavente recogió toda la herencia del entremés antiguo, eliminando lo más burdo aunque sin rechazar tampoco recursos elementales de probada eficacia cómica, y acertó a renovarlo fundiéndolo con sus propios hallazgos. Así, en sus manos la temática del entremés se ensancha prodigiosamente. Como en el caso aludido de Quevedo, Benavente aprovechó para su teatro escritos de moralistas y costumbristas tomando de ellos tipos y figuras ridículas, que junto al ademán regocijado ofrecían blanco para su sátira. Tan variada utilización no hubiera sido posible sin un prodigioso dominio del lenguaje, que le permitía al entremesista exprimir sorprendentes efectos cómicos, hasta el punto de que en casos innumerables es la sola gracia de la palabra la que crea la comicidad del personaje o de la situación.

Benavente se sirvió con abundancia de materiales folklóricos: romances [167], canciones populares, refranes, que reproduce simplemente, o amplifica o parodia. Las muletillas del habla popular le sirven con frecuencia, aun sin llegar a convertirse en tema fundamental como en el caso de *Las civilidades.* Igualmente ocupa amplio espacio en sus obras la sátira literaria, siempre dirigida contra la afectación y el rebuscamiento: *falsificación,* en suma. La sola utilización de nombres estrafalarios le sirve para caracterizar intuitivamente a un personaje con la peculiar técnica de urgencia del entremés, haciendo alusión a sus vicios o manías. Benavente no rechaza el empleo de la acción física —golpes, rociadas, huevos estrellados, caídas— para provocar la carcajada fácil, aunque en general tiende a eliminar estos procedimientos de las viejas farsas; recuérdense las palabras de Tirso para ponderar que los entremeses de Benavente acababan en bailes y no a palos, como los antiguos, aunque no faltan tampoco algunos —*El talego-niño, El boticario, El gorigori, El enamoradizo*— que terminan de esta manera. También con frecuencia se sirve Benavente del disfraz o del traje grotesco para apoyar el efecto cómico del diálogo, recurso de especial importancia en piezas como *El guardainfante.* A veces, sobre todo en las piezas de carácter alegórico, los vestidos podían llegar a ser de gran complicación.

Entre los numerosos tipos cómicos, a los que Benavente vuelve muchas veces, aunque siempre con inagotables modificaciones —el sacristán, el alcalde, el vejete, oficios públicos siempre preferidos por la sátira tradicional (como barberos, carniceros, escribanos, médicos, letrados, pasteleros, sastres, venteros), mujeres sacadineros, etc.—, ninguno tan notable como el de *Juan Rana,* que encontró en el más famoso cómico de la época, Cosme Pérez, la encarnación ideal del personaje, hasta el extremo de identificarse ambos en la vida real.

---

[167] Cfr.: Hannah E. Bergman, "El Romancero en Quiñones de Benavente", en *Nueva Revista de Filología Hispánica,* XV, 1961, págs. 229-246.

Cervantes le había dado su apellido y condición básica en el Pedro Rana de *Los alcaldes de Daganzo,* pero Benavente lo convirtió en un tipo popular, casi en una institución del teatro cómico. Cotarelo enumera 43 versiones de Juan Rana, no todas de Benavente, porque otros muchos entremesistas se apoderaron también del personaje. Rana salía siempre vestido con montera y sayo aldeano y la vara de alcalde, porque éste era su papel principal, aunque también se le daban otros: médico, abogado, poeta. Rana es un palurdo malicioso, cobarde y comedor, con la codicia y cazurrería del villano que quiere aprovecharse, pero obtuso ante muchas realidades que no entiende o trabuca. Las posibilidades del tipo eran tantas que hasta Moreto y Calderón se sintieron tentados de poner las manos en él.

CAPÍTULO XIV

GRANDES PROSISTAS DEL BARROCO GRACIÁN. SAAVEDRA FAJARDO.

BALTASAR GRACIÁN

BIOGRAFÍA DE GRACIÁN

En el censo de nuestros grandes prosistas barrocos el nombre de Gracián sigue siempre, inevitablemente, al de Quevedo, con quien tiene no pocos puntos de afinidad, aunque el pulso y perfil de sus respectivas personalidades los separe en otros muchos [1].

Nació Baltasar Gracián en la aldea de Belmonte, próxima a Calatayud; se desconoce el día, pero fue bautizado el 8 de enero de 1601 [2]. Su padre, Fran-

[1] Los copiosísimos estudios acerca de Gracián componen uno de los más nutridos capítulos de nuestra bibliografía literaria. Entre los repertorios bibliográficos sobre Gracián deben consultarse: M. Romera-Navarro, "Bibliografía graciana", en *Hispanic Review,* IV, 1936, págs. 11-40. Arturo del Hoyo, "Bibliografía. Ediciones, traducciones, estudios", en su edición de las *Obras Completas,* 2.ª ed., Madrid, 1960, págs. CCXLII-CCLXXI. E. Correa Calderón, "Bibliografía de Gracián", en *Baltasar Gracián. Su vida y su obra,* Madrid, 1961, págs. 319-402. Klaus Heger, *Baltasar Gracián. Estilo y doctrina,* Zaragoza, 1960, págs. 223-228. Cfr. también: A. Morel-Fatio, "Notes bibliographiques sur Gracián", en *Bulletin Hispanique,* XI, 1909, págs. 450 y ss. Del mismo, "Liste chronologique des lettres de Gracián", en *Bulletin Hispanique,* XII, 1910, págs. 204 y ss.

[2] En la partida de bautismo de Gracián figura su apellido transcrito en la forma de *Galacián,* forma frecuentemente confundida en Aragón. G. Díaz-Plaja en su libro *El Espíritu del Barroco. Tres interpretaciones* —Barcelona, 1940— sugiere que esta segunda forma pudo ser una deformación consciente de un apellido sospechoso de judaísmo, hipótesis utilizada por el comentarista para apoyar su tesis sobre la relación entre el judaísmo y el barroco. Dejando aparte la consideración —aquí imposible— de esta teoría, en lo que se refiere al caso Gracián ha sido demostrada su limpieza de sangre por el famoso gracianista Padre Batllori en su "Vida alternante" (luego citada). La opinión de Díaz-Plaja provocó comentarios en desacuerdo; véase, R. M. de Hornedo, "¿Hacia una desvalorización del Barroco?", en *Razón y Fe,* CXXV, 1942, y los trabajos de Batllori y Correa Cal-

cisco Gracián, era médico. No descendía de familia hidalga, según se ha sostenido a veces, pero sí debía de ser, en cambio, de gran religiosidad, como lo prueba el hecho de que todos los hermanos de Gracián, una mujer y tres varones, ingresaron en diversas órdenes religiosas. Niño aún, Gracián fue enviado a Toledo donde se crió y educó al lado de un tío suyo, hermano de su padre, capellán de San Pedro de los Reyes. Nada se sabe de sus años en dicha ciudad, pero Toledo hubo de dejar en su ánimo duradera y grata impresión a juzgar por las menciones ocasionales que de ella dejó en sus escritos. Regresó a su tierra en 1618, y en mayo del siguiente año ingresó en la Compañía de Jesús, en la casa de probación que ésta tenía en Tarragona y que pertenecía a la provincia de Aragón. En 1621, tras los dos años de noviciado, fue enviado al colegio de Calatayud, donde cursó Filosofía y Artes, y en 1623 al de Zaragoza para hacer sus estudios de Teología. En 1627 es ordenado de presbítero y destinado al colegio de Calatayud como catedrático de Gramática Latina. En marzo de 1630, para hacer su "tercera probación", fue enviado al colegio de Valencia, en el que estuvo un año, plazo corto pero suficiente para provocar en Gracián su siempre ponderada inquina contra las gentes de aquella región [3]. En 1631 es nombrado profesor de Teología Moral en Lérida; y en 1633, para explicar filosofía, enviado a Gandía, lugar destacado dentro de la orden, y uno de los pocos de España que tenían los jesuitas "con título y honores de Universidad": entiéndase, una universidad particular de los jesuitas. En el colegio de Gandía en-

derón, luego citados. Díaz-Plaja ha vuelto sobre el tema en *Defensa de la crítica,* Barcelona, 1953, págs. 91-117.

Para la vida de Gracián en su conjunto o en aspectos parciales, cfr.: Narciso Liñán de Heredia, *Baltasar Gracián. 1601-1658,* Zaragoza, 1902. Adolphe Coster, *Baltasar Gracián,* traducción española de Ricardo del Arco Garay, Zaragoza, 1947 (la edición original francesa es de 1913; *Revue Hispanique,* XXIX, págs. 347-752). Aubrey F. G. Bell, *Baltasar Gracián,* Hispanic Notes and Monographs, III, Oxford University Press, 1921. Constancio Eguía Ruiz, "La formación escolar y religiosa de Gracián", en *Cervantes, Calderón, Lope, Gracián. Nuevos temas crítico-bibliográficos,* Madrid, 1951, págs. 143-158. P. Miguel Batllori, S. I., "La vida alternante de Baltasar Gracián en la Compañía de Jesús", en *Archivum Historicum Societatis Iesu,* Roma, XVIII, 1949, págs. 3-50; reproducido en su libro, *Gracián y el Barroco,* Roma, 1958. Del mismo, en colaboración con el Padre Ceferino Peralta, "Índice cronológico de la biografía de Baltasar Gracián", en *Archivum Historicum Societatis Iesu,* 1958, págs. 327-338. Arturo del Hoyo, "Vida y obra de Gracián", introducción a su edición de las *Obras Completas,* cit. E. Correa Calderón, *Baltasar Gracián. Su vida y su obra,* cit. Véase además: José María López-Landa, "Gracián y su biógrafo Coster", en *Baltasar Gracián, escritor aragonés del siglo XVII. Curso monográfico celebrado en la Universidad Literaria de Zaragoza,* Zaragoza, 1926, págs. 1-28. Pedro Blanco Trías, *Catálogo de los documentos y manuscritos pretenecientes a la antigua provincia de Aragón, de la Compañía de Jesús, que se conservan en el Archivo Histórico Nacional,* Valencia, 1943. Del mismo, *Catálogo de los documentos y manuscritos pertenecientes a la antigua provincia de Aragón, de la Compañía de Jesús, que se conservan en el Archivo General del Reino de Valencia,* Valencia, 1943.

[3] Cfr.: Francisco Almela y Vives, *La poca sustancia de los valencianos,* tirada aparte de la revista *Valencia atracción,* Valencia, enero-febrero, 1952.

contró Gracián los mismos problemas que en el de Valencia; en ambos predominaban los padres procedentes de la región, y entre ellos y los aragoneses se había encendido una rivalidad, que produjo ásperas fricciones. No se conoce con exactitud la participación de Gracián en el asunto, pero su apasionado aragonesismo no debió de ser ajeno al malestar, habida cuenta sobre todo de sus precedentes sentimientos antivalencianos. En su calidad de consultor del colegio, Gracián informó por escrito sobre la situación al General de la Compañía, Padre Vitelleschi.

En el verano de 1636, después de haber hecho la profesión solemne de los cuatro votos, Gracián fue enviado como confesor y predicador al colegio de Huesca. La estancia en esta ciudad, que se prolongó por lo menos hasta 1639, tenía que ser decisiva para la vida y la obra del escritor, debido en particular a la relación, pronto establecida, con el famoso prócer oscense, don Vincencio Juan de Lastanosa. Este caballero, descendiente de ilustre familia, vino a ser en la Huesca de aquellos días algo así como un gran señor de las cortes renacentistas. Poseía un espléndido palacio en el que reunió notables colecciones de obras de arte: muebles, objetos raros o curiosos, cuadros de grandes pintores, esculturas de bronce y mármol, medallas y monedas, antigüedades; en su armería, que llegó a contener cientos de ejemplares de toda índole, guardaba piezas de gran valor histórico, como las armaduras de Jaime el Conquistador, Pedro el Cruel, Carlos V, Enrique de Valois, y otros; para el cuidado de sus jardines, llenos de fuentes y estanques, llegó a tener ocho jardineros franceses con sus familias, e instaló en aquéllos un verdadero parque zoológico en el que había fieras exóticas. Reunió a su vez una riquísima biblioteca con libros de las más diversas materias, manuscritos y ediciones en lenguas clásicas y extranjeras [4].

Lastanosa, que escribió algunos libros sobre temas históricos y arqueológicos (*Museo de las medallas desconocidas españolas*, *Tratado de la moneda jaquesa y de otras de oro y plata del reino de Aragón*, etc.), protegió a escritores y artistas, y mantuvo trato o correspondencia con personajes de dentro y fue-

[4] Cfr.: Ricardo del Arco Garay, *Dos grandes coleccionistas aragoneses de antaño: Lastanosa y Carderera*, Madrid, 1910. Del mismo, "Don Vincencio Juan de Lastanosa. Apuntes biobibliográficos", en *Boletín de la Real Academia de la Historia*, LVI, 1910, págs. 301 y ss.; reimpresión, Huesca, 1911. Del mismo, "Más datos sobre don Vincencio Juan de Lastanosa", en *Linajes de Aragón*, Zaragoza, III, 1912, págs. 142 y ss. Del mismo, "Noticias inéditas acerca de la famosa biblioteca de don Vincencio Juan de Lastanosa", en *Boletín de la Real Academia de la Historia*, LXV, 1914, págs. 316-342. Del mismo, "Más noticias acerca de la famosa biblioteca de don Vincencio Juan de Lastanosa", en *Linajes de Aragón*, VII, 1916, págs. 8-20. Del mismo, "Los amigos de Lastanosa. Cartas interesantes de varios eruditos del siglo XVII", en *Revista histórica*, Valladolid, 1918. Del mismo, *Gracián y su colaborador y mecenas*, Zaragoza, 1926. Todos estos trabajos han sido refundidos en su mayor parte en *La erudición aragonesa en el siglo XVII en torno a Lastanosa*, Cuerpo Facultativo de Archiveros, Bibliotecarios y Arqueólogos, Madrid, 1934. Del mismo, *La erudición española en el siglo XVII y el cronista de Aragón Andrés de Ustarroz*, 2 vols. Madrid, 1950.

ra del país, a muchos de los cuales hospedó en su palacio, estando de paso o en viajes a propósito. Casi es ocioso añadir que la casa de Lastanosa servía de cenáculo literario al pequeño pero ilustrado círculo de hombres que de algún modo sobresalían en aquel rincón provinciano. La casa de Lastanosa se alzaba casi enfrente del colegio de los jesuitas, y Gracián encontró en ella todo cuanto un hombre de sus condiciones pudiera ambicionar; allí tenía, en las colecciones del prócer, estímulo y materia para sus más diversos estudios, libros de que carecía en la biblioteca de su colegio, y sobre todo la gratísima compañía de gentes cultas y discretas, con quienes poder dialogar y compartir comunes aficiones, y a las cuales leería después las propias páginas elaboradas en el silencio de su celda. Innecesario es decir que entre todos sus oyentes sobresalía el propio Lastanosa, que había de intervenir directamente en la publicación de algunos de sus libros, como veremos luego. El moderno editor de las obras de Gracián, Arturo del Hoyo, resume así lo que todo aquello significaba para el futuro del escritor: "Junto a Lastanosa y sus amigos pudo sentirse escritor, además de jesuita. En aquella culta casa sentó los fundamentos de su personalidad literaria, a costa incluso de la religiosa. Nació así el gran problema de su existencia: lo que en el círculo lastanosiano era admirado se convertía con solos unos pasos en la calle del Coso de Huesca, dentro del colegio de la Compañía, en motivo de censura" [5].

El año de 1637 fue de gran importancia para Gracián. Un miembro de la comunidad de Huesca, el padre Tonda, fue expulsado de ella acusado de haber tenido "flaquezas con mujeres". Gracián, en contra de las instrucciones de los generales de la Compañía sobre la materia, absolvió al padre y tomó además a su cargo la educación de un hijo ilegítimo "de cierto amigo" —con toda seguridad, el padre Tonda—, y aún pidió socorros a sus amigos para sustentarle, provocando con ello las censuras de los superiores. Casi al mismo tiempo publicó su primer libro, *El Héroe*. Gracián había leído la obra en el círculo de Lastanosa, y éste le instó a darla a la estampa; cosa que se hizo en la imprenta de Juan Nogués, recién establecido en la misma calle del Coso y protegido también por el magnate. La dedicatoria, al rey Felipe IV, fue firmada en Calatayud y con el nombre de "Lorenzo Gracián, infanzón", supuesto hermano del autor al que se hacía allí residente; con ello pensaba Gracián disimular la paternidad del libro y eludir el permiso de publicación por parte de su orden.

Explicar por qué Gracián desobedecía en este punto las inequívocas disposiciones de la regla ignaciana equivaldría a penetrar en su difícil mundo interior. Sin faltar a sus deberes religiosos, antes sirviéndolos fervorosamente, Gracián sentía su personalidad de escritor como algo independiente de su condición de jesuita; dado que el libro no se ocupaba para nada de materias de religión, Gracián no deseaba someterlo al parecer de superiores que quizá no tenía por

[5] *Vida y obra de Gracián*, cit., pág. XXXIII. Cfr.: E. Correa Calderón, "Lastanosa y Gracián", en *Homenaje a Gracián*, Zaragoza, 1958.

tales en asuntos literarios. Al firmarlo con un nombre supuesto trataba llanamente de eludir el aspecto externo-jurídico, diríamos, del problema; pero si con ello salvaba la letra de la ley, violaba claramente su espíritu. No es de extrañar que se atrajera las censuras de sus superiores, porque nadie tenía dudas sobre el verdadero autor de *El Héroe*; al fin, todo estaba sucediendo en la misma calle. En carta de mayo de 1638 al provincial de Aragón el General de la Compañía, padre Vitelleschi, aconsejaba mudar de residencia al padre Gracián, "porque es cruz de sus superiores y ocasión de disgustos y menos paz en dicho colegio". Pero la tormenta que se cernía, pudo ser conjurada, y a mediados de 1639 todavía se permitió Gracián hacer publicar en Madrid una segunda edición de *El Héroe*.

A fines de dicho año o principios del siguiente fue propuesto como confesor del virrey de Aragón, don Francisco Carafa, duque de Nocera, y con este motivo se trasladó a Zaragoza. Acompañando al duque hizo su primer viaje a Madrid; admiró sus palacios y curiosidades, pero quedó muy poco satisfecho de sus gentes, en particular las que bullían en torno a los políticos y cortesanos, según hizo constar en carta a Lastanosa, cuya compañía y casa echa muy de menos.

Ardía a la sazón la guerra de Cataluña. Nocera aconsejó al rey una política de clemencia con los catalanes, que fue rechazada en la corte. Nocera, a quien acompañaba Gracián, recibió orden de entrar en Cataluña con su ejército, pero fracasó en su acción; se le acusó de inteligencia con el enemigo, fue llamado a Madrid y encarcelado [6]. Mientras estaba al servicio de Nocera, Gracián publicó —en Madrid, a fines de 1640— *El Político don Fernando el Católico*, que dedicó a su señor y firmó también con el nombre de Lorenzo Gracián, aunque sin el título de "infanzón". Entretanto Gracián, mientras seguía el encierro de Nocera, permaneció en Madrid entregado a sus trabajos literarios y a la predicación, en la que obtuvo repetidos y brillantes éxitos. No obstante, su posición personal y los problemas de la guerra hicieron todavía menos agradable su segunda estancia en la corte. En ella publicó, en los meses primeros de 1642, su *Arte de ingenio*, dedicado al príncipe Baltasar Carlos, también bajo el nombre de Lorenzo Gracián, aunque con aprobación del jesuita Padre Juan Bautista Dávila, de los Estudios Reales de Madrid, lo que da a entender que Gracián de alguna manera sometió su libro esta vez a la aprobación de la Compañía con prudente cautela.

Poco después, meses antes de que Nocera muriera en la prisión, salió Gracián para Zaragoza, donde se vivía intensamente la rebelión de Cataluña; allí asistió a la visita que hizo Felipe IV a la ciudad mientras llegaban noticias de los repetidos fracasos militares en todos los frentes de Europa. Enviado luego

[6] Cfr.: Benedetto Croce, "Il duca di Nocera Francesco Carafa e Baltasar Gracián", en *Aneddoti di varia letteratura*, II, Napoli, 1942, págs. 18-37. P. Miguel Batllori, S. I., "Gracián entre la Corte y Cataluña en armas, 1640-1646", en *Revista de Estudios Políticos*, Madrid, núm. 100, agosto 1958, págs. 167-193.

a Tarragona como vicerrector, vivió el asedio de la ciudad puesto por los franceses en 1644, y, levantado el cerco, fue destinado a Valencia. Allí le sucedió un desagradable incidente que pudo contribuir a avivar su antigua animosidad contra los valencianos. En un sermón anunció Gracián a sus oyentes que había recibido una carta del infierno y que la leería en el sermón siguiente que había de predicar. El recurso, que hoy nos parece pueril y hasta ridículo, era muy propio de las costumbres de la época en materia de oratoria sagrada; los predicadores se habían dejado llevar, exagerándolas grotescamente, de las modas literarias del momento, y además de acumular en sus sermones todo género de bambolla retórica, acudían a cualesquiera estímulos —aun los más vanos— que pudieran despertar la curiosidad o el placer de los oyentes. Gracián, predicador de fama, teorizador y cultivador incansable de la agudeza, acuciado —como Quevedo— por un irrestañable "furor de ingenio", puesto que en ello consiste lo más peculiar de su personalidad, cedía fácilmente a tales tentaciones. Lo cierto es que sus superiores de Valencia le obligaron a retractarse desde el púlpito de la prometida comunicación infernal. Aunque el incidente debió de escocerle vivamente a Gracián, es muy posible que también le sirviera de revulsivo; Correa Calderón así lo admite, y aun afirma que "se produce a partir de entonces una manifiesta reacción en su espíritu", según se advierte en un pasaje de la tercera parte del *Criticón* que el mencionado comentarista aduce [7].

Hacia mediados de 1646 aparecía un nuevo libro de Gracián, *El Discreto,* publicado en Huesca, de nuevo bajo la protección de Lastanosa y de su grupo, que se encargó de extender las aprobaciones y preparar la edición; la obra iba firmada, como de costumbre, por Lorenzo Gracián. "*El Discreto* —dice Del Hoyo— es un tributo a la amistad, una preciosa evocación, desde la hostil Valencia, del culto y favorable ambiente que Gracián tenía en Huesca: evocación en forma de cartas y diálogos (y composiciones académicas) con sus amigos aragoneses: Lastanosa, Ustarroz, Juan Orencio de Lastanosa, Salinas, Morlanes. Desde Huesca, Lastanosa, patrocinando la edición de *El Discreto,* Salinas y Ustarroz aprobándolo cancilleresca y religiosamente, respondían con amistad al ausente, orgullosos de que fuera uno de los suyos" [8].

Al frente de *El Discreto,* uno de los conspicuos del grupo, el canónigo don Manuel de Salinas, estampó un soneto acróstico en el que daba el verdadero nombre del autor. Si para nadie debía de ser ya un secreto, Gracián había guardado al menos las apariencias hasta entonces, pero los acrósticos de Salinas daban carácter público al hecho de que Gracián había publicado varios libros sin las aprobaciones requeridas.

La delicada situación quedó soslayada esta vez por un hecho de guerra. Los franceses habían sitiado Lérida, y el marqués de Leganés, enviado en su socorro, pidió al patriarca de Valencia varios religiosos para la campaña; Gracián

---

[7] *Baltasar Gracián...*, cit., pág. 56.

[8] *Vida y obra de Gracián,* cit., pág. LV.

fue uno de los designados, quizá porque en aquel posible riesgo se encerraba una cierta forma de castigo. Gracián, que quedó como único sacerdote de aquella tropa por haber sido capturados o enfermado los demás, tuvo una destacada actuación prestando sus servicios espirituales en el mismo campo de batalla y enardeciendo a los soldados; llegó a alcanzar gran popularidad entre éstos, que le llamaban "el padre de la victoria". Gracián describió los incidentes de la lucha en larga carta "a un jesuita de Madrid", escrita no sin cierta vanidad heroica de testigo y partícipe[9].

La recompensa a tales trabajos fue el retorno a su amada Huesca donde volvió a encontrarse con sus amigos del círculo de Lastanosa. Gracián se ocupaba por entonces en reunir materiales para su *Agudeza,* nueva versión del *Arte de ingenio,* y solicitaba de sus amigos y corresponsales libros de autores contemporáneos. Entretanto —marzo de 1647— apareció el *Oráculo Manual y Arte de Prudencia,* editado por Lastanosa e impreso por Juan Nogués. El *Oráculo* se decía "sacado de los aforismos que se discurren en las obras de Lorenzo Gracián", con lo que Lastanosa parecía presentarse no sólo como editor sino como colector. Podría, pues, pensarse en una antología de pensamientos de Gracián, pero se trata, en realidad, de un "ideario" reelaborado por el propio autor, como luego veremos; la intervención "oficial" de Lastanosa sólo trataba de eludir una vez más —pues que salía sin él— el problema del permiso de la Compañía. Con escaso intervalo fue publicada la *Agudeza y arte de ingenio* a cargo de Lastanosa y en las prensas de Nogués; y, por descontado, sin autorización de los jesuitas y a nombre de Lorenzo Gracián.

Desde entonces trabajó intensamente en la redacción de la primera parte de *El Criticón,* su obra de más ambición y empeño, que salió de la imprenta de Nogués a mediados de 1651. La obra ofrecía dos variantes sobre las normas ya habituales en Gracián: en primer lugar, no se acogía al mecenazgo y nombre de Lastanosa, sino al de don Pablo de Parada, general de artillería y gobernador entonces de Tortosa, vencedor de los franceses en Tarragona y en Lérida, y a cuyo lado había intervenido Gracián en esta última campaña; diríase que el escritor traía a cuento las glorias de aquel esforzado militar para poder recordarle, a quien cumpliera, sus propios heroísmos en aquellas jornadas de peligro. La segunda novedad fue el cambio de seudónimo; esta vez firma con el de García de Marlones, anagrama imperfecto de sus dos apellidos verdaderos: Gracián y Morales. Tampoco se engañaba a nadie con aquella nueva pantalla, pero Gracián seguía cubriendo las apariencias.

Para el curso siguiente Gracián fue nombrado profesor de Escritura en el colegio de Zaragoza, cátedra ambicionada por muchos, y cuya posesión debió de granjearle nuevos enemigos. Pero Gracián, que los tenía muy enconados, disponía también dentro de la orden de protectores que le favorecían, gracias a los cuales se iba demorando el momento de la crisis. En febrero de 1652 el

[9] Puede verse en la edición de Arturo del Hoyo, cit., págs. 1.130-1.136.

nuevo general de la Compañía, padre Goswin Nickel, escribió al provincial de Aragón hablándole de los libros que Gracián había publicado sin permiso y quejándose de que, en lugar de castigarle, se le hubiera recompensado con la cátedra de Escritura de Zaragoza. Ni siquiera este golpe surtió efecto, y el padre Nickel escribió nueva carta diciendo que, según informes recibidos, el padre Gracián no cumplía satisfactoriamente sus deberes como profesor, y recomendaba que se le reemplazase. Gracián respondió publicando la segunda parte de *El Criticón* en Huesca, a comienzos de 1653, utilizando de nuevo el seudónimo de Lorenzo Gracián. Para defenderse de sus enemigos el escritor dedicó esta parte a don Juan de Austria, entonces en el ápice de su valimiento, y prodigó en la introducción los elogios a personajes importantes, que esperaba atraerse a su favor.

Inmediatamente comenzó a redactar *El Comulgatorio,* colección de meditaciones piadosas, que sometió a la censura de su orden y que firmó con su nombre al ser publicado en 1655. Es sin duda curioso que en unas breves palabras "Al letor" proclame Gracián la paternidad de esta sola obra: "Entre varios libros que se me han prohijado, éste solo reconozco por mío, digo legítimo, sirviendo esta vez al afecto más que al ingenio. Hice voto en un peligro de la vida de servir al Autor della con este átomo, y lo cumplo delante todo su pueblo, pues se estampa, brindando a las devotas almas con el cáliz de la salud eterna". Escudado tras esta habilidad, Gracián se entregó de lleno a redactar la tercera parte de *El Criticón,* que publicó en Madrid en 1657. Durante estos últimos meses habían sido sustituidos en los cargos de la Compañía los mayores amigos de Gracián, y el padre Nickel había insistido en el estricto cumplimiento de las reglas, particularmente en la publicación de libros sin permiso. En tal coyuntura, el nuevo provincial de Aragón, el catalán padre Piquer, reprendió públicamente a Gracián en el refectorio del colegio, lo condenó a ayuno de pan y agua, lo destituyó de la cátedra de Escritura y lo envió desterrado al colegio de Graus.

Otro acontecimiento vino a complicar las cosas. En 1658 apareció en Valencia un libro titulado *Crítica de reflección y censura de las censuras,* cuyo autor se decía "el dotor Sancho Terzón y Muela, profesor de matemáticas en la villa de Altura, obispado de Segorbe". El nombre, supuesto, era un imperfecto anagrama de Lorenzo Matheu y Sanz, jurista de Valencia; pero bien pronto surgieron dudas sobre su paternidad, que se atribuyó al jesuita valenciano padre Paulo de Rajas, exaltado regionalista, que albergaba largos resentimientos contra Gracián [10]. La *Crítica* encerraba un duro alegato contra Gracián y contra *El Criticón,* y trataba de defender a Valencia de los ataques de éste. Gracián en la

---

[10] Correa Calderón —*Baltasar Gracián. Su vida y su obra,* cit., pág. 65 y ss.— atribuye la *Crítica* al padre Rajas, pero Romera-Navarro lo impugna, sosteniendo la atribución a Matheu y Sanz; véase su trabajo "El autor de la *Crítica de reflección.* Cuestiones gracianas", en *Estudios dedicados a Menéndez Pidal,* vol. I, Madrid, 1950, páginas 359-372 (reproducido en *Estudios sobre Gracián,* University of Texas Hispanic Studies, vol. II, Austin (Texas), 1950).

"crisi" VII de la parte segunda, titulada "El yermo de Hipocrinda", más que censurar a Valencia y a los valencianos, como casi siempre se dice, disparó —con alegorías, aunque veladas, no menos transparentes— contra los miembros de la casa profesa de Valencia; y el asunto era grave, pues que se venía a hacer burla de personas de la misma institución.

El padre Nickel aprobó las resoluciones del padre Piquer, y aún aconsejó que se vigilase a Gracián estrechamente para impedir toda reincidencia, y hasta que se le tuviera recluido, privado de pluma y papel, si llegaba el caso. El retorno al rectorado de Zaragoza del padre Franco, amigo de Gracián, suavizó las decisiones de Piquer; y Gracián, rehabilitado en parte, fue enviado a Tarazona, donde se le confiaron algunos cargos. Gracián, que no podía quedar satisfecho, escribió al padre Nickel quejándose de la penitencia que se le había impuesto, recordando sus servicios y pidiendo autorización para salir de la Compañía y pasarse a una orden monacal. Pero su carta nunca obtuvo respuesta. La salud de Gracián, ya débil, fue cediendo a lo largo de aquel año, 1658, y el 6 de diciembre moría en Tarazona [11].

LA PERSONALIDAD DE GRACIÁN

Difícil como pocas se nos ofrece la personalidad de este escritor. Con excepción de sus breves intervenciones militares —vulgares en el fondo, de no haber sido protagonizadas por persona que ya nos tiene ganado el interés— la vida de Gracián carece de todo relieve externo, de toda anécdota curiosa que merezca ser historiada; su biografía se reduce y encoge —aunque con la tremenda tensión de un resorte comprimido— a sus desazones íntimas, de las que el conflicto con su orden no es sino la espuma visible que las delata [12].

Es frecuente presentar a Gracián como una víctima de la intransigencia e incomprensión de la Compañía. Creemos, sin embargo, considerada la cuestión con toda la ecuanimidad posible y desde dentro de los supuestos en que se plantea el problema, que si la Compañía pecó de algo en el "caso Gracián" fue de lenidad. Las reglas ignacianas, libremente aceptadas y solemnemente juradas por Gracián, eran terminantes en la materia que provocó la fricción; si la Orden le exigía someter sus escritos al dictamen de sus superiores, de nada podía quejarse ni sorprenderse. Con todo, cualesquiera que fuesen las cicaterías de toda índole que hubo de soportar, existe un hecho cierto: desde 1637 (primera edición de *El Héroe*), hasta 1657 (tercera parte de *El Criticón*), es decir, durante veinte años exactos, Gracián publicó cuantos libros fue capaz de es-

---

[11] Cfr.: M. Romera-Navarro, "Reflexiones sobre los postreros días de Gracián", en *Hispanic Review*, IV, 1936, págs. 179-183. P. Miguel Batllori, S. I., "La muerte de Gracián y la muerte en Gracián", en *Razón y Fe*, diciembre 1958, págs. 405-412.

[12] Cfr.: E. Correa Calderón, "Etopeya de Baltasar Gracián", en *Escorial*, febrero, 1944, págs. 227-239. M. Romera-Navarro, "Interpretación del carácter de Gracián", en *Estudios sobre Gracián*, cit., págs. 1-10.

cribir, sin someterlos a la censura de su orden, infringiendo con ello las normas a que se había sometido; pese a lo cual, no fue objeto de ninguna sanción hasta después de publicada la tercera parte de *El Criticón,* cuando su reiterada desobediencia de veinte años coincidía con las recientes órdenes del padre Nickel, que instaban al cumplimiento de las constituciones. Lo que obliga a pensar que la habilidad de Gracián, aliada con muchos colegas de su orden que le favorecían, apoyado además por la adhesión de importantes personajes y en no pequeña parte también por el prestigio del mismo círculo lastanosiano, encontró el camino para eludir sin mayores riesgos la tajante prohibición que hubiera podido serle impuesta la primera vez. Se dice asimismo que los superiores de Gracián incomprendieron el valor o la intención de sus libros; pero también en ello se parte de un supuesto que falsea el problema. Luego veremos por qué razones las ideas de Gracián, y su mismo carácter, podían atraerle repulsas; pero nada de ello afectó en absoluto a la publicación de sus obras, que sus superiores iban conociendo tan sólo cuando andaban ya en letras de imprenta. Muy distinto sería el caso si Gracián hubiera sometido sus escritos a la previa censura, y la mencionada incomprensión los hubiera mutilado, o prohibido o destruido, anulando así la obra literaria de Gracián.

Pero nada de esto ocurrió. Y hasta es bien posible que, llevada la cosa a sus justas proporciones, toda la lucha de Gracián deba quedar reducida al mezquino desfile de envidias y ruindades de que hasta el más modesto escritor —todo hombre, al cabo— tiene larga experiencia; y que en el seno de una comunidad adquieren siempre particular exacerbación[13].

Gracián —cada palabra suya lo delata— no era un escritor fácil, ni mucho menos precoz. No se sabe cuándo se despertó su vocación literaria ni cuándo emborronó sus primeras páginas; pero es muy probable que sólo descubriera su inexorable camino bajo el estímulo de Lastanosa y de los suyos, cuando ya sus votos le ligaban a la Compañía para siempre. Al sentirse escritor y tener conciencia de su talento, surgió la crisis a que le empujaban con igual fuerza los rasgos de su agrio carácter. Sus colegas no debieron de merecerle particular estima, y se resistió a someter su superioridad al parecer de aquéllos, sobre todo en materias de carácter no religioso, que era el campo de sus escritos. Y cada nueva resistencia enconaba su rebelión. El examen de los documentos y cartas demuestra que nunca se plantearon cuestiones de doctrina; todo el conflicto reviste caracteres de inequívoco acento personal, y lo que entraba en litigio no era sino un problema de disciplina y de obediencia. Quizá en el fondo no había otra cosa que orgullo clerical, que se debatía entre sus propias redes y luchaba con cuñas de la misma madera.

El carácter de Gracián debía de poseer aristas de particular aspereza, sobre todo para aquellos a quienes él no concedía su estima intelectual. Los informes

[13] Cfr.: Louis Stinglhamber, S. I., "Baltasar Gracián et la Compagnie de Jésus", en *Hispanic Review,* XXII, 1954, págs. 195-207. G. Ortiz, *La Compañía de Jesús en la vida y en las obras de Baltasar Gracián,* Gainesville, Florida, State University, 1960.

anuales que hacía la Compañía sobre todos sus miembros hablan siempre del carácter colérico, bilioso, propenso a la melancolía, descontentadizo de nuestro escritor; su poderosa inteligencia acrecentaba lógicamente su capacidad crítica, pero es lo cierto que Gracián parece vivir en un estado de permanente irritación, que llega a ser en él como una segunda naturaleza.

Estas peculiaridades temperamentales fueron reforzadas por las condiciones que rodearon su vida y que su hipertrofiada sensibilidad potenciaba superlativamente. Apostillando las deducciones de Batllori, el editor de Gracián, Del Hoyo, llega a conclusiones que tenemos por acertadas. Gracián vive encastillado en un aragonesismo rabioso, que va mucho más allá del mero sentimentalismo regional, y que es la consecuencia de un fracaso. Recuérdense las dedicatorias de sus primeros libros: *El Héroe* a Su Majestad Felipe IV, y *El Discreto* y el *Arte de ingenio* al príncipe Baltasar Carlos. Estos primeros años, como dice Del Hoyo, "nos lo revelan pendiente del meridiano cortesano. Sus libros, como solía confesar, eran aspirantes al museo real, a las estanterías de palacio". Durante su primera estancia en Madrid, su mayor gozo fue, efectivamente, descubrir un ejemplar de su *Héroe* en la biblioteca real, y en carta a Lastanosa le hizo saber que le constaba que era allí leído y que tenía acogimiento. Es harto probable que no fuera del todo desinteresada la estrecha amistad, entonces contraída, con el poeta y dramaturgo Antonio Hurtado de Mendoza, secretario íntimo del rey, a quien llamaban "el discreto de Palacio", y a quien Gracián elogia repetidamente en su *Agudeza*[14].

Su nombramiento como confesor de Nocera debió de iluminar sus ambiciones áulicas; pero después del trágico fracaso de su señor, Gracián quedó irremediablemente confinado, hasta el fin de sus días, al estrecho reducto de su región, en el ámbito provinciano de los colegios de la Compañía, sin otra puerta al mundo que los temporales contactos con la casa de Lastanosa. "Fracasadas sus aspiraciones áulicas y predicatorias —dice Del Hoyo—, el regionalismo no fue para él, como puede haber sido para otros, culto entretenimiento. Su regionalismo —no me refiero al simple orgullo regional ni al sentimiento de patria chica— fue, sobre todo, producto de una sentida repulsa a sus aspiraciones, un confinamiento obligado, una separación. Así las cosas, la única forma posible de quebrantar las puertas cerradas de la corte —¡cuántas veces aparecen en Gracián tales puertas cerradas!— habría sido la del disimulo y el entremetimiento. 'Casa sin puertas' llama a la corte. Y cuántas veces alude a los cortesanos como entremetidos. Fracaso en sus aspiraciones áulicas; fracaso como escritor político; fracaso como predicador cortesano"[15]. Y añade luego: "Hubo, pues, un suceso en la vida de Gracián que afectó profundamente a su actitud ante la existencia: el fracaso de sus aspiraciones en la sociedad. Si ese suceso no afectó a su enten-

[14] Para las relaciones entre Gracián y Antonio Hurtado de Mendoza, cfr. Rafael Benítez Claros, estudio preliminar a su edición de las *Obras poéticas* del segundo, Madrid, 1947-1948, Biblioteca Selecta de Clásicos Españoles, vols. V-VII.

[15] *Vida y obra...*, cit., pág. CXVI.

dimiento de la realidad, sí se reflejó en su actitud ante ella. La realidad seguía siendo la misma, aunque se presentara más descarnada; el pensamiento de Gracián siguió siendo el mismo. Pero *El Criticón,* que sustancialmente mantiene la misma doctrina que sus obras anteriores, es ya reflejo, también descarnado, agudizado, de esa realidad deprimente" [16].

El total desconcierto de la política española, los repetidos fracasos militares, los insensatos derroches de la monarquía, la general decadencia del país, añadían —como en el caso de Quevedo— nuevos motivos públicos al descontento íntimo de Gracián, y tuvieron especial eficacia en la cuestión de Cataluña. El duque de Nocera, como vimos, había aconsejado a la corte respecto a los catalanes una política de tolerancia y comprensión y a ese criterio se adhirió Gracián íntimamente; pero la oposición del rey y de sus ministros hace que el escritor se sienta cada vez más insolidario con la corte y se abroquele agresivamente tras el reducto de su región. "Su sentimiento anticortesano —no mero tópico literario de menosprecio de corte y alabanza de aldea— es persistente y casi feroz —dice Del Hoyo—. Una de las causas de ese sentimiento, pues tuvo otras no menos importantes, era su aragoneidad personal, agudizada por la ineptitud de la corte y de la política cortesana para resolver los problemas cada vez más graves de España" [17]. Y luego: "Fustiga a la corte como quien está lejos de ella, como quien está libre de culpa, como quien, en definitiva, habiéndose sentido rechazado, está situado en una posición marginal, sin complicidades" [18].

Leyendo sus páginas estremece pensar qué innumerables aspiraciones truncadas debieron de afilar la agudeza satírica y el descontento de Gracián. Con excepción de sus dos cortas estancias en Madrid y sus años de niñez en Toledo, nunca salió de las provincias aragonesas y valencianas; residió algún tiempo en Tarragona, pero ni siquiera en Barcelona estuvo. En cambio, describe en sus libros con minuciosidad y apasionada exaltación de cosa vista y gozada tierras y ciudades que no conoció jamás: París, Lisboa, las famosas urbes de Italia, las del sur español, remotos continentes; y el mar, del que debió de gozar apenas en sus breves estancias en la costa. Gracián, escritor con ansias de universo, debía de sentirse asfixiado en su menudo huerto provinciano, furiosamente querido, pero quizá a la postre odiado por ser muralla infranqueable.

Exacerbado por tan diversas causas, nada puede extrañarnos que Gracián pudiera ser considerado como "cruz de sus superiores y ocasión de disgustos y menos paz". Como recuerdan sus biógrafos, él mismo, en carta a Lastanosa, se califica de "poco humilde y zalamero", y en otra ocasión, también en carta al mismo, dice: "Me impiden que imprima y no me faltan envidiosos; pero yo

[16] Ídem, íd., pág. CXVII.

[17] Ídem, íd., pág. CXV.

[18] Ídem, íd., pág. CXVII. Cfr.: A. Goded y Mur, "Ensayo en torno al aragonesismo en las distintas obras de Gracián", en *Zaragoza,* 1962, núm. 16, págs. 167-192. Del mismo, "Quinientas sesenta y ocho referencias a Aragón y a lo aragonés en la obra de Gracián", en *Zaragoza,* ídem, íd., págs. 131-165.

todo lo llevo con paciencia y no pierdo la gana de comer, cenar, dormir, etc.". Trasládense estas palabras al castellano familiar y no será difícil imaginarse el tono, la altanería con que Gracián daría pie para irritar a sus colegas. Es inexacta además su afirmación de que le *impedían* publicar; se limitaban a quedarse con las ganas. Es ciertamente extraña, además, la imagen de un mártir que se le escabulle veinte veces de las manos al verdugo.

Ningún aspecto tan sobresaliente en la personalidad de Gracián como su siempre ponderado pesimismo, que no ya empapa sino que inunda todos sus escritos, sin perdonar frase. En este terreno, quizá sea difícil hallar en la nuestra o en cualquier literatura quien le saque ventaja. Claro está que a lo largo de sus escritos pueden espigarse juicios elogiosos de personas y cosas; entre sus comentaristas, Correa Calderón, por ejemplo, ha podido reunir, al trazar su etopeya, una nutrida antología de apreciaciones positivas que pueden dar de Gracián una idea inexacta. Porque lo que de modo inequívoco predomina en toda su obra es el más negativo escepticismo, la irrestañable amargura sin consuelo. Puestas a su lado, las burlas de Quevedo, que no son en el fondo menores, parecen chanzas gustosas porque las alivia su carcajada irrespetuosa y, al fin, traviesa. Pero Gracián ignora casi el humor, o, cuando asoma, es tan conminatorio y dramático como sus más severos juicios. Lo que confiere al pesimismo de Gracián su peculiar desolación es la ausencia de claroscuro, no ya en sus opiniones sino en la sostenida gravedad de su palabra.

En todas las páginas de Gracián es posible que no se encuentren más amargas cautelas que las que conoce y practica cualquier hombre —político o mercader— medianamente avisado. En el plano filosófico o moral sería vano esperar de Gracián otros desengaños del vivir que los que se desbordan en los miles de volúmenes de literatura ascética amontonados por las generaciones precedentes, y hasta en las solas páginas del Kempis. Sin embargo, ninguna de ellas deja tan pesimista y escéptico sabor como Gracián. El secreto es *un problema de estilo,* de acumulación, de intensidad en el decir, conseguido primordialmente por el empleo sistemático de sentencias y de aforismos, breves, tajantes, cuajados como fórmulas, que golpean la mente del lector como un chorro de piedras. Al igual que en Quevedo, pero en medida todavía mayor, las cosas, triviales a veces, reciben su fuerza de la furia verbal con que se las dispara. En la obra de Gracián, la letra es el espíritu, y en sus sombrías requisitorias es tanto el tono como la letra de la canción.

Quizá tales afirmaciones deban ser aclaradas, ya que con gran frecuencia se habla, a propósito de Gracián, de perversidad, de egoísmo, de disimulo y de rencor. Hemos dicho que todos los "perversos" e "hipócritas" consejos de Gracián pertenecen a la práctica más vulgar, porque Gracián no inventa —ni siquiera descubre— egoísmos o ruindades humanas: se limita a constatarlas. Gracián consigna en sus libros realidades innegables que están a la vista de cualquiera, maneras de actuar que sólo los necios y los santos no ejercitan y que son para todo el mundo sinónimos de listeza y habilidad; lo que sucede es que la gente que las pone en práctica no las escribe, mientras que Gracián se ha entretenido en codificarlas. Los ejemplos, tan numerosos como sus frases, pueden ir desde los consejos dirigidos al héroe o al discreto hasta los asuntos más triviales. "Gran treta es ostentarse al conocimiento, pero no a la comprehensión; cebar la expectación, pero nunca desengañarla del todo. Prometa más lo mucho, y la mejor acción deje siempre esperanzas de mayores. Excuse a todos el varón culto sondarle el fondo a su caudal, si quiere que le veneren todos. Formidable fue un río hasta que se le halló vado, y venerado un varón hasta que se le conoció término a la capacidad; porque ignorada y presumida profundidad siempre mantuvo, con el recelo, el crédito" [19]. "Más es la mitad que el todo. Porque una mitad en alarde y otra en empeño más es que un todo declarado" [20]. "¡Oh, varón candidato de la fama! Tú, que aspiras a la grandeza, alerta al primor: Todos te conozcan, ninguno te abarque; que con esta treta, lo moderado parecerá mucho, y lo mucho, infinito, y lo infinito, más" [21]. "Atienda, pues, el varón excelente, primero a violentar sus pasiones; cuando menos, a solaparlas con tal destreza, que ninguna contratreta acierte a descifrar su voluntad" [22]. "La mejor treta del juego es saberse descartar" [23]. "Tanto importa una bella retirada como una bizarra acometida; un poner en cobro las hazañas cuando fueren bastantes, cuando muchas. Continuada felicidad fue siempre sospechosa: más segura es la interpolada y que tenga algo de agridulce aun para la fruición" [24]. "Haya retén de amigos y de agradecidos, que algún día hará aprecio de lo que ahora no hace caso" [25]. "Nunca el atento se dé por entendido ni descubra su mal, o personal o heredado, que hasta la fortuna se deleita a veces de lastimar donde más ha de doler; siempre mortifica en lo vivo. Por esto no se ha de descubrir, ni lo que mortifica, ni lo que vivifica: uno para que se acabe, otro para que dure" [26]. "Saber declinar a otro los males: tener escudos contra la malevolencia, gran treta de los que gobiernan. No nace de la incapacidad, como la malicia piensa, sí de industria superior, tener en quien recaiga la censura de los desaciertos y el castigo común de la murmuración. No todo puede salir bien, ni a todos se puede contentar. Haya, pues, un testa de yerro, terrero de infelicidades a costa de su misma ambición" [27]. "Nunca acompañarse con quien le pueda deslucir: tanto por más cuanto por menos. Lo que excede en perfección excede en estimación.

19 *El Héroe,* edición Del Hoyo, cit., págs. 6-7.
20 Ídem, íd., pág. 7.
21 Ídem, íd., pág. 8.
22 Ídem, íd., pág. 9.
23 *Oráculo manual y arte de prudencia,* ed. cit., pág. 159.
24 Ídem, íd., pág. 161.
25 Ídem, íd., pág. 182.
26 Ídem, íd., pág. 190.
27 Ídem, íd., pág. 191.

Hará el otro el primer papel siempre, y él el segundo; y si le alcanzare algo de aprecio, serán las sobras de aquél. Campea la luna, mientras una, entre las estrellas, pero, en saliendo el sol, o no parece o desaparece. Nunca se arrime a quien le eclipse, sino a quien le realce... Para hacerse, vaya con los eminentes; para hecho, con los medianos" [28]. "Todo lo favorable, obrarlo por sí; todo lo odioso, por terceros. Con lo uno se concilia la afición, con lo otro se declina la malevolencia" [29]. "Cuando no puede uno vestirse la piel del león, vístase la de la vulpeja" [30]. "Dos géneros de personas previenen mucho los daños: los escarmentados, que es muy a su costa, y los astutos, que es muy a la ajena. Muéstrese tan extremada la sagacidad para el recelo como la astucia para el enredo, y no quiera uno ser tan hombre de bien que ocasione al otro el serlo de mal; sea uno mixto de paloma y de serpiente; no monstruo, sino prodigio" [31]. "No se da ya en el mundo a quien no tiene, sino a quien más tiene. A muchos se les quita la hacienda porque son pobres, y se les adjudica a otros porque la tienen, pues las dádivas no van sino adonde hay, ni se hacen los presentes a los ausentes. El oro dora la plata, ésta acude al reclamo de otra; los ricos son los que heredan, que los pobres no tienen parientes; el hambriento no halla un pedazo de pan y el ahito está cada día convidado; el que una vez es pobre siempre es pobre; y desta suerte todo el mundo le hallaréis desigual" [32].

Cabe decir, y es otro punto de interés, que Gracián parece aceptar estas realidades como incontrovertibles, y aun algunas —lo hemos podido ver— las da como consejo. Pero sería desconocer el terrible sarcasmo que retuerce toda la obra de Gracián y esconde su descorazonadora repulsa; si su pesimismo resulta tan amargo, es justamente porque el espectáculo de la humana maldad se dilata sin remedio ni límites —"donde hay hombres, no hay que buscar otro achaque"— [33]; mas su tono declara el rechazo total de lo que pinta. Ahora bien: ante la ruindad del mundo, Gracián se sitúa con una peculiar actitud que explica buena parte de la hostilidad que pudieron provocar sus libros en gentes de su orden. La posición de Gracián no es la del asceta, que toma las miserias de la vida como ejercicio para su piedad y trata de aplicarle en lo posible el remedio de las virtudes. Gracián se enfrenta al mundo con exclusiva mirada humana y para fines igualmente humanos; aquél es malo, pero puesto que hay que vivir en él, no cabe sino tratar de subsistir, defendiéndose con las únicas armas posibles, que son las de la cautela. Gracián enseña a esgrimirlas, después de hacer constar por todos los medios posibles cuánto le repugna su empleo. Su actitud no es, pues, la evangélica, que pone la otra mejilla, sino la humana-

[28] Ídem, íd., pág. 192.
[29] Ídem, íd., pág. 201.
[30] Ídem, íd., pág. 209.
[31] Ídem, íd., pág. 215.
[32] *El Criticón,* parte I, crisi VI, ed. cit., pág. 564.
[33] Ídem, íd., pág. 572.

mente práctica, que procura que no le den. Cuando aconseja con cínicas sentencias, no lo hace sino desde el fondo de su sarcasmo desesperado: no propone positivamente, como algunos afirman —lo que equivale a no entender a Gracián—, una moral de hipocresía y egoísmo; su aparente cinismo envuelve la más agresiva denuncia contra todo, una denuncia por antítesis u oposición de contrarios, diríamos. Ningún reproche más injusto —creemos— puede hacérsele a Gracián que el de hipocresía; Gracián juega con cartas descubiertas, enseña las armas. No propone ingenuos idealismos, ni pacientes virtudes, ni utópicas mejoras (¡cuán infinitos son los que cacarean ideales sobre el papel y hacen luego su juego!), porque no cree en absoluto que el hombre pueda mejorar; su pesimismo, como el de Quevedo, no conoce resquicio. Vale la pena recordar este revelador pasaje de *El Criticón*; habla Critilo: "...Advierte que vamos subiendo por la escalera de la vida, y las gradas de los días, que dejamos atrás, al mismo tiempo que movemos el pie, desaparecen. No hay por donde volver a bajar, ni otro remedio que pasar adelante. —¿Pues cómo hemos de poder vivir en un mundo como éste? —porfiaba, afligiéndose, Andrenio—. Y más para mi condición, si no me mudo, que no puedo sufrir cosas mal hechas. Yo habré de reventar sin duda. —¡Eh, que te harás a ello en cuatro días —dijo Quirón—, y serás tal como los otros! —¡Eso no! ¿Yo loco, yo necio, yo vulgar? —Ven acá —dijo Critilo—. ¿No podrás tú pasar por donde tantos sabios pasaron, aunque sea tragando saliva? —Debía estar de otra data el mundo. —El mismo fue siempre que es. Así lo hallaron todos y así le dejaron... —Pues ¿cómo hacen para poder vivir, siendo tan cuerdos? —¿Cómo? Ver, oir y callar. —Yo no diría desa suerte, sino ver, oir y reventar. —No dijera más Heráclito. —Ahora dime, ¿nunca se ha tratado de adobar el mundo? —Sí. Cada día lo tratan los necios. —¿Por qué necios? —Porque es tan imposible como concertar a Castilla y descomponer a Aragón..." [34].

Podrá aducirse que este criterio es poco religioso (de aquí, insistimos, pudieron provenirle graves suspicacias) y esperanzador; pero ingenuo no lo es, ni tampoco es hipócrita su actitud pues que la declara. Por lo demás, la posición religiosa de Gracián queda a salvo desde el momento en que, si la vida es viaje detestable, proclama como puerto y meta codiciada de esta peregrinación la vida futura, en que Dios es el premio de la virtud. Cierto que no insiste en ello demasiado, o, al menos, en el ánimo del lector este género de consideraciones queda ahogado por el dramático caminar entre las insidias de la tierra; Gracián es, por esencia, un escritor humano: por demasiado humano, incapaz de poderlos amar, detesta a sus semejantes.

Bajo el título de "La moral de Gracián" [35], José Luis L. Aranguren ha trazado una aguda semblanza del escritor aragonés, y a la luz de sus resultados

[34] Ídem, íd., pág. 573.

[35] José Luis L. Aranguren, "La moral de Gracián", en *Baltasar Gracián en su tercer*

—aun a trueque de repetir algún matiz— vamos a poder ensanchar algunas de nuestras deducciones.

Según Aranguren, la meditación de Gracián transcurrió sobre tres planos separados. En el primero —el del *Héroe,* el *Discreto* y el *Oráculo*—, Gracián acepta la realidad del mundo, tal como se muestra, y se limita [36] a formular la conducta más adecuada para triunfar en él. En el segundo plano, el de *El Criticón,* Gracián se enfrenta críticamente con las cosas y emite juicio sobre ellas. El tercer plano, el del *Comulgatorio,* es puramente religioso y no aporta nada original; nos basta sólo con señalar su existencia.

La intuición fundamental que sirve de punto de partida a toda la reflexión de Gracián —tal como llevamos nosotros dicho— y que él formula como un auténtico axioma, como una evidencia intuitiva, es el sentido radicalmente pesimista de la existencia: el hombre es lobo para el hombre. Los tres libros situados por Aranguren en el *primer plano* pertenecen a la línea del *Cortesano* de Castiglione, literatura de Corte; pero ésta —entiéndase el *mundo* todo, para Gracián— ya no es, como en los días del Renacimiento, lugar de educación ético-estética, sino palenque de la lucha humana, en que toda la vida consiste. El hombre no puede zafarse de este mundo, "pero tampoco —dice el comentarista— debe conformarse con ir trampeando en él, a la manera del pícaro. Esto es lo que diferencia sustancialmente la actitud gracianesca de la actitud picaresca ante la vida. La visión a que va conduciendo la experiencia, lo mismo a Andrenio que a Lázaro de Tormes y a Guzmán de Alfarache, es la de que nada bueno puede esperarse del prójimo. Cada hombre está solo en la lucha de la Corte, en la lucha del mundo. Pues no se trata de una lucha de clases, de una lucha de estamentos, dentro de los cuales, al menos, existiría el elemento importante y lenitivo de la solidaridad. Cada hombre —el hombre del individualismo, el hombre que, como Andrenio, carece hasta de padres, o, como los pícaros, ha roto con ellos, el hombre desarraigado de todas las formas de relación— ha de luchar con todos los hombres. Pero —y aquí se reitera la diferencia de actitud entre la picaresca y Gracián— el hombre ha de ser héroe y no 'antihéroe', ha de vencer y no debe fracasar en su empeño" [37].

Un paréntesis necesario. La segunda intuición básica de Gracián, inseparable de su concepción pesimista de la realidad, es —ya lo hemos visto— la necesi-

---

centenario 1658-1958, en *Revista de la Universidad de Madrid,* vol. VII, núm. 27, páginas 331-354.

[36] *Se limita,* dice exactamente Aranguren, y respetamos la palabra, pero no creemos que sea éste el término adecuado; Gracián propone positiva y enérgicamente un conjunto de reglas que estima eficaces para el éxito que pretende. La actitud del escritor es, pues, en este plano activa y denodada; nunca, por tanto, puede afirmarse que *se limita.* La palabra es, en cambio, exacta en el plano de *El Criticón*; aquí sí *se limita* a pintar el paisaje de la miseria humana, sin proponer remedio porque no cree en él: algo así como un médico, que no teniendo esperanza alguna en la curación del enfermo, se limitara a formular un diagnóstico fatal, sin sugerir siquiera un tratamiento.

[37] "La moral...", cit., pág. 333.

dad de vencer en la lucha de todos contra todos. Pero una duda nos asalta inmediatamente: conocida la irremediable ruindad del hombre y el no valor del mundo, ¿a qué esforzarse por triunfar de ambos? ¿qué sentido tendría esa victoria? Las doctrinas cristianas —acabamos de recordarlo— nos habían mostrado que la maldad de esta vida era una palestra para ejercitar la virtud y conquistar la bienaventuranza del más allá; pero Gracián se refiere inequívocamente al triunfo práctico, utilitario, en este mundo: un esfuerzo, pues, desproporcionado con el logro posible. Aranguren no se plantea las razones por las que Gracián desea vencer en una sociedad tan despreciable; le basta el hecho. Montesinos sí se había formulado la pregunta, aunque tampoco indagó el problema con demasiado ahínco; dio, sin embargo, una respuesta al paso, pero que puede quizá entregarnos la clave de los móviles gracianescos: "Sujetar al prójimo —dice— es hacerse libre, y sólo el que se ahorra de los demás tiene posibilidades de perfección" [38].

Admitida la necesidad del triunfo, Gracián nos ofrece el arma más eficaz que es la *prudencia*; pero no la prudencia "en el sentido plenario de esta virtud", como dice Aranguren, sino una prudencia *humana*, que nada tiene que ver con los motivos religiosos: "¿cuál es la idea de la prudencia que, con antecedentes ciertos en el orden de la moral política, formula Gracián antes que nadie en el orden de la moral personal? Es una deformación de la idea clásica de la prudencia que, conservando, sin duda, ciertas notas de esta virtud, es entendida fundamentalmente como 'industria', astucia, cautela, reserva, simulación y dolo" [39]. Todo lo cual se resume en una sola fórmula, que es *el arte de vivir*, el cual requiere a su vez *saberse* a sí mismo y ser capaz de penetrar, de descrifrar a los demás. Respecto a lo primero ya conocemos algunas de las *astucias* de Gracián: tener pesado el propio caudal para saber hasta dónde se puede emprender; no darnos nunca a conocer por entero; "cebar la expectación pero nunca desengañarla del todo"; tener virtudes ocultas para sorprender cuando llegue la ocasión; esconder parte de lo que se es y *representar* y *parecer* lo que tal vez no se es. "El barroco Gracián entiende la vida y la prudencia, virtud o arte que la gobierna, como teatro, como 'representación'. Teatro de mí mismo que ha de representar unas veces menos, otras más de lo que soy, según convenga; y teatro también de los demás, de los rivales, cuya representación he de 'descifrar'. La prudencia mundana es, a un mismo tiempo, enmascaramiento de sí mismo y desenmascaramiento del otro. Hay que saber 'penetrar toda voluntad ajena', ser descrifrador de 'la más recatada intimidad' y 'saber por dónde entrarle a cada uno', para lo cual nada mejor

[38] José F. Montesinos, "Gracián o la picaresca pura", en *Cruz y Raya*, núm. 4, 15 de julio de 1933, págs. 39-63; la cita es de la pág. 60. (Reproducido en *Ensayos y estudios de literatura española*, México, 1959, págs. 132-145).

[39] "La moral...", cit., pág. 336.

que descubrirle sus afectos, pues 'sabidos los afectos, son sabidas las entradas y salidas de una voluntad' "[40].

Esta *prudencia* gracianesca se confunde bien pronto, en boca de los moralistas ingleses posteriores a Gracián, con la palabra *egoísmo*; y es Gracián, según dice Aranguren, "el artífice de este giro de la prudencia, de esta su deformación"; "en su obra —añade— se encuentran máximas abundantes de un crudo egoísmo, como por ejemplo la de que conviene 'conocer los afortunados, para la elección, y los desdichados, para la fuga', o la de que hay que 'saber declinar a otro los males' "[41].

¿Cómo se las compone Gracián para cohonestar ante los demás y ante sí mismo esta doctrina de la *prudencia?* "Por paradójico que esto parezca, su solución consiste en deformar todavía más la prudencia, en otra dirección. Con Gracián la prudencia comienza a ser, como él mismo la llama, *arte de prudencia,* esto es, conjunto de reglas para la manipulación práctica de la realidad", algo de carácter puramente técnico, meramente instrumental, moralmente neutral, que puede utilizarse para lo bueno como para lo malo; son, al cabo, "medios de legítima defensa en medio de un mundo hostil"[42].

Subraya Aranguren a continuación cómo Gracián no consigue realizar una síntesis satisfactoria de los diversos elementos —el triunfo mundano, el desengaño, el plano religioso— que componen su pensamiento. Y es que Gracián vive ese período de crisis, inicio de los tiempos modernos, en que el cristianismo se enfrenta con la progresiva mundanización. Y Gracián es ya un hombre típicamente moderno, es decir, un "hombre que, siendo aun personalmente religioso y aun viviendo dentro del estado religioso, no nutre su obra de espíritu religioso, sino de la experiencia intramundana"[43]. O, como dice en otro lugar: "Gracián, como todos los grandes de estos dos primeros siglos de la época moderna, fue personalmente cristiano, aunque el cristianismo no haya inspirado esencialmente su obra, y aun cuando la conjugación de ese cristianismo con su predicada actitud práctica por un lado y con su actitud propiamente filosófica por otro plantee graves problemas"[44].

El paso, o salto, de aquel *primer plano* gracianesco en que había lugar para el pesimismo heroico, es decir, para desear —a pesar de todo— el triunfo del *héroe* y del *discreto* sobre una sociedad despreciable, al *plano segundo* representado por *El Criticón* puede suponerse verificado en el momento en que el propio Gracián se hace a sí mismo la pregunta a que hemos aludido: ¿para qué vencer?, ¿importa de verdad el triunfo o se trata tan sólo de un esfuerzo pueril? Gracián da entonces una respuesta negativa a estas cuestiones. El pesi-

---

40 Ídem, íd., pág. 337.

41 Ídem, íd., pág. 338.

42 Ídem, íd., págs. 338-339.

43 Ídem, íd., pág. 336.

44 Ídem, íd., pág. 332.

mismo que sirve de base a su raciocinio es el mismo del momento anterior, pero tan radical que no propone ninguna conducta positiva y emprendedora: "considera la maldad del mundo, la denuncia y nada más. La prudencia, virtud operativa, consistía en el sentido de lo que se ha de hacer en las situaciones inmediatas. La sabiduría, que está sobre ella, que implica una superior experiencia de la vida, no es ya fuente de operaciones porque, con una sola mirada, abarca la realidad entera y advierte su inanidad. La prudencia gracianesca era pesimista pero activa, heroica. La sabiduría gracianesca es quietista, desengañada. El pesimismo es común a ambas. Pero la actitud, que de *práctica* ha pasado a *crítica* o, si se prefiere, de *prudencial* a *sapiencial*, ha cambiado" [45].

El Criticón, que recoge esta nueva actitud, estrecha aún más el parecido con la picaresca (sin contar las semejanzas de estructura que tiene con ella por su peculiar disposición novelesca) porque en el libro de Gracián no existe ya la intención heroica que los diferenciaba; el triunfo y el heroísmo han perdido todo valor porque detrás de ellos no existe sino desolación y desengaño. En *El Criticón,* como en la picaresca, ya no hay lugar para el héroe capaz de triunfar. Con todo, y ciñéndonos al plano más específicamente literario, hay entre ambos una diferencia: "Gracián —dice Aranguren— conserva siempre un aristocratismo intelectual que le pone muy lejos del pícaro; él sólo se dirige, como observa Heger, *a pocos,* a quienes sean capaces de mantener, sin ilusión de felicidad, el pathos de distancia con respecto al ignorante vulgo. Y por otra parte en su novela el alegorismo, desmesuradamente desarrollado, ha extirpado toda referencia inmediata, vivaz, a la realidad, referencia característica, en mayor o menor grado, del género picaresco..." [46].

LAS FUENTES DE GRACIÁN

Una primera ojeada al ingente cúmulo de fuentes utilizadas por Gracián nos induce a pensar de inmediato que sus libros no son sino resúmenes de lecturas, ecos de ajenas opiniones barajadas y aderezadas por nuestro autor. Deducción injusta y desmedida, pero no carente de base; porque quizá sea difícil hallar una sola de sus máximas —en su significación esencial, se entiende— que no proceda de algún otro escritor: filósofo, moralista, libro sagrado. No se trata de influencias difusas o meras tendencias ideológicas; lo que queremos decir es que Gracián ha realizado infinitas lecturas y espigado pacientemente, una por una, cuantas sentencias ha encontrado conformes con su pesimismo sustancial. Su deuda con el pensar ajeno excede en mucho a la práctica general de la "imitación", tan frecuente durante el Renacimiento y el Barroco. Gracián ha compuesto el más amplio mosaico de pensamiento filosófico acarreando cada pieza y encajándola luego en el dibujo que él se ha

[45] Ídem, íd., pág. 344.
[46] Ídem, íd., pág. 348.

trazado. Quiere decirse, pues, que si algo debe negársele a Gracián en el orden del pensamiento es la novedad (y, consecuentemente, la responsabilidad —en detalle— de su amargo sentido de la vida; pocas cosas sostenidas por él no habían sido ya dichas). Pero, como Quevedo en tantos aspectos, lo que Gracián pone inequívocamente de suyo es la capacidad de potenciar, la implacable acumulación y la eficacia de su prosa incisiva, de su retorcida energía en el decir. Tan abundante herencia no niega, en modo alguno, la sustantiva originalidad del escritor, ni su inconfundible personalidad para infundirle nueva vida a una nueva síntesis. En repetidas ocasiones —al hablar de Quevedo, por ejemplo— hemos tratado el problema de la originalidad literaria, que no lo era, entonces, de materia sino de interpretación y de expresión.

El caso de los préstamos de Gracián, que han estudiado en pormenor diversos investigadores, está bien resumido por Correa Calderón en uno de sus capítulos. Correa, siguiendo a Romera-Navarro y otros gracianistas, proclama la singular capacidad de Gracián para hacer suyo todo cuanto somete a su presión literaria; pero tiene, necesariamente, que enumerar los autores puestos por él a contribución, y la lista resulta asombrosamente larga: textos bíblicos —innumerables—; autores griegos —Luciano de Samosata y, especialmente Plutarco—; escritores latinos —prácticamente todos, sin excepción, en particular los moralistas, didácticos e historiadores, y sobre todo Cicerón y los hispano-romanos con Séneca a la cabeza—; italianos —numerosísimos, con especialísima atención a los tratadistas políticos, historiadores, biógrafos de varones ilustres, coleccionistas de sentencias; es curioso que los influjos más notables los reciba de los autores que menos cita, o de los que le merecen las mayores censuras, como Maquiavelo—; menor es el influjo recibido de los escritores franceses —parece importante el de Nicolás Faret—. La deuda con escritores españoles es extraordinaria; de ella dice Correa: "Bastante intrincado se nos presenta el estudio de las fuentes españolas de Gracián. Algunas aparecen aclaradas explícitamente; otras, parece haberlas velado con toda intención. Autores hay cuyo eco se percibe claramente; otros, quizá los más citados, los admira aunque no los imite" [47]. Los préstamos se extienden desde los escritores medievales, como don Juan Manuel, hasta sus propios contemporáneos; de fray Antonio de Guevara, al que nunca cita, utiliza el *Menosprecio* y las *Epístolas* "sin escrúpulo —según dice Correa—, trasladando conceptos y expresiones del franciscano" [48]; aprovecha igualmente, en gran medida, la *Introducción al símbolo de la Fe,* de Granada, sin citarlo nunca tampoco, y, sobre todo, los "tratadistas y biógrafos políticos españoles anteriores a él o coetáneos". Pero, lo que de modo más intenso utiliza Gracián es lo que llama Correa "literatura menor"; epigramáticos, creadores de emblemas, jeroglíficos y empresas, coleccionistas de adagios y refranes, autores de apólogos, y todas

[47] E. Correa Calderón, *Baltasar Gracián...,* cit., pág. 275.
[48] Ídem, íd., pág. 276.

las abundantes *Florestas, Silvas* y *Misceláneas* de su tiempo. La preferencia por esta "literatura menor" es muy significativa: en los libros de Gracián no existen grandes líneas de pensamiento —salvo su insistente actitud pesimista—; sus páginas (repetimos la alusión al mosaico) están construidas de innumerables piezas, más yuxtapuestas que trabadas, sin apenas estructuración sistemática. Se comprende, pues, que deba ser menor el influjo de los pensadores de índole rigurosa, y muy grande, en cambio, el de los coleccionadores de dichos, sentencias, anécdotas, epigramas, en los que Gracián cosechaba a manos llenas las agudezas de que siembra sus páginas y que constituyen lo más característico de su armazón mental y de su estilo.

Por todo lo que antecede no podemos seguir a Correa Calderón cuando asegura de la obra de Gracián: "podríamos afirmar que la eliminación de todos estos elementos extraños disminuiría en muy poco su valorización" [49], ni a Romera-Navarro, que aquél recuerda: "quítese todo lo ajeno y no parecerá menos rico". Creemos, por el contrario, que Gracián no hubiera podido levantar su obra, tal como es, sin sus innumerables destilaciones del pensamiento ajeno. Gracián es el epígono y el epílogo de una época: recoge, filtra, selecciona, conduce hacia su huerto los más varios arrastres, y da a todo el conjunto la facies de su potente personalidad literaria y su actitud moral. Su obra no tiene la frescura de una creación, sino la urdimbre de una tarea trabajosamente elaborada. Comparando a Quevedo con Gracián escribe Farinelli: "En Quevedo hay exuberancia de fantasía; en Gracián, plenitud de reflexión. Quevedo es más poeta; Gracián, más filósofo" [50]. Pero creemos que estas palabras disfrazan o atenúan una verdad: Quevedo poseía una potencia creadora superior a Gracián hasta el infinito; aun en su poesía y su prosa "seria", donde sus deudas tampoco son escasas, su personalidad arrolla a los más poderosos afluentes; y en su obra festiva y satírica —en sus *Sueños* y fantasías morales— Quevedo se dispara como un torrente, sin más arma que su mirada y su talento frente a las cosas. Gracián, por el contrario, apenas da un solo paso sin muletas.

EL ESTILO DE GRACIÁN

La sola mención de Gracián suscita de primera intención el nombre del conceptismo, del cual se le tiene siempre por uno de sus cultivadores más intensos y su principal teorizador en la *Agudeza*. Correa Calderón se pregunta, en cambio, si puede hablarse de un estilo único y uniforme en Gracián, y distingue en él distintas variaciones: un estilo *familiar*, representado por sus cartas; un estilo *oratorio*, de tipo académico, que se concreta en *El Político*, algunos capítulos de *El Discreto*, y *El Comulgatorio*, directamente influido este

---

49 Ídem, íd., pág. 265.

50 Citado por Correa en ídem, íd., pág. 278.

último por su oratoria sagrada; un estilo *fluido y plástico*, que se manifiesta en *El Criticón* por su novelesca andadura, no ajena a ciertas técnicas de la picaresca; y, finalmente, un estilo *lacónico*, que es el que define en última instancia la más genuina personalidad de Gracián [51]. Digamos que aquellas tres primeras modalidades no nos parecen sino matices o variaciones ocasionales, por lo que su tradicional adscripción al conceptismo es, en sustancia, inatacable.

Gracián cultiva un hermetismo premeditado porque su odio a lo vulgar, manifestado en cien ocasiones, cree hallar en la misma dificultad y rareza del concepto, por sí mismas, una señal de distinción. "Lo que le importa esencialmente a Gracián —dice Correa— es la consecución de una cierta oscuridad de expresión y de sentido que haga esotérico y recóndito su pensamiento, como si escribiese en un lenguaje cifrado, que sólo pudiesen interpretar los iniciados, y para ello crea previamente una nomenclatura propia, en la cual los vocablos tienen un valor particular". Y cita a continuación un texto del *Oráculo*: "Los ingenios claros son plausibles, los confusos fueron venerados por no entendidos, y tal vez conviene la oscuridad para no ser vulgar" [52]. Sin salir de la misma obra podemos aducir otros muchos pensamientos afines: "No consiste la perfección en la cantidad, sino en la calidad. Todo lo muy bueno fue siempre poco y raro: es descrédito lo mucho" [53]. "En nada vulgar. No en el gusto. ¡Oh, gran sabio el que se descontentaba de que sus cosas agradasen a los muchos! Hartazgos de aplauso común no satisfacen a los discretos" [54]. "No allanarse sobrado en el concepto. Los más no estiman lo que entienden, y lo que no perciben lo veneran. Las cosas, para que se estimen, han de costar; será celebrado cuando no fuese entendido. Siempre se ha de mostrar uno más sabio y prudente de lo que requiere aquél con quien trata, para el concepto, pero con proporción más que exceso. Y si bien con los entendidos vale mucho el seso en todo, para los más es necesario el remonte; no se les ha de dar lugar a la censura, ocupándolos en el entender. Alaban mucho lo que, preguntados, no saben dar razón, porque todo lo recóndito veneran por misterio, y lo celebran porque oyen celebrarlo" [55]. Y aquellas palabras, tantísimas veces citadas: "Lo bueno, si breve, dos veces bueno; y aun lo malo, si poco, no tan malo. Más obran quintas esencias que fárragos" [56]. Algunas de estas afirmaciones declaran que había no poca afectación de superioridad en la técnica conceptista de Gracián; afectación de índole moral, queremos decir ahora, que presiona artificialmente sobre la forma literaria, y que nos muestra una de esas facetas turbias del escritor, que pueden avivarnos las cautelas sobre su carácter.

---

[51] Ídem, íd., pág. 246.

[52] Ídem, íd., pág. 252.

[53] *Oráculo...*, ed. Del Hoyo, cit., pág. 158.

[54] Ídem, íd.

[55] Ídem, íd., pág. 217.

[56] Ídem, íd., pág. 179.

Creemos necesario insistir sobre la existencia de este premeditado artificio de Gracián y su especial significación. Hay en Gracián, se dice, una manifiesta voluntad de estilo; una tenaz y concentrada tensión para retorcer y aguzar cada palabra. Coster, que editó *El Héroe* y estudió el manuscrito inédito de la obra, nos informa de sus innumerables tachaduras, añadidos y correcciones que descubren el modo de trabajar de Gracián. Mas lo curioso consiste en que semejante labor de lima no tiende a procurar la más exacta, justa o bella expresión sino "la más concisa, menos natural y más oscura" [57]; "sorprende —dice Coster— el esfuerzo constante de Gracián por alejarse de la expresión propia" [58]; y entiéndase aquí por *propia* la que hubiera sido espontáneamente suya, y que el autor sustituye por otra trabajosamente encontrada. Aquí se hace verdad esa ingeniosa afirmación de Camón: "el estilo es... lo que no es el hombre" [59], es decir, lo que éste elabora con cerebral alquimia: cierto, en Gracián.

A propósito de los poetas cultos —Góngora, sus precursores próximos o remotos— hemos visto repetidamente que hacían consistir su excelencia en una dificultad u oscuridad que los alejaba del vulgo; tratan de crear un especial lenguaje poético y dirigirse a una minoría. Pero esta premeditada oscuridad tiene literarias justificaciones: las altas cosas no pueden comunicarse en forma vulgar; se busca un modo de expresión cada vez más bello (es decir, la belleza en sí misma es un fin); se procura, además, ese placer del espíritu que consiste en el vencimiento de un problema. Pero la dificultad gracianesca, si atendemos a sus propias declaraciones, no tiene un propósito estético, ni psicológico, ni pretende una mayor claridad u hondura en la expresión; parece terminar y justificarse en sí misma, o mejor dicho, en una vacía y egoísta superioridad del autor que la produce, y que sólo pretende levantar sobre ella la fantasmagoría de su excelencia. Con implacable exactitud, a nuestro entender, ha descrito Coster esta vertiente de nuestro autor: "Me parece verle espiando en el rostro de sus oyentes el efecto del término enfático, del barbarismo descarado o del equívoco inesperado subrayado por un guiño, alternativamente cautivado de haber provocado el estupor o la indignación de los imbéciles o la risa de los prudentes" [60].

No nos parece inútil esta nueva mirada sobre la índole del rebuscamiento gracianesco, que define a la vez su perfil moral y su estilo literario. En busca de una prosa de excepción, a cualquier precio, Gracián canaliza hacia su predio, indistintamente, las corrientes conceptistas y culteranas (cuando se trate de indagar los múltiples puntos de contacto entre estas dos actitudes barrocas, tantas veces consideradas antitéticas, la prosa de Gracián podrá proporcionar materia inagotable). También Coster había ya definido esta ambivalencia de

[57] *Baltasar Gracián,* trad. española, cit., pág. 263.

[58] Ídem, íd., pág. 261.

[59] José Camón Aznar, *Góngora en la teoría de los estilos,* Madrid, 1962.

[60] *Baltasar Gracián,* cit., pág. 265.

la prosa del aragonés: "a pesar de sus pullas contra conceptistas y cultistas pertenece a entrambas escuelas" [61]; "ninguno de los vicios conceptistas o cultistas está ausente en la obra de Gracián" [62] (prescindamos del sentido peyorativo yacente en las palabras de Coster, explicable en sus días, no realizada aún la adecuada valoración de los estilos barrocos, y la afirmación es exacta). Con intención más encomiástica que el crítico francés, Correa Calderón precisa también esta peculiaridad gracianesca: "Le apasiona la expresión del concepto apretado e ingenioso, y en ello podrá semejarse a los conceptistas; gusta por veces del estilo elegante y florido, lo que hará pensar en una cierta identidad con los culteranos, y para el logro de sus propósitos se valdrá de fórmulas coincidentes" [63].

Anotemos, pues, sucintamente los rasgos en que una y otra modalidad se reflejan en sus escritos.

El conceptismo de Gracián reúne todas las características que habitualmente le definen. Gracián se sirve de una prosa, más que sintética, comprimida; expresa sus ideas en puras quintaesencias, renunciando todo lo posible a las frases compuestas, unidas por conjunciones subordinativas, y apretando su pensamiento en oraciones simples, meramente yuxtapuestas o sólo enlazadas por conjunciones coordinativas. Es frecuente la supresión de todos aquellos elementos no indispensables o que pueden ser sobreentendidos, incluso el verbo, en especial el *ser*: "Genio y ingenio: los dos ejes del lucimiento de prendas; el uno sin el otro, felicidad a medias; no basta lo entendido, deséase lo genial. Infelicidad de necio errar la vocación en el estado, empleo, región, familiaridad" [64]. "Hombre sin noticias, mundo a escuras. Consejo y fuerzas, ojos y manos; sin valor, es estéril la sabiduría" [65]. Los adjetivos se restringen avaramente, para usar tan sólo los de especial significación; por el contrario, es en el verbo donde se concentra todo el sentido de la frase: "El nervio del estilo consiste en la intensa profundidad del verbo. Hay los significativos, llenos de alma, que exprimen con doblada énfasis, y la sazonada elección dellos hace perfecto el decir... Preñado ha de ser el verbo, no hinchado; que signifique, no que resuene; verbos con fondo, donde se engolfe la atención, donde tenga en qué cebarse la comprensión" [66].

Según constata Correa Calderón, Gracián multiplica las figuras retóricas: aparte el asíndeton, ya aludido, "usa y abusa" del retruécano, de la concatenación, de la aliteración, del equívoco, de la ironía, de la hipérbole, de la alusión, de la paradoja, de la perífrasis, y, en general, de cuantos recursos han codificado los preceptistas más escrupulosos: "Podría escribirse un minucioso tra-

[61] Ídem, íd., pág. 261.

[62] Ídem, íd., pág. 262.

[63] *Baltasar Gracián. Su vida y su obra*, cit., pág. 248.

[64] *Oráculo...*, ed. cit., pág. 151.

[65] Ídem, íd., pág. 152.

[66] *Agudeza y arte de ingenio*, ed. Del Hoyo, cit., pág. 499.

tado —dice Correa— de los tropos y figuras, poniendo exclusivamente como ejemplos de cada definición frases y cláusulas de Gracián, que al escribir debía tener muy en la memoria las fórmulas retóricas aprendidas en sus años escolares, aunque en él, por la espontaneidad con que fluyen, no se perciba el molde"[67]. (Rechazamos por nuestra parte lo que se dice de la espontaneidad).

Con los culteranos le une el frecuente empleo de tropos y de lenguaje metafórico, y sobre todo el uso del hipérbaton, muy forzado con frecuencia; aunque le diferencia la repugnancia por las alusiones mitológicas, ausentes de su obra casi por entero.

Aparte lo dicho, Gracián se sirve constantemente de enumeraciones, busca la simetría de las frases, las antítesis, y, con característica insistencia, la expresión aforística en la que se complace: cada aforismo es como un dardo dirigido a una intención —dice Correa—; cada idea, una pausa; "la cláusula está tan reducida a pura síntesis, es tan alquitarada y sutil la elocución, que según se avanza en la lectura, habremos de irnos deteniendo a cada paso, a cada punto y seguido, a cada punto final, para meditar, para desentrañar su ideación, para interpretar su doctrina, para asimilar su condensada densidad"[68]. Las máximas en que define Gracián su complacencia en la brevedad son innumerables; el pensador cifra su orgullo en no ser entendido en una primera lectura, en que sus apretadas sentencias hayan de ser consideradas por uno y otro lado hasta dar con su exacta intención. Este gusto por la escueta expresión paremiológica explica la afición de Gracián por los refranes, aunque frecuentemente le disgusta su contenido. A semejanza de aquéllos, muchos de sus aforismos, lacónicos, simétricos, rimados a veces, se han difundido ampliamente, dándose el caso, dice Correa, de que siendo Gracián poco conocido por su obra total, sea uno de los escritores españoles más citados en sus sentencias aisladas.

Gusta también Gracián de complicar aún más el sentido de sus pensamientos encubriéndolos bajo el disfraz de emblemas, jeroglíficos y *empresas*, tan utilizados durante la época barroca.

Respecto al léxico, Gracián persigue la palabra que estima necesaria con el mismo esfuerzo con que busca la agudeza de sus ideas; que, al fin, no es aquélla sino el vehículo o el instrumento que hace a ésta posible. Busca Gracián sobre todo que el vocablo sea expresivo, que dé fuerza y realce a las ideas, y a ser posible que vaya cargado no sólo de su significado normal sino de otros valores que sorprendan y desconcierten al lector. Para este fin, si el escritor no encuentra o no dispone de la palabra necesaria, recurre a forjar neologismos o cultismos, o se sirve de términos bajos y vulgares, o desusados, o de regionalismos, o les atribuye significados caprichosos. Nunca llega Gracián a los excesos en que incurrieron con frecuencia los culteranos, y hasta el

---

[67] *Baltasar Gracián...*, cit., pág. 249.

[68] Ídem, íd., pág. 254.

mismo Quevedo, pero tampoco siente grandes preocupaciones puristas; y como su fin no es la belleza sino la intensidad expresiva, sus libertades idiomáticas son tan variadas como audaces. Descontada la intención malévola, la sátira de que hizo objeto a Gracián la *Crítica de reflección*, no apunta lejos del blanco. "Usas —dice— de palabras soeces, humildes, ásperas, obscenas y agrestes... mocos, gargajos, borrego, muladares son las soeces... Fatiguillas, albardas, tronchos, rebuznos, pasma simples y fajados, las humildes... Apegadizo, runcillos, nonadillas, redrojos, apañado, fofas, las ásperas... Salvajaz, desquijarrado, cojín, esquiroles, amigada, punchoneros, desmazalados, angarillas, miceros, atapado, las bárbaras. Oste puto, empreña, y ojo atrás, las obscenas. Y últimamente las agrestes, cobanchón, refilando, vejedad, villanón, necidiscreto, mentecato y otras muchas" [69].

LA OBRA DE GRACIÁN

"El Héroe". *El Héroe* es la primera obra que hizo imprimir Gracián. Se supone que hubo una o dos ediciones de 1637, pero no se conserva de ellas ni un solo ejemplar; la primera conocida es de 1639. Ha llegado hasta nosotros un manuscrito autógrafo del libro, texto cuidado y, al parecer, preparado para la imprenta. Pero el autor fue introduciendo en él correcciones y sustituciones, y al fin escribió un nuevo original, hoy perdido, que es el que fue impreso.

Divide Gracián su libro —su pequeño libro, "libro enano", como él lo llama en atención a su volumen, "juguete de grandezas", "melindre de discreción", aspirante a "menino de los libros en el museo real"— en veinte capítulos, que denomina *primores*; entiéndase excelencias, destrezas o perfecciones. Con tan pequeño escrito pretende el autor formar "un varón gigante, y con breves períodos, inmortales hechos". Debe aclararse lo que Gracián propone en estas páginas bajo el nombre de *héroe*: no un triunfador de empresas militares, ni dotado, por tanto, de cualidades de esta índole; ni se trata tampoco, como Coster aclara, de un semidiós de los antiguos, ni de un conductor de pueblos, ni de un superhombre ante el cual desaparecen los intereses o derechos de las personas vulgares, ni siquiera de un soñador que se sacrifica noblemente por una causa grande; Gracián piensa en un hombre —por supuesto ideal— colmado de eminencias, y aunque el libro en su redacción manuscrita iba dedicado a Felipe IV (dedicatoria suprimida en la edición de 1639), no entraña necesariamente que se refiera a un gobernante, sino a un hombre de excepción, concebido en abstracto, según aquellos arquetipos de la antigüedad que el Renacimiento se había complacido en proponer como modelo. Más aún: aunque en la mente de Gracián era inevitable que existiera aquella preocupa-

[69] Citado por Coster, obra cit., pág. 266, nota 3. Cfr.: Benito Sánchez Alonso, "Sobre Baltasar Gracián (Notas linguoestilísticas)", en *Revista de Filología Española*, XLV, 1962, págs. 161-225.

ción tipológico-política, propia de obras de esta especie —lo que le llevó a pensar primeramente en la persona del rey, en quien teóricamente debía encarnarse toda eminencia—, cabe admitir que Gracián pretendió encerrar en *El Héroe* un manual de conducta para el individuo superior en sus relaciones con la sociedad.

Ya quedaron antes apuntadas las características de esta conducta humana que pretende enseñar el escritor. Aquí podemos encontrar aquellas agudas cautelas o tretas para recatarse de los demás, descubrir al prójimo y ejercitarse en el hábil disimulo: un conjunto de reglas, en suma, que permiten —tomándole el término a Maquiavelo— hablar de una "razón de estado de sí mismo"; porque si Gracián aborrece el maquiavelismo en el plano político, de hecho puede afirmarse que lo hace suyo, transportándolo a la esfera individual[70].

"El Político Don Fernando el Católico". En 1640 publicó Gracián su segunda obra, de cuya primera edición no se conocía hasta hace poco ningún ejemplar; pero Eugenio Asensio encontró y ha dado a conocer recientemente el único del que por ahora se tiene noticia[71]. La segunda edición apareció en Huesca en 1646.

El Político consiste realmente en un discurso, que quizá fue escrito para ser leído en alguna Academia literaria, de las entonces tan frecuentes, posiblemente en Huesca y en presencia del duque de Nocera, a quien el discurso no va dedicado propiamente —puesto que carece de dedicatoria separada del texto—, pero sí dirigido al comienzo y al término de la pieza.

En el propósito de Gracián *El Político* no es un tratado general o tipológico, a la manera de *El Héroe,* sino el retrato, y estudio, de un personaje histórico concreto, que es el rey Don Fernando. El escritor pretende fundir el estudio histórico y el juicio sobre el monarca más grande y hábil de la historia española, con un propósito doctrinal orientado no sólo hacia el pasado, sino al presente y al futuro de la monarquía de su país. Compone así, en rea-

[70] Cfr.: A. Morel-Fatio, "Notes sur *l'Héroe*", en *Bulletin Hispanique,* 1919. A. Coster, "Corneille a-t-il connu *El Héroe* de Gracián?", en *Revue Hispanique,* XLVI, 1919, páginas 569-572. Del mismo, "Sur une contre façon de l'édition de *El Héroe* de 1639", en *Revue Hispanique,* XXIII, 1910, págs. 594 y ss. Francisco de Paula Ferrer, "El Héroe", en *Baltasar Gracián... Curso monográfico...,* cit., págs. 109-129. Camille Pitollet, "R. Bouvier. Le Courtisan. L'Honnête homme. L'Héros", en *Bulletin Hispanique,* XL, 1938, págs. 321-329. M. Romera-Navarro, "Un aspecto del estilo de *El Héroe*", en *Hispanic Review,* XI, 1943, págs. 125-130. Del mismo, "Puntuación y signos auxiliares en el autógrafo de *El Héroe*", en *Hispanic Review,* XII, 1944, págs. 288-305. Del mismo, *Estudio del autógrafo de 'El Héroe' graciano* (*Ortografía, correcciones y estilo*), anejo XXXV de la *Revista de Filología Española,* Madrid, 1946. Margarita Morreale, "Castiglione y *El Héroe*: Gracián y *despejo*", en *Homenaje a Gracián,* Zaragoza, 1958. Cfr. también la edición de *El Héroe* preparada por Coster sobre la de 1639, con las variantes del manuscrito inédito, Chartres, 1911.

[71] Eugenio Asensio, "Un libro perdido de Baltasar Gracián", en *Nueva Revista de Filología Hispánica,* año XII, núms. 3-4, julio-diciembre, 1958, págs. 390-394.

lidad, un verdadero tratado de filosofía política y un arte de gobernar de líneas teóricas, pero que toman como modelo real a la persona del rey Católico. Escribe Gracián su libro en el momento en que la revolución de Cataluña había comenzado y el porvenir de la monarquía española se presentaba envuelto en los más trágicos presagios. Gracián siente entonces la nostalgia de aquel gran rey que sería capaz, sin duda alguna, de salvar a España, y se deleita, como dice Coster, "en el amargo placer de olvidar las inquietudes presentes evocando la memoria del rey que nunca perdió provincias y adquirió muchos reinos" [72].

El Político ha sido juzgado de muy diversos modos. Gozó durante largo tiempo de especial atención, aunque quizá deba admitirse que más por la vigencia de su tema político y la vinculación a tan capital figura, que por razones literarias o doctrinales de la obra en sí misma. Coster formula reparos que no nos parecen rechazables: "Mejor que un panegírico —dice—, la obra es un largo ditirambo que acaba con un *Amén,* como si se tratara de un sermón. El gran defecto de este retrato de aparato, que debía habernos descubierto al Héroe ideal de quien Gracián había antes trazado la imagen, es faltarle vida, anécdotas que pemitirían penetrar en el alma del personaje; el análisis agudo, al menos, de uno de los actos del sutil monarca. Maquiavelo había dado ejemplo; pero acaso Gracián, que garantiza la virtud de su héroe, se encontró perplejo al querer justificar su astucia con ejemplos precisos" [73].

"El Discreto". Gracián escribió —o concluyó— probablemente *El Discreto* durante su estancia en Valencia en 1645, después de su participación en la guerra de Cataluña. Salió impresa la obra en los primeros días de septiembre de 1646 —o poco antes— en Huesca, con aprobaciones de los amigos de Gracián, Salinas y Ustarroz. El libro iba dirigido al príncipe Baltasar Carlos, pero no por Gracián, sino por Lastanosa, que tomaba a su cargo la edición.

Coster define con justeza la naturaleza y fin de *El Discreto*: "Los dos tratados que acabamos de estudiar pertenecen a la Política general; el *Discreto* se distingue de ellos: no se trata ya de formar el gran hombre, el hombre de Estado, el Capitán o el Soberano; el objeto del autor es ahora más modesto: como lo habían hecho Castiglione, Gracián, Dantisco o Faret, se dirige al simple particular, o, con más exactitud, al hombre de mundo" [74]; digamos, pues, que es, en sustancia, un manual práctico "para todo aspirante a discreción".

---

[72] *Baltasar Gracián,* cit., pág. 109.

[73] Ídem, íd., pág. 108. Cfr.: Francisco de Paula Ferrer, "El Político", en *Baltasar Gracián... Curso monográfico...,* cit., págs. 55-80. Ángel Ferrari, *Fernando el Católico en Baltasar Gracián,* Madrid, 1945. Edward Sarmiento, *Introducción y notas para una edición del 'Político' de Gracián,* Zaragoza, 1952, separata del *Archivo de Filología Aragonesa,* IV.

[74] *Baltasar Gracián,* cit., pág. 113.

Gracián divide su obrita en veinticinco capítulos que llama *realces*, y en el tono menor que esta palabra envuelve respecto a los *primores* de *El Héroe* quedan también patentes los matices que los distinguen: "La diferencia fundamental —dice Del Hoyo— estriba en que las prendas heroicas tienen por eje la dualidad entendimiento-voluntad, en tanto que las del discreto tienen por eje la dualidad genio-ingenio, es decir, las condiciones naturales y el vigor del entendimiento. Las prendas que se repiten en uno y otro, aunque idénticas en sí mismas, difieren en cuanto a intencionalidad" [75]. Prescindiendo, como aconseja el mismo comentarista, del buen genio, del ingenio, de la ostentación y del buen modo o agrado —que tienden a favorecer el lucimiento de las otras prendas o son las condiciones indispensables sin las que no cabe la posibilidad de ser discreto—, quedan como *realces* verdaderos los siguientes: señoría en el hacer y en el decir; espera o detención; galantería —entendida como clemencia y generosidad—; firmeza para lo excelente; proteidad, o capacidad para aplicarse diversamente en gustos, tiempos y empleos; proteidad o adecuación del entendimiento; compostura o gravedad; buena elección —que se logra a través del gusto propio, cuando es bueno, o del ajeno cuando es autorizado—; templanza; buen dejo; señorío de sí mismo; prontitud; vivir al uso —es decir, huir de necias singularidades—; razón; concierto; juicio; hazañosidad; diligencia con inteligencia —no por separado, sino hermanadas—; prudencia y entereza.

Se ha discutido la ligazón que poseen estos *realces* entre sí o, lo que es lo mismo, si posee *El Discreto* una verdadera estructura. Del Hoyo, por ejemplo, la afirma: todos estos *realces* —dice— son partes de una sola prenda, la entereza, fin de las demás, "corona de la discreción", según titula Gracián su penúltimo capítulo [76]; también la admite Correa Calderón, para el cual, si es cierto que los elementos que constituyen la obra son diversos, Gracián los refunde y coordina en un último capítulo que viene a ser resumen y coronación de todos ellos [77]; la niega, en cambio, Pfandl: "en vano se esfuerza el capítulo final en redondear un poco el conjunto al resumirlo" [78]; y más todavía Coster: "No hay que buscar trabazón: estos realces se suceden sin que se alcance por qué el uno va detrás del otro; cabe exceptuar el primero, que naturalmente debía dirigirse a Baltasar Carlos y el último resumen de la vida del Discreto. En fin, afectan todas las formas más diversas: diálogos en los cuales el autor es interlocutor con sus amigos o cartas o alegorías o disertaciones" [79].

---

[75] *Vida y obra...*, cit., pág. CXLVI.

[76] Ídem, íd., pág. CXLVII.

[77] *Baltasar Gracián...*, cit., pág. 170.

[78] Ludwig Pfandl, *Historia de la Literatura Nacional Española en la Edad de Oro*, Barcelona, 1933, pág. 607.

[79] *Baltasar Gracián*, cit., págs. 115-116.

Sucede, en efecto, que los capítulos de *El Discreto* muestran toda esta variedad con la consiguiente diversidad de ritmo y de tono. Coster supone que lo mismo que *El Político, El Discreto* se compone de trozos diferentes que fueron compuestos en su mayor parte para ser leídos en Academias o reuniones literarias. Pero al fin, esta dispersión, esta fragmentación en máximas aisladas es peculiar de todo Gracián y no sólo de *El Discreto.* Y el propio Coster ha expresado su aprobación por este código de prudencia tan atomizado: "Tal es —dice— la singular colección donde Gracián se muestra menos forzado que en las restantes obras; que denota seso despierto, espíritu siempre en acecho, sentimiento muy vivo de lo ridículo. No es libro para recorrerlo sin parar desde el principio hasta el fin, sino para leer un capítulo aislado con el objeto de procurarse un placer delicado y gustar sin fatiga del ingenio y la sutileza del autor" [80].

El "Oráculo manual y arte de prudencia". En marzo de 1647 acabó de imprimirse en Huesca la nueva obra de Gracián, titulada *Oráculo manual y arte de prudencia sacada de los aforismos que se discurren en las obras de Lorenzo Gracián*; iba dedicada a don Luis Méndez de Haro, sucesor del conde-duque en la privanza de Felipe IV, y se decía *publicada* por don Vincencio Juan de Lastanosa.

Ningún otro libro de Gracián ha suscitado tan gran número de problemas. En el aviso "A los lectores", puesto por Lastanosa al frente de *El Discreto,* hablaba de otras dos obras de Gracián, el *Atento* y el *Galante,* como de trabajos ya terminados o a punto de serlo; el propio Gracián en el texto de *El Discreto —realces* II y XI— menciona también el primero de dichos títulos con su nombre completo: *Avisos al varón atento.* Pero, después de estas referencias no existe rastro alguno de dichos libros, que se han supuesto entre los perdidos del autor. Romera-Navarro, siguiendo ideas de otros gracianistas, supuso primeramente que los *Avisos* habían sido incorporados, en parte al menos, al *Criticón*; pero más tarde ha rectificado en el sentido que ahora diremos. Del Hoyo hace caso omiso del *Galante* y, concretándose a los *Avisos,* afirma que no fueron incorporados de manera más o menos completa al *Oráculo,* sino que son el mismo *Oráculo*; se basa para esta deducción en el gran número de veces que allí se menciona al "atento" y se dan "avisos" para la "atención". Correa Calderón admite también esta prueba, que hace extensiva al *Galante*; supone que Gracián andaría ocupado en la redacción de dos pequeños tratados, pero no bastando lo escrito para editarlos separadamente aceptó la idea de Lastanosa de fundirlos ambos, añadiendo además algunas

80 Ídem, íd., pág. 124. Cfr.: Francisco de Paula Ferrer, "El Discreto", en *Baltasar Gracián... Curso monográfico...*, cit., págs. 82-107.

otras máximas extraídas de los libros publicados. Parecida hipótesis admite al fin Romera-Navarro, aunque sin hacer mención del *Galante* [81].

El segundo problema está estrechamente unido al anterior: ¿es el *Oráculo* obra nueva, o sólo una antología o refundición de los otros libros de Gracián? La duda proviene de aceptar o no literalmente las palabras de la portada, según las cuales el *Oráculo* está sacado "de los aforismos que se discurren en las obras" del autor; además, en el prefacio "Al lector" se le ofrecen "de un rasgo todos los doze Gracianes", cifra misteriosa que contribuye a aumentar la confusión. De hecho, un buen número de aforismos del *Oráculo* procede inequívocamente de otros libros de Gracián. Romera ha precisado, en cambio, que el número de aquéllos es sólo de setenta y dos, de los cuales sólo uno —el 131— está transcrito literalmente; quedan, por tanto, doscientos veintiocho "que no proceden más o menos literalmente de las obras impresas de Gracián" y que deben aceptarse como nuevos. "Lo que hay que entender evidentemente —dice Romera— es que en el *Oráculo* está recogido lo sustancial de todos [sus libros], los impresos y los manuscritos, o sea, las ideas básicas del autor, lo cual es muy cierto. En vista de todo ello, paréceme probable que su método de trabajo en el *Oráculo* fue ir ojeando sus libros y manuscritos para refrescar la memoria sobre lo más esencial de la doctrina, recogiendo ideas y desarrollándolas libremente, y alguna que otra vez quiso copiar una frase singularmente vivaz y expresiva" [82].

Del Hoyo, más decidido defensor, si cabe, de la originalidad del *Oráculo,* sostiene que se trata de una síntesis del pensamiento de Gracián, pero redactada de nuevo, escrita con rabiosa intención de concentrar y sistematizar, poniendo la doctrina al desnudo, en puros nervios: "estamos —dice— ante un ideario de prudencia, no ante una antología; ante una formulación escueta, suelta, en una palabra, aforismática del pensamiento prudencial, atento y desengañado, de Baltasar Gracián. Como arte que es, el *Oráculo* no es una antología, sino una técnica de la prudencia, una táctica formulada en avisos o aforismos para uso del varón atento que desee emprenderla. Cierto que la masa prudencial que integra el *Oráculo* se halla distribuida en las demás obras de Gracián; pero sólo en ésta es presentada de modo absoluto y resuelto, no ya como observación al paso o consecuencia, o primor, o realce, sino como inexcusable aviso o regla. En las demás obras suyas, Gracián atendió a distribuir su sabiduría prudencial, el gusto y sabor de sus platos prudenciales, en apólogos, sátiras, encomios, crisis, etc.; es decir, 'genialmente', para conformarse a la inclinación de sus lectores. En el *Oráculo,* mediante conocidos aforismos —en forma de *arcana,* seguidos de breve glosa—, nos la da sustancial-

[81] M. Romera-Navarro, edición crítica y comentada del *Oráculo Manual y Arte de Prudencia,* anejo LXII de la *Revista de Filología Española.* Madrid, 1954, págs. XXVII-XXVIII. Cfr.: E. Correa Calderón, "Hipótesis sobre el *Oráculo manual*", en *Revista de Filología Española,* XXVIII, 1944, págs. 66-73.

[82] Ídem, íd.

mente. Aforismos y glosas que no están *sacados*, en el sentido corriente de la palabra" [83].

El tercer problema es el de la participación que pudo tener Lastanosa en la redacción, o preparación, del *Oráculo*, de acuerdo también con las palabras que sirven de pórtico al libro, según las cuales es el prócer oscense quien lo publica y quien firma la dedicatoria al señor de Haro. El notable gracianista Ricardo del Arco admitía que fue, en efecto, Lastanosa el compilador del libro [84], pero, en general, ningún estudioso acepta hoy esta tesis, que Correa Calderón [85] y Romera-Navarro [86] han rebatido rigurosamente. Coster aceptaba cierta participación del gran amigo y mecenas: "No me inclino a creer —dice— en una intervención directa de Lastanosa en la obra. Pero, ¿esto equivale a afirmar que aquél no tomó parte alguna?... Yo veo aquí, como en la mayor parte de las obras de Gracián, una colaboración benévola, que el autor estimaría y aceptaría, conservando independencia en la elección y su responsabilidad" [87]. Digamos que, para Coster, hubo siempre un estrecho influjo entre Gracián y los hombres del círculo lastanosiano, a quienes aquél leía sus escritos, los comentaba y discutía con ellos, y aceptaba sugerencias, correcciones y hasta añadidos. Pero esta colaboración de "circulo" literario, a la que Gracián cedería más o menos, que es a lo que aquí parece referirse Coster, nada supone en contra de la paternidad esencial —digamos más bien, total— de Gracián.

En cuanto a Del Hoyo, persuadido de que el *Oráculo* no es antología sino obra nueva escrita por Gracián, rechaza de plano la intervención de Lastanosa. La participación de éste, con sus palabras de la dedicatoria de dudoso sentido, se reduce a la de editor y responsable de la publicación; era una nueva añagaza para eludir la censura de la Compañía en este libro de materia mundana, "el más mundano y con puntos de vista más francos y atrevidos" [88] de todos los suyos.

Acerca del carácter y propósito del *Oráculo* cabe sólo añadir algunos leves detalles a lo que ya anteriormente quedó dicho. La estructura del libro consiste en trescientos aforismos seguidos de su correspondiente glosa. Sólo éstas, como afirma Del Hoyo, parecen mitigar la descarnada sequedad de los aforismos; y, sin embargo, añade, "dentro de las mismas glosas, como espontánea propagación y aumento del aforismo germinal, bullen otros aforismos, a veces de no menor importancia. De ahí que se produzca en el lector del *Oráculo* una especie de ahogo y monotonía aforismáticos" [89].

---

[83] *Vida y obra...*, cit., pág. CLIV.
[84] Cfr.: Ricardo del Arco, *Gracián y su colaborador y mecenas*, cit., págs. 131-158.
[85] Cfr.: *Baltasar Gracián...*, cit., págs. 172 y ss.
[86] Cfr.: Edición crítica del *Oráculo Manual...*, cit., págs. XIX-XXIV.
[87] *Baltasar Gracián*, cit., pág. 132.
[88] Romera, ed. crítica, cit., pág. XXIV.
[89] *Vida y obra...*, cit., pág. CLV.

El gusto, muy de época, por los *emblemas* contagia a Gracián en muchas partes de su obra, pero de manera especial en el *Oráculo*, muchos de cuyos aforismos con su glosa componen casi *emblemas*, desprovistos tan sólo de la pintura, "privados casi totalmente de elementos gustosos, reducidos a una desnuda sabiduría prudencial" [90].

Situado en la línea de *El Discreto*, las máximas del *Oráculo* no se dirigen al hombre de estado en particular, sino que "tratan principalmente de la relación entre iguales", como afirma Coster. De todos modos, dicho se está que el hombre que pretende formar esta sabiduría gracianesca es un ejemplar humano de alta condición, un varón de corte, pertrechado de la prudencia política y cortesana (aunque sin olvidar, ciertamente, el amplio sentido de sociedad, o mundo, que la palabra *corte* tiene siempre para Gracián). De aquí el acierto —aunque por algunos haya sido negado— de la libre versión dada al *Oráculo* por Amelot de la Houssaie: *Homme de cour.*

Romera-Navarro, que enumera las ediciones no españolas del *Oráculo manual*, asegura que este libro es uno de los tres o cuatro de nuestra literatura que más ha circulado en lenguas extranjeras [91].

"El Criticón". Las tres partes que componen *El Criticón* —la obra maestra de Gracián— vieron la luz respectivamente en Zaragoza (1651), Huesca (1653) y Madrid (1657). La primera parte iba a nombre de García de Marlones; las otras dos con el habitual de Lorenzo Gracián, pero, a diferencia de sus otros libros, no salieron bajo el amparo de Lastanosa. Los años de publicación de *El Criticón* fueron los más difíciles de la vida de Gracián, no sólo porque el problema de la edición de sus libros iba enconándose, sino por la hostilidad que provocaron muchas de las amargas críticas del libro. Al lector de hoy, aun ayudándose de todos los auxilios eruditos, se le escapa gran parte de las intenciones inmediatas y concretas que movían al escritor; Coster, al ponderar la dificultad que entraña la lectura de *El Criticón*, aún para los mismos españoles, en razón de una lengua prodigiosamente sutil, menciona ade-

---

[90] Ídem, íd., pág. CLVI.

[91] Cfr.: Victor Bouillier, "Notes sur l'*Oráculo Manual*", en *Bulletin Hispanique*, XIII, 1911, págs. 316-336. Del mismo, "Notes critiques sur la traduction de l'*Oráculo Manual* par Amelot de la Houssaie", en *Bulletin Hispanique*, XXXV, 1933, págs. 126-140. Maurice Lacoste, "Les sources de l'*Oráculo Manual* dans l'oeuvre de Gracián et quelques aperçus touchant à l'*Atento*", en *Bulletin Hispanique*, XXXI, 1929, págs. 93-101. Arturo Farinelli, "Gracián y la literatura áulica en Alemania", en *Divagaciones Hispánicas*, vol. II, Barcelona, 1936 (el trabajo es de 1896). Graydon Hough, "Gracián's *Oráculo* and the *Maximes* of Madame de Sablé", en *Hispanic Review*, IV, 1936, págs. 68-72. Helmut Hatzfeld, "The Baroquism of Gracián's *Oráculo*", en *Homenaje a Gracián*, cit. Klaus Heger, "Genio e ingenio. Reflexiones sobre unos cotejos entre el *Oráculo Manual* y la traducción alemana de Schopenhauer", en *Baltasar Gracián en su tercer centenario 1658-1958*, en *Revista de la Universidad de Madrid*, 1958, vol. VII, núm. 27, págs. 379-401.

más "las innumerables alusiones a acontecimientos o a personajes contemporáneos, de los cuales hemos perdido la clave; de suerte que la parte puramente moral del libro es la que puede interesar al lector de hoy, al paso que cuando apareció, cada uno de sus capítulos debió de tener todo el sabor de un pasquín o de un artículo de periódico" [92].

El nombre de *Criticón,* que al oído vulgar puede traer la idea del hombre que todo lo critica, viene a significar colección o conjunto de *crisis,* crítica o juicios; *crisis,* en efecto, denomina Gracián a cada capítulo, con el sentido de juicio o censura, bien que de carácter profundo, recóndito y nada vulgar. *El Criticón* no se presenta, como los otros libros de Gracián, bajo la forma de colecciones doctrinales, sino de novela alegórica. Dicho muy en síntesis, pretende el autor encerrar el curso de la vida en sus cuatro edades o estaciones: primavera o niñez, estío o juventud, otoño o varonil edad, invierno o vejez, pero no en su sentido físico o natural, sino como una alegoría de la vida moral del hombre, idea de gran alcance dentro del pensamiento de Gracián. El símil de las cuatro estaciones aplicado a la vida humana era ya entonces una alegoría vulgar, pero Gracián lo llena de otro contenido: el propósito de los libros anteriores —*El Héroe, El Discreto* y *El Oráculo*— era dar reglas para lograr un hombre prudente en el otoño de la vida; en esta etapa, la sola posesión de la prudencia podía bastar para la felicidad. Pero la vida —para el objeto de Gracián— tenía que prolongarse hasta el invierno de la vejez con el fin de asistir a la consumación del desengaño, tema cardinal de toda la obra gracianesca y que encuentra en *El Criticón* la más desoladora plenitud. Al publicar la primera parte —"en la Primavera de la Niñez y en el Estío de la Juventud"— afirmó Gracián que había dividido su obra en dos; pero la segunda se desdobló después en otras dos mitades —"en el Otoño de la varonil edad" y "en el Invierno de la Vejez"—, porque la sazón alcanzada por la madurez pesimista del escritor exigía este crecimiento.

He aquí un esquema del hilo argumental de la novela. El náufrago Critilo es salvado de las aguas del mar, frente a la isla de Santa Elena, por el joven salvaje Andrenio, criado allí entre fieras. Critilo le enseña a hablar y, cuando logran ambos salir en un barco que arriba a la isla para hacer aguada, lo lleva por el camino de la vida, en busca de Felisinda, con distintas etapas en la corte de España, Aragón, Francia y Roma, hasta que llegan a la Isla de la Inmortalidad. Contado así, *El Criticón* puede calificarse de *sencillo,* pero ningún calificativo sería más impropio. Los episodios son innumerables y se presentan bajo el disfraz de las más variadas ficciones —alegorías, fábulas, apólogos, simbolismos, fantasmagorías, personificaciones, etc.— que se arraciman en torno a la alegoría central, formando un conjunto intrincadísimo, aunque, si se quiere, elemental en su marcha, puesto que todo se reduce a enfrentar sucesivamente a sus dos personajes con todo género de gentes y situa-

[92] *Baltasar Gracián,* cit., pág. 143.

ciones. He aquí algunos episodios. Antes de entrar en el mundo, el centauro Quirón les muestra el estado del siglo y les enseña un remedio para vivir, que es entender las cosas al revés de lo que parecen. Proteo les acompaña a la corte de Falimundo y ven por el camino la Fuente de los Engaños; Andrenio, falto de discernimiento, se queda en la corte de Falimundo, y Critilo, para salvarle, tiene que buscar el auxilio de la sabia Artemia. Al llegar a Madrid, después que Critilo ha tenido que rescatar de nuevo a Andrenio de la posada de Volusia, que parece arrancada de un *sueño* de Quevedo, Falsirena les finge ser prima de Felisinda. Salen al fin del "golfo cortesano" y llegan a la Feria del Mundo, donde el Aquilatador les somete a reconocimiento. En la parte segunda, pasan por la Aduana General de las Edades, llegan a Huesca donde visitan la casa de Salastano (Lastanosa), entran en Francia, llegan a la cárcel de oro y plata donde quedan presos del Interés, recorren el museo de Sofisbella y visitan el Consejo General del Mundo, reunido en una taberna y dominado por el vulgacho, etc. Uno de los episodios más famosos de esta segunda parte es la visita al Yermo de Hipocrinda, asiento de toda hipocresía. En la tercera parte llegan al reino de Vejecia y al palacio de la Alegría, centro de todo vicio, de donde nuevamente Critilo ha de sacar a Andrenio con la ayuda del Desengaño. Éste les conduce a la gran plaza de la Apariencia y les desengaña de cuanto ven. Antes de llegar a Roma todavía visitan el palacio de la Soberbia y la Cueva de la Nada. Cuando al fin se encuentran con la Muerte, el Inmortal les muestra que sólo hay un medio de escapar de ella, que es ser hombre eminente. Lleva entonces a Andrenio y a Critilo a la Isla de la Inmortalidad, donde el Mérito, después de examinarlos, les permite entrar a la Mansión Eterna.

Lo que precede habrá permitido advertir el carácter alegórico-simbólico de todos los nombres propios mencionados y más todavía el de los dos *personajes* principales: Andrenio es el hombre natural, incauto, víctima de las apariencias, sujeto a las pasiones y apetitos; Critilo es el hombre de razón, prudente y sagaz, adiestrado por el esfuerzo y la experiencia. También sus edades están en proporción, según el esquema de las estaciones de Gracián: Critilo es un varón maduro; Andrenio vive todavía los años del estío. En realidad, ambos se completan; más que dos hombres distintos son dos porciones, aspectos o momentos distintos, alegóricamente vistos, del hombre en general.

De las posibles fuentes de *El Criticón* cabría afirmar, multiplicándolo, lo que ya quedó dicho de los innumerables préstamos tomados por Gracián en sus escritos; la originalidad de Gracián no es de contenido, sino de estilo, de pulso, de intensificación, del tono personal que sintetiza, filtra y reelabora la materia prima recibida. Coster recuerda que los mismos contemporáneos —sobre todo el autor de la *Crítica de reflección*— señalaron ya esta masiva utilización de ideas ajenas, pero Coster le defiende, naturalmente, de tales censuras malévolas y homineras: "¿Hay que indignarse —dice— con Matheu de que Gracián no haya señalado los autores que saqueó? No lo haríamos sin injusticia, porque Gracián no intentó engañar, y le hubiera sido imposible, a menos de tranformar su libro en un repertorio insoportable, conceder a cada uno su parte" [93].

No obstante, el mismo Coster concreta el posible influjo de algunas obras de especial interés, sobre determinados aspectos de *El Criticón*: la *Piazza Universale* de Tomás Gazzoni, por la que desfilan todas las profesiones, que son sometidas a examen y crítica; el *Blanquerna* de Raimundo Lulio, novela biográfica, llena de apólogos y reflexiones; el *Llibre appel·lat Felix de les maravelles del mon*, cuyo protagonista recorre el mundo asombrándose de todas las cosas que encuentra; quizá también las *Soledades* de Góngora, para el comienzo de la obra, en el episodio del náufrago y algunas de sus primeras escenas. También menciona Coster el *Quijote*: "Los dos compañeros que van por el camino de la vida, el uno representando la naturaleza inculta y sensual, el otro la cultura y el idealismo; que encuentran a cada paso gentes de profesiones varias con las cuales conversan, estudiando así al hombre en diferentes condiciones de existencia, recuerdan mucho a los dos héroes de Cervantes" [94] (pero sobre este tema volveremos luego).

Correa Calderón señala en Gracián uno de nuestros máximos representantes de lo que él denomina *corriente alegórica*. No es lugar éste para discutir si puede hablarse en propiedad de una auténtica *corriente*, como quiere Correa —prolongada, desde los días del hispano-romano Prudencio, a través de toda la Edad Media y el siglo XV, del Renacimiento y especialmente del Barroco—, que deba situarse junto a la *realista* e *idealista*, supremas polarizaciones de nuestra literatura. En cualquier caso, lo que interesa aquí puntualizar es que Gracián incorpora a su *Criticón* —con caracteres de máxima peculiaridad— un caudal tan ingente como variado de materia alegórica, que va desde el apólogo medieval a los últimos recogidos por Alemán en su novela, pasando por todos los simbolismos, profanos y religiosos, orientales y clásicos, con todos los cuales construye la gran fantasmagoría de su libro: "El les dará —dice Correa— sentido cristiano, ascético, si no lo tuvieren, o profundidad filosófica; amplificará situaciones, contaminará recuerdos de unas y otras obras, comunicándoles su aliento creador. Lo que importa es que de la suma de todos estos elementos propios y ajenos resulte *El Criticón*, que es una suerte de *Divina Comedia* prosificada del siglo barroco..." [95].

Se le ha señalado además al *Criticón* una fuente de especial importancia, que es *El filósofo autodidacto* de Abentofail, ya apuntada en 1681 por Paul Rycaut, primer traductor inglés de *El Criticón*, y de nuevo a mediados del siglo XVIII por el jesuita Bartolomé Pou, y sobre la que han insistido Menéndez y Pelayo, León Gauthier, Farinelli, Asín Palacios, Coster y otros varios. El

[93] Ídem, íd., págs. 162-163.

[94] Ídem, íd., pág. 159.

[95] *Baltasar Gracián...*, cit., pág. 184.

punto de contacto consiste en un personaje del texto árabe que, criado sólo entre animales en una isla desierta, adquiere por sí mismo, mediante el ejercicio de su sola razón, las más altas verdades metafísicas. Como este relato árabe fue publicado por primera vez, junto con su versión latina, en 1671, se ha dudado que Gracián pudiese tener conocimiento de él. Emilio García Gómez ha descubierto la existencia de un cuento morisco, de grandes semejanzas con *El filósofo autodidacto,* que parece tuvo gran difusión entre los moriscos aragoneses, y que a juicio de nuestro gran arabista pudo servir de fuente común a Abentofail y a Gracián [96]. Se titula este cuento *Historia de Dulcarnaim Abmaratsid el Himyarí y Cuento del ídolo y del rey y de su hija*; la *Historia de Dulcarnaim,* que es el nombre arábigo de Alejandro Magno, sirve de introducción al *Cuento,* en el que también un niño criado en una isla desierta reflexiona por su sola luz natural sobre las grandes verdades religiosas (hacemos gracia de las fantásticas aventuras que preparan y envuelven este núcleo esencial).

Si existe dependencia en *El Criticón* respecto de esta fábula, hay que reconocer que sólo es en el aspecto anecdótico, y limitado además al episodio inicial del libro que introduce, o prepara, novelescamente la aventura de los dos protagonistas. José Antonio Maravall ha puntualizado, en cambio, que fuera de esta semejanza no existe punto alguno de contacto entre ambos escritores [97].

Nos hemos referido anteriormente al paralelo que podría trazarse entre *El Criticón* y la novela picaresca. Correa Calderón, que examina estos posibles enlaces y admite no pocos puntos de contacto, aduce luego otros originales puntos de vista, que merecen ser atendidos: "La alegoría de Gracián tiene de común con las novelas picarescas la vaga anécdota de su estructura, pero sus dos peregrinos de la vida, más que en los pícaros andariegos pueden hacernos

[96] Emilio García Gómez, "Un cuento árabe, fuente común de Abentofail y de Gracián", en *Revista de Archivos, Bibliotecas y Museos,* XLVII, 1926, págs. 1 y ss.

[97] "Entre Ibn Tufail y Gracián —dice Maravall— hay una profunda insalvable discrepancia. Es más racionalista en su propósito la obra de Ibn Tufail; en ésta resulta ser el personaje desarrollado en estado natural el que va descubriendo las últimas verdades por el estricto uso de su razón y sólo en segunda fase encuentra que esas verdades, por sí indubitables, están conformes con las creencias religiosas que le presenta, al encontrarse con él, el otro personaje, esto es, el que ha conocido el legado de la revelación. Por tanto, tenemos que Ibn Tufail se refiere al plano de la relación razón-religión, sin atender a la moral, entre otros motivos porque ésta carece de autonomía en el pensamiento islámico, mientras que en Gracián el problema es meramente moral, y su obra descansa en una concepción plenamente autónoma del orden moral. En segundo lugar, Ibn Tufail echa mano de la razón natural —sin que necesitemos entrar ahora a considerar el sentido que tal concepto tiene para un pensador islámico—, mientras que Gracián apela, frente al mero estado natural de la razón que representa su personaje Andrenio, al testimonio de la sindéresis, como razón práctica decantada a través de la experiencia humana y social" ("Las bases antropológicas del pensamiento de Gracián", en *Baltasar Gracián en su tercer centenario...,* cit., págs. 403-445; la cita es de las págs. 414-415). Cfr.: Klaus Heger, *Baltasar Gracián. Estilo y doctrina,* cit., págs. 19-30.

pensar en los caballeros andantes que caminan tras un ideal propuesto o en los místicos que se esfuerzan en vencer los obstáculos de su camino de perfección. Si el pícaro, mozo de muchos amos, ha de reducir su visión a un aspecto parcial y desde abajo, desde su miseria, y su lucha por la vida será mezquina, limitada a subvenir a su precaria subsistencia, los caballeros han de verse precisados a vencer en singular batalla monstruos y endriagos, y los místicos deberán luchar denodadamente contra las tentaciones hermosísimas, del mismo modo que Critilo y Andrenio habrán de combatir hasta la muerte con unos y otras. Su victoria, la de los caballeros y la de los místicos, significa el vencimiento de lo abstracto sobre lo concreto, de lo general sobre lo particular, de la Moral sobre la vida, de lo ideal sobre lo real, justamente lo contrario de las limitadas aspiraciones que sostienen las andanzas del pícaro" [98].

El tema del desengaño, uno de los más grandes —con el de la soledad— que traspasan la literatura española, inunda por entero la obra toda de Gracián, como hemos dicho insistentemente, pero ninguno de sus libros en la misma medida que *El Criticón.* El rasgo más constante y caracterizador de Gracián es su actitud desengañada; todo en su obra actúa en función del desengaño: la vida es engaño, y sólo hay un medio de afrontarla que es desengañarse más y más. "Pero Gracián —dice Del Hoyo— traslada el desengaño, que por su origen debería conducir al ascetismo, a un campo mundano y social. No propone ascetismo, no se sale del mundo, sino que, por el contrario, trata de adentrarse en él, fortalecido con la milicia de la atención, de la advertencia, de la cautela. Este desengaño suyo, tan secular, posee un valor social y táctico, conduce a un arte de prudencia barroca. *El Criticón,* entre los libros de Gracián, es el que de modo más ostensible refleja su desengañada visión del mundo" [99].

Salinas, el gran amigo de Gracián y luego enemistado con él [100], advertía ya —quizás aguzado por la quiebra del antiguo afecto— que había "dos Gracianes"; que el Gracián que había compuesto *El Héroe* y *El Discreto* no era el mismo que había escrito *El Criticón,* aludiendo a su intensificada acritud, a su radical, casi feroz, agudeza crítica; y en cierto modo venía a descubrir las dos etapas de Gracián que la crítica moderna ha profundizado. Hay, evidentemente, un salto entre las dos al que pudo contribuir el natural ascenso a la prudencia desengañada, propia del último estadio de la vida, según el propio Gracián había definido, y sus repetidos fracasos sociales que le reducen a un mundo cada día más estrecho. Todo lo cual hubo de producirle esa sacudida espiritual que explica *El Criticón.* El "primer" Gracián, como dice

[98] *Baltasar Gracián...,* cit., pág. 194.

[99] *Vida y obra...,* cit., págs. CLXXXIII-CLXXXIV.

[100] Cfr.: M. Romera-Navarro, "Amistad y rompimiento con Salinas", en *Cuestiones gracianas* cit., reproducido en *Estudios sobre Gracián,* cit.

Del Hoyo, dentro de su singularidad, con toda su sagacidad de escritor político y moralista, no se sale del marco general de su tiempo, "pero el autor de *El Criticón* no tiene semejanza posible. Con *El Criticón* pasó a la vanguardia de una clase de escritores que vendrían después. La clase que, en Francia, tuvo por adelantado a Montaigne. El segundo Gracián es el primer intelectual español moderno, el primer no conformista, un crítico insobornable del alrededor, sin compromiso con nadie. Llegó a esa posición, con su bagaje prudencial, por rechazo, solo. Sintió su soledad como brutal desgajamiento. Mas no sucumbió en la soledad. Al guante de la sociedad respondió con *El Criticón*: representación de la vida y de la sociedad, o modo de representarla, que inaugura toda una serie europea, cuyos ejemplos máximos son *Gulliver, Robinson Crusoe, Candide*" [101].

Hemos aludido arriba a ciertos puntos de contacto con el *Quijote* que pueden advertirse en *El Criticón*. Gracián nunca menciona a Cervantes, y, sin embargo, "hay una línea cervantina" en Gracián. En algunos pasajes de sus libros alude manifiestamente al *Quijote* —siempre sin nombrarlo— en tono despectivo; para él, en las andanzas del caballero no había sino "ridícula hazañería", pese a lo cual, según piensa Aranguren, o precisamente por ello, le emula ahincadamente y trata de vencerle, restableciendo el ideal del *héroe* en el sentido plenario de la expresión, es decir, del Caballero que triunfa realmente, en contraste con don Quijote, que no es héroe de auténticas hazañas, sino objeto de burlas; quiere decirse que Gracián no comprendió en absoluto que el heroísmo de don Quijote radica en su interioridad, en su ánimo esforzado. Y semejante incomprensión señala la distancia que separa a Cervantes de Gracián, aun con toda la grandeza de éste.

Gracián —sigue diciendo Aranguren— se propuso "hacer a sus personajes, el Discreto, el Héroe, el Político, Critilo, discretos y no locos, como don Quijote, y también más ingeniosos que quien, por antonomasia y desde el título mismo, fue llamado *el ingenioso hidalgo*" [102], en busca siempre de un símbolo absoluto de la vida toda del hombre. Pero "estos dos personajes, don Quijote y Sancho, empiezan por ser reales y, por eso mismo, pueden llegar a ser simbólicos. Pero los dos personajes de Gracián, Andrenio y Critilo, empiezan y terminan siendo nada más que descarnadas alegorías que ni viven, ni de verdad se mueven ni mucho menos conmueven. Gracián intentó de una manera propositiva, deliberada, racionalista, escribir una novela simbólica y, naturalmente, no lo consiguió. La gran obra de arte ha de tener siempre un *sentido* pero no puede tener nunca un *fin*" [103]. Con sus procedimientos de esquematizador cerebralismo y su radical desengaño de todo lo existente, Gracián suprime

[101] *Vida y obra...*, cit., pág. CLXXXVI.

[102] "La moral de Gracián", cit., pág. 349.

[103] Ídem, íd.

uno de los dos planos fundamentales del *Quijote*, el de la realidad, "para emitir urgentemente un juicio negativo de *valor* sobre él" y demostrarnos que la realidad no es sino ilusión, engaño, nada; "empobrece así los hombres y las cosas, reduce su estatura, empequeñece lo real, lo corroe y nihilifica. No, Gracián, aunque lo haya pretendido, no es un émulo de Cervantes" [104].

Así se llega a esa luminosa, brillante, pero árida y polar alegorización que representa la obra de Gracián, una obra de la que todo lirismo está excluido "No es sólo —dice Aranguren— que no haya ninguna poesía incluida en sus libros; es que —y esto es mucho más grave— no hay ninguna poesía en su prosa. Las descripciones gracianas carecen de intuición y la apoyatura figurativa que su prosa requiere es proporcionada por los barrocos *emblemas* y las barrocas *empresas*. Sus relatos nunca son vistos por el lector, ni menos vividos, sino meramente contados por el autor" [105]. "No veía Gracián el mundo lisa y llanamente —dice por su parte Correa Calderón—, como un novelista, sino cerebralmente, a través del cristal esmerilado de su raciocinio. El mismo paisaje pierde sus calidades naturales para ser un fondo espectral de sus especulaciones, y alegoría él mismo. Apenas hay en sus obras alusión alguna a la naturaleza vivida, vista cuando menos, si no es como símbolo, asociado a una idea" [106].

Es probable que este esquematismo, cerebralismo y frialdad del mundo literario gracianesco no sea aún lo más cuestionable de su obra, sino la sospecha de que no fue más que *literario*. "Su filosofía es en la elaboración concreta —dice taxativamente Aranguren— mera filosofía de acepciones, de juegos de palabras" [107]; y en otro pasaje: "su actitud personal fue fundamentalmente literaria" [108]. Con idéntica precisión se expresa Vossler: "La desdicha terrena es, para él, más que un problema filosófico un tema literario, y las miserias y vicios de su época y de su pueblo apenas si le mueven a formular verdaderos proyectos de reforma, sino que los estima, más bien, como una excelente ocasión para desparramar sobre todo ello la sal de su agudeza, de sus ocurrencias y metáforas. Cuando, por ejemplo, exclama: '¿Cuál puede ser una vida que comienza entre los gritos de la madre que la da, y los lloros del hijo que la recibe?', todo oído con experiencia estilística percibe enseguida la contraposición de 'gritos' y 'lloros', 'madre' e 'hijo', 'dar' y 'recibir', y uno apenas si puede resistir la impresión de que aquí la tendencia a jugar con las palabras es más fuerte que la melancolía" [109].

---

[104] Ídem, íd., pág. 350.

[105] Ídem, íd., pág. 353.

[106] *Baltasar Gracián...*, cit., págs. 188-189.

[107] "La moral de Gracián", cit., pág. 353.

[108] Ídem, íd., pág. 351.

[109] Carlos Vossler, *Introducción a la literatura española del Siglo de Oro*, Buenos Aires, 1945, pág. 140. Cfr. Edward Sarmiento, "Une note sur le *Criticón* et *l'Éclésiastès*", en *Bulletin Hispanique*, XXXIV, 1932, pág. 150. Del mismo, "A preliminary survey of Gracián's *Criticón*", en *Philological Quarterly*, Iowa, julio, 1933. Dorothy Mc Ghee, "Vol-

"El Comulgatorio". *El Comulgatorio* es la única obra religiosa de Gracián. Fue publicada en Zaragoza en 1655 y dedicado a doña Elvira Ponce de León, marquesa de Valdueza, camarera mayor de la reina. El libro fue sometido a la censura de la Compañía y salía con todas las debidas licencias; y con el nombre verdadero de su autor: "El Padre Baltasar Gracián, de la Compañía de Jesús, Letor de Escritura". Era, pues, la única vez en que Gracián había cumplido todos los requisitos exigidos por su Orden.

En el inicio de unas palabras dirigidas "Al letor", escribe Gracián: "Entre varios libros que se me han prohijado, éste sólo reconozco por mío, digo legítimo..." [110]. Con el adjetivo "legítimo" trataba, sin duda, de decir que era aquél el único que de veras correspondía a su condición de religioso, sutil e hipócrita manera (¿no llaman a esto los teólogos *restrictio mentis*?) de admitir y negar a un tiempo, con mezcla de cinismo y de cautela, la paternidad de los otros libros. Y he aquí aun lo más curioso: unas líneas más arriba de lo transcrito, en la breve dedicatoria a la marquesa, dice: "Émulo grande es este pequeño libro de la mucha cabida que hallaron en el agrado de V. Excelencia *El Héroe, El Discreto* y *El Oráculo*, con otros sus hermanos" [111]. Con lo

taire's *Candide* and Gracián's *El Criticón*", en *PMLA*, LII, 1937, págs. 778-784. M. Romera-Navarro, "Citas bíblicas en *El Criticón*", en *Hispanic Review*, I, 1933, págs. 323-334. Del mismo, "Reminiscencias de Boccalini y Botero en *El Criticón*", en *Bulletin Hispanique*, XXXVI, 1934, págs. 149-158. Del mismo, "Góngora, Quevedo y algunos literatos más en *El Criticón*", en *Revista de Filología Española*, XXI, 1934, págs. 248-273. Del mismo, "Autores latinos en *El Criticón*", en *Hispanic Review*, II, 1934, págs. 103-133. Del mismo, "Una página curiosa de *El Criticón*", en *Hispanic Review*, IV, 1936, págs. 367-371. Del mismo, "Evolución de la crítica sobre *El Criticón*", en *Hispanic Review*, V, 1937, páginas 140-150. Del mismo, "Las alegorías de *El Criticón*", en *Hispanic Review*, IX, 1941, págs. 151-175. Del mismo, edición crítica, comentada, de *El Criticón*, 3 vols., London, Oxford, University Press, 1938-1940. José Manuel Blecua, "El estilo de Gracián en *El Criticón*", en *Archivo de Filología Aragonesa*, I, 1945, págs. 7-32. Fernando Lázaro Carreter, "Libro verde en *El Criticón*, de Baltasar Gracián", en *Revista de Filología Española*, XXXVII, 1954, págs. 216-225. Francisco Maldonado de Guevara, "El ocaso de los héroes en *El Criticón*", en su libro *Cinco salvaciones*, Madrid, 1953, págs. 65-102. Norberto Cuesta Dutari, "Para un texto más correcto de *El Criticón*", en *Boletín de la Biblioteca Menéndez y Pelayo*, XXX, 1955, págs. 19-50. P. J. Waley, "Giambattista Marino and Gracián's Falsirena", en *Bulletin of Hispanic Studies*, Liverpool, XXXIV, 1957, págs. 169-171. P. Miguel Batllori, S. I., "Alegoría y símbolo en Baltasar Gracián", en *Umanesimo e simbolismo. Atti del IV Convegno internazionale di studi umanistici*, Venecia, 1958, págs. 247-250. Otis H. Green, "Sobre el significado de *crisi* antes de *El Criticón*", en *Homenaje a Gracián*, cit. Francisco Ynduráin, "Gracián, un estilo", en *Homenaje a Gracián*, cit. Mariano Baquero Goyanes, "Perspectivismo y sátira en *El Criticón*", en *Homenaje a Gracián*", cit. Enrique Moreno Báez, *Filosofía del 'Criticón'*, Santiago de Compostela, 1959. L. B. Walton, "Two allegorical journeys: a comparison between Bunyan's *Pilgrim's Progress* and Gracián's *El Criticón*", en *Bulletin of Hispanic Studies*, XXXVI, 1959, págs. 28-36. V. García Arroyo, "El pensamiento educativo de Gracián en *El Criticón*", en *Revista Calasancia*, Madrid, VI, 1960, págs. 19-45.

[110] Edición Del Hoyo, cit., pág. 1.016.

[111] Ídem, íd., pág. 1.015.

que venía a proclamar no sin descaro lo que iba a negar inmediatamente después (parece que no puede discutirse que era hombre de mucha trastienda este Gracián); sin embargo, sus superiores no tomaron providencia alguna ni le tacharon aquel enredo con el que, de hecho, estaba haciéndoles burla. Digamos finalmente que, en la dedicatoria mencionada, le dice a la marquesa que al ofrecerle el libro a ella, camarera de Su Majestad, "facilítase también la felicidad de pasar inmediatamente de manos de V. Exc. a los ojos reales..." [112], confesión que confirma las pretensiones áulicas de Gracián, no adormecidas ni por el tiempo ni por los fracasos.

Consiste *El Comulgatorio* en un breve devocionario, compuesto de cincuenta meditaciones para prepararse, comulgar y dar gracias. Cada una de aquéllas está dividida en cuatro puntos, destinados el primero a la preparación, el segundo a la Comunión, el tercero a sacar provecho de ella y el cuarto a dar las gracias. A su vez, cada uno de estos puntos se divide en dos partes: una, que expone el ejemplo bíblico escogido, y otra para las deducciones ascéticas de los hechos expuestos. Todo, como se ve, rigurosamente estructurado, como debido a escritor de férrea disciplina intelectual.

"El estilo es el que pide el tiempo", dice el autor en las palabras "Al letor", lo que quiere decir que no anda desprovisto de agudezas, aunque es cierto que moderadas. Gracián sabía que la Compañía estaba en contra de todo conceptismo, preocupada siempre por una predicación "fructuosa". Gracián, como recuerda Del Hoyo, no estaba en contra de esta "fructuosidad", puesto que todas sus obras, aunque conceptistas, buscaban el provecho intelectual con su apretada condensación de doctrina. Pero tememos que aquí se juega un poco con las palabras. Quienes pedían que las obras de piedad fuesen "fructuosas" querían dar a entender que habían de ser asequibles a todo fiel, aun al menos letrado, y la excelencia de la forma nunca debía dificultar su comprensión; Gracián deseaba comunicar su experiencia, ciertamente, pero sólo al hombre selecto, como dice cien veces en sus obras. Su conceptismo, "fructuoso" en cuanto a rico en doctrina, no hubiera sido nunca adecuado para la predicación; de aquí que, tratando de evitar dificultades para la aprobación que deseaba, lo modere.

Romera-Navarro sugiere la posibilidad de que *El Comulgatorio* hubiera sido formado por *trozos selectos* de sermones predicados por Gracián, a juzgar, dice, por la diferencia existente entre éste y sus restantes libros. En *El Comulgatorio,* el estilo concede bastante, tanto como al conceptismo, a las galas ampulosas, floridas y culteranas de los predicadores de la época.

El Comulgatorio gozó de gran estima dentro y fuera de España durante mucho tiempo. Correa Calderón anota 24 ediciones entre originales y traducidas, sólo hasta finales del pasado siglo [113].

---

[112] Ídem, íd., pág. 1.016.

[113] Cfr.: Francisco de Paula Ferrer, "El Comulgatorio", en *Baltasar Gracián... Curso monográfico...*, cit., págs. 29-54. Casimiro Torres, "*El Comulgatorio* dentro de la vida

Gracián, teorizador de la agudeza. En febrero de 1642 publicó Gracián la primera edición de su *Arte de Ingenio,* a nombre de Lorenzo Gracián pero con la aprobación, como vimos, del Padre Juan Bautista Dávila, de los Estudios Reales de Madrid. El *Arte de Ingenio* fue reeditado en 1648. Lastanosa en la advertencia a los lectores que antepuso a *El Discreto,* dijo que el *Arte* de Gracián había contentado tanto a un genovés que éste lo había traducido al italiano; palabras dichas contra Matteo Pellegrini, que había publicado un estudio titulado *Delle Acutezze,* y a quien Lastanosa pretendía acusar de plagio. En realidad Pellegrini había publicado su libro por primera vez en 1639; por lo que, conocedor de la acusación, replicó en *I fonti dell'ingegno,* acusando a su vez de plagiario a Gracián. Pero ni uno ni otro se *tradujeron* ni *plagiaron* en realidad, como afirma Del Hoyo, pues "si Pellegrini hace una análisis de la agudeza, en él hay mucho de censura de su uso; en Gracián, por el contrario, la agudeza es exaltada como máximo recurso literario" [114].

Gracián reelaboró y amplió después su *Arte de Ingenio* —única de sus obras sometidas a semejante revisión— transformándolo en un nuevo libro: *Agudeza y Arte de Ingenio. En que se explican todos los modos y diferencias de concetos, con exemplares escogidos de todo lo más bien dicho, así santo como humano.* La diferencia entre ambas versiones no es de doctrina, idéntica en ambas, sino que afecta a la distinta redacción de algunos capítulos, aumento de su número, adición de un "Tratado de los estilos", y ampliación muy considerable de los ejemplos, sobre todo con los epigramas de Marcial [115], traducidos por el canónigo Salinas. La obra vio la luz en 1648.

A diferencia de sus otros libros, la *Agudeza* muestra una tal frondosidad de partes y una tan retorcida arquitectura, que resulta difícil esquematizar las líneas esenciales de la exposición; quizá nos atreveríamos a decir que en la misma mente de Gracián no poseyó su libro una estructura de particular solidez. Gracián pretende demostrar que la *agudeza* es el alma y la sal de toda elocución, es decir, una preciosa y rara excelencia mediante la cual el concepto, fruto y sustancia del lenguaje, puede brillar en todo su esplendor y adquirir su completa eficacia. (Aclaremos, sin embargo, que Gracián no logra dar una definición precisa y concreta de la agudeza, sino que procede a su asedio mediante tanteos, y al cabo no consigue el lector acrecentar sobre este punto su saber o intuición inicial).

Gracián divide la agudeza en múltiples especies, cada una de las cuales es explicada y comentada sobre un texto oportuno. Pero el autor ha espigado y glosado tantas agudezas y de tonos tan diferentes, que nos parece imposible

de Gracián", en *Boletín de la Universidad Compostelana,* Santiago de Compostela, 1955, págs. 319-334.

[114] *Vida y obra...,* cit., pág. CLXI.

[115] Cfr.: A. Giulian, *Martial and the Epigram in Spain in the XVIth and XVIIth Centuries,* Philadelphia, 1930. S. Parga y Pondal, "Marcial en la preceptiva de Gracián", en *Revista de Archivos, Bibliotecas y Museos,* X, 1930, págs. 219-247.

sistematizar una doctrina; en realidad, se trata del desfile de un variadísimo muestrario literario que va siendo examinado bajo el aspecto de lo agudo, pero en forma casuística y anecdótica. Permítasenos un ejemplo para aclarar lo que queremos decir: es como si asistiéramos a un desfile de hermosas mujeres, y se nos explicara en qué consiste concretamente la hermosura de cada una. Al autor (perdón por la *boutade*) "le gustan todas", es decir, se entusiasma allí donde descubre una agudeza de cualquier género, que en muchas ocasiones no pasa de ser lisa y llanamente una ingeniosidad; y las encuentra en todas partes: en escritores contemporáneos o de la Edad Media, populares o cultos, españoles o extranjeros, grecolatinos o romances, y lo que es más sorprendente: conceptistas o culteranos. Gracián se esfuerza por declarar su desprecio a la belleza de las meras palabras, que asimila a la efímera hojarasca, y ostentar su admiración por los conceptos, que son los frutos dulces y sabrosos. Resulta, sin embargo, que luego trae a examen, para ponderarlas, muchas composiciones de los culteranos más extremados, porque su agudeza metafórica y verbal, sus juegos poéticos, le gustan por lo ingeniosos y quedan asimilados en su mente a las agudezas más rabiosamente conceptistas. Lo cual vendría a demostrar —una vez más— lo incierto de los límites que separan los campos literarios del barroco, pero también un poco lo fluctuante y poco sólido del pensamiento literario de Gracián.

El padre Batllori dice que la *Agudeza* se ha calificado erróneamente de *retórica del conceptismo*: "hablando con exactitud —dice— no es una retórica" [116]. Nosotros diríamos que no lo es, ni del conceptismo ni de cosa alguna, porque carece totalmente de rigor normativo. Lo cual puede paliarse en honor de Gracián, creemos, diciendo que sus ideas literarias son absolutamente eclécticas, con una sola excepción: su adoración por la agudeza; pero en la estimación de sus especies era igualmente ecléctico también.

Probablemente, el defecto mayor del libro de Gracián —ya señalado por Menéndez y Pelayo [117] y repetido por otros muchos— consiste en haber reducido a una sola todas las cualidades del estilo y considerado a la agudeza como la única fuente del placer estético; o como —glosando, en realidad, a Menéndez y Pelayo— dice Correa Calderón: "El defecto esencial de su obra radica en que Gracián ve la poesía anterior o contemporánea a él a través del cristal parcialísimo de su temperamento, de su segunda naturaleza, de su firmísima afición conceptista... Valuará la excelencia y belleza de un soneto, de una estrofa, de un dicho o apotegma en relación del artificio e ingeniosidad con que

---

116 P. Miguel Batllori, S. I., "Gracián y la retórica barroca en España", en *Retorica e Barocco. Atti del III Congresso Internazionale di Studi Umanistici,* Roma, 1955, págs. 27-32 (la cita es de la pág. 31).

117 Cfr.: *Historia de las ideas estéticas en España,* ed. nacional, Santander, 1940, 2.º vol., págs. 354-359.

estén expresados. Los virtuosismos preceptivos tendrán validez en tanto sirvan de apoyatura al juego del ingenio o del pensamiento"[118].

La *Agudeza* es, sin embargo, inapreciable como ejemplario, es decir, como antología de la agudeza y del ingenio; no exactamente como antología del conceptismo, según afirma Del Hoyo[119], pues, según hemos dicho, Gracián cosecha agudezas en cualquier campo que las produzca: el mismo Del Hoyo subraya a renglón seguido que la antología de Gracián sobresale por su variedad en asuntos, en lenguas y en edades. Nos parece acertada, en cambio, la opinión de Curtius, que ha destacado la tarea de Gracián por haber sido el primero en valorar la agudeza como fenómeno de conjunto y sobre todo por haberla situado exactamente dentro de nuestras tradiciones literarias. "Gracián —dice concretamente— nos dio una *summa* de la agudeza. Fue ésta una proeza nacional; la tradición española, desde Marcial hasta Góngora, quedó así integrada a una perspectiva universal"[120].

GRACIÁN Y LA POSTERIDAD

"La suerte de Gracián en la cultura europea es uno de los grandes capítulos de la española y de su influencia en el mundo"[121]. Lo que no obsta para que la obra del jesuita aragonés haya conocido su época de oscuridad o incluso de agresivo menosprecio, suerte común a todos los escritores del barroco. Téngase presente que Gracián pertenece a un momento literario que muere con él, y es sustituido por otro de tendencias opuestas; su estrecha vinculación al conceptismo le convierte enseguida, durante el siglo neoclásico y aún a lo largo de todo el período romántico, en paradigma de los excesos que era for-

---

118 *Baltasar Gracián...*, cit., págs. 154-155.

119 *Vida y obra...*, cit., pág. CLXVI.

120 Ernst Robert Curtius, *Literatura europea y Edad Media latina*, México, vol. I, 1955, pág. 422 (citado por Del Hoyo, pág. CLVII). Cfr.: Benedetto Croce, "I trattatisti italiani del Concettismo e Baltasar Gracián", en *Problemi di Estetica e Contributi alla storia dell'Estetica italiana. Saggi Filosofici*, I, Bari, 1910. Edward Sarmiento, "Gracián's *Agudeza y Arte de ingenio*", en *Modern Language Review*, XXVII, 1932, págs. 280-292 y 420-429. Del mismo, "On two criticisms of Gracián's *Agudeza*", en *Hispanic Review*, III, 1935, págs. 23-35. Del mismo, "Clasificación de algunos pasajes capitales para la estética de Baltasar Gracián", en *Bulletin Hispanique*, XXXVII, 1935, págs. 27-56. E. Correa Calderón, "Sobre Gracián y su *Agudeza y arte de ingenio*", en *Revista de ideas estéticas*, Madrid, 1944, págs. 73-87. Vittorio Borghini, *Baldassar Gracián scritore morale e teorico del concettismo*, Milano, 1947. T. E. May, "An Interpretation of Gracián's *Agudeza*", en *Hispanic Review*, XVI, 1948, núm. 3, págs. 275-300. Del mismo, "Gracián's Idea of Concepto", en *Hispanic Review*, XVIII, 1950, págs. 15-41. Pablo González Casanova, "Verdad y agudeza de Gracián", en *Cuadernos Americanos*, México, 1953, núm. 4, págs. 143-160. Francisco Maldonado de Guevara, "Del ingenium de Cervantes al de Gracián", en *Revista de Estudios Políticos*, Madrid, núm. 100, agosto, 1958, págs. 147-164.

121 Del Hoyo, *Vida y obra...*, cit., pág. CXCVII.

zoso desterrar. Hay que aguardar, por tanto, un nuevo giro del péndulo literario para que pueda producirse el movimiento reivindicador, que comienza efectivamente a mediados del siglo XIX y, como en tantas otras ocasiones, gracias al entusiasmo provocado en países extranjeros. Los famosos filósofos alemanes Schopenhauer y Nietzsche son en este caso los modernos descubridores de Gracián; la atención que le prestan los hombres del 98 dispone el ambiente, y en los primeros años de este siglo comienzan los estudios de los grandes hispanistas —Farinelli, Croce, Coster, Morel-Fatio—, a los que vienen a sumarse más tarde notables gracianistas españoles —Ricardo del Arco, Ferrari, el padre Batllori, Romera-Navarro, Correa Calderón, Arturo del Hoyo y otros muchos—, todos ellos repetidamente citados en las páginas precedentes.

El aludido período de oscuridad o de controversia no fue obstáculo, sin embargo, para que Gracián llevara a cabo la aventura de su penetración en los países europeos. En 1655 un viajero flamenco, Aarsens de Sommerdyck, que firmaba con el seudónimo de Antoine de Brunel, al llegar a Calatayud recuerda —y lo consigna en el relato de su viaje— que aquélla es la patria de Gracián, de cuyas obras esboza un elogioso juicio. El interés que entonces provocaba en toda Europa la política española, durante la coyuntura de la Guerra de los Treinta Años y la rebelión de Cataluña, unida temporalmente a Francia, favorecía la atención hacia los escritores españoles, especialmente políticos y moralistas, como es el caso de Gracián. Ya en 1645 aparece en París la traducción de *El Héroe,* hecha por Nicolás Gervaise —médico de la guarnición de Perpignan—, que distrae así sus largos ocios; y aunque la versión resultó muy imperfecta, sirvió para iniciar la difusión de Gracián fuera de España.

En 1684, también en París, se publicó la primera traducción francesa del *Oráculo manual y arte de prudencia,* con el título de *L'Homme de Cour* debida a Nicolás Amelot de Houssaie, diplomático y escritor político. Esta traducción obtuvo un éxito extraordinario y contribuyó decididamente al conocimiento de Gracián por toda Europa, proponiéndole como un profundo pensador político y un clásico de la prosa. Amelot de la Houssaie no solamente fue traductor de Gracián sino que se asimiló su estilo e ideas, que llevó sobre todo a los comentarios de su versión de Tácito.

El influjo de Gracián fue particularmente profundo en los grandes moralistas franceses de la segunda mitad del siglo XVII: Madame de Sablé, La Rochefoucauld y La Bruyère; en particular las *Máximas* de la primera son en muchas ocasiones meras traducciones o imitaciones de aforismos de Gracián. Otros moralistas menores acusan igualmente la huella de Gracián, tales como el autor de los *Conseils au Comte de Saint-Alban,* el caballero de Méré y Le Maître de Claville.

Las mismas discusiones surgidas en Francia en torno a las modalidades estilísticas de Gracián favorecieron al cabo su renombre. Claude Lancelot, que publicó en 1660 un nuevo método para el estudio del español, consideraba a Gracián como representante de una modernidad estilística censurable; y lo mismo hizo el jesuita Dominique Bouhours en sus *Entretiens d'Artiste et Eugène* (1671). Pero salió en defensa de Gracián Amelot de la Houssaie en su mencionada traducción del *Oráculo,* y hasta el mismo Bouhours, que reprochaba el excesivo conceptismo del aragonés, acabó por proclamar las excelencias de sus libros.

Dentro ya del siglo XVIII el padre José de Courbeville tradujo al francés casi toda la obra de Gracián y emprendió los que pueden calificarse de primeros comentarios científicos del escritor español[122].

En Inglaterra la difusión del *Lazarillo* y del *Buscón* y sobre todo de las *Novelas Ejemplares* y del *Quijote* había preparado el interés para todo género de literatura española. Del Hoyo hace hincapié además en la gran difusión que había adquirido en Inglaterra el gusto por el emblematismo, lo que ayudó consecuentemente a la inmediata aceptación que *El Criticón* tuvo en el país. "Si a esto se añade —escribe Del Hoyo— que *El Criticón* podría parecer un eco barroco y moral del *Pilgrim's Progress,* de John Bunyan, no extrañará que la primera traducción europea de *El Criticón* se hiciera en Inglaterra". El traductor de esta primera versión inglesa fue Paul Rycaut, buen conocedor del español por haber estudiado en Alcalá.

También en Italia los libros de Gracián fueron muy pronto traducidos. En 1679 lo fue el *Oráculo manual,* en versión anónima, y en 1698 el abate Francesco Tosques hizo una nueva, basándose en la francesa de Amelot de la Houssaie, que fue varias veces reeditada durante la primera mitad del siglo XVIII. El libro más popular de Gracián en Italia fue, sin embargo, la *Agudeza y arte de ingenio,* aunque no se tradujo al italiano ni a ninguna otra lengua, no ya por la dificultad que ofrecía en sí mismo el texto, sino sobre todo por la multitud de ejemplos incluidos, de muy difícil traducción e inútiles casi siempre para su objeto si se sacan de su forma original. La difusión de la *Agudeza* se explica sobre todo por la paridad con el español del proceso literario italiano; el conceptismo, muy difundido allí, fue tema predilecto de los tratadistas italianos del siglo XVIII, que en general lo condenaron. En 1646 Emmanuele Tesauro publicó una adaptación de la *Agudeza,* que alcanzó ocho ediciones en veinte años y difundió por Italia las doctrinas de Gracián[123].

Entre los más famosos devotos de Gracián durante el siglo XVIII hay que mencionar a Voltaire; eran espíritus afines en muchos aspectos, salvadas las diferencias a que les llevaba el distinto espíritu de sus siglos respectivos: "no

---

[122] Cfr.: G. Lanson, "Études sur les rapports de la littérature française et de la littérature espagnole au XVIIe siècle", I, en *Revue d'Histoire de la Littérature de la France,* III, 1896. José María de Acosta, "Traductores franceses de Gracián", en *El Consultor Bibliográfico,* Barcelona, año II, núm. 9, abril, 1926, págs. 281-286. Jean Sarrailh, "Note sur Gracián en France", en *Bulletin Hispanique,* XXXIX, 1937, págs. 246-252. Pierre Mesnard, "Balthazar Gracián devant la conscience française", en *Baltasar Gracián en su tercer centenario*..., cit., págs. 355-378.

[123] Cfr.: Benedetto Croce, *I trattatisti italiani*..., cit.

hay duda de que el *Candide,* de Voltaire, ofrece grandes semejanzas, pese a las inevitables diferencias de intención, con *El Criticón,* de Gracián. Candide y Andrenio son siempre ingenuos, en tanto que sus compañeros y mentores, Martín y Critilo, son hombres de experiencia y realidad. Los esquemas generales de ambas obras muestran cierto paralelismo, si bien sus propósitos finales sean divergentes, a causa del escolasticismo de Gracián y el filosofismo de Voltaire" [124].

Maldonado de Guevara ha señalado la aportación de *El Criticón* a la novela moderna con su fusión de lo ficticio y lo provechoso, del deleite y el contenido moral o crítico. "Así como del *Guzmán de Alfarache* —escribe—, tanto o más que del *Lazarillo,* procede la novela picaresca europea, o sea, la primera novela burguesa, así también de *El Criticón* procede toda la novela pedagógica: el *Telémaco,* de Fenelón, y las *Aventuras del joven Anacarsis,* de Saint-Barthélemy, y, a la larga, las novelas educativas de Rousseau y de Goethe" [125].

Pero la boga de Gracián en los últimos cien años debe su impulso a los juicios laudatorios del alemán Schopenhauer, que lo leyó y comentó con pasión; más que darlo a conocer a Europa, donde, como hemos visto, gozó de considerable estima y largo influjo, fue en nuestro mismo país donde las palabras del filósofo alemán, que obtuvieron gran resonancia, permitieron redescubrir al gran escritor barroco. Schopenhauer publicó en 1861 su traducción del *Oráculo manual* con el título de *Hand-Orakel,* es decir, respetando a la letra el título español en lugar de extraer su contenido cortesano como había hecho Amelot de la Houssaie; y esta versión fue reeditada varias veces en el último tercio del siglo. Schopenhauer habla en muchas ocasiones, a lo largo de sus obras, de su *amado Gracián,* citándole a veces ampliamente, y en carta a Keil —mucho antes de su traducción del *Oráculo*— decía que *El Criticón* era para él uno de los mejores libros del mundo. Esta admiración y la comunidad de su amargo pesimismo, hacen pensar generalmente en una gran influencia doctrinal de Gracián sobre Schopenhauer, pero es lo cierto que se diferencian profundamente: "El pesimismo de Gracián —dice Pfandl en un pasaje recordado por Correa— si bien tiene el defecto de la subjetividad y de la generalización, no es guiado, como el de Schopenhauer, por ideas abstractas, sino absolutamente concretas. El mundo no es para él un producto intelectual de la voluntad y de la representación, sino la suma tangible de la caducidad terrena y de la tontería y de la maldad humana. Para Schopenhauer, en la vida sólo existe un refugio de la felicidad y el contento, a saber, la contemplación de las ideas, pero la total liberación del mundo conduce al suicidio. En Gracián la felicidad terrena, si es que puede hablarse de ella, consiste en el prefecciona-

[124] Del Hoyo, *Vida y obra...,* cit., pág. CCIV.

[125] Francisco Maldonado de Guevara, "La teoría de los géneros literarios y la constitución de la novela moderna", en *Estudios dedicados a Menéndez Pidal,* vol. III, Madrid, 1952, pág. 319 (citado por Del Hoyo, en *Vida...,* pág. CCIV).

miento de la personalidad y en el trato con un pequeño círculo de escogidos, apartándose del vulgo; la segura perfección del más allá constituye el contrapeso de la insuficiencia terrena. Este considerar las cosas *sub specie aeternitatis* y la perspectiva de ver desatadas en la otra vida todas las ligaduras de ésta, ahorran a la filosofía de Gracián el conflicto con la ética, que tan fatal había de ser para los sistemas de Schopenhauer y Hartmann" [126].

En las últimas décadas —después que Azorín calificó a Gracián en 1902 de "Nietzsche español"— se ha discutido largamente si existen o no en el autor del *Zaratustra* influjos gracianescos. Las últimas opiniones parecen convenir en que si se dan entre ambos escritores puntos de contacto, se debe más al parentesco de los genios que a influencia directa: "De modo general —dice Correa—, puede afirmarse que uno proyecta su pensamiento a los grandes problemas de la filosofía, en tanto el otro se limita a discernir los temas de la psicología y de la moral humanas. Nietzsche puso en práctica con más intensidad la introspección que la observación externa" [127].

SAAVEDRA FAJARDO

DATOS BIOGRÁFICOS

La pléyade de prosistas barrocos, capitaneada de modo incuestionable por Quevedo y Gracián, se completa con otra notable figura, mucho menor en rela-

[126] Ludwig Pfandl, *Historia de la literatura nacional...*, cit., págs. 613-614 (citado por Correa, *Baltasar Gracián...*, cit., pág. 313). Cfr.: Karl Borinski, *Gracián und die Hofliteratur in Deutschland,* Halle, 1894. Arturo Farinelli, "Gracián y la literatura de corte en Alemania", en *Ensayos y discursos de crítica literaria hispano-europea,* vol. II, Roma, 1925, págs. 443 y ss. A. Morel-Fatio, "Gracián interprété par Schopenhauer", en *Bulletin Hispanique,* XII, 1910, págs. 377-407. Adalbert Hamel, "Arturo Schopenhauer y la literatura española", en *Anales de la Facultad de Filosofía y Letras de la Universidad de Granada,* vol. II, 1925. Véase además el trabajo de Klaus Heger, "Genio e ingenio...", cit. en la nota 91.

[127] *Baltasar Gracián...*, cit., pág. 316. Cfr.: Victor Bouillier, "Baltasar Gracián et Nietzsche", en *Revue de Littérature Comparée,* París, VI, núm. 3, julio-septiembre, 1926, págs. 381-401. E. Mele, "Baltasar Gracián ed il Nietzsche", en *Nuova Cultura,* VII, 1928, págs. 206 y ss. Andrés Rouveyre, *El español Baltasar Gracián y Federico Nietzsche,* con dos Apéndices de Victor Bouillier, Madrid, s. a. Para la difusión de Gracián en otros países, cfr.: F. Oliver Brachfeld, "Note sur la fortune de Gracián en Hongrie", en *Bulletin Hispanique,* XXXIII, 1931, núm. 4, págs. 331--335. Sandor Baumgartem, "Baltasar Gracián en Hongrie", en *Revue de Littérature Comparée,* enero-marzo, 1936, págs. 40-44. J. A. van Praag, "Bibliografía de las traducciones neerlandesas de las obras de Baltasar Gracián", en *Hispanic Review,* VII, 1939, págs. 237-241. Carlos Clavería, "Nota sobre Gracián en Suecia", en *Hispanic Review,* XIX, 1951, págs. 341-343. Para un estudio de conjunto sobre la influencia de Gracián en las literaturas europeas, véase el libro de Ángel Ferrari, cit., *Fernando el Católico en Baltasar Gracián,* Madrid, 1945; y los capítulos correspondientes de las obras, repetidamente citadas, de Correa Calderón y Arturo del Hoyo.

ción con aquellas dos, pero también considerablemente valiosa: la del diplomático murciano don Diego de Saavedra Fajardo. Su producción no demasiado extensa ni abundante en títulos le sitúa entre los escritores políticos doblados de hombres de letras, condición a la que le conduce su cultura vastísima y su actividad como diplomático.

De familia ilustre y acaudalada, nació Saavedra Fajardo en la hacienda familiar próxima a Algezares, provincia de Murcia, y fue bautizado el seis de mayo de 1584. No se poseen noticias sobre su niñez y primeros estudios; se sabe, en cambio, que cursó Jurisprudencia y Cánones en la Universidad de Salamanca y que se graduó de Bachiller en abril de 1606; en diferentes documentos se le da el título de Licenciado, y Cascales lo llama Doctor, pero se desconoce en qué Universidad obtuvo tales títulos y aun si llegó a poseerlos realmente.

A los veintidós años —1606— fue Saavedra a Roma en calidad de familiar y notario de la cifra del cardenal don Gaspar de Borja, embajador de España en la corte pontificia, cargo que le permitió conocer a importantes personajes y penetrar tempranamente en los secretos de la diplomacia. Parece que en 1607, no cumplidos aún los veintitrés años, obtuvo Saavedra el hábito de Santiago, pero el hecho ha sido discutido, ya que la expedición de documentos y el acta de cruzamiento son de 1640. En julio de 1617 fue nombrado Saavedra canónigo de Santiago, aunque es casi seguro que nunca recibió órdenes mayores. Como el cargo de Roma le impedía ocupar su canonjía, obtuvo sucesivas dispensas prevalido de sus influencias en la curia, pero al cabo, ante las repetidas protestas del cabildo santiagués, hubo de renunciar al puesto. Hasta 1623 estuvo ocupado en los negocios de la embajada de Roma, y temporalmente en los del virreinato de Nápoles y Sicilia. En 1621 y 1623 asistió a los cónclaves en que fueron elegidos papas Gregorio XV y Urbano VIII; y a fines de este último año fue nombrado procurador y solicitador de Su Majestad en la corte romana. Seguía prestando estos servicios cuando en 1633 se le ordenó trasladarse a Milán para recoger sus credenciales de enviado a la corte de Alemania; dos años después se le otorgó el título de Consejero de Indias, cargo que no pudo ocupar hasta más tarde por hallarse entonces en Baviera. Actuó sucesivamente como Ministro de España en Ratisbona, donde asistió a la elección del emperador Fernando III como rey de romanos (1636), en una misión diplomática en Munich (1637), otra al condado de Borgoña (1638), al Franco Condado, a los Cantones Esguízaros, y nuevamente a Ratisbona para asistir a la Dieta general del Imperio. En 1640 se encontraba en Viena, y en 1643 estaba de regreso en España, donde tomó posesión de su puesto de Consejero de Indias. En junio de dicho año fue designado para el puesto de mayor relieve y trascendencia de su carrera diplomática, al ser escogido como uno de los plenipotenciarios que debían tratar en Münster de la paz general que pusiera término a la guerra llamada de los Treinta Años. Tres permaneció Saavedra en el Imperio ocupado en estas negociaciones, hasta que, cansado de tan largas y enojosas tareas y disgustado por la lentitud de los negocios y los recelos provocados contra él por sus émulos en la corte española, se retiró del Congreso y regresó a su patria en 1646. Fijó su residencia en Madrid, donde murió el 13 de agosto de 1648, a los sesenta y cuatro de su edad [128].

LA OBRA LITERARIA DE SAAVEDRA FAJARDO

Las primeras noticias literarias que se poseen del diplomático murciano pertenecen al campo de la poesía, aunque no era en ésta donde estaba llamado a destacar. Como autor de dos composiciones —una en latín y otra en castellano— figura entre los diversos poetas que colaboran en los preliminares del *Desengaño de Fortuna* del doctor don Gutierre Marqués de Careaga; por cierto que el epigrama latino es un elogio al famoso político don Rodrigo Calderón. Otro epigrama latino de Saavedra figura en las *Tablas poéticas* del también murciano Francisco Cascales; y con otras tres, igualmente latinas, y varias poesías castellanas colaboró en el volumen dedicado a la memoria de la reina Margarita de Austria, esposa de Felipe III, fallecida en 1612. La más extensa de estas composiciones castellanas la dedicó al conde de Castro, y en ella alude a su propósito de escribir un poema en honor de la casa de este noble. Con excepción del epigrama a Cascales —tributo de pura amistad—, la temprana actividad literaria de Saavedra nos lo muestra como un joven deseoso de atraer la atención de altos personajes que le podían favorecer, para lo cual, muy dentro de las costumbres de la época, se servía de la poesía con propósitos más utilitarios que estéticos.

Pero su producción posterior renunció por fortuna a este camino. Las obras literarias de Saavedra Fajardo son el resultado de su vocación política y diplo-

[128] Sobre la vida y actividad diplomática de Saavedra Fajardo, cfr.: Francisco García Prieto, estudio preliminar a su edición de la *República Literaria*, Madrid, 1788. Conde de Roche y José Pío Tejera, *Saavedra Fajardo, sus pensamientos, sus poesías, sus opúsculos, precedidos de un discurso preliminar crítico, biográfico y bibliográfico sobre la vida y obras del autor e ilustrados con notas, introducciones y una genealogía de la casa de Saavedra*, Madrid, 1884. Fernando Corradi, *Juicio acerca de Saavedra Fajardo y de sus obras. Discurso leído en la Real Academia de la Historia*, Madrid 1876. José María Ibáñez García, *Saavedra Fajardo. Estudio sobre su vida y sus obras*. Murcia, 1884. Manuel Fraga Iribarne, *Don Diego Saavedra Fajardo y la diplomacia de su época*, Murcia, 1956. Pastor Dómine, *Biografía popular de don Diego Saavedra Fajardo*, Murcia, 1956. F. Alemán Sáinz, *Saavedra Fajardo y otras vidas de Murcia*, Murcia, 1949. Otis H. Green, "Documentos y datos sobre la estancia de Saavedra Fajardo en Italia", en *Bulletin Hispanique*, XXXIX, 1937, págs. 367-374. Luis Quer y Boule, *La embajada de Saavedra Fajardo en Suiza: apuntes históricos, 1639-1642*, Madrid, 1931. Ángel González Palencia, "Estudio preliminar" a su edición de las *Obras Completas de Saavedra Fajardo*, Madrid, 1946. Puede hallarse un útil resumen en Vicente García de Diego, "Biografía" preliminar a su edición de la *República Literaria*, Clásicos Castellanos, Madrid, 1922; también en John C. Dowling, *El pensamiento político-filosófico de Saavedra Fajardo. Posturas del siglo XVII ante la decadencia y conservación de Monarquías*, Murcia, 1957, cap. primero.

mática; pese a lo cual, su primer libro es la *República Literaria*, escrita como un entretenimiento de juventud, aunque no fue publicada en vida del autor.

"República Literaria". La historia bibliográfica de este libro es algo complicada. Saavedra compuso la *República* en sus años mozos, probablemente en 1612; él mismo afirma en la dedicatoria al duque de San Lúcar: "Ése fue, señor, el primer parto de mi ingenio, delito de la jubentud, como se descubre en su libertad i atrevimiento" [129]. Luego dejó que la obra corriera manuscrita y anónima, hasta que al fin creyó oportuno corregir aquel texto corrompido por las sucesivas copias: "Dejéle peregrinar desconocido por España, para prueba dél y de mí, sin que en el afecto y lisonja de los amigos se pudiese engañar el amor propio, y, aunque fue bien recibido, volvió a mi presencia tan ultrajado de los que le avían copiado, que me obligó a formallo de nuevo, con tales contraseñas que se pareciese más a su padre. Pero ni esta diligencia me satisfizo; le tuve en las tinieblas de la pluma, sin permitille salir a la luz de la estampa, hasta que la mereciese otra obra de más juicio y de más utilidad pública, como creo son las *Empresas Políticas*. A sombra dellas y de la protección de V. Ex.ª sale en público..." [130].

Pero Saavedra murió sin ver cumplido su propósito de dar a la estampa la *República*, y en 1655 apareció bajo el título de *Juicio de artes y sciencias*, atribuida a un tal Claudio Antonio de Cabrera. En 1670 vio la luz una segunda edición con su auténtico nombre de *República Literaria* y a nombre ya de Saavedra Fajardo. Las ediciones se sucedieron —dos más en el siglo XVII y otras diez en el XVIII—; pero a finales de este último siglo, don Isidoro Bosarte publicó la versión primera de la *República* a nombre de N. de N., que él propuso identificar con Navarrete después de argumentar contra la paternidad de Saavedra. Ésta, sin embargo, está fuera de duda. Vicente García de Diego, basándose en un manuscrito de la Biblioteca Nacional de Madrid, que se supone autógrafo, ha publicado el texto de la versión definitiva de la *República* [131]. De todos modos, las diferencias de ambos textos no son muy profundas; apenas varía la extensión, pues se compensan las adiciones con las supresiones; se sustituyen algunos ejemplos y personajes; se suavizan determinados conceptos o la crudeza de ciertas burlas; se aligeran las disquisiciones demasiado largas; se introducen, en cambio, algunos episodios y se aumentan los nombres y citas eruditas. Las más notables variaciones, sin ser tampoco excesivas, son de carácter formal; en conjunto, el texto primero es más sobrio,

---

[129] Ed. García de Diego, cit., pág. 65.

[130] Ídem., íd.

[131] Es el que da en la edición citada de Clásicos Castellanos. Don Manuel Serrano y Sanz hizo una edición de la versión primera de la *República*, bajo el título de *El texto primitivo de la "República Literaria" de D. Diego de Saavedra y Fajardo*, Madrid, 1907. Otras ediciones de la *República* en las *Obras* de Saavedra de la BAE, vol. XXV, nueva ed., Madrid, 1947, y en las *Completas* de González Palencia, cit.

y el segundo se inclina más, por cierto prurito sentencioso, a la vertiente conceptista.

La *República Literaria* es un sueño o ficción alegórica, a la manera de Luciano o de la *República* de Platón, en que el autor es conducido a la república de las letras, una ciudad resplandeciente rodeada por un foso lleno de tinta. Un anciano, Varrón, se ofrece a acompañarle. El autor describe las miserias y discordias de los hombres de letras, la vida de artistas y científicos con sus hurtos y plagios, sus ridiculeces y manías, sus vacías y sutiles disquisiciones, la vanidad de los estudios arqueológicos, las argucias de los abogados, la impotencia de la medicina, los tópicos y convencionalismos de las obras literarias.

En conjunto, la *República* de Saavedra es una diatriba o, mejor, una festiva sátira contra la ciencia y el saber teórico, cuando son meros juegos de ingenio sin valor real. García de Diego ha puntualizado que la *República Literaria* no encierra tesis alguna ni contiene un positivo desprecio por el saber, cosa inconcebible en mente tan cultivada como la del político murciano; no hay en la obra, dice, escepticismo filosófico ni cínico desdén por el conocimiento, sino tan sólo decepción ante la ineficacia de la ciencia, desengaño al comparar sus pretensiones desmedidas con sus cortos y vacilantes logros, dolor al enfrentar el afán humano de saber y lo trabajoso de lo alcanzado, y, sobre todo, desprecio por la erudición inútil e insegura, sólo estimulada por la vanidad, vacía de eficacia para la vida práctica. Este último aspecto es de particular importancia dentro del pensamiento cardinal de Saavedra Fajardo; gran estudioso y hombre de copiosa erudición, se debatía contradictoriamente entre los goces del saber libresco y el afán de hallarle inmediata y práctica utilidad, como hombre político que era; pero lo que en él predomina y arrastra al cabo toda su atención es el deseo de que la ciencia sirva para las resoluciones de la vida, y conduzca y fortalezca al estado, y adiestre la mano que lo gobierna, y llene los oficios que la república precisa para organizarse y subsistir. Con su experiencia personal de político zarandeado, creía, no sin prevención hacia el saber especulativo, que la ciencia era generalmente pura teoría, vanas palabras, origen de pleitos y diversidades, pasión de vanidosos discurseadores. Luego volveremos sobre este "practicismo" de Saavedra; baste ver de momento que esta obsesión por la eficacia política y algo que llamaríamos "odio al charlatán" inspiran su sátira de la *República Literaria*, contradicción curiosa en quien, como él, dedicó cada momento no requerido por su quehacer profesional, al estudio y cultivo de las letras.

En cualquier caso es necesario aclarar que, como dice Dowling, la *República Literaria* no tiene un tono trágico; es una travesura nada más. "Si se quisiera leer una sola obra de Saavedra —añade luego— la *República Literaria* sería una agradable selección. Es corta y amena" [132]. Se trata, en resumen, de un desahogo juvenil y como tal la consideró el autor toda su vida; el hecho

[132] *El pensamiento político-filosófico...*, cit., pág. 53.

de que no emprendiera con las páginas de la *República* una reforma más profunda, cuando cargado de experiencia podía haberle dado un tono de mucha mayor profundidad, lo declara suficientemente.

No obstante su levedad, el valor literario de la *República Literaria* ha sido siempre reconocido. García de Diego recuerda los elogiosos juicios de García Prieto y de Mayans y Siscar, editor y panegirista de Saavedra, de quien orgullosamente se declara discípulo; Azorín, que ha gustado de interpretar a Saavedra Fajardo con criterio muy noventayochista [133], encuentra en su *República* el índice de la cultura literaria de un hombre de su tiempo. De particular interés es el juicio, muy difundido, de Menéndez y Pelayo; para éste, que apenas gustaba de los otros libros de Saavedra debido sobre todo a lo que él calificaba de *vicios conceptistas*, la *República* era una ingeniosa y deleitable ficción: "El sueño filológico de la *República Literaria*, exento de los vicios de afectación que desdoran otros escritos suyos, es, a mi entender, joya de mucho más precio que sus celebradas *Empresas*, gran repertorio de lugares comunes de política y moral harto difícil de leer íntegros. Muy distinta cosa es la *República Literaria*, uno de los desenfados más ingeniosos y apacibles de nuestra literatura del siglo XVII, una también de las últimas obras en que la lengua literaria está pura de toda afectación y contagio. Todo es en esta *República* ameno, risueño y fácil, hasta el espíritu escéptico, o más bien sofístico, de detracción de las ciencias... Una fantasía viva y pintoresca, alegre y serena, baña de luz las ficciones y alegorías de este libro, que sería uno de los pocos verdaderamente *áticos* que tenemos en castellano, si se le quitasen algunas máximas y epifonemas pueriles que entre sus muchas agudezas y discreciones tiene. En lo que más se aventajó Saavedra, y es, a mi modo de ver, prueba indudable de que hubiera descollado mucho más en las obras de pura inventiva que en el magisterio público (ocupación cándida de muchos ilustres varones de entonces), es en la fuerza plástica que logra dar a sus ficciones..." [134].

---

[133] Opiniones de Azorín sobre Saavedra Fajardo pueden encontrarse en: "La decadencia de España", en *Clásicos y modernos*; "Saavedra Fajardo", en *De Granada a Castelar*; "Saavedra Fajardo", en *Lecturas españolas*; *El Político* (diversas ediciones de todas ellas).

[134] *Historia de las ideas estéticas en España*, edición nacional, vol. II, 3.ª ed., Madrid, 1962, pág. 271. Al estudiar las fuentes de la *República Literaria*, García de Diego apunta la posible filiación de la obra de Saavedra con la *Veritas fucata...* de Luis Vives: "Para el que haya leído —dice— la *Veritas fucata, sive de licentia poetica, quantum poetis liceat a veritate abscedere*, de Luis Vives, la evocación es obvia. No sería sin embargo exacto decir que se trata de una imitación, ni su lectura fue tal vez la ocasión de la inspiración de Fajardo; pero sí es innegable que la tuvo presente en su composición. No está la *República Literaria* orientada en el mismo sentido crítico, pero coincide en cierta manera de factura y de jocosidad. En nuestra obra las síntesis y apreciaciones de la filosofía antigua parecen proceder en una mínima parte de la lectura directa, en mayor parte de las síntesis hechas y triviales; no costaría mucho probar que algunos de estos grandes trazos se habían sacado del libro de Vives. Lo que resulta de cualquier modo indudable es que la forma dramática o de acción de la ficción del filósofo valenciano fue tenida

Las "Empresas políticas". La obra de mayor interés en la producción de Saavedra Fajardo, a la que debió su fama aun en vida y que contiene lo más sustancial de su pensamiento, es la *Idea de un príncipe político cristiano representada en cien empresas,* cuya primera edición apareció en Mónaco (Munich) en 1640.

Dos caracteres destacan de primera intención en las *Empresas*: su condición de tratado político-moral, y la tendencia literaria que expresa el pensamiento bajo la forma simbólico-alegórica de *empresas* o *emblemas.*

Los antecedentes de esta literatura, de tan amplias ramificaciones, han sido precisados por los editores y comentaristas de Saavedra [135]. Una frondosa producción de libros moralistas y políticos y de "espejos de príncipes" se había dilatado desde los tiempos clásicos y llegaba a través de la Edad Media hasta los mismos días de Saavedra, corriente a la que afluían por igual los escritores greco-latinos y las tradiciones orientales. De fines del siglo XIII o principios del XIV es la *Historia del Caballero Cifar,* en cuyo segundo libro el rey de Mentón adoctrina a sus hijos Garfín y Roboam; de muchos otros libros de mayor o menor influjo oriental en nuestra Edad Media, dedicados a la educación de reyes o de nobles, hemos hecho la debida mención en su lugar correspondiente, tales como el *Calila e Dimna,* la *Disciplina clericalis,* el *Conde Lucanor* de don Juan Manuel, así como el *Libro de los doce sabios,* el *Bonium* o *Bocados de oro* y el *Poridat de poridades,* que inspiraron en el mismo siglo XIII el *Libro de la saviesa* de don Jaime I de Aragón. El mismo *Rimado de palacio* del Canciller Ayala acoge gran caudal de doctrinas y normas de gobierno. El pequeño tratado *De regimine principum* de Santo Tomás de Aquino, tenido como el evangelio de la política cristiana, así como el libro del mismo título de Guido delle Colonne, se hicieron populares en toda Europa, y Juan García de Castrojeriz adaptó esta última obra al español, a mediados del siglo XIV, con el nombre de *Regimiento de príncipes,* que inspiró a su vez el libro de los *Castigos e documentos,* atribuido a Sancho IV. En el siglo XV el bachiller Alfonso de la Torre compila la *Visión delectable de la philosophía e de las otras sciencias* para instrucción del príncipe don Carlos de Viana, hijo de Juan II; y uno de los primeros libros impresos en España —Valencia, 1484— es el *Régimen de príncipes* de Francisco Ximénez. Según advierte Dowling, las mismas obras

---

presente en el sueño de Fajardo: los guías que en el palacio de la Verdad explican sus maravillas a Homero, la pintura de la solitaria *República* de Platón y el desfile de los filósofos, literatos e historiadores, con sus riñas y monstruosas opiniones, fueron elementos de construcción que Fajardo utilizó discretamente para componer su obra" (Introducción a su edición citada, págs. 58-59). Dowling alude —*El pensamiento político-filosófico...,* cit., pág. 52— a un trabajo, para mí desconocido, de Robert H. Williams, en el que éste observa "una semejanza de asunto, propósito y aún vocabulario" entre la *República* de Saavedra y la obra de Cornelio Agripa, *De incertitudine et vanitate Scientiarum et Artium,* publicada en 1531.

[135] Cfr. Vicente García de Diego, prólogo a su edición de la *Idea de un príncipe político cristiano...,* Clásicos Castellanos, Madrid, 1927, págs. 14 y ss.

de recreación se dejan impregnar de este deseo de instrucción real, tales como el *Amadís*, diversas composiciones del *Cancionero de Baena*, el *Laberinto de Fortuna* de Juan de Mena, y más aún las *Coplas de Mingo Revulgo*, de aguzada intención didáctico-satírica, y el *Doctrinal de privados*, la amarga diatriba del marqués de Santillana contra don Álvaro de Luna.

Con la llegada del siglo XVI se intensifica la difusión del tema, bien explicable por la creciente importancia del monarca, en cuyas manos se concentran todas las fuerzas del estado. Entre los libros más destacados —pues una lista completa sería impropia de este lugar— deben mencionarse el *Relox de príncipes* de fray Antonio de Guevara, *De regno et regis institutione* de Fox Morcillo, el *Norte de príncipes, privados, presidentes y embajadores* de Antonio Pérez, el secretario de Felipe II, y el *De regno et regis officio* de Ginés de Sepúlveda. Fuera de España son notables, aparte la *Institutio Principis Christiani* de Erasmo, el *De regia sapientia* del italiano Botero, traducida al español de orden de Felipe II por el cronista real Antonio de Herrera, y los *De Republica Libri VI* del francés Jean Bodin, también traducidos al español en 1590.

El siglo XVII acentúa aún más la predilección por este tipo de tratados (de "verdadero diluvio" los califica Dowling), entre los que cumple señalar al menos el *Tratado del príncipe cristiano* del Padre Rivadeneira, el *De rege et regis institutione* del Padre Mariana, la *Política de Dios, gobierno de Cristo...* de Quevedo, el *Norte de Príncipes* de Juan Pablo Mártir Rizo, y las *Obras y días, manual de señores y príncipes* del Padre Nieremberg. José Antonio Maravall que ha estudiado el pensamiento político español durante el siglo XVII, examina alrededor de sesenta tratados político-morales publicados en dicho siglo.

El segundo aspecto, decíamos, en la obra de Saavedra es la utilización del recurso gráfico-literario de los emblemas o empresas. A mediados del siglo XVI el jurista italiano Andrea Alciato publicó sus *Emblemas*, que fueron traducidos a casi todas las lenguas y se convirtieron en uno de los libros más populares de Europa. Cada emblema consistía en una representación gráfica de carácter alegórico, seguida de un comentario o glosa del grabado, que encerraba como la síntesis o cifra de la exposición doctrinal. Los *Emblemas* de Alciato, aunque con frecuentes alusiones al príncipe, tratan de la moral en general y están tomados con preferencia de las fábulas y de la mitología clásica.

La moda de los emblemas duró más de un siglo. Entre los más notables cultivadores debe mencionarse Hadriano Junio, cuyos *Emblemata* se publicaron en Amberes en 1565 y fueron también popularísimos; J. Jacobo Boissardus, autor de un *Emblematum Liber* (Francfort, 1593); Andrew Frideric, con sus *Emblemas* (Francfort, 1617); pero el más difundido de todos fue Otto Venio, que publicó en los primeros años del siglo XVII diversas obras de esta especie. En España, el Brocense comentó los *Emblemas* de Alciato; Juan de Orozco y Covarrubias, hermano del lexicógrafo, los imitó en sus *Emblemas morales* (Madrid, 1591) acentuando el sentido religioso; y Hernando de Soto en sus

Emblemas moralizadas (Madrid, 1599) se mantuvo más cerca del carácter humano y literario de Alciato.

La mayor originalidad de Saavedra en el uso de las *empresas* consistía en apartarse del propósito de moralidad general, propio de sus cultivadores, y aplicarlas a la educación del príncipe [136]. De todos modos, también en esto tenía un precedente en los *Emblemata politica* que su autor, el alemán Jacobo Bruck Angermunt, dedicó al emperador Matías (Colonia, 1618). Parece seguro que Saavedra conoció esta obra y aun que debió servirle de inspiración para su propósito general; además, muchos de los emblemas del alemán han sido imitados por Saavedra, y algunos —dice García de Diego— "estrictamente copiados".

El uso del emblema se hallaba muy dentro del gusto literario de la época; según Dowling advierte, "hasta llegó a considerarse como un género literario tan permanente como la novela y el drama, y como tal ya tenía sus historiadores y sus preceptistas" [137]. Todo el Barroco está densamente impregnado de una fuerte corriente de simbolismo, que afecta por igual a todos los géneros literarios, aunque tenga su campo más fértil en la poesía. El uso de emblemas, aplicado al tratado teórico, permitía dar plasticidad a la doctrina, hacerla más atrayente y producir una impresión más duradera en el lector; "querían estos escritores educar la voluntad por medio de los sentidos; y hallaron la solución en el emblema, a la vez atractivo y concreto" [138]. Con los nuevos gustos literarios, los secos y severos tratados doctrinales, cultivados hasta entonces, buscaban el camino del embellecimiento artístico exigido por la época. El emblema permitía además, por medio de la glosa que le acompañaba, dividir las exposiciones en conceptos aislados, en lugar de seguir el desarrollo sistemático de la materia. "Si quisiéramos relacionar estas obras con el concepto del barroco —dice Dowling— podríamos insistir en este punto. El pensamiento no sigue una línea continua. Recibe su impulso inicial de un motivo concreto aislado. La línea se rompe o desaparece en el esfuerzo de dar mayor sentido de vivacidad. Esto no indica, ciertamente, que un autor no tenga líneas básicas en su pensamiento. Sólo quiere decir que hay que buscarlas por toda su obra y unirlas... Lo difícil, por supuesto, es que el autor puede dejar sin desarrollar alguna

---

[136] Aunque las *Empresas* de Saavedra se suceden sin división en partes o capítulos, la materia está estructurada de acuerdo con un plan temático que da a la obra perfecta coherencia; las partes fundamentales —según González Palencia ha puntualizado— son las siguientes: "educación del Príncipe; cómo se ha de haber el Príncipe en sus acciones; cómo se ha de haber con los súbditos y extranjeros; con sus ministros; en el gobierno de sus estados; en los males internos y externos de sus estados; en las victorias y tratados de la paz, y en la vejez" (Introducción a la edición de *Obras Completas*, cit., página 146).

[137] *El pensamiento político-filosófico...*, cit., pág. 61.

[138] Ídem, íd., pág. 64. Cfr.: Karl Ludwig Selig, "La teoria dell'emblema in Ispagna: i testi fondamentali", en *Convivium*, XXIII, 1955, págs. 409-421. Warren T. McCready, "Empresas in Lope de Vega's Works", en *Hispanic Review*, XXV, 1957, págs. 79-104.

línea de pensamiento, lo cual le preocupaba poco, porque lo importante era presentar artísticamente sus ideas para que fuesen más eficaces. No debe sorprendernos tal mezcla de arte y política si recordamos que para el hombre del siglo XVII el gobernar, lo mismo que el pintar, era un arte, uno de los modos mediante los cuales interpretaba las reglas de la naturaleza y buscaba la verdad" [139].

Resulta vano señalar los concretos influjos y los casos de imitación llevados a cabo por Saavedra en sus *Empresas,* porque —como dice García de Diego— sus coincidencias numerosísimas con toda la literatura política precedente hacen muy aventurada cualquier afirmación; Saavedra se mueve constantemente entre los conceptos más difundidos sobre política y moral, vicios y virtudes, consejeros y validos, gobernación del estado, tributos, concordia de los súbditos, etc., etc. La mayoría de sus citas innumerables pueden ser encontradas en los tratadistas que le precedieron y no puede, en consecuencia, precisarse, si Saavedra acudió a las fuentes originales o sólo a sus glosadores.

Pero en el caso de nuestro autor la cuantía de sus acreedores no es problema de mera curiosidad erudita, sino que afecta al espíritu todo de su obra. Recordemos lo dicho a propósito de su *República Literaria*: la constante ponderación que hace Saavedra de todo conocimiento práctico y su desdén por el saber libresco. El propio autor hace marcado hincapié en el carácter personal y experimental de la ciencia política que vierte en sus *Empresas.* En el prólogo de la obra afirma que había compuesto el libro "escribiendo en las posadas lo que había discurrido entre mí por el camino" y como fruto de "las experiencias adquiridas en treinta y cuatro años que... he empleado en las cortes más principales de Europa, siempre ocupado en los negocios públicos" [140]. Poco más abajo añade una declaración de gran interés: "He procurado —dice— que sea nueva la invención, y no sé si lo habré conseguido, siendo muchos los ingenios que han pensado en este estudio, y fácil encontrarse los pensamientos, como me ha sucedido, inventando algunas empresas, que después hallé ser ajenas, y las dejé, no sin daño del intento, porque nuestros antecesores se valieron de los cuerpos y motes más nobles, y huyendo agora dellos, es fuerza dar en otros no tales. También a algunos pensamientos y preceptos políticos, que, si no en el tiempo, en la invención fueron hijos propios, les hallé después padres, y los señalé a la margen, respetando lo venerable de la antigüedad" [141].

Estas pretensiones de *originalidad* y de *invención* han sugestionado a la casi totalidad de los críticos de Saavedra, desde Nicolás Antonio, que han ponderado la profundidad de su experimentada ciencia política y censurado, en cambio, los excesos conceptistas de su lenguaje; juicio este último explicable —recuérdense las salvedades de Menéndez y Pelayo al estilo de la *República*— en tiempos de cerrada incomprensión hacia el barroco.

---

[139] Ídem, íd., págs. 63-64.

[140] Ed. García de Diego, cit., págs. 65 y 66.

[141] Ídem, íd., pág. 67.

García de Diego es quien inicia, a nuestro entender, una distinta interpretación —y valoración— de la obra de Saavedra desde el punto de vista literario. Resulta incuestionable que el diplomático murciano se sirve profusamente de los más variados —y utilizados— materiales; la erudición declarada, que es abundantísima, aún no iguala, sin embargo, a la no declarada, aunque en esta utilización, muy probablemente inconsciente, no debe verse falta de probidad, ya que Saavedra, empapado de saber libresco, reelaboraba llanamente los más diversos arrastres de una secular tradición. El reconocimiento de toda esta deuda, dice el crítico mencionado, no anula el mérito eminente de este libro, pero su importancia debe ser valorada desde un ángulo nuevo: "Las *Empresas* por la elevación y selección de los pensamientos y por su admirable lenguaje es superior como obra literaria a cuantos libros en España y fuera de ella han tratado el mismo tema. Todo al contrario de lo que ha querido sostenerse, ponderándose la riqueza de los materiales y poniéndose graves reparos a su presentación; cuando lo admirable no es la masa de la obra, sino la elaboración, que ha acertado a escoger y mostrar con decoro admirable y arte exquisito lo que otros mostraron desmañadamente. No es posible exigir en la desbordada abundancia de pensamientos que brillan en la obra de Saavedra el que la mayoría sean suyos: basta admirar el arte inimitable con que los selecciona y sabe enlazarlos y vestirlos" [142].

Sería no menos equivocado subestimar, no obstante, la aportación intelectual de Saavedra o su significado dentro del pensamiento de su tiempo, pero la personalidad del literato se sobrepone a la del ideólogo: "El autor —añade más abajo García de Diego— declara que su fin es el *que con las artes liberales se domestique y adorne la sciencia política* (empr. 6). Pero, sin declararlo, habrá que reconocer que antes que científica es ésta una obra amena. Las repeticiones e insistentes ejemplos con que, según los críticos, oscurece los pensamientos, no son sino prueba de la inquieta e insaciable visión del literato, que gusta de volver las cosas y reconocerlas en sus facetas. En vez del atajo apresurado a la verdad, que sigue el científico, es el camino ondulado del arte el que sigue Saavedra, ávido de variar de perspectivas y de echar a jugar por ellas su imaginación, con tan inciertos giros, que en muchos casos no sabemos si lo que leemos son ideas, palabras o símbolos" [143].

---

[142] Prólogo a su edición citada, págs. 35-36.

[143] Ídem, íd., págs. 48-49. Ni aun aceptando, como sostenía Menéndez y Pelayo, que no hay en las *Empresas* sino "un gran repertorio de lugares comunes de política y de moral", puede desconocerse lo que éstos pueden importar para entender el pensamiento de la época; hasta los tópicos son significativos, y los de Saavedra son exponentes inequívocos —muy valiosos, por añadidura, bajo el aspecto literario— del mundo intelectual del siglo XVII, en el que el autor se encontraba inserto. Puesto que no podemos en estas páginas demorarnos en la exposición de estos problemas doctrinales, debemos a lo menos remitir al lector a la obra de José Antonio Maravall, *La teoría española del estado en el siglo XVII*, Madrid, 1944, donde puede encontrarse la adecuada valoración

Por otra parte, el problema de la originalidad de fondo es bien sabido que no se valoraba entonces con el criterio de nuestros días; lo que importaba en el campo de las ideas era la autoridad, y un pensamiento era mucho más valioso cuando lo había decantado el tiempo o prestigiado un autor de solvencia consagrada. En último caso, hay en la obra de Saavedra un aspecto que permite justificar al mismo tiempo su profunda erudición libresca, su declarado desdén por ella y su discutible afirmación de experiencia y originalidad. Lo que Saavedra aborrecía especialmente eran los libros de pura especulación y moral abstracta, sobre todo cuando salían de la pluma de quienes —particularmente religiosos—, sin conocer la vida pública y con su solo bagaje libresco, se lanzaban a adoctrinar en las más difíciles cuestiones de estado, o en problemas económicos y hasta militares. Saavedra podía beber en fuentes escritas, pero las había verificado trabajosamente con su larga experiencia de político y podía aportar sus saberes prácticos a las materias más manoseadas. En este acento —un matiz que hay que saber captar— de vida propia, está toda la posible originalidad de las *Empresas.*

Algunos aspectos deben ser añadidos. La obra de Saavedra, acorde con el pensamiento dominante en la España de su tiempo, es decididamente antimaquiavélica. Saavedra se expresa en todos los tonos contra los defensores de la política oportunista, siempre dispuesta al engaño provechoso y a sacrificar los principios a la inmediata utilidad; en lo cual funde el sentido de la moral cristiana con su militante patriotismo, pues bien conocía los medios con que una diplomacia sin escrúpulos tenía acosado a su país. Este patriotismo es el segundo resorte que hace vibrar sus páginas. Saavedra, si enaltece por un lado las virtudes de las gentes de su nación, denuncia noblemente los vicios que debilitaban en sus días a la monarquía española: la omnipotencia de los validos, la corrupción de la administración, las intrigas cortesanas, la ruina de la hacienda, los inútiles dispendios; y no se le oculta el hecho fatal de la decadencia del imperio patrio. Ataca igualmente a los escritores que difamaban a España y en particular a quienes lo hacían a propósito de la colonización americana.

El declarado antimaquiavelismo de Saavedra no le impide, sin embargo, admitir ciertas oportunas cautelas y habilidades que afectan a la conducta del príncipe más en relación con sus propios súbditos que en la política internacional. No nos parecen, sin embargo, tan transcendentes como a veces se ha dicho, sino bien humanas e imprescindibles normas de general prudencia.

Hay evidentemente en toda la obra de Saavedra un tono de moderación y de equilibrio muy adecuado a su actividad de diplomático, a la comprensiva visión de quien había tenido que plegarse a gentes y costumbres muy diversas y a discutir y considerar los más opuestos pareceres. Esto puede justificar la postura ecléctica de Saavedra frente a muchas doctrinas, eclecticismo que a ve-

---

doctrinal del pensamiento de Saavedra, errónea o anacrónicamente interpretado en muchas ocasiones.

ces parece inseguridad de criterio y que explica quizá algunas de sus aludidas contradicciones. Su mirada abierta a Europa y su gesto de diplomático le han acarreado a Saavedra curiosas interpretaciones, como las de Modesto Lafuente y Sempere y Guarinos, enteramente anacrónicas, que pretendían convertir al autor de las *Empresas* en un liberal del siglo XIX. Azorín, sugestionado por la *actitud crítica* de Saavedra, hace de éste un *moderno*, atribuyéndole conceptos que aplicaba a su propia generación. Dowling, siguiendo las ideas de José Antonio Maravall, a que hemos aludido, nos pone en guardia contra tales deformaciones de la auténtica significación del escritor barroco. Saavedra no es un iniciador; por el contrario, como demuestra el mencionado crítico, viene al final de una tradición, que recoge y compendia: "sólo expone un concepto tradicional del mundo, que por lo demás procura ardientemente conservar para que su época no decline hacia el caos" [144].

La "Corona gótica". Para aprovechar las largas horas inactivas que le dejaba a Saavedra la lentitud en las gestiones para la paz, emprendió la tarea de escribir una historia que llamó *Corona gótica, castellana y austríaca.* Terminó la primera parte en 1645 y la publicó al siguiente año en Münster, dedicada "Al Príncipe Nuestro Señor".

Se dice que Saavedra escribió la *Corona gótica* con el propósito de atraer a los suecos a la amistad con la casa de Austria, al mostrarles el común origen de ambos pueblos. Pero la intención del autor iba más allá. Apenas existía provincia alguna del imperio hispánico en Europa no reclamada por alguno de los contendientes, lo que obstaculizaba por todas partes la negociación; y Saavedra declara expresamente en el prólogo que trata de probar los derechos legítimos de España a la posesión de tales tierras: "...me hallé obligado a trabajar en algo que pudiese conducir al fin dicho del servicio del Príncipe nuestro señor, y también a estos mismos tratados; habiendo visto publicados algunos libros de pretensos derechos sobre casi todas las provincias de Europa, cuya pretensión dificultaba y aun imposibilitaba la conclusión de la paz, y que era

---

144 *El pensamiento político-filosófico...*, cit., pág. 288. Además de las obras mencionadas, cfr.: L. de Benito, *Juicio crítico de las "Empresas políticas". Examen de su doctrina jurídica,* Zaragoza, 1904. F. Cortines, *Ideas jurídicas de Saavedra Fajardo,* Sevilla, 1907. Javier Márquez. "El mercantilismo de Saavedra Fajardo", en *El trimestre económico,* México, X, núm. 2, 1943, págs. 247-286. *III Centenario de Don Diego Saavedra Fajardo conmemorado por el Instituto de España,* con discursos de D. Wenceslao González Oliveros y D. Eloy Bullón Fernández, Madrid, 1950. Ángel González Palencia, "Las *Empresas Políticas* de don Diego Saavedra Fajardo", en *Del Lazarillo a Quevedo,* Madrid, 1946. Mariano Baquero Goyanes, "El tema del Gran Teatro del Mundo en las *Empresas políticas* de Saavedra Fajardo", en *Monteagudo,* Murcia, núm. 1, 1953. Del mismo, "Diego de Saavedra Fajardo", en *Monteagudo,* núm. 12, 1956. F. Maldonado de Guevara, "Emblemática y política. La obra de Saavedra y Fajardo", en *Cinco salvaciones,* Madrid, 1953. Monroe Z. Hafter, "Deviousness in Saavedra Fajardo's *Idea de un príncipe*", en *The Romanic Review,* XLIX, oct., 1958, págs. 161-167.

conveniente que el mismo hecho de una Historia mostrase claramente los derechos legítimos en que se fundó el Reino y Monarquía de España y los que tiene a diversas provincias, los cuales consisten más en la verdad de la Historia que en la sutileza de las leyes" [145].

Aparte estos fines que podríamos llamar de propaganda nacional y actualidad política, Saavedra concibió su obra como una continuación de las *Empresas*, según declara en las primeras palabras de su dedicatoria al Rey: "En la *Idea de un príncipe político cristiano* representé a V. A. la teoría de la razón de estado, y agora ofrezco la práctica, advertida en las vidas de los señores reyes godos de España y de los que sucedieron a ellos en Asturias, León y en Castilla..." [146]. Saavedra comienza cada capítulo con alguna consideración general de carácter filosófico, moral o político; luego trata de hallarlo realizado en los hechos del monarca que estudia a continuación. De este modo, según el clásico concepto pragmático, se sirve de la Historia con propósitos de educación político-moral, pero —de aquí el valor de la *Corona* como continuación de las *Empresas*— pensando de preferencia en educar al soberano: "Con esto en pocas horas podrá V. A. leer lo que obraron en muchos siglos y aprender en sus experiencias y acciones, retratadas tan libremente por el pincel de la pluma, que ni al vicio ha puesto sombras, ni luces a la virtud, para que sea más segura la enseñanza... En ellos se ha de mirar V. A. para el conocimiento cierto de sí mismo y para el desengaño de los errores propios; presuponiendo que movió el dedo índice mi pluma, señalando en lo que fue lo que agora es. Sírvase, pues, V. A. de notar con atención las cosas que hicieron amados y gloriosos a estos reyes, y, al contrario, las que les quitaron la reputación, el ceptro y la vida; y luego vuelva los ojos V. A. a sus acciones propias y considere si acaso peligran en los mismos inconvenientes, porque solamente con este examen podrá V. A. conocer si en ellas corresponde o falta a las obligaciones de príncipe..." [147].

En treinta capítulos refiere Saavedra los reinados de treinta y seis monarcas visigodos, comenzando por Alarico y terminando en don Rodrigo. Sus fuentes son numerosísimas; cita más de cuatrocientos autores, españoles y extranjeros, de todas las épocas, reproduciendo al margen los textos con que se autoriza y la referencia de la obra. Las fuentes son de valor muy desigual; admite leyendas, como la de don Rodrigo, y da cabida a las viejas historias y los falsos cronicones; pero maneja al mismo tiempo las obras más autorizadas, las crónicas coetáneas, textos de concilios y los estudios monográficos con que historiadores del siglo XVI —Gonzalo de Illescas, Pedro de Alcocer, Salazar de Mendoza— habían emprendido la renovación científica de la Historia. En general, Saavedra compuso su *Corona gótica* con gran cuidado y todo el rigor que era posible en su tiempo; si se sirve todavía, por una parte, de medios anticuados,

---

[145] Ed. González Palencia, en *Obras Completas*, cit., pág. 709.

[146] Ídem, íd., pág. 705.

[147] Ídem, íd.

se anticipa por otra a la escuela erudita que había de comenzar a florecer casi medio siglo más tarde.

El concepto pragmático que tiene Saavedra de la Historia no le impide, sin embargo, aderezarla con todos los recursos literarios a la manera clásica, tratando de hacer dramáticamente atractivos sus relatos; así, imagina discursos y cartas, alguna tan curiosa como la que envía Florinda a su padre don Julián. A estas libertades de literato y a las bellezas de su cuidado estilo se debe que la *Corona gótica*, omitida toda preocupación por el rigor histórico, pueda leerse en nuestros días como un placentero regalo.

La *Corona gótica, castellana y austríaca* fue continuada por el cronista de Su Majestad, Alonso Núñez de Castro, aprovechando algunos materiales reunidos por Saavedra. La segunda parte, que llega hasta 1216, apareció en 1671; la tercera, que no tiene nada ya de Saavedra, fue publicada en 1677.

Otras obras. Saavedra Fajardo escribió otras obras menores que no modifican la personalidad definida en las anteriores, pero que no carecen de interés. En 1630, después de la *República Literaria* y antes de las *Empresas*, compuso Saavedra un breve tratado bajo el título de *Introducción a la política y razón de estado del Rey Católico don Fernando*. La obrita permaneció inédita hasta que fue incluida en las obras de Saavedra publicadas en la *Biblioteca de Autores Españoles*.

La primera parte, en dos libros, sintetiza las ideas políticas de Aristóteles y de Santo Tomás en su *De regimine principum*, siguiendo una exposición doctrinal muy repetida por todos los tratadistas de la época. En la segunda parte presenta a Fernando el Católico como espejo de príncipes, según tendencia que iba también haciéndose popular y a la que Gracián había de dar mayor relieve en su *Política*. El opúsculo de Saavedra viene a ser como una anticipación de la *Idea de un príncipe político cristiano*, pero sin el empleo de *empresas*. El autor expone un hecho del Rey Católico y lo comenta a continuación, aduciendo también otros ejemplos sacados de la Historia. Esta segunda parte fue dedicada a Felipe IV, y en las palabras de la dedicatoria declara Saavedra el motivo que le indujo a escribir su obra: "Muchos escribieron la vida de un príncipe, no como fue, sino como debía ser. Intento que les salió vano, porque mal se pueden acreditar las doctrinas morales y políticas con acciones y sucesos imaginados. La verdad sola del caso es la que mueve y enseña. Yo, pues, que buscaba un príncipe en cuyas partes y gobierno se viesen practicados los preceptos de mis *Introducciones a la política*, lo hallé en el rey don Fernando el Católico, cuarto abuelo de Vuestra Majestad Católica..." [148].

Mientras estaba en Münster —probablemente en 1643— escribió Saavedra un folleto titulado *Locuras de Europa*, que quedó también inédito por mucho tiempo; la primera edición conocida es de 1748. Es un diálogo a la manera

[148] Ed. González Palencia, en ídem, íd., pág. 1.242.

de Luciano, según la técnica popularizada en Europa por los erasmistas y que en España había tenido egregios cultivadores en los hermanos Valdés. En la obra de Saavedra el propio Luciano —protagonista del diálogo— comenta con Mercurio la política europea, examinando en particular a las naciones empeñadas en la guerra de los Treinta Años, y reprocha la insensatez de los países que obstaculizan la política unitaria del Imperio; defiende a España y a la casa de Austria de las acusaciones de sus enemigos. El diálogo, que abunda en sagaces y oportunas observaciones sobre los graves problemas del momento, es en realidad un escrito de polémica y de propaganda dentro de la línea de la *España defendida* de Quevedo.

CAPÍTULO XV

LA LITERATURA DIDÁCTICA

El siglo XVII alberga nombres destacados en el campo de la didáctica literaria, compuesta con fines histórico-políticos, religiosos o de comentario estético o filosófico. Pero no son en modo alguno tales autores quienes dan el tono a la época ni forjan su mayor gloria. En el siglo barroco existe un predominio absoluto de la literatura de creación; no sólo brotan en él con prodigiosa fertilidad los escritores imaginativos más gloriosos de nuestra historia literaria, considerados como valores absolutos, sino que en ningún otro momento se produce tan gigantesca desproporción entre la literatura creadora —teatro, novela, poesía— y la doctrinal. Con todo, decíamos, no faltan escritores notables, e incluso eminentes, que prolongan —cierto que de cara al ocaso— las mejores tradiciones didácticas del período renacentista.

LA CIENCIA LITERARIA

A lo largo de los capítulos precedentes hemos tenido que ocuparnos de algunos comentaristas o preceptistas literarios a propósito de la lírica o del teatro nacional, emplazándolos, por exigencias de una mayor claridad, en el momento de su polémica respectiva. Han quedado, sin embargo, fuera de nuestra atención algunos nombres que vienen ahora a nuestras páginas.

Entre ellos ocupa un lugar de primer orden Alonso López Pinciano, unánimemente reconocido como nuestro más notable tratadista de ciencia literaria. Estrictamente, quizá el Pinciano debiera tener su puesto en las postrimerías del período precedente. Su obra fundamental se produce a fines del siglo XVI, dentro de esas décadas de transición entre el Renacimiento y el Barroco de filiación tan problemática; su espíritu cae en gran parte del lado del mundo renacentista. Pero, por otra parte, el hecho de que su vida se prolongue hasta muy adentro del XVII y abarque en su obra problemas literarios de candente vigencia en el "período nacional", parece que justifica también el estudiarlo en este momento.

EL PINCIANO

Alonso López Pinciano nació en Valladolid hacia 1547. Del antiguo nombre latino de su ciudad —Pincia— tomó el segundo de sus apellidos con el que generalmente se le conoce. Se sabe muy poco de su vida. Era médico de profesión y asistió durante más de veinte años a doña María —hermana del rey Prudente y esposa del emperador alemán Maximiliano II—, que, al quedar viuda, ingresó en la comunidad de las Descalzas Reales de Madrid. No se conoce la fecha de su muerte, pero se sabe que en 1627 vivía todavía.

Como tantos otros médicos de su tiempo, Pinciano fue un polígrafo. Era un helenista eminente, que tradujo los *Pronósticos* de Hipócrates y el episodio de la peste de Atenas del Libro II de Tucídides. Mediano poeta, según Menéndez y Pelayo [1], en su largo poema épico *Pelayo* —escrito, según parece, en su juventud, pero editado en 1605—, debe toda su gloria a su *Philosophía Antigua Poética*, publicada en Madrid en 1596, aunque escrita probablemente algunos años antes [2].

La *Philosophía* está dividida en trece epístolas dialogadas, dirigidas a un amigo imaginario, don Gabriel; los interlocutores son tres: el Pinciano y dos vecinos suyos, Fadrique y Hugo, médico igualmente. Al fin de cada uno de los diálogos, don Gabriel resume y destaca los puntos capitales de la epístola.

A diferencia de los tratadistas anteriores, que se habían ocupado exclusivamente de problemas retóricos, gramaticales o de métrica, Pinciano se propone estudiar los fundamentos estéticos de la creación literaria; es, pues, su obra, ciencia literaria, investigación de los principios en que se asienta la poesía. Al comienzo de su libro dice el autor que justamente la falta en su patria —"tan florecida en todas las demás disciplinas"— de estudios de esta índole le estimuló a escribir el suyo, para colmar lo que él estimaba una laguna.

La *Philosophía* es, en sustancia, un comentario a las teorías literarias de Aristóteles, pero el Pinciano las enriquece con tal cantidad de ideas nuevas, extraídas de su extensa cultura literaria y de su propia observación, que elabora un conjunto de poderosa originalidad: el más completo y profundo producido en nuestro Siglo de Oro. Menéndez y Pelayo dice del Pinciano que "es el único de los humanistas del siglo XVI que presenta lo que podemos llamar un sistema literario completo, cuyas líneas generales pueden restau-

---

[1] M. Menéndez y Pelayo, *Historia de las ideas estéticas en España*, edición nacional, vol. II, 3.ª ed., Madrid, 1962, pág. 222.

[2] Edición de Alfredo Carballo Picazo, CSIC, 3 vols., Madrid, 1953.

rarse, aun independientemente del texto de Aristóteles" [3], y asegura de la *Philosophía,* como alabanza mayor, que, escrito en el siglo XVI, "es el único comentario de la *Poética* de Aristóteles, que podemos leer íntegro, sin encontrarle absurdo ni ridículo, en pleno siglo XIX" [4].

Sanford Shepard, que ha estudiado con tanta claridad como rigor la obra del Pinciano [5], destaca dos aspectos esenciales que nos permiten valorar su orientación científica. Primero, la honestidad expositiva y la ecléctica ecuanimidad de su pensamiento; nada de afirmaciones dogmáticas: "Discute todos los aspectos de un tema dado, y si resultan contradictorias sus ramificaciones se apresura a suspender el juicio. Como en los diálogos platónicos que sirven de modelo a la *Philosophía Antigua Poética,* la exclusión de los excesos y extremos y la ausencia de toda violencia, muestran un sentimiento clásico que acreditaría a humanistas más conocidos que Pinciano" [6]. Y más adelante: "Examina —dice— las diversas ideas y prejuicios de su época sin mostrar jamás llanamente una opinión que excluya a todas las demás. Su razonamiento permite sopesar los distintos conceptos, ya que Pinciano deja exclusivamente a la mente del lector la solución de la controversia" [7]. El segundo aspecto es la actitud del autor frente a los hechos literarios. En contra del parecer de Platón, que imaginaba el don poético como una enajenación o divina locura que arrebata a los poetas, Pinciano se basa firmemente en la lógica y en la razón. Shepard señala a este respecto el gran influjo que sobre el Pinciano ejercieron las doctrinas de Huarte de San Juan con su propósito de encontrar para todas nuestras acciones causas naturales. El Pinciano trata de la literatura "como aspecto de la actividad humana que brota exclusivamente de las tendencias naturales del hombre" [8]; la poesía —la literatura, en general— puede tratarse como una ocupación a la que es posible aplicar las leyes de la ciencia; puesto que no procede de ninguna fuente enigmática, ha de estudiarse como otra cualquiera de las actividades humanas que son objeto

---

[3] *Historia...,* cit., pág. 223.

[4] Ídem, íd., pág. 223. Cfr.: Robert J. Clements, "López Pinciano's *Philosophía Antigua Poética* and the Spanish Contribution to Renaissance Literary Theory", en *Hispanic Review,* XXIII, 1955, págs. 48-55. El artículo de Clements, escrito primordialmente para comentar la edición citada de Carballo Picazo, se ocupa además de otros aspectos importantes del pensamiento literario en España. Resumiendo la importancia del Pinciano en relación con tratadistas de otros países, escribe Clements: "Pinciano is even superior to Scaliger and the Italians in his independence of expression and his enlarged views of the materials and substance of literary criticism, extending even to such items as theatrical costuming. This independence of expression is patently Spanish, but so also may be the extension of the frontiers of criticism. One cannot help remembering that Menéndez y Pelayo intented to include in the final volume of his history of criticism and aesthetics 'la danza, la esgrima y la tauromaquia' " (pág. 55).

[5] Sanford Shepard, *El Pinciano y las teorías literarias del Siglo de Oro,* Madrid, 1962.

[6] Ídem, íd., pág. 27.

[7] Ídem, íd., pág. 47.

[8] Ídem, íd., pág. 33.

de investigación científica. De la misma manera el Pinciano desliga el arte literario de ser algo accesorio a la moral o a la política; "su criterio —comenta Shepard— sería entonces político o moral más que literario"[9]. "La posibilidad del juicio estético —añade enseguida— depende de que se pueda aislar el campo de investigación reduciéndolo al mínimo denominador común que es la literatura misma. La crítica literaria debe encontrar un criterio propio que nunca pierda de vista el material de que trata... Una determinada producción literaria responde a un criterio puramente literario..."[10]. Deducción de sorprendente modernidad, como puede observarse.

Otra notable consecuencia se deriva también del influjo ejercido sobre el Pinciano por las teorías de Huarte. Su propósito de basarse siempre en lo razonable y lo lógico le permite examinar con la mayor libertad las teorías de los maestros y enfrentarles su propio criterio; la admiración por los antiguos no le impide al Pinciano sobreponerles el dictado de su propia razón; el estudio de los modelos clásicos debe servir para orientar y agudizar el sentido artístico, pero nunca para imponer preceptos que hayan de obedecerse al pie de la letra. De este modo, la ciega adhesión dogmática se sustituye en la obra del Pinciano por normas flexibles de innovadora libertad. En general, el magisterio de Aristóteles persiste inalterable cuando no entra en litigio con los problemas estéticos de su tiempo, pero, cuando aquél se produce, Pinciano acepta la realidad artística de sus contemporáneos.

Punto importante en la obra del Pinciano es su defensa de la poesía. Como es sabido, Platón había desterrado a los poetas de su república ideal. Hemos tenido ocasión de ver cómo a lo largo de la Edad Media la necesidad de prestigiar las creaciones literarias con una intención docente atenaza a los escritores; recordemos una vez más a don Juan Manuel atento a justificar sus cuentos con un propósito de doctrina, o a Santillana sirviéndose de las bellezas poéticas como "fermosa cobertura" de intenciones políticas o morales; también, y todavía, a Cervantes preocupado con dar "ejemplaridad" a sus novelas. Aristóteles había sostenido que la misión de la literatura es proporcionar placer, aunque en el alto sentido del que se deriva del empleo ideal del ocio, que sólo pueden ofrecer las artes liberales, adorno de la vida civilizada. Pero el Renacimiento, al menos de manera predominante, había preferido —prosiguiendo con ello las corrientes de la Edad Media— la doctrina de Horacio, que situaba el fin del arte en la utilidad. Pinciano adopta un punto ecléctico, el *utile dulce*, que también preceptuaba el propio Horacio: la literatura había sido inventada "para dar deleite y doctrina juntamente". Sucede, sin embargo, que, al tener que decidir cuál de ellos es el fin último, el problema se enreda en sutilezas que lo dejan al cabo sin definitiva solución teórica.

---

9 Ídem, íd., pág. 37.

10 Ídem, íd.

Pinciano, que no desea renunciar a ninguno de los dos fines propuestos, tomados incluso independientemente, trae en su auxilio las doctrinas de Aristóteles: las artes pueden alterar y aquietar las pasiones del alma a sus tiempos convenientes, mejorar las costumbres y procurar entretenimiento a la vez. Igualmente, se sirve de palabras de Horacio para encarecer la nobleza de la creación artística en sí misma; Horacio había ponderado los tenaces esfuerzos que requería la obra del poeta: velar y madrugar, abstenerse de Venus y de Baco, y practicar después aquel famoso consejo de guardar la obra nueve años sin darla a la luz, pero visitarla frecuentemente. Y Pinciano se pregunta si una tarea lograda con tan tenaces esfuerzos no es digna por sí misma de toda honra y fama. Queda todavía un punto sutil, que es decidir si la función estética del arte literario —en lo que éste tiene de imagen de la realidad— no entraña al mismo tiempo la idea de lo útil. Shepard descubre en las doctrinas del Pinciano un fértil ángulo según el cual la literatura, limitada incluso al puro plano estético, puede cumplir simultáneamente una función de utilidad: "Para resumir —dice— el concepto básico que Pinciano tiene de la literatura, es preciso decir que, para él, la literatura se interesa por todo el conocimiento y todas las actividades. Como el universo auténtico, el cosmos creado por la literatura contiene artes, ciencias, ciudades, naciones, hombres de todas clases, etcétera, concebidos de acuerdo con principios de la naturaleza. La teoría literaria renacentista está encariñada con la idea de que la literatura es un modelo para la vida en un grado superior que a la inversa; es decir, la vida modelo de la literatura... De esta forma, la literatura viene a ser una especie de vademecum para la vida que, además, está libre de las vicisitudes decepcionantes del mundo físico. Produce tipos ideales, es decir, es universal. En la literatura, el proceso natural puede dar sus frutos, mientras en la vida real tiene que fracasar parcialmente, y en este sentido, la literatura puede convertirse en el medio más valioso con que corregir y guiar a la sociedad" [11].

Aspecto capital en las teorías estéticas del Pinciano es la doctrina de la imitación. El Pinciano define la literatura como el arte que imita mediante el lenguaje. Para el comentarista, la imitación es el principio mismo de la vida humana, casi diríamos que la energía que anima el mundo, y en un ágil pasaje enumera muchas de sus diversas formas —algunas diríamos que insospechadas—, que disparan nuestra actividad: "¿Qué haze el çapatero, sastre, bonetero, calcetero, sino imitar y remedar el pie, pierna y cabeça del hombre?... Qué el médico, sino imitar a la naturaleza quando bien exercita su obra?..." [12]. "El autor de una obra literaria —comenta Shepard— sigue los mismos pasos de la naturaleza y crea a su vez de esta forma un mundo nuevo" [13]. El Pinciano se muestra fiel en este punto a la doctrina de Aristóteles,

---

[11] Ídem, íd., págs. 58-59.

[12] Ed. Carballo, cit., vol. I, pág. 196.

[13] *El Pinciano...*, cit., pág. 49.

pero no limita la imitación a la vida humana, como el filósofo griego, sino que la extiende a todo cuanto existe en el cosmos.

Esta imitación trae consigo el problema de la verosimilitud. La ficción del poeta debe gobernarse por los mismos principios que el mundo real y someterse a las leyes inmutables de la naturaleza. El desprecio de que se hace objeto a lo que entendemos por "novelas bizantinas" y a los libros de caballerías se basa justamente en su desobediencia a las leyes naturales que presiden la sucesión y lógica de los fenómenos. Pero entiéndase bien que el poeta no ha de imitar una acción tal como ha sucedido; al referirse a la obra dramática dice concretamente: "el imitar a aquella obra que no fue y pudiera ser, llamo yo imitación de acción" [14]. Por otra parte, claro está que el autor puede basarse en algún suceso histórico, pero entre el historiador y el poeta existe una diferencia capital: el primero ha de reproducir los hechos que tuvieron lugar "en un mundo real de accidentes y contingencias" [15] con multitud de detalles superfluos, de acontecimientos caprichosos y de frustraciones; mientras que el poeta debe construir un cosmos en el que la ficción elimina todo cuanto es inconsecuente y da a cada fuerza su dirección y su sentido: "el mundo físico de la naturaleza histórica queda sustituido por un universo ficticio de relaciones claras y sin impedimentos" [16]. La realidad se puede permitir el lujo de ser absurda, pero a la ficción no le basta siquiera el ser verosímil, sino que tiene que ser probable; Aristóteles había sostenido que el poeta debe preferir la imposibilidad probable a la improbabilidad posible. Shepard comenta que de las palabras del Pinciano se deduce la conclusión de que la verosimilitud puede depender en muchos casos de la habilidad creadora del escritor y que aquélla depende a su vez no de principios absolutos, sino "de las exigencias del plan de la acción misma" [17]; en una palabra: de la coherencia interna de la obra.

Este último punto es rico en consecuencias, aunque el Pinciano no las extraiga, atento casi exclusivamente a los modelos del arte antiguo. En primer lugar —según hizo notar Menéndez y Pelayo [18]—, el concepto de la *mímesis* o imitación, defendido por el Pinciano, es claramente idealista, y nada más lejos de esta imitación que los sistemas del naturalismo moderno. Otra consecuencia tiene concreta aplicación al mundo del teatro; el margen concedido en la escena a lo inverosímil no podía tener las mismas dimensiones que en otros géneros literarios. El Pinciano advierte claramente las limitaciones físicas del escenario y, con ellas, las imperfecciones propias de un género que había de moverse en él. Concretamente se pregunta si alguna de las libertades dramáticas inevitables parecen bien aunque no siempre sean del todo verosímiles;

[14] Ed. Carballo, cit., vol. II, pág. 308.

[15] *El Pinciano...*, cit., pág. 63.

[16] Ídem, íd., pág. 63.

[17] Ídem, íd., pág. 65.

[18] *Historia...*, cit., pág. 227.

y responde: "Paréceme que sí. ¿Qué resta? Que pues no puede ser de otra manera y la acción es deleytosa, la tal fábula no sea condenada, ni el autor tenido en menos. Y como generalmente las faltas suelen estar en los artífices y no en las artes, al contrario, algunas vezes suele estar la obra con alguna imperfección, no por falta del poeta, sino de la misma arte; la cual, assí como todas las demás, tiene sus fragilidades y impotencias" [19].

Esta apelación a lo *deleitoso* para estimar la calidad o mérito de una obra teatral es la misma de Lope; la agilidad mental del Pinciano saltaba por encima del aristotelismo al uso y venía a justificar, sin pretenderlo, las libertades dramáticas del Fénix. El Pinciano no lo hace porque su obra había sido escrita antes de producirse el gran momento de la revolución escénica nacional, pero también porque su obra iba encaminada a sistematizar la "filosofía antigua poética", no la contemporánea; nunca se refiere a escritores de su tiempo. En cualquier caso, la empresa de fundir las teorías antiguas con las nuevas planteaba problemas de muy difícil solución, y es ya mucho que el Pinciano consiguiera evadirse de la tiránica presión de autoridades sacrosantas y señalara direcciones de renovadora libertad artística; hacer consistir la verosimilitud en la coherencia interna de la obra y permitir las licencias que el mundo escénico exigía, son premisas sobre las que puede erigirse cualquier género de audacias.

En otros aspectos concretos del arte dramático, el Pinciano sigue de cerca los pasos del Estagirita, tales como la separación entre tragedia y comedia y la atribución a cada una de gentes de diferente condición social. Por otra parte, el estudio de la comedia es mucho menos sólido, parte porque todavía no tenía en su tiempo suficientes modelos que pudieran alertar su pensamiento, parte porque en las mismas páginas del maestro es este punto el más deficiente. Sin embargo, señala —y es bien notable el hecho—, aunque sea muy de pasada, la existencia de una *katharsis* cómica: "comedia —dice— es imitación activa hecha para limpiar el ánimo de las passiones por medio del deleyte y risa" [20]; y en otro pasaje: "toda buena fábula deve perturbar y alborotar el ánimo por dos maneras: por espanto y conmiseración, como las épicas y trágicas; por alegría y risa, como las cómicas y ditirámbicas" [21].

En el problema de las unidades acepta el Pinciano el criterio de Aristóteles en lo que concierne a la unidad de acción; única, como oportunamente vimos [22], de que se ocupó el Estagirita, ya que las otras dos se le atribuyen falsamente. La de lugar —creación de la preceptiva renacentista— nunca la menciona el Pinciano; en cuanto al tiempo, acepta la sugerencia aristotélica de que la obra trágica "no debe tener más término que un día" [23], y lo mismo

---

19 Ed. Carballo, cit., vol. II, pág. 73.
20 Ídem, íd., vol. III, pág. 17.
21 Ídem, íd., vol. II, pág. 54.
22 Vol. I, cap. VI, nota al pie, núm. 10.
23 Ed. Carballo, cit., vol. II, pág. 52.

la cómica, para lo cual aduce fundadas razones de verosimilitud y verdad humana, o más bien diríamos de eficacia: "deleytan y duelen más las obras deleytosas y dolorosas súbitamente venidas; y assí, como el fin del poeta es deleytar, tiene necessidad, quanto sea possible, dar breve tiempo a la acción deleytosa, porque quanto se va dilatando el tiempo della, se va aguando más el deleyte, y de otro modo, ni las acciones ni las peripecias perturban lo que devieran"[24]. En otro pasaje extiende su tolerancia a tres días para la acción cómica y a cinco la trágica, como mucho.

Finalmente, debe destacarse que el Pinciano completa su estudio de la poesía dramática con oportunos y, a veces, muy originales comentarios sobre aspectos no tratados por otros comentaristas de su tiempo, tales como las condiciones del espectador, el papel primordial del actor, las exigencias del decorado y la necesidad de la representación para que la obra escrita alcance su perfección y eficacia debidas. Acerca de esto último escribe un vivaz comentario: "tengo yo en mi casa un libro de comedias muy buenas y nunca me acuerdo dél, mas, en viendo los rótulos de Cisneros y Gálvez, me pierdo por los oyr y mientras estoy en el teatro ni el invierno me enfría ni el estío me da calor"[25].

El Pinciano concede también larga atención al estudio de la épica, género, como sabemos, de mucho valimiento entonces. Los interlocutores del Pinciano discuten sobre la primacía de la épica o de la tragedia, aunque el autor deja indecisa la cuestión. A diferencia de la tragedia, cuyo protagonista puede poseer por igual vicios y virtudes, el héroe épico debe ser ejemplo de perfección, por lo que es necesario el final feliz, ya que en caso contrario sufriría el sentido de la justicia; pero, aunque modelo, el héroe no debe ser sobrehumano, pues entonces sería más bien propio de un libro de caballerías. El tema del poema épico puede ser histórico, aunque no necesariamente; pero el Pinciano se inclina a lo primero de acuerdo con el Tasso. No le parece oportuno servirse de la mitología en el poema épico moderno; pero, a semejanza de lo que había sostenido a propósito de la tragedia, piensa que no es contrario a la verosimilitud el dar entrada a lo mitológico cuando forma parte de las creencias comunes en las gentes que son sujeto de la obra. También con el Tasso reprueba la épica de asunto religioso, porque los dogmas de la fe o las doctrinas sagradas no pueden modificarse y dejan, en consecuencia, poco espacio para la creación poética. En este campo el Pinciano no podía sentirse muy de acuerdo con las ilimitadas libertades que Lope y sus discípulos habían de tomarse con toda la corte celestial. Asunto también debatido es el de la mayor o menor proximidad cronológica del hecho que se elija, así como problemas de índole técnica y de composición: unidad de acción, carácter de los episodios, reglas de la verosimilitud, etc.

---

[24] Ídem, íd.

[25] Ídem, íd., vol. I, pág. 244.

Un punto de evidente interés completa el estudio del Pinciano sobre la épica. Al hablar de la poesía en general había admitido que la forma métrica no es esencial a la composición lírica, afirmación que extiende ahora al poema épico; como al mismo tiempo acepta la posibilidad de la épica sin realidad histórica, ello le lleva lógicamente a elogiar con grandes alabanzas una novela, totalmente imaginaria, la *Etiópica* de Heliodoro, a la que propone como ejemplo de prosa poética y de la épica no histórica. Más todavía; a pesar de sus censuras contra los libros de caballerías por su carencia de verosimilitud, excluye de la condena al *Amadís de Gaula* y, según recuerda Shepard, trata al *Amadís de Grecia* con mucha más generosidad que Cervantes en el *Quijote*. El paso desde aquí a la novela entendida según el concepto moderno era ya muy corto, pero el Pinciano no lo da; en su tiempo éste era un género desconocido. El término *novela*, como sabemos bien, designaba un relato breve; toda narración larga, en prosa y de imaginación pertenecía al campo de la épica. No obstante, las ideas del Pinciano pudieron ser aprovechadas en el futuro e influyeron de manera notable —quizá en medida muy profunda— sobre el pensamiento literario de Cervantes [26].

Resta una última consideración sobre la forma en poesía. Ésta se distingue por la utilización de un lenguaje propio, distinto del normal; el lenguaje poético no es natural, sino un conjunto de artificios, de los que no es posible servirse fuera de la poesía. Una de sus peculiaridades es el empleo de palabras poco comunes, e incluso extrañas, que el escritor puede tomar de otros idiomas —cultos o modernos— y hasta forjarlas por sí mismo, si bien el comentarista pide mucha cautela en este punto y exige que el innovador posea mucha autoridad. El Pinciano estudia los diversos procedimientos que conducen al lenguaje poético; recomienda el hipérbaton latino (para lo cual toma como modelo a Juan de Mena, uno de los poquísimos escritores nacionales que cita), los tropos y figuras retóricas con las que puede hermosearse la oración, la abundancia de epítetos que la enriquecen, un cierto punto de afectación y mucha diligencia para pulir y corregir la obra.

Se ocupa luego del problema de la oscuridad que deriva necesariamente de todos estos componentes. Pinciano advierte que, además de esta dificultad propia del lenguaje poéticamente forjado, puede llegarse a otra mayor por el propósito deliberado del poeta o por falta de destreza. El Pinciano no se ocupa de la poesía *culterana*, cuya explosión no se había producido todavía, pero admite, como vemos, todos los supuestos en que descansa la poesía culta del Renacimiento; es de suponer, sin embargo, que su sentido de la moderación se habría negado a las últimas consecuencias extraídas por la obra de Góngora. Shepard supone que en aquella oscuridad nacida de la falta de habilidad poé-

---

[26] Cfr.: Américo Castro, *El pensamiento de Cervantes*, anejo VI de la *Revista de Filología Española*, Madrid, 1925; passim, y en especial págs. 44-45. William C. Atkinson, "Cervantes, el Pinciano and the *Novelas Ejemplares*", en *Hispanic Review*, XVI, 1948, págs. 189-208. Sanford Shepard, *El Pinciano...*, cit., págs. 209-214.

tica aludía el Pinciano a las demasías del *culteranismo*, pensando sobre todo en los imitadores gregarios del gran cordobés. Pero no creemos que el Pinciano pudiera referirse a un movimiento no existente aún y que, en todo caso, apuntaba deliberada y conscientemente a la creación de una oscuridad culta para una minoría culta.

En su *Philosophía Antigua Poética* el Pinciano recoge y sintetiza toda una tradición ideológica en materia literaria, que había inspirado el pensamiento poético del siglo XVI; su libro es, pues, sustancialmente, resumen y coronación. Pero su independencia de criterio le permite a la vez intuir perspectivas de cara al futuro, cargadas de posibilidades; ya hemos visto de qué manera sus ideas sobre la épica pudieron fecundar el pensamiento de Cervantes y cómo su doctrina de la *imitación* y la *verdad poética* podían justificar incluso las audacias de la nueva dramática; la primacía otorgada a la razón y al propio criterio por encima de todo precepto escrito y de cualquier imposición dogmática dejaban libre —y quizá sea ésta la conquista más importante— la personalidad creadora del escritor. "La teoría literaria presentada en las trece epístolas de la *Philosophía Antigua Poética* —resume Shepard— no se propone ofrecer una fuente inmutable de preceptos que haya que seguirse a toda costa. La doctrina es sólo un elemento del contexto total de la producción literaria. Mucho más importante, quizás, que cualquiera de los principios del arte poético de Pinciano es su insistencia en que el autor se conserve independiente de todo cuanto pueda frustrar su obra. La teoría puede ser un guía indispensable y el estudio de los modelos clásicos puede contribuir a agudizar el genio crítico, pero no existe sustituto válido alguno para el arte mismo. Aunque Pinciano fundamenta su estudio de la literatura en la antigua sabiduría de Aristóteles, quien, a su vez, toma la literatura de su propio país como punto de partida, la última palabra la tendrá siempre el talento literario del autor mismo" [27].

FRANCISCO CASCALES

En opinión de Menéndez y Pelayo, otros dos tratadistas, Francisco Cascales y Jusepe González de Salas, componen "la luminosa tríada de nuestros preceptistas del buen siglo" [28], definición un tanto retórica, sin embargo, como habremos de ver.

Francisco Cascales nació en Murcia, según propia y reiterada afirmación, pero nada se sabe de seguro sobre sus padres y circunstancias de su nacimiento [29]. Desde muy mozo se dedicó al estudio de la gramática, pero luego

---

27 *El Pinciano*..., cit., pág. 156.

28 *Historia*..., cit., pág. 239.

29 Cfr.: Justo García Soriano, *El humanista Francisco Cascales. Su vida y sus obras. Estudio biográfico, bibliográfico y crítico*, Madrid, 1924. Un resumen de la biografía pue-

dejó los libros por las armas y hacia 1585 se alistó en el ejército de Flandes. Antes de salir de España visitó Barcelona, asistió luego a la conquista de León de Saoní, en Borgoña, y permaneció varios años en Francia y en Flandes. Pasó luego a Italia y residió en Nápoles, donde trató al virrey, conde de Miranda, y trabó amistad con varios poetas españoles. Posiblemente prosiguió sus estudios humanísticos en alguna de las universidades italianas. Hacia 1592 regresó a España y conoció y acompañó a don Luis Hurtado de Mendoza, marqués de Mondéjar y conde de Tendilla, que estaba preso en el castillo de Chinchilla, lo que hace suponer que también Cascales estuvo encarcelado. Buscando medio de vivir de sus estudios y no hallándolo en Murcia, marchó como preceptor de Gramática a Cartagena, donde conoció al poeta Carrillo y Sotomayor. En 1601 ganó por oposición la plaza de preceptor en el colegio de San Fulgencio de Murcia, donde ya residió de asiento hasta su muerte, ocurrida en 1642, entregado a su profesión y a sus tareas literarias. Casó tres veces, pero sólo logró sucesión —cuatro hijas— del tercero de sus matrimonios. Desde su retiro provinciano, Cascales conquistó cierta resonancia y sus ideas ejercieron considerable influjo a propósito sobre todo de su intervención en la polémica antigongorina. Estuvo en correspondencia con escritores y personalidades notables, por muchos de los cuales fue públicamente elogiado; Lope de Vega lo encomió en su *Laurel de Apolo,* y Cascales envió un soneto de mejor intención que calidad para la *Fama póstuma.*

Cascales compuso algunos trabajos de historia. Durante su estancia en la ciudad escribió el *Discurso de la ciudad de Cartagena,* que fue publicado en Valencia en 1598. Luego, en Murcia, su Ayuntamiento le encargó la historia de la región, que Cascales escribió en sus *Discursos Históricos de la ciudad de Murcia y su reino* (Murcia, 1621). También probó fortuna en la épica con su inacabada *Epopeya del Cid.*

Pero su fama descansa esencialmente en sus trabajos de ciencia literaria; las *Tablas poéticas,* impresas en Murcia en 1617, y las *Cartas filológicas* aparecidas en la misma ciudad en 1634. Como la *Philosophía* del Pinciano, también las *Tablas poéticas* están en forma dialogada; los interlocutores son dos: Castalio, que representa al autor mismo, y Piero. Constan de diez diálogos, divididos en dos partes de cinco diálogos cada una; los cinco primeros

---

de verse en la Introducción a la edición de las *Cartas filológicas,* del mismo J. García Soriano, cit. luego. Suele afirmarse que Cascales fue bautizado en la parroquia de Fortuna el 13 de marzo de 1564; pero García Soriano sugiere la posible falsedad de este aserto. Cascales jamás alude a sus padres ni a las circunstancias de su nacimiento y familia, ni tampoco lo hace ninguno de sus contemporáneos que lo conocieron y trataron. Siempre se le da un sólo apellido. Ni en la ciudad de Murcia ni en los archivos parroquiales de algunos pueblos contiguos que entonces pertenecían a su jurisdicción, ha podido encontrarse su partida de bautismo. García Soriano apunta la posibilidad de que Cascales sea un Francisco *Moreno,* hijo de Leonor de Cascales y de padre desconocido, que fue bautizado en la parroquia murciana de Santa Catalina el 26 de junio de 1567.

tratan de la poesía en general y los cinco siguientes de los diversos géneros literarios. Las *Tablas* son más ligeras y amenas que la *Philosophía*, pero Menéndez y Pelayo, que no recata su estima por la obra de Cascales, admite que son menos originales y profundas. Cascales no era helenista; cita siempre a Aristóteles en latín, pero, en cambio, se conocía al dedillo a Horacio, a través de cuyas interpretaciones comenta a su vez la *Poética* aristotélica. El propósito fundamental que guía a Cascales es mostrar la inalterable validez de los antiguos preceptos poéticos, con lo cual queda ya señalada la distancia que le separa del Pinciano. Éste se había adherido firmemente a los principios estéticos de la poética antigua, pero estos mismos principios, entendidos como una actitud razonable o norma de juicio, le permitían corregir los errores de aquéllos y buscar la posible armonización con el arte de sus contemporáneos. Cascales, por el contrario, rechaza como vano cualquier intento de encontrar nuevas normas: "Si hay algunos —dice— que estudien en inventar nueva arte Poética, me parece que van buscando frondosos árboles verdes y jardines en las arenas de Ethiopía... porque la verdad una es, y lo que una vez es verdadero, conviene que lo sea siempre, y la diferencia de tiempos no lo muda"[30]. Lo que ha de interpretarse, comenta Shepard, "en el sentido de que los preceptos de Horacio constituyen el más alto tribunal de apelación en el enjuiciamiento literario. Para Cascales, son comentarios sobre la *Poética* de Aristóteles expuestos con más claridad que el texto original y poseedores de una autoridad sin límites"[31].

Situado en la línea aristotélica, Cascales hace también consistir la obra poética en "imitar con palabras", pero entendiendo el alcance de la imitación en un sentido mucho más rígido que el Pinciano; imitar es "representar y pintar al vivo las acciones de los hombres, naturaleza de las cosas y diversos géneros de personas, de la misma manera que suelen ser y tratarse". Consecuentemente, excluye del teatro a Dios y a la Virgen María porque no son imitables, y también "tormentas del mar, batallas campales y muertes de hombres, porque ninguna de estas cosas pueden tener allí su justa imitación"[32].

Donde más rígidamente se encastilla la actitud de Cascales, en opinión de Shepard, es a propósito del *decoro* de los personajes. Sabemos que el *decoro* alude a la consistencia y propiedad entre el carácter y su expresión con hechos y palabras. Interpretando las ideas de Aristóteles, pero a través de la *poética* de Horacio, se sirve de "una fórmula que equivale a la creación de una serie de personajes prototipo representativos de ciertas clases de hombres"[33], tipos de consistencia rígida, en los cuales el desarrollo del carácter se convierte en grave defecto literario, ya que cualquier variación atentaría contra su consistencia y verosimilitud. Con ello, dice Shepard, "se sacrifica

[30] Citado por Shepard en *El Pinciano...*, cit., págs. 166-167.

[31] Ídem, íd., pág. 167.

[32] Cit. por Menéndez y Pelayo, en *Historia...*, cit., pág. 241.

[33] *El Pinciano...*, cit., pág. 167.

toda consideración de índole estética —nosotros añadiríamos también, de índole humana— en favor de los principios retóricos"[34]. La literatura queda con la misión casi exclusiva de pintar prototipos: "La igualdad pide —escribe Cascales glosando a Horacio— que aquel a quien el Poeta le pintare iracundo, le lleve iracundo hasta el cabo: a quien afable, a quien valiente, a quien justo, a quien cauteloso, ni más ni menos"[35].

Igualmente inflexible se muestra Cascales en la separación de personajes trágicos y cómicos. A ello le llevaba asimismo su teoría sobre el *decoro* y también el convencimiento de que en una pieza dramática no podían mezclarse personajes de alta y de baja alcurnia; los primeros eran propios de la tragedia y los segundos de la comedia. Con ello se ponía resueltamente enfrente del teatro de sus contemporáneos. Piero, su interlocutor, le pregunta asombrado si no son, pues, comedias las que entonces se representan; a lo que responde Cascales: "Ni son Comedias, ni sombra de ellas. Son unos hermaphroditos, unos monstruos de la poesía"[36]. Tan radical opinión sobre la *comedia* contemporánea no impidió la amistad entre Cascales y Lope de Vega —con el intercambio de elogios que hemos visto— ni que el murciano escribiera más tarde una defensa del teatro como veremos luego en las *Cartas* filológicas.

Al tratar de la épica Cascales puede sentirse un poco más libre de la sujeción a los preceptos de Aristóteles y de Horacio, porque éstos habían teorizado sobre aquel género con menos precisión. Entonces sigue con preferencia las doctrinas del Tasso, y con ello se aproxima al Pinciano en lo que respecta a los temas —excluye los religiosos—, distancia cronológica de la acción, etc.

Las *Cartas filológicas* son una colección de epístolas compuestas a modo de disertaciones o discursos sobre muy variadas materias; son treinta, divididas en tres *décadas*[37]. No son, en opinión de su editor García Soriano, "supuestas cartas", sino auténticas misivas seleccionadas por el autor entre la larga correspondencia que sostuvo con escritores y hombres notables. Cascales no indica nunca el año, pero suele poner el mes y el día. No las agrupa por asuntos, sino que los alterna. En razón de ellos García Soriano establece seis apartados: de polémica y crítica literaria; de erudición humanística; de curiosidades y costumbres coetáneas; eutrapelias o pruebas de ingenio; cartas político-morales o instrucciones; históricas y genealógicas. Claro está que las de mayor interés para nosotros son las primeras por su conexión con hechos y problemas capitales de nuestra literatura.

A la primera década pertenece la famosa carta —la VIII— a don Luis Tribaldos de Toledo "Sobre la obscuridad del *Polifemo* y *Soledades* de don

---

[34] Ídem, íd., pág. 168.

[35] Cit. en ídem, íd., pág. 171.

[36] Ídem, íd., pág. 176.

[37] Edición de Justo García Soriano, 3 vols., Clásicos Castellanos, Madrid, 1930-1941.

Luis de Góngora". En ella recoge los conocidos juicios sobre la "nueva poesía", que el autor había ya expuesto esencialmente en las *Tablas* al ocuparse de la *oscuridad*. La carta obtuvo gran difusión en los círculos literarios de toda España y contribuyó poderosamente a la polémica encrespada en torno a la obra del famoso cordobés. En la carta X contesta Cascales a don Francisco del Villar, que había salido en defensa de Góngora; a ella pertenece la conocida definición, tantas veces citada, de "príncipe de la luz" y "príncipe de las tinieblas", que aduce después de reprochar a don Luis que abandonara "la magnificencia de su primer estilo".

Notable interés ofrece también la Carta III de la segunda década, escrita en defensa de las representaciones y dirigida a Lope con este título: "Al Apolo de España, Lope de Vega Carpio. En defensa de las comedias y representación de ellas". En Murcia se habían ido prohibiendo las comedias periódicamente, como en todo el país, pero quizá con más rigor, o por lo menos las autoridades locales habían añadido algunas prohibiciones por su cuenta. Cascales en su epístola traza una breve historia de las representaciones dramáticas desde la antigüedad, para demostrar que las viejas inmoralidades nada tenían que ver con el teatro de su tiempo, y que éste no sólo era digno y limpio, sino de gran provecho como lección de vida y espejo de costumbres. Cascales nada dice en la carta que desmienta en teoría lo que había sostenido en las *Tablas* sobre la comedia contemporánea, pero demuestra su personal contradicción entre su práctica y sus ideas; contradicción que no ha de escandalizarnos demasiado porque en aquellos días debía de ser muy común. Los estudiosos podían aplicar su pedante saber a poner de relieve los delitos de la comedia contra la imitación, la verosimilitud y los preceptos de los antiguos, pero vibraban humanamente ante aquel espectáculo con su conjunto de bellezas literarias, emoción, intriga, actrices y actores, música, color y fantasía, que pocas veces quizá sería lógico y real, pero siempre era apasionante. Muchos insignes eruditos tratarían de esconder con una hipócrita sonrisa de desdén el placer real que sentían en los corrales. Cuando Cascales le dice a Lope en su epístola que era él quien más había "ilustrado la poesía cómica en España, dándole la gracia, la elegancia, la valentía y ser que hoy tiene"[38], reconoce de hecho la existencia de un teatro vivo, que a él mismo le encantaba, a despecho de todas las preceptivas, que eran letra muerta. Estos eruditos ignoraban además una verdad fundamental: que aquel teatro de los antiguos, que ellos consideraban con la mayor gravedad como creaciones altísimas, habían sido en su tiempo sencilla fuente de placer como en sus días lo era el suyo, sólo que con los siglos y las costumbres habían variado los estímulos y forma de deleite.

[38] Ed. cit., vol. II, págs. 40-41.

JUSEPE ANTONIO GONZÁLEZ DE SALAS

El tercer tratadista de la "tríada" de don Marcelino es Jusepe Antonio González de Salas (1588-1654), conocido editor de las poesías de Quevedo. Menéndez y Pelayo traza una pintoresca semblanza de este erudito, "varón verdaderamente singular y extremado en todo"[39], caballero de noble alcurnia, pero apartado del bullicio cortesano, tétrico de carácter, enfático y sentencioso de estilo, misántropo y mal avenido con todo lo que le rodeaba, purísimo de costumbres, pero diligente comentador de las salacidades de Petronio y de las más desenfadadas composiciones de su gran amigo Quevedo. Estudioso incansable de la literatura griega y latina, llegó a ser, también en opinión de don Marcelino, "el español que en su tiempo conocía mejor las letras clásicas"[40].

Su obra más notable para nuestro objeto es la *Nueva idea de la tragedia antigua, o ilustración última al libro singular de poética de Aristóteles Stagirita,* publicada en Madrid en 1633. La *Nueva idea,* según dijo Menéndez y Pelayo y comenta Shepard, no nos ofrece el prometido nuevo punto de vista sobre la literatura dramática de la antigüedad, sino que se reduce al comentario de la poética aristotélica. Pero si no se distingue ciertamente por sus principios estéticos, que son pocos y vulgares, recoge, en cambio, abundantes y curiosas noticias sobre la Música, la Danza, la Pantomima, el Histrionismo y el aparato trágico de los antiguos.

Lo más importante, sin embargo —y lo es en gran medida—, del libro de Salas es la introducción, en la que defiende la primacía del escritor, con su genio y juicio personales, sobre el rigor de los preceptos. Para Salas, el escritor contemporáneo no está obligado por las normas de la antigüedad; Aristóteles había basado sus preceptos poéticos en la *naturaleza,* es decir, en la realidad y la práctica de su tiempo; pero, del mismo modo, puede cambiarse el *arte* al correr de los tiempos "según la mudanza de las edades y la diferencia de los gustos"[41]. Ningún principio estético posee, pues, absoluta autoridad; los gustos cambian, y toda excelencia literaria es relativa: "comedias tenemos hoy de los griegos y de los latinos —dice Salas— que si se representaran hoy en nuestros theatros, de ninguna manera nos deleitaran... Y, lo que más es, ni a la mayor parte de las tragedias juzgo que pudiera esperar hoy el ánimo más de hierro que queramos fingir. ¿Qué servirán, pues, aquellos preceptos para la estructura de nuestras fábulas?"[42]. Lo que debe aprenderse de la Poética de Aristóteles no es una regla absoluta, sino una lección sobre el valor relativo de cualquier criterio.

---

[39] *Historia...*, cit., pág. 247.
[40] Ídem, íd., pág. 248.
[41] Cit. por Shepard en *El Pinciano...*, cit., pág. 188.
[42] Cit. por Menéndez y Pelayo, en *Historia...*, cit., pág. 249.

Las ideas de Salas, tan radicalmente contrarias al autoritarismo de Cascales, son notables por su sentido de independencia y su audaz estimación de la importancia de la personalidad; pero, como comenta Shepard, tienen en su contra la ausencia de criterios estéticos de valoración y el riesgo del absoluto historicismo, es decir, de convertir la crítica literaria en mera historia literaria: "de la *Nueva idea de la tragedia antigua* —dice— pueden aprenderse lecciones de historia, pero no la comprensión de una obra de arte" [43].

JIMÉNEZ PATÓN

Fuera ya de todo propósito de estética teórica o científica, y estrictamente limitado a la codificación retórica, se encuentra uno de los escritores que gozaron de mayor prestigio en su tiempo como maestro de aquel saber: Bartolomé Jiménez Patón. Nació Patón en Almedina, villa del Campo de Montiel, próxima a Villanueva de los Infantes, a mediados de 1569. Estudió en el Colegio Imperial de los jesuitas de Madrid y luego en la Universidad de Baeza. Obtuvo el grado de maestro en la de Salamanca y fue por algún tiempo profesor de humanidades en Alcaraz. Con Luis Tribaldos de Toledo fue después preceptor del conde de Villamediana, y más tarde desempeñó un cargo en la Inquisición de Murcia, donde tuvo ocasión de hacer amistad con Cascales. Como maestro de elocuencia marchó en 1618 a Villanueva de los Infantes y allí permaneció hasta su muerte, en abril de 1640, dedicado a la enseñanza y a sus trabajos de erudición.

Patón escribió abundantes estudios sobre los temas más diversos: historia, oratoria, gramática, retórica; y hasta compuso algunas comedias, que se han perdido. Pero su nombre va unido especialmente a la *Eloquencia española en arte*, que publicó primero en Toledo en 1604; luego la reformó y aumentó, y uniéndola a la *Eloquencia sacra* y a la *Eloquencia romana* formó su *Mercurius trimegistus*, que apareció en Baeza en 1621 [44].

El interés de la *Eloquencia española* consiste en ser una retórica en lengua vulgar, enteramente dedicada a autores españoles, de los cuales poseía Patón amplia noticia; los ejemplos tomados de ellos son abundantísimos, y Menéndez y Pelayo ha condensado en breves líneas la importancia de semejante codificación: "Sólo la *Agudeza y arte de ingenio*, de Gracián, y la *Retórica*, de Mayans, pueden competir en riqueza y amenidad de textos y citas con el *Mercurio trimegisto*, en cuyas páginas todavía esperan al erudito y al colector de nuestros poetas muy agradables sorpresas. Es el único de los retóricos de su tiempo que tuvo constantemente fija la atención en los monumentos

[43] *El Pinciano...*, cit., pág. 190.

[44] La *Eloquencia sacra* y la *romana* están escritas en latín; la *Eloquencia española* en castellano, así como las *Instituciones* que van a continuación.

de la literatura vulgar, el único que escribió para España y no para Grecia o Roma" [45]. Patón se propuso codificar todos los tropos y figuras retóricas definidos por la preceptiva clásica, pero ilustrándolos con textos de poetas y prosistas españoles. Este propósito es consecuencia de una de las ideas más firmes en el pensamiento de Patón, que es el alto nivel y gloria a que ha llegado ya la lengua y literatura de su país, según declara, no sin énfasis patriótico, en el prólogo de la *Eloquencia.*

Ningún autor, sin embargo, es citado tantas veces y con palabras tan elogiosas como Lope de Vega, por quien siente Patón un entusiasmo inextinguible y con quien mantuvo estrecha amistad. Rozas y Quilis, al mencionar y resumir las aportaciones de diversos investigadores sobre este punto, afirman que Patón tiene el indiscutible mérito "de ser cronológicamente el primer retórico lopista y uno de los más apasionados de todos los tiempos" [46]. En 116 ocasiones, según cuenta de los citados críticos, aduce Patón textos de Lope como modelo de figuras retóricas o bellezas literarias; por un momento llega a temer el reproche de que se excede en su predilección, y se justifica de este modo: "No sea odioso el exemplificar tan frequentemente con las obras deste autor singular, porque certifico que el exemplo que hallo en otro, no lo pongo dél. Y si todos los preceptos de la eloquencia quisiera exemplificar, en él sólo podía, porque para todos tiene" [47].

Menéndez y Pelayo dice de la *Eloquencia* —y se ha repetido mucho— que es un tesoro "de la poesía del siglo XVI", pero Patón toma también modelos de otras épocas y en mucho mayor cantidad del siglo XVII; esto señala claramente las preferencias del comentarista y justifica que se le tenga por el primer retórico del Barroco. Del siglo XV aduce Patón a Juan del Encina, Sánchez de Badajoz, Rodrigo de Cota y Juan de Mena, y también algunos romances; del XVI, a Garcilaso —sólo una vez, aunque repitió luego el elogio en las *Instituciones*—, Castillejo, Hurtado de Mendoza, fray Luis de León, algunos poetas didácticos y sobre todo a los épicos, como Barahona de Soto, Ercilla, Rufo y Zapata, porque la épica se avenía mejor con la gravedad de las figuras estudiadas en su retórica; cita también a varios prosistas, sobre

[45] *Historia...*, cit., pág. 191.

[46] Juan Manuel Rozas y Antonio Quilis, "El lopismo de Jiménez Patón. Góngora y Lope en la *Elocuencia española en Arte*", en *Revista de Literatura*, tomo XXI, números 41-42, enero-junio, 1962, págs. 35-54 (la cita es de la pág. 35).

[47] Cit. en ídem, íd., pág. 49. De la amistad entre Patón y Lope —recuerdan los mencionados críticos— se ocupó Joaquín de Entrambasaguas en su estudio "Una guerra literaria del Siglo de Oro. Lope de Vega y los preceptistas aristotélicos", publicado primeramente en el *Boletín de la Real Academia Española*, XX, 1933, e incluido luego con ampliaciones en sus *Estudios sobre Lope de Vega*, I, Madrid, 1946. Trata también el tema M. Romera Navarro, en *La preceptiva dramática de Lope de Vega*, Madrid, 1935. Dámaso Alonso en su trabajo "Versos correlativos y retórica tradicional", recogido en *Seis calas en la expresión literaria española*, Madrid, 3.ª ed. 1963, señala la abundancia de versos correlativos de Lope utilizados por Patón en su *Eloquencia.*

todo a los dos Luises y a Santa Teresa. Es significativa la ausencia —que prueba su escasa preferencia por aquel siglo— de Boscán, Cetina, Acuña y particularmente de Herrera. En cambio, son muy numerosos los poetas de las generaciones barrocas, algunos de segundo orden, como Liñán, Espinel, Valdivielso, Miguel Sánchez, Salas Barbadillo, que trae junto a Quevedo, Góngora, el mayor de los Argensola y, siempre, Lope. Pero al autor de las *Soledades,* aunque lo cita en varias ocasiones, nunca parece hacerlo con entusiasmo, más bien diríase que por necesidad, y es muy revelador que no mencione a ninguno de sus discípulos, incluso al conde de Villamediana, a pesar de la estrecha relación que con él había tenido y deberle el cargo de Correo Mayor del Campo de Montiel. Patón, evidentemente, reconocía la importancia de Góngora, pero en manera alguna era un gongorista; su apasionado lopismo se oponía a ello; no obstante, tampoco sentía, en todo caso, la hostilidad contra Góngora de Lope y de Quevedo. Cuando en 1618 se publicó la *Expostulatio Spongiae,* se incluyó en defensa del Fénix un párrafo de la *Eloquencia* traducido al latín. Y, según testimonio del propio Lope, había sido Patón el introductor de la palabra *culteranismo,* que sirvió para designar peyorativamente a la "nueva poesía" [48].

A continuación de la *Eloquencia española* Patón incluyó en el *Mercurius* sus *Instituciones de la gramática española.* También desde Menéndez y Pelayo se ha venido afirmando que Patón carece de toda originalidad en estas materias y que no hace sino repetir conceptos de los gramáticos anteriores, especialmente del Brocense. En un reciente trabajo Rozas y Quilis [49] han demostrado, sin embargo, la originalidad que encierran las *Instituciones* del preceptor manchego y señalado sus fecundas aportaciones; no solamente se aparta en muchos puntos de Nebrija y del Brocense, sino que anticipa conceptos gramaticales de la mayor modernidad. En opinión de dichos críticos el maestro Correas tomó muchas ideas de Patón para su *Arte de la lengua castellana,* aunque nunca lo declare. Patón, hombre de libros, pero muy atento a la vez a las formas vivas del idioma y hasta a sus expresiones coloquiales y dialectales, pudo advertir fenómenos de expresión que habían escapado a otros gramáticos: "Las ideas gramaticales de éste —dicen los críticos mencionados— nacen en él como fruto de sus observaciones: conoce perfectamente la gramática latina y las gramáticas españolas anteriores a la suya, y

[48] A pesar de todo, según recuerdan Rozas y Quilis —artículo citado, nota al pie, núm. 35—, Patón figura entre los *Autores ilustres y célebres que han comentado, apoyado, loado y citado las poesías de don Luis de Góngora,* lista recogida por Artigas en su libro *Don Luis de Góngora y Argote,* Madrid, 1925. Probablemente, los amigos de Góngora trataban de aprovechar en su defensa la autoridad de Patón, de modo parecido a como Lope había cultivado la amistad del aristotélico Cascales.

[49] Antonio Quilis y Juan Manuel Rozas, "La originalidad de Jiménez Patón y su huella en el *Arte de la lengua* del maestro Correas", en *Revista de Filología Española,* XLVI, 1963, págs. 81-95.

ve que todas omiten una larga serie de rasgos propios a la lengua castellana; por ello, una de las principales miras que lleva al redactar sus *Instituciones de la gramática española* es añadir lo que, siendo característico del español, falta en las otras gramáticas" [50].

Tan excelentes resultados no le impidieron, sin embargo, a Patón defender el dislate, sostenido por el doctor Gregorio López Madera, de que la lengua castellana había sido la primitiva de España y muy anterior, por tanto, al latín; y ello mucho después de haberse publicado el estudio de Bernardo de Alderete sobre los orígenes del castellano. Es evidente que al culto preceptor de Villanueva le cegaba el apasionado amor a la lengua de su país, de la que fue en toda ocasión celoso apologista. Diríase que cerraba sus oídos voluntariamente, con actitud poco científica esta vez, a toda razón que contradijera sus sentimientos; en realidad, él mismo lo confiesa; al explicar poı qué no acepta la tesis latinista de Alderete, escribe estas palabras bien reveladoras: "dende que vi la del Doctor Madera, me quadró de suerte que no la puedo dexar; y bien podrá ser que en esto obre el piadoso afecto que a la patria devo, porque con afición miro las cosas que hacen en su favor".

LA FILOLOGÍA Y LA GRAMÁTICA

SEBASTIÁN DE COVARRUBIAS OROZCO

De Sebastián de Covarrubias se sabía muy poco hasta tiempos relativamente recientes, con excepción de que fue el autor del *Tesoro* y canónigo de Cuenca. Por sugerencia de don Emilio Cotarelo, González Palencia indagó en los archivos de aquella ciudad y en 1925 publicó el resultado de sus pesquisas, a las cuales debemos una copiosa documentación sobre la vida del escritor [51], que contada en resumen es como sigue:

Sebastián de Covarrubias pertenecía por ambas ramas a familias ilustres. Su padre fue Sebastián de Orozco, autor, entre otras obras, de un famoso *Cancionero* que mencionamos en su lugar; su madre, doña María Valero de

[50] Ídem, íd., pág. 94. Además de los estudios mencionados, cfr. para los cuatro autores precedentes: E. Díez Echarri, *Teorías métricas del Siglo de Oro. Apuntes para la historia del verso español,* anejo 47 de la *Revista de Filología Española,* Madrid, 1949. Juana de José Prades, *La teoría literaria,* Madrid, 1954. A. Terry, "The continuity of Renaissance Criticism. Poetic Theory in Spain between 1535 and 1650", en *Bulletin of Hispanic Studies,* XXXI, 1954, págs. 27-36.

[51] Ángel González Palencia, "Datos biográficos del Licenciado Sebastián de Covarrubias y Horozco", en *Boletín de la Real Academia Española,* XII, 1925, págs. 39-72, 217-245, 376-396 y 498-514. Cfr. también: N. Alonso Cortés, "Acervo biográfico. Don Sebastián de Covarrubias Orozco", en *Boletín de la Real Academia Española,* XXX, 1950, páginas 11-13.

Covarrubias, descendía de los Leiva y los Covarrubias, que habían dado nombres ilustres a las letras, a la Iglesia y a la política. Nació Sebastián en Toledo el 7 de enero de 1539, y entre 1565 y 1571 estudió en la Universidad de Salamanca bajo la tutela de su tío-abuelo, don Juan de Covarrubias, que se había encargado de su educación. En 1567 estaba ya ordenado de sacerdote, y en 1578 fue nombrado capellán de Su Majestad. Estuvo luego en Roma y el papa Gregorio XIII le nombró canónigo de Cuenca, donde fijó su residencia a partir de 1579. En atención a sus "letras, inteligencia y entereza", el Nuncio le escogió para llevar a cabo el proyecto de instrucción de los moriscos de Valencia, y en esta ciudad permaneció hasta 1600, siendo recompensado por el Papa, a petición del rey, con la dignidad de Maestrescuela de la catedral conquense. Hizo un nuevo viaje a Valencia en 1606 para completar su tarea en el problema de los moriscos, y fue a Madrid en 1610 para gestionar la impresión de sus dos obras: los *Emblemas morales* y el *Tesoro.* Al año siguiente regresó a su puesto, pero estaba ya enfermo y achacoso. A mediados de 1613 hizo testamento y falleció el 8 de octubre de aquel mismo año.

Aparte los mencionados *Emblemas morales* (Madrid, 1610), en los que sigue la corriente tan cultivada entonces de la literatura simbólico-moral [52], Covarrubias no publicó otra obra que su *Tesoro de la Lengua Castellana o Española* [53] —Madrid, 1611—, aunque sin duda escribió otros trabajos que se han perdido. Según Martín de Riquer, Covarrubias debió de escribir el *Tesoro* entre 1606 y 1610, y parece que redactaba su obra de forma continuada, letra tras letra; en la palabra *catarro* dice que ha puesto cierto refrán porque duda poder llegar a la palabra *romadizo,* y por la misma razón incluye en el término *bada* lo que pensaba reservar para su sinónimo *rhinocerote.* En la voz *candela* manifiesta que decide abreviar porque teme que la obra se alargue demasiado, y a partir de la letra siguiente abrevia, en efecto, de manera notoria, dejando el libro con evidente desproporción.

El *Tesoro,* en sustancia, es un diccionario, y el propósito, repetidamente declarado por el autor, es limitarse a la etimología de las palabras; en su dedicatoria al rey Felipe III dice que, a semejanza de San Isidoro que había compuesto las *Etimologías latinas,* deseaba él codificar "las de su propia lengua castellana", empresa —dice— por nadie antes intentada, o de la que, si alguno lo había pretendido, tuvo que desistir. De hecho, sin embargo, el *Tesoro* se extiende a mucho más; en el vocablo *esperanza* dice que su trabajo "no se endereça a tratar de las materias más de lo que toca a sus etimologías y algunas cositas que acompañen" [54]; no obstante, son las "cositas" justamente las que ocupan las más de las veces todo el lugar y hasta adquieren

[52] Cfr.: José María de Cossío, "Una nota a los *Emblemas Morales* de Covarrubias", en *Boletín de la Biblioteca Menéndez y Pelayo,* XIV, 1932, págs. 113-115.

[53] Edición de Martín de Riquer, Barcelona, 1943.

[54] Ídem, íd., pág. 555.

con gran frecuencia la dimensión de pequeños tratados. El *Tesoro* resulta, pues, un diccionario enciclopédico en el mismo sentido que hoy les damos a los de tal especie. Martín de Riquer recuerda la opinión de Quevedo, en su *Cuento de cuentos,* sobre el *Tesoro* de Covarrubias: en él —dice— "el papel es más que la razón; obra grande y de erudición desaliñada"; y la frase del gran satírico no es del todo injusta. Porque Covarrubias da la impresión de escribir como a la buena de Dios y a lo que salga, sin plan preciso ni llevar mucha cuenta de la importancia y proporción de cada vocablo; a propósito de cada uno, escribe lo que le viene en gana o se le ocurre, y lo mismo se limita a dar su etimología y definición que se extiende en noticias de la más variada índole, citas de clásicos, historietas, refranes, erudición sagrada o profana, curiosidades, sucesos contemporáneos, costumbres. El valor real de las etimologías dadas por Covarrubias es muy limitado, ya que con gran frecuencia son caprichosas o traídas por los pelos, aunque encierran, naturalmente, gran valor para el estudio de la evolución de la historia de nuestra lengua. Pero el *Tesoro* justifica plenamente su nombre como riquísimo depósito informativo de los conocimientos, creencias y opiniones de la época, a más del caudal noticioso que permite muchas veces interpretar y valorar pasajes de nuestros clásicos. El *Tesoro* es un centón pintoresco, más valioso precisamente por esta abigarrada diversidad que por su pretendido contenido científico, y puede leerse casi siempre con el mismo placer que las páginas de un escritor costumbrista. Véanse unos ejemplos: en la palabra *Hermafrodito,* después de referir el suceso de este joven con la ninfa que halla en la fuente según el relato de Ovidio, dice de los baños: "La verdad es que todos los que usaren los vaños perderán mucho de sus fuerças y ánimo, y buelve mugeriles y covardes a los muy valientes; que, aviendo experimentado esto el rey don Alonso, que ganó a Toledo, mandó derrocar y deshazer todos los vaños; y éstos con los demás regalos enervaron al exército de Aníbal, entretenido en Capua..." [55]. A propósito del chapín escribe: "Calçado de las mugeres, con tres o quatro corchos; y algunas ay que llevan treze por dozena, y más la ventaja que levanta el carcañal... Cuentan una patraña, que por evitar que las mugeres no anduviessen mucho, les persuadieron ussasen chapines, con que parecerían grandes y dispuestas, tanto como los hombres: hiziéronselos de palo y muy pesados. Ellas aprovecháronse de la invención, pero hiziéronlos huecos; y al cabo dieron en hazérselos de corcho, con que alivianaron la pesadumbre y no perdieron por esso el andar lo mesmo que antes con gallardía y señorío; y añadiendo a esto copetes, sobrepujaron la estatura del hombre. En muchas partes no ponen chapines a una muger hasta el día que se casa, y todas las donzellas andan en çapatillas. Chapiñaço, el golpe que da la muger con el chapín, que cuando toman cólera suelen descalçársele y vengar con él sus injurias..." [56].

[55] Ídem, íd., pág. 504.

[56] Ídem, íd., pág. 432.

Con todo, la mayor importancia del *Tesoro* reside evidentemente en su caudal idiomático de voces, frases y dichos populares: "Publicado —dice Riquer— en una fecha de la cual sólo es preciso resaltar que media entre la primera y segunda parte del *Quijote* y que es la misma que se asigna a las *Soledades* de Góngora, el *Tesoro de la lengua castellana o española* ha sido reconocido unánimemente como la obra capital para el conocimiento del idioma en los tiempos que más brilló nuestra literatura. Cuando, más de un siglo después, la Real Academia Española inició el diccionario llamado *de Autoridades*, tuvo que reconocer el valor y el acierto de la obra de Covarrubias" [57].

El propósito de definir las etimologías castellanas demuestra ya el amor de Covarrubias hacia su lengua nacional, idea que expresamente declara en su dedicatoria al Rey; espera que de su trabajo puedan beneficiarse tanto los españoles como los extranjeros, al conocer ahora la lengua española "de rayz, desengañados de que no se deve contar entre las bárbaras, sino ygualarla con la latina y la griega, y confessar ser muy parecida a la hebrea en sus frases y modos de hablar" [58]. No obstante, "formado —como dice Riquer— en la doctrina universitaria y latinista de su tiempo, no se cansa de manifestar que no escribe para romancistas y que sus lectores deben saber latín" [59]; y así, deja, efectivamente, en latín sus numerosísimas citas de esta procedencia, y hasta llega a decir en una ocasión que pone unas frases en dicha lengua para mayor claridad.

Covarrubias destaca en su libro muchas palabras en desuso, pero que considera acertadas, y las autoriza con algún texto literario; y señala también la condición rústica o grosera de ciertos vocablos, o, por el contrario, el valor poético de otros. En general, acepta la introducción de extranjerismos.

---

[57] Ídem, íd., pág. IX. Mayáns y Siscar, que aduce también, por cierto, las palabras de Quevedo citadas por Riquer, no parece mostrarse muy entusiasmado en lo que concierne al caudal de palabras reunidas por Covarrubias. Aludiendo a un escritor extranjero que preparaba un diccionario español y lamentando que gran parte de nuestro léxico estuviera todavía sin registrar, escribe: "Al *Thesoro* que descubrió el licenciado Don Sebastián de Covarrubias Orozco, maestrescuela y canónigo de la santa iglesia de Cuenca, en alguna manera le conviene el adagio latino *Thesauri Carbones*. Por eso Don Francisco de Quevedo Villegas, que sabía muy bien la gran extensión de nuestra lengua, dijo en su *Cuento de Cuentos: también se ha hecho Tesoro de la Lengua española, donde el papel es más que la razón, obra grande y de erudición desaliñada,* aunque no puede negarse que Covarrubias, siendo un hombre solo, hizo mucho" (*Orígenes de la Lengua Española*, reimpresión de Eduardo de Mier, Madrid, 1873, págs. 455). Por su parte Eduardo de Mier añade en nota al pie: "El *Tesoro* de Covarrubias, impreso en 1611, es una obra curiosa y llena de erudición, notable a veces en la parte etimológica;. pero en general absurda en su fondo, y poco filosófica y acertada en sus definiciones".

[58] Ed. Riquer, pág. 18.

[59] Ídem, íd., pág. VIII.

En 1674 se publicó una nueva edición del *Tesoro* con adiciones del padre Benito Remigio Noydens, que encierran muy escaso interés; son más abundantes en la segunda mitad del libro, donde, como sabemos, Covarrubias había abreviado por temor de no concluir su obra. Noydens repite muchas veces conceptos que ya había expuesto Covarrubias; escribe además con mucha menor vivacidad y gracia que el autor, pero con bastante más pedantería [60].

GONZALO CORREAS

La vida de Gonzalo Correas ofrece poco relieve considerada bajo el punto de vista de la anécdota curiosa, pero no carece de interés para ilustrar la vida universitaria española en el momento que inicia ya su ocaso. A este respecto, la copiosa documentación exhumada por Emilio Alarcos sobre la actividad académica de nuestro gramático, estudiante y profesor de Salamanca, durante largos años es inapreciable [61].

Gonzalo Correas nació en Jaraíz, pueblo de la Vera de Plasencia, actual provincia de Cáceres, en 1570 o 1571. Siguió tres cursos de Artes en la Universidad salmantina entre 1589 y 1592, y después de graduarse de Bachiller emprendió los estudios de Teología, que terminó en 1599. En 1594 la Universidad de Salamanca había acordado la reapertura del Colegio Trilingüe, cerrado desde 1588, y anunciado la provisión de varias becas de hebreo, griego y retórica. Correas, estudiante entonces de Teología, pero dedicado desde muy joven al estudio de las lenguas clásicas, sobre todo del griego, ganó por oposición una de las plazas de esta última lengua. Pero el Trilingüe volvió a ser clausurado; la economía de la Universidad no podía afrontar la carga de su mantenimiento y tampoco los estudiantes cumplían sus deberes, al parecer, con un entusiasmo excesivo. Correas, a cambio de la renuncia a su beca, recibió una cátedra menor de griego en la Universidad, y así comenzó su actividad como profesor. Su vida queda encuadrada desde entonces entre sus ocupaciones docentes, oposiciones a cátedras, forcejeos y rivalidades de política universitaria y vanos esfuerzos para conseguir la reapertura del Trilingüe, de cuya vida se sentía parte como colegial que había sido y por el entusiasmo que siempre tuvo hacia el estudio de las lenguas clásicas. Correas ocupó suce-

[60] La edición de Riquer incluye las adiciones de Noydens. Cfr.: John M. Hill, *Index verborum de Covarrubias Orozco: Tesoro de la Lengua Castellana o Española. Madrid, 1611-1674,* Indiana University Studies, vol. VIII, núm. 48, marzo 1921. Ignacio Errandonea, "El gran diccionario de Covarrubias", en *Razón y Fe,* CXXIX, 1944, págs. 188-193. Louis Cooper, "Sebastián de Covarrubias: una de las fuentes principales del *Tesoro de las dos lenguas francesa y española (1616)* de César Oudin", en *Bulletin Hispanique,* LXII, 1960, págs. 365-397.

[61] Emilio Alarcos, "Datos para una biografía de Gonzalo Correas", en *Boletín de la Real Academia Española,* VI, 1919, págs. 524-551 y VII, 1920, págs. 47-81 y 198-233.

sivamente una cátedra de griego "de dos lecciones", una de lengua hebrea en propiedad y, al fin, la cátedra principal de griego, en propiedad asimismo, que simultaneó con la anterior. Desde 1601 era sacerdote y sirvió una de las capellanías del Hospital del Estudio. En 1630 pidió la jubilación de su cátedra y murió hacia mediados del siguiente año.

En su testamento Correas legó sus libros al Trilingüe, y gracias al inventario de su biblioteca podemos conocer el ámbito de su curiosidad intelectual, que se extendía tanto a las letras divinas como a las humanas, lo mismo a las literaturas y lenguas hebrea, griega y latina que a los escolásticos medievales, a los humanistas renacientes, a escritores modernos de otros países y a casi todos los de su propia lengua, así prosistas como poetas.

Correas escribió y publicó algunas obras menores, de carácter filológico, dedicadas al comentario o estudio de las materias que enseñaba, entre las cuales ofrecen mayor interés el *Trilingüe de tres artes de las tres lenguas Castellana, Latina y Griega* (Salamanca, 1627) y la *Ortografía Kastellana, nueva y perfecta* (Salamanca, 1630). El *Trilingüe* está inspirado por la idea de que todas las lenguas coinciden en los fundamentos generales y en la mayor parte de su gramática, y sólo son diferentes "sus frases y vocablos", por lo que es posible estudiar conjuntamente y bajo el mismo plan el castellano, el griego y el latín, a lo que todavía pensó añadir el hebreo, aunque desistió por falta de caracteres en la imprenta. La *Ortografía* se propone sustituir la existente en español por otra puramente fonética, en la forma que diremos luego.

Pero la importancia de Correas está ligada esencialmente a dos obras que quedaron manuscritas y que sólo en tiempos recientes han sido publicadas: el *Vokabulario de Refranes y Frases Proverbiales y otras fórmulas comunes de la lengua kastellana* y el *Arte de la Lengua Española Castellana.*

El *Vokabulario,* cuyo contenido revela claramente el título, fue publicado por primera vez en 1906, en edición de la Academia, sustituyendo la peculiar ortografía de Correas por la oficial; y nuevamente, en 1924, también por la Academia, modificando asimismo la ortografía y además el orden establecido por el autor. El *Arte de la lengua* fue publicado en 1903 por el conde de la Viñaza, sobre un manuscrito incompleto, y por Emilio Alarcos García en 1954, sobre el manuscrito original[62].

Como puntualiza Emilio Alarcos, Correas no se mueve por el afán de hacer ciencia lingüística, sino por un propósito exclusivamente pedagógico, es decir, para facilitar el estudio del griego y del latín y el del castellano a los extranjeros, y aun a los mismos españoles, pues, aunque éstos lo hablen naturalmente, tendrán conciencia más clara de él si lo estudian según la doctrina. De acuerdo con el principio que hemos señalado, el gramático, para Correas,

---

62 *Gonzalo Correas. Arte de la Lengua Española Castellana.* Edición y prólogo de Emilio Alarcos García, anejo LVI de la *Revista de Filología Española,* Madrid, 1954.

debe comparar las peculiaridades de cada lengua con los principios generales de la gramática, es decir, "mostrar qué expresión concreta, genuina y peculiar tienen en aquel idioma las abstractas categorías de la Gramática general" [63].

Correas sigue la división tradicional de la gramática y recoge en esencia las ideas de todos sus predecesores, especialmente de Nebrija, pero posee un espíritu independiente que no se limita a repetir y menos aún a aceptar pasivamente la autoridad de los maestros [64]; Correas confronta cada cosa con su propio criterio y sobre todo con lo que constituye para él la piedra de toque esencial, que es el uso y la peculiaridad de su propio idioma según éste vive en boca de las gentes. El amor por su lengua y ese convencimiento de que en las formas habladas se encuentra la suprema verdad idiomática son los que le movieron a coleccionar refranes, frases proverbiales y fórmulas comunes de expresión y estudiar con el mismo interés las poesías populares y tradicionales: coplas, villancicos, etc.

Y no solamente el léxico y la sintaxis, sino también la pronunciación hay que tomarla de boca de las gentes. Correas, que es el primero, o entre los primeros, que estudia el carácter y las variaciones de los fonemas, rechaza las sutilezas de los gramáticos y sostiene que sólo existen las veinticinco letras fundamentales que él describe en su alfabeto, y que todas las modificaciones producidas por su distinta posición en la palabra o por peculiaridades regionales carecen de valor real para el común de los hablantes. Una vez definida cada letra en su carácter esencial, con su forma y sonido propios, Correas propugna el más radical fonetismo, es decir, que no se escriban sino los sonidos que se pronuncian, y que exista un solo sonido para cada letra y una letra para cada sonido. Así, propone la supresión de la *c*, que pronunciamos diversamente ante las vocales fuertes o débiles, y que se sustituya por la *k* para el sonido gutural y la *z* para el dental, cualquiera que sea la vocal con que se agrupe; consecuentemente debe suprimirse la *q*, que no representa ningún sonido diferente de la *k*,. y la *ç* que equivale a *z* o es una transcripción corrompida de la *s*. Respecto a la *g* propone su utilización delante de las cinco vocales con idéntico sonido suave o velar, y para el sonido fuerte o gutural la *x*, que debe leerse como la actual *j*, letra que debe igualmente desecharse.

Además de las razones de índole científica, que explica, Correas aduce motivos de carácter que más aún que *práctico* debería llamarse *humano* o *social*; motivos dignísimos que nos hacen altamente simpático al maestro salmantino. Alude a ellos en varias ocasiones: "Por no rretener nosotros el propio Abezedario Español se sighió que una letra hiziese dos oficios, i dos, i aún tres, uno, i se inventasen çerilla, i tilde, i otros rremedios desacomodados que ai, sin saberse quien aia sido el inventor, para suplir la falta: que es

[63] Alarcos, ídem, íd., pág. XXIII.

[64] Cfr.: Emilio Alarcos, *La doctrina gramatical de Gonzalo Correas*, Valladolid, 1941.

grandísimo embarazo i dificultad para los que deprenden á leer. Porque siendo cosa de quinze ó veinte días en xuizios algo capaces, ó de un mes, i a lo sumo de dos en los niños más tiernos, si uviese buena ortografía, vemos que gastan en ello mucho más tiempo"[65]. "Que el curioso —dice en otra parte— procure saber pronunziar todas las variedades, i conbinaziones de las letras que fueren posibles para estar ávil para otra qualquiera lengua: pero que en la Castellana no mezcle letras baldías, ni ortografías Latinas, i estrañas, porque los libros se escriven para todos, chicos i grandes, i no para solos los onbres de letras: i unos i otros más gustan de la llaneza i lusura que de la afetazión, que es cansada"[66]. E insiste todavía un poco después: "Basten estos advertimientos para aviso que se vaian á la mano los imitadores del Latín, i no mezclen en el Castellano letras que son axenas de nuestra pronunziazión, porque no las pueden, ni saben pronunziar los que no an estudiado, porque no tienen uso, i no los an de obligar a más de lo que pide su lengua. No digo que el Castellano no las podrá pronunziar, antes es zierto que es dispuesto á pronunziar todas las lenguas del mundo, si quiere tener cuidado; mas hallar, i hazer mezclas en la suia de letras estrañas, i oziosas dale pesadunbre, i querer oservarlas sería prozeder en infinito, como queda dicho, i vendríamos a escrivir nuestra lengua peor que la Franzesa, i Tudesca, i otras vulgares, que es cosa de que huien todos los cuerdos, i que los destas mismas naziones desean enmendarlo"[67].

Esta doctrina ortográfica había sido ya propuesta por Nebrija y otros gramáticos, pero se habían limitado a señalar el daño sin pasar más allá. Correas, le reprocha a Nebrija el no haber usado de su autoridad para imponer la reforma: "Ansí lo sintieron antes muchos onbres de letras, i lo sienten oi día todos los prudentes, en especial nuestro mui docto maestro el Antonio de Nebrixa, en la Arte Castellana que hizo, lo dize, i rrepite largamente. El qual quisiera io que ansí como lo sintió, lo pusiera por obra, pues pudiera salir con ello con su mucha autoridad, i con el favor que tuvo de los Rreies Católicos, i del ilustrísimo de Toledo fr. Francisco Ximénez, mandando sus Maxestades inprimir, i enseñar los niños con las letras que él diera"[68]. Pero Correas se dispone a afrontar los riesgos de la novedad y emprender la reforma: "Io deseo ponerlo por obra en efeto i comenzar con favor de Dios, i de los discretos, supuesto que a faltado quien lo hiziese, i que alguno á de comenzar, si á de tener enmienda cosa tan inportante, i no me correr á mí menos obligazion por Español y Castellano, sino ántes más que a otros, que profeso el estudio, y enseñanza de las lenguas..."[69]. Y efectivamente; aunque ya en los primeros capítulos de su *Arte* había empleado muchas de las novedades que

[65] Edición Alarcos, cit., pág. 10.
[66] Ídem, íd., pág. 90.
[67] Ídem, íd., pág. 95.
[68] Ídem, íd., pág. 11.
[69] Ídem, íd., pág. 12.

propugna, a partir del capítulo XII, estudiadas ya todas las letras, sílabas, diptongos, acentos y puntuación, y expuesta su teoría, comienza a escribir el texto con la totalidad de sus innovaciones [70].

En lo que se refiere a las normas del lenguaje, Correas defiende igualmente la superioridad de la lengua popular, "la de la xente de mediana i menor talla, en quien más se conserva la lengua i propiedad..." [71]. Correas señala y aprueba las diferencias de lenguaje existentes entre las diversas regiones y también entre las varias edades, calidades y estados; acepta que "al cortesano no le está mal escoxer lo que pareze mexor á su propósito como en el traxe" [72]; "mas no por eso —añade— se á de entender que su estilo particular es toda la lengua entera, i xeneral, sino una parte, porque muchas cosas que él desecha, son mui buenas i elegantes para el istoriador, anziano, i predicador, i los otros" [73].

Como Jiménez Patón, también Correas admitió la teoría del doctor Madera sobre la mayor antigüedad del castellano respecto del latín [74]; mas, como en el caso de Patón, no por desconocimiento del libro de Alderete, pues lo rechaza expresamente en varios pasajes oponiéndole sus razones al tiempo que defiende las ideas de Madera. Pocos apologistas de nuestra lengua, ni aun los más destacados como tales, aventajan a Correas en su pasión por el castellano, y en este amor, capaz de cegarle, hay que buscar la auténtica raíz de que sostuviera su falso origen. El *Arte* se cierra —capítulo XCVI— con una "Comparazión de las dos lenguas latina i castellana", páginas de un entusiasmo conmovedor, en las que el maestro afirma la ventaja de la nuestra sobre la latina. Correas, profundo conocedor de las lenguas clásicas y maestro de ellas, aborrecía la pedantería de los dómines, y en un estupendo párrafo denuncia la petulancia de quienes, por dar valor a su saber, venían sosteniendo la superior excelencia del latín: "La causa —dice— de su tan ziega credulidad es averles costado mucho trabaxo y afán estudiar la Latina, i decorar sus prezetos, vocablos, i frases, i ver en ella muchas palavras nuestras vulgares; i ninguno la propia en que nazieron i se criaron, ni aver puesto en ella ningún cuidado, ni hecho algún discurso de sus eleganzias i copia; antes les pareze pobrísima. I ansí como cosa que no costó nada, casi en nada la estiman, i á la otra en mucho, por lo que les costó: porque como dice el rrefrán, *Tanto te quiero, quanto me cuestas*" [75].

---

[70] No siempre, sin embargo, cumple Correas con los preceptos propios que acaba de establecer; bien sea por descuido u olvido, es frecuente que Correas ceda a la presión de la costumbre ortográfica y se le escapen algunas de las grafías que reprocha; no deben sorprendernos las contradicciones que fácilmente pueden advertirse en los textos transcritos.

[71] Ed. Alarcos, cit., pág. 144.

[72] Ídem, íd.

[73] Ídem, íd.

[74] Cfr.: Emilio Alarcos, *Una teoría acerca del origen del castellano*, Madrid, 1934.

[75] Ed. Alarcos, cit., pág. 481. Cfr., además: Conde de la Viñaza, "Dos libros inédi-

BERNARDO JOSÉ DE ALDERETE

A propósito de Jiménez Patón y del maestro Correas hemos hecho mención de este gramático. Bernardo José de Alderete, o Aldrete, nació en Málaga en 1565. Estudió en Granada teología y humanidades, y en 1614 ganó por oposición el cargo de canónigo lectoral en la catedral de Córdoba. Dos años más tarde, comisionado por su obispo marchó a Roma para pedir al Pontífice la consagración de un oficio divino al Santísimo Sacramento, demanda que no obtuvo a pesar de haber permanecido dos años en aquella ciudad. Debió de morir no mucho después de su regreso a Córdoba, probablemente en 1641[76].

Alderete llegó a poseer una cultura vastísima; escribió diversas obras sobre teología, historia y arqueología, aunque fueron los estudios lingüísticos su campo principal; conocía el hebreo, el caldeo y el árabe, y por supuesto dominaba el latín y el griego además del italiano y el francés. Sus estudios sobre los orígenes y formación del castellano le permitieron formular con notable exactitud su evolución desde el latín en un libro de gran importancia, *Del origen y principio de la lengua castellana o romance que oi se usa en España*, publicado en Roma en 1606, y que ha servido de base para todos los estudios posteriores en esta materia. El *Diccionario de Autoridades*, editado por la Academia en 1726, cita con gran frecuencia el libro de Alderete.

Entre sus otras obras merece destacarse *Varias Antigüedades de España, África y otras provincias*, publicado en Amberes en 1614.

LA ERUDICIÓN: NICOLÁS ANTONIO

La erudición literaria cuenta en esta época con un nombre eminente, de capital importancia para la historia de nuestras letras, en la persona de Nicolás

---

tos del Maestro Gonzalo Correas", en *Homenaje a Menéndez y Pelayo*, I, Madrid, 1899, págs. 601-614; y el artículo de A. Quilis y J. M. Rozas, "La originalidad de Jiménez Patón...", cit.

[76] Cfr.: Rafael Ramírez de Arellano, "Bernardo José de Alderete", en *Ensayo de un catálogo biográfico de escritores de Córdoba*, tomo II, 1922, págs. 48-60. Rodríguez Marín recogió una curiosa noticia sobre el carácter de Alderete, aunque más bien parece, por su tono, que se trata de una chismosa maledicencia: el licenciado Hurtado de la Puente en carta a Rodrigo Caro desde Madrid a 22 de octubre de 1641 escribe: "Mucho me pesa de la muerte de Alderete, porque era hombre doto, aunque inútil, y terrible enemigo de hacer bien a nadie: dicen que tenía mandados sus libros a los Padres de la Compañía, que son los herederos comunes de todos los libros y Estudios de España. También tenía monedas: no sé lo que habrá hecho Dios dellas. La gente de aquella ciudad no se lleva por los rumbos que los demás hombres; en todo son extraordinarios" ("Nuevos datos para las biografías de algunos escritores españoles de los siglos XVI y XVII", en *Boletín de la Real Academia Española*, V, 1919, págs. 619-620).

Antonio. Nació éste en Sevilla en 1617, estudió en su ciudad natal latín y teología y marchó luego a Salamanca, donde cursó y se doctoró en Derecho. Regresó entonces a Sevilla y emprendió seguidamente la preparación de lo que iba a ser su gran obra, es decir, la sistematización bibliográfica de todos los escritores de España desde la época romana hasta sus días. En su ciudad natal, centro intelectual y literario de primer orden, como sabemos, desde el alborear renacentista, Antonio disponía de numerosas bibliotecas particulares que le sirvieron en gran medida para su trabajo, pero comenzó enseguida a reunir la propia, que había de ser famosísima y una de las mayores de todo el mundo en su tiempo; se decía que sólo la Vaticana le aventajaba. El rey, habida cuenta de su prestigio, le concedió el hábito de Santiago, y en 1654 le envió como su agente general a Roma, donde permaneció con tal misión hasta 1678. Al año siguiente de su regreso fue nombrado fiscal del Supremo Tribunal de la Cruzada y el Papa le concedió el cargo de canónigo racionero de la catedral de Sevilla como recompensa a sus servicios. Antonio murió en Madrid en 1684 [77].

En Roma —a donde trasladó todos sus libros y prosiguió la formación de su monumental biblioteca, hasta reunir, según se decía, treinta mil volúmenes [78]—, Nicolás Antonio dio cima a su trabajo, que dividió en dos partes:

---

[77] Cfr.: Eduardo Juliá Martínez, "Del epistolario de don Nicolás Antonio", en *Revista de la Biblioteca, Archivo y Museo del Ayuntamiento de Madrid,* XII, 1935, páginas 25-88. Del mismo, "Nicolás Antonio. Notas preliminares para su estudio", en *Revista de Bibliografía Nacional.* III, 1942, págs. 7-37. Miguel de la Pinta Llorente, "Un epistolario diplomático de D. Nicolás Antonio", en *Revista de Bibliografía Nacional,* VI, 1945, págs. 11-50. Vicente Romero Muñoz, "Estudio del bibliófilo sevillano Nicolás Antonio", en *Archivo Hispalense,* núms. 39-41, págs. 57-92; núm. 42, págs. 29-56; núms. 43-44, págs. 215-244. R. Jammes, "Études sur Nicolás Antonio, commentateur de Góngora", en *Bulletin Hispanique,* LXII, 1960, págs. 16-42.

[78] Resulta conmovedor auscultar la pasión, nunca sosegada, del bibliófilo, atento siempre a la adquisición de nuevos libros y a su goce y aprovechamiento; en carta a don Juan Lucas Cortés, del Consejo de Su Majestad y alcalde de la Real Casa y Corte, escribe Nicolás Antonio: "Buena pesca ha hecho D. Juan Suárez de Mendoza en la librería del buen Dr. Siruela, nuestro amigo, y el precio no es mucho, porque compró muy buenos y muchos libros, haciéndonos envidiar a todos lo que goza: no sé dónde habrá acomodado tanto como ha juntado" ("Cartas de don Nicolás Antonio", en *Epistolario español,* edición de Eugenio de Ochoa, BAE, XIII, nueva ed., Madrid, 1945, pág. 587). Es también de interés conocer las dificultades que había de vencer en su tarea un hombre como Antonio, no sólo para la adquisición sino para la lectura de ciertos libros; en carta al mismo don Juan Lucas Cortés escribe: "No tuviera yo mayor gusto que poder contribuir al deseo de Vm., enviándole de aquí una licencia para tener libros prohibidos; pero el Sr. cardenal Barberino, prefecto de la congregación del Santo Oficio, y la misma congregación anda tan estrecha en esto, que yo, hallándome aquí en el puesto que tengo, he alcanzado una con dificultad para cinco años; bien que del maestro del sacro palacio la tengo también sin limitación de tiempo; pero éste las puede dar solamente para dentro de Roma. Los días pasados hice vivas diligencias para alcanzar una seme-

la *Bibliotheca Hispana Vetus*, que comprende los escritores desde la época de Augusto hasta 1500, y la *Nova*, desde dicha fecha hasta 1670. La *Nova* fue publicada en Roma en 1672, pero la *Vetus* no pudo verla Antonio publicada, pues falleció cuando la estaba corrigiendo para la imprenta. Esta parte apareció asimismo en Roma en 1696, cuidada por el valenciano Manuel Martí, bibliotecario del cardenal don José Sáenz de Aguirre, a cuya costa se hizo la edición. En el siglo siguiente, el bibliógrafo Pérez Bayer preparó una nueva edición de ambas partes, que con algunas correcciones y notas apareció en Madrid en 1783-1788.

Antonio consiguió reunir en su *Bibliotheca* innumerables datos, cantera indispensable para todos los investigadores, y, como tal, de la mayor utilidad para la formación de nuestra historia literaria; muchas de sus informaciones están aún vigentes en nuestros días. La *Bibliotheca* representa, en síntesis, con su acopio de datos y de noticias de toda índole, la transformación de la crítica literaria, que sustituye la mera interpretación personal de fluctuante criterio subjetivo por una minuciosa y sistematizada erudición. El espíritu del siglo XVIII, con su afán por el rigor científico y ordenador, está no sólo insinuado, sino encauzado y preparado por la obra del gran bibliógrafo de Sevilla.

Aparte otros trabajos eruditos de menor importancia, Nicolás Antonio influyó decisivamente con el peso de su prestigio para acabar con la superchería de los falsos cronicones en su obra *Censura de historias fabulosas*, que dejó manuscrita y fue publicada en Valencia por Mayáns y Siscar en 1742.

LA HISTORIA

Dos rasgos caracterizan —en opinión de Benito Sánchez Alonso— la producción historiográfica del siglo barroco; es el primero la general aceptación lograda por la *Historia* del padre Mariana, que detiene casi totalmente la redacción de historias generales, pues nadie se siente con aptitudes para competir con su maestría y proseguir su obra. El segundo —consecuencia y complemento de aquél— es el abrumador desarrollo que adquieren las historias de carácter local, o regional, pero inspiradas las más de las veces por vanidades particularistas, que buscan tan sólo la glorificación de un personaje, casa, pueblo o región, sin apenas cuidarse de la verdad histórica. Gran parte, pues, de la producción del siglo XVII, dice el mencionado historiógrafo, carece

---

jante licencia que me pidió don Juan Suárez, y no pude obtenerla del cardenal Barberino... Con todo esto, procuraré, cuando hubiere ocasión de hablar en ello a tiempo, de no perderla" (en ídem, íd., pág. 585).

de valor. Quedan, sin embargo, todavía algunas obras de alta calidad que emulan y hasta aventajan los mejores trabajos del siglo precedente. Sin la desproporción —añadiríamos nosotros— entre la enorme masa de lo escrito y las obras auténticamente señeras, la historia del barroco podría enorgullecerse de sus resultados; éstos son excelentes en el campo de las que suelen denominarse "historias de sucesos particulares". El propio Sánchez Alonso afirma que los mejores cultivadores de este género superan ahora incluso a los de la época renacentista, porque "aciertan —dice— a aunar la exposición de hechos reales con el encanto de una prosa del más subido valor" [79].

Tres escritores merecen ser especialmente señalados.

FRANCISCO DE MONCADA

Francisco de Moncada, "fino aristócrata de la política, de la milicia y del estilo", continúa en el XVII la tradición del hombre total según el concepto renacentista del cortesano. Pertenecía Moncada a una de las más viejas y prestigiosas familias de la nobleza catalana, vinculada a las primeras glorias de la reconquista de aquella región, y, como tal, emparentada con familias francesas y extendida a tierras de Italia con los Moncada de Sicilia. Sus antepasados inmediatos habían ocupado altos puestos en la España de los Austrias; su padre, don Gastón de Moncada, había sido virrey de Aragón y Cerdeña y embajador en Roma. De su matrimonio con doña Catalina de Moncada, baronesa de Callosa, nació Francisco en Valencia y fue bautizado el 29 de diciembre de 1586 en la parroquia de San Esteban de dicha ciudad. Desde muy joven acompañó a su padre en sus diversas funciones militares y políticas, y militó algún tiempo en la armada a las órdenes del marqués de Santa Cruz. Hacia 1610 casó con doña Margarita de Castro y Cervellón, y desde entonces vivió algunos en la corte, al lado de su padre, hasta el advenimiento de Felipe IV. A esta época corresponde el período de su mayor actividad literaria.

En 1623 fue nombrado embajador en Alemania y salió de su país, a donde ya no había de regresar. Un año antes había llevado a cabo con éxito una misión secreta en Cataluña para calmar a los descontentos que no querían aceptar al nuevo virrey hasta que no jurara el monarca los privilegios del Principado. Moncada efectuó una acertadísima tarea diplomática en la corte imperial, y cuando los asuntos de Flandes, más dramáticos cada día, exigieron la presencia de un hombre enérgico y experto, el rey lo envió allí como embajador extraordinario y consejero de la infanta Isabel Clara. Moncada, que sentía nostalgia de España y deseaba entregarse al cuidado de su casa y a sus

[79] Benito Sánchez Alonso, "La literatura histórica en el siglo XVII", en *Historia General de las Literaturas Hispánicas* dirigida por Guillermo Díaz-Plaja, vol. III, Barcelona, 1953, pág. 334.

libros, había pedido anteriormente el retiro, pero la corte no se lo concedió. En Flandes ocupó sucesivamente el mando de la armada y del ejército, y a la muerte de la infanta se le nombró gobernador general de los Países Bajos. Moncada, que tenía clara visión de la pérdida inevitable de aquellos estados, consiguió, sin embargo, diferir el día de la derrota y sostuvo una intensa actividad diplomática para atraerse aliados y obstaculizar la política de Richelieu. En repetidas ocasiones solicitó de nuevo su retiro para volver a la tranquila vida de su hogar y a sus trabajos literarios, pero la corte le necesitaba en aquel puesto. Y, al fin, sin conseguir su ansiado regreso, murió en Goch, población del ducado de Cleves, en 1635.

En 1623, fecha de su salida de España, fue impresa en Barcelona su *Expedición de los catalanes y aragoneses contra turcos y griegos*[80], obra a la que está vinculada la fama de Moncada como escritor. El patriotismo —dice Gili Gaya— y el deseo de honrar la memoria de los Moncadas, que intervinieron tan brillantemente en aquella empresa, movieron a nuestro autor a componer su libro; pero su deseo de rigor histórico lo defiende de cualquier posible vanidad nobiliaria o local.

Moncada estudió las antiguas crónicas de Muntaner y Desclot, de las cuales se sirve principalmente, y además las *Memorias* de Berenguer de Entenza y los capítulos dedicados por Zurita a la expedición en sus *Anales*; pero estudia también los relatos de los historiadores griegos, poco posteriores a los hechos —Pachymeres, Gregoras, Chalcocondylas, Cantacuceno— para compararlos con las fuentes españolas. En general, sigue la crónica de Muntaner en cuanto al orden de los sucesos, pero se aparta de ella cuando advierte contradicción con las fuentes griegas —y necesita entonces compararlas para someterlas a crítica— o se propone intercalar sus propias reflexiones.

La *Expedición*, en líneas generales, responde al molde de la historia humanística, impuesta a toda Europa por la historiografía italiana del Renacimiento; pero Moncada era un político realista y un hombre de acción y precisaba ver

80 Ed. Samuel Gili Gaya, en Clásicos Castellanos, Madrid, 1924; ed. Cayetano Rosell, en *Historiadores de sucesos particulares*, t. I, BAE, XXI, nueva ed., Madrid, 1946. Cfr.: el estudio preliminar de ambas ediciones, especialmente el de la primera. Para los estudios históricos relacionados con el libro de Moncada véanse las notas de Gili Gaya en la mencionada introducción. Moncada escribió una primera versión de su obra con el título de *Empresas y victorias alcançadas por el valor de pocos catalanes y aragoneses contra los imperios de turcos y griegos*, que se conserva manuscrita en la biblioteca de la Real Academia de Buenas Letras de Barcelona y que fue publicada por Foulché-Delbosc, en *Revue Hispanique*, XLV, 1919, págs. 349-509. El cotejo de ambas redacciones "convence —dice Gili Gaya en su introducción citada, págs. 28-29— del esmero con que Moncada corrigió su obra antes de decidirse a imprimirla. La edición no es sólo una ampliación ordenada del manuscrito, sino que, además, representa un esfuerzo por el embellecimiento del estilo, en busca del giro más elegante, de la palabra más precisa, casi siempre logrados". Las correcciones de Moncada a su primera redacción son más numerosas y cuidadas al comienzo del libro, pero van siendo menores cada vez, hasta llegar a ser ambas versiones casi iguales en los últimos capítulos.

la historia en función de los tiempos presentes. En el libro de Moncada es ya visible la evolución experimentada respecto al siglo anterior; la forma literaria sigue siendo de la mayor importancia, es decir, la historia es un género de la literatura, pero el autor busca ya la verdad concreta de los hechos y se interesa sobre todo por la experiencia que un hombre de gobierno puede extraer de lo que refiere; en una palabra: la historia es ya "más realista y menos poemática". A dicho propósito —no ajeno, por lo demás, a los grandes historiadores clásicos— conducen las frecuentes reflexiones políticas, que ponen de manifiesto la penetración psicológica del escritor y la índole práctica de su temperamento; reflexiones densas, pero concisas, que no interrumpen, por otra parte, la marcha del relato.

La retórica latinizante, reducida, como decíamos, a la sola envoltura externa, acusa el influjo inevitable de los grandes maestros latinos de la historia; es un tópico, que se repite fácilmente de oídas, señalar su huella en las páginas de la *Expedición*. Pero creemos que la retórica formal de Moncada es bastante escasa; Moncada posee un estilo muy personal —muy trabajado, sin embargo—, directo y gráfico, y de los modelos que pueden atraerle no escoge la prosa abundante, sino la concisión, que en ocasiones llega a ser conceptista. Así, pues, diríamos que no existe influjo alguno de Tito Livio; sí, en cambio, de Salustio y de Tácito, aunque sin ser cosa mayor. De este último es fácil encontrar en el *Proemio* y los primeros capítulos de la obra reminiscencias evidentes, sobre todo en el frecuente uso de construcciones participiales; pero desaparecen muy pronto o se atenúan notablemente.

Señala Gili Gaya el sentido aristocrático de la atracción que ejercen sobre Moncada las individualidades fuertes; predilección también de signo humanista, diríamos; y sin que quepa olvidar la índole excepcional de los protagonistas del relato. Por todo ello, Moncada, en lugar de atender a las masas de tropas combatientes o al fondo ambiental, concentra toda su atención en los caudillos principales, que quedan así trazados con un vigor extraordinario; aquellos capitanes —Roger de Flor, Entenza, Jiménez de Arenós, Rocafort— son héroes casi sobrehumanos, pero siempre reales en la pluma del historiador: "proezas casi increíbles —dice Rosell—, caracteres exagerados, batallas desiguales y sangrientas, hambres, odios, ambiciones y venganzas eran el asunto que al escritor se le presentaba: cualquiera otro dotado de menos gusto hubiera hecho de él un libro de caballerías, y Moncada hizo una historia" [81].

Siete años después de la muerte de Moncada se imprimió en Francfort su *Vida de Severino Boecio*, que circulaba manuscrita. Gili Gaya, que ha estudiado esta única edición además de las copias manuscritas existentes en la Biblioteca Nacional de Madrid, nos advierte de la importancia de esta obra para completar la personalidad de Moncada. Supone Gili Gaya que la *Vida*

[81] Ed. cit., pág. VII.

de Boecio debió de ser escrita durante sus años de gobierno en Flandes, donde alcanzó gran difusión entre los círculos doctos, mientras que en España ni siquiera es mencionada la edición hasta muchos años más tarde. La *Vida*, dice el crítico, "no es obra de juventud, sino de madurez, densa, conceptuosa; tiene un aire desengañado, ligeramente escéptico, que hay que colocar a bastantes años de distancia de aquellos días en que Moncada narraba las hazañas de sus paisanos en el decadente Imperio bizantino" [82]. Moncada, que no vivió, evidentemente, a gusto entre los esplendores cortesanos, quizá albergaba en su interior un cierto desdén por sus propias dignidades y hasta por la misma Majestad Real a la que había servido tan cumplidamente. Por esto, sin duda, sentía afinidad con el espíritu del filósofo latino, al menos según la imagen que de él se había formado en sus lecturas; Moncada, dice Gili Gaya, "ve en Boecio más que su fe su sentido de la justicia, la rectitud inquebrantable del hombre que busca en el ejercicio del pensamiento un consuelo contra la fortuna mudable. Es el momento en que en nuestras letras dominan los temas morales y el estoicismo" [83].

FRANCISCO MANUEL DE MELO

Hijo de ilustre familia portuguesa, Francisco Manuel de Melo nació en Lisboa el 23 de noviembre de 1611. Huérfano de padre a los diecisiete años, sentó plaza de soldado y se alistó en los tercios que iban a partir para Flandes en la armada de Manuel de Meneses; pero la escuadra fue destruida por las tempestades, y Melo se encaminó a la corte española, de donde regresó por algún tiempo a Portugal. Al producirse allí los disturbios de 1637, el duque de Braganza comisionó a Melo para que informase al gobierno de Madrid, y más tarde éste le confió el mando de uno de los dos ejércitos dispuestos por Olivares para dominar las sublevaciones portuguesas. Pero los problemas de Flandes exigieron el envío de refuerzos, y Melo fue enviado en socorro como jefe de uno de los tercios, al frente del cual combatió valientemente en las campañas de los Países Bajos y de Alemania. Fue nombrado después gobernador de Bayona de Galicia, y al producirse la sublevación de Cataluña se le designó para asistir al marqués de los Vélez, que dirigía la campaña. Cuando el marqués recibió orden de Felipe IV de hacer escribir la historia de aquella guerra, escogió a Melo, por el que sentía profunda estima como soldado, político y escritor.

A fines de 1640 estalló la sublevación de Portugal, y Olivares, que recelaba de los portugueses que servían a las órdenes de Vélez, hizo encarcelar a Melo. Cuatro meses más tarde lo puso en libertad y aun le nombró gober-

[82] Samuel Gili Gaya, "Sobre la *Vida de Boecio,* por Francisco de Moncada", en *Revista de Filología Española,* XIV, 1927, págs. 286-288 (la cita es de la pág. 288).

[83] Ídem, íd.

nador de Ostende; pero la injusta prisión había indignado al escritor, que había servido lealmente a la corte de España, y marchó entonces a Portugal para seguir la causa de su patria. Asistió al congreso de Londres que ajustó la paz entre Inglaterra y Portugal, pasó a Holanda al frente de los socorros portugueses enviados contra España e intervino activamente en todos los negocios políticos y militares que condujeron a la independencia de su país. Pero la desgracia le persiguió de nuevo; acusado falsamente de asesinato por una rivalidad amorosa con su propio monarca, fue encarcelado por largo tiempo y desterrado luego al Brasil, aunque al cabo fue perdonado por intercesión del rey de Francia y de Mazarino y pudo regresar a Lisboa. Allí vivió dedicado a sus tareas literarias hasta su muerte, en octubre de 1667; tenía tan sólo cincuenta y cinco años.

A pesar de su incesante actividad, la producción literaria de Melo es muy abundante; poseía una vasta cultura, dominaba varias lenguas y fue muy estimado como escritor por los ingenios más notables no sólo de la Península, sino de toda Europa; sus libros, traducidos a los principales idiomas, alcanzaron gran difusión. Melo es un escritor bilingüe que maneja con idéntica maestría el castellano y el portugués; de hecho, pertenece a la literatura de ambos países. Escribió poesías de gusto culterano que publicó primero en Lisboa en 1649 con el título de *Las tres musas* y luego, ampliadas, en Lyon, en 1665, con el de *Obras métricas*. Compuso también obras en prosa, como *El hospital de las letras*, sobre crítica literaria, y *Obras morales*.

El libro, sin embargo, al que debe Melo su fama es la *Historia de los movimientos, separación y guerra de Cataluña* [84], cuya primera edición apareció en Lisboa en 1645. Melo dedicó su obra al papa Inocencio X y la firmó con el seudónimo de Clemente Libertino. Según dice Rosell, Melo trató con lo primero de excusar la dedicatoria a cualquier otro príncipe que hubiera podido parecer desquite o lisonja; con lo segundo, quiso ocultar su nombre para poder referir los hechos con mayor libertad y señalar abiertamente la culpa que el gobierno español había tenido en ellos, sin que pareciera que hablaba con odio o resentimiento a causa de sus circunstancias personales.

Rosell pondera por igual la severa imparcialidad del historiador y las brillantes cualidades del literato; Melo, aunque en buena parte hace responsable a la corte española de los tumultos de Cataluña, no oculta tampoco la porción de culpa que a ésta le cupo en los excesos que se produjeron; se contenta —dice Rosell— "con establecer la prioridad de la culpa y no excusar jamás a la parte en quien recayese" [85]. No es misión nuestra ahora tratar este punto; digamos solamente que la seguridad de tono que es constante en la pluma del escritor y la contundencia con que define los sucesos y distribuye responsabilidades parecen garantizar su propósito de objetividad.

[84] Ed. Rosell, en *Historiadores de sucesos particulares*, cit.; ed. de Jacinto Octavio Picón, Real Academia Española, Madrid, 1912.

[85] Ed. cit., pág. XIX.

En cuanto a los méritos artísticos de la *Historia* el crítico mencionado escribe afirmaciones del mayor entusiasmo: es "la joya de más precio que brilla en todo nuestro tesoro histórico" y "el modelo más perfecto de aquel siglo"[86]. Melo, evidentemente, maneja un perfecto castellano y posee extraordinarias dotes para narrar y describir; sus imágenes son tan poderosas como certeras, y lo mismo los personajes que los hechos son definidos con una robusta y gráfica energía que nos parece lo más sobresaliente de la obra. La condición de haber sido testigo de mucho de lo que cuenta y conocer por sí tantos escenarios de la acción le permite comunicar a sus palabras una sorprendente intensidad. Pero, a pesar de todo, el artificio literario es no menos evidente que su personal observación. En las palabras preliminares afirma: "ni el arte ni la lisonja han sido parciales a mi escritura"[87]; pero, si respecto a la lisonja podemos creerle, en cuanto al arte no es sincero. La pretensión de emular a los latinos, particularmente a Salustio y Tácito, y consecuentemente la huella de su influjo e imitación son notablemente superiores a lo que sucede, por ejemplo, en Moncada. El portugués tornea cada frase con la mayor escrupulosidad, sin perder de vista un segundo a sus modelos en el léxico, construcciones y ambientación de las escenas. No existe, además, un solo párrafo que el autor no haya construido con la mayor atención, pendiente hasta el detalle del apetecido efecto literario. Podría demostrárnoslo la frecuentísima simetría de las frases y las constantes antítesis de pensamientos y palabras rigurosamente distribuidas: "los más atentos clamaban la libertad de sus privilegios, revolvían todas las historias antiguas, mostraban claramente la gloria con que sus pasados habían alcanzado cuanta honra hoy perdían con vituperio sus descendientes"[88]; "Fue su muerte del Cardona la última diligencia de la turbación, porque como su autoridad servía de freno a las demasías de unos y de columna al temor de otros, viéndose aquéllos sin qué temer y éstos sin qué esperar, los primeros reiteraron su soberbia y los segundos estragaron su templanza; de tal manera, que brevemente fueron en el Principado de una misma calidad casi todos los ánimos"[89].

Tan sostenida y esforzada tensión, la constancia del ritmo paralelístico y la conceptista brevedad de las frases pueden llegar a veces a cansar por su misma excelencia incluso. Pero la frecuencia de pasajes poderosamente gráficos sostiene a la vez el renovado placer de la lectura: "Muchos después de muertos fueron arrastrados, sus cuerpos divididos, sirviendo de juego y risa aquel humano horror que la naturaleza religiosamente dejó por freno de nuestras demasías; la crueldad era deleite, la muerte entretenimiento; a uno arrancaban la cabeza, ya cadáver, le sacaban los ojos, cortaban la lengua y

86 Ídem, íd., págs. XVII y XX.
87 Ed. Rosell, cit., pág. 459.
88 Ídem, íd., pág. 465.
89 Ídem, íd., pág. 478.

narices; luego arrojándola de unas en otras manos, dejando en todas sangre, y en ninguna lástima, les servía como de fácil pelota; tal hubo que topando el cuerpo casi despedazado, le cortó aquellas partes cuyo nombre ignora la modestia, y acomodándolas en el sombrero, hizo que le sirviesen de torpísimo y escandaloso adorno" [90].

Hemos aludido a la seguridad de tono del historiador; digamos también que idéntica confianza muestra tener el escritor en la calidad de su persona y de su obra: "Si no te agrado, no vuelvas a leerme, y si te obligo, perdónote el agradecimiento; no es temor, como no es vanidad. Largo es el teatro, dilatada la tragedia; otra vez nos toparemos; ya me conocerás por la voz, yo a ti por la censura" [91].

ANTONIO DE SOLÍS

En el grupo de los comediógrafos menores del ciclo de Calderón nos hemos ocupado de este escritor, autor también de poesías y de unas "cartas" personalísimas y deliciosas. Su fama más durable está vinculada a la *Historia de la conquista de Méjico, población y progresos de la América septentrional, conocida por el nombre de Nueva España,* cuya primera edición apareció en Madrid en 1684, y que compuso en cumplimiento de sus deberes como cronista de Indias [92]. Para redactar su trabajo se sirvió principalmente de las cartas de Cortés y de las obras de López de Gómara y de Bernal Díaz del Castillo, aparte de algunas otras relaciones y documentos; pero su libro no abarca, como en Gómara, la vida toda de Cortés, sino tan sólo la conquista hasta la caída de la capital. La obra de Solís es, sin embargo, de considerable extensión; su relato se centra, lógicamente, en torno a la figura del conquistador, pero se ocupa también muy en detalle de todos los otros capitanes —Alvarado,

---

90 Ídem, íd., pág. 472.

91 Ídem, íd., pág. 460. Cfr.: además del estudio preliminar de las ediciones mencionadas: C. Pujol y Camps, *Melo y la revolución de Cataluña en 1640,* discurso ante la Real Academia de la Historia, Madrid, 1886. Georges Cirot, "Sur un procédé de style de Francisco de Melo", en *Bulletin Hispanique,* IV, 1902, págs. 163-166. *Cartas familiares, ordenadas por M. Rodrigues Lapa* (Coleção dos Classicos Sá da Costa), Lisboa, 1937. Mario Brandão, *A visita das Fontes de D. Francisco Manuel de Melo,* Coimbra, 1925. Hernani Cidade, "O conceito da poesia no seculo XVII: D. Francisco Manoel de Mello", en *Boletim de Filologia,* I, 1933, fasc. 3-4. Antonio Gonçalves Rodrigues, *D. Francisco Manuel de Melo e o descobrimento da Madeira,* Lisboa, 1935. João Jardim de Vilhena, "As dívidas de D. Francisco Manuel de Melo", en *Instituto de Coimbra,* vol. LXXXIV, número 2. Edgar Prestage, *Don Francisco Manuel de Melo. Esboço biographico,* Coimbra, 1914. Del mismo, "Don Francisco Manuel de Melo", en *Modern Language Review,* XXXVII, 1942, págs. 327-334. J. Costa, "El sentido moral de la obra de don Francisco Manuel de Melo", en *América Española,* Cartagena (Colombia), XII, 1941, págs. 107-124. J. Ferreira, *Don Francisco Manuel de Mello escreveu a "Arte de Furtar",* Porto, 1945.

92 Ed. Cayetano Rosell, en *Historiadores de sucesos particulares,* II, BAE, XXVIII, nueva ed., Madrid, 1948 (existen numerosas reimpresiones en Argentina, México, etc.).

Cristóbal de Olid, Gonzalo de Sandoval, Diego de Ordaz—, de la famosa doña Marina y de los jefes aztecas; refiere minuciosamente el proceso de la penetración en el país, y concede asimismo gran espacio a las costumbres de los naturales, ritos, ceremonias, creencias, habitaciones, comidas, juegos, vestidos, que no trata agrupadamente en apartados especiales, sino injiriendo sus descripciones entre los hechos de la conquista, según se ofrece la ocasión; con ello logra en su libro una amena variedad que cuenta entre sus mayores excelencias.

En las palabras liminares "A los que leyeren" expone Solís lo que podemos tener por normas de su estilo: "A tres géneros de darse à entender con las palabras —dice— reducen los eruditos el carácter o el estilo de que se puede usar en diferentes facultades, y todos caben o son permitidos en la historia. El humilde o familiar, que se usa en las cartas o en la conversación, pertenece a la narración de los sucesos; el moderado, que se prescribe a los oradores, se debe seguir en los razonamientos que algunas veces se introducen para dar a entender el fundamento de las resoluciones; y el sublime o más elevado, que sólo es peculiar a los poetas, se puede introducir con la debida moderación en las descripciones, que son como unas pinturas o dibujos de las provincias o lugares donde sucedió lo que se refiere y necesitan de algunos colores para la información de los ojos". Y añade a continuación con su característica espontaneidad: "No presumo de haberme sabido entender con estas diferencias del estilo, que hay mucho que andar entre la especulación y la práctica; pero hice mis esfuerzos para caminar sobre las mejores huellas, y confieso, para confusión mía, que tuve intento de imitar a Tito Livio..."[93].

Pero, a pesar de esta declarada voluntad de imitación, es lo cierto que Solís apenas parece deber nada a los consabidos modelos latinos, ni aun al que él aduce, fuera del inevitable magisterio amplio y difuso que de su estudio puede recibirse. Se asegura que el manuscrito autógrafo, conservado en la Biblioteca Nacional de Madrid, está lleno de enmiendas y retoques, que revelan el gran cuidado puesto por el autor para limar y perfeccionar su prosa. No obstante, la diligencia de Solís no conduce a un estilo de rebuscada perfección, burilado y macizo como el de Melo —cada uno de cuyos párrafos prueba el tenso artificio del escritor—, sino a una prosa sencilla y fácil, de encantadora fluidez, armoniosa y clara. La lima de Solís busca, evidentemente, producir esa sensación de naturalidad, de haber escrito como sin esfuerzo, que parece un don milagroso, pero que sólo se consigue tras heroicas vigilias.

Sin duda alguna, cumple el autor las normas que se había trazado para el estilo de su *Historia,* porque junto a la fresca "familiaridad" que predomina en la narración sabe pintar con los más vivos y sugestivos colores los numerosos cuadros en que describe la vida y costumbres del país; Solís posee el mismo tino para describir que para relatar; anima y llena de movimiento los

[93] Ed. Rosell, cit., pág. 207.

más diversos escenarios sin recargar nunca el detalle ni perder jamás el armonioso ritmo de su prosa. Nicolás Antonio ponderó sin regateos la obra de Solís, y Mayáns la encareció con tan subidas frases que Rosell las estima excesivas, aunque añade a continuación que la *Historia de la conquista de Méjico* es "uno de los trabajos históricos más bellos y acabados de nuestra lengua" [94]. No creemos exagerado afirmar que difícilmente puede hallarse en nuestros clásicos, ni aun en los más altos, páginas de tan sostenida armonía como las de la *Historia* de Solís, ni tan sencillamente elegantes, ni de palabra tan atinada y justa. Un pasaje cualquiera puede servir de ejemplo, aunque es en el prodigio de su continuidad donde mejor puede medirse su importancia. He aquí la descripción de una de las plazas de Méjico, donde se celebraba mercado: "Era entre todas la de Tlatelulco de admirable capacidad y concurso, a cuyas ferias acudían ciertos días en el año todos los mercaderes y comerciantes del reino con lo más precioso de sus frutos y manufacturas, y solían concurrir tantos, que siendo esta plaza, según dice Antonio de Herrera, una de las mayores del mundo, se llenaba de tiendas puestas en hileras y tan apretadas, que apenas dejaban calle a los compradores. Conocían todos su puesto, y armaban su oficina de bastidores portátiles, cubiertos de algodón basto, capaz de resistir al agua y al sol. No acaban de ponderar nuestros escritores el orden, la variedad y la riqueza de estos mercados. Había hileras de plateros donde se vendían joyas y cadenas extraordinarias, diversas hechuras de animales y vasos de oro y plata, labrados con tanto primor, que algunos de ellos dieron que discurrir a nuestros artífices, particularmente unas calderillas de asas movibles, que salían así de la fundición, y otras piezas del mismo género donde se hallaban molduras y relieves, sin que se conociese impulso de martillo ni golpe de cincel... Venían también a este mercado cuantos géneros de telas se fabrican en todo el reino para diferentes usos, hechas de algodón y pelo de conejo, que hilaban delicadamente las mujeres, enemigas en aquella tierra de la ociosidad, y aplicadas al ingenio de las manos. Eran muy de reparar los búcaros y hechuras exquisitas de finísimo barro que traían a vender, diverso en el color y en la fragancia, de que labraban con primor extraordinario cuantas piezas y vasijas son necesarias para el servicio y el adorno de una casa, porque no usaban de oro ni de plata en sus bajillas: profusión que sólo era permitida en la mesa real, y esto en días muy señalados. Hallábanse con la misma distribución y abundancia los mantenimientos, las frutas, los pescados y, finalmente, cuantas cosas hizo venales el deleite y la necesidad" [95].

Particularmente bellas son las descripciones de los palacios, casas, fábricas y jardines de Moctezuma; véase este fragmento de su armería: "No se conocía menos la grandeza de Motezuma en otras dos casas que ocupaba su ar-

[94] Ídem, íd., pág. VII.
[95] Ídem, íd., pág. 285.

mería. Era la una para la fábrica, y la otra para el depósito de las armas. En la primera vivían y trabajaban todos los maestros de esta facultad, distribuidos en diferentes oficinas según sus ministerios; en una parte se adelgazaban las varas para las flechas; en otra se labraban los pedernales para las puntas, y cada género de armas ofensivas y defensivas tenía su obrador y sus oficiales distintos, con algunos superintendentes, que llevaban a su modo la cuenta y razón de lo que se trabajaba. La otra casa, cuyo edificio tenía mayor representación, servía de almacén, donde se recogían las armas después de acabadas, cada género en pieza distinta, y de allí se repartían a los ejércitos y fronteras, según la ocurrencia de las ocasiones. En lo alto se guardaban las armas de la persona real, colgadas por las paredes con buena colocación; en una pieza los arcos, flechas y aljabas con varios embutidos y labores de oro y pedrería; en otras las espadas y montantes de madera extraordinaria con sus filos de pedernal, y la misma riqueza en las empuñaduras; en otra los dardos, y así los demás géneros, tan adornados y resplandecientes, que daban que reparar hasta las hondas y las piedras. Había diferentes hechuras de petos y celadas con láminas y follajes de oro, muchas casacas de aquellos colchados que resistían a las flechas, hermosas invenciones de rodelas o escudos y un género de paveses o adargas de pieles impenetrables que cubrían todo el cuerpo, y hasta la ocasión de pelear andaban arrolladas al hombro izquierdo; fue de admiración a los españoles esta grande armería, que pareció también alhaja de príncipe y príncipe guerrero, en que se acreditaban igualmente su opulencia y su inclinación" [96].

Solís es un notable artista, y con su *Historia* se cierra de manera brillante la larga y rica serie de los cronistas del Nuevo Mundo. Su prosa es un modelo de estilo, de la que no puede decirse que represente propiamente el momento en que se produce, porque los epígonos del barroco despeñaban ya la literatura hacia los más absurdos excesos. Su arte de narrador se evade de modas y formas caprichosas para mantenerse en un fiel del más genuino clasicismo, si por tal entendemos la afortunada alianza de belleza y de sobriedad. Se comprende muy bien que el cambio de gustos no le afectara en las épocas siguientes y que su libro haya gozado en todo tiempo de general estima.

LA LITERATURA RELIGIOSA

"En el siglo del *Buscón* y de la *Pícara Justina* —dice Pfandl—, del *Criticón* de Gracián y de las novelas de la Zayas y Sotomayor, la mística, considerada

[96] Ídem, íd., pág. 287. Cfr.: E. López Lira, "La *Historia de la conquista de Méjico* de don Antonio de Solís", en *Estudios de historiografía de la Nueva España,* México, 1945, págs. 263-292. L. Arocena, *Antonio de Solís, cronista indiano. Estudio sobre las formas historiográficas del Barroco,* Buenos Aires, 1963. Francisco Esteve Barba, *Historiografía indiana,* Madrid, 1964, págs. 125-129.

como una disposición de ánimo de la época, ya no es más que un remoto pasado"[97]. El caudal ideológico y religioso y la riqueza literaria atesorados en la torrencial producción ascético-mística del siglo precedente siguen vigentes de manera difusa, pero cierta, en la literatura del Barroco, y sus autores —no siempre a veces los de mejor calidad- - continúan gozando de la general atención, como lo prueban sus frecuentes reimpresiones. No obstante, la mística y la ascética como actividades religiosas manifestadas en nuevas obras literarias desaparecen casi por entero, y sólo como excepción, como supervivencia de un floreciente género anterior, encontraremos en el siglo XVII escritores de interés. Uno de ellos, el padre Nieremberg, lo tiene en sumo grado; los restantes, más como curiosidad o por lo nuevo de su actitud heterodoxa, van a tener cabida en estas páginas.

EL PADRE JUAN EUSEBIO NIEREMBERG

Juan Eusebio Nieremberg nació en Madrid en 1595, hijo de padres alemanes, Gottfried Nieremberg y Regina Ottin, que habían venido a España en el séquito de doña María de Austria, hija de Carlos V y viuda del emperador Maximiliano II. Juan Eusebio estudió en el Colegio Imperial de los jesuitas de Madrid, cursó luego humanidades en Alcalá y finalmente cánones y leyes en Salamanca. En esta ciudad, y con ocasión de haber hecho unos ejercicios espirituales, sintió la vocación religiosa e ingresó en el colegio salmantino de la Compañía; pero el padre de Juan Eusebio, que había tenido a su hijo siendo ya casi anciano y no se resignaba a separarse de él, se opuso a su decisión, y alegando que había sido sin su consentimiento logró sacarlo del noviciado, recurriendo incluso a la emperatriz doña María y otras personalidades. El joven consiguió al fin vencer la resistencia paterna y regresó a la Compañía, donde hizo sus primeros votos en 1616.

Nieremberg desempeñó muy pronto dentro de su orden tareas importantes, sobre todo en la dirección espiritual y en la enseñanza. Sus biógrafos refieren cosas sorprendentes sobre su vida de piedad, su riguroso ascetismo y la dureza de sus mortificaciones. Pidió reiteradamente ser enviado como misionero a las Indias, pero no se lo concedieron, y permaneció casi siempre, aparte algunas campañas de predicación misional por la península, en el Colegio Imperial de Madrid dedicado a la enseñanza y a escribir sus libros. A consecuencia, sin duda, de sus extremadas prácticas ascéticas, contrajo graves enfermedades y hasta llegó a perder el habla, que recuperó después de una grave caída. Murió en Madrid en 1658.

---

[97] Ludwig Pfandl, *Historia de la Literatura Nacional Española en la Edad de Oro*, Barcelona, 1933, pág. 579.

Fue Nieremberg un escritor de gran fecundidad [98]; Narciso Alonso Cortés enumera veintiséis títulos de obras suyas en castellano, y afirma que escribió otras tantas en latín [99]; algunas fueron publicadas después de su muerte y otras han quedado inéditas, pero las editadas obtuvieron gran difusión y fueron traducidas a varios idiomas, incluso al árabe. La producción de Nieremberg se extiende a los campos más diversos; escribió sobre historia natural, las propiedades de la piedra imán y los volcanes, sobre filosofía y teología, vidas de santos y cartas; pero sus obras más notables pertenecen al campo de la ascética y son, como las denomina Pfandl, "tratados sobre la perfección cristiana" [100]. Nieremberg, que sentía inagotable curiosidad por todas las materias, había atesorado una cultura vastísima, del más diverso origen, así religioso como profano; sus conocimientos sobre las ciencias naturales adolecen, naturalmente, de todas las limitaciones de la época, agravadas porque el escritor prestaba crédito a veces a doctrinas casi pueriles; sus libros, pues, de este carácter carecen en nuestros días de valor. Pero este bagaje cultural, incluso el poco científico, es parte muy importante de su atractivo literario, porque el escritor se sirve frecuentemente de comparaciones, anécdotas, referencias a personajes de la historia o la literatura para animar y hacer más inteligibles sus ideas.

Todas las obras del padre Nieremberg, hasta las más ajenas al propósito religioso, y mucho más naturalmente las de carácter ascético, tienden a un objetivo básico, que es la enseñanza moral, la persuasión de la virtud, la práctica de la vida cristiana: "De una pura observación física —dice Zepeda— nuestro escritor deriva una enseñanza virtuosa, una moraleja. Porque él pensaba, de seguro, que por muchos medios podemos ayudar al prójimo a salvarse" [101]. Pero Nieremberg, que era para sí mismo en las prácticas piadosas de una exigencia rayana en la exageración, se dirige al lector en tono amable y persuasivo, sereno y razonable, sin caer en el tono dramático, tantas veces truculento y enfático, de otros autores religiosos.

Notable extensión ocupan en todos los escritos del padre Nieremberg los problemas de la vida pública y el gobierno del estado, aunque de ello se ocupó especialmente en cuatro libros: *Obras y días*, *Dictámenes*, *Causa y remedio de los males públicos* y *Corona virtuosa y virtud coronada*. Para Nieremberg, la salvación temporal de los estados ayuda decisivamente a la salvación eterna de los individuos, por lo que el moralista religioso ha de tratar con igual cuidado de la vida pública. Como tantos otros pensadores políticos de su tiempo, la idea central del padre Nieremberg gira en torno a la formación del perfecto príncipe cristiano, que lo mismo puede provocar con sus

---

[98] *Obras escogidas del R. P. Juan Eusebio Nieremberg*, ed. y estudio de Eduardo Zepeda Henríquez, en BAE, tomos CIII y CIV, Madrid, 1957.

[99] Prólogo a su edición del *Epistolario*, luego cit., págs. 14-15, nota al pie.

[100] *Historia...*, cit., pág. 580.

[101] Introducción a su ed. cit., CIII, pág. XIX.

faltas la ruina de su pueblo que elevar un imperio con sus virtudes: Nieremberg aduce el ejemplo de muchos monarcas de su patria desde don Pelayo hasta Felipe II. Pero piensa, a la vez, que no sólo el príncipe es el responsable de la suerte de la nación, sino también los ciudadanos; está persuadido de que los males de la república no proceden sino de los pecados de los hombres, y quiere, por lo tanto, llevar la perfección a todas las clases y estados sociales.

Esta preocupación práctica de la mejor tradición en la literatura religiosa española orienta principalmente los libros de Nieremberg hacia el camino de la literatura ascética; y en la misma medida parece alejarse de las elevadas experiencias místicas: Nieremberg no es un místico, suele decirse. Zepeda ha señalado, sin embargo, el "vuelo místico", las encendidas efusiones de amor divino que llenan muchas de sus páginas [102], en particular las del bello tratado *De la hermosura de Dios y su amabilidad*; apreciación que podría extenderse —pensamos— a la cálida y enamorada prosa del breve opúsculo titulado *Ejercicio de afectuoso amor de Dios por los gozos y complacencias de sus divinas perfecciones*. Por su parte, el propio Pfandl, que niega a Nieremberg la condición de escritor místico, concede luego que su libro *Vida divina y camino real* "es el que más se aproxima a la especulación mística" [103].

De especial popularidad ha gozado siempre entre los escritos del jesuita su tratado *De la diferencia entre lo temporal y lo eterno* [104], libro genuinamente ascético, que Pfandl califica de "modelo de claridad de pensamiento y de transparente agrupación de las ideas" [105]. Lo temporal es sólo un medio y camino para lo eterno; el escritor estudia en el primer libro qué es la eternidad, siguiendo las doctrinas de diversos padres y filósofos; expone luego en el segundo el seguro fin de todo lo creado; en el tercero trata de la mudable y vil condición de las cosas naturales, que las hace dignas de desprecio; pondera en el cuarto la magnitud de las cosas eternas, tanto en el premio como en el castigo; para deducir, finalmente, la diferencia entre lo eterno y lo temporal, y cómo por la brevedad de esto último, ni aun suponiéndolo deseable, no debemos poner en riesgo la vida que no ha de tener fin.

Compuso también el padre Nieremberg dos biografías: la de San Ignacio, de menor importancia, que no iguala a las precedentes sobre el mismo asunto, y la de San Francisco de Borja, calificada, en cambio, como modelo

---

[102] Véase, de su citada introducción, el apartado V —CIII, págs. XXX-XXXIV—, "Misticismo y estética en el tratado *De la hermosura de Dios y su amabilidad*", y el II —CIV, págs. XIV-XVII—, "Dilucidaciones en torno a la mística del Padre Nieremberg".

[103] *Historia...*, cit., pág. 581.

[104] Cfr.: J. A. van Praag, "La primera edición de *De la Diferencia entre lo Temporal y lo Eterno* del Padre Juan Eusebio Nieremberg", en *Boletín de la Real Academia Española*, XXXVIII, 1958, págs. 429-434.

[105] *Historia...*, cit., pág. 581.

del género. Escribió también buen número de *Cartas*[106], que cuentan entre lo más notable de su producción. No son, al parecer, auténticas cartas enviadas a personas reales, sino pequeños tratados dirigidos a personas imaginarias, con el fin de servirse de una forma literaria más íntima y familiar. Tratan sobre los temas más diversos, siempre distintos en cada carta, lo que revela el artificio de que se sirve: "A un señor de título, amigo de su gusto", "A un prebendado mozo", "A un religioso descalzo que quería pasarse a otra religión", "A un caballero desafiado. Repruébase la ley del duelo", "A uno que pretendía ser obispo", "A un juez", "A una casada que pretendía divorcio", "A una señora rica", "A uno que quería dar de palos a otro. Declárase cómo la verdadera honra es servir a Dios, cuya imagen se ha de respetar en el prójimo", "A un ambicioso que hacía novenas para alcanzar un puesto muy honroso", etc. Las *Cartas* revelan la gran preocupación del autor por los temas sociales, y, aparte el interés de su contenido doctrinal, son inapreciables también para conocer muchos aspectos de las costumbres e ideas de su tiempo.

Recordemos, finalmente, que Nieremberg tradujo el *Kempis* de manera tan acertada que su versión se reproduce siempre en nuestra lengua como si se tratara del propio texto original.

El padre Nieremberg es un prosista de primer orden; Menéndez y Pelayo lo considera como uno de los cinco o seis mayores del siglo XVII y pondera particularmente en él "la claridad y el orden lúcido de las ideas"[107]. Nieremberg, en efecto, se mantiene completamente exento de los excesos culteranos o conceptistas de la época y maneja un estilo de sorprendente elegancia y belleza, armonioso y fluido, donde no se advierte ningún rebuscamiento ni afectación. Su gran fecundidad apenas nos permite suponer que el escritor llegara a esta prosa trasparente, limpia de artificios, tras algún género de esfuerzos —tal como, por ejemplo, el caso de Solís—; hay que admitir, más bien, que Nieremberg poseía el don de la facilidad para el manejo del lenguaje, y que la palabra justa y necesaria, expresiva y sonora, acudía dócilmente a su pluma al servicio de adoctrinar y persuadir al lector.

Menéndez y Pelayo señalaba, en cambio, en la prosa del jesuita algo así como una demasiada exuberancia, una "acumulación de frases, que no ha de confundirse —dice— con la riqueza real y positiva"[108]. Efectivamente, Nieremberg multiplica con frecuencia las frases de idéntico significado y acumula muchas veces sinónimos, que en una exposición científica serían peso inútil. Pero en las páginas de Nieremberg tienen valor distinto. Primeramente, hay en esta caudalosa abundancia un componente de belleza; el lector se goza repetidamente en el dominio verbal del escritor, capaz de arrancar destellos

[106] Nieremberg, *Epistolario,* ed. de Narciso Alonso Cortés, Clásicos Castellanos, Madrid, 1915.

[107] M. Menéndez y Pelayo, *Historia de las ideas estéticas en España,* ed. cit., vol. II, página 104.

[108] Ídem, íd., pág. 105.

múltiples a una misma idea, y cuando ya imaginamos agotada toda posibilidad, nos sorprende todavía con nuevos hallazgos. Asombra, por ejemplo, ver cómo Nieremberg es capaz de escribir toda una parte de una obra —el libro I de *De la diferencia entre lo temporal y lo eterno,* quince capts.— para decirnos de mil modos y con mil imágenes distintas lo que es el tiempo y la eternidad y cómo ésta nunca ha de acabarse; y todo el segundo para explicar, por el contrario, que todas las cosas humanas han de tener fin. Por otra parte, Nieremberg no busca llevar al ánimo del lector fríos conceptos intelectuales —que podrían encerrarse en breve cláusula—, sino persuasiones vitales que inunden sus sentimientos y lleven su voluntad hacia el fin virtuoso que se propone el escritor. Su prosa torrencial, tan adecuada para la lectura como para el púlpito, cumple entonces exactamente con su misión de eficacia proselitista. Si se nos permite la irreverencia, diríamos que la prosa de Nieremberg actúa sobre la mente del lector por insistencia y acumulación, como un moderno anuncio comercial.

Podría ahora decírsenos que, a la postre, toda la literatura religiosa procede de idéntica manera; y habríamos de asentir. En última instancia, la vida del espíritu puede gobernarse con diez mandamientos y media docena de preceptos evangélicos, y todo cuanto han hecho los escritores religiosos de veinte siglos no ha consistido sino en glosarlos bajo todos los tonos posibles, con más o menos fortuna. Lo que vendría a suponer, al cabo, que la norma para determinar su jerarquía puede quedar reducida a un problema de habilidad y talento literario. En esta escala el padre Nieremberg ocupa una destacada posición [109].

SOR MARÍA DE JESÚS DE ÁGREDA

María de Jesús de Ágreda, llamada en el siglo María Coronel, nació en 1602 en Ágreda, provincia de Soria, hija de un matrimonio acomodado y de exaltada religiosidad. Cuando María tenía dieciséis años, sus padres decidieron separarse e ingresar en conventos respectivos de la orden franciscana. La esposa convirtió su propia casa, a su vez, en un convento, y allí tomó María el hábito a los dieciocho años de edad; a los veinticinco fue elegida priora y poco después elevada a la dignidad de abadesa. Tras larga vida llena de peregrinos sucesos y de visiones más o menos fantásticas, murió en mayo de 1665.

---

[109] Además de las obras mencionadas, cfr.: José Simón Díaz, "Notas sobre el padre Nieremberg", en *Aportación documental para la erudición española,* CSIC, 2.ª serie, Madrid, 1947, págs. 4-6. I. Iparraguirre, "Un escritor ascético olvidado: el Padre Juan Eusebio Nieremberg, 1595-1658", en *Estudios Eclesiásticos,* Madrid, XXXII, 1958, páginas 427-448.

La obra principal de Sor María es la *Mística ciudad de Dios y vida de la Virgen manifestada por ella misma*[110], sorprendente biografía de la Virgen, que fue publicada cinco años después de la muerte de su autora. El manuscrito, dice Pfandl, comprende ocho monumentales tomos en cuarto y la mayoría de las antiguas ediciones constan de tres volúmenes en folio. Los últimos treinta años del siglo XVII conocieron seis ediciones de esta obra, y en el XVIII se hicieron por lo menos otras diez. De 1736, según informa el mismo Pfandl, existe una comedia de Manuel Francisco de Armesto titulada *La coronista más grande de la más sagrada historia*, suceso dramático que parece hablar por sí sólo.

La mística ciudad de Dios es una extraña obra que junta "en forma realista la novela y el libro de devoción, la leyenda piadosa y la falsa historia, la verdad bíblica y la fantasía mística"[111]. Sor María refiere la vida entera de la Sagrada Familia hasta en sus rincones más íntimos y llega a contar incluso lo sucedido durante los nueve meses en que la Virgen estuvo en el seno de su madre. Luego relata punto por punto todos los pasos de la Madre de Dios desde su infancia, sus inclinaciones y costumbres, opiniones y milagros, extendiéndose mucho más en todos aquellos aspectos acerca de los cuales no existe referencia alguna en los libros sagrados ni en fuentes teológicas.

La mística ciudad de Dios pertenecería propiamente al campo de la novela piadosa, sin las frecuentes exaltaciones seudomísticas de la escritora, con sus arrebatos y visiones celestiales de muy problemática autenticidad, que no deben suponerse, sin embargo, nacidos de ningún propósito de impostura; la Inquisición intervino y procesó a la monja, pero ésta consiguió salir absuelta pese al número y calidad de sus denunciadores; también la Sorbona de París condenó como heréticas ciertas proposiciones de otros escritos de Sor María, y se promovió viva polémica, que al fin fue acallada por la defensa no menos ardorosa de otros teólogos. En todo caso, el libro es un precioso documento de época que viene a patentizar la total decadencia, cuando no degeneración, de la mística; es la desembocadura inevitable de un caudaloso río de religiosidad popular, sentimental y pintoresca que había caracterizado tantas manifestaciones de nuestra vida piadosa; y en este aspecto es un libro típicamente español y de su siglo. Pfandl resume acertadamente este carácter, que tantas veces hemos tenido ocasión de observar a lo largo de nuestra historia literaria, pero mucho más ampliamente durante el Siglo de Oro: "Ninguna otra nación del mundo cristiano —dice— entró en relaciones tan familiares con lo celestial, ninguna otra acercó tanto a los ojos carnales a Cristo, la Virgen y los santos en la vida corriente y en las festividades, en la poesía y en la oración,

---

110 *Vida de la Virgen,* ed. de Emilia Pardo Bazán, Barcelona, 1899. *Mística Ciudad de Dios,* ed. del Obispo Ozcoidi y Udave, con biografía, Barcelona, 1914.

111 Pfandl, *Historia...*, cit., pág. 584.

en la pintura y en la escultura, ni transfiguró tanto lo celestial con rasgos terrenos y humanos como el español de la era de los Habsburgos" [112].

Sor María de Jesús de Ágreda ofrece además otro motivo de interés. La fama de su presunta santidad había cundido extraordinariamente y su renombre le era familiar al propio rey Felipe IV. Cuando éste regresaba a la corte desde Zaragoza en 1643 visitó a la abadesa, y quedó tan admirado de su ingenio y conversación, que convinieron en sostener correspondencia, que habría de mantenerse rigurosamente secreta. Felipe IV, tardíamente arrepentido de su pasada incuria y desalentado ya por entero ante los males de su patria, sólo esperaba el remedio en un milagro de la providencia; en medio de su preocupación buscó consuelo y consejo en las cartas de aquella monja, carente de toda experiencia humana, y le consultaba difíciles problemas de gobierno, sobre los que la monja sólo podía aconsejar a base de las noticias del propio rey. Sorprende, sin embargo, la sagacidad y buen sentido que exhibe frecuentemente en sus respuestas, y sobre todo la firme confianza que muestra siempre en los destinos de su país [113]. "Al margen de toda clase de vanidades y respetos humanos —escribe Carlos Seco—, como de cara a la eternidad y a lo más auténtico de su ser, el Rey Católico y su austera confidente sostienen, por espacio de más de veinte años, una larga conversación epistolar en que trances políticos, desdichas familiares e íntimas congojas saltan al papel, desde lo más íntimo de las conciencias, desnudos de ficticios o convencionales afeites; es su sinceridad extremada lo que hace inapreciables estos testimonios que tienen, con frecuencia, el significado de verdaderas autosemblanzas" [114].

MIGUEL DE MOLINOS

Miguel de Molinos cierra el capítulo de nuestra mística en el Siglo de Oro, en la que ocupa un lugar debido a la especial significación de sus doctrinas

---

[112] Ídem, íd., pág. 585.

[113] Las cartas entre Felipe IV y Sor María fueron publicadas primeramente en francés, en forma extractada —*La soeur Marie d'Agreda et Philippe IV. Correspondance traduite par A. Germond de Lavigne,* París, 1855—, y luego en alemán: Ludwig Clarus, *Die geheimnisvolle Stadt Gottes,* Regensburg, 1856; finalmente, F. Silvela las publicó en su forma original e íntegra: *Cartas de la venerable Madre María de Jesús de Agreda,* Madrid, 1885. En nuestros días han sido nuevamente publicadas por Carlos Seco Serrano —*Cartas de Sor María de Jesús de Agreda y de Felipe IV,* BAE, vol. CVIII, Madrid, 1958— con un notable estudio preliminar. Cfr.: Antón María, *Della mistica città di Dio,* Bolonia, 1873. F. Silvela, "Felipe IV y Sor María de Agreda", en *Revista de España,* vols. 77 y 78, 1880-1881. Manuel Serrano y Sanz, *Apuntes para una biblioteca de escritoras españolas,* vol. I, Madrid, 1903, pág. 571. P. Fabo, *La autora de la Mística Ciudad de Dios,* Madrid, 1915. J. Sánchez Toca, *Felipe IV y Sor María de Jesús de Agreda,* Madrid, 2.ª ed., 1924. Samuel Gili Gaya, "Un manuscrito referente a Sor María de Agreda", en *Revista de Filología Española,* XIV, 1927, págs. 182-183.

[114] Introducción a su edición cit., pág. VII.

heterodoxas; de hecho, pertenece más a la historia de las ideas religiosas que a la literatura.

Molinos nació en Muniesa, provincia de Zaragoza, en 1628. Estudió en Valencia, donde muy joven aún se ordenó de presbítero y fue beneficiado de la parroquia de San Andrés y confesor en un convento de monjas. Para gestionar la beatificación de un Venerable marchó a Roma como delegado del Reino de Valencia, y en aquella ciudad se dedicó activamente a la predicación; se relacionó con una cofradía de origen español, llamada la Escuela de Cristo, logró entrada en círculos importantes de hombres religiosamente exaltados y adquirió gran prestigio como director de conciencias entre familias de la alta sociedad romana. Entre estos medios emprendió la difusión de sus ideas, que obtuvieron notable asentimiento, conquistando adeptos entre los mismos cardenales, e incluso el propio Papa, según se decía, llegó a interesarse por las doctrinas del presbítero español. Al concluir la misión que le había llevado a Roma, permaneció en la ciudad, y en 1675 publicó en italiano su *Guía espiritual*[115], pequeño manual ascético-místico, que en sólo seis años alcanzó veinte ediciones. Algunos teólogos denunciaron en seguida la heterodoxia de la *Guía*, pero en medio del éxito creciente no fueron oídos. La crisis sobrevino por razones políticas. El cardenal d'Estrées, embajador de Francia en Roma y amigo íntimo de Molinos, recibió orden de su rey de actuar contra el escritor porque el monarca francés suponía enemigos de su política a los "quietistas", y d'Estrées denunció la *Guía* ante la Inquisición. Molinos, con algunos de sus seguidores, fue preso y procesado por el Santo Oficio, pero abjuró de sus errores y fue condenado a cárcel perpetua y a diversas penitencias. Murió en la prisión nueve años después.

Molinos poseía profundos conocimientos de los místicos españoles y extranjeros, tanto del Siglo de Oro como de la Edad Media, y se sirve de sus doctrinas, interpretándolas a su modo, para construir sus propias teorías. Molinos expone con gran rigor y precisión, con una persuasiva claridad a la que se debió gran parte de su éxito inicial; la *Guía*, por lo demás, no es un tratado extenso, sino un resumen quintaesenciado del "quietismo". Éste propugna como último objetivo el amor desinteresado, tan libre del temor del castigo como del afán de recompensa; el alma ha de situarse frente a Dios limpia y pura de deseos, sin dudas ni preocupaciones, sin reflexiones ni preceptos, *quieta* ante la divinidad, con la confianza de que Dios hará lo restante; ni siquiera la oración ha de consistir en un esfuerzo de meditación, sino en pura práctica contemplativa. Toda actividad propia, toda colaboración con la Divinidad, a través de las tres *vías* tradicionales de la perfección, debe ser desechada; de este modo se llega a un vacío espiritual, a una *nada*, que es el camino más corto para llegar a Dios. El *molinismo* tenía amplias implicaciones morales, porque incluso en los casos de tentación —tal, sobre todo, en

[115] Ed. de R. Urbano, Barcelona, 1906.

materia carnal— el alma debía conducirse pasivamente y dejar obrar al demonio, sin preocuparse, en lo que no constituía sino una transitoria anormalidad.

El *quietismo* tuvo escasísima repercusión en España, pero despertó cierto interés en otras naciones, sobre todo en Francia, donde encontró la protección de madame de Maintenon y provocó la famosa polémica entre Fénelon y Bossuet, que constituye un interesante capítulo de la historia de las ideas religiosas en dicho país [116].

LA ORATORIA SAGRADA: PARAVICINO

Los investigadores de nuestra historia literaria han dedicado muy corta atención a la oratoria sagrada, por lo que son tan poco abundantes los estudios como los textos de que se dispone. En nuestros días ya ha comenzado a ser señalada esta laguna, y poco a poco van concretándose los esfuerzos de algunos eruditos para encauzar el estudio de un género que tuvo intensísimo cultivo en todo tiempo y muy brillante durante los dos siglos de oro [117]. Sólo unos pocos nombres se han salvado de la general indiferencia u olvido, favorecidos a veces por razones ajenas al puro ejercicio de su ministerio religioso; uno de ellos es el famoso predicador fray Hortensio Félix Paravicino y Arteaga.

De familia oriunda del Milanesado, nació Paravicino en Madrid en 1580. Estudió en el colegio de los jesuitas en Ocaña y en las Universidades de Alcalá y Salamanca. Ingresó en la orden de los trinitarios, en Madrid, de la que llegó a ser provincial de Castilla, visitador en dos ocasiones de la provincia de Andalucía, vicario y comisario general. Comenzó muy pronto a sobresalir como orador sagrado y sus superiores le enviaron a Valladolid, donde se hallaba entonces la corte. Al regresar ésta a Madrid se fue con ella Paravicino,

---

[116] Cfr.: C. E. Scharling, *Michael de Molinos, ein Bild aus der Kirchengeschichte des 17. Jahrhunderts,* Gotha, 1855. M. Menéndez y Pelayo, *Historia de los heterodoxos españoles,* ed. nacional, vol. II. H. Ch. Lea, "Molinos and the Italian Mystics", en *The American Historical Review,* XI, 1906, págs. 243 y ss. P. A. Martín Robles, "Del epistolario de Molinos", en *Escuela española de arqueología e historia en Roma. Cuadernos de trabajo,* vol. I, Madrid, 1912, págs. 61 y ss. P. Dudon, *Le quiétiste espagnol Miguel de Molinos,* París, 1921.

[117] Merecen destacarse entre estos investigadores: Miguel Herrero García, *Sermonario clásico. Con un ensayo histórico sobre la Oratoria sagrada en España del siglo XVI al XVII,* Madrid, 1942. P. Félix G. Olmedo, "Decadencia de la oratoria sagrada en el siglo XVII", en *Razón y Fe,* XLVI, 1916, págs. 310-321 y 494-507. Del mismo, *Fray Dionisio Vázquez, O. S. A. (1479-1539). Sermones,* Clásicos Castellanos, Madrid, 1943 (en la primera parte de su notable estudio preliminar alude el P. Olmedo al estado de las investigaciones y publicaciones sobre oratoria sagrada). Del mismo, *Don Francisco Terrones del Caño. Instrucción de predicadores,* Clásicos Castellanos, Madrid, 1946.

y adquirió tal prestigio entre el público cortesano que en 1617 fue nombrado predicador de Su Majestad. Durante muchos años fue el orador de moda, y los más famosos escritores, como Quevedo, Lope y Gracián, le elogiaron sin reservas; fue amigo íntimo de Góngora y le cupo el honor de ser retratado por el Greco. Pronunció numerosísimos sermones en festividades religiosas, días de cuaresma, exequias fúnebres de personas reales, etc., de los que sólo hizo imprimir una pequeña parte; pero después de su muerte en 1633 sus hermanos de religión recogieron sus textos, escritos a veces en forma de imperfectos borradores, y los editaron bajo el título de *Oraciones evangélicas o discursos panegíricos y morales* (1638) y *Obras póstumas divinas y humanas* (1641), que fueron reimpresas posteriormente en versiones más cuidadas. Comprenden, en conjunto, más de un centenar de sermones.

Paravicino representa la cumbre de la oratoria sagrada del Barroco; conceptismo y culteranismo se dan la mano en su obra, según acertó a definir Gracián con fórmula muy suya: "juntó lo ingenioso del pensar con lo bizarro del decir" [118]; pero con mayor inclinación hacia lo segundo. En su juventud compuso poesías religiosas de claro gusto gongorino [119] y cuatro sonetos al Greco. Los puntos de contacto con la lírica de Góngora no sólo en estas poesías, de menor interés, sino en el tono general de su oratoria, ha planteado el problema de si Paravicino influyó en el estilo culto de Góngora o fue, por el contrario, el ejemplo de éste el que animó al trinitario a llevar el culteranismo a la cátedra sagrada. Emilio Alarcos, que ha estudiado el problema sobre bases cronológicas, llega a una conclusión que lo deja resuelto al parecer: "Paravicino —dice— debió formarse su peculiar estilo —mezcla de conceptismo y culteranismo— con independencia del influjo de Góngora, y quizá antes de la aparición de la oda *A la toma de Larache*, del *Polifemo* y de las *Soledades*. Indudablemente, tampoco hay motivo para señalar influencia alguna del famoso Fr. Hortensio sobre el magnífico poeta cordobés. Ambos realizan su obra impulsados por la tendencia de la literatura de la época hacia las complicaciones del barroquismo y de acuerdo con su propio genio. Esto no obstante, en algunos sermones de Paravicino posteriores a 1616 cabe señalar la presencia de ciertos elementos formales de procedencia gongorina" [120].

Hemos aludido a la inmensa popularidad de que gozó Paravicino en su tiempo; aunque no le faltaron detractores y burlas —como la conocida alusión de Calderón al "emponomio horténsico", y una *Censura* anónima que rebatió Jáuregui—, los elogios fueron, de hecho, unánimes, destacando entre

---

[118] *Agudeza y arte de ingenio,* Discurso LXII, ed. Arturo del Hoyo, Madrid, 1960, pág. 510.

[119] Cfr.: José Manuel Blecua, "Poemas juveniles de Paravicino", en *Revista de Filología Española,* XXXIII, 1949, págs. 388-399. Eunice Joiner Gates, "Paravicino, the Gongoristic Poet", en *Modern Language Review,* XXXIII, 1938, págs. 540-546.

[120] Emilio Alarcos, "Paravicino y Góngora", en *Revista de Filología Española,* XXIV, 1937, págs. 83-88 (la cita es de las págs. 87-88).

todos los que le dedicó Pellicer de Salas y Tovar, que llegan a veces hasta lo grotesco [121]. No es de extrañar, por tanto, que al producirse la reacción antibarroca del siglo XVIII, Paravicino fuese rechazado en la misma proporción; con mayores razones, porque la oratoria, en medida muy superior a la lírica y al drama, había degenerado hasta aquellos ridículos excesos que habían de provocar al fin la famosa sátira del *Fray Gerundio,* tan bien dirigida como eficaz. Y como quiera que Paravicino, como figura máxima de la oratoria barroca, venía a ser el patriarca de toda aquella prole, en él se ejemplificó el mal y se concentró la repulsa de los críticos del siglo XVIII. En sus *Exequias de la lengua castellana,* Forner dedica a Paravicino una página implacable; después de llamarle "padre de la corrupción", refiriéndose, por supuesto, a la que había introducido en la oratoria sagrada, enumera todas las extravagancias de su estilo, y termina: "todos éstos, en fin, fueron defectos en Hortensio, que, aumentados con furiosa monstruosidad en los desatinados émulos de su estilo, produjeron la bárbara y desastrada vanilocuencia que leemos con risa cuando no con abominación" [122].

Este concepto de la personalidad y obra de Paravicino, acuñado por el siglo XVIII, es el que ha perdurado hasta nuestros días, repetido por todos los tratadistas de historia literaria; al cabo, ha corrido la misma suerte que la mayoría de nuestros grandes autores barrocos, en especial Calderón y Góngora, con cuyo estilo se le asociaba esencialmente; el mismo Forner afirmaba que Paravicino había subido "al púlpito las destempladas novedades de Góngora" [123].

Consecuentemente también, la hora de la reivindicación tenía que llegarle a Paravicino de la mano de Góngora y Calderón, y así ha sucedido, en efecto; el encargado de esta tarea ha sido Emilio Alarcos, quien en 1937 publicó en la *Revista de Filología Española* un largo trabajo titulado "Los sermones de Paravicino" [124]. Obsérvese que sólo dos años antes había publicado Dámaso Alonso su estudio fundamental *La lengua poética de Góngora,* sin el cual el trabajo de Alarcos no hubiera podido ser escrito; el propio Alarcos lo reconoce así en nota al pie [125]. Efectivamente, Alarcos sigue punto por punto los pasos de Dámaso Alonso en su propósito reivindicador; examina detenidamente las peculiaridades estilísticas de los sermones del trinitario, para demostrar —siempre en la línea de Dámaso Alonso— que su estilo ora-

---

[121] A la muerte de Paravicino escribió y publicó un exaltado elogio fúnebre con este título: *Fama, exclamación, túmulo, i epitafio, de aquel gran padre, fray Hortensio Félix Paravicino y Arteaga, orador glorioso de los dos Filipos, el Piadoso y el Grande* (Madrid, 1634).

[122] Edición P. Sáinz Rodríguez, Clásicos Castellanos, Madrid, 1925, pág. 251.

[123] Ídem, íd., pág. 250.

[124] Emilio Alarcos, "Los sermones de Paravicino", en *Revista de Filología Española.* XXIV, 1937, págs. 162-197 y 249-319.

[125] Nota 1, pág. 310.

torio no es un galimatías caprichoso, sino estudiada construcción, montada sobre las directrices poéticas que la estética barroca había introducido; que sus abundantes cultismos habían sido ya utilizados por numerosos poetas y hasta acogidos en los diccionarios; para llegar, finalmente —también como Dámaso Alonso en el caso de los grandes poemas gongorinos— a la consecuencia de que, si la prosa de Paravicino "exige cierto esfuerzo de la mente y determinado grado cultural en el lector", no resulta oscuro, sino que es, por el contrario, "perfectamente inteligible, completamente claro" [126].

El paralelismo de método seguido por Dámaso Alonso y Emilio Alarcos parece legítimo, y en las más recientes exposiciones la nueva estimación de la oratoria de Paravicino ha sido ya acogida. Pero nos vemos precisados a sugerir algunos reparos.

En primer lugar, Góngora y Paravicino cultivaron géneros muy distintos. Góngora se había propuesto la creación de un nuevo lenguaje poético *para renovar la poesía,* no para predicar sermones, con los medios y resultados que vimos oportunamente y cuyas excelencias ya quedaron dichas. El propósito de convertir la poesía en un refinado instrumento de expresión es laudabilísimo, sin negar tampoco la posibilidad de que la poesía siga otros caminos y aspire a otras metas. Ahora bien: si el arte de Góngora queda no sólo justificado, sino altamente encomiado cuando se descubren sus intenciones y lo perfecto de su realización, no nos parece correcto llevar este método interpretativo a otro género literario cuya finalidad y medios expresivos difieren radicalmente de los que inspiraron la composición de las *Soledades,* pongamos por caso; cuando se consiga demostrar que un sermón de cuaresma encierra en la más exacta medida las mismas peculiaridades estilísticas del *Polifemo,* sólo se habrá podido probar que, como tal sermón, es una estafa. Imaginemos a un dramaturgo que compusiera una comedia y en cada uno de sus tres actos, convertidos en aula universitaria, nos ofreciera la más rigurosa demostración de un teorema matemático; no parece que la alta perfección de aquellas demostraciones autorice a deducir la calidad de la comedia; era otro el lugar. Ningún tratadista de oratoria sagrada ha negado el derecho a servirse de todas las bellezas literarias oportunas, pero sometiéndolas siempre al propósito docente, que es su razón de ser y su sola justificación como género literario propio. Si Paravicino deseaba emular a Góngora, debió dejar de predicar y seguir escribiendo versos.

Existe otra razón para rechazar el paralelo: Góngora era genial, pero Paravicino no lo es. Si sus sermones resultan con tanta frecuencia difíciles —más bien diríamos duros— para el lector, no es tanto por sus oscuridades sintácticas o léxicas cuanto por lo esquinado y desagradable de su ritmo, por su incesante zigzagueo; es casi imposible hallar un párrafo de Paravicino dotado de armonía poética, de esa contundencia de expresión que es el alma de la

[126] Ídem, íd., pág. 318.

oratoria. Su prosa parece construida como a pequeñas piezas, trabajosamente encajadas en una taracea complicadísima. Sin duda alguna, en el éxito oratorio de Paravicino entraba por mucho no sólo su seducción personal, sino recursos físicos de dicción, variaciones de tono, ademanes y curiosas modulaciones de voz, que daban vida —digamos dramática y espectacular— a una prosa, que llevada al papel pierde la casi totalidad de su gracia.

Esto nos lleva, finalmente, a una consideración de índole personal, inevitable, que, unida a las anteriores, nos impide aceptar para su obra la misma comprensión reivindicadora que ha hecho justicia al cabo a la obra de Góngora, de Calderón y de otros muchos escritores barrocos menores. Paravicino era algo así como un gran comediante de la oratoria sagrada, una pieza más de las brillantes y pomposas ceremonias de la iglesia española de su tiempo. El propio Alarcos —no es testimonio recusable— nos define la personalidad del orador: era, dice, "el religioso que ha sabido armonizar la austeridad de su Orden con las maneras cortesanas, la sencillez de la celda con la elegancia mundana" [127]; recordando el retrato que le hizo el Greco, lo define así: "cabello abundante, negro y sedoso, con un rizo que cae sobre la frente; ojos también negros, vivos y penetrantes; boca entreabierta, dispuesta a la sonrisa; manos suaves y acogedoras. Toda la figura respira nobleza y distinción, bondad e inteligencia" [128]; más adelante describe sus actividades: "sin descuidar los deberes de su estado ni las obligaciones de sus empleos, Paravicino participa en la vida cortesana y literaria. Asiste a Palacio, viaja con la corte, frecuenta las Academias literarias, interviene en certámenes poéticos, reúne en su celda a gentes selectas, aristócratas, poetas, eruditos. Afable y simpático, conversador ameno e ingenioso, poeta conceptuoso y preciosista, hace brillante papel en todas partes" [129]. En numerosos pasajes de su estudio nos informa Alarcos de la gran preocupación del trinitario por apartarse de lo vulgar, por singularizarse en todo, no sólo en sus costumbres, sino en el estilo y técnica de sus sermones: "lo dominante no es la intención de moralizar, de edificar al auditorio. Está en cierto modo subordinada y sometida al afán de mostrar novedad en los pensamientos y en la forma de expresarlos. Paravicino desea, sin duda, que sus oyentes queden edificados con el sermón; pero, antes que nada, quiere que éste les produzca sorpresa y deleite, maravilla y entretenimiento. Todo en sus oraciones está dispuesto y organizado

---

[127] Ídem, íd., pág. 162.

[128] Ídem, íd.

[129] Ídem, íd., pág. 166. Refiere Alarcos que en 1624 Paravicino, que se dirigía a Andalucía como visitador de su orden, se agregó en Andújar a la comitiva de Felipe IV, de camino también hacia aquella región; y Quevedo, que figuraba entre los cortesanos viajeros, en carta escrita a un noble de Madrid comenta el hecho con palabras que, en su leve ironía, sugieren la personalidad del trinitario: "Hase juntado hoy Hortensio ante esta cofradía, y vamos para los peligros con confesor, y para los gustos con compañía" (nota 4, pág. 166).

para conseguirlo" [130]. Mas aún queda de manifiesto la actitud del predicador en el siguiente párrafo: "Lo primero que salta a la vista en estos sermones es que han sido compuestos con la preocupación de producir en el auditorio impresión de novedad. Hortensio no sólo procura a todo trance ser novedoso en las citas e interpretación de textos, en las deducciones y reflexiones, en la disposición y adorno de la materia, o en el modo de expresarse, sino que, reiteradamente, llama la atención de su público para que no pasen inadvertidas las novedades que le ofrece" [131].

Paravicino —esto nos parece evidente— se daba en espectáculo con inequívoca actitud de actor; apenas hay sermón en que no haga frecuentes digresiones sobre sí mismo, sobre sus gustos, ideas o estilo. Alardeaba de sensible, y llegaron a hacerse famosas sus constantes alusiones a sus achaques de salud, producidos, naturalmente, por tantos estudios y predicaciones [132].

Paravicino encarna de manera evidente los caracteres más genuinos de la oratoria sagrada de su tiempo. Es natural que las tendencias estilísticas que definen su época se incorporaran a su oratoria; éste es un hecho irrecusable de nuestra historia literaria, y quien se ocupe en la tarea de escribirla tiene que registrarlo con la mayor objetividad; hay que entender al escritor como un producto de su tiempo y ver en su obra las peculiaridades que le caracterizan. Pero en el caso de Paravicino creemos que lo barroco se produce en una dimensión viciosa, por la razón primordialísima de haber llevado a un género literario direcciones que no podían serle propias y que habían de conducirlo irremediablemente a su degeneración. Si se censura al siglo XVIII el haberse servido de las formas líricas para cantar las excelencias de la vacuna, es imposible justificar el empleo de la estilística gongorina en un género literario específicamente docente. La reacción antibarroca del siglo XVIII, injusta en tantas ocasiones, lo fue bastante menos —según nuestro entender— con los sermones de fray Hortensio. Vale la pena, evidentemente, reproducir unas palabras —habrían de ser páginas enteras— de la *Instrucción de predicadores* de Terrones del Caño, impresa en 1617, por los mismos días en que los sermones de Paravicino entretenían a los ociosos cortesanos de Madrid: "De lo dicho queda condenada para el púlpito la elocuencia poética y de los tablados: *La hierba verde y aljofarada, matizada con la roja sangre que la cruda mano, que la sobrehumana ninfa derramó*, etc. Esto mejor es para farsa que para sermón. El sustancial lenguaje del púlpito es el que dijo arriba Quintiliano: *propria verba*. Y en otra parte dice que han de ser *ex sellectissimis vocabulis vulgi*. De manera que el lenguaje no ha de ser curioso, poético, profano, afectado, muy compuesto y numeroso, sino, de los vocablos del vulgo, los

---

130 Ídem, íd., pág. 265.

131 Ídem, íd., pág. 261.

132 Cfr.: Alfonso Reyes, "Las dolencias de Paravicino", en *Revista de Filología Española*, V, 1918, págs. 293-297.

mejores y más propios; pero, al fin, del vulgo, pues los ha de entender el vulgo"[133].

---

[133] Ed. Félix G. Olmedo, cit., pág. 130. Además de las obras mencionadas, cfr.: José Simón Díaz, "Textos dispersos de clásicos españoles. Paravicino", en *Revista de Literatura,* XIX, 1960, págs. 273-285. P. G. Millán, "Paravicino y el Greco", en *Castilla,* Valladolid, I, 1940-1941, págs. 139-142. Narciso Alonso Cortés, "Acervo biográfico. Fray Hortensio Paravicino", en *Boletín de la Real Academia Española,* XXX, 1950, págs. 219-220. En el artículo citado de Alfonso Reyes, "Las dolencias de Paravicino" —nota al pie núm. 1, págs. 294-295— puede verse una extensa bibliografía sobre el trinitario, de interés sobre todo para sus relaciones con el Greco, Góngora y otros escritores de su tiempo.

ÍNDICE DE NOMBRES Y OBRAS

ÍNDICE GENERAL

SIGLO DE ORO: SIGLO XVII